LE SILENCE DE PERLMANN

PASCAL MERCIER

LE SILENCE DE PERLMANN

Traduit de l'allemand
par Nicole Bary et Gaëlle Guicheney

Libella

Maren Sell

Ouvrage réalisé avec le soutien de la Fondation Pro Helvetia
fondation suisse pour la culture

fondation suisse pour la culture
prohelvetia

Titre original :
Perlmanns Schweigen
© 1995 by Albrecht Knaus Verlag, a division of Verlagsgruppe
Random House GmbH, München, Germany

Et pour la traduction française :
© Libella, Paris, 2013.

ISBN : 978-2-35580-026-9

Les autres sont vraiment autres. Autres.

PREMIÈRE PARTIE

Le Manuscrit russe

1 Philipp Perlmann ne savait pas comment vivre le présent. Toutefois ce matin c'était pire qu'à l'ordinaire. À contrecœur, il laissa tomber la grammaire russe et son regard se porta vers les hautes fenêtres de la véranda dans lesquelles un pin tordu se reflétait. C'était ici, dans cet intérieur, autour des tables en acajou luisant, que tout allait se dérouler. Ils allaient le regarder, lui le président de séance, la curiosité alourdirait leurs yeux, et après un silence prolongé, après une pause au cours de laquelle chacun retiendrait sa respiration, ils sauraient : il n'avait rien à dire.

Il aurait préféré partir immédiatement, sans dire où il allait, sans s'expliquer ni s'excuser. Pendant un moment il eut un violent désir de fuir, éprouva une véritable douleur physique. Il referma le livre et son regard, enjambant les cabines de bain bleues, se dirigea vers la baie inondée par la lumière éblouissante d'une claire journée d'octobre sans nuages. Fuir : au début ce devait être merveilleux, il lui semblait que c'était s'affranchir rapidement d'une obligation avec une certaine audace pour accéder à la liberté. Mais la libération serait de courte durée. À la maison, le téléphone n'arrêterait pas de sonner, et à un moment quelconque sa secrétaire finirait par se retrouver devant sa porte en train de carillonner. Il ne pourrait pas sortir dans la rue, ni allumer la lumière. Son appartement deviendrait sa prison. Bien sûr au lieu de se rendre à Francfort, il pouvait se rendre n'importe où, à Florence peut-être, ou à Rome, là-bas on ne le trouverait pas. Mais chacun de ces lieux ne serait désormais rien d'autre qu'un abri clandestin. Il déambulerait dans les rues, aveugle et sourd, irait ensuite se coucher dans sa chambre d'hôtel et écouterait le tic-tac de son réveil. Et il faudrait bien qu'un jour il réapparaisse. Il ne pouvait pas disparaître pour le reste de sa vie. Ne serait-ce que pour Kirsten.

Il ne pourrait offrir aucune explication convaincante. Il serait impossible de donner la véritable raison. Et même s'il en avait le courage : cela ressemblerait à une mauvaise plaisanterie. Resterait l'impression qu'il avait commis un acte arbitraire, loufoque. Les autres croiraient qu'il se moquait d'eux. Il était certain qu'ils prendraient les choses en main. *Mais je serais foutu. On ne peut pas excuser ce genre de choses.*

La faute à tout cela, c'était la lumière merveilleuse qui faisait ressembler la surface de l'eau au-delà des cabines à de l'or blanc. C'est cette lumière qu'Agnès avait voulu capter, et c'est pour cette raison qu'il avait fini par céder à l'insistance de Carlo Angelini. En même temps, il ne lui était pas sympathique, cet homme vif et sportif au sourire séduisant, un brin trop à l'aise. Ils avaient fait connaissance au début de l'année précédente en marge d'une conférence à Lugano. Alors que les travaux avaient déjà repris, Perlmann était resté longtemps à la fenêtre du couloir. Angelini l'avait abordé, Perlmann n'en avait pas été contrarié, car il lui fournissait un prétexte pour ne pas retourner dans la salle. Ils s'étaient rendus à la caféteria où Angelini lui avait parlé de sa fonction chez Olivetti. Il avait trente-cinq ans, une génération plus jeune que Perlmann. Angelini n'avait accepté la proposition d'Olivetti que deux ans auparavant, après quelques années à l'université en tant qu'assistant. Il avait été chargé de développer les relations du groupe avec les universités, il avait carte blanche et disposait d'un budget très généreux, car son programme faisait partie de la communication. Pendant un moment ils avaient parlé de la traduction automatique, une conversation comme tant d'autres.

Mais soudain, Angelini s'était animé et lui avait demandé s'il n'avait pas envie de réunir un groupe de chercheurs pour travailler sur un sujet de linguistique : une manifestation en petit cercle, mais dense, qui rassemblerait une poignée de spécialistes de haute volée pendant quelques semaines, dans un lieu agréable, bien sûr aux frais de l'entreprise.

À ce moment-là, Perlmann avait trouvé que la proposition venait beaucoup trop vite. Il est vrai qu'Angelini avait laissé entendre à Perlmann qu'il ne lui était pas inconnu ; cependant il ne le connaissait personnellement que depuis tout juste une heure. Mais peut-être fallait-il oser ce genre de propositions hardies quand on faisait le job d'Angelini ? En y réfléchissant il semblait à Perlmann qu'un pressentiment l'avait déjà mis en garde dès cet instant. Il avait réagi sans enthousiasme, plutôt mollement, s'était contenté de dire que pour ce genre de recherches, on devait inviter, à son avis, des représentants de différentes disciplines. Une remarque en l'air, irréfléchie, sans aucun contenu. Il avait eu l'impression que tout était resté suffisamment dans le flou et ne l'engageait en aucune façon, et soudain, il avait eu hâte de se rendre dans la salle de conférences.

Il avait oublié cette conversation jusqu'à ce qu'arrive, quelques semaines plus tard, une lettre d'Angelini, suivie peu de temps après d'un appel du siège d'Olivetti à Ivrée. Sa proposition, lui dit-on, avait été très favorablement accueillie dans l'entreprise, surtout, évidemment, parmi les collègues du département de la recherche, mais aussi par la direction. On était particulièrement séduit par la possibilité de promouvoir un projet qui, d'une part, concernait la production de l'entreprise, mais avait d'autre part une portée beaucoup plus grande, puisqu'il s'agissait d'un sujet d'intérêt général, d'un sujet qui intéressait pour ainsi dire la société tout entière. Angelini proposait d'organiser cette rencontre au cours de l'année suivante à Santa

Margherita Ligure, une station balnéaire dans le golfe du Tigullio, non loin de Rapallo. Ils y avaient souvent organisé des colloques et leurs expériences s'étaient avérées positives. La période la plus favorable était les mois d'octobre et de novembre, il faisait encore doux, l'atmosphère calme était propice à la contemplation, c'était exactement ce qui convenait à un groupe de recherche. Pour tout le reste, Perlmann était complètement libre, en tant que responsable du groupe, d'organiser le programme à sa guise, et surtout de choisir les participants.

Perlmann se mordit les lèvres et sentit la mauvaise humeur le gagner, en repensant à cette conversation. Il s'était laissé prendre au dépourvu par la voix bien timbrée, très assurée au bout du fil, et cela sans la moindre raison. Il ne lui devait absolument rien à ce Carlo Angelini. Lorsqu'il l'avait rencontré, il avait été content qu'il lui fournisse un prétexte pour sécher la conférence ; au demeurant, il était pour lui un étranger dont l'ambition ne le concernait pas, pas plus que les desiderata d'Olivetti. Une chose était sûre, il n'avait pas donné son accord au cours de cette conversation. En regardant les choses froidement, il aurait encore pu refuser par la suite. Mais il avait laissé passer le moment opportun, le moment où il aurait été tout à fait naturel de dire : C'est un malentendu, ce n'est pas exactement ce que j'ai voulu dire, je regrette, cela ne colle absolument pas avec mes autres projets, mais je suis certain qu'un grand nombre de mes collègues pourrait très volontiers réaliser votre projet, je vais y penser et vous donner des noms. Au lieu de cela, il avait promis d'y réfléchir. Et au lieu de laisser passer un délai raisonnable avant de refuser, il était allé chercher une carte. Agnès et lui s'étaient penchés dessus et s'étaient imaginé tous les lieux où l'on pouvait aller à partir de cette petite ville, par exemple à Pise et à Florence, mais aussi à Bologne qu'ils aimaient particulièrement. *L'Italie en hiver,* c'était une idée chérie d'Agnès, elle avait des tas de projets de photos, peut-être allait-elle même essayer pour une fois la photo en couleurs, elle avait toujours pensé qu'elle était au-dessus de ça, *quoi qu'il en soit, j'aimerais essayer de capter la lumière du Sud telle qu'elle est en hiver, c'est une occasion, tu ne trouves pas ? Je vais présenter les choses de façon positive à mon agence, il faut que je trouve les bons arguments, mais je suis sûre qu'ils me laisseront partir. Je pourrais peut-être même faire une série de photos : « La lumière hivernale dans le Sud ». Qu'en penserais-tu ?* Bien sûr, octobre et novembre, ce n'était pas encore l'hiver, mais il ne voulait pas être pédant, et un peu de l'enthousiasme d'Agnès avait rejailli sur lui. C'était grotesque, se dit-il en pressant le bout de ses doigts sur ses yeux, mais à l'époque, il s'était surtout imaginé dans le rôle du compagnon d'Agnès photographe, porté et protégé par sa capacité à conquérir le présent pour eux deux. Cela lui semblait incroyable aujourd'hui, mais cela s'était passé ainsi : cette vision, ce rêve éveillé l'avaient incité à dire oui, il avait demandé sa mise en disponibilité et écrit les premières lettres d'invitation. Lorsque dix mois plus tard tout s'était écroulé avec la mort d'Agnès, il était trop tard pour revenir en arrière.

Agnès avait eu raison : le bleu du ciel était ici étonnamment transparent, comme si, en plus du soleil, il y avait une autre source de lumière. L'espace qui formait une voûte au-dessus de la baie prenait ainsi une profondeur cachée, secrète, pleine de promesses. Il avait découvert cette profondeur et cette lumière lorsqu'il était allé en Italie avec ses parents, il y a des années. Il n'avait que treize ans, et n'avait pas encore les mots pour le dire, mais les couleurs du Sud s'étaient profondément imprégnées en lui – c'est maintenant qu'il se rendait vraiment compte à quel point – lorsque le train était sorti, près de Göschenen, du tunnel du Gothard et que le monde ressemblait à un tableau dans des dégradés de gris. Depuis, la lumière du Sud était pour lui la lumière des vacances, la lumière de la vie par opposition à celle du travail. La lumière du présent, qui n'était toujours qu'un présent potentiel, un présent que l'on pourrait vivre, si l'on ne faisait pas que passer des vacances ici. Chaque fois qu'il voyait cette lumière, il avait l'impression qu'on ne faisait que la lui montrer pour mettre en évidence qu'il ne vivait pas sa vie réelle, quotidienne, dans le présent. Et comme cette lumière était toujours restée celle des vacances, la voir allait de pair avec une impression d'éphémère, de temporaire, de quelque chose que l'on perdait dès qu'on l'apercevait. Pour lui, elle était devenue la lumière des adieux, de plus en plus, et parfois il la détestait, car elle lui faisait miroiter un présent qui n'existait peut-être pas.

De ses yeux douloureux, il fixait la surface de lumière qu'un bateau à moteur était en train de fendre. Il se dit que toute la réalité était contenue dans l'éclat de cette lumière, et il n'y avait rien à chercher derrière. Ne pas vivre la lumière comme une promesse, mais comme la résolution de la promesse. Comme un but atteint, non pas comme la source de nouvelles espérances.

Cela ne lui avait jamais été aussi étranger. Il laissa son regard glisser, malgré lui, vers la véranda. Les tables au reflet roux avec leurs pieds galbés avaient été disposées en forme de fer à cheval et sur la partie frontale, signora Morelli avait fait placer un fauteuil particulièrement confortable, muni d'un haut dossier sculpté. « Celui qui a le droit de s'asseoir ici doit être capable de fournir une belle prestation », avait-elle dit en souriant la veille au soir, lorsqu'elle lui avait montré la salle.

Pour la troisième fois ce matin-là, il ouvrit sa grammaire russe. Mais il ne réussit pas à retenir quoi que ce fût, on aurait dit qu'il n'y avait aucun lien entre le monde extérieur et son monde intérieur – comme s'il était aveugle aux signes et au sens. Il s'était déjà trouvé la veille dans cet état, son voyage n'avait été qu'un combat pénible contre l'aversion qu'il lui inspirait. Pendant le trajet en S-Bahn qui le menait à l'aéroport, il avait envié les gens sans bagages, des gens aux visages pâles, les mal lunés du lundi qui n'étaient pas obligés de se rendre à présent à Gênes. Puis, il aurait aimé échanger sa place avec les employés de l'aéroport, avec les passagers qui venaient d'atterrir et sortaient justement de l'avion qu'il allait prendre, lui, et il suivit longuement des yeux chacun d'entre eux. Le voyage, pour eux, appartenait au passé. C'était une matinée venteuse, pluvieuse, les autos avaient allumé leurs phares, une ambiance de décembre en plein mois d'octobre, un temps qui aurait dû intensifier sa joie de se rendre dans le Midi. Mais rien ne lui semblait plus enviable que de rester à Francfort. Il pensa au calme de son appartement où il y avait partout des travaux d'Agnès, il avait envie de s'y enfermer et de n'être plus disponible pour personne pendant longtemps.

Il était déjà assis depuis une demi-heure dans la salle d'embarquement lorsqu'il en ressortit soudain pour appeler sa secrétaire. C'était un coup de téléphone sans raison évidente, il répéta des choses dont ils avaient déjà discuté, la question du courrier et la façon dont ils allaient rester en contact. Frau Hartwig ne savait que dire, son désarroi était perceptible. « Oui, bien sûr Herr Perlmann, je ferai exactement comme convenu. » Puis il voulut savoir, un comble à cet instant, comment allaient son mari, ses enfants. Cet intérêt exprimé à ce moment incongru plongea Frau Hartwig dans l'embarras et finalement un silence prolongé, gênant, s'installa jusqu'à ce qu'il dise : « Bon, eh bien » et elle : « Oui, bon voyage. » Il avait embarqué le dernier.

Dans l'avion, sa propre personne lui donna du fil à retordre. Il se dit que, bien sûr, cette journée était le jour tant redouté du départ pour Gênes, mais malgré tout elle lui appartenait à lui tout seul, et il pouvait en disposer à sa guise. Il posa la grammaire russe sur le siège libre à côté de lui. Puis il attendit l'effet magique du décollage, cet instant de l'envol où tout commence et semble être plus facile. Par une journée comme celle-là, on atteignait rapidement les nuages, on éprouvait quelques moments d'angoisse même si on n'en était plus à son premier vol, et soudain on émergeait dans un ciel transparent d'un bleu profond, une voûte d'un bleu outremer sous laquelle la mer de nuages d'une clarté éblouissante, dense, mais molle, hérissée de petites montagnes blanches aux arêtes aiguisées séparées les unes des autres, faisait habituellement naître en lui une sensation de calme parfait. *Je m'en suis sorti*, se disait-il régulièrement ensuite en savourant le sentiment que tout ce qui l'avait étreint jusque-là avait perdu son pouvoir et s'estompait lentement derrière lui sans qu'il ait eu à intervenir. Mais hier, les choses ne s'étaient pas passées ainsi, l'ensemble lui avait semblé absurde et ennuyeux, il n'avait perçu que le mouvement continuel accompagné du grondement des moteurs, rien d'autre. Bien sûr c'était à l'extérieur ; mais il avait l'impression d'être dans le film publicitaire d'une compagnie aérienne, montré des milliers de fois, sans authenticité, sans réalité. Il tira le store sur le hublot, refusa le repas et essaya de se plonger dans la grammaire. Mais la concentration dont il était habituellement capable le laissa en plan. Il n'arrêtait pas de regarder les petites cases et les phrases d'exercice, mais il ne saisissait pas, tout simplement. Lorsque l'avion amorça sa descente, il fut plus effrayé par le léger changement du bruit du moteur et par la sensation qu'il éprouvait dans son corps qu'il ne l'aurait été par une détonation. Maintenant ça y était. Le sentiment d'un impossible, d'un inévitable retour en arrière le submergea. Lorsqu'en descendant quelqu'un le bouscula par inadvertance, il lui fallut fermer les yeux pendant quelques secondes, se tenir fermement pour parvenir à garder son calme.

À Gênes, le temps était bouché, sans vie. Des bancs de nuages – on aurait dit qu'ils étaient sales – laissaient filtrer une lumière mate, insignifiante. Les choses étaient réduites à elles-mêmes de façon insistante, elles n'avaient ni sens ni éclat. Les installations industrielles que le bus de l'aéroport longea étaient horribles, pas la moindre fenêtre ne semblait intacte, et il se demanda comment une aire industrielle aussi sinistrée pouvait produire la masse de fumée dont le blanc éblouissant laissait supposer qu'elle était toxique. À la gare, les rares personnes se déplaçaient poussivement, c'est du moins l'impression qu'il eut, dans un temps qui lui était étranger et qui s'écoulait avec une lenteur oppressante. Aux guichets les employés occupés à fumer ne faisaient pas mine de vouloir lui délivrer un billet. Même le chauffeur de taxi ne semblait pas avoir envie de faire des affaires. Ce n'est que lorsqu'il eut terminé de tailler une bavette avec ses collègues qu'il lui demanda quel chemin il devait prendre. « Le plus court », lui avait répondu Perlmann d'une voix courroucée.

Avant qu'il soit sur le point de s'envoler pour le retour, il fallait que quatre semaines, cinq jours et trois heures et demie s'écoulent. Perlmann scrutait les dalles de pierre de la terrasse de l'hôtel en terracotta. Il lui semblait être face à une immense montagne de temps sans présent, si haute que son désir d'être déjà sur le point de partir se fit plus impérieux. C'était comme si son désir était lié mystérieusement à la montagne et possédait la capacité magique de la rendre encore plus haute. Et comme ce désir, chaque fois qu'il l'avait sous les yeux, se faisait plus violent et menaçait de croître jusqu'à l'infini, Perlmann avait l'impression que ce moment si ardemment désiré ne viendrait jamais, car il lui était impossible de surmonter tout ce temps mort qui s'élevait devant lui comme une paroi menaçante.

La seule issue serait de faire taire ce désir et de trouver la paix intérieure. Alors la montagne s'aplanirait d'elle-même, et quand le silence intérieur serait parfait, le temps ressemblerait à une plaine qu'il pourrait traverser sans peine pour parvenir jusqu'à ce terme si lointain.

Il voulait enfin se mettre dans la tête les différentes expressions qui correspondaient en russe au verbe allemand *müssen, être contraint.* Il parcourut la liste et oublia immédiatement chaque ligne. Rester assis plus longtemps à l'ombre était absurde, et le problème, ce n'étaient pas les lunettes de soleil. Pourtant, il avait de l'expérience dans l'apprentissage des langues étrangères. À vrai dire, c'était le seul domaine où il avait de l'expérience. C'était aussi le seul qui réussissait à mobiliser son attention. Cette activité lui donnait l'impression que sa vie allait de l'avant et qu'il progressait. Et parfois quand une phrase étrangère, un texte jusque-là difficile s'ouvraient soudain, il lui semblait attraper un souffle du présent.

Si seulement il pouvait ressentir quelque chose de semblable quand il s'adonnait au travail scientifique ! Cela lui sembla étrange, mais il ne se souvenait plus s'il en avait été ainsi un jour. Si tel avait été le cas, cela remontait à bien longtemps, à l'époque où il ne connaissait pas encore la paralysie qui le tourmentait maintenant. À présent, il avait le sentiment de ne plus vraiment savoir ce qu'était le travail scientifique. Ce n'était pas un blocage face à l'écriture, il en était certain. Il n'avait jamais connu ça, il était capable de trouver la formulation pertinente et à l'occasion brillante, dans un style aisé, et il sentait que cette capacité ne l'avait pas quitté. Il s'agissait de quelque chose d'autre, dans le fond de quelque chose de beaucoup plus simple, et en même temps de quelque chose qu'il n'aurait pas pu s'expliquer, pas à lui-même, encore moins aux autres, surtout à des collègues : il avait perdu la foi dans l'importance du travail scientifique, cette foi qui autrefois avait été le moteur qui l'avait fait avancer, avait rendu possible sa discipline quotidienne et avait semblé donner un sens aux renoncements qui en étaient la conséquence.

Cette foi, il ne l'avait pas perdue en se livrant à des déductions logiques ou à un bilan, sa perte n'avait rien à voir avec une conviction intérieure. Il n'arrivait tout simplement plus à trouver la concentration, le sentiment d'exclusivité dont jusque-là ses travaux scientifiques étaient issus. Il n'aurait pas pour autant affirmé, comme un jugement de valeur, que ses travaux de recherche, ou la recherche en général, n'avaient aucune importance. Désormais, il prenait de plus en plus rarement le chemin de sa table de travail. Il passait de plus en plus de temps à regarder par la fenêtre, de mois en mois sa chaise préférée lui semblait de plus en plus inconfortable, et de plus en plus souvent les livres posés sur son immense bureau lui paraissaient des objets balourds qui perturbaient l'apaisement apporté par le vide.

Depuis lors, il regardait la science comme au travers d'une paroi de verre qui le reléguait au rôle d'un simple spectateur. Prouver scientifiquement quelque chose : il n'en éprouvait tout simplement pas le besoin. L'intérêt pour une recherche méthodique, pour l'analyse et le développement de théories, jusque-là un élément constant de sa vie jamais remis en question, une évidence, en quelque sorte son centre de gravité – cet intérêt avait complètement disparu, et si radicalement qu'il n'était même plus sûr de comprendre comment la situation avait pu être différente autrefois. Lorsque quelqu'un parlait d'une idée nouvelle, d'une trouvaille, il lui arrivait encore de pouvoir écouter, mais seulement pendant un petit moment : déjà l'argumentation ne l'intéressait plus, il avait la sensation de perdre son temps.

Parfois il cherchait à se persuader que tout avait commencé ce jour clair, blanc, affreux de janvier, lorsqu'il avait vu Agnès pour la dernière fois, si effroyablement, irrévocablement silencieuse. Par la suite, il aurait pu considérer qu'il était encore sous le choc, comme un convalescent. Cela aurait désamorcé la situation.

Mais ce n'était pas vrai. Étonné et inquiet aussi, il constatait qu'il avait oublié comment les choses avaient exactement commencé. Cela remontait à bien avant, il en était certain. De petits changements d'abord dans ses réactions à chaud face à des situations relatives à sa profession, toute une gamme de sentiments, d'imperceptibles changements dans les nuances qui au fil des mois et des années s'étaient additionnés pour former une rupture dont un jour il était devenu parfaitement, clairement conscient. Cela avait commencé lorsque, vu de l'extérieur, il était au sommet de sa productivité ; personne ne se serait douté que derrière la façade, la substance commençait à s'effriter et à se détruire sans bruit.

Il avait commencé à oublier. Pas à oublier au point que les autres le remarquent. Il n'y avait pas d'hiatus dans la structure routinière. Mais il s'apercevait lui-même de plus en plus fréquemment que des questionnements lui échappaient, surtout ceux qui n'étaient pas encore rodés, ceux qui ne faisaient pas encore partie du stock solide de la rhétorique de sa discipline, donc les questionnements nouveaux et intéressants qui, justement parce qu'ils n'étaient pas encore si bien ancrés, auraient demandé une attention constante. Il était surpris, quand il feuilletait ses documents, de constater tout ce qui s'y trouvait, il était aussi effrayé de prendre conscience de l'étendue de ce qu'il avait tout simplement oublié.

Le pire, c'était qu'il était certain qu'il ne s'agissait pas de quelque chose de passager ; d'une crise dont on pouvait se dire qu'elle allait passer, même si on ignorait quand et comment. Cette situation l'effrayait, il savait qu'elle était irréversible et inéluctable. Au-delà de la menace, il s'en rendit compte petit à petit, il ressentait, quand il allait bien, l'impression étonnante, libératrice et presque jubilatoire que quelque chose se développait en lui, quelque chose qui était au centre, au cœur de sa vie. Mais cette sensation qui transparaissait de temps en temps n'apaisait en aucune façon son angoisse. Il n'y avait en quelque sorte aucun contact entre ces deux sensations, elles existaient l'une à côté de l'autre, sans rapport entre elles. Et ce trouble provoqua en lui un sentiment étrange qu'il essayait de comprendre de plus en plus souvent, mais qui se révélait instable et peu fiable : il ne savait jamais si la sensation était véritable ou s'il la provoquait, l'inventait d'une certaine manière, pour avoir quelque chose à quoi s'accrocher quand la métamorphose l'angoissait trop.

Lorsqu'il regarda à nouveau dans son livre et s'interrogea, il remarqua qu'il n'avait pas retenu un seul mot russe correspondant à l'allemand *müssen*. Il abandonna et saisit un autre livre qu'il avait apporté de sa chambre lorsqu'il avait décidé de passer ses dernières heures de liberté sur la terrasse de l'hôtel. C'était le roman de Robert Walser *L'Institut Benjamenta,* un livre qui la veille sur l'étagère lui avait semblé soudain être le compagnon idéal, bien qu'il ne l'ait plus eu en main depuis des années et ne se souvînt que confusément de l'institut éponyme et du personnage, Jacob von Gunten. Pendant le voyage, il avait été à plusieurs reprises sur le point d'ouvrir le livre, mais il avait chaque fois éprouvé une sorte de timidité bizarre et inexplicable qui l'avait emporté sur sa curiosité. Comme si, dans le livre, il y avait quelque chose qui le concernait et qu'il était préférable qu'il ignorât.

La première phrase lui coupa le souffle. « Nous apprenons très peu ici, on manque de personnel enseignant, et nous autres, garçons de l'Institut Benjamenta, nous n'arriverons à rien, c'est-à-dire que nous serons tous plus tard des gens humbles et subalternes[1]. » Perlmann, comme assommé, suivit des yeux le serveur qui apportait à l'homme roux une boisson sur un plateau d'argent au bord de la piscine. Plusieurs minutes passèrent avant qu'il trouvât le courage de continuer à lire, réticent et fasciné à la fois par ces phrases bouleversantes écrites avec une légèreté hallucinante. « Monsieur Benjamenta me demanda ce que je voulais. Je lui déclarai timidement que je désirais être son élève. Là-dessus, il se tut et se mit à lire les journaux[2]. »

Cette dernière phrase, non, elle ne devrait pas être là. C'était, dans sa simplicité, une phrase qu'on ne pouvait pas supporter. Perlmann reposa le livre. Son pouls ralentit. Mais il ne comprit pas pourquoi le récit de l'élève Jacob semblait en quelque sorte parler de lui. Tout d'un coup, il fut absolument sûr que le texte qu'il écrirait, s'il arrivait à mettre des mots sur sa détresse, serait dans le même registre. Ce devrait être des phrases porteuses d'une émotion équivalente et tout aussi incisives, si elles voulaient vraiment capter ce qui lui arrivait maintenant depuis des années lorsqu'il pénétrait dans une salle de cours.

Ce n'était pas le trac. Ce n'était pas l'angoisse de se trouver tout d'un coup face au public, de fixer droit devant soi le pupitre et d'avoir tout oublié. Autrefois il avait souffert à cette idée, mais il y avait longtemps que c'était passé. C'était autre chose, quelque chose qu'il n'avait identifié qu'après un bon bout de temps et qui l'avait glacé d'un effroi silencieux : le sentiment très précis qu'il n'avait rien à dire. Au fond il trouvait ridicule de parcourir chaque semaine l'allée centrale de

1. Robert Walser, *L'Institut Benjamenta* (trad. Marthe Robert), Paris, Grasset, 1960.
2. *Ibid.*

l'amphithéâtre sous les regards curieux des étudiants. En la descendant, il sentait presque à chaque marche croître en lui le sentiment qu'il leur volait quelque chose.

Ensuite il ouvrait ses notes et se mettait à parler, son élocution était fluide, entraînée, il était connu pour parler comme un livre. Les étudiants l'appréciaient, il n'était pas rare que certains d'entre eux s'approchent de son pupitre à la fin du cours pour en savoir davantage. C'était particulièrement difficile. Pendant le cours, l'espace libre entre son pupitre et les bancs des étudiants l'avait protégé, il avait rempli la fonction d'une paroi protectrice derrière laquelle il pouvait cacher son manque d'intérêt, cette tare. Lorsque ensuite les étudiants se tenaient devant lui, il se sentait démuni et il avait peur qu'ils ne remarquent qu'il n'était plus vraiment dans le coup. Il se réfugiait en faisant preuve d'un zèle assidu, remontait bien trop loin en arrière, remplissait encore une fois un tableau et promettait d'apporter la fois suivante des livres sur la question. Il n'était pas rare que ce soient ses propres livres qu'il remette aux étudiants comme pour les soudoyer. Un professeur engagé. Ils avaient aussi envie de le connaître personnellement et l'invitaient à les retrouver dans leur bistrot favori.

Les premiers clients qui n'habitaient pas l'hôtel arrivaient pour déjeuner. Perlmann ramassa ses livres et remonta dans sa chambre. En fermant la porte, son regard tomba sur les tarifs et il sursauta. La chambre coûtait dans les trois cents marks par jour. Le séjour, par personne, s'élevait à presque dix mille marks, sans compter les repas principaux. Multiplié par sept. Bon, pour le groupe Olivetti c'était certainement une somme insignifiante et Angelini devait savoir ce qu'il faisait en les logeant dans l'hôtel le plus cher du coin. Il était possible qu'il ait négocié une remise. Perlmann se passa le visage sous le robinet en laiton étincelant, puis se lava longuement les mains. Il ne lui serait pas venu à l'idée de descendre dans un hôtel de cette catégorie, même si ce n'avait pas été une question d'argent. Il savait tout simplement que sa place n'était pas ici. Il se mit à transpirer en pensant à son cahier miteux recouvert de similicuir noir, c'était sa seule réplique, une liasse de feuilles volantes contenant ses notes que, de plus, il n'avait pas regardées depuis longtemps. Il eut l'impression d'être un imposteur, presque un voleur.

C'était la raison pour laquelle il n'avait pas la moindre intention, quel que soit le scénario de son choix pour s'enfuir, de payer lui-même son addition. Dans ces circonstances, il aurait lui-même fourni la preuve de son imposture. Les autres reconnaîtraient dans ce comportement que ce n'était pas un cas de force majeure qui l'avait poussé à faire ce pas, mais que son étrange façon d'agir devait avoir un rapport avec son attitude face au groupe. Et cela lui était désagréable. C'était en contradiction avec son besoin de dévoiler de lui-même le minimum et de laisser le plus possible dans l'ombre. Mais il ne voulait pas se sentir redevable, au moins sur ce point, il voulait remettre de l'ordre dans la situation.

Il ouvrit son attaché-case en hésitant et se mit à installer soigneusement ses livres sur sa table de travail. Il lui avait été difficile, la veille au soir, de les choisir. Il lui était apparu, encore plus clairement que d'habitude, qu'il n'avait pas eu de projets scientifiques depuis très longtemps. Dans cette situation, comment décider de ce qu'on devait ou non emporter ? Il était resté assis pendant un bon moment et avait joué avec l'idée de ne pas emporter de littérature spécialisée, seulement quelques romans. Mais même si cette perspective était particulièrement libératrice, il ne pouvait pas prendre ce risque. Pour le cas où les autres lui rendraient visite dans sa chambre, il fallait qu'il construise une façade, un camouflage. Sa détresse ne devait pas être dévoilée, c'était ce qui importait. Pour finir, il avait mis dans sa valise toute une série de livres qui lui étaient parvenus au cours des derniers mois et qu'il n'avait pas lus. C'étaient des livres dont tous ses collègues de la même discipline feraient l'acquisition. Il n'avait de lui-même pas encore osé mettre fin à ce genre d'achats de routine, bien qu'il commençât à regretter l'argent dépensé – un sentiment qui l'effraya, car depuis l'époque où il allait à l'école il lui avait été évident que ce n'était jamais trop cher quand il s'agissait de livres.

La table de travail était suffisamment large pour les livres, et quand on les poussait vers le mur, avec des volumes lourds sur les côtés, l'ensemble était stable et il restait assez de place pour écrire. Apporter un ordinateur, la petite machine avec une gigantesque mémoire pour tous les textes qu'il n'avait pas écrits, il n'en avait pas eu le courage, cela lui aurait semblé le comble de l'imposture. Perlmann posa crayons, règle, son meilleur stylo à bille sur la plaque de verre, et une pile de feuilles blanches. Il fallait absolument qu'il se mette au travail le lendemain matin. *Je n'ai pas la moindre idée du sujet. Mais il faut que je m'y mette. À tout prix.*

Voilà ce qu'il se disait déjà depuis des mois. Et pourtant il n'y était pas arrivé. Au lieu de cela il avait passé plusieurs heures par jour à travailler son russe. Cela le reliait à Agnès. Soutenu par la musique qu'ils aimaient tous les deux, il s'était réfugié dans un espace intérieur où elle se trouvait, elle aussi, assise à cette table, et comme d'habitude, elle le faisait réciter, en riant, lorsqu'une fois de plus elle comprenait plus vite que lui. Pendant ce temps-là, la littérature spécialisée était restée en rade et avait commencé à s'empiler sur une étagère, à portée de main, mais il ne l'avait jamais consultée, bien qu'elle l'ait constamment rappelé à l'ordre. Sur son bureau il n'y avait pour ainsi dire plus que les manuels d'apprentissage des langues. Seulement, lorsqu'il recevait la visite de collègues qui risquaient de pénétrer dans son bureau, il simulait le profond désordre créé par un chercheur en plein travail, entouré de montagnes de livres ouverts et de manuscrits. Chaque fois, un combat se livrait entre l'angoisse et l'estime de soi, et c'est l'angoisse qui l'emportait.

Entre-temps il avait entretenu une correspondance régulière avec le groupe de recherche. Il lui avait fallu répondre à des questions de détails pratiques, écrire des confirmations officielles. Il l'avait fait depuis son bureau à l'université. À la maison, rien ne lui avait rappelé que le départ se rapprochait inexorablement, et il était devenu un habitué, un virtuose même, dans l'art de n'y point penser.

Pour ses cours, il utilisait depuis longtemps de vieux manuscrits qui lui étaient devenus tout à fait étrangers, et il lui était arrivé parfois de jouer le rôle de son propre attaché de presse. Si quelqu'un dans le public lui posait une question inattendue qui le mettait dans l'embarras, il se ménageait une pause pour reprendre son souffle en disant des choses du style : « Vous savez, il en va ainsi… » ou : « Mais c'est une bonne question. » C'étaient des formules toutes faites qu'il n'aurait jamais employées autrefois et il se détestait en les prononçant. C'était un vieux routier, il pensait et réagissait vite, et quand il le fallait, parce qu'il n'avait rien de plus substantiel à sa disposition, il pouvait briller dans un véritable feu d'artifice rhétorique. De cette façon-là, on pouvait encore impressionner des étudiants. Pour le quotidien de l'enseignement, c'est du moins ce qu'il se disait presque chaque fois qu'il quittait la salle de cours, son camouflage devrait tenir le coup.

Mais ici il s'agissait de tout autre chose. Dans moins de trois heures des gens allaient arriver à qui on ne pouvait pas la faire, des gens qui n'avaient pas à combattre ce genre d'états d'âme, des gens ambitieux qui étaient habitués aux rites des joutes scientifiques et à une situation de concurrence constante. Ils allaient venir avec leurs propres travaux de recherche, avec d'épais manuscrits, avec des projets et des attentes, ils attendaient beaucoup des autres, et notamment de lui, Philipp Perlmann, le linguiste distingué. Leurs attentes étaient pour lui autant de menaces, pour cette raison ils devenaient ses adversaires, sans en avoir eux-mêmes la moindre idée. Des êtres comme eux possédaient une perspicacité très fine de tout ce qui concernait la réalité sociale de leur discipline, ils enregistraient avec l'exactitude d'un séismographe ce qui clochait quand c'était le cas. *Ils vont remarquer que je ne suis plus au point. Que je ne fais plus partie de leur communauté.* Et tôt ou tard au cours de ces cinq semaines, ce serait évident : précisément lui, le chef du groupe, le metteur en scène de l'ensemble allait se trouver face à eux les mains vides, comme un écolier qui n'a pas fait ses devoirs. Leur réaction serait l'incrédulité, ce serait un scandale silencieux. Certes, ils continueraient à faire preuve, en apparence, d'une certaine amabilité. Mais ce serait l'amabilité qui tue parce que celui à qui elle était destinée aurait la certitude qu'elle n'était qu'un rituel vide, même pas capable d'atténuer le mépris qui s'exprimait par le silence.

Il était maintenant une heure passée. Perlmann avait un creux à l'estomac. Mais l'idée de se retrouver en bas, assis dans la salle à manger chic, et de déjeuner avec des couverts en argent, lui était insupportable. De façon générale aussi, l'idée de manger lui donnait la nausée. À cet instant, il lui sembla que quelle que soit l'importance de sa faim et de son creux à l'estomac, il ne recommencerait à s'alimenter que lorsqu'il serait dans le vol qui le ramènerait à la maison, quand il aurait atteint ce point dans le temps qui lui semblait tellement insupportablement éloigné.

Il s'allongea sur son lit. À cet instant, Brian Millar était à Rome. Son avion en provenance de New York s'y était posé tôt le matin et maintenant il avait rendez-vous avec le collègue italien pour discuter d'un projet d'encyclopédie linguistique. Il ne prendrait un vol pour Gênes qu'en fin d'après-midi. Donc : encore quelques heures de répit avant la rencontre avec le premier intervenant. Laura Sand n'arriverait elle aussi qu'en fin d'après-midi. Elle devait d'abord se rendre en train d'Oxford à Londres, puis prendre un vol pour Milan. Ce devait être assez fatigant pour elle, car elle venait juste de rentrer de son séjour au Kenya avec ses animaux. Était-elle restée fidèle à elle-même et arriverait-elle ici toute de noir vêtue ? Adrian von Levetzov s'était annoncé pour le début de l'après-midi. Dans son style baroque et expansif, il avait évoqué un vol direct Hambourg-Gênes. Frau Hartwig avait dû s'amuser du violent contraste entre son papier à lettres distingué et le bout de papier déchiré d'Achim Ruge sur lequel celui-ci avait indiqué en travers du feuillet, au milieu de nombreuses taches de café, qu'il lui fallait encore organiser le travail dans son laboratoire de Bochum pendant son absence : il ne pouvait donc dire s'il arriverait le mardi ou le mercredi. On ignorait encore quand Giorgio Silvestri pourrait se libérer de ses obligations dans sa clinique de Bologne, mais il voulait en tout cas essayer d'arriver pour le dîner. Après lui avoir parlé au téléphone, Perlmann ne savait pas s'il aimait sa voix de fumeur. Lorsque Angelini avait parlé de lui, il s'était montré très distant et Perlmann ne savait pas pourquoi il l'avait invité. Peut-être tout simplement parce qu'Agnès avait affirmé que des troubles du langage étaient certainement intéressants dans des cas de psychose.

C'est Evelyn Mistral qui arriverait la première. Le train en provenance de Genève devait entrer en gare de Gênes à une heure trente. Il ne regretterait pas qu'il l'ait proposée à sa place, lui avait dit son patron qui devait, lui, subir une intervention chirurgicale. On entendrait encore beaucoup parler d'elle dans le domaine de la psychologie du développement. La liste de ses publications était impressionnante pour quelqu'un qui n'avait que vingt-neuf ans. Pourtant, il n'avait pas regardé ses travaux dont Frau Hartwig avait posé une pile sur son bureau. La seule chose qu'il connaissait d'elle, c'était sa voix au téléphone, une voix incroyablement claire, à l'accent espagnol abrasé.

La politesse imposait que lui, qui les avait invités, les attendît au rez-de-chaussée. Mais il s'écoula encore cinq minutes pesantes avant qu'il ne se lève. Lorsqu'il se dirigea vers la chaise face à lui pour prendre sa veste, il trébucha sur son attaché-case vide. Il s'apprêtait à le fermer et à le ranger lorsqu'il remarqua le texte de Leskov à moitié caché dans une poche latérale : un épais tapuscrit en russe, une mauvaise photocopie d'un format inhabituel, sur un papier froissé que le trajet avait écorné. Le texte était accompagné d'une lettre dans laquelle Leskov l'informait qu'il n'avait pas obtenu de visa de sortie et qu'il n'aurait de toute façon pas pu venir, car sa mère était subitement tombée malade. Il traitait un sujet sur lequel il était justement en train de travailler, avait-il écrit, et il espérait ainsi pouvoir garder le contact, scientifiquement pour ainsi dire, avec lui. Lui envoyer ce texte, se dit Perlmann, c'était obséquieux ; ses relations avec le Russe n'étaient pas aussi intimes. Il l'avait mis de côté et oublié. Il ne lui était retombé dans les mains que ce dimanche soir alors qu'il faisait ses bagages. *C'est absurde,* avait-il pensé ; mais l'idée d'emporter un texte en russe lui avait plu, d'une certaine façon, c'était quelque chose d'extravagant et donc d'intime. C'est ainsi qu'il l'avait finalement glissé dans sa valise, en même temps qu'un dictionnaire de poche russe.

Lorsqu'il eut le texte en main, celui-ci lui donna subitement l'impression qu'il lui offrirait la possibilité de se démarquer des autres et de se défendre contre eux. Rendre ce texte intelligible, du moins essayer : il tenait là son projet pour les semaines à venir. C'était un travail auquel il pouvait se consacrer pendant ses heures de liberté, un espace intérieur fermé aux autres et grâce auquel il se défendrait contre leurs attentes, un rempart solide au-delà duquel leur jugement ne l'atteindrait pas. Lorsqu'il se consacrait à ce texte, lorsque les phrases russes s'ouvraient à lui les unes après les autres, il réussissait même parfois à braver la montagne du temps en lui soustrayant quelques instants du présent. Et quand ensuite, au terme des trente-deux jours restants, il serait à nouveau assis dans l'avion et profiterait du spectacle de l'avion s'élançant à travers la mer de nuages, il pourrait alors se dire qu'il savait beaucoup mieux le russe qu'auparavant et qu'il n'avait donc pas complètement perdu son temps.

Perlmann prit le texte et le dictionnaire et, en descendant les marches et en saluant d'un signe de tête signora Morelli, son pas était plus léger que les jours précédents. Il s'assit sous la colonnade devant l'entrée dans un fauteuil en osier et contempla le titre écrit de la main de Leskov, soigneusement dans de grands caractères bien tracés : O ROLI YAZYKA V FORMIRO-VANII VOSPOMINANIY. Il n'eut qu'à vérifier une seule fois dans le dictionnaire, et il avait la traduction : LE RÔLE DE LA LANGUE DANS LA FORMATION DES SOUVENIRS.

Il eut l'impression que le sujet lui était familier. Exact, c'est ce qui avait fait l'objet de leur conversation à Saint-Pétersbourg. Il se revoyait avec Vassili Leskov, debout près d'une fenêtre du Palais d'Hiver, en train de regarder dehors la Neva gelée. La mort d'Agnès ne remontait qu'à deux mois, et il n'avait eu absolument aucune envie de se rendre à un congrès. Lorsqu'il avait reçu l'invitation, Agnès avait immédiatement été tout feu tout flammes, *mais alors nous allons pouvoir mettre notre russe à l'épreuve*, et voilà que maintenant il était là, car malgré la douleur, sa présence lui donnait le sentiment d'être relié à elle. Leskov et lui étaient tous les deux restés assis dans le foyer du centre de conférences quand la séance avait commencé, et ils s'étaient mis à parler ; cela s'était passé, se dit-il, comme avec Angelini. Au début, Leskov ne lui avait pas été sympathique : un homme lourd, difficile à cerner, chauve, aux traits grossiers, avide de discuter avec ses collègues occidentaux et, pour cette raison, d'un comportement empressé, quasiment obséquieux. Il avait le débit d'une mitraillette, et Perlmann qui aurait préféré qu'on le laissât en paix le trouva d'abord insupportable et importun. Mais ensuite il avait écouté : ce que cet homme disait dans un allemand parfois vieillot, mais quasiment sans faute, sur le rôle de la langue dans le vécu, surtout dans l'expérience individuelle du temps, se mit à le captiver.

Il décrivait des expériences que Perlmann connaissait depuis longtemps, mais qu'il n'avait jusque-là jamais réussi à relier les unes aux autres ni à évoquer de façon aussi pertinente, aussi nuancée que ce Russe qui n'arrêtait pas de gesticuler en brandissant le tuyau de sa pipe humide entre ses doigts maladroits. Leskov remarqua très rapidement que l'intérêt de Perlmann augmentait ; il s'en réjouit et lui proposa tout de go de lui montrer un peu la ville.

Il la lui fit traverser tout entière jusqu'au Palais d'Hiver. C'était par une matinée lumineuse et ensoleillée, début mars. Perlmann se souvenait surtout des maisons illuminées par le soleil, dans des tonalités d'un ocre clair délavé ; dans son souvenir, tout Saint-Pétersbourg n'était fait que de cette couleur. Leskov, vêtu d'un loden vert élimé, avec chapka et pipe, se déplaçait péniblement d'un pas lourd, en gesticulant, légèrement essoufflé, en lui montrant, lui expliquant beaucoup de choses. La plupart du temps, Perlmann n'écoutait pas, il était en pensée avec Agnès qui avait toujours eu le projet de venir ici pour faire des photos, de préférence en été pendant les nuits blanches. Il s'arrêtait parfois et essayait de considérer une partie de son champ de vision avec les yeux d'Agnès, ses yeux auxquels seules importaient l'ombre et la lumière. De cette façon, pensait-il maintenant en feuilletant le texte de Leskov, il existait un lien étonnant entre Agnès et ce Russe : Leskov comme guide « touristique » des promenades imaginaires de Perlmann en compagnie d'Agnès dans Saint-Pétersbourg.

Ensuite les heures passées au Palais d'Hiver, puis à l'Ermitage, créèrent une intimité étrange entre les deux hommes. Perlmann révéla à l'homme qui l'accompagnait et qui lui était encore très étranger qu'il apprenait sa langue, sur quoi le visage de Leskov s'illumina et il se mit immédiatement à continuer en russe jusqu'à ce qu'il remarquât que Perlmann n'arrivait absolument pas à suivre. Leskov connaissait très précisément les tableaux rassemblés ici, et parfois il attirait l'attention de Perlmann sur l'un d'eux que l'on n'aurait généralement pas remarqué lors d'une première visite, et de temps à autre il prononçait une phrase simple en russe, lentement et distinctement. Perlmann passa ces heures dans une disposition d'esprit où se mêlaient l'effet produit par les œuvres d'art et la joie d'avoir compris des phrases en russe avec la douleur de ne plus pouvoir raconter tout cela à Agnès, de ne plus jamais pouvoir lui raconter quoi que ce soit.

Il avait résisté à la tentation, à cause de l'état d'esprit dans lequel il se trouvait, de parler d'Agnès ; qu'est-ce que cela pouvait bien faire au Russe ! Ce n'est que lorsqu'ils se trouvèrent de l'autre côté du fleuve, à la forteresse Pierre-et-Paul, tournés vers le Palais d'Hiver, qu'il se mit à en parler, au moment précis où l'intimité précédemment éprouvée s'était envolée dans l'air d'un froid glacial. Cela se produisit contre sa volonté, et il était furieux de s'entendre dire, pour couronner le tout, combien il avait du mal depuis à continuer son travail de chercheur. Par chance Leskov ne comprit pas ses propos dans la plénitude de leur sens. Il se contenta de répondre que c'était tout naturel après un deuil semblable et il ajouta, sur un ton quasiment paternel, que les choses allaient certainement bientôt s'arranger. Puis, profitant de la nouvelle intimité qui s'était créée, il lui raconta qu'il avait fait de la prison comme dissident. Il ne dit pas pendant combien de temps, n'ajouta aucun détail. Perlmann ne savait pas comment il devait réagir face à cette confession, et pendant un moment un silence désagréable s'installa, auquel Leskov mit fin en prenant Perlmann par le bras et en lui proposant le tutoiement avec une bonne humeur feinte et tout à fait inopportune. Perlmann était content que Leskov fût obligé de rentrer chez lui peu après pour s'occuper de sa vieille mère chez laquelle il habitait, et qu'il ne lui proposât pas de l'accompagner. Quelques semaines plus tard, Leskov avait répondu à l'invitation de Perlmann pour la réunion à Santa Margherita par une lettre aux termes exubérants : il allait immédiatement demander un visa de sortie. Il y a trois mois, Leskov lui avait fait savoir sur un ton très déprimé qu'il devait renoncer au colloque ; à sa lettre était joint ce texte.

Perlmann comprit la première phrase du premier coup. Dans la seconde il y avait deux mots qu'il n'avait encore jamais rencontrés ; mais leur signification lui était évidente. La construction de la troisième ne lui permettait pas d'en pénétrer le sens, mais il continua à lire, passant sur toute une série de mots et d'expressions jusqu'à la fin du premier paragraphe. Son excitation croissait à chaque phrase, et il avait à présent l'impression d'avoir un accès de fièvre. Sans quitter le texte des yeux, il chercha dans la poche de sa veste un bonbon. Ce faisant il attrapa le paquet de cigarettes qu'il avait acheté à l'aéroport la veille à son arrivée. En hésitant, il le déposa sur la table de bistrot à côté du dictionnaire, puis le reprit en main. Hier, il l'avait acheté comme en proie à une pulsion précisément au moment où s'était emparé de lui le sentiment qu'il était irrévocablement arrivé, et que maintenant il n'y avait plus, ni dans l'espace ni dans le temps, de sas qui le séparait du début de ce séjour, et qu'il ne lui restait pas la plus petite possibilité qu'il en aille autrement. Il avait éprouvé le sentiment d'une défaite lorsqu'il avait pris le paquet de cigarettes qu'on lui tendait, et l'avait mis dans sa poche avec le sentiment vague qu'un malheur inévitable le menaçait.

C'était la marque des cigarettes qu'il avait fumées jusqu'à cinq ans auparavant. L'excitation joyeuse éprouvée face à son succès inattendu à la lecture du texte de Leskov se teinta d'un sentiment qui l'émoustilla : la peur de transgresser un interdit. Celle-ci s'évapora lorsque, les doigts tremblants, il glissa une cigarette entre ses lèvres. Le papier sec lui fit éprouver une sensation déjà sinistrement connue. Il se laissa du temps. Il pouvait encore arrêter, se dit-il, le cœur battant. Mais sa confiance en lui, il le sentait très nettement, fondait comme neige au soleil.

Il remarqua qu'il n'avait pas de feu et ce sursis le rassura. La confiance reparut. Il enleva la cigarette de sa bouche et pensa à cette journée de vacances autrefois sur la falaise, dans le vent. Ils s'étaient regardés, Agnès et lui, et ils avaient jeté d'un même geste leur cigarette allumée dans la mer, puis tout le paquet et ce geste pathétique les avait fait rire. Une victoire commune, un jour heureux.

Le serveur de la terrasse apparut soudain à côté de lui et lui tendit une allumette enflammée. Un sentiment de vulnérabilité s'empara de lui. Les choses lui échappaient. Il aspira sa première bouffée depuis cinq ans et eut une quinte de toux. Le serveur lui jeta un regard surpris et inquiet, et il s'éloigna. La seconde bouffée fut déjà plus facile, elle l'irrita, mais c'était déjà une bouffée complète. Maintenant il fumait en longues et lentes bouffées, les yeux à demi fermés. La nicotine commençait à se répandre dans tout son corps. Il ressentit un doux vertige, en même temps il se sentit léger et euphorique. Bien sûr c'était une euphorie indissociable du sentiment que la situation avait quelque chose d'artificiel, que l'état qui se développait en lui ne faisait pas partie de lui, ne lui appartenait pas vraiment. Et soudain tout bascula, et il se sentit horriblement mal.

Il s'empressa d'écraser la cigarette et se rendit à pas incertains jusqu'à la piscine, s'allongea sur une chaise longue et ferma les yeux. Il se sentait épuisé, avant même que les choses aient commencé. Au bout de quelques instants, il se calma, soulagé de ne plus éprouver de palpitations ni de vertige, et il s'enfonça peu à peu dans un demi-sommeil. Il ne se réveilla que lorsque au-dessus de lui une voix claire à l'accent espagnol lui dit en anglais : « Excusez-moi de vous déranger, mais le serveur m'a dit que vous étiez Philipp Perlmann. »

2 Elle avait le rire le plus clair qu'il eût jamais entendu, un rire capable de briser toute résistance, dans lequel toute sa personne était investie. Il se redressa et regarda le visage ovale aux pommettes hautes, aux yeux écartés, au nez épais, presque un visage oriental. La chevelure blonde descendait tout droit sur un tee-shirt blanc porté de façon un peu négligée, des cheveux longs naturels, vivants, un peu comme du lin.

Perlmann avait la bouche sèche et il se sentait encore un peu chancelant lorsqu'il se leva pour lui donner une poignée de main.

– Vous êtes certainement Evelyn Mistral, dit-il, je suis désolé, j'ai dû faire un petit somme.

En tout premier lieu une excuse.

– Mais cela n'a pas d'importance, dit-elle en riant, ici on croirait vraiment être en vacances – elle désigna la haute façade de l'hôtel avec les pignons peints au-dessus des fenêtres, les volets turquoise et les drapeaux aux couleurs de plusieurs nations. Tout est si terriblement chic. J'espère qu'ils me laisseront entrer avec ma valise !

C'était une vieille valise de cuir noir, toute rayée, avec une bordure marron clair déchirée par endroits, et en plein milieu du couvercle, elle avait collé un éléphant rouge vif. *Kirsten pourrait bien traîner avec elle une valise comme ça, tout à fait son genre. Elle me fait en quelque sorte penser à ma fille, bien qu'elles ne se ressemblent absolument pas.*

Elle avait fait le voyage en train, en première, et elle en avait été impressionnée comme une gamine. On se prend pour quelqu'un d'important, dit-elle, elle n'avait jamais été aussi bien traitée par un contrôleur. En plus, elle s'était offert un déjeuner copieux au wagon-restaurant. Dans le train régional reliant Gênes à Santa Margherita, il n'y avait pas de wagon de première, et elle avait eu une impression bizarre en se retrouvant tout à coup assise dans un compartiment minable de seconde classe. Comme il suffit de peu pour se laisser corrompre !

Perlmann prit sa valise et l'accompagna à la réception. Dans sa jupe kaki délavée, avec ses souliers plats en vernis rouge, elle avait une démarche légère, presque dansante, mais aussi quelque peu hésitante et maladroite. Signora Morelli lui souhaita la bienvenue. Comme la veille, elle portait une robe bleu marine de coupe sport, agrémentée d'un foulard rouge foncé autour du cou, ce qui lui donnait l'allure d'une hôtesse de l'air, une impression que renforçait encore sa chevelure nouée en un chignon strict. Evelyn parlait l'italien, mais elle accentuait les voyelles brèves et sèches, comme en espagnol, ce qui faisait un contraste saisissant avec la prononciation chantante et traînante de signora Morelli. Pendant que, appuyée au comptoir, elle s'inscrivait, ses pieds jouaient avec les chaussures rouges. Tout d'un coup, elle se mit à rire bruyamment, et sa voix retrouva la clarté qu'elle avait eue au téléphone et dont Perlmann se souvenait. – À tout à l'heure, lui dit-elle, lorsque le bagagiste prit sa valise et la précéda jusqu'à l'ascenseur.

Perlmann traversa lentement la vaste terrasse pour retourner près de la piscine. L'homme roux qu'il avait remarqué le matin même était là. Perlmann répondit à son salut affable d'un simple signe de la main et s'assit de l'autre côté de la piscine, dans une chaise longue. Il s'abandonna à un sentiment qui n'était rien d'autre que l'absence de peur. Pour la première fois depuis son arrivée, il n'éprouvait aucune répugnance à l'égard des éléments qui l'environnaient : les pins qui poussaient de travers et surplombaient la route du bord de mer ; les drapeaux en bordure de la terrasse ; le smoking rouge du serveur ; l'odeur de résine des pins et un reste de canicule estivale dans l'air. Maintenant il lui était possible de voir que les raisins de la pergola se teintaient de rouge. C'est la première chose qu'Agnès aurait vue.

– Ils m'ont donné une chambre fantastique, dit Evelyn Mistral, tout en laissant tomber sa serviette de bain sur la chaise longue voisine de la sienne. Là-haut, au troisième étage, une chambre double avec des meubles anciens, je crois que le secrétaire est en bois de rose. Et en plus quelle vue ! Je n'ai jamais été aussi bien logée. Mais mieux vaut ne pas penser au prix ! Comment peut-on se payer cela ? En tout cas avec ce genre de secrétaire, pas d'excuse pour ne pas travailler !

Elle avait ôté son peignoir de bain et se tenait au bord du bassin. Le maillot une pièce d'un blanc éclatant soulignait son bronzage brun relevé d'un éclat doré. Un plongeon et elle fut dans l'eau, resta longtemps sous l'eau et fit ensuite quelques longueurs du grand bassin en forme de haricot. L'eau éclaboussait à peine, les mouvements de son style libre, calme, presque paresseux étaient élégants et formaient un contraste avec sa démarche gauche. Parfois elle nageait dans sa direction, posait ses bras sur le bord de la piscine.

– Pourquoi ne venez-vous pas dans l'eau ? Elle est excellente ! Puis elle se remettait à nager.

Perlmann ferma les yeux et essaya de conserver cette image : l'eau étincelante sur son rire ; les cheveux blonds mouillés. Les choses se passaient à ce moment précis comme d'ordinaire : il n'arrivait jamais à saisir le présent à l'instant où il se déroulait ; sa vigilance s'éveillait constamment trop tard, et il ne lui restait plus que le succédané, la remémoration dont il était devenu un virtuose uniquement par désarroi.

De façon aussi inattendue que précédemment lorsqu'il lui avait donné du feu, le serveur se tint soudain au-dessus de lui et lui tendit le texte de Leskov, le dictionnaire et les cigarettes.

– Quelqu'un d'autre désirerait maintenant s'asseoir là-bas, dit-il en montrant la colonnade.

Puis il fouilla dans sa poche et tendit à Perlmann un petit étui d'allumettes au nom de l'hôtel : *Grand Hotel Miramare.*

Perlmann posa le tout par terre à côté de lui et regarda en direction d'Evelyn Mistral qui maintenant, les bras tendus, se laissait flotter sur le dos. Ses cheveux longs qui dans l'eau bleue semblaient bruns, entouraient son visage comme un éventail entrouvert. Elle avait fermé les yeux, sur les cils clairs les gouttes d'eau brillaient, et lorsque sortant d'une zone d'ombre, elle glissait à nouveau dans la lumière du soleil, ses paupières tressautaient. Perlmann s'alluma une cigarette, comme il le faisait autrefois lorsqu'il voulait conserver une impression. Inhaler et éprouver une vivacité plus aiguë, presque oppressante, ces sensations qui l'envahissaient lui donnaient l'illusion qu'il pouvait défier l'impossible : conserver l'instant présent assez longtemps pour enfin se fondre en lui et lui donner de la profondeur. Il ressentit à nouveau un vertige, eut une sensation de nausée, mais lorsqu'il eut terminé sa cigarette il en alluma une autre.

Quand Evelyn Mistral sortit de l'eau et se sécha, son regard tomba sur le texte de Leskov posé par terre.

— Ah, vous savez le russe, dit-elle — puis elle cligna des yeux. C'est bien du russe, n'est-ce pas ? C'est une langue que j'aimerais bien connaître ! Quand l'avez-vous apprise ? Et comment ?

Par la suite, Perlmann ne put pas s'expliquer pourquoi, à cet instant, il avait sursauté, comme s'il avait été pris sur le fait en train d'enfreindre un interdit.

— Je ne sais pas le russe, dit-il, et il posa le texte et le dictionnaire de l'autre côté de la chaise longue, comme s'il voulait lui faire de la place. Seulement quelques mots. Ce texte-ci, c'est plutôt une plaisanterie que quelqu'un s'est permise.

Le dictionnaire était justement posé retourné dans sa direction à elle. Les traces d'annotations qui noircissaient plusieurs pages, elle n'a pas pu les voir.

Quelles autres langues étrangères connaissait-il, lui demanda-t-elle plus tard en tirant sur sa cigarette.

— Je sais un petit peu la vôtre, lui répondit-il en espagnol.

— Mais alors tu ne dois pas me dire *vous*, dit-elle en riant. *Usted*, c'est très formaliste. Entre collègues on ne l'emploie pas. D'ailleurs dans l'Espagne d'après Franco, on dit plutôt *tú*.

Ensuite ils continuèrent en espagnol. Perlmann aimait l'entendre parler espagnol, surtout les consonnes gutturales, et sa façon de prononcer le *d* en finale avec un son mat, un peu semblable au *th* anglais. Il y avait longtemps qu'il n'avait plus parlé espagnol et il faisait beaucoup de fautes. Mais il était content d'avoir l'occasion de parler cette langue. En anglais, il ne faisait plus d'expériences nouvelles depuis longtemps, il ne découvrait plus à quel point la langue étrangère libère. L'anglais ne lui offrait plus la possibilité de se réinventer dans une autre langue.

Lorsqu'il développa ce sujet, elle n'eut pas grand-chose à dire. Le rapport d'Evelyn Mistral aux langues étrangères était pragmatique, concret. Oui, bien sûr, elle en tirait du plaisir, mais lorsqu'il parla de la possibilité de devenir un autre dans une langue étrangère, bien qu'on dise pour l'essentiel la même chose que dans sa propre langue, elle ne fit plus qu'écouter poliment, et Perlmann eut l'impression d'être un mystique. Et lorsqu'il réfléchit à haute voix, se demandant si le *tú* espagnol était plus intime que le *you* employé avec le prénom, ou la même chose, et comment ces deux termes se situaient par rapport au *du* allemand sur le plan de l'intimité, elle le regarda avec curiosité, mais le sourire qui accompagnait son regard laissait deviner que pour elle la question était plutôt un jeu qu'une interrogation sérieuse. Son monologue lui sembla tout à coup stupide et même ringard ; il y mit fin de façon abrupte pour lui poser des questions sur son travail.

Ce qu'une personne pouvait concevoir n'était pas indépendant de ce qu'elle pouvait dire, et il en allait de même, dit-elle, avec ce que la personne pouvait vouloir. Dans son travail avec les enfants, elle se concentrait de plus en plus sur la relation « imagination-volonté-langage » ; sur la façon dont le jeu intérieur avec des possibilités devenait de plus en plus raffiné et influent dans la mesure où la capacité d'expression par le langage se développait ; et aussi sur la façon dont l'imagination affinée par le langage conduisait à une construction de la volonté de plus en plus riche.

Pendant qu'elle parlait, elle entourait de ses deux mains ses genoux ramenés vers elle. Quelquefois seulement, lorsqu'une mèche mouillée glissait sur son visage, elle décroisait ses doigts. Son visage était très sérieux et concentré tandis qu'elle cherchait les mots justes, les phrases précises. Maintenant aussi son visage plaisait à Perlmann. Mais plus elle était lancée, plus son visage se dérobait. Et lorsqu'elle en vint à parler des derniers chapitres de son livre qu'elle voulait soumettre ici à la discussion, il lui sembla très lointain et même étranger. Il pensa à son cahier minable à la couverture en similicuir qu'il n'avait plus ouvert depuis longtemps déjà, et il ne réussit qu'à grand-peine à se débarrasser de l'image des pages à petits carreaux tellement jaunies qu'elles étaient devenues illisibles. Il craignit un moment qu'elle ne lui retournât la question et ne l'interrogeât sur son propre travail, et continua pour cette raison à la questionner, avec un certain malaise, car il feignait l'intérêt, mais malgré tout satisfait qu'elle apportât des réponses à chaque nouvelle question.

Lorsque le nom d'Adrian von Levetzov tomba, Perlmann sursauta. « Celui-là, je l'avais complètement oublié », murmura-t-il d'une voix sans timbre, et le regard qu'Evelyn Mistral lui jeta révélait à quel point se lisait sur son propre visage la peur qu'il voulait à tout prix cacher. Il se releva précipitamment de la chaise longue, se tordit la cheville dans sa hâte et se dirigea en boitant vers l'entrée. Lorsqu'il passa devant le serveur qui débarrassait une table, il s'efforça de marcher d'un pas plus calme, sans savoir si c'était la douleur de sa cheville qui le contraignait à marcher plus lentement ou le désir de lutter contre la peur et la servilité.

Von Levetzov était accoudé au comptoir de la réception et dans l'italien effroyable des touristes, il s'adressait à signora Morelli qui, le visage imperturbable, lui répondait dans un anglais impeccable.

– Si le soleil vous gêne, Sir, disait-elle justement avec une froideur que Perlmann lui enviait, vous n'avez qu'à tirer les rideaux. Il nous est plutôt difficile de changer l'hôtel de place, n'est-ce pas. Une plus grande table de travail, je crains que nous n'en ayons pas. Mais une table supplémentaire, ça devrait se trouver.

Le visage de von Levetzov avait un air pincé, il avait légèrement rougi en regardant vers la porte.

– Ah, Perlmann, enfin ! dit-il et il s'efforça de maîtriser son agacement, j'étais en train de me dire que vous ne vouliez pas venir m'accueillir !

– Je vous présente toutes mes excuses, dit Perlmann à bout de souffle, j'étais au bord de la piscine avec Evelyn Mistral, et je n'ai pas vu le temps passer.

Pourquoi est-ce que je m'excuse constamment ? Et en plus ce que j'ai dit ressemble au début d'un flirt ; il faut aborder ce genre d'homme tout à fait différemment, bien plus froidement, poliment, mais froidement ; je n'apprendrai jamais.

– Bon, vous êtes là maintenant, dit von Levetzov, et il s'adressait à Perlmann sur le ton qu'il aurait eu pour réprimander un écolier arrivé en retard ou un assistant négligent auquel il accordait son pardon. J'essaie précisément d'expliquer à ces gens-là que j'ai besoin de davantage de place pour travailler, d'une plus grande surface. J'ai surtout besoin d'une table supplémentaire pour l'ordinateur. Et ensuite le soleil, j'ai fait un essai dès que je suis arrivé, il y a des problèmes avec l'écran. Vous avez certainement remarqué vous aussi.

Perlmann approuva d'un signe de tête sans le regarder. Il lui sembla qu'ainsi son mensonge n'était qu'un geste sans importance. Il se tourna vers signora Morelli qui hier, à son arrivée, ne lui avait pas plu du tout, mais dont l'austérité lui était devenue de plus en plus sympathique chaque fois qu'il l'avait rencontrée.

Comme convenu, on allait trouver une table supplémentaire pour le monsieur, dit-elle, et s'il y tenait, on changerait les meubles de place dans sa chambre ; on pouvait placer le secrétaire le long du mur du fond, il serait moins au soleil. On pouvait aussi lui proposer une autre chambre, sur l'arrière, entièrement à l'ombre, mais pour une période aussi longue elle serait peut-être un peu exiguë.

Perlmann lui parlait en italien, plus vite que ses connaissances ne le permettaient. Après la conversation avec Evelyn Mistral près de la piscine, des mots espagnols lui venaient parfois à l'esprit au lieu des mots italiens, mais il continua à parler bien que le problème de la chambre fût réglé depuis longtemps, tant et si bien que signora Morelli jetait des regards embarrassés en direction d'Adrian von Levetzov qui, ne sachant à quoi s'en tenir, gesticulait le prospectus de l'hôtel à la main. Elle ne pouvait pas savoir que ses paroles étaient une démonstration, une mise en scène pour cet homme en costume bleu marine, presque noir, avec gilet et chaîne de montre en or. *Quoi qu'il puisse advenir dans les semaines à venir, sur ce point je suis meilleur que lui.*

— Je ne savais pas que vous parliez aussi bien l'italien, dit von Levetzov avec aigreur et il changea immédiatement de sujet, s'avança vers la porte et montra le golfe où la lumière commençait déjà à faiblir en laissant place à une lueur rougeâtre. En ce qui me concerne, je préfère les langues anglo-saxonnes aux langues romanes et les parcs anglais aux coins méditerranéens idylliques. Mais je dois concéder que ce lieu a beaucoup de charme. Bien sûr, les débats scientifiques avec vous me remplissent aussi de joie, cher Perlmann. Ces derniers temps, je n'ai hélas pas eu le loisir de suivre vos travaux les plus récents. Le dernier que je connaisse est ce que vous avez rapporté l'an dernier lors de notre congrès. Mon livre a fait des vagues, tables rondes, conférences, vous connaissez tout cela.

Mais dans les semaines qui viennent je peux rattraper mon retard et lire Perlmann, vous savez bien à quel point je vous apprécie, même si nous avons souvent des points de vue opposés. J'ai hâte de connaître vos idées les plus récentes, je vais y consacrer du temps et serai tout ouïe.

Cela résonna aux oreilles de Perlmann comme une menace, et il se figea. Pour quelqu'un comme lui qui n'était plus que le trompe-l'œil de lui-même, derrière lequel il attendait en tremblant d'être démasqué, cet homme élégant, aux cheveux noirs et lisses, aux lunettes sans monture, était un danger. Le plus grand, si on exceptait Millar. Il parlait comme un personnage de Thomas Mann, et les étudiants qui l'entendaient pour la première fois grimaçaient et ricanaient. Mais seulement pendant la première heure de cours. Il était craint ; comme tout travailleur acharné, il ne pouvait pas comprendre que les autres aient besoin de temps en temps d'une pause. Lorsqu'il parlait de lui, comme il venait de le faire, il donnait l'impression de frimer de la façon la plus grossière. Mais bien que vaniteux et maniéré, il n'était absolument pas prétentieux : étonnamment, il vivait dans un logement modeste, rempli de livres, et se consacrait entièrement à la science à laquelle il apportait plus que la plupart des autres. On le voyait de temps en temps à l'opéra de Hambourg, toujours pour un Mozart, et toujours seul. Des bruits circulaient à propos d'une brève liaison avec une actrice et d'un problème d'alcool. Personne ne savait exactement ce qu'il en était.

Les cheveux d'Evelyn Mistral étaient en bataille à force d'avoir été frottés quand elle pénétra dans le hall, la serviette de bain sur les épaules. La présence lumineuse de son rire était reléguée au fond de la mémoire de Perlmann. La présence d'Adrian von Levetzov et surtout ses dernières paroles s'étaient glissées comme un verre dépoli entre ce rire et lui. L'heure passée près de la piscine n'était plus qu'une belle illusion, une *fata morgana*. Il était soulagé d'avoir roulé le texte de Leskov et posé le dictionnaire à l'envers. Il les saisit tous les deux et les cacha derrière son dos. La haute silhouette de von Levetzov se pencha vers la petite Evelyn Mistral, saisit sa main en esquissant un baise-main et dit, dans un anglais oxfordien ostentatoire, qu'il regrettait beaucoup que son patron n'ait pas pu venir, il était naturellement irremplaçable. Il ne sembla pas remarquer que son manque de tact avait déclenché un mouvement convulsif autour de la bouche mince d'Evelyn Mistral, et il déclara en jetant un coup d'œil à sa montre qu'il devait passer quelques coups de fil pendant que les collègues en Allemagne étaient encore au bureau. Puis il monta rapidement les escaliers en gravissant les marches deux par deux ; ce qui faisait ballotter sa chaîne de montre et accentuait le contraste grotesque entre l'allure jeune qu'il s'effor-çait de donner à ses mouvements et son apparence de patriarche.

Lorsque Evelyn Mistral eut disparu dans l'ascenseur, Perlmann resta un moment immobile, fixant le rayon clair que le soleil de l'après-midi déposait sur le sol en marbre du hall. Elle avait plus de vingt ans de moins que lui, et cependant dans le regard avec lequel elle avait suivi von Levetzov s'étaient exprimées une assu-rance et une aisance distanciée dont il ne pouvait que rêver. *C'est injuste,* se dit-il à maintes reprises, en boi-tillant jusqu'à sa chaise longue pour récupérer ses ciga-rettes. Et chaque fois que cette phrase lourde d'un ressentiment confus et sans objet s'échouait dans sa tête, il la rejetait comme une absurdité stupide.

Il ne fallait pas compter sur Laura Sand avant cinq heures. Perlmann monta dans sa chambre. Lorsqu'il se laissa tomber sur le lit, il eut l'impression que ces deux premières rencontres avaient épuisé toutes ses réserves trouvées dans ses moments de solitude, et il en eut assez de se sentir constamment vulnérable.

Ce qui lui posait le plus de problèmes lorsqu'il se remémorait les événements, c'était la façon dont il avait traversé la terrasse au pas de course jusqu'à la réception pour saluer von Levetzov. Il se voyait : un homme maigre vêtu d'un polo bleu marine et d'un pantalon clair ; les cheveux courts et noirs, un visage blafard derrière des lunettes à monture d'écaille – un homme qui se précipitait servilement, un homme aux ordres. Et à côté de cette image, une autre image de servilité remontait à la surface, celle de son père lorsqu'on l'appelait au téléphone. C'était l'image d'une situation anodine, banale et pourtant l'une des pires qu'il ait gardées de la maison familiale. Son père se déplaçait avec une précipitation oppressante et son visage reflétait une expression telle qu'on aurait pu croire que c'était une affaire de vie ou de mort. Il était absolument interdit de lui adresser la parole à ce moment-là, il avançait d'une façon telle qu'on retenait involontairement son souffle. En même temps son visage semblait toujours rougi et brillant, recouvert d'un film de sueur. Il se déplaçait penché en avant, aux ordres de celui qui lui faisait l'honneur de lui téléphoner. Surtout ne pas faire attendre celui qui l'appelait. Celui-ci – du simple fait qu'il l'appelait – avait acquis le droit de disposer complètement de lui, son père. Son père – à qui on téléphonait – n'avait à cet instant pas de vie personnelle, pas de temps à lui, pas de besoins personnels pour lesquels son correspondant aurait dû avoir des égards. Il était à tout moment à disposition, aux ordres.

Perlmann n'avait compris que tardivement que cette image allait marquer pour longtemps son rapport au monde extérieur, au monde des autres. On devait être aux ordres de ce monde-là, on était à la merci de leur reconnaissance. En même temps, on n'aurait pu dire ni de son père ni de lui-même qu'ils avaient un caractère obséquieux. Non, ce n'était pas le cas. La peur seule engendrait cette servilité ; une peur constante des conséquences qu'aurait pu avoir le simple fait de laisser sentir aux autres qu'on avait aussi des désirs qui s'opposaient aux leurs, ne serait-ce qu'en les faisant attendre un moment. On se faisait une idée pas très claire des conséquences négatives ; à y regarder de plus près, leur contenu s'évaporait. Mais cela ne changeait rien au pouvoir de cette angoisse, capable de vous étrangler, de vous étouffer. Un jour, Perlmann avait entendu la conversation téléphonique d'un médecin pendant une consultation. Il avait prononcé des phrases tout à fait banales : « Non, ça ne va pas, je suis occupé... Je comprends ; mais il faut que vous me rappeliez plus tard. » Le médecin avait parlé sur un ton amical, mais déterminé, qui traçait une ligne de démarcation nette entre lui et son interlocuteur, avec une assurance naturelle qui avait pour ainsi dire hypnotisé Perlmann. Cela avait été pour lui comme une révélation : dire ce genre de phrases sur ce ton-là, voilà ce qu'on devait savoir faire. On devait pouvoir les dire sans avoir des palpitations, sans s'énerver, sans tension non plus, avec pondération et sans avoir besoin de continuer à les ruminer. Lorsque ce jour-là la porte du cabinet médical s'était refermée sur lui et qu'il s'était retrouvé dans la rue, il était sûr d'une chose : désormais, cette absence de servilité serait l'idéal le plus important dans sa vie.

Lorsqu'il pensait à la véranda, aux tables brillantes, au grand fauteuil sculpté destiné au président de séance, il sentait que cet objectif n'avait jamais été aussi éloigné de lui qu'à cet instant. Lorsque von Levetzov lui avait tout à l'heure adressé la parole à sa façon insolite, il avait eu l'impression d'être à l'école, dans une situation d'infériorité, sans protection et sans espoir comme un pensionnaire de l'Institut Benjamenta. Chaque mot avait pu facilement pénétrer en lui et il ne disposait, c'est du moins ce qu'il lui semblait, d'aucun moyen pour empêcher les mots de croître comme une tumeur maligne.

Par exemple, l'allusion de von Levetzov à ce colloque l'an passé. Perlmann avait pensé que sa participation était affaire de routine lorsqu'il avait accepté : rien de plus. Il y avait longtemps qu'il ne s'était plus rendu à un colloque et il avait considéré celui-là comme une occasion favorable pour se montrer et pour consolider l'opinion générale qu'il était encore dans le coup, en posant quelques questions astucieuses. D'une certaine façon, il voulait parfaire son camouflage. Il avait eu un choc quand deux semaines avant la date du colloque, en recevant le programme, il avait découvert qu'il y figurait comme le principal intervenant, et à côté de son nom, le titre de son intervention d'une grande banalité, dépourvu de sens, sorti de l'imagination de quelqu'un qui connaissait superficiellement ses travaux. Dans un accès de colère et de panique, il avait attrapé le téléphone, mais lorsqu'il avait entendu la sonnerie à l'autre bout, il avait raccroché. Il ne devait pas se trahir. Un homme comme lui, une sommité dans la discipline ne devait en aucun cas perdre contenance face à ce genre de malentendus. Tout au plus pouvait-il se permettre une remarque mordante. D'ailleurs quelqu'un comme Philipp Perlmann devait toujours être prêt à faire une conférence. Il ne pouvait pas téléphoner et dire tout simplement : c'est un malentendu, pour le moment je n'ai rien à dire, je vous prie de transmettre mon message. *Pourquoi pas ?* lui demandait Agnès lorsqu'elle voyait dans quel état d'esprit il était à sa table de travail. Après cette question, il se sentait vraiment seul. Il envisagea pendant un moment de dire qu'il était malade. Pour finir il choisit de faire la synthèse de tout ce qu'il avait publié au cours des années précédentes. C'est loin d'être un mauvais texte, se dit-il en le relisant. Mais lorsqu'il avait quitté la tribune sous les applaudissements, il aurait préféré gagner la gare par le chemin le plus court, bien que le colloque durât encore deux jours. Au déjeuner qui suivit, von Levetzov s'était trouvé assis à côté de lui.

– Une conférence parfaitement claire, comme d'habitude, avait-il dit avec un sourire qui n'avait rien d'antipathique ni d'ironique, mais qui avait agi sur Perlmann comme une piqûre d'épingle ; mais il s'agissait plutôt d'une rétrospective de vos travaux antérieurs, n'est-ce pas, ou n'ai-je pas remarqué les nouveautés ?

Tout à l'heure dans le hall, von Levetzov avait employé le terme de *rapport* pour désigner cette conférence. Rien n'échappait à cet homme clairvoyant, à la mémoire d'éléphant qui choisissait ses mots avec un soin particulier. Il maîtrisait ce jeu comme personne. Il aurait été impossible de ne pas l'inviter.

Perlmann s'approcha de la fenêtre et regarda le golfe. Le soleil déclinant brillait au travers d'une fine couche de nuages gris et donnait à l'eau la couleur du platine. En face, près de Sestri Levante, quelques lumières isolées s'allumaient déjà. Quelques heures seulement s'étaient écoulées depuis sa première cigarette et voilà qu'il en fumait une autre, comme s'il ne s'était jamais arrêté de fumer. Cela lui fit mal lorsqu'il s'en rendit compte. Il eut l'impression de rayer ainsi d'un trait les cinq dernières années, et de trahir Agnès.

Il pensa aux quatre collègues qu'il devait encore accueillir et se proposa de le faire avec laconisme, c'est-à-dire avec une certaine sobriété verbale. Généralement il parlait trop : bien qu'il n'ait pas été dans une disposition d'esprit propice aux discours, il donnait trop d'explications qui, ce n'était pas rare, ressemblaient à des excuses, à des justifications que personne n'attendait de lui. Il témoignait souvent aussi d'une compréhension excessive pour les autres à laquelle personne ne s'attendait, voire que personne ne souhaitait. Il avait l'impression d'être importun, il trouvait son comportement abominable. C'était comme une addiction.

Il prit le texte de Leskov. Les premières phrases du second paragraphe lui résistèrent, et il lui arriva à plusieurs reprises d'hésiter entre les différents sens trouvés dans le dictionnaire pour un mot ; plusieurs significations semblaient possibles et pourtant aucune ne paraissait convenir vraiment. Ensuite les choses devinrent plus évidentes et il comprit l'une ou l'autre phrase sans la moindre hésitation. Il retrouva l'excitation qu'il avait ressentie en lisant le premier paragraphe. Les phrases ne se trouvaient pas là par hasard, comme cela avait été le cas jusqu'ici dans les livres d'exercices, leur raison d'être n'était pas d'exprimer précisément dans cette formulation-là la pensée de quelqu'un, mais de présenter aux lecteurs une nouvelle variante grammaticale ou une nouvelle possibilité de s'exprimer. Ici la langue n'était pas le sujet, mais le médium, et l'auteur présupposait que le lecteur maîtrisait ce médium. On se sentait ainsi traité tout à fait différemment, en adulte pour ainsi dire, même comme un russophone. C'était en quelque sorte son ticket d'entrée dans le véritable monde russe, la récompense pour toute la peine qu'on s'était donnée avec la grammaire.

Perlmann était euphorique. Il se leva, marcha de long en large, puis s'appuya contre le dossier du siège et croisa ses bras derrière sa tête. Pour la première fois depuis son arrivée il se sentait sûr, sûr de lui. Il savait le russe, *je suis quelqu'un dont on peut dire : il lit le russe. Si seulement je pouvais partager cela avec Agnès. Pour une fois je vivrais pleinement le présent.* Il composa le numéro de téléphone de Kirsten à Constance, mais personne ne décrocha. Elle se trouvait sans doute en cours, ou assistait à un séminaire.

Ce n'était pas la première fois qu'il franchissait cette ligne dans une langue étrangère. Mais cette fois c'était pourtant différent, l'expérience réjouissante lui semblait plus intense que d'habitude. Peut-être cela tenait-il au fait que l'apprentissage avait longtemps été difficile, et qu'il avait cru ne jamais y arriver. Était-ce dû aux caractères cyrilliques qui conservaient maintenant encore leur aspect mystérieux, bien qu'ils lui soient devenus familiers depuis bientôt deux ans ? Il jeta un coup d'œil au tapuscrit et se livra à un petit jeu qui l'amusait chaque fois : il observait l'écriture d'abord avec les yeux de quelqu'un qui ne savait pas la lire et pour qui elle n'était qu'un élément décoratif. Puis il glissait, pour ainsi dire, ses yeux dans la peau de celui qui ne s'arrête pas à l'aspect des caractères mais qui, imperceptiblement conduit par sa parfaite familiarité avec eux, accède directement au sens du texte. *C'est à peine croyable,* se disait-il alors, *mais j'en suis capable.*

Il continua sa lecture, haletant, craignant constamment que les deux premiers paragraphes aient été une exception, et s'attendant à échouer et à retourner vers des textes qui le traitaient vraiment en élève. Mais bien que le petit dictionnaire Langenscheidt n'eût été dans l'un ou l'autre cas d'aucun secours, il réussit et il était tellement absorbé qu'il ne perçut pas immédiatement les bruits parvenant de la chambre voisine. On aurait dit qu'on poussait quelque chose de lourd contre la porte, puis on entendit deux voix d'hommes, un *prego,* le cliquètement d'un trousseau de clés, le claquement d'une porte, des pas qui s'éloignaient.

Ce n'est qu'à ce moment-là que Perlmann se rendit compte qu'il avait pensé comme allant de soi que la chambre voisine resterait vide, qu'il avait même considéré que c'était son droit. Comme si tout le monde était censé savoir qu'il était un être qui avait besoin d'espaces vides autour de lui et devait respecter ses exigences. Le nouveau venu se raclait la gorge, il renifla fortement et finalement fit entendre trois éternuements aussi retentissants que des sonneries de trompette. Perlmann sursauta : les murs étaient si minces, le bâtiment si sonore ! Il essaya de retrouver l'excitation joyeuse dans laquelle il se trouvait précédemment, mais elle avait fait place à une sensation d'oppression, presque de panique, et tandis qu'il cherchait en vain dans le dictionnaire le sens d'un mot, il constata qu'il ne le trouvait pas à cause d'une simple erreur de lecture. Son agacement croissait de minute en minute, et lorsque dans la chambre voisine on renversa quelque chose avec un bruit tonitruant, il perdit toute maîtrise de soi, se précipita dehors et tambourina avec le poing contre la porte de la chambre.

L'homme qui ouvrit était Achim Ruge. Perlmann sentit le sang lui monter au visage.

– Ah, c'est vous, bégaya-t-il en lui tendant la main.

Ruge montra d'un geste la valise-coquille qui était tombée, si bien que les vêtements gisaient maintenant épars sur le sol, le réveil au milieu des souliers.

– Et dire que je me suis donné tant de peine pour faire ma valise ! dit-il en grimaçant. Bien plus que d'habitude. Et la valise est neuve !

Il portait un costume brunâtre aux manches trop courtes qui rappelaient le costume du dimanche d'un paysan, et une chemise blanche à col ouvert qui semblait un vestige des années soixante. Mais ce qui retenait le regard, c'était sa grande tête ronde à demi chauve. *Sur son crâne toutes les balles rebondiraient,* se disait Perlmann chaque fois qu'il le voyait. Ce qui donnait à sa tête son aspect grotesque, la faisait ressembler d'une certaine façon à une tête de mort-vivant, c'étaient ses lunettes, des lunettes à monture jaunâtre d'une transparence trouble, si peu moderne, si peu élégante qu'on aurait dit que quelqu'un avait délibérément cherché à créer une monture qui soit aux antipodes des canons de la mode. Cette impression était encore renforcée par la réparation d'une branche au moyen d'un fin fil de fer, dont une extrémité se dressait et menaçait à tout moment de blesser la tempe de Ruge.

L'organisation de son département de recherches avait pris moins de temps que prévu, annonça-t-il avec son accent souabe prononcé. Perlmann avait oublié son accent, il ne se souvenait plus que de son *e* qui sonnait presque comme un *è*. Il avait voyagé toute la nuit sans presque dormir, car dans le compartiment de seconde bondé, il n'était pas pensable de s'allonger.

— Cela ne m'est tout simplement pas venu à l'esprit, dit-il en souriant lorsque Perlmann lui demanda pourquoi il n'avait pas pris l'avion ou au moins voyagé en première classe.

Lorsque Ruge se dirigea vers son attaché-case pour y prendre un tiré à part qu'il avait apporté spécialement pour Perlmann, celui-ci vit que la chambre était symétrique de la sienne. Cela signifiait que les deux secrétaires se faisaient face comme dans une pièce pour deux pianos, à la seule différence qu'une cloison les séparait. Cette idée mit Perlmann immédiatement hors de lui. En remerciant un peu sèchement il prit le tiré à part, en soi déjà un petit volume, et disparut dans sa chambre où il plaça la chaîne de sécurité, sans même y réfléchir.

Il était maintenant cinq heures et demie, et le jour déclinait étonnamment vite sur le golfe, de façon presque bouleversante. La côte près de Sestri Levante était devenue un ruban de lumières scintillantes, et maintenant les lampadaires de l'hôtel s'allumaient eux aussi, par groupe de quatre boules blanches dans un ordre aléatoire. À midi il avait maudit la lumière blanche du Sud, parce qu'elle lui faisait miroiter un présent qui n'existait pas, qui n'était jamais accessible. Maintenant qu'elle s'effaçait devant l'obscurité et était remplacée par la lumière artificielle, il avait du mal à patienter jusqu'à ce qu'elle revienne. Marchant d'un pas pesant, comme un être toujours en train de courir après lui-même, il regrettait à présent la force hypnotique du jour qui aidait à oublier et rendait le passé plus léger, tout comme elle supprimait la nécessité de faire le moindre projet. Avec le crépuscule, les couleurs atténuées et la magie de la lueur des lanternes, son espace intérieur se remplissait une nouvelle fois de toutes les images qu'il redoutait à cette minute, pour, l'instant d'après, ne plus lui laisser ressentir que la fatigue et la nostalgie d'une force capable de tout effacer.

La silhouette qui s'extirpait à reculons du taxi tout en se battant avec deux gigantesques sacoches de photographe qui s'étaient accrochées d'abord au siège, puis à la portière, ne pouvait être que celle de Laura Sand. Elle demanda au chauffeur qui déposait sa valise sur l'escalier de tenir sa cigarette pendant qu'elle cherchait de la monnaie dans les poches de son long manteau noir. Puis elle monta l'escalier extérieur en soulevant sa valise marche après marche, tout en rattrapant de l'autre bras les sacoches de photographe lorsqu'elles menaçaient de heurter la balustrade.

Perlmann se précipita et remarqua trop tard qu'il avait oublié sa clé dans sa chambre. En ressentant la première douleur dans l'escalier, sa cheville se plia et il arriva en boitant, le visage ravagé par la douleur, dans le hall où Laura Sand était en train d'écraser sa cigarette dans le cendrier posé sur le comptoir.

Il avait oublié à quel point elle pouvait remplir tout l'espace avec son visage blanc, la moue moqueuse de ses lèvres et l'ombre d'une colère dans ses yeux presque noirs. Il s'était surtout souvenu de la masse de ses cheveux d'un noir profond et mat qui de part et d'autre d'une raie mal tracée tombaient irrégulièrement sur ses épaules. Même maintenant, alors qu'elle lui tendait en souriant sa main fine, il y avait dans son regard une sévérité sceptique que le port de sa tête légèrement inclinée sur le côté soulignait encore. Pendant un instant il compara son visage à celui de signora Morelli qui était justement en train de saisir le passeport australien : le visage italien ne formait plus qu'un arrière-plan agréable, mais banal.

Laura Sand posa sa valise à plat sur le sol – une valise recouverte d'autocollants aux couleurs délavées, à moitié déchirés et écornés, provenant de villes étrangères ou reproduisant des animaux étranges – elle ouvrit la fermeture éclair et extirpa d'un fouillis de lingerie, de livres et de rouleaux de pellicules une machine à écrire de voyage vert olive. Elle s'en servait depuis bientôt vingt ans, dit-elle, y compris dans la steppe et dans la forêt vierge. Deux fois déjà la machine avait été complètement démontée et remontée. Mais la veille, justement la veille, sa fille au cours d'un de ses exercices d'aérobic l'avait fait tomber de la table et à présent le chariot ne se déplaçait plus correctement. Il fallait la réparer d'urgence.

– Sans cette sacrée machine, je ne peux pas penser, dit-elle avec son accent australien traînant et une colère étrange qui donnait une impression bizarre, car, dirigée contre personne en particulier, elle semblait être sa seconde nature.

– Pas de problème, dit Giovanni lorsque signora Morelli eut traduit ses propos.

Il venait d'arriver pour prendre son service de nuit à la réception et avait les cheveux encore plus pommadés que la veille quand il avait terriblement tapé sur les nerfs de Perlmann avec son esprit bouché et ses commentaires ridicules. Il connaissait quelqu'un, poursuivit Giovanni, qui en un tournemain pourrait la remettre en état. Il ne pouvait pas détacher son regard du visage de Laura Sand, et au lieu de sonner pour appeler le groom, il prit sa valise avant d'avoir ôté son manteau, et la précéda jusqu'à l'ascenseur.

Lorsque la femme de chambre qui lui avait ouvert la porte fut repartie, Perlmann reprit le texte de Leskov. Désormais, il avait tout au plus une heure jusqu'à l'arrivée de Brian Millar et il lui importait particulièrement d'ériger les phrases russes en mur de protection autour de lui. Plus il pourrait empiler de phrases, moins l'homme au reflet roux dans ses cheveux sombres pourrait quelque chose contre lui.

Mais Perlmann n'arriva pas à traduire, pas même une phrase. Comme hier dans l'avion une sorte de lucidité aveugle le paralysait, et lorsqu'il parvint à nouveau à lire correctement les mots, sa mémoire lui joua un tour après l'autre. Il sentait la peur monter en lui comme un poison qui, des eaux profondes, se fraierait un passage vers la surface sans qu'on puisse l'en empêcher. Tandis qu'il fumait, debout à la fenêtre, dans l'obscurité, il appela à l'aide le rire d'Evelyn Mistral, puis le regard courroucé de Laura Sand. Mais il n'était pas sûr que les deux visages puissent quelque chose contre Millar, et la peur ne céda pas.

En même temps, il n'avait pas la plus petite raison d'avoir peur. Bon, depuis le début, ils ne s'appréciaient pas. Mais l'épisode qui s'était déroulé il y a quelque temps à Boston avait été anodin ; même puéril, rien qui puisse justifier une inimitié.

Millar avait fait le voyage en compagnie de sa petite amie, Sheila, une beauté aux longs cheveux blonds et à la jupe très courte. Il était particulièrement fier d'elle et en prenait soin comme d'un trésor jalousement gardé. Les collègues s'agglutinaient autour d'elle et lui faisaient la cour de la façon la plus ridicule. Perlmann n'en fit rien. Il se retirait pendant les pauses, et même parfois pendant les interventions, dans un coin silencieux du bâtiment pour lire des nouvelles dans une édition de poche. Sheila qui s'ennuyait traînait souvent dans les couloirs pour fumer. Lorsqu'elle arrivait près de lui, elle lui jetait un regard curieux et continuait son chemin. Le troisième jour du colloque, elle s'assit à côté de lui et lui demanda quel livre il lisait. Au bout d'un moment, il voulut savoir si elle n'aurait pas préféré être ailleurs. Elle fut stupéfaite de la question, se mit à rire, ensuite une certaine complicité s'installa dont tout le charme reposait sur peu de chose, entre autres le fait qu'il n'y avait rien entre eux. Ils se rendirent ensemble à la cafétéria en continuant à plaisanter, car l'humour sec et mélancolique de Perlmann plaisait à Sheila. Alors qu'elle trouvait quelque chose de particulièrement drôle dans les propos de ce dernier, elle passa son bras autour de ses épaules, sa tête tout près de la sienne, ses cheveux caressèrent la joue de Perlmann, il respira son haleine et sentit son parfum. Tournant la tête, il vit précisément à cet instant Millar, venant du colloque, entrer dans la cafétéria. Celui-ci la surprit dans une attitude qui suggérait l'intimité, et Perlmann avec le visage en feu. Il laissa ses collègues en plan et se dirigea vers eux d'un pas rapide, attrapa Sheila par le bras comme s'il voulait lui demander des comptes et en reprendre possession. Elle se défendit, il y eut presque une scène entre eux, le tout sous les regards curieux des collègues qui affluaient. Perlmann ne fit rien, il continua à tenir son plateau et sentit qu'il ne parvenait pas à réprimer un sourire amusé qui n'échappa pas à Millar.

L'après-midi, c'était au tour de Perlmann d'intervenir. Millar était assis avec Sheila au premier rang. Perlmann voyait ses collants brillants et ses talons aiguilles en métal. En écrivant une formule de logique au tableau il fit une erreur stupide. Une erreur insignifiante qui en réalité ne jouait aucun rôle dans le développement de son argumentation. Millar leva la main, avant que le président de séance ait introduit la discussion comme il se doit. Dans une intervention ruisselant de sarcasmes, il fit remarquer l'erreur. La panique submergea Perlmann, en voulant se corriger il aggrava les choses et effaça la partie correcte de la formule. Millar croisa les jambes, les bras devant sa poitrine et pencha la tête de côté. « Bon, c'est ce que vous n'auriez pas dû effacer ! » dit-il avec une lenteur jouissive et un sourire malicieux. Finalement c'est le président de séance, un homme aux cheveux grisonnants, une autorité en la matière, qui intervint d'une voix calme. Perlmann retrouva son assurance, effaça sans se presser la formule entière, et écrivit sans hésitation celle qui était correcte. Puis il se dirigea lentement vers le pupitre, se saisit du micro avec un soin ostentatoire et demanda en baissant les yeux vers Millar : « Satisfait ? » Il réussit à trouver le ton et la mimique qui retournèrent la salle en sa faveur, car on entendit des rires étouffés. Sheila tourna la tête vers Millar et lui jeta un regard interrogateur empli d'une joie mauvaise. En guise de réponse, il lui lança un coup d'œil malicieux.

Lorsque le lendemain matin Perlmann, sa valise à la main, arriva dans le hall de l'hôtel, Millar et Sheila venaient de sortir par la porte à tambour. Sheila se retourna et le vit. Millar avait déjà la main sur la portière du taxi et se retournait impatiemment en direction de Sheila, mais elle lui chuchota quelque chose, fit demi-tour, s'engouffra dans le tambour. Pendant quelques instants, elle en resta prisonnière car de l'autre côté un couple âgé, manteaux de fourrure et carton à chapeaux, y était coincé et c'est seulement après avoir poussé et tiré à plusieurs reprises que le tambour se remit à tourner. Sheila avança sur ses hauts talons vers Perlmann et la bouche en cul de poule lui colla un baiser sur la joue, par pure plaisanterie. Puis, elle était déjà à la porte, elle se retourna encore une fois et lui fit un signe de la main avec une affectation pleine d'ironie. Les autres collègues regardaient et riaient, l'un d'eux désigna du doigt la joue de Perlmann sur laquelle les lèvres violettes de Sheila devaient avoir laissé une trace. Sheila suivait la scène à travers la vitre de la porte et souriait, la langue entre les dents. Millar, une expression glaciale sur le visage, tenait toujours la portière du taxi. Sheila monta dans la voiture en tirant sur sa jupe courte.

Ruge et von Levetzov avaient immédiatement demandé, en réponse à la toute première lettre d'invitation, si Millar serait de la partie. Peut-être seraient-ils venus aussi s'il avait été absent. Mais Perlmann n'avait trouvé aucune raison pour éviter ce Brian Millar dont le nom était sur toutes les lèvres.

Il alluma la lumière et alla sous la douche. À la maison, il ne prenait jamais de douche pendant la journée. Mais maintenant il lui fallait se laver de tout pour pouvoir rencontrer, sans a priori et le plus naturellement possible, l'homme à qui rien n'échappait. Comme déjà hier soir, et ce matin aussi, il resta longtemps sous la douche : *on pourrait penser que je suis obsédé par la propreté.* Il essaya de se persuader que grâce à toute cette eau, il allait faire comme si ses maladresses et son obséquiosité de l'après-midi n'avaient pas existé. Le dîner qui allait avoir lieu, se dit-il, était le vrai début. Tout ce qui s'était passé avant était le fruit du hasard, cela ne comptait pas.

Lorsqu'il eut secoué l'eau entrée dans ses oreilles et entendit le téléphone, il pensa immédiatement qu'il sonnait certainement depuis longtemps. Il courut dans la chambre, dégoulinant. En prenant le combiné il contempla les traces de ses pieds sur la moquette d'un gris bleuté et sentit monter en lui désespoir et colère face à son empressement qui se moquait de ses bonnes résolutions.

– *Hi, Phil*, dit simplement une voix.

Perlmann la reconnut immédiatement. Les deux syllabes suffisaient à lui remettre en mémoire ce qu'à l'époque, en rentrant de Boston, il avait en vain essayé d'expliquer à Agnès : cette voix articulait les mots d'une telle façon qu'elle abolissait les barrières. Son ton n'indiquait pas seulement que le locuteur s'exprimait dans sa langue maternelle, et ne révélait pas seulement à l'évidence que celle-ci était à la disposition du locuteur. L'enjeu était autre : le ton contenait le message – Agnès en plissant le front n'avait pas pu l'en dissuader – que cette langue était la seule qu'il fallait vraiment prendre au sérieux. *Suffisante, tu comprends, sa voix sonore et pénétrante est suffisante, il parle comme si les autres avaient tort de ne pas parler cette langue de l'Amérique de la côte est, cette langue des Yankees, une regrettable erreur. Cette suffisance, cette arrogance sonore, voilà ce qui m'a exaspéré.*

– *Hi, Brian,* dit Perlmann, *how are you ?*

– *Ho, fine,* répondit la voix, et maintenant Perlmann était absolument certain que ce qu'il avait dit autrefois à Agnès était tout à fait exact.

– Au fait Phil, poursuivit la voix et maintenant c'était cette manie américaine d'employer des diminutifs pour les prénoms qui tapait sur les nerfs de Perlmann, apparemment je suis dans la chambre voisine de la vôtre.

Perlmann vit la table de travail de Ruge devant lui, tout contre la sienne, et il eut l'impression qu'un bulldozer gigantesque était en train de repousser les deux murs de sa chambre et allait l'écraser.

– *How nice,* s'entendit-il dire et il eut l'impression d'avoir déjà scellé sa défaite en employant ces mots creux.

Quand il lui était arrivé de se trouver nu quelque part, il n'avait pas eu le sentiment d'être aussi nu.

– Moi aussi, répondit-il ensuite lorsque Millar souligna sa joie de le revoir au dîner.

Autour de ses pieds une grande tache d'eau s'était formée qui continuait à s'étendre. Il sentit le froid et retourna sous la douche. *C'était évident,* se dit-il, en faisant couler l'eau sur son visage : *il ne pouvait pas rester dans cette chambre.* Et sa nouvelle chambre devait être aussi loin que possible, à un autre étage, et de préférence dans une autre aile de l'hôtel.

Mais quelle raison devait-il donner à signora Morelli pour justifier sa demande ? Et comment pouvait-il éviter que Millar et Ruge ne prennent son déménagement comme une offense personnelle ? Il fallait qu'il casse quelque chose qui rendrait la chambre inhabitable et qu'on ne pouvait pas réparer trop vite. Il se sécha rapidement, se glissa dans le peignoir de bain et regarda autour de lui. Peut-être arracher le câble téléphonique du mur et prétendre qu'il s'était pris les pieds dans le fil ? Mais une prise téléphonique pouvait être réparée rapidement, bien trop rapidement. Ou tordre quelque chose dans la prise de la télévision et dire qu'il avait par mégarde heurté la commode contre le téléviseur ? Mais la prise de télévision était, elle aussi, facile à remplacer. Dans la salle de bains rien d'important ne pouvait être cassé sans éveiller le soupçon que les dégâts avaient été commis volontairement. Renverser quelque chose sur le tapis, par exemple le contenu d'une cafetière ? Mais on ne demandait pas à changer de chambre à cause d'une tache sur le tapis, surtout pas quand c'était sa propre faute.

Achim Ruge éternua en faisant entendre un son de trompette encore plus fort que l'après-midi. Peu après, de la chambre de Millar jaillit le son d'un piano. Bach. Tremblant de colère, Perlmann chercha la fréquence sur le poste de radio posé sur la table de nuit. Millar devait avoir apporté un magnétophone ou une radio-cassette.

Perlmann écouta, avec une certaine réticence. Il ne connaissait pas cette pièce. Il n'avait jamais eu une bonne mémoire pour la musique de Bach. Il n'aurait jamais osé dire cela au conservatoire, mais il trouvait la plupart des pièces pour piano de Bach monotones et ennuyeuses. Il avait souvent pensé en secret qu'il n'en était pas allé autrement pour Bela Szabo. Sinon, il aurait tenu, comme tous les autres professeurs, à ce que Perlmann joue au moins quelques-unes de ses œuvres.

Perlmann prit sa grammaire russe. Il sentait qu'à présent il allait se casser les dents sur le texte de Leskov. Mais il pouvait au moins se mettre dans la tête les différentes traductions en russe du verbe *müssen*. Il aurait alors quelque chose à quoi s'accrocher, un tout petit progrès, quand ensuite il descendrait pour le dîner. Il marcha de long en large, le livre ouvert dans ses mains, en disant les mots à voix plus haute que d'habitude, pour affirmer sa présence à côté de la musique de Millar et de la trompette des éternuements de Ruge.

Peu avant huit heures, il se tenait à la fenêtre, pantalon de flanelle grise et blazer bleu marine, et regardait les clients arriver de l'extérieur et gravir l'escalier pour venir dîner dans le restaurant réputé du *Miramare*. Briser une vitre, on pourrait mettre cela sur le compte d'une maladresse et ce serait une raison pour changer de chambre, maintenant que les nuits étaient relativement fraîches. Mais une vitre aussi, cela se remplaçait facilement. *Foutre le camp, tout simplement foutre le camp, descendre l'escalier pour gagner la promenade du bord de mer, là-bas contourner l'éperon rocheux, hors de vue, et continuer, continuer encore plus loin.* Il serra les poings dans sa poche jusqu'à ce que les ongles blessent ses paumes. En se dirigeant vers la porte il s'arrêta et répéta deux fois la liste des équivalents de *müssen*. Il l'avait en tête. *Maintenant il s'agit d'être laconique,* se dit-il en tirant la porte, *pas désagréable, mais laconique.*

Une fois dans l'escalier, il remarqua avec effroi qu'il était déjà huit heures et demie passées et qu'il arrivait en retard à leur premier dîner en commun. Boitant encore un peu, il pénétra dans l'élégante salle à manger aux lustres scintillants. Maintenant qu'il voyait ses collègues assis autour d'une grande table ronde, il lui fut évident qu'il n'avait pas la moindre idée des paroles de bienvenue qu'il devait leur adresser.

3 Millar regarda sa montre et se leva, se gardant bien d'aller à la rencontre de Perlmann. Il portait avec son pantalon gris un veston croisé et sur la chemise à fines rayures une cravate bleu marine sur laquelle une ancre stylisée était brodée avec un fil jaune d'or. Son allure et la raideur de sa posture faisaient penser à un officier de marine, une impression encore renforcée par son visage anguleux au menton énergique, bronzé comme s'il avait passé des semaines en mer. À sa façon de se tenir debout près de la table alors que ses collègues étaient restés assis, on aurait pu croire qu'il était le chef du groupe et qu'il s'était levé pour accueillir le retardataire.

— *Good to see you, Phil,* dit-il avec un sourire qui découvrit de grandes dents blanches.

Au contact de sa poignée de main brève et puissante, Perlmann eut l'impression d'être d'une totale passivité.

— *Yes*, murmura-t-il, et sa réaction stupide l'exaspéra.

Comme autrefois à Boston, c'étaient les mêmes yeux bleu acier derrière les lunettes étincelantes qui intérieurement le rabaissaient à la condition d'un élève, d'un petit morveux qui se savait angoissé à l'idée de devoir faire ses preuves devant le maître. Millar avait passé la nuit en avion, puis eu un rendez-vous de travail avec son collègue italien et malgré cela ses yeux semblaient aussi éveillés, vifs et calmes que s'il venait de se lever. *Fit*, se dit Perlmann, et il revit le visage rieur d'Agnès lorsqu'une fois de plus il avait laissé libre cours à sa haine de ce mot.

Perlmann mangea rapidement son potage, alors que les autres avaient déjà devant eux des assiettes vides. Il était content qu'une place destinée à Giorgio Silvestri soit restée libre entre Millar et lui. Il y avait quelque chose qui clochait avec Millar, il en avait soudain l'impression très nette ; une négligence dont il n'arrivait pas à se souvenir. Ce n'est qu'en entendant von Levetzov remercier Millar pour le texte qu'il lui avait envoyé qu'il se souvint du petit paquet contenant quatre tirés à part qu'il avait reçu de New York en août, avec la mention FIRST CLASS MAIL qui faisait toujours supposer à Perlmann qu'un courrier diplomatique lui parvenait par erreur.

Le petit paquet était sur son bureau lorsqu'il s'était rendu sans raison à l'université, après le départ de Frau Hartwig, seulement pour s'assurer qu'il appartenait toujours à cette institution. Chez lui, il avait immédiatement fourré le paquet dans le placard, une montagne de tirés à part s'était offerte à sa vue et quelques-uns étaient tombés par terre, comme toujours. Au début, lorsqu'il était chargé de cours ou assistant, il avait répondu à l'envoi de chaque tiré à part par une lettre qui avait souvent la longueur d'une recension. Une correspondance volumineuse s'en était suivie, car il n'avait jamais su quand ce genre d'échange était terminé, et n'était jamais arrivé à laisser la lettre de son correspondant sans réponse. Les autres se sentaient pris au sérieux, flattés, il leur donnait l'occasion de continuer à commenter leur travail et il n'était pas rare que Perlmann trouvât plus tard dans un tiré à part l'indication que ce nouveau travail se fondait sur le stimulant échange épistolaire qu'on avait eu avec lui. Chaque fois il s'était écoulé assez longtemps, et il avait l'impression d'avoir été le coach autoproclamé et en même temps incontournable de son collègue alors qu'il n'arrivait pas lui-même à progresser. Ensuite avec les obligations liées à sa chaire de professeur, ces longs échanges épistolaires étaient devenus progressivement impossibles. Il n'avait pas trouvé de moyen terme, et d'un jour à l'autre, il avait adopté l'attitude inverse et n'avait tout simplement plus répondu du tout.

Lui, il n'avait jamais envoyé de tirés à part ; quand on lui en avait demandé, sa secrétaire avait pris un

exemplaire dans la pile. Il n'avait jamais pu croire
– vraiment croire – que les autres veuillent lire ce
qu'il écrivait. L'idée que quelqu'un pouvait s'intéres-
ser à son travail lui était désagréable. Et de façon paradoxale, il surmontait cette impression avec une
indifférence qui équivalait à un sacrilège, car elle
remettait en question le monde universitaire dans son
ensemble. En même temps ce n'était pas de l'arrogance, il en était absolument sûr. Les autres lisaient
ses travaux, c'était tout à fait évident, et le fait qu'ils
en éprouvent davantage de considération pour lui ne
modifiait en rien cette impression. Chaque fois qu'il
ouvrait le placard, la montagne de travaux non lus qui
lui tombait dessus était comme une bombe à retardement, même s'il n'aurait pas su dire quelle serait la
nature de l'explosion.

– Je n'ai pas encore eu l'occasion de vous féliciter
pour le prix, dit von Levetzov à Perlmann alors que le
serveur débarrassait les assiettes à potage.

On aurait dit, pensa Perlmann, qu'il avait pris un
très long élan pour prononcer cette phrase, déjà là-haut
dans sa chambre, ou peut-être même pendant son
voyage. Von Levetzov balaya de la main la fumée que
lui envoyait Laura Sand et se tourna vers Evelyn
Mistral.

– Il faut que vous sachiez que notre ami ici présent
a récemment reçu un prix qui représente dans notre
pays la plus haute reconnaissance pour des travaux
scientifiques ; c'est presque déjà un petit prix Nobel.

– *Well*, intervint Millar.

– Mais si, mais si, reprit von Levetzov et après avoir
cherché en vain une confirmation auprès de Ruge, il
ajouta avec un sourire suffisant : On s'étonne quelquefois de voir à qui sont attribués les prix, mais je suis
certain que dans le cas présent, le choix était justifié.

Perlmann entoura son verre de ses deux mains et
contempla avec une telle concentration l'eau minérale

en train de tournoyer qu'on aurait cru qu'il observait le résultat d'une expérience dans un laboratoire. Il avait fait la même chose le jour où, à l'occasion de la remise du prix, on avait tenu un discours faisant son éloge. Deux semaines après la mort d'Agnès, il s'était retrouvé assis là-bas, sous les projecteurs, incapable d'éprouver un sentiment, sourd à tout, content qu'on n'ait pas attendu de lui qu'il fît un discours.

Ce sera certainement bientôt votre tour. Cette phrase s'était déjà forgée dans la tête de Perlmann ; et pourtant, à sa surprise, il réussit à ne pas la prononcer. Un petit pas, un pas minuscule en direction de l'idéal de la non-servilité. Il se sentit soudain en pleine forme et sa voix était presque claire lorsqu'il dit à Evelyn Mistral :

– Ce genre de décisions a toujours quelque chose d'aléatoire. Ce n'est certainement pas différent en Espagne, n'est-ce pas ?

Il en allait de même. Pour ne pas dire davantage. Ce qui l'exaspérait le plus, dit-elle, c'était que les prix étaient souvent attribués à des professeurs qui en réalité avaient depuis longtemps cessé leurs recherches, ne se nourrissaient que de leurs mérites passés et tiraient leur flemme à l'abri de leur réputation.

– Tu serais consterné, Philipp, si tu voyais ça ! Ce sont des gens qui ne produisent absolument plus rien.

Sur son front, juste au-dessus de son nez, une légère trace rougeâtre s'était formée. Perlmann avait compris son *you* comme un *tu,* et il eut du mal à supporter la tension entre la familiarité et son ton révolté qui pénétra en lui comme un grand couteau bien aiguisé. *Pourquoi ai-je pensé qu'elle était différente ? À cause de l'éléphant rouge ?*

Il s'amusa des manières que faisait von Levetzov en dînant pour montrer qu'il était un gourmet. Le silence s'installa ensuite, d'où ne s'élevèrent plus que le bruit des couverts et les voix provenant des tables avoisinantes ; il en conclut que désormais, il n'était plus le point de mire.

— Au demeurant, Phil, lança Millar dans le silence, cette histoire de prix ne m'étonne pas. La veille de mon départ, j'étais encore avec Bill à Princeton – Bill Saunders, vous le connaissez, n'est-ce pas ? – et il m'a dit qu'il allait vous envoyer prochainement une invitation pour résider six mois dans son université. Ils savent bien ce qu'ils font là-bas, ajouta-t-il avec un sourire, dans lequel – Perlmann en eut l'intuition – l'habituel mépris pour Princeton se mêlait à une mise en question, péniblement tenue à distance, mais très jouissive, du bien-fondé de cette décision-là.

Bien que le désarroi ait conduit Perlmann à se cramponner à son couteau à poisson comme s'il devait s'en servir pour couper un morceau d'une viande dure et filandreuse, il était fier d'avoir réussi à regarder Millar. *Ne rien dire. Supporter le silence.*

— À propos, Bill était un peu mécontent que vous ne l'ayez pas invité lui aussi, dit finalement Millar, et comme on entendait aussi dans sa voix le désagrément éprouvé face à l'absence de réponse de Perlmann, on eut l'impression qu'il était lui-même Bill Saunders en train de se plaindre.

— Ah, vraiment ? dit Perlmann en fixant Millar pendant quelques secondes.

Il était heureux d'avoir réussi à prendre ce ton de douce ironie, et à présent, il regardait Millar, plus longuement encore et tout à fait calmement. *Ses yeux ne sont pas bleu acier, mais bleu porcelaine.* Le sourire de Millar laissait entrevoir, se dit-il, qu'il était déstabilisé, et le fait qu'il se mettait à présent à parler de Princeton avec fougue et force détails lui confirma cette impression. Pourtant ce ne fut pas un sentiment de triomphe qui s'empara alors de Perlmann, mais de vide ; puis il fut submergé par la sensation d'être harcelé. *Pourquoi ne me laissent-ils pas en paix ?* En enlevant les arêtes au ralenti, il lutta contre le désir impulsif de se lever et de s'en aller. Soulagé, il saisit l'occasion lorsqu'il sentit que le discours de Millar recommençait à le mettre en colère. Il s'abandonna à sa colère avec gourmandise.

En parlant, Millar se vautrait avec délectation dans les tournures idiomatiques propres aux colloques, d'une façon qui écœurait Perlmann. *Se vautrer. Il aime carrément se vautrer dans sa langue.* Perlmann détestait les dialectes, et il les détestait parce qu'ils étaient le plus souvent parlés avec cette prétention arrogante, comme Millar avec son américain de Yankee. Ce qu'il abhorrait plus que tout c'était le platt, ce dialecte dans lequel il avait grandi. La distance qui s'était établie à la fin entre ses parents et lui venait en partie de là. Plus ils vieillissaient, plus ils s'étaient obstinés à parler le platt avec lui, et plus il avait senti leur obstination, plus il avait résolument parlé le haut-allemand avec eux. Cela avait été un combat silencieux avec des mots. Impossible d'en discuter. À quoi cela aurait-il servi de leur dire que leurs points de vue devenaient de plus en plus inflexibles et dogmatiques ? Et que pour cette raison ils se laissaient de plus en plus guider par les tournures et les métaphores dialectales, et les préjugés qui se cristallisaient en elles.

L'homme pas rasé – manches de veste retroussées, col de chemise ouvert et visage pâle – qui debout près de la porte regardait autour de lui, puis s'avançait vers eux, devait être Giorgio Silvestri. Lorsque Perlmann lui tendit la main et vit dans ses yeux sombres une vivacité ironique mais placide, complètement différente du regard aux aguets de Millar, il fut immédiatement séduit. Il eut l'impression qu'avec cet Italien maigre à l'allure fragile, qui semblait déguenillé tant qu'on n'avait pas regardé ses vêtements de près, était arrivé un être capable de lui venir en aide. Et lorsque, ensuite, il alluma une gauloise et souffla la fumée dans le visage de Millar, Perlmann se sentit confirmé dans son impression. La seule chose un peu dérangeante était sa réponse dans un espagnol impeccable et sans accent aux paroles de bienvenue d'Evelyn Mistral qui lui décocha un sourire rayonnant.

Son anglais n'était pas moins impeccable, bien qu'il ne fût pas dépourvu d'accent. Interrogé à ce sujet par Laura Sand qui ne le quittait pas des yeux, il parla des deux années passées dans un service de psychiatrie à Oakland, près de San Francisco.

– *East* Oakland, dit-il en se tournant vers Millar et il poursuivit lorsqu'il remarqua son sourire aigre-doux accompagné d'un froncement de sourcils : Après ça j'en avais assez. Pas des patients, qui m'écrivent aujourd'hui encore. Mais de ce système de santé américain impitoyable, on doit même dire barbare.

Millar éloigna le nuage de fumée comme s'il s'agissait de gaz toxique.

– *Well*, finit-il par lâcher ; il garda pour lui ce qu'il avait déjà sur la langue et s'occupa de son dessert.

Silvestri commanda au garçon, qu'il traita comme une vieille connaissance dès qu'il entendit son accent florentin, un dessert particulier et un triple express. Perlmann fit une plaisanterie à ce propos et ça y était : il succombait une fois de plus à sa manie du contact.

Depuis des années il luttait contre cette habitude de toucher les gens, surtout ceux dont il venait de faire connaissance, lorsqu'il s'adressait personnellement à eux pour accaparer leur attention. Comme maintenant, à table avec Silvestri, il posait sa main sur leur avant-bras, et quand il était debout il lui arrivait assez fréquemment de se retrouver tout à coup le bras autour des épaules de son interlocuteur. Il y avait des gens qui prenaient cela pour un naturel chaleureux, ouvert aux contacts, et d'autres qui trouvaient son comportement désagréable. Sa lubie ne faisait aucune différence entre les hommes et les femmes, et avec ces dernières il n'était pas rare que ce soit source de malentendus. La présence d'Agnès l'avait aidé, mais pas toujours, et quand elle était témoin de telles scènes, on pouvait lire sur son visage à quel point elle trouvait ce geste incompréhensible et inquiétant de sa part à lui qui préférait les grands espaces vides. Personnellement, il trouvait cette manie tout aussi énigmatique et éprouvait chaque fois cette impulsion irrésistible comme une déchirure qui l'aurait traversé de part en part.

C'est von Levetzov qui proposa qu'on se rende de concert après dîner dans le salon meublé de fauteuils ocre. Brian Millar, qui s'y rendit le dernier car il avait inspecté la petite pièce où se trouvaient les tables de jeu rondes recouvertes d'un tapis de feutre vert, s'arrêta sur le seuil, puis se dirigea vers le piano à queue.

– Un Grotrian Steinweg, dit-il, je le préfère à tous les Steinway – il plaqua quelques accords et referma l'instrument. Une autre fois, lâcha-t-il lorsque von Levetzov le pria de jouer.

Perlmann sentit tout à coup qu'il respirait plus difficilement. *Et voilà que maintenant il sait aussi jouer du piano.* Il demanda au garçon qui apportait les boissons d'ouvrir une fenêtre.

Von Levetzov leva son verre.

– Comme personne ne le fait, je voudrais vous souhaiter à tous la bienvenue et trinquer au succès de notre collaboration, dit-il en jetant un regard en biais à Perlmann qui sentit la sueur de ses mains se mêler à la condensation apparue sur le verre. Et c'est là-haut que nous allons travailler, poursuivit-il en montrant la véranda à laquelle conduisaient quelques marches. Une pièce qui correspond parfaitement à nos besoins, j'en ai fait tout à l'heure une photo. On l'appelle la *Veranda Marconi,* en hommage à Guglielmo Marconi, un pionnier de la technique radiophonique, comme l'indique la plaque là-bas.

Perlmann qui n'avait pas remarqué la plaque regardait ses chaussures neuves qui lui faisaient mal. Leur pression douloureuse – à jamais liée à ses souvenirs de confirmation et au manque de confort des bancs d'église – se mélangeait au cuisant sentiment de honte d'avoir oublié le discours de bienvenue et à une colère impuissante, mais grandissante, face à un von Levetzov qui se prenait pour un guide touristique.

– Maintenant il ne manque plus que Vassili Leskov, intervint Laura Sand, et Perlmann eut l'impression qu'elle avait lu dans ses pensées et tentait, en changeant de sujet, d'éviter que les autres ne se lèvent pour aller inspecter la véranda. Quand arrivera-t-il ? Et surtout qui est-il ?

C'était un psychologue du langage sans chaire d'enseignement, répondit Perlmann. Il n'était que chargé de cours, de temps à autre. Perlmann ne pouvait pas dire comment il se débrouillait financièrement. Leskov avait un talent particulièrement impressionnant dans ses descriptions, bien meilleures que celles de la plupart des autres dans sa discipline. Il aidait à prendre conscience de combien il était important, avant toute théorie, de décrire très précisément nos expériences. Il pratiquait certes une psychologie introspective démodée avec laquelle aujourd'hui on ne décrochait pas le cocotier. Mais c'est justement ce que lui, Perlmann, avait trouvé intéressant lorsqu'il s'était entretenu avec Leskov à Saint-Pétersbourg.

– Vous parlez aussi le russe ? interrogea von Levetzov avec inquiétude.

Perlmann ne s'était pas attendu à cette question, mais il n'hésita pas une seconde.

– Non, non, dit-il avec un sourire qui exprimait son regret, pas un mot. Mais il parle, lui, parfaitement l'allemand. Sa grand-mère était allemande et elle n'a parlé que sa langue maternelle avec lui lorsque, après la mort de son père, il passa quelques années chez elle. Il m'a dit que son anglais était chaotique, mais ici il se serait certainement bien débrouillé.

Perlmann ne savait absolument pas pourquoi il avait menti et il lui était désagréable de constater avec quelle adresse il l'avait fait. Evelyn Mistral vers laquelle il hésitait à regarder, le contemplait d'un air à la fois songeur et espiègle. *Désormais nous sommes complices,* se dit-il, sans savoir si cette pensée le réjouissait ou si la vulnérabilité qu'il venait de dévoiler l'emportait.

— Hélas, il n'a pas reçu de visa pour ce voyage, conclut-il, en saisissant ses cigarettes avec soulagement, à son grand étonnement.

— Si nous allions jeter maintenant un coup d'œil à la véranda ? proposa Achim Ruge, alors que la conversation s'enlisait dans des considérations sur les conditions de vie en Union soviétique et que Brian Millar regardait sa montre en bâillant.

Perlmann gravit le dernier les trois marches. *Que se passera-t-il lorsque je les descendrai ce jour-là ?*

Ruge s'était assis en bout de table dans le fauteuil dont le haut dossier capitonné et brodé rappelait un Gobelin.
— Si celui qui est assis ici n'a rien à dire, c'est sa faute, dit-il en gloussant et les rires fusèrent de toutes parts.

Perlmann fit semblant de regarder les armoiries avec des pompons qui couraient le long des murs.

— Quel mot as-tu sur le bout de la langue, Achim ?
— il entendit la voix d'Evelyn Mistral qui cherchait à imiter le ton sévère d'une maîtresse d'école. Ou as-tu oublié de faire tes devoirs ?

À nouveau, les rires fusèrent. Laura Sand fut la seule à ne pas rire, elle examinait un vieux coffre dans un coin de la pièce. Maintenant ils rivalisaient avec des parodies d'interrogatoires et Ruge jouait avec un plaisir grandissant l'idiot rusé qui se cache derrière une timidité de façade. Le cœur de Perlmann battait à tout rompre. Lorsque Silvestri, pince-sans-rire, lança une boutade et fit disparaître d'un mouvement ultrarapide sa cigarette dans sa bouche, la voix claire d'Evelyn Mistral se brisa dans un rire. Perlmann n'attendit pas la réponse de Millar qui reprenait son souffle. Comme s'il était sonné, il quitta la pièce, se fit remettre la clé de sa chambre par Giovanni et gravit les escaliers en clopinant, les pieds endoloris.

Il mit la chaîne de sécurité, quitta dans l'obscurité les souliers qui le faisaient souffrir et se laissa tomber sur le lit. Immédiatement des phrases se mirent à tournoyer dans sa tête, des phrases prononcées pendant le dîner, puis dans la véranda, des phrases sur le prix, sur Princeton, sur des professeurs véreux, sur des devoirs sur lesquels on avait fait l'impasse. Elles revenaient constamment ces phrases, comme un écho qui ne voulait pas s'éteindre, qui ne s'épuiserait jamais.

Perlmann ne connaissait que trop bien cette noria de phrases qui le tourmentaient, ce besoin irrépressible de s'accrocher à des phrases prononcées une seule fois, et comme toujours quand il se retrouvait happé par ce besoin, il avait l'impression d'avoir passé la plus grande partie de sa vie à écouter et à réécouter des phrases qui l'avaient blessé ou angoissé. Agnès avait souffert de ce que parfois, des jours ou des semaines après, il ressortait l'une d'elles et lui donnait un poids et un tragique qu'elle n'avait jamais eus, pour la simple raison qu'il l'avait ressassée trop longtemps, pendant ses promenades ou ses heures d'insomnie. Souvent, elle ne pouvait même pas se souvenir d'avoir dit une telle chose. Ce qu'il prenait pour du mépris et le mettait dans des colères maladroites. Il était furieux, se sentait abandonné de tous et se recroquevillait. Agnès lui expliquait à quel point cette mémoire des petites phrases était dangereuse, comme elle pouvait handicaper un échange de propos intimes et spontanés, quand les paroles prononcées étaient ensuite passées au crible pour être plus tard mises sous le nez de celui qui les avait prononcées comme s'il avait commis un crime. Il avait compris et, ce jour-là, comprendre l'avait aidé. Mais la fois suivante il était à nouveau tombé dans le piège.

Il se redressa et alluma la lumière. Demain matin pour la première réunion de travail dans la véranda, il fallait qu'il prenne les choses en main. Il lui faudrait le faire avec habileté pour bien maîtriser la situation et placer son intervention le plus tard possible. Pour cela il fallait qu'il ait un esprit clair et reposé. Mais avec l'obscurité les petites phrases allaient revenir.

Il se rendit à la salle de bains et revit le long regard que le médecin lui avait jeté avant de lui rédiger une ordonnance pour vingt comprimés d'un somnifère puissant. *C'est un homme épatant et un bon médecin, mais il ne fait preuve d'aucune compréhension pour celui qui ne peut pas s'endormir, c'est une situation qu'il ne connaît pas.* Perlmann prit la moitié d'un comprimé, *pas plus, en aucun cas.* Puis il régla son réveil sur sept heures. La séance de travail devait commencer à neuf heures. Ruge, Millar et von Levetzov avaient imposé leur point de vue au cours de la discussion animée et badine à laquelle le sujet avait donné lieu, bien que l'heure choisie soit encore pour l'horloge biologique de Millar en plein milieu de la nuit.

Perlmann éteignit la lumière et attendit que le somnifère fasse effet. En bas sur la route qui longeait la côte une moto passa en pétaradant. À part cela c'était le silence. Soudain Ruge, dans la chambre voisine, se moucha, trois coups de trompette. On aurait dit qu'il n'y avait pas de cloison entre eux, Ruge semblait remplir de sa présence la chambre de Perlmann. D'un seul coup, tout fut à nouveau présent à son esprit : la table de travail comme le reflet de la sienne dans un miroir, derrière elle Ruge avec son crâne de paysan et ses yeux gris aqueux derrière les lunettes rafistolées, et de l'autre côté Millar avec son Bach.

Il se leva et colla son oreille à la cloison. Rien. À nouveau dans son lit, il passa en revue les raisons possibles pour justifier un changement de chambre. Il le faisait pour la deuxième fois lorsqu'il trouva tout à coup : *le lit, le dos ; ça ils ne pourront pas le vérifier, ils devront tout simplement le croire.* Il se détendit et sentit le premier accès de perte de sensations sur les lèvres et au bout des doigts.

Désormais, les petites phrases ne pouvaient plus le rattraper. Et Ruge pouvait jouer du piano à sa table de travail autant qu'il le voulait, de ce côté-là à partir de demain il n'y aurait plus personne. Ruge se tordait de rire, riait aux éclats, rotait et devait reprendre son souffle. Son piano se rapprochait inexorablement, il prenait de plus en plus d'espace tandis que celui de Perlmann se ratatinait comme de la cellophane en train de fondre. Maintenant c'était Millar qui jouait. *Le clavecin bien tempéré, je vous le dis, c'est ennuyeux, même si vous trouvez cela choquant.* Millar se tenait près du piano à queue de couleur ocre et tandis qu'Evelyn Mistral couinait de plaisir, il n'arrêtait pas de s'incliner jusqu'à ce que la sonnerie du téléphone vienne l'interrompre.

— Je voulais simplement te demander si tu étais bien arrivé, dit Kirsten. Une fine pellicule d'insensibilité recouvrait le visage de Perlmann et sa langue avait la lourdeur de la poix.

— Attends un peu, murmura-t-il et il alla d'un pas mal assuré dans la salle de bains où il se passa de l'eau froide sur le visage. Il avait des fourmis dans la main avec laquelle il reprit ensuite le combiné.

— Je suis désolée si je t'ai réveillé, dit Kirsten, je suis tout simplement habituée à ce que nous nous téléphonions à cette heure-là.

— Pas de problème, dit-il et il fut content de ne pas avoir l'air trop à côté de la plaque.

– L'appartement en colocation, ça a marché, lui raconta-t-elle, il y avait juste une femme qui était un peu compliquée.Et imagine-toi qu'aujourd'hui je me suis inscrite pour mon premier exposé, sur *Les Palmiers sauvages*, le double roman de Faulkner, et j'ai constaté ensuite que ce serait déjà mon tour dans quinze jours. Quand j'y pense, je me sens mal. J'espère qu'on n'est pas obligé d'aller s'asseoir face au public.

Perlmann ne dit mot, il salivait pour lutter contre sa langue desséchée. Oui, finit-il par dire, tout allait bien, même l'hôtel et le temps.

– Et tu as aussi emporté tes livres de russe ? lui demanda-t-elle encore.

Les heures s'écoulèrent les unes après les autres sans que Perlmann pût retrouver le sommeil. Au milieu d'une fatigue qui agissait comme un poison se dressait une forteresse imprenable, son absence de sommeil. À une heure et demie il appela la réception et demanda, pour plus de sûreté, à être réveillé à sept heures. Puis il prit la seconde moitié du comprimé de somnifère.

4 Il était encore prisonnier d'une fatigue de plomb lorsque le téléphone le réveilla, la sonnerie lui sembla venir de très loin. Il murmura un *Grazie* et raccrocha. Sur ce, son réveil sonna. Assis sur le bord du lit, il se pencha en avant et se prit la tête dans les mains. Il avait le sentiment d'avoir dormi profondément, car le temps écoulé entre les événements de la veille et l'instant présent avait été un moment d'oubli absolu. Pourtant il se sentait peu sûr, comme s'il marchait sur une couche de glace trop mince, et il ressentait une pression au-dessus de ses yeux ; on aurait dit que quelqu'un avait coulé du plomb dans ses sinus. Il maudit le somnifère.

Après avoir composé un mauvais numéro et atterri à la buanderie, il commanda un café au room-service. En attendant le garçon, il resta dans le courant d'air frais devant la fenêtre ouverte et observa les lumières en train de s'éteindre à Sestri Levante. Encore un lever de soleil dont il ne profitait pas : le bleu transparent habituel perçait au travers de la brume matinale, mais l'ensemble ressemblait à un film trop souvent regardé, et, qui plus est, aujourd'hui séparé de lui par une paroi de fatigue et les élancements dus aux maux de tête.

Il n'eut pas la force de protester lorsque le garçon déposa un plateau contenant un copieux petit déjeuner. Il avala à la hâte trois tasses de café les unes après les autres, prit une aspirine et alluma une cigarette. Après les premières bouffées, il ressentit un léger vertige, mais cette sensation était beaucoup plus faible que celle éprouvée la veille. À présent, on entendait de la musique en provenance de la chambre de Millar. Bach. Perlmann se mit sous la douche où il eut des frissons, malgré l'eau brûlante. Puis il but le reste du café. La cigarette prit un goût encore plus amer. Huit heures moins le quart. À partir de huit heures, les autres allaient descendre prendre leur petit déjeuner. Il lui suffisait de se montrer vers huit heures et demie. Tout à coup il ne sut plus très bien ce qu'il allait faire du temps qui lui restait, sinon attendre que Millar descende au petit déjeuner et que la musique s'arrête.

Il attrapa le texte de Leskov. La première phrase, après ce qu'il avait traduit la veille, était difficile, et Perlmann eut recours au papier et au crayon pour y voir clair dans la construction très enchevêtrée. *Je vais expliquer que – et comment – étant donné que nous verbalisons nos souvenirs dans des mots, nous créons ces souvenirs et en premier lieu notre propre passé.* La musique s'arrêta et peu après Perlmann entendit la porte de Millar se fermer. Il but lentement le jus d'orange et mangea un croissant, et encore un. Une fois en bas, il n'aurait plus qu'à boire quelque chose. Les maux de tête diminuaient, il ferma les yeux et s'appuya contre le dossier du fauteuil. Créer le passé en racontant des strates de souvenirs, il lui sembla que c'était ce que voulait dire Leskov. Tout excité, il chercha dans son attaché-case le carnet de notes noir. Il ne savait plus très bien, mais cette idée avait quelque chose à voir avec cette chose qu'il avait lui-même écrite.

La porte de Ruge se referma et quelques instants plus tard Perlmann l'entendit se moucher, mais dans le couloir de l'hôtel le bruit se faisait plus discret. Soudain, il se sentit complètement réveillé, une sensation douloureuse : il n'avait absolument aucune proposition à faire pour l'organisation du travail dans les semaines à venir. Il remit le carnet noir à sa place. Il n'arrivait pas à comprendre comment il avait pu oublier de le faire, lui qui avait toujours l'habitude de tout préparer minutieusement. S'il s'était levé plus tard, s'il était descendu immédiatement pour prendre son petit déjeuner, il s'en serait probablement aperçu seulement en entrant dans la véranda. On aurait dit que l'effroi le coupait en deux jusqu'au plus profond de son corps, et pendant un court instant, il eut l'intuition de ce qu'on devait éprouver quand on avait perdu toute conscience de soi.

À la hâte, il se lava le visage à l'eau froide, se demanda un instant s'il devait se faire apporter encore un café, prit ensuite un bloc et son agenda et s'assit à sa table de travail. Non, Ruge n'était pas assis en face de lui en ce moment. Et au moins la cloison était une cloison et pas un miroir sans tain. Les élancements dans la tête étaient revenus et, en traçant les cinq colonnes pour les semaines à venir, il tint son front d'une main en appuyant très fort, comme pour l'écraser.

Sept blocs de deux jours chacun pour se retrouver dans la véranda et parler des travaux en cours de chaque participant.

Trois jours dans la semaine pour les entretiens individuels ou pour le travail personnel. Cela semblait le bon dosage. Perlmann cocha le lundi et le mardi ainsi que le jeudi et le vendredi de chaque semaine. Lui, il se réservait le dernier bloc. Mais même dans ce cas, il le constatait avec horreur, il ne lui restait que trois semaines, même pas trois semaines complètes, car il fallait ôter trois jours pour que les autres aient le temps de lire son texte. Il lui fallait à tout prix obtenir que son intervention ait lieu la dernière semaine, et surtout vers la fin de la semaine, ainsi il lui resterait quand même quatre semaines ; c'était le minimum absolu. Cela signifiait qu'il devait pour une raison ou une autre se garder libre deux demi-semaines. Il regarda l'heure : neuf heures moins vingt-cinq. Il alluma sa troisième et dernière cigarette, *pendant la séance de travail, je vais en manquer.* Les minutes s'écoulèrent sans lui apporter de solution. *Si Leskov avait pu venir, le problème aurait été réduit de moitié.* Il fallait qu'il fasse attention à ne pas dévoiler ses manœuvres.

Lorsqu'il alla vers sa valise pour prendre un pull-over, il vit son reflet dans le haut miroir mural, dans le même pantalon et dans la même chemise que l'après-midi de la veille. Il resta un moment immobile, puis se mit à se changer avec des gestes précipités. Alors qu'il était en train de le faire, il sentit monter en lui honte et colère face à son manque d'assurance. Luttant contre les larmes de rage, il se glissa à nouveau dans les vêtements qu'il venait de quitter, mit son pull-over sur ses épaules, et livres et cahiers sous le bras se dirigea vers la porte. Avant de la refermer, il découvrit sur le tapis un bouton arraché à la chemise propre qui gisait sur le lit défait. Lorsque, content de constater que les douleurs de sa cheville avaient disparu, il dévala l'escalier sur son tapis rouge, il était neuf heures deux.

Les autres étaient déjà tous là, et ils avaient disposé leurs affaires devant eux ainsi que leur manuscrit. Seul

Silvestri n'avait rien apporté d'autre qu'un journal mal replié. Perlmann ne put faire autrement que de prendre place en bout de table ; son refus aurait semblé ridicule et aurait donné au fauteuil sculpté une importance beaucoup trop grande, voire magique. Il s'assit donc, après une courte hésitation qu'il perçut lui-même intérieurement, à la place d'honneur. Par les fenêtres, de l'autre côté de la pièce, il pouvait voir l'eau bleue de la piscine et derrière, au-delà de la terrasse de l'hôtel, la moitié de la partie supérieure d'une station-service. À cette heure de la journée, les parasols n'étaient pas encore ouverts, les chaises longues encore vides. Seul l'homme roux entrevu la veille était déjà là et frappait de la main ses genoux ramenés vers sa poitrine en suivant la cadence de la musique qu'il écoutait avec son baladeur.

Les banalités proférées en guise de bienvenue, de même que toutes les paroles d'introduction restèrent coincées dans la gorge de Perlmann. Il voulait, dit-il, attaquer directement le sujet, et il se mit immédiatement à exposer le planning de travail qu'il proposait. L'assurance lui vint en parlant. Puis il s'approcha du tableau et dessina cinq colonnes. Il laissa vide la seconde moitié de la semaine en cours ainsi que la première moitié de la quatrième semaine. En se penchant, il inscrivit, dans des caractères un peu trop raides, son nom à côté du jeudi et du vendredi de la dernière semaine, puis il reposa la craie avec un geste exagérément déterminé et s'assit. *Est-ce que cette manœuvre n'est pas trop limpide, mais non ils n'ont pas la moindre raison de voir dans cette attitude autre chose que politesse et modestie, ils ne savent pas ce que je sais.*

Lorsqu'on aurait travaillé sur les quatre premiers sujets, dit-il sans avoir l'air de rien et avec toute l'assurance dont il était capable, il avait prévu une pause. « Pour reprendre son souffle ; éventuellement aussi pour avoir une certaine marge de manœuvre, au cas où nous ne respecterions pas le programme. J'ai déjà fait cette expérience dans ce genre de rencontres. » Et il avait pensé, ajouta-t-il, qu'on pourrait utiliser le reste de cette première semaine pour les premiers entretiens informels ainsi que pour lire les documents des collègues. « Et en plus, Brian a un problème avec le décalage horaire. »

Millar avait croisé les bras, la tête penchée du côté droit au point de toucher quasiment son épaule. Son visage d'Américain moyen était chaussé de lunettes très élégantes, à monture d'un rouge tirant sur le roux. La couleur correspondait parfaitement au reflet de ses cheveux et les verres, maintenant Perlmann s'en souvenait, étincelaient si souvent et de façon si éblouissante qu'on aurait cru un mirage.

– Oh, merci, Phil, dit-il, mais vous n'avez vraiment pas besoin de tenir compte de moi. Je me sens *fit*. Et je trouverais dommage de gaspiller cette semaine. Au petit déjeuner, où vous n'étiez malheureusement pas, j'ai parlé avec Adrian et Achim d'un texte que je leur ai envoyé récemment, à vous aussi si je ne me trompe. Je souhaiterais beaucoup en parler dans les deux jours qui viennent, ainsi que d'un autre sur le même sujet.

À présent, hésiter ou contredire pourrait éveiller la suspicion, se dit Perlmann en se rendant au tableau, et il écrivit le nom de Millar face aux prochains jours. Ensuite, il repoussa la demi-semaine libre dans la colonne de la troisième semaine.

– Mais maintenant, il faut que vous inscriviez votre nom plus tôt, dit Ruge en ricanant.

– Mais, bien sûr, bafouilla Perlmann et il inscrivit son nom face aux lundi et mardi de la cinquième semaine. *Donc plus que trois semaines et demie. Et si on compte le temps de lecture des travaux des autres, il n'en reste plus que trois ; plus un ou deux jours ; au maximum. Comment puis-je y arriver ?*

– Pourquoi voulez-vous nous priver aussi longtemps de votre contribution ? demanda von Levetzov avec un sourire qui voulait manifester son intérêt élogieux, mais trahissait une surprise mêlée d'agacement, et aussi, à ce qu'il sembla à Perlmann, un rien de méfiance, vraiment un petit rien, que seul son œil perçant pouvait déceler. Finalement, c'est bien grâce à vous que nous sommes ici. Evelyn Mistral adressa un sourire à Perlmann en approuvant d'un air songeur.

Perlmann sentit son estomac se crisper aussi rapidement que s'il réagissait à l'ingurgitation d'un poison corrosif. Il essaya de respirer calmement, et glissa très lentement une cigarette entre ses lèvres. Lorsque son regard effleura Silvestri, il se souvint du médecin en train de répondre au téléphone. Il tint la cigarette bien plus longtemps que nécessaire dans la flamme et essaya intérieurement de trouver le ton que le médecin avait eu jadis – un ton qui indique avec naturel où est la limite, un ton sans servilité aucune. Il prit une très longue bouffée, et se calant dans son fauteuil il mit fin par ces mots au silence désagréable qui s'était installé :

– Je trouve que le travail de chacun d'entre nous mérite qu'on lui porte exactement le même intérêt, si bien que l'ordre dans lequel nous parlons est insignifiant. N'est-ce pas ?

Il avait à peine terminé de parler qu'il savait qu'il n'avait pas trouvé le ton juste. Il leva les yeux et regarda von Levetzov avec un sourire qui, c'était ce qu'il souhaitait, adoucissait la façon dont il l'avait remis en place.

– Bien sûr, bien sûr, répliqua celui-ci, terrifié, et il ajouta avec aigreur : Pas de raison de s'énerver !

– Peut-être chacun devrait-il exposer brièvement ce qu'il traite dans sa contribution, proposa Laura Sand, ensuite nous pourrons plus facilement décider de l'ordre dans lequel nous allons les présenter.

À cet instant, Perlmann lui fut reconnaissant de lui avoir tendu une perche. Mais dans la minute suivante la panique le submergea. Il cacha son visage derrière ses mains croisées. Cette attitude pouvait ressembler à une posture de concentration. Une sueur froide courut sur ses mains. Il ferma les yeux et s'abandonna pour quelques secondes à une fatigue de plomb.

Pourtant il était clair comme le jour que cela devait arriver tôt ou tard. Finalement, hier déjà quand il s'était entretenu avec Evelyn Mistral, cette question l'avait fait trembler d'effroi. Pourquoi ne s'était-il pas préparé entre-temps à fournir une réponse astucieuse ? Il aurait dû la préparer correctement et la mémoriser pour que le moment venu, il puisse avoir recours à elle et l'exposer avec un calme parfait ; pendant les quelques minutes qu'il lui aurait fallu pour répondre, il y aurait même cru, une mise en scène pour se tromper soi-même, toujours à disposition pour lui donner une contenance. *Mais ainsi ce que je vais dire sera totalement dû au hasard.*

Par la suite Perlmann n'aurait pas pu dire quel sujet Adrian von Levetzov avait esquissé. Tandis qu'il cherchait fiévreusement des formules qu'il pourrait ensuite rassembler pour leur donner l'aspect d'un sujet, seul le ton affecté et complaisant de son anglais parvenait jusqu'à lui. C'est seulement vers la fin lorsque von Levetzov sur une question de Ruge prit un nouvel élan que Perlmann commença à distinguer quelques mots isolés. Mais c'était étrange : au lieu d'accueillir les mots dans le sens qui lui était familier, pour accéder à travers eux aux idées exprimées, il ne les percevait que comme des mots étrangers, des expressions jargonnantes issues du grec ou du latin qui dans leur enchaînement donnaient une sorte d'esperanto. Il les trouvait ridicules, ces mots, tout simplement grotesques ; puis s'éleva à nouveau en lui cette insécurité inquiétante qui depuis quelque temps le forçait à tout vérifier dans le dictionnaire. Dans ces moments-là, il était subitement submergé par le sentiment de ne pas connaître dans toutes les nuances de son acception une expression technique qu'il avait lue des milliers de fois ; cette expression avait une imprécision déconcertante qui rappelait une photographie floue. Et pourtant chaque fois, il faisait la même constatation : il savait la définition exacte ; il n'en existait pas de plus précise. Incapable de savoir si cette découverte l'apaisait ou si l'inquiétude augmentait parce qu'il avait précisément eu besoin de vérifier ses connaissances, il replaçait alors le dictionnaire sur l'étagère. Et il n'était pas rare que quelques jours plus tard, il vérifiât à nouveau le même mot.

Lorsque ce fut son tour, Laura Sand avait une cigarette à la bouche et essayait d'empêcher que la fumée ne lui vienne dans les yeux. Ses premières phrases, pendant qu'elle cherchait quelque chose dans ses notes, furent balbutiantes, et celui qui n'aurait pas su que ses livres sur le langage des animaux faisaient partie des meilleurs sur le sujet, aurait pris cela pour un manque d'assurance. Elle trouva finalement la feuille qu'elle cherchait, y jeta un coup d'œil et se mit à parler, avec aisance et concentration, des expériences qu'elle avait menées au Kenya ces derniers mois. Ce qu'elle disait était merveilleusement concis et clair, pensa Perlmann, et en plus avec cette voix mate, un peu nerveuse qui, lorsqu'elle voulait insister sur un point, laissait percer l'accent australien habituellement caché derrière son anglais britannique discret. Comme à son arrivée, la veille, elle était toute de noir vêtue, la seule note de couleur chez elle était le rouge de sa chevalière au petit doigt de la main droite.

Perlmann cacha à nouveau son visage dans ses mains et essaya désespérément de se souvenir des questions scientifiques auxquelles il avait réfléchi récemment, *autrefois, lorsque j'étais encore dans le coup.*

Mais rien ne lui vint à l'esprit. Seul Leskov émergea soudain du champ de sa vision intérieure, Leskov avec sa grande pipe entre ses dents brunies par le tabac de mauvaise qualité, son corps massif enfoncé dans un fauteuil au capitonnage usé d'un gris sale dans le foyer du centre de conférences. Perlmann fit un effort pour ne pas entendre la voix de cette silhouette, dont il avait un souvenir visuel si prégnant, expliquer l'importance du rôle des mots dans le vécu. Il n'avait pas besoin de cette silhouette, se disait-il, il n'en avait vraiment pas besoin, absolument pas, car il y avait le cahier noir avec les notes. Si seulement il pouvait rapidement monter dans sa chambre pour y jeter un coup d'œil !

Giorgio Silvestri, un genou coincé contre le rebord de la table, se balançait sur les pieds arrière de son fauteuil. Son bras gauche pendait derrière et le droit était appuyé sur l'accoudoir, une cigarette entre ses longs doigts minces. *Un po' stravangante*, c'était ainsi qu'Angelini le désignait. Lorsqu'il se mit à parler d'une voix douce, mais très sûre d'elle, malgré un accent marqué, sa main blanche tenant la cigarette n'arrêtait pas de bouger, soulignant certains points, laissant planer le doute sur d'autres, et leur conférant une certaine imprécision. Lorsqu'on écoutait des patients schizophrènes, disait-il, on était déçu par l'absence de la cohérence habituelle du langage. Mais les décalages de sens et les erreurs de pensée appartenaient à une certaine logique, ce n'était pas tout simplement le chaos absolu. Il voulait mettre à profit le temps qu'il passerait ici pour élaborer une hypothèse à partir du matériel clinique qu'il avait rassemblé. Il demandait qu'on lui fixe une date d'intervention assez tardive, il était en retard à cause de l'énorme travail qu'il avait à la clinique.

Perlmann saisit la craie. *Il a une raison solide, pas moi. Et ce serait une question de correction que de lui proposer d'intervenir en dernier. Mais dans ce cas, il ne me resterait plus qu'à peine trois semaines, c'est tout à fait exclu.* Il inscrivit le nom de Silvestri pour le jeudi et le vendredi de la quatrième semaine. Il n'avait pas encore eu le temps de se retourner vers l'assistance, qu'il sentit le regard de Brian Millar posé sur lui. L'Américain avait à nouveau croisé les bras et tenait la tête penchée. Ses lèvres minces tressaillaient et Perlmann était certain que la question n'allait pas tarder à venir. Par la suite il aurait pu se gifler de ne pas avoir au moins attendu qu'il la pose.

— Bien sûr, vous pouvez aussi vous inscrire pour la cinquième semaine, dit-il à Silvestri, et il dessina une flèche vers la cinquième semaine.

— Je préférerais ne pas m'engager maintenant, si c'est possible, répondit Silvestri.

Donc pour plus de sécurité, je dois me préparer à intervenir le jeudi de la quatrième semaine. Le mardi précédent au plus tard, les autres doivent avoir mon texte. Cela signifie qu'il me reste exactement vingt jours. Perlmann fourra une cigarette entre ses lèvres lorsqu'il se fut rassis. Effaré de voir trembler la main tenant l'allumette, il trouva immédiatement un appui pour son bras et maintint fermement son poignet de l'autre main.

Achim Ruge, qui s'exprima ensuite, sortit de sa poche un immense mouchoir à carreaux rouges et blancs, le déplia minutieusement, retira ses lunettes, se moucha bruyamment, avec soin. Cet incident replaça immédiatement Perlmann face au problème de la chambre. Cette idée était vraiment la dernière à lui être d'une quelconque utilité à ce moment-là, il la repoussa violemment, sentant malgré tout une angoisse supplémentaire monter en lui. Ruge quitta sa veste ; il était à présent en bras de chemise, une chemise mal coupée, avec des élastiques aux bras pour raccourcir les manches. *Il est brave, le plus brave que je connaisse. Et honnête, honnête jusqu'au fond de lui. Peut-être que je me trompe et que ce ne sont pas Millar et von Levetzov que j'ai le plus à redouter, peut-être ce Ruge est-il le plus dangereux à cause de sa rigidité et de son honnêteté.* Il n'était pas impensable, se dit Perlmann, que von Levetzov laisse de temps à autre tomber la science, pour une femme par exemple, ou par passion du jeu. Les rumeurs n'étaient jamais le fruit du hasard. Si tel était le cas il porterait sur lui un jugement moins dur, du moins cela le ferait-il réfléchir. Et en ce qui concernait Millar il est vrai qu'il avait une certaine honnêteté, mais il s'agissait de l'honnêteté du sportif américain qui pouvait un jour sortir de ses gonds. Par exemple quand il s'agissait de Sheila. Au contraire, chez Ruge qui ne connaissait que son équipe de recherche et son ordinateur, ce genre de choses était inenvisageable, c'est pourquoi son jugement serait sans pitié, sans appel.

Perlmann essaya de se protéger par le mépris, il fixait les élastiques et faisait tout pour voir dans Ruge un petit-bourgeois dont on ne pouvait que se moquer. Pour cela, il était aidé par l'effroyable accent souabe de Ruge lorsqu'il parlait anglais, une vraie caricature quand on l'écoutait. Il s'attendait automatiquement à ce que Ruge enchaînât une faute après l'autre. Mais il n'en fut rien. Ruge maîtrisait au contraire parfaitement l'anglais, et utilisait termes et locutions que Perlmann comprenait, mais qui ne faisaient cependant pas partie de son vocabulaire actif. Le mépris péniblement construit se mit à vaciller, la présence de Ruge lui semblait pourtant tout aussi dangereuse que précédemment, et à nouveau Perlmann chercha l'aide de ses mains pour ériger une protection devant ses yeux.

Avant de commencer à parler, Evelyn Mistral mit des lunettes à la fine monture en argent mat. Elle avait relevé ses cheveux et malgré le tee-shirt glissé sous la veste, elle semblait plus âgée que la veille, *une scientifique, l'éléphant rouge ne lui convient pas aujourd'hui.* Tout d'un coup, elle lui fut même étrangère, et qui plus est, *comme lectrice, comme chercheuse elle est une adversaire dont je dois me méfier.* Perlmann chercha à se concentrer et fit une dernière tentative désespérée pour se souvenir d'un sujet auquel il comprenait quelque chose. *Après elle, c'est mon tour.* Mais ensuite, il entendit sa voix claire qui semblait tendue et stressée. Sous la table ses pieds se glissèrent hors des souliers rouges, puis elle les remit, elle appuya ses bras sur la table, juste le temps de changer à nouveau de position. Au lieu de se contenter d'esquisser les grandes lignes de son sujet, elle n'arrêta pas de défendre son travail et parla plus longuement que nécessaire. Au bout d'un moment, Perlmann sentit que son corps avait intériorisé la tension d'Evelyn Mistral comme si, ce faisant, il pouvait l'en libérer. Il se dit qu'il devait la défendre contre les regards des autres, bien que dans leurs regards on ne put lire la moindre trace de critique, tout au plus une bienveillance teintée de suffisance.

Et puis tout d'un coup elle s'arrêta, retira ses lunettes et s'appuya au dossier de son fauteuil, les bras croisés. Perlmann eut l'impression que la véranda se remplissait d'un silence étourdissant, et le temps ne sembla retrouver son cours que lorsqu'il prit la parole. Il chercha à tâtons ses cigarettes, arriva à trouver le paquet et remarqua immédiatement qu'il était vide. La main encore posée sur le paquet, il regarda pardessus la tête de Silvestri dehors vers la mer, pour s'assurer que le monde, le monde réel était bien plus grand que cette pièce détestée où il était à présent définitivement encerclé par toutes ces personnes qu'il avait invitées ici pour la seule raison qu'Agnès avait voulu l'accompagner en Italie, en hiver, pour faire des photos.

Une grimace, plutôt qu'un sourire, se dessina sur le visage de Silvestri qui attrapa son paquet de gauloises et lui fit décrire un arc de cercle osé dans l'espace. Encore à moitié occupé par sa tentative de se réfugier dans son regard intérieur et de fuir, dehors, à la lumière, Perlmann leva le bras et attrapa le paquet d'un geste sûr. Bien que cette assurance semblât ne pas venir de lui mais de son corps qu'il avait voulu abandonner, comme un trompe-l'œil, pour se camoufler, cela lui rendit une partie de sa confiance en soi. Il remercia Silvestri d'un signe de tête et plaça l'une des cigarettes sans filtre entre ses lèvres. *Ce que je vais dire maintenant va être absolument le fruit du hasard.*

La première bouffée lui coupa le souffle et il ne put s'empêcher de tousser. Il entendit le rire de Silvestri, se retrancha encore quelques instants derrière sa toux, et finalement, après avoir essuyé ses yeux humides, il regarda l'assistance.

— Je travaille à un texte sur les connexions entre langage et mémoire, dit-il.

Il était tout à la fois soulagé et effrayé par le calme de sa voix. C'était un sujet, poursuivit-il, qui l'intéressait depuis des années. Dans sa discipline on ne travaillait que rarement, c'était du moins son point de vue, sur les imbrications du langage et des différentes formes d'expérience. Pour cette raison justement, notre expérience du temps était particulièrement négligée. Pour un linguiste ce n'était pas un sujet très orthodoxe, ajouta-t-il avec un sourire qui ressemblait davantage à une gymnastique faciale. Mais il concevait son séjour ici comme la possibilité d'expérimenter pour une fois des voies nouvelles.

Evelyn Mistral lui décocha un sourire rayonnant, et Perlmann remarqua seulement à ce moment-là le vert de ses yeux, le vert de la mer dans laquelle quelques éclats d'ambre étaient enchâssés. Elle était heureusement surprise qu'il travaillât sur un sujet proche du sien, et Perlmann dut détourner les yeux pour, dans son hypocrisie, ne pas s'exposer à son regard plus longtemps.

Son intervention avait produit moins de réactions qu'il ne l'avait supposé, du moins leurs visages permettaient-ils de le penser. La tête de Millar semblait encore un peu plus penchée que d'habitude, mais son regard ne trahissait aucune ironie, et dans les yeux sombres d'Adrian von Levetzov brillait même un intérêt contenu.

La proposition de Laura Sand sur l'ordre des séances de travail réunit l'unanimité. La date que Perlmann s'était fixée pour sa propre intervention fut considérée désormais comme allant de soi. Sur ce point, Perlmann évita bien sûr le regard de von Levetzov. Pour cette raison, ce dernier vint le voir à la fin de la séance. Il avait trouvé, dit-il, ses propos un peu surprenants. Mais à y réfléchir plus précisément, il était quelque peu jaloux. Ce devait être un sentiment merveilleux de pouvoir expérimenter quelque chose de nouveau. Il attendait déjà impatiemment le résultat.

Perlmann se rendit au secrétariat et présenta Millar à Maria. Aujourd'hui aussi elle portait un pull-over brillant qui allait bien avec ses cheveux laqués, et comme le soir précédent, Perlmann fut saisi par le contraste entre l'aura de punk qui l'entourait et le sourire chaleureux, presque maternel avec lequel elle s'adressait aux gens. Elle assura à Millar que ses deux textes seraient photocopiés avant seize heures et qu'elle en mettrait une copie dans le casier de chacun de ses collègues.

– L'un de ces textes, vous le connaissez déjà, dit Millar à Perlmann en sortant, et je suis impatient de savoir ce que vous direz de l'autre. La critique qui vous a été faite a été assez dure. Mais vous savez bien qu'il n'y a rien de personnel là-dedans.

5 – Vous donner une autre chambre ne pose absolument aucun problème, se contenta de répondre signora Morelli lorsque Perlmann bredouilla dans un italien bourré de fautes son histoire de lit et de douleurs dorsales. À cette saison, l'hôtel est loin d'être complet.

Elle le vit hésitant et arrêta son geste vers le tableau des clés. Perlmann prit alors son courage à deux mains et ajouta d'une voix assurée :

– Je préférerais une chambre de l'autre côté du bâtiment. Entourée de chambres vides, si c'est possible.

Sur le visage sévère de signora Morelli apparut un léger sourire, et elle cligna des yeux. Elle feuilleta ses registres, prit une clé au tableau.

– *Va bene*, dit-elle, voyez si celle-ci vous convient.

Lorsque, dans l'escalier, il se retourna encore une fois vers elle, elle s'appuyait de ses deux bras sur ses dossiers et le suivait des yeux la tête légèrement inclinée.

La nouvelle chambre se trouvait au dernier étage de l'aile sud, très éloignée des chambres des autres. Ici le couloir était sombre, car seules deux des trois lampes Jugendstil au plafond étaient allumées, la troisième ne fonctionnait pas et chacune des deux autres avait une ampoule grillée. Au premier abord, Perlmann fut effrayé quand il vit la chambre. Certes, elle était plus grande et plus haute de plafond que la précédente, c'était presque une salle, mais le stuc au plafond était effrité, la moquette usagée et la moitié du grand miroir mural presque entièrement piquée. Par-dessus le marché, la pièce sentait le renfermé comme si on ne l'avait plus aérée depuis des années. Seule la salle de bains avait été complètement refaite, avec une baignoire en marbre et des garnitures en laiton étincelant. Il ouvrit la fenêtre et examina la façade en dessous : la chambre se trouvait dans la seule rangée sans balcon. De l'autre côté, près de la piscine, Giorgio Silvestri était étendu sur une chaise longue jaune. Il avait quitté chaussures et chaussettes et un journal couvrait son visage. *Comme un clochard. Un homme sans peur, un homme libre – et tout ce que je me chante, c'est du pur kitsch.*

Perlmann s'assit dans la grande bergère tendue de velours rouge élimé, près de la fenêtre. Il se mit à inspecter la pièce des yeux, et même avant d'avoir terminé, elle lui plut. Il s'allongea sur le lit. Soudain il lui fut très facile de se détendre. La nouvelle chambre lui fit oublier ce qui s'était passé pendant la séance de travail. Au loin on entendait la sirène d'un bateau et le grondement d'un canot à moteur. Il réfléchit au fait que les deux chambres voisines étaient vides. Et que leurs voisines étaient elles aussi inoccupées. Dans son imagination, il vit une infinité de lignes de fuite faites de chambres vides et silencieuses. Là-dessus, il s'endormit.

Il était presque trois heures lorsqu'il s'éveilla en frissonnant, la bouche sèche, ne sachant d'abord pas où il se trouvait, puis soulagé d'être dans cette chambre. En chemin vers son ancienne chambre, il serrait dans sa main la clé comme une bouée. La musique provenant de chez Millar ne lui importait plus, pendant qu'il emballait vêtements et livres qu'il voulait transporter en catimini dans sa nouvelle chambre.

Jusqu'à ce que les travaux de Millar soient dans les casiers, il faudrait encore une bonne heure. Perlmann saisit le texte de Leskov. Il relut encore une fois la phrase sur la saisie par le langage du passé individuel. La traduction qu'il avait écrite le matin même était juste. Toutefois la suite du texte devenait très difficile. Leskov introduisait le concept d'événement mémorisé – *vspomniscajasja scena* – et semblait ensuite développer l'idée que dans ce genre d'événement il y avait projection d'une image de soi – *samopredstavlenie*. Perlmann était obligé de chercher chaque mot dans le dictionnaire, et le tapuscrit devenait de plus en plus illisible à cause des traductions qu'il gribouillait dessus. Il se dit qu'il devait acheter un cahier de vocabulaire dans lequel il pourrait inscrire tous les nouveaux mots. De cette façon, il constituerait un glossaire de la langue scientifique russe, un domaine de la langue à peine évoqué dans les manuels d'exercices. Soudain il se sentit bien : il avait un projet auquel il pouvait s'adonner dans sa nouvelle chambre. C'était un vrai projet. Il s'était enfin remis au travail. Lorsqu'il longea le port pour se rendre en ville à la recherche d'une papeterie, sa démarche était plus assurée et sûre.

C'était la première fois qu'il pénétrait dans la localité, et il eut pendant un long moment l'impression qu'il ne trouverait pas un seul magasin qui vende de la papeterie. Finalement dans une petite rue, il découvrit une minuscule boutique crasseuse dans laquelle on pouvait se procurer, outre la papeterie, des magazines et des romans à quatre sous, ainsi que des jouets bon marché et des bonbons. Encore contrarié d'avoir dû chercher pendant longtemps, mais maintenant soulagé d'avoir trouvé il prit son élan pour appuyer sur la clenche et heurta la porte de l'épaule et de la tête. C'était encore l'heure de la sieste, bien qu'il fût presque quatre heures. Il resta devant la vitrine en frottant son front endolori. Au bout d'un moment, son regard fut captivé par un livre de grand format placé derrière la vitre sale au milieu de rouleaux de papier et de guirlandes de papier argenté, comme un livre saint dans un écrin. C'était une histoire du XXe siècle. La couverture était partagée en quatre ; dans chaque partie on pouvait voir des photographies connues dans le monde entier, des icônes du siècle. Marilyn Monroe au-dessus d'une grille de métro retenant sa jupe soulevée par l'air chaud ; Elvis Presley dans un costume brillant bleu clair penché en avant en train de jouer ; le premier pas de Neil Armstrong sur la lune ; Jacqueline Kennedy qui, à Dallas, dans la voiture décapotable, se penche sur le Président qu'on vient d'assassiner. Perlmann sentit à quel point les images le fascinaient, on aurait dit qu'il les voyait pour la première fois. L'idée de lire des commentaires sur ces images, maintenant, tout de suite, l'électrisait, et soudain il lui sembla que rien n'était plus excitant, plus important que de lire l'histoire de son siècle à travers ces images. Tout excité, il ouvrit le paquet de cigarettes qu'il avait acheté au coin de la rue. Non, c'était autre chose : il ne s'agissait pas de s'expliquer le siècle comme un historien. Ce qu'il voulait c'était s'approprier sa propre vie d'une façon nouvelle, en se représentant ce qui s'était passé au même moment dans le monde. Cette idée lui vint à l'esprit pour la première fois ici, dans cette ruelle sombre et déserte qui sentait un peu le poisson et les légumes pourris. Il n'était pas certain de bien comprendre ce qu'il était en train de penser, mais son impatience augmenta au fur et à mesure que le temps passait, il voulait commencer immédiatement, peu importe ce qui l'attendait.

La propriétaire du magasin, une femme corpulente avec des bagues trop nombreuses à ses doigts replets, qui finit par lui ouvrir la porte, se montra d'abord irritée par l'impatience que Perlmann n'arrivait pas à cacher. Mais lorsqu'il manifesta son intérêt pour la Chronique, son comportement grincheux laissa place à une amabilité obséquieuse. Elle était ahurie comme si elle n'avait jamais supposé que quelqu'un pouvait effectivement vouloir acheter ce grand livre peu maniable, le clou de son étalage ; surtout pas quelqu'un avec un accent indubitablement étranger et qui plus est pendant la pause de midi. Elle alla chercher le lourd volume dans la vitrine, sur le seuil de la porte ouverte secoua la poussière et tendit le livre à Perlmann avec un geste théâtral : *Ecco !* Pour le cahier de vocabulaire, elle ne voulut rien compter, elle le lui offrait en prime, dit-elle. Elle fourra dans la poche de son tablier la liasse de billets. Elle continua à secouer la tête en le suivant des yeux depuis la porte.

Deux rues plus loin, Perlmann vit une pancarte qui ne payait pas de mine : TRATTORIA. Il écarta le rideau de ficelles garnies de perles, traversa un long couloir sinistre et déboucha soudain dans une cour intérieure lumineuse, recouverte d'une verrière, où se trouvaient des tables avec des nappes à carreaux rouges et blancs. La salle était vide, et Perlmann dut appeler à deux reprises avant que le patron n'apparaisse, le ventre ceint d'un tablier. Ils venaient juste de déjeuner, dit-il avec bienveillance, il pouvait encore servir à Perlmann un minestrone et une assiette de pâtes. Il lui apporta alors le déjeuner, suivi de sa femme et de sa fille. Perlmann parvint à feuilleter la Chronique, malgré la curiosité de la famille qui voulait savoir qui était cet homme avec ce gros livre qui apparemment vivait selon des horaires inhabituels. En échange de l'accueil et du repas à une heure insolite, Perlmann leur parla de son groupe de recherche. Des recherches sur le langage, cela leur sembla intéressant et il dut continuer à leur donner des explications, surtout à Sandra, leur fille de treize ans aux nattes noires comme le jais qui voulait sans cesse en savoir davantage. Ses parents étaient visiblement fiers d'avoir une fille aussi avide de savoir. Il s'en sortait étonnamment bien en italien pour s'exprimer sur ce sujet difficile, il était heureux chaque fois qu'il employait à bon escient un idiome qui ne lui était pas familier, et la joie de se débrouiller dans cette langue ajoutée au désir de ne pas décevoir Sandra fit naître en lui une image presque enthousiaste du projet qu'il avait initié là-bas à l'hôtel, une image totalement en porte-à-faux avec sa détresse intérieure. Lorsque la famille de l'aubergiste finit par se retirer pour le laisser lire, il était à leurs yeux un homme enviable qui avait la chance de pouvoir faire exactement ce qui l'intéressait le plus, un cas rare, un homme en plein accord avec lui-même.

Perlmann ouvrit le livre à la page de l'année de son baccalauréat. La première fusion de l'atome. Le retour de De Gaulle. Boris Pasternak contraint de refuser le prix Nobel. Des élections en Italie. La mort du pape Pie XII. La *Torre Velasca* à Milan avait été consolidée. Accusation en diffamation de l'évêque de Prato qui avait traité un couple refusant le mariage religieux de *publici concubini* et de *publici peccatori* ; il fut condamné à payer une amende par le tribunal qui, à la suite d'une protestation de l'Église prononça un non-lieu pour *insindacabilità dell'atto.*

Perlmann lut les yeux brûlants. Les textes étaient plutôt faciles et son italien suffisait grosso modo. L'ensemble était un peu tape-à-l'œil et sentait la presse de boulevard, mais cela ne le gênait pas, il l'appréciait même, le choix des événements – d'une perspective italienne – donnait à la chose un attrait exotique. Il était immensément étonné de sa fascination en lisant, par exemple, que le soulèvement en Hongrie qui deux ans auparavant avait plongé les communistes italiens dans un grand embarras, n'avait eu aucune influence sur le score du parti aux élections. Il ne comprit pas pourquoi il demandait à Sandra de lui apporter des express les uns après les autres, et les buvait en fumant comme un pompier. Mais il lui plaisait de pouvoir s'étonner lui-même, de découvrir soudain quelque chose en lui qui, il en avait une vague intuition, était un commencement.

Le ciel au-dessus de la verrière était déjà presque complètement noir et les lampes-tempête le long des murs brillaient depuis un moment lorsque Perlmann partit. Suivant son inspiration du moment, il pria le patron de conserver chez lui la Chronique, il reviendrait pour la lire. Tandis qu'il allait vers le port en suivant les ruelles silencieuses, il eut l'impression d'avoir trouvé un refuge où il pourrait se replier quand le monde de l'hôtel, le monde du groupe menacerait de le briser. Il ressentit une joie maligne à l'idée qu'aucun des autres ne connaîtrait jamais l'existence de cette cachette. Mais lorsqu'il longea le môle du port et déboucha sur la promenade du rivage où se trouvait l'hôtel, ses états d'âme précédents s'infiltrèrent à nouveau en lui, bien que, pour essayer de leur résister, il se fût arrêté à plusieurs reprises. Lorsque, arrivé devant l'escalier extérieur, il regarda le nom de l'hôtel en caractères lumineux sur fond d'un bleu scintillant, la mauvaise conscience d'avoir perdu une journée s'ajouta à tout le reste.

Les deux textes de Millar que signora Morelli lui tendit lui firent un choc. Celui qu'il avait, chez lui, ajouté à la pile des tirés à part dans son placard avait cinquante-neuf pages, l'autre soixante-cinq et en plus sept pages de notes. Lorsqu'il les feuilleta dans l'ascenseur, ce qui lui restait du sentiment de soulagement éprouvé à la trattoria disparut. Ne subsista qu'une fatigue de plomb et l'impression qu'il lui faudrait des heures pour ne lire que quelques pages.

Dans sa chambre, il mit les textes de côté. Il ne disposait pas de suffisamment de temps avant le dîner. Il saisit le texte de Leskov et inscrivit dans son cahier de vocabulaire les mots inconnus qu'il avait cherchés dans le dictionnaire. Il s'arrêta à plusieurs reprises et contempla, étonné et heureux, son écriture en russe. Elle était un peu malhabile, mais correcte et c'était indiscutablement du russe. Ce qui était énervant, c'était que dans les phrases suivantes apparaissaient des mots que son dictionnaire de poche ne mentionnait pas. Il réussit néanmoins à suivre la démarche de Leskov dans ses grandes lignes. Les images de soi, telle était l'argumentation du texte, étaient quelque chose de complètement différent des contours du monde intérieur. Se construire une image de soi était un processus qui supposait une articulation plus solide que ce que la perception intérieure des contours du vécu, leur saisie tâtonnante pouvaient en fournir.

Il avait le sens des formules frappantes, ce Vassili Leskov, et Perlmann se mit petit à petit à aimer ce texte. Il l'aimait pour son style sec, sans artifices, son ton laconique. En tant qu'auteur, se dit-il, Leskov était un autre homme, plus sympathique qu'au quotidien, et Perlmann s'aperçut que la silhouette informe en train de fumer la pipe dont il avait conservé le souvenir laissait la place à une personne dont il ne voyait certes pas la silhouette, mais dont la voix et l'identité étaient claires et pénétrantes.

Il était neuf heures moins vingt quand il se souvint du dîner. Il se changea à la hâte, attrapa la chemise à laquelle il manquait un bouton, choisit une cravate large pour cacher son absence. Giovanni, derrière le comptoir de la réception, le regarda en ricanant lorsqu'il le vit dévaler à toute allure les escaliers. Il eut le ricanement de celui qui voit un écolier retardataire cavaler dans les couloirs déserts jusqu'à sa salle de classe. Perlmann aurait aimé lui retourner une paire de claques, à cet Italien simplet aux sourcils ébouriffés et aux favoris trop longs. Il lui jeta un regard si méchant que le ricanement disparut immédiatement de son visage.

Il ne prendrait pas d'entrée, dit-il au serveur avant de s'asseoir à côté de Silvestri qui, apparemment aux prises avec Millar dans une discussion houleuse, avait posé sur son assiette couteau et fourchette croisés et en plein milieu du dîner allumé une cigarette. « Oui, dit-il en soufflant sa fumée comme par inadvertance dans le visage de Millar, on devrait bien qualifier l'expérience de Franco Basaglia à Gorice d'échec. Mais cela ne suffirait pas à prouver qu'on ne pouvait absolument rien changer à la psychiatrie fermée derrière des barreaux et des portes verrouillées. En tout cas Basaglia avait fait preuve de plus de sensibilité, d'engagement et de courage que toute la psychiatrie traditionnelle, dont l'inertie était proportionnelle à son absence d'imagination. »

— Avez-vous déjà vécu une situation dans laquelle on verrouille la porte sous votre nez, comme dans une prison, alors que vous n'avez rien fait ? Avez-vous déjà vu la grande clé que les gardiens font tourner dans la serrure en produisant un bruit dont l'écho semble ne jamais vouloir s'arrêter ? La main blanche de Silvestri tenant la cigarette tremblait, et des cendres tombèrent sur le rôti.

— Ce ne sont pas des gardiens, dit Millar en arrivant difficilement à se contrôler, ce sont des soignants.

— À Oakland, on les appelait des *warden*, se hâta de répliquer Silvestri, c'est aussi le mot qu'on emploie chez vous dans les prisons.

— Ce sont des soignants, répéta Millar en s'efforçant de rester calme, et s'adressant ensuite à Perlmann avec un sourire forcé, la bouteille de vin dans la main : Il y a des sujets plus agréables. Qu'avez-vous pensé de mon nouveau texte ?

Perlmann sentit combien l'énervement de Silvestri l'ébranlait lui aussi. Il enfourna dans sa bouche un deuxième morceau de viande, bien trop gros, et fit, tout en mâchant, un geste d'excuse. *It's okay*, finit-il par dire en essayant de sourire pour faire comprendre à Millar qu'il ne lui en voulait pas de ses critiques.

— Je comprends, jubila Millar, alors que Perlmann se taisait. Vous gardez vos objections pour demain. Je m'en réjouis déjà.

De retour dans sa chambre, Perlmann domina son écœurement en faisant quelques mouvements énergiques, puis il s'assit à sa table de travail avec un élan excessif. C'était toujours sidérant, les textes de Millar étaient brillants, on pouvait s'en rendre compte dès qu'on commençait à les feuilleter. Les titres intermédiaires avaient presque toujours une forme interrogative, et il était célèbre pour ses questions originales qui avaient ouvert la voie à de nombreux travaux de recherche. À cela s'ajoutait son vocabulaire étonnamment étendu pour un scientifique, son style inimitable dans lequel il jonglait astucieusement avec le caractère concret de certaines expressions idiomatiques et il n'hésitait pas, au milieu d'une phrase sèche qui rassemblait des résultats scientifiques, à faire éclater comme une bombe quelques mots d'argot. D'aucuns trouvaient son style criard et affecté, mais ils avaient toujours constitué une minorité, et maintenant plus personne n'osait proférer ce genre de critiques à haute voix. Seul Achim Ruge qui avait, lui, un style desséché digne d'une chancellerie, avait il y a quelque temps fait une remarque de ce genre lors d'un congrès qu'on s'était chuchotée de bouche à oreille.

Perlmann n'avait pas d'objection, pas la moindre. Il avait commencé par le plus récent des deux textes, pour en finir avec les critiques de Millar. Il ne voyait pas ce qu'il aurait pu objecter à ces critiques. Pendant qu'il était assis devant un bloc de papier vierge brandissant son crayon, on entendait de temps en temps, venant de la chambre de Millar, un fortissimo. La critique était sévère, voire assassine. Il était épaté que cela ne lui fît ni chaud ni froid. Il était dans une situation qui ressemblait un peu à une anesthésie locale, et lorsqu'il eut dépassé les passages critiques, il se sentit quasiment euphorique.

Cependant, arrivé à la fin, son indifférence l'effraya. Pour pouvoir soulever une objection, réagir à une critique, il fallait avoir des idées capables d'être formulées, exprimées. Et il n'en avait justement aucune. Depuis quelque temps il était un homme sans idées, du moins dans sa discipline. Il était d'accord avec tout, tant que ce n'était pas une sottise manifeste. Il ne s'en était encore jamais aperçu aussi clairement que maintenant.

Il s'approcha de la fenêtre. Les lumières près de Sestri Levante formaient à présent une ligne régulière.

Comment était-ce autrefois, quand il avait encore des idées ? D'où chacune d'elles était-elle sortie et pourquoi la source était-elle tarie ? *Peut-on se décider à croire à quelque chose ? Ou les idées sont-elles tout simplement quelque chose qui s'impose à vous ?*

Auparavant la chambre de Ruge avait déjà été plongée dans l'obscurité et à présent c'était de la chambre de Millar que le reflet de la lumière disparaissait. Mais il était préférable d'attendre encore une demi-heure pour déménager. Deux jours sur trente-trois. Un seizième était donc déjà passé. C'était le genre de calcul qu'il faisait quand il allait à l'école. Et, comme à cette époque-là, il savait merveilleusement s'y prendre : sur le moment il eut l'impression que c'était déjà beaucoup. En fait, se dit-il ensuite, ces deux jours étaient passés assez vite, et si cela continuait ainsi, les trente-trois autres seraient vite passés eux aussi. Que la même durée se reproduise encore quinze fois lui sembla même un détail. Mais dans l'instant suivant, il eut l'impression qu'il s'agissait d'une éternité : une fois, et encore une fois, et encore une… Comme un coureur de fond, il ne fallait pas penser à l'ensemble, mais se concentrer sur chaque étape pour maîtriser le temps.

Il ouvrit la porte en catimini pour s'assurer qu'il n'y avait personne dans le couloir. Puis il avança tête baissée vers l'escalier, maintenant ses valises de justesse au-dessus du sol, et se hâta de gagner l'étage supérieur en montant les marches deux à deux malgré le poids de ses bagages. Haletant, il déposa les valises dans sa nouvelle chambre et se dépêcha de redescendre. La grammaire et le dictionnaire ajoutés aux textes de Millar formaient une grande pile informe qu'il cacha sous son manteau. Après avoir inspecté la chambre, il ferma la porte en utilisant la clé pour éviter le bruit qu'elle aurait fait en claquant.

Dans la nouvelle chambre, le lustre au plafond éclairait d'une lumière froide et diffuse, comme dans la salle d'attente d'une gare. En revanche le faisceau lumineux du lampadaire, à côté du fauteuil rouge, était chaud et clair, une lumière idéale pour lire. Quand il était allumé le reste de la vaste chambre disparaissait dans une obscurité apaisante qui n'appartenait qu'à lui. Un moment après il traversa cet espace sombre pour se rendre à la salle de bains et prit la moitié d'un comprimé de somnifère. Avant qu'il fasse effet, Perlmann arriverait à survoler au lit le premier texte de Millar. C'était un texte difficile, avec de nombreuses formules. Mais ce ne serait pas vraiment le sujet le lendemain. Perlmann régla son réveil sur sept heures et demie. Il lui fallait, se dit-il dans son demi-sommeil, faire le lendemain comme s'il avait une opinion. Il ne suffirait pas de l'exprimer avec des mots ; il s'agissait de mettre aussi *intérieurement* cette opinion en scène. Pouvait-on y parvenir quand on luttait constamment contre la certitude de n'avoir pas la moindre idée ?

6   Lorsque le serveur lui apporta son café le lendemain matin, il fit comme s'il n'avait pas remarqué que Perlmann avait changé de chambre. Au moment où il s'approcha de la table ronde près du fauteuil rouge, Perlmann recouvrit prestement le texte de Leskov avec une brochure de l'hôtel et le poussa ensuite de côté pour faire de la place au plateau. Il le fit subrepticement, d'un geste rapide qui l'inquiéta vaguement, mais il oublia aussitôt.

Il n'avait plus le temps de lire le premier texte de Millar, il n'y était pas parvenu la veille au soir, et les cinq minutes de somnolence qu'il s'était octroyées après la sonnerie du réveil s'étaient prolongées jusqu'à une demi-heure. Perlmann relut encore une fois les passages du texte dans lesquels Millar citait ses propres travaux. Il lui parut absolument incroyable que ce soit lui qui ait écrit ces lignes. Non qu'il les trouvât mauvaises. Au contraire, l'auteur possédait son sujet et exprimait son point de vue avec une assurance dont il pouvait d'autant moins se souvenir qu'en l'écrivant, il lui avait semblé ne pas être présent. Cet auteur étranger et lointain ne lui était pas plus proche que la voix scientifique de Millar, si bien qu'il eut l'impression d'arbitrer une dispute entre deux étrangers, d'être un médiateur dont la neutralité allait si loin qu'il suivait le va-et-vient des arguments sans éprouver le moindre besoin d'intervenir. Lorsque ensuite il traversa le hall, tourna dans le couloir qui menait au salon et monta les marches vers la véranda Marconi, il était encore occupé à chercher en vain des arguments pour se défendre lui-même.

Millar commença par exposer les sujets théoriques et les intérêts de la recherche à long terme qui l'avaient accompagné dans le travail qu'il présentait. Après avoir prononcé quelques phrases, il se leva et commença à faire les cent pas, bras croisés sur la poitrine. Il portait un pantalon bleu marine et une chemise blanche à manches courtes et épaulettes, elle était restée trop longtemps dans la valise, ça se voyait. Bien que ses cheveux soient encore humides, ils donnaient l'impression d'être étrangement ternes, et leur reflet roux avait disparu. La conviction avec laquelle il exposait son sujet faisait penser à la détermination d'un amiral faisant le point sur la situation avec son équipage. À la façon dont, de sa voix tonitruante, il enchaînait des phrases toutes faites les unes aux autres, il irradiait l'assurance de celui qui s'y connaît dans sa discipline, et ne doutait pas un instant qu'il pourrait ne pas y être à sa place – une discipline où, comme au mess des officiers, il y avait des règles intangibles, comme par exemple arriver à l'heure pour prendre le petit déjeuner en commun. Perlmann n'avait jamais fréquenté l'université

Rockefeller où travaillait Millar, mais il lui paraissait assez évident que les gens qui y avaient leurs entrées étaient comme ce Brian Millar. Il jeta un regard à Giorgio Silvestri en face de lui qui, à force de se balancer sur sa chaise, venait justement de perdre l'équilibre et n'avait pu éviter une chute qu'en s'appuyant d'une main à la fenêtre derrière lui. Il aurait aimé échanger un regard ou un sourire avec lui, mais craignait de trahir ainsi trop nettement son désir de sceller une complicité contre Millar.

Millar s'assit et chercha le regard de Perlmann. Mais Adrian von Levetzov réagit immédiatement et prit la parole. S'il n'avait pas courtisé Millar – qui, au demeurant, avait une bonne quinzaine d'années de moins que lui – avec un sourire si béat, Perlmann l'aurait admiré. Ses questions et ses objections mirent précisément dans le mille et Perlmann aurait aimé se dire qu'elles lui étaient déjà venues à l'esprit. Mais il n'en était rien. *Pour poser ce genre de questions, il faut être absolument dans le coup, et je ne le suis plus.* Il ressentit la morsure de jalousie qu'il avait souvent éprouvée quand il était étudiant, lorsqu'un de ses camarades plus rapide que lui exposait des idées qu'il aurait été capable lui aussi de formuler ; pendant un moment, il fut furieux contre lui-même, avec autant de violence qu'autrefois. Mais ensuite, il se produisit quelque chose d'extraordinaire : il lui sembla soudain que ces sentiments ne faisaient plus partie de lui, de son présent ; ce n'étaient plus que des réminiscences, des réflexes émotionnels dépassés, appartenant à une époque où la science ne lui était pas encore devenue étrangère. Il était ahuri de voir à quel point il avait fait son temps, et pendant quelques instants, alors que le silence se faisait autour de lui, il eut la sensation d'une grande libération. Puis les voix des autres parvinrent à nouveau jusqu'à lui, et lorsqu'elles atteignirent sa conscience, il fut effrayé de constater à quel point son évolution intérieure l'avait éloigné d'eux, et comme c'était dangereux, surtout dans une salle comme celle-ci qui, depuis son arrivée, lui inspirait de l'effroi.

Avant que l'assemblée n'ait eu le temps d'attendre une prise de parole de Perlmann, Achim Ruge était intervenu dans la discussion. Le contraste avec le ton exagérément aimable de von Levetzov n'aurait pas pu être plus saisissant. Lorsqu'il exprimait une critique, Ruge avait quelque chose de brutal et de tonitruant, et même s'il accompagnait sa remarque d'un rire gouleyant, sa voix était un brin moqueuse. Certes, il ne manquait pas de respect à Millar, qui avait son âge, ni aux autres, mais il n'avait pas la moindre obséquiosité, rien ne pouvait l'intimider. Lorsque Millar répliqua à l'une de ses objections avec une certaine dureté : « *Frankly, Achim, I just don't see that* », Ruge lui rétorqua en ricanant : « *Yes, I know* » et récolta ainsi les rires que Millar, qui se voulait beau joueur, subit avec un sourire vexé.

Mais c'était étrange, se dit Perlmann : venant de Ruge, tout cela n'avait rien de blessant. On ne pouvait rien prendre en mauvaise part dans les propos de cet homme chauve à l'horrible accent souabe, car son caractère bouillant révélait sa bonhomie, on sentait que sa joie à provoquer était sans méchanceté aucune. Maintenant qu'il avait échappé au vacarme effroyable que Ruge faisait en se mouchant, et qu'il n'aurait plus à se l'imaginer de l'autre côté de la cloison, Perlmann pouvait accepter cet Achim Ruge. À vrai dire, il était absurde de penser que son honnêteté un peu niaise et sa droiture le rendaient dangereux.

Laura Sand avait reposé son crayon et voulait dire quelque chose. Mais lorsqu'elle vit tous les yeux tournés vers Perlmann, elle s'appuya au dossier de son siège et alluma une cigarette. Perlmann regarda vers Silvestri ; mais au lieu de trouver un soutien de ce côté-là, l'éclat sombre de ses yeux trahissait l'impatience de sa curiosité. Il n'y avait pas moyen de fuir. La messe était dite.

Les phrases qui sortirent de sa bouche étaient impeccables, et leur rythme lent n'était pas vraiment différent de celui qui accompagne habituellement la réflexion. Pourtant dans la tête de Perlmann elles vrombissaient comme des séries de sons sourds dépourvus de signification qui venaient de Dieu sait où et s'écoulaient à travers lui comme un élément étranger, pas très différent des secousses pendant un voyage en train. Cette perception menaçait de le réduire au silence après chaque syllabe, si bien qu'il devait constamment se bousculer intérieurement pour prononcer la phrase suivante – pour arriver en quelque sorte à dire le minimum de phrases requis. Puis, à la pression intérieure devenant soudain très forte, succéda une explosion silencieuse qui lui donna le courage du joueur.

– Votre critique de mes travaux est la plus éclairante et la plus compréhensive de tout ce que j'ai lu depuis longtemps, s'entendit-il dire. Je trouve vos objections absolument convaincantes, et je pense que vous avez ainsi réfuté l'ensemble de mon hypothèse – il s'abandonna à un rire surgi du fond de lui d'un vertige fébrile. Être libéré d'une idée fausse est une expérience fabuleuse. Je ne vous en remercierai jamais assez ! Je trouve que votre critique a une portée beaucoup plus grande que vous ne le pensez.

Et voilà que maintenant, soudain en pleine possession de ses moyens, il tirait de son chapeau, comme un magicien, un argument après l'autre, combattait tous les arguments signés de son nom, et il ne se calma pas avant d'avoir réglé son compte à la dernière des idées qu'il avait lui-même proférées. Une inspiration ludique guidait son discours dont il était le seul à goûter l'amertume, et il accompagnait ses défaillances rhétoriques d'un mouvement du bras qui tel le geste du semeur avait tout à la fois quelque chose de méprisant et de magnanime.

Millar était consterné, et les autres avaient pris la mine de quelqu'un qui aurait franchi par inadvertance une porte ouvrant sur le vide. Le premier à se ressaisir fut von Levetzov.

– Remarquable, dit-il, et on pouvait deviner que la disposition intérieure qu'il avait eue jusque-là vis-à-vis de Perlmann se révélait soudain caduque, sans qu'il ait eu le temps d'en trouver une nouvelle. Mais vous ne pensez pas que vous allez trop loin ?

Et il se mit à rassembler et à reconstruire les éléments qui constituaient autrefois la position de Perlmann, jusqu'à ce que celle-ci retrouve son intégrité. Evelyn Mistral l'aida, et soudain même Ruge n'eut de cesse de convaincre Perlmann que ses nouvelles conclusions étaient trop hâtives. Tous semblèrent soulagés lorsque la discussion reprit peu à peu son cours habituel. Seul Perlmann sentit de temps à autre un regard s'attarder sur lui.

Millar avait surmonté sa sidération et parlait de Perlmann presque comme d'un absent. Perlmann n'en avait pas la preuve, mais il aurait pu jurer que Millar prenait ses propos pour des sarcasmes particulièrement téméraires et était convaincu qu'il avait voulu lui donner une leçon. Rien n'aurait pu être plus éloigné de la vérité. Et pourtant : il serait difficile d'éviter que de ce malentendu surgisse entre eux une totale inimitié.

De retour dans sa chambre, Perlmann se sentit vide et abattu ; comme un acteur après une représentation. Est-ce qu'ils allaient prendre cela pour une simple lubie ou est-ce que sa débauche d'autocritique l'avait irrévocablement rangé parmi les originaux ? En plus, il y avait le problème du prétendu sujet de son intervention et, pour couronner le tout, ils n'allaient pas tarder à découvrir qu'il avait changé de chambre. Quelle image de lui pourraient-ils bien se forger ? Perlmann glissa dans un demi-sommeil. Il entendit frapper à la porte, légèrement d'abord, puis de plus en plus fort jusqu'à ressembler au martèlement de milliers de poings. Il s'arc-bouta contre la porte, la barricada à l'aide d'une armoire ; il entendait maintenant le bois voler en éclats sous les coups d'une hache ; il vit en premier les dents de Millar, de grandes dents blanches débordant de santé, puis Millar tout entier dans un uniforme d'amiral, suivi du crâne gigantesque de Ruge riant à gorge déployée comme une marionnette, et dans l'obscurité du couloir s'élevait la voix d'Evelyn Mistral déformée par un rire aigu et vulgaire.

Il se réveilla en sursaut et en se rendant à la salle de bains, il mit la chaîne de sécurité à la porte, un geste dont il eut honte. Un peu plus tard, il se plaça devant la fenêtre ouverte, deux pas derrière la balustrade, et regarda la pluie tomber à verse. Privé de la lumière du Sud, le golfe ressemblait à une scène de théâtre désertée après une représentation ou à un quartier chaud au petit matin, quand les lumières se sont éteintes, si dégrisant et miteux qu'on en avait la gueule de bois et se sentait dupé. De l'autre côté, sur la plage publique, on voyait à présent surtout les ordures et la saleté, les bouteilles et les sacs en plastique vides, et il remarqua tout à coup que les cabines de bain avaient besoin d'un sérieux coup de peinture.

Il saisit le texte de Leskov. Il n'avait retenu que très peu des mots qu'il avait notés, et il lui fallut un bon moment pour retrouver le cours de sa pensée. Dans un second temps de sa démarche, Leskov voulait montrer que cette image de soi verbalisée sur laquelle notre mémoire se fonde ne peut se construire que par la parole, par la production de récits. Suivait cet énoncé d'un paragraphe dans lequel Perlmann eut l'impression de ne plus savoir le russe, tellement il restait impénétrable même après la deuxième et la troisième lecture. Il essaya de laisser tout ce passage de côté et de s'attaquer à la suite. Mais ça n'allait pas. Apparemment le paragraphe contenait un argument qui était la clé de toute la suite et si on ne le comprenait pas, le reste semblait infondé, presque arbitraire. Il aurait eu envie de balancer le texte contre le mur. Mais il se dit que dans ce passage, il n'était qu'un apprenant et non pas un lecteur maîtrisant le russe, et il se mit à décortiquer chaque phrase comme au cours de latin.

Lentement, une demi-phrase après l'autre, le texte cédait et révélait son sens. Pourtant à l'endroit décisif, celui qui renfermait l'argument, il y avait un bloc de quatre phrases qui malgré tous les efforts d'analyse, toute sa patience restaient indéchiffrables. Que la raison de son incompréhension ne tînt pas au fait que les mots n'étaient pas dans le dictionnaire plongea Perlmann dans un quasi-désespoir. C'était seulement le cas pour deux mots, des adjectifs qui lui semblaient négligeables. Tous les autres se trouvaient dans le dictionnaire Langenscheidt, mais avec la meilleure volonté du monde et malgré leurs explications, il n'arrivait pas à percer le sens de ces phrases, encore moins à en comprendre le contexte. Contrairement à toute son expérience acquise, Perlmann fit comme si le texte pouvait se laisser forcer : il marcha de long en large, récitant à mi-voix les quatre phrases qu'il ne tarda pas à savoir par cœur, conjurant et gesticulant ; on aurait pu le prendre pour un fou. Il ne s'arrêta que lorsqu'on frappa. Il rangea précipitamment le texte de Leskov et le fourra dans un tiroir du bureau, avant d'aller ouvrir la porte qui s'empêtra bruyamment dans la chaîne de sécurité.

— Oh ! Je te dérange, dit Evelyn Mistral, lorsqu'elle aperçut son visage dans l'entrebâillement.

— Non, non, un instant, répondit rapidement Perlmann, en refermant la porte pour enlever la chaîne.

C'est signora Morelli qui lui avait indiqué sa nouvelle chambre après qu'elle eut frappé et téléphoné plusieurs fois dans l'ancienne, dit-elle. Les mains dans les poches de son jean rouille, elle inspecta la pièce et se précipita vers la bergère dans laquelle elle s'enfonça.

Perlmann dit que le lit était la raison de son déménagement : il avait son problème de dos habituel.

— Et tu aimes être seul, dit-elle avec un léger tremblement autour de la bouche, et les jambes croisées, elle s'enfonça encore davantage dans le fauteuil.

Elle avait mis dans le mille, Perlmann ne savait pas si cela l'effrayait ou le réjouissait.

— Tu sais, reprit-elle, après lui avoir demandé une cigarette qu'elle se contenta de crapoter, j'ai l'œil pour ce genre de choses. Toute sa vie, mon père a souffert d'une claustrophobie strictement tenue secrète. Au cinéma, par exemple, il s'asseyait sur le siège en bordure d'une rangée encore vide, même si ensuite il était constamment obligé de se lever pour laisser passer les gens, et il n'était pas rare qu'il se sauve par la sortie de secours quand la salle se remplissait trop. Si les gens se bousculaient sur le trottoir, il était capable de marcher au milieu de la circulation. Et bien sûr il fuyait les ascenseurs comme la peste ; à la seule exception des anciens modèles qui permettent de regarder au travers de la porte vitrée et de la cage d'ascenseur grillagée. Le pire, c'était pendant les opérations qu'il pratiquait en tant que chirurgien : il avait constamment autour de lui médecins et infirmières. Plus d'une fois, il a été sur le point de s'arrêter. Mais je n'ai compris l'ampleur de son problème que lorsque je l'ai trouvé un jour dans notre immense cuisine devant un verre de gnôle, dont il ne buvait généralement jamais : il faisait pitié. Un très bon ami, peut-être même son meilleur ami, à qui il téléphonait au moins une fois par semaine et qui lui fut un soutien lorsque ma mère tomba malade, lui avait annoncé qu'il allait quitter Séville pour Salamanque où nous habitions. « J'étais comme changé en pierre, dit mon père, j'avais le sentiment d'étouffer. J'espère que Jose Antonio ne s'est rendu compte de rien. » Puis, n'étant pas habitué à l'alcool, il se mit – lui, un homme de Valladolid qui parlait l'espagnol le plus sec que tu puisses imaginer – à raconter dans une langue maladroite et floue que nous allions être obligés de déménager, d'aller le plus loin possible vers l'est, à Barcelone ou à Saragosse, qu'il n'avait pas besoin d'une situation de médecin chef. « Tu comprends : sinon je vais perdre Jose Antonio », me dit-il les larmes aux yeux. En même temps, il était un père très tendre. Comment les deux pouvaient-ils aller de pair, ça je ne l'ai jamais compris. Mais depuis, je reconnais très vite ceux qui ont besoin d'espaces vides autour d'eux, et je me trompe rarement. Bien sûr, je ne veux pas dire par là que tu souffres de claustrophobie, conclut-elle en souriant.

À elle, il pouvait le lui raconter, avec elle, il pouvait vider son sac et dire sa détresse ; oui, comme s'ils étaient assis ensemble dans l'immense cuisine. Perlmann alluma une cigarette et s'approcha quelques instants de la fenêtre pour chercher les premiers mots.

– Mais je suis venue pour une raison bien différente, reprit-elle, lorsque prêt à parler il se retourna vers elle. D'abord, je voulais te dire à quel point la liberté intérieure avec laquelle tu as parlé ce matin de tes travaux m'a impressionnée. Il ne me semblait pas, comme tu l'auras remarqué par la suite, que Brian avait tout réfuté. Mais le calme, oui la joie avec laquelle tu as pu reconnaître avoir peut-être commis constamment une erreur ! Comment fais-tu ?

– C'est peut-être l'âge, dit Perlmann avec une boule dans la gorge et il eut tellement honte de la stupidité de cette réponse qu'il aurait préféré disparaître de la surface de la Terre.

– Bah, je ne sais pas, dit-elle en souriant, ne sachant pas si cette réponse était sérieuse ou non. En tout cas, j'ai trouvé ça formidable. – Et l'autre chose était la suivante : j'aurais bien aimé parler avec toi de ton nouveau sujet. Ce que tu as laissé entendre hier matin m'a effectivement électrisée, car l'influence de l'articulation langagière sur la mémoire doit être en rapport étroit avec mon sujet de recherches : les mécanismes du langage dans le développement de l'imagination. *Verdad ?*

Perlmann s'excusa et se rendit à la salle de bains où il fit couler pendant plusieurs minutes de l'eau chaude sur ses mains glacées. Il lui fallait gagner du temps, et faire ensuite en sorte que ce soit surtout elle qui parle. De retour dans la chambre il proposa d'aller boire un café sur le port de plaisance. Il aimait la lumière et les odeurs, quand comme maintenant le soleil succédait à une averse.

Elle trouvait très éclairante l'idée du souvenir des scènes dans lesquelles, même si souvent cela restait dans le non-dit, on se représentait une image de soi, et elle s'était mise à réfléchir à ce qu'il en était dans les scènes imaginaires et dans les rêves. De temps à autre, elle s'appuyait au dossier de son siège, les bras croisés sur la tête, le regard fixé sur la mer, les yeux mi-clos, et pensait à voix haute à une foule d'exemples. Elle était si tendue qu'elle sursauta lorsque le garçon arriva et, en baissant le bras, elle renversa la tasse de café qu'il tenait à la main. Lorsque le garçon se mit à flirter avec elle et lui pardonna l'incident, Perlmann l'entendit parler italien pour la deuxième fois. Elle le parlait sans peine, comme l'espagnol, seules les vocales sèches étaient inhabituelles.

– Ma mère était italienne, expliqua-t-elle, et à la maison on parlait librement les deux langues.

« Comme chez Giorgio, mais chez lui c'était le contraire. Nous en avons souvent ri, car nous ne savions pas pour quelle langue nous devions nous décider. Il proposait de parler espagnol jusqu'à deux heures vingt-trois, ensuite italien », dit-elle en riant.

Cet intermède ne l'avait pas, comme Perlmann l'avait espéré, fait changer de sujet, et elle lui demandait maintenant si dans le cas de la mémoire, il pouvait expliquer pourquoi la différenciation de l'image de soi qu'on y lisait devait se faire dans le cadre du langage. Elle était elle-même depuis longtemps à la recherche d'une explication appropriée pour le cas de l'imagination et de la volonté. Cela ne lui suffisait pas, dit-elle avec un visage sur lequel Perlmann sembla reconnaître tout à coup les lunettes à la monture argentée, qu'il y ait une interaction évidente entre les fonctions en question. Elle voudrait avoir un argument qui rendrait plus visible ce lien étroit pour ainsi dire interne entre ces phénomènes. Ne pouvait-il pas l'aider sur ce point ?

Perlmann pensa aux quatre phrases rebelles du texte de Leskov. Oui, c'était une question importante, dit-il, et il se tourna vers l'eau. Il avait déjà souhaité un nombre incalculable de fois pouvoir commencer à répondre à une question par un silence, ne pas la ressentir comme une menace qui ne laissait pas d'autre choix que d'apporter immédiatement une réponse ou de s'excuser de ne pas en avoir. Maintenant assis à côté de cette femme à qui, il y a à peine une heure, il se serait presque confié, il parvint, ou plus exactement quelque chose le poussa à ce que, du moins vu de l'extérieur, son souhait soit presque exaucé : sa question lui sembla si menaçante qu'il ne ressentit pas seulement le vide du non-savoir, mais aussi un effroi paralysant à l'idée de continuer, en répondant, à tisser une toile de mensonges autour de ce qu'il n'était pas ; ainsi il observa le silence, dans la posture du penseur. Honteux, mais pris à nouveau d'un accès d'humour noir avec lequel il essayait de se défendre contre la paralysie, il constata que ça marchait. Comme si le silence suivant une question restée sans réponse était la chose la plus naturelle du monde, Evelyn Mistral commença elle-même à essayer d'apporter des réponses à sa question.

Juste au moment où allait arriver l'instant où il aurait malgré tout dû s'exprimer, von Levetzov et Millar passèrent de l'autre côté de la rue. Von Levetzov les salua de la main, dit quelque chose à Millar et avant de tourner au coin de la rue, ils se retournèrent tous les deux encore une fois. Evelyn Mistral écarta les cheveux de son visage, et eut un sourire ironique lorsqu'ils eurent disparu. Puis elle regarda l'heure et dit qu'elle avait encore du travail, jusqu'à son intervention il n'y avait que deux semaines et demie et d'ici là elle voulait retravailler les deux chapitres de son livre dont il allait être question.

— Tu penses que c'est suffisant si je donne les textes à photocopier le vendredi de la semaine précédente ?

Perlmann opina.

Ce jour-là, elle allait être terriblement nerveuse, dit-elle. Devant un tel aréopage !

Lorsque ensuite Perlmann, presque à la même heure que la veille, écarta le rideau de perles pour entrer dans la trattoria, la pluie commençait à tambouriner sur la verrière. Les aubergistes le saluèrent comme une vieille connaissance et lui apportèrent une soupe aux haricots suivie d'une assiette de poulet, et lorsque plus tard Sandra posa devant lui le café, le patron s'approcha de lui et déposa la Chronique sur la table, comme s'il s'agissait d'un rituel répété depuis des années.

Tout en dînant, Perlmann s'imagina Evelyn Mistral et Giorgio Silvestri en train de discuter en badinant, en changeant de langue et en plaisantant, et cela le piqua au vif. Il écarta cette vision et ouvrit le livre à la page de l'année au cours de laquelle il avait interrompu sa formation de pianiste.

Dans les premiers jours de l'année, Albert Camus était décédé accidentellement. Perlmann se rappelait confusément l'incompréhension à laquelle son émotion s'était heurtée à la maison. C'est seulement des années plus tard, lorsqu'il avait lu *La Peste* pour la première fois, qu'il avait pris conscience de tout ce qu'il y avait eu d'irréfléchi dans l'émotion à l'époque, qui était en grande partie un phénomène de mode.

Il continua à feuilleter. Avec l'explosion de la première bombe au plutonium au Sahara, la France avait fait son entrée dans le cercle des puissances atomiques. Leonid Brejnev était devenu le nouveau président de l'Union soviétique. Le succès de *La Dolce Vita* à Cannes. Anita Ekberg dans la fontaine de Trévi. Les Israéliens enlèvent Eichmann. Avant tout, c'était illégal, avait dit son père. Dans la prison de Saint-Quentin, Caryl Chessman avait été exécuté après que la sentence eut été repoussée huit fois. Les jeux Olympiques à Rome ; mais c'était à Zurich, et non à Rome qu'Armin Hary avait couru le cent mètres en dix secondes.

Pour septembre, la Chronique n'offrait pas grand-chose d'autre que l'éventail des médailles des jeux Olympiques. C'est ce mois-là qu'il avait pris sa décision, l'un des derniers jours du mois, il ne savait plus très bien lequel. Il voyait la pièce nue au conservatoire devant lui et ce moment lourd de conséquences était toujours dans sa mémoire, aujourd'hui encore trente ans après, très vivace, présent jusque dans ses moindres détails, comme si à l'époque on l'avait gravé dans sa mémoire.

C'était au début d'un après-midi pluvieux. Sous cette lumière, le temps semblait avoir suspendu son cours, un jour hors du présent ou dans un présent mort. Une fois de plus, il avait répété la *Polonaise* de Chopin en *la bémol majeur*. C'était l'une des premières pièces pour piano qu'il avait découvertes et elle était longtemps restée son morceau préféré. Mais ensuite elle était pourtant devenue la pièce qu'il détestait le plus, car elle renfermait un passage qui lui faisait peur où il n'était jamais sûr de ne pas trébucher. Il l'avait à maintes reprises décortiquée, note après note. Mais on aurait dit que sa mémoire faisait un blocage à cet endroit pour des raisons indécelables, de telle sorte que les ordres transmis par son cerveau à ses doigts n'étaient pas sûrs et clairs, mais hésitants et brouillés.

À sa grande surprise, cet après-midi-là, il avait réussi du premier coup à jouer le passage problématique. Il s'en était réjoui, mais par expérience il était demeuré méfiant. Il s'empressa de réitérer son succès et de graver enfin une fois pour toutes le déroulement du mouvement dans sa tête. Ses deuxième et troisième essais furent eux aussi une réussite, et au cours du troisième il se sentit déjà presque installé dans la routine. Il avait le sentiment d'avoir vaincu la difficulté et se rendit au foyer pour s'octroyer une cigarette.

Lorsqu'il revint au piano et voulut mettre à l'épreuve l'assurance qu'il venait d'acquérir, il s'embrouilla aussitôt. Il essaya encore quelques fois, mais cela ne marchait plus. Il s'alluma alors une cigarette tout en restant devant le clavier, ce qui était strictement interdit, et la fuma calmement tout entière, en mettant les cendres dans le paquet. Puis il rabattit soigneusement le couvercle sur le clavier et ouvrit la fenêtre. Avant de sortir il regarda la petite reproduction de Paul Klee qui, comme elle était le seul ornement de la pièce, soulignait encore sa nudité. Elle se trouvait exactement dans le champ visuel de celui qui jouait. Elle allait lui manquer.

Il n'avait pas perdu patience à ce moment-là, se dit Perlmann. Tout à fait maître de lui, sans la moindre révolte, il avait suivi le couloir le long du bureau de Bela Szabo, avait monté l'escalier jusqu'au bureau du directeur. Ce serait également une erreur, se dit-il, de penser qu'il avait interrompu ses études à cause de son échec avec la *Polonaise en la bémol majeur*. Ce qui s'était passé cet après-midi-là, c'était le dénouement d'un conflit intérieur compliqué et en gestation depuis des mois, certainement né des multiples expériences qu'il avait eues en tant que pianiste et des doutes qui en avaient résulté – il saisit avec une netteté sans appel, irrévocable, les limites de ses propres talents. S'il se disait que c'est à cet instant que la sentence était tombée, il lui semblait que cela signifiait seulement qu'à ce moment précis la solution s'était imposée à lui, mettant fin à ses hésitations intérieures. Ne s'ajoutait pas à cela, en plus, une prise de décision intérieure qui aurait été le lien entre un état intérieur et les actes qui s'ensuivirent.

Bela Szabo avait considéré que sa décision était une erreur, du moins un geste prématuré. Sur ce point, il était du même avis que les parents de Perlmann, qui trouvaient dommage et prenaient pour un manque de reconnaissance le fait qu'il jette aux orties son avenir artistique dans lequel ils avaient tant investi. Mais lui, il se sentait absolument sûr d'avoir pris la bonne décision et rien ni personne ne pouvait le faire changer d'avis. Il le ressentait dans ses mains, dans ses bras, et parfois comme si son corps tout entier lui donnait raison : son talent ne le mènerait jamais plus loin qu'une carrière de professeur de piano. Il était fier d'être capable d'avoir une idée aussi rationnelle et il avait tout mis en œuvre pour que sa décision ne tourne pas au drame. En même temps, il lui en était resté une blessure qui n'avait jamais complètement guéri et dont il pensait qu'elle était la source de son manque d'assurance.

Après l'interruption de ses études, il n'avait pas joué la moindre note pendant longtemps. Seule Agnès avait pu le décider à se remettre au piano. Ils avaient acheté un piano à queue, et peu à peu, il retrouva le chemin de Chopin qui à l'origine avait éveillé en lui le désir d'apprendre cet instrument. Évidemment, il n'essaya plus jamais de jouer la *Polonaise en la bémol majeur*. Après la mort d'Agnès il évita le piano. Il craignait que les notes ne rompent toutes les digues et que son jeu ne soit sentimental. C'était quelque chose qu'il n'aurait pas supporté.

Perlmann donna à Sandra un bon pourboire lorsqu'elle lui apporta les cigarettes qu'elle était allée chercher Piazza Veneto. Il continua à feuilleter la Chronique. Khrouchtchev à l'ONU, frappant avec son soulier sur la table. Perlmann lut avec passion l'article sur ce qu'il avait exigé et sur l'échec de son voyage. Et les deux pages suivantes intégralement consacrées à l'élection de John F. Kennedy à la présidence des États-Unis, il les dévora comme s'il allait y trouver des révélations sur sa propre vie.

Lorsque la trattoria commença à se remplir, il releva à peine la tête, se contentant de s'asseoir, agacé, de l'autre côté de la table de façon à avoir le mur en face de lui. Il lut avec la plus grande attention le nom de chacun des membres du gouvernement Kennedy, puis il passa à l'année suivante : Gagarine dans l'espace ; l'invasion à Cuba dans la Baie des Cochons ; la construction du Mur de Berlin.

Laisser sa vie se dérouler en marge de l'histoire du monde, c'était, se dit-il, comme un nouvel éveil. À chaque page croissait son besoin de se remémorer tout ce qui s'était passé pendant toutes ces années dans le monde, au cours desquelles il s'était surtout occupé de lui, préoccupé de bannir de sa vie tout échec par un travail forcené. Au milieu des conversations et des rires venant des autres tables, il lui sembla avoir été absent, parce que prisonnier de cet effort, et de revenir maintenant à la vie. C'était comme s'il pénétrait dans le monde réel. Cela aurait pu être une expérience libératrice et euphorisante, s'il n'y avait pas eu à moins de deux kilomètres l'hôtel avec son escalier extérieur, la façade en trompe-l'œil et les pins tordus.

Perlmann fut effrayé en regardant l'heure : neuf heures dix. Il était impossible qu'il arrive pour dîner avec un tel retard. Cependant, il voulut avoir rapidement l'addition et se dirigea à grands pas vers l'hôtel où il pénétra pour la première fois par la porte de derrière. Il venait à peine de la refermer sans bruit que Giovanni déboucha, un grand carton sous le bras, et lui lança un *Buena sera* jovial en faisant mine de s'incliner avant de continuer son chemin. Aujourd'hui il maîtrisait bien son visage, il n'avait pas la moindre trace de la grimace de la veille. Mais Perlmann eut l'impression que derrière son visage se cachait le rire du domestique qui a surpris son maître en train de faire quelque chose de peu glorieux.

Perlmann était content à l'idée de déboucher à son étage dans le corridor mal éclairé, et en plein milieu, sous la lampe défectueuse, de chercher à tâtons le trou de la serrure. Il eut la désagréable surprise de voir que toutes les lampes étaient allumées. La clé en main, il fit les cent pas un moment dans sa chambre avant de se précipiter au fond du couloir pour prendre dans le cagibi un escabeau. Un mouchoir enroulé autour de ses doigts, il dévissa toutes les ampoules neuves, et le corridor fut de nouveau aussi mal éclairé qu'auparavant.

Le lendemain, il consacrerait davantage de temps au texte de Millar. Il se pencha à contrecœur vers la table basse et feuilleta un peu le texte. Puis il se dirigea vers la salle de bains et prit un demi-comprimé de somnifère dans la boîte. Il le coupa en deux et, après quelques hésitations, avala le plus grand morceau des deux.

À l'époque où il avait arrêté le conservatoire, il y avait aussi eu l'histoire des lois d'exception, se remémora-t-il allongé dans le noir en écoutant attentivement la circulation toujours aussi dense. Il avait suivi les manifestations de l'autre côté de la rue. Il aurait dû rejoindre les protestataires. Mais là-bas, il y avait les mégaphones bruyants, et la foule avec son rythme propre, qui lui donnaient l'impression de ne plus être maître de sa volonté. Et ainsi, jusqu'à ce jour, il n'avait jamais eu d'engagement politique, même si intérieurement il avait des positions très claires et le plus souvent radicales pour lesquelles il ne cessait de se battre. Qu'à une époque il se soit senti aussi à l'aise qu'un historien avec l'anarcho-syndicalisme espagnol, personne ne l'avait jamais su, pas même Agnès.

Cette nuit-là, il se réveilla à trois reprises et malgré tous ses efforts, il ne réussit pas à se soustraire à la puissance de plomb de ce mot maudit : *masterclass*, un mot qui avait coutume de pétrifier ses parents dans une attitude de respect, comme si ce mot était l'un des noms de Dieu. Être admis dans une *masterclass* du conservatoire, dirigée par un nom illustre, c'était à leurs yeux le summum, et pour leur fils unique ils ne souhaitaient rien plus ardemment que cette consécration. Dans son rêve interrompu par différents réveils sans qu'il en perde le fil, Perlmann ne voyait pas ses parents et il ne les entendait pas non plus prononcer ce mot. On aurait plutôt dit qu'ils étaient là, le mot aussi, mais ce dernier gravé avec les lettres gigantesques de l'angoisse dans un silence recueilli.

Ce n'est qu'au matin, après avoir passé un moment sous la douche, qu'il réussit à ressentir le ridicule de la situation et à mettre en échec la toute-puissance du mot.

7 La question de Perlmann, qui battait en retraite sous le regard insistant de Millar, était à la fois compliquée et d'une naïveté à faire dresser les cheveux sur la tête – à tel point que Ruge, von Levetzov et même Evelyn Mistral tournèrent brusquement la tête vers lui. Millar clignait des yeux comme quelqu'un qui

croit avoir mal entendu, et il chercha ensuite à gagner du temps en écrivant la question avec des gestes lents comme s'il dessinait. Puis, comme quelqu'un qui parcourt encore une fois le texte d'un contrat important avant de le signer, il jeta un long regard à ce qu'il venait d'écrire avant de regarder Perlmann. C'était la première fois que Perlmann le voyait embarrassé, non pas par le fond de la question, mais par le comportement à adopter face à ce genre de question, qui d'une part était posée par un homme comme Perlmann, et d'autre part était apparemment d'une naïveté stupide. Il choisit un ton ostensiblement modeste, fit semblant de réfléchir et exposa encore une fois à Perlmann ce qui était évident pour celui qui avait lu son texte avec attention. Il n'avait pas l'air à l'aise en le faisant, au fond il ne pouvait pas croire que Perlmann eût vraiment posé cette question, et il craignait de le vexer en la prenant au pied de la lettre. À deux reprises il donna l'impression d'avoir terminé son explication, jeta à Perlmann un regard interrogateur et quand celui-ci opina gauchement du chef en disant tout simplement : *Thank you*, il développa encore un peu son explication.

Le comprimé, pensa Perlmann, *je n'aurais dû prendre que le plus petit morceau.* Il appuya sa tête dans ses mains pour pouvoir discrètement se masser les tempes. Peut-être cela soulagerait-il la pulsation qui pesait lourdement sur ses yeux comme un anneau de métal. Lorsqu'il retira sa main, son regard tomba sur Evelyn Mistral qui avec des phrases de plus en plus rapides luttait contre le regard sceptique de Millar. Lorsque Millar remarqua qu'elle était d'accord, il sembla complètement déconcerté. Visiblement, la démarche intellectuelle d'Evelyn Mistral ne correspondait absolument pas à l'interprétation qu'il venait de mettre au point pour répondre aux questions incompréhensiblement naïves de Perlmann.

Perlmann se versa du café et lorsqu'il prit des allumettes dans la poche de sa veste, il sentit la boîte de cachets contre le mal de tête. Sans retirer la main de sa poche, il sortit un à un de la boîte deux cachets qu'il porta à sa bouche avec des gestes lents et discrets, et les avala avec un peu de café. Comme si le simple fait de les avoir pris lui avait éclairci les idées, il se concentra sur les formules du texte de Millar. Au dernier moment il eut encore le réflexe de se secouer et de se redresser sur sa chaise, droit comme un I : dans l'une des formules, il manquait une parenthèse. En jugulant péniblement son excitation, il se resservit du café. *Surtout ne pas faire de fautes maintenant.* Méthodiquement et avec une concentration douloureuse, il vérifia toute la partie contenant des formules. Il en croyait à peine ses yeux : peu avant la fin, il manquait un quantificateur, ce qui ne rendait pas seulement la déduction absurde, mais la formule en elle-même. Il la relut trois fois, signe après signe et à chaque lecture son cœur se mit à battre un peu plus fort. Les maux de tête avaient disparu et on aurait dit que son attention impatiente jaillissait des tréfonds de son être jusqu'au papier. Il était absolument sûr de son coup. Maintenant tout dépendait de la façon dont il allait intervenir. Avec la lenteur d'un guetteur qui lui procura une jouissance qu'il n'avait pas éprouvée depuis longtemps, il alluma une cigarette, recula sa chaise et s'assit, jambes croisées, texte dans l'autre main comme à la terrasse d'un café. L'image de Millar assis au premier rang de l'autre salle de conférences et à côté de lui Sheila dans sa minijupe lui revint à l'esprit.

— *I see*, dit précisément à ce moment-là Laura Sand en s'appuyant contre le dossier de son siège. Millar enleva ses lunettes et se frotta les yeux. C'était la première fois que Perlmann voyait son visage sans lunettes. C'était un visage étonnamment vulnérable avec des yeux à l'expression juvénile presque enfantine et dans le court laps de temps qui s'écoula avant que Millar ne chausse à nouveau ses lunettes, Perlmann ne voulut plus du tout attaquer. Mais dans une autre partie de lui-même le détonateur était déjà réglé et il poursuivait irrévocablement sa course balistique ; s'ajoutait à cela que les lunettes de Millar qui l'éblouissaient avaient refermé son visage qui, quelques secondes auparavant, lui avait semblé tellement vulnérable.

— Dites voir, Brian, commença Perlmann avec une douceur trompeuse, est-ce qu'il ne manque pas une parenthèse dans la quatrième formule ? Je veux dire, tout au début. Sinon le champ du quantificateur est trop faible.

Millar lui jeta un regard rapide, appuya solidement ses lunettes sur son nez et se mit à feuilleter ses documents en plissant le front.

— Jenny, Jenny baby, murmura-t-il avec une exaspération théâtrale. Pourquoi toujours dans les formules ! Elle est la meilleure secrétaire du monde, ajouta-t-il en lançant un regard à la ronde, mais elle a un problème avec les formules. Merci, Phil.

Perlmann lui laissa le temps d'en prendre note.

— Encore une petite chose, dit-il d'une voix voilée : la formule numéro 10 n'a pas de sens telle qu'elle est écrite. Et la déduction n'est pas juste non plus.

Il ne lui était encore jamais arrivé de sentir sa poitrine devenir la caisse de résonance des battements de son cœur. Il entoura de ses deux mains le genou croisé sur l'autre jambe, tendit les bras et essaya de résister à la violence des battements de son pouls. Le regard bref, un peu tremblotant de Millar ne trompait pas. C'en était trop, surtout lorsque cela venait de quelqu'un qui était capable de poser une question aussi naïve.

— Pour parler clairement, Phil, commença-t-il sur un ton exaspéré, je ne vois rien dans cette formule qui ne soit parfaitement correct.

– Moi, si, dit Ruge – il gribouilla quelque chose dans le texte et regarda Millar en ricanant. Il manque un quantificateur au milieu.

Maintenant von Levetzov prenait lui aussi un crayon. Une joie malfaisante éclaira rapidement son visage. Avec son stylo à bille Millar vérifia la ligne et s'interrompit.

– Un instant... ah oui, en effet, murmura-t-il, rajoutant le signe manquant et prenant note sur un bout de papier. Jenny baby, il va falloir que nous ayons une conversation sérieuse, dit-il tout en écrivant, et se tournant vers Perlmann : Je l'aurais vu en lisant les épreuves, bien sûr. Quoi qu'il en soit, merci.

Son sourire poli ressemblait au fond qu'un peintre aurait donné à une toile pour faire ressortir le regard haineux et dénué d'humour d'un personnage. *Ce n'était pas Jenny. Ce n'était absolument pas une faute de frappe.*

Plus tard en se rendant au salon, Millar se glissa à côté de Perlmann.

– Dans la question que vous m'avez posée, dit-il, j'ai l'impression que quelque chose m'a échappé. Peut-être devrions-nous nous asseoir ensemble quelques instants ?

– Mais bien sûr, répliqua Perlmann, et il eut ensuite la sensation étrange d'avoir prononcé ces mots sur un ton résolu qui lui était étranger, presque comme s'il avait été Millar.

Était-il satisfait de sa nouvelle chambre ? lui demanda signora Morelli en lui remettant sa clé et le premier courrier expédié par Frau Hartwig.

– Oui, très, répondit-il.

Il aurait souhaité que sa question ait eu un ton un peu moins commercial : il aurait aimé prolonger l'impression de complicité qu'il avait éprouvée l'avant-veille avec elle.

Dans son courrier, il y avait deux invitations à des conférences et on lui demandait aussi d'écrire une appréciation sur un étudiant. Perlmann revit l'étudiant assis devant lui sur le bord de la chaise, les mains entre ses genoux, le regardant au travers de ses lunettes aux verres épais. La cour de l'université était remplie du silence chaud et sans vie d'un début d'après-midi d'été. Pendant plus de deux heures il s'était entretenu avec lui de son devoir raté. Le garçon avait rempli d'une écriture pointue, nerveuse, la moitié d'un cahier. Sur le seuil de la porte, le regard baissé il avait bafouillé des remerciements excessifs, et s'était à demi cassé en deux ; Perlmann avait eu besoin d'un bon moment pour comprendre qu'il s'agissait d'une révérence pleine de déférence – les adieux d'un subalterne d'un autre siècle. Appuyé à la porte fermée, il était resté longtemps à contempler le bureau qu'il utilisait maintenant depuis sept ans : la belle table de travail, le siège élégant derrière, les lampes, le coin salon. Tout cela est bien trop cher, s'était-il dit, et il avait eu l'impression d'être un imposteur dans le bureau de quelqu'un de vraiment performant.

Il appela Frau Hartwig et lui dicta l'appréciation, recommandant l'étudiant pour une bourse. Lorsqu'elle lui relut le texte, il fut effrayé d'avoir exprimé des compliments aussi peu fondés. Il n'osa pas les supprimer et passa aux lettres de refus pour les conférences. Oui, dit-il pour finir, il y avait encore un reliquat d'été dans l'air.

– Vous pouvez être content d'être dans le Midi, dit Frau Hartwig, ici les premières tempêtes d'automne ont commencé. Il y en a qui ne peuvent pas s'empêcher d'exprimer leur jalousie. Vous pouvez imaginer qui.

Perlmann avait à peine raccroché qu'il s'assit dans le fauteuil rouge et attrapa le texte de Leskov. Mais il le reposa presque aussitôt. *Vous allez certainement écrire quelque chose pour l'Italie,* avait dit Frau Hartwig fin juillet. Perlmann s'était contenté de hocher la tête et il avait continué de fouiller sur l'étagère. D'ailleurs, lui déclara-t-elle, quelques jours plus tard, elle avait repoussé ses vacances. Jusqu'à Noël. À la suite de cela, il ne s'était plus rendu dans son bureau qu'en son absence et avait enregistré ses instructions sur le dictaphone. À la fin de septembre, elle avait demandé d'une voix hésitante si elle pouvait quand même prendre deux semaines de vacances ou s'il avait besoin d'elle. « Partez donc », avait-il répondu, et il avait camouflé dans sa voix son soulagement, le transformant en admiration pour l'île d'Elbe à laquelle il n'associait absolument rien, si ce n'est Napoléon.

Le texte de Leskov contenait maintenant plusieurs pages démontant l'objection selon laquelle il arrive que nous nous souvenions parfaitement d'épisodes auxquels nous n'avons jamais donné la forme d'un récit. Comment pouvait-il affirmer ensuite que le langage jouait dans la mémoire de ces épisodes un rôle-clé ?

La réponse de Leskov était formulée de façon excentrique, pensa Perlmann, mais dans le fond les éléments du déroulement de la pensée étaient connus, et il avança soudain dans la traduction plus vite que jamais. Il lui arriva même une fois de comprendre une phrase d'un seul regard, et il eut ensuite l'impression d'avoir oublié à cet instant-là que cette phrase était en russe, tellement le sens s'était ouvert à lui sans résistance. Avec une joie haletante il continua de lire, la vérité du texte de Leskov était une chose secondaire, l'essentiel c'était qu'il comprenne. En réalité, il le remarquait maintenant, il avait déjà retenu bon nombre des mots recopiés dans son carnet, sa confiance en lui-même croissait de paragraphe en paragraphe, désormais il avait la main incroyablement heureuse pour trouver les bonnes pages quand il ouvrait le dictionnaire, cela frisait le don de seconde vue. Lorsqu'il lui fallut enfin allumer la lumière, il en était en haut de la page vingt.

Il pouvait trouver des cigarettes là où Sandra était allée les chercher hier. *Sandra. Les timbres d'Allemagne qu'il lui avait promis.* Il récupéra dans la corbeille l'enveloppe de Frau Hartwig et découpa les timbres. Puis il quitta l'hôtel par la porte arrière et se dirigea vers la trattoria.

Il venait bien tard aujourd'hui, plaisanta le patron en lui apportant la Chronique, il fallait qu'il choisisse quelque chose sur la carte. Perlmann ouvrit la Chronique à la page de l'année où son père ne s'était pas réveillé de sa sieste. La maison de production de disques Decca, après quelques répétitions, était d'avis que la musique des Beatles n'avait pas d'avenir et elle avait refusé de les enregistrer. Antonio Segni était devenu président de la République italienne. Ce nom ne disait rien à Perlmann et il lut la notice biographique jusque dans ses moindres détails. Adolf Eichmann avait été pendu.

Son père avait encore vécu cet événement. Sans dire un mot, il avait éteint la radio, avait rapporté sa mère. Et celle-ci avait ajouté : « Il n'était pas nazi, tu le sais bien, mais simplement quand on parle de ces choses, il se sent agressé. » Devant sa tombe, elle l'avait surpris : elle qui était habituellement toujours prête à fondre en larmes, n'en avait versé aucune.

Elle l'avait surpris une deuxième fois à l'automne suivant, cette fois par son intérêt pour la crise de Cuba, il ne se serait pas attendu à cela de sa part. Elle était dans une forme qu'il ne lui avait jamais connue, c'est ce qu'il lui sembla pendant tout l'hiver. Ensuite, au printemps, elle commença à décliner très rapidement. Le monde se ratatina pour elle au kitsch des illustrés sur Kilius-Bäumler, le voyage de Kennedy à Berlin ne l'intéressa pas, et lorsqu'il la traîna voir *Irma la Douce*, elle radota ensuite que c'était pornographique. Quand il lui annonça la mort d'Édith Piaf, elle ne savait plus de qui il s'agissait, bien que pendant des années elle ait écouté ses chansons en cachette, lorsque son père était avec ses copains postiers dans son bistrot favori. Elle ne fut pas consciente du meurtre perpétré à Dallas. Le jour elle dormait la bouche ouverte et la nuit elle terrorisait l'infirmière.

Lorsqu'il vint à l'hôpital dans les premiers jours de janvier, quelqu'un d'autre était déjà couché dans son lit. Non, il ne voulait pas la revoir, avait-il déclaré à l'infirmière choquée par la dureté de sa voix. Et cela n'avait pas été son seul accès d'insensibilité. La cérémonie au cimetière n'était pas encore tout à fait terminée qu'il s'était allumé une cigarette sous les yeux de toute l'assistance réunie. Pourquoi n'avait-il pas réussi à transformer ce moment précieux de libération en prenant définitivement ses distances avec les autres ? Il rit en silence tout en se mordant les lèvres, en se remémorant comment il avait laissé tomber la famille devant le restaurant. À ceux qui, déconcertés, lui demandaient pourquoi il ne restait pas pour le repas mortuaire, il avait répondu : « Surtout parce que ce mot me dégoûte. » Et il avait disparu au coin de la rue.

« Les repas, là-bas à l'hôtel, ne doivent pas être à la hauteur de leur réputation », dit le patron en riant, lorsqu'il vint à la table de Perlmann pendant une pause du service. Celui-ci regarda sa montre. Huit heures dix. « Mais si », dit-il en fermant la Chronique et en saisissant son portefeuille. Pour un peu, les timbres seraient tombés dans les restes de sauce tomate. Il les tendit au patron en disant qu'ils étaient pour Sandra. « Non, non, répondit celui-ci, vous devez les lui porter vous-même, sinon elle serait trop déçue. » Et il le fit monter jusqu'à la chambre de la fillette, exiguë et encombrée comme le reste du logement.

La joie de Sandra quand elle vit les timbres fut atténuée par les problèmes qu'elle rencontrait en anglais. Elle est habituellement une enfant si intelligente, soupira la mère, mais avec cette orthographe bizarre si différente de la prononciation, elle ne s'en sortait tout simplement pas. Et eux, les parents, ne pouvaient pas l'aider. Perlmann ne pouvait-il pas rester un moment et lui donner quelques explications ? Sinon le contrôle du lundi suivant risquait d'être une catastrophe, il suffisait de regarder le dernier devoir dans son cahier, il y avait plus d'encre rouge que de bleue.

Perlmann resta jusqu'à onze heures. Assis sur un siège inconfortable, il refit avec elle ses deux derniers devoirs et lui donna ensuite quelques explications de grammaire. Elle était souvent au bord des larmes, mais à la fin elle souriait courageusement, et il lui caressa les cheveux.

À la suite de quoi le patron lui apporta un gâteau aux amandes et une grappa. Maintenant l'heure n'avait plus aucune espèce d'importance, et il continua à lire dans la Chronique l'année qu'il avait entamée. L'incident dans le golfe du Tonkin. Exact, c'est ainsi que la guerre du Vietnam avait débuté. La perte de pouvoir de Khrouchtchev. La mort du communiste Palmiro Togliatti. Perlmann connaissait son nom, mais il ignorait qu'il n'avait reconnu les crimes de Staline qu'à contrecœur. Et pour finir, Sartre qui avait refusé le prix Nobel. Quelles raisons avait-il exactement avancées ? Le texte n'était pas clair et donnait l'impression que Sartre était une girouette. Perlmann s'imagina plusieurs raisons en foulant à une heure du matin la Piazza Veneto déserte et la promenade de la rive jusqu'à l'hôtel.

Giovanni, assis devant le téléviseur, lui tendit un texte de presque cent pages, le texte d'Achim Ruge, les documents pour le lundi suivant. À plusieurs reprises les autres s'étaient inquiétés de savoir où il était passé, lui dit-il. « Parce que hier non plus vous n'étiez pas au dîner », ajouta-t-il. La main de Perlmann se referma si convulsivement sur le texte que la première page fut arrachée de la reliure. Une fois de plus, il aurait aimé souffleter le visage pommadé aux favoris si ridicules. Il lui tourna le dos sans un mot et entra dans l'ascenseur dont la porte était ouverte.

Dans son couloir, les ampoules étaient allumées dans toutes les lampes. Pendant un moment il eut envie de retourner chercher l'escabeau, mais il entra dans sa chambre et se laissa tomber sur le lit. Au bout de quelques secondes lui apparut l'image de la nouvelle patiente dans le lit de sa mère, de l'infirmière choquée, du cercueil qu'on descendait dans la tombe.

Il se rendit dans la salle de bains et avala le petit morceau du comprimé de somnifère restant de la veille. Édith Giovanna Gassion, c'était le vrai nom d'Édith Piaf, se dit-il avant de sombrer dans le sommeil. Les flocons de neige isolés avaient fondu sur la tombe de sa mère. Il avait trouvé ça épouvantable. Peut-être cela avait-il quelque chose à voir avec la cigarette inconvenante.

8 Perlmann dormit jusqu'à tard dans la matinée avant de se faire apporter un copieux petit déjeuner. Dès la première tasse de café, il fut à nouveau envahi par l'irrépressible besoin de traduire et désormais, non seulement sa compréhension était de plus en plus rapide, mais il se trouvait également happé par le cheminement de pensée développé au fil du texte.

Leskov attaquait à présent l'idée selon laquelle, dans tout récit de scènes mémorisées, il s'agissait d'une simple description d'images émergentes, d'un inventaire dressé à partir d'un matériau linguistique solidement emmagasiné qui, par ses contours clairement dessinés, dicterait la logique du récit. D'après Leskov, cela ne valait ni pour les souvenirs fixes et tangibles d'une scène, ni pour les différents aspects de l'image de soi. Raconter son propre passé relevait, à son avis, d'une entreprise chaque fois renouvelée, sollicitant des forces bien différentes de celles qui prétendaient réveiller des souvenirs gravés en restant fidèle aux détails. Il s'agissait avant tout d'un besoin d'établir, à partir du souvenir d'une scène et de la présence même du locuteur dans cette scène, un ensemble cohérent, ce qui expliquait qu'un manque de sens soit interprété comme un souvenir incomplet.

Perlmann s'interrompit net. Que voulait dire *smysl* ici, *sens* ? Il aurait voulu que la suite du texte apporte une réponse abstraite. Mais les pages suivantes ne présentaient que des exemples, et le texte se compliquait en conséquence, car les descriptions de Leskov étaient subtilement précises, truculentes, et de temps à autre apparaissait une phrase qui, aux yeux de Perlmann, présentait un éclat poétique. Il aurait bien aimé savoir si un Russe voyait aussi dans ce passage une rupture avec le style concis, laconique du reste du texte, ou si toute personne baignant dans la langue russe percevait une forme stylistique homogène. Maintenant en tout cas, la traduction redevenait pénible, il lui fallut consulter la grammaire à plusieurs reprises, et les limites du dictionnaire étaient agaçantes. Irrité, il renvoya la femme de chambre.

Le crépuscule tombait déjà sur le golfe, éclairant la mer d'un reflet métallique, lorsque Perlmann en arriva enfin au bilan tiré des exemples. La plus grande force sollicitée dans le récit de mémoire, écrivait Leskov, est le désir de comprendre sa propre personnalité au moment d'une action passée. À partir de cette volonté, on agence les scènes du passé de manière que nos propres actes, ainsi que nos émotions, paraissent concevables et raisonnables. Ce qui ne signifie pas qu'ils soient mesurés à l'aune d'un catalogue abstrait de repères inscrits dans la raison. Cela signifie simplement que le passé raconté doit être compréhensible du point de vue de celui qui raconte aujourd'hui. Il ne sera pas en paix tant qu'il n'aura pas pu se reconnaître dans son propre passé. Et cela n'est pas seulement une question d'intelligence et de finalité des actions menées, mais aussi et surtout une question morale. Pour Leskov, le souvenir que l'on raconte est aussi, et toujours, un acte de justification, un fragment d'apologie créatrice.

Il était presque sept heures et demie du soir lorsque Perlmann s'arrêta, épuisé, au milieu de la page quarante-trois. Plus d'une vingtaine de pages étaient noircies dans son cahier de vocabulaire et il restait encore de nombreux blancs à droite du trait central. Encore vingt-cinq pages. S'il se levait tôt le lendemain, il pourrait terminer. Et à présent, il voulait en avoir le cœur net : cette histoire de mémoire douée d'inventivité était certes bien jolie, mais que faisait Leskov de la charge vécue, sensible du souvenir ? La dernière fois que Perlmann avait vu son père, il portait comme toujours sa veste en laine élimée et le souvenir de la couleur de la laine oscillant selon l'éclairage entre le vert olive foncé et l'anthracite clair n'était pas une invention ; dans le souvenir actuel, autant qu'à l'époque, ce détail le dérangeait toujours. Ou encore le fracas avec lequel les poignées de terre gelée étaient tombées sur le cercueil de sa mère : que faisait Leskov de cela ? *Charge sensible ?* nota Perlmann dans la marge.

Avant de se rendre au dîner, il feuilleta distraitement le texte de Ruge. *Si je m'y mets lundi matin, il me reste encore quinze jours pour préparer ma propre communication.* Ce n'est qu'une fois arrivé dans les escaliers qu'il remarqua que cette idée ne l'affolait pas. Il s'arrêta de marcher. C'était comme si elle avait été formulée par un tiers, par quelqu'un de tout à fait extérieur, et il fut envahi par le sentiment inquiétant d'être sur le point de se détacher de lui-même.

— Phil, j'ai frappé plusieurs fois à votre porte, entre hier et aujourd'hui. Je voulais vous parler de cette question déconcertante que vous avez posée lors de la séance, dit Millar depuis l'autre bout de la table, au moment où le serveur apportait la soupe. Et, ne vous ayant pas vu au repas suivant, je me suis fait du souci. Comme tous les autres, du reste.

Perlmann sentit sa peur vis-à-vis de Millar se transformer subitement en un humour noir accompagné d'une agréable sensation de tournis, comme celle que déclenchait encore en lui la première cigarette du matin.

— Je me porte à merveille, dit-il.

À ce moment précis, il qualifierait ma mine de « deadpan ».

— C'est aussi ce que j'ai appris, répondit Millar en penchant la tête. Evelyn vient de me raconter, pour votre nouvelle chambre.

Perlmann plongea dans le regard bleu-vert d'Evelyn Mistral. Elle maîtrisait son visage, mais dans ses yeux perçait un rire narquois qui semblait venir directement des éclats jaune foncé.

— Oui, répondit Perlmann. Le lit. Mon dos. Cela vous arrive aussi ?

— Non, rétorqua Millar, cela ne m'arrive jamais. Absolument jamais.

— C'est juste qu'il n'a pas supporté d'être entre nous, Brian, dit Ruge en ricanant.

Millar imita le ton de ce dernier :

— Alors que nous sommes pourtant deux gentils garçons, Phil. Mais plus sérieusement : pouvons-nous fixer un rendez-vous pour demain ?

La panique ne devait surtout pas transparaître dans sa voix, et Perlmann se passa le bout des doigts sur le front, de droite à gauche, à deux reprises.

– J'ai beaucoup à faire demain, déclara-t-il.

Il se réjouit de remarquer que sa voix ne chevrotait que dans son imagination.

– Je vous fais signe dans le courant de la semaine prochaine.

– *Okay,* dit Millar en s'étirant, et Perlmann était certain que cet étirement traduisait un début de suspicion.

Ou, du moins, le message qu'il le soupçonnerait inévitablement si leur rendez-vous était une fois de plus reporté.

Perlmann inclina son assiette pour essayer de récupérer le reste de soupe dans sa cuillère. Tentative qui, vu la forme de la cuillère, relevait du grand art ; ainsi ne remarqua-t-il la présence de Carlo Angelini qu'au moment où Silvestri se leva pour lui donner l'accolade. Angelini adressa un sourire désolé à Perlmann et fit le tour de la table pour saluer les dames en premier. Puis il prit une chaise à la table voisine et s'assit à côté de Perlmann. Il lui expliqua qu'il était malheureusement obligé de repartir dès le lendemain matin, mais qu'il avait tenu à être présent au moins ce soir-là. Puis il s'enquit de savoir comment les choses se passaient.

– *Benissimo*, dit Evelyn Mistral tandis que Perlmann hésitait à répondre.

Millar confirma que tout se déroulait à la perfection et, avant que von Levetzov n'ait pu prendre la parole, il exprima à Angelini ses remerciements au nom du groupe.

Angelini se fit expliquer l'organisation du travail avant de se renseigner sur les thèmes qui seraient traités.

– Je sais à peu près sur quoi vous travaillez, dit-il à Perlmann qui n'avait plus la moindre idée de ce qu'il lui avait raconté la dernière fois à Lugano.

Et puis, dans un sourire qui oscillait entre fierté et ironie, il annonça que le maire de Santa Margherita allait tous les recevoir.

Du coin de l'œil, Perlmann aperçut Laura Sand faisant semblant de se moucher pour ne pas éclater de rire. – Juste une petite sauterie, dit Angelini, et le clou de la fête serait la décoration de Perlmann qui, en tant que directeur du projet, serait fait citoyen d'honneur de la ville.

– Avec diplôme et médaille, dit-il en ricanant. Cette affaire aura lieu le lundi de la dernière semaine, donc après-demain dans trois semaines, reprit-il après avoir jeté un œil sur son calendrier de poche. Le matin à onze heures. Naturellement je serai là moi aussi.

À supposer que Silvestri passe pendant la quatrième semaine, cette réception me fait gagner un jour.

– Dans ce cas, vous n'avez qu'à faire votre présentation le lundi après-midi, dit von Levetzov à Perlmann.

– Et bien sûr, de la part d'un citoyen d'honneur fraîchement décoré, nous attendons quelque chose de particulièrement exceptionnel, gloussa Ruge.

Angelini convia tout le monde à boire un verre au salon. Quel lien énigmatique unissait Angelini et Silvestri, se demanda Perlmann tandis qu'il marchait derrière eux et les entendait plaisanter comme deux très bons amis ? Angelini, le *yuppie* italien en costume élégant qui évoluait dans le monde des conventions tel un poisson dans l'eau, et Silvestri, cet individualiste rétif, enclin à l'anarchisme, qui portait comme par hasard ce soir encore une chemise noire froissée. Était-ce parce qu'ils avaient été ensemble à l'école ? Ou parce qu'ils étaient tous les deux originaires de Florence ?

Ma haine des conventions, pensa-t-il lorsqu'il entendit les phrases toutes faites qu'Angelini adressait tour à tour aux collègues. Cette haine, il l'avait éprouvée déjà bien avant de rencontrer Agnès. Mais il n'en prit pleinement conscience que lorsque ce sentiment eut trouvé un écho en elle. Ce qu'Agnès supportait le moins, c'étaient les gens qui non seulement agissaient et raisonnaient de manière conventionnelle, mais qui en outre ressentaient les choses ainsi. Les gens qui ressentaient ce qu'ils croyaient devoir ressentir. Ils avaient vainement tenté de fixer ce sujet sur des photographies. Perlmann entendait sa voix sombre qui portait et savait résonner avec tant de vaillance, pour parfois basculer ensuite dans la plus profonde des mélancolies : *On peut, au mieux, montrer ce que les gens ressentent ; et ce ne serait pas plus authentique pour autant de ressentir autrement. Pour cela il n'y a pas d'images.* La haine des sentiments conventionnels avait constitué un lien solide entre eux. Mais ce regard les avait par ailleurs souvent éloignés des personnes qui les appréciaient. À cause de cette haine, ils étaient devenus insociables malgré eux.

– Il serait temps de nous jouer quelque chose, dit von Levetzov à Millar en indiquant d'un sourire empreint de respect obséquieux le piano à queue.

Il le traite comme l'élève de génie qui s'est depuis longtemps surpassé grâce à ses multiples dons hors normes. Il n'a pourtant pas besoin d'en faire autant. Pas lui.

– Oh oui, ce serait super ! s'exclama Evelyn Mistral.

Perlmann fut agacé par son enthousiasme de minette et son langage d'adolescente qui lui avaient tant plu à son arrivée, parce qu'ils allaient bien avec l'éléphant rouge collé sur sa valise. Son indignation vis-à-vis de l'enthousiasme d'Evelyn Mistral dépassait l'entendement – dans son for intérieur, il lui adressait des reproches comme si elle était obligée de savoir quelle espèce de cauchemar Millar était en train de devenir pour lui, et comme si elle avait eu une dette envers lui et devait endosser les sentiments qu'il éprouvait.

– Si vous insistez, dit Millar en souriant avant de s'extirper de son fauteuil profond.

La démarche légère, il se dirigea vers le piano à queue, déboutonna son blazer et ajusta le siège devant l'instrument. Perlmann se dit qu'il affichait le visage de quelqu'un qui s'efforce de ne pas paraître trop vaniteux tout en sachant tous les yeux rivés sur lui.

Les mouvements de ses mains étaient parcimonieux, énergiques sur les accords puissants, mais sans esquisser des gestes exaltés d'artiste, il ne levait jamais les mains à plus de quelques centimètres au-dessus du clavier. À contrecœur, Perlmann reconnut que son jeu lui plaisait. Lui-même avait aussi essayé de jouer ainsi.

Et malgré tout, il trouvait les mains de Millar répugnantes. Pour la première fois il s'aperçut qu'elles étaient poilues jusqu'aux doigts : la pilosité de ses bras se prolongeait jusque sur ses mains telle une fourrure.

Il compara les mains sur le piano à celles des quatre autres hommes présents. La seule chose dérangeante sur les mains fines et blanches de Silvestri était le scintillement jaune qu'on voyait à son index et à son majeur. Angelini tenait une cigarette, et même ses doigts étaient bronzés ; on n'aurait de toute manière pas vraiment pu distinguer les traces de nicotine. Von Levetzov avait les mains posées sur ses jambes croisées, des mains soignées, lisses, avec de premières taches de vieillesse ; à son petit doigt il portait une chevalière ornée de ses initiales artistiquement entrelacées. Les mains d'Achim Ruge reposaient sur les larges accoudoirs de son fauteuil, des mains lourdes qui faisaient davantage penser à un ouvrier ou à un paysan qu'à un scientifique. Elles plaisaient à Perlmann, de même qu'il lui était facile, maintenant qu'il avait changé de chambre, d'apprécier Ruge.

Le visage que Millar affichait en jouant s'accordait bien aux mouvements sobres, exacts de ses mains. C'était un visage attentif, concentré, qu'on aurait pu qualifier d'ému, sans que Millar ait fait la moindre tentative pour commenter la musique ou ses sentiments par quelque mimique. *Même cela me plaît, au fond. Pourquoi ne suis-je tout simplement pas capable de*

prendre Millar tel qu'il est, pourquoi faut-il systématique-
ment que je cherche la confrontation avec lui ?

Millar jouait du Bach. Sûrement une des *Suites anglaises*, pensa Perlmann, mais il n'aurait pu dire laquelle. Il lui fallut un moment avant de pouvoir identifier le sentiment singulier qu'il éprouvait : il n'était absolument pas surpris que Millar soit en train de jouer du Bach. Soit, la musique qu'il avait entendue depuis sa chambre avait aussi été de Bach. Mais ce n'était pas la raison, lui semblait-il. Il avait l'impression que ce n'aurait pas pu être autre chose ; qu'il n'y avait que Bach qui comptait pour Millar. Il était persuadé que, si on lui avait demandé au préalable ce que jouerait Millar, il aurait répondu Bach sans hésiter. Et peut-être aussi du jazz classique : c'étaient les sonorités qui allaient bien avec son visage clair, vif, aux yeux d'un bleu inouï, et elles s'accordaient également avec sa pensée bien structurée, sa manière intelligible de parler et d'écrire.

Il jouait avec brio, ou plus exactement, se dit Perlmann après réflexion, il jouait avec *compétence*, bien que dans ce contexte ce fût un mot étonnant. Perlmann était prêt à le concéder immédiatement, il n'en aurait pas attendu moins de la part de Millar. Mais il y avait davantage dans le jeu de Millar. Ce ne fut que de mauvaise grâce que Perlmann se rendit compte que Millar interprétait Bach dans un style tout particulier, en outre un style extrêmement marqué, comme il n'en avait jamais connu. Il chercha longtemps les mots pour le décrire et formula finalement son jugement ainsi : la mélodie était complètement dissoute dans la structure. Il essaya alors de saisir deux réactions précises que suscitait le jeu de Millar. L'une concernait la façon dont on percevait le déroulement de la phrase musicale dans le temps. Les notes, bien qu'elles aient, au sens strict, disparu au fur et à mesure, restaient en quelque sorte dans l'air, et les suivantes venaient s'y greffer si bien que, phrase après phrase, se construisait une architecture qui rendait les notes simultanées, semblait-il. Les notes qui résonnaient, conduisaient la partition, étaient comme la pointe mouvante d'une craie avec laquelle on écrit, pensait Perlmann, et dont on peut suivre le tracé entier sur un tableau. *Mais n'est-ce pas le propre de toute mélodie, n'est-ce pas justement l'essence même de la forme musicale ; à quoi cela tient-il qu'il arrive à produire quelque chose de nouveau, de personnel, quelque chose d'unique ? Comment fait-il donc ?*

L'autre effet produit par le jeu de Millar résidait dans l'impossibilité, pour son auditoire, de se laisser submerger par la mélodie entendue. On ne pouvait à aucun moment s'y abandonner, on restait bloqué à l'extérieur comme de l'autre côté d'un mur invisible, et cela rendait l'écoute fatigante, sans que l'on s'en aperçoive réellement. Perlmann testa la pertinence d'une série de qualificatifs : *austère, raide, dépouillé, froid, intellectuel, gothique.* Il les élimina tous, les jugeant superficiels et stéréotypés. Force était de reconnaître que la spécificité du jeu de Millar ne résidait pas simplement dans l'expression de son tempérament, de son caractère, mais qu'elle représentait une véritable interprétation, une création personnelle de la musique de Bach.

Perlmann cacha sa main droite sous la gauche et essaya d'imiter le jeu de main droite de Millar, tout en marquant discrètement les temps avec les pieds. Il n'avait pas fait cela depuis longtemps. Autrefois, lorsqu'il était jeune bachelier, il se rendait pratiquement à tous les concerts où jouait un pianiste, et il avait parfois même fait de l'auto-stop pour aller jusqu'à Lübeck ou Kiel. Il aimait par-dessus tout les récitals de piano où l'on pouvait se concentrer sur le pianiste sans être distrait. Assis au fond, aux places bon marché, on pouvait fermer les yeux en toute liberté et essayer d'imiter dans l'obscurité les mains du pianiste. Il connaissait déjà la plupart des œuvres qu'il entendait lors de ces soirées : sa mémoire musicale était – à l'exception de Bach – excellente. Ce n'était pas là qu'il éprouvait des difficultés. *Millar sait-il ce que c'est de buter toujours sur le même passage ?*

Entre-temps, les clients du restaurant qui venaient d'achever leur dîner avaient également pris place dans le salon. Les fauteuils ocre étaient tous occupés, on avait ouvert la porte qui menait au bar, et les tenues élégantes contribuaient à donner l'impression qu'un concert était donné dans ce salon. Millar jouait maintenant depuis une demi-heure lorsque tout à coup Perlmann trouva la suite de Bach fade et ennuyeuse. Il aurait voulu aller à la trattoria au plus vite pour continuer à lire dans la Chronique ce qui s'était passé dans le reste du monde à l'époque où il avait entendu Clara Haskil donner son dernier concert, les cheveux gris et le dos courbé.

Millar, qui parut éberlué par l'affluence du public rassemblé dans son dos, remercia des applaudissements en effectuant une courbette sportive qui, pour Perlmann, rappelait un peu le salut militaire. Adrian von Levetzov fut celui qui applaudit le plus fort et le plus longtemps. Il sembla ensuite vouloir se lever mais, après avoir balayé l'assemblée du regard, il resta assis au bord de son fauteuil.

– ¡ *Un extra !* lança Evelyn Mistral. Comment dit-on en anglais ?

– *An encore*, répondit Millar en souriant et, voyant les autres hocher la tête, il se rassit au piano.

Il ôta ses lunettes un moment pour se frotter du pouce et de l'index le haut du nez.

– Ce qui suit, dit-il alors d'un air pensif et imbu de sa personne, est un petit joyau que presque personne ne joue. On ne le trouve notamment sur aucun disque. C'est une de mes petites *trouvailles*.

Au bout de quelques mesures déjà, Perlmann eut le sentiment que ce morceau lui était familier. Il était de plus en plus certain de le connaître, ou plutôt de l'avoir autrefois bien connu. Il ferma les yeux et se concentra pour replonger dans son passé, vainement pendant un moment, jusqu'à ce que, soudain, ce fût comme une évidence : *Le morceau d'Hanna, bien sûr, c'est le morceau d'Hanna que nous avions baptisé le « candide morceau d'anniversaire », l'une de ses pièces préférées.*

Aussitôt, il la vit devant lui, Johanna Liebig, avec les mèches sombres dans sa chevelure fine, blond doré, qui entourait un visage extraordinairement plat, avec un nez très droit et un teint de bronze. On pouvait dire qu'elle avait un beau visage, quoiqu'il eût fallu se garder de le formuler devant elle. Il avait toujours trouvé ce visage impénétrable et redouté le contact direct avec ses yeux marron clair dont elle savait jouer, non sans effet. Ce caractère impénétrable avait été la raison pour laquelle il ne s'était jamais rien passé entre eux. Il n'avait tout simplement pas osé et, par la suite, il avait un jour remarqué qu'il était trop tard. À l'époque, il ne savait pas qu'il y avait pour ce genre de choses un moment-clé que l'on pouvait manquer et, jusqu'à aujourd'hui, il ignorait si elle avait attendu ce moment. Puis, après s'être évités quelque temps, ils étaient devenus bons amis. Ils s'écoutaient jouer et se critiquaient mutuellement ; à l'occasion, ils se rendaient ensemble à un concert. Elle était plus douée que lui, mais dans son cas à elle, cela n'avait pas dérangé Perlmann. Il n'y avait pas de concurrence entre eux ; au contraire, il n'était pas mécontent lorsqu'elle lui était supérieure et le maternait un peu d'un air moqueur. La seule chose qui le rendait furieux, c'était lorsqu'elle, qui savait tout prendre de manière plus légère, plus joueuse, lui reprochait son obstination. Cela le désemparait. Dans ces cas-là il ne prononçait plus un mot, et il n'en fut pas autrement plus tard avec Agnès, quand elle cherchait à se rebeller contre son attitude sombre et dénuée d'humour.

— Ce qui me plaît particulièrement dans ce morceau, avait dit Hanna la première fois qu'elle le lui avait joué, c'est sa simplicité ; j'irais presque jusqu'à dire : sa simplicité émouvante.

Il avait immédiatement compris, mais n'était pas satisfait du terme.

— *Simple* est trop fade, avait-il déclaré au bout d'un moment. Il vaudrait mieux dire : *candide*, si le mot n'avait pas cette connotation négative.

Ils avaient ensuite longuement discuté du mot et l'avaient en quelque sorte redécouvert pour eux-mêmes. Au bout du compte, la connotation négative avait disparu et ils trouvaient désormais le mot simplement beau. Lorsqu'il avait jeté un œil sur la partition et vu qu'il s'agissait du numéro 930 du répertoire, il avait ri.

— Si on lit le nombre comme les Américains écrivent la date, en notant le mois avant le jour, ça donne ta date d'anniversaire !

Et c'est ainsi qu'était né le nom : *le candide morceau d'anniversaire.*

— Tout était évidemment du Bach, dit von Levetzov en souriant, mais pour le moment, je serais incapable de dire de quoi il s'agit. Je connais mieux Mozart.

— Ce qui n'est pas du tout mon cas en revanche, dit Ruge avec son ton inimitablement revêche, suscitant alors des rires sonores tandis que dans l'assistance certains opinaient à son propos.

— C'étaient la deuxième et la troisième des *Suites anglaises*, expliqua Millar de sa voix d'amiral.

— Anglaises ? Pourquoi anglaises ? demanda Laura Sand avec cette mine renfrognée, agacée, qu'elle affichait toujours lorsqu'elle ne comprenait pas quelque chose.

– Le titre, expliqua Millar en croisant les jambes, n'est pas de Bach lui-même. Il existe une copie de la partition de Jean-Sébastien Bach qui travaillait à Londres et sur laquelle est noté, sans davantage de commentaire : *Faites pour les Anglais*. Et c'est ainsi qu'on a pris l'habitude de parler des *Suites anglaises*.

Pendant que Millar parlait, délayant chaque détail de l'histoire, Perlmann eut soudain le sentiment de faire une découverte : *La volonté de vouloir savoir très exactement quelque chose comme ça, c'est ce qui m'a toujours fait défaut. Je ne veux connaître les choses que globalement et j'aime quand les contours sont un peu flous. C'est la raison pour laquelle les sciences me sont au fond étrangères depuis toujours.*

Laura Sand déclara vouloir entendre le rappel une deuxième fois.

– *I like it. It's so... ingenuous.*

Pendant que Millar jouait, elle ferma les yeux. Son visage était beau, Perlmann ne s'en était encore jamais aperçu. Jusqu'à présent son regard colérique au-dessus de ses lèvres railleuses avait dominé le reste. Perlmann l'avait vue comme quelqu'un d'intelligent et d'intéressant, d'une intense vivacité d'esprit, mais n'avait pas remarqué qu'elle était une belle femme. Maintenant, ses longs cils et ses sourcils presque droits donnaient à son visage blanc, auquel le soleil africain n'avait visiblement rien changé, une quiétude de marbre. Elle paraissait épuisée.

Perlmann revoyait le visage d'Hanna à côté du sien. Il ne savait pas s'il était heureux ou perturbé que cette femme ici présente ait décrit le morceau en employant un mot qui était peut-être l'équivalent anglais le plus proche de *candide*. L'intimité passée qu'il avait connue avec Hanna en s'amusant à choisir un nom pour ce morceau s'en trouvait-elle violée ?

En ouvrant un instant les yeux, Laura Sand avait dû remarquer qu'il fixait son attention sur elle car, peu après, elle ouvrit juste un œil et, en lui jetant ce regard moqueur d'un seul œil, on aurait dit qu'elle lui tirait la langue.

Interrogé par von Levetzov, Millar expliqua que le rappel qu'il avait joué était un petit prélude en *sol mineur*, le numéro 902 de l'œuvre.

Comme la veille lors de sa découverte pendant la séance, Perlmann se dressa sur sa chaise dans un mouvement involontaire. Son cœur battait la chamade. S'était-il trompé, étant donné qu'il était tout simplement incapable de distinguer les différents morceaux de Bach ? N'était-ce pas du tout le morceau d'anniversaire ? Pendant que Millar adoptait le ton du connaisseur pour parler de l'œuvre méconnue de Bach, Perlmann se repassait le morceau dans sa tête. C'était bien lui, il en était absolument sûr. Alors avait-il gardé en mémoire une date erronée ? L'anniversaire d'Hanna était-il le 2 septembre ?

Après avoir tiré nerveusement quelques bouffées sur sa cigarette, il se souvint : une fois, pour son anniversaire, ils étaient allés au cirque. Hanna avait été furieuse parce que les trapézistes exécutaient leur numéro sans filet, elle avait fermé les yeux et s'était même mise à trembler. Quelques jours plus tard, le plus jeune des artistes avait fait une chute et on l'avait retrouvé mort dans la sciure qui jonchait l'arène. Et le cirque, c'était toujours précisément aux premiers jours de l'automne qu'il venait à Hambourg, et non début septembre. *Millar se trompe. Brian Millar, la star qui sait tout, a commis une erreur. Et qui plus est dans un domaine où il prétend avoir fait une* trouvaille. Mais prudence – il aurait été trop risqué de le révéler avant d'avoir vérifié. Car après tout, trente ans s'étaient écoulés depuis, et la mémoire pouvait jouer bien des tours. Évidemment, il s'agissait d'une erreur ridiculement dérisoire, c'était grotesque de vouloir la relever. Mais Perlmann en avait presque la certitude physique : pour

Millar, devoir admettre cette erreur minuscule, ce tout petit détail qui touchait à son violon d'Ingres, ce serait un coup porté à sa vanité, qui l'atteindrait même plus encore que s'il avait commis une erreur scientifique. Et cette fois-ci, Jenny n'était pas là pour endosser la faute à sa place.

Deux erreurs dans les formules, et à présent celle-là. Et chaque fois, c'était ce Philipp Perlmann qui les pointait du doigt. Il allait bouillir, cet homme qui tapait maintenant du pied avec ses bottines américaines pendant qu'il expliquait à Evelyn Mistral, qui l'écoutait avec une admiration agaçante, la différence entre la musique pour piano et celle pour clavecin. *Je n'ai pas droit à l'erreur. Il faut que j'appelle Hanna. Ce soir même.*

Par chance, les autres clients – dont certains commençaient à être ivres – parlaient de plus en plus fort et on ne tarda pas à donner le signal du départ. Angelini, qui voulait aller faire un tour en ville avec Silvestri, prit congé en se déclarant ravi d'avoir fait la connaissance de chacun.

– Leskov ne viendra définitivement pas ? Dommage – et concernant la séance de Perlmann : Aura-t-elle bien lieu le lundi de la réception ? C'est que je tiens à y assister. Vous me tiendrez au courant si jamais la date change ?

Perlmann hocha la tête en silence.

– *Promesso ?*

Nouveau signe de tête de Perlmann.

Angelini prit Silvestri par l'épaule.

– Il sera le dernier à passer. Tu ne trouves pas qu'il est trop modeste ?

Perlmann n'attendit pas la réaction de Silvestri.

Arrivé dans sa chambre, il ne prit même pas le temps d'enlever sa veste et s'assit directement sur le lit pour chercher le numéro des renseignements internationaux.

Quand il avait perdu de vue Hanna, elle n'était pas mariée et, plus tard, quelqu'un lui avait dit qu'elle était devenue professeur de piano à Hambourg. Il y avait deux Johanna Liebig dans cette ville. Les renseignements locaux ne disposaient pas d'informations sur la profession des gens ; il se fit donner les deux numéros. Excité comme avant un rendez-vous galant, il s'alluma une cigarette.

La première Johanna Liebig était une vieille dame, furieuse qu'on l'eût dérangée si tard dans la nuit. Perlmann balbutia des excuses et raccrocha, déçu mais intérieurement content de ce petit délai accordé. Au second appel, le téléphone sonna un long moment. Puis Hanna décrocha, il reconnut sa voix aussitôt.

– Philipp ! dit-elle beaucoup plus vite qu'il ne s'y attendait, Philipp Perlmann ! Mon Dieu, combien de temps sommes-nous restés sans nouvelles l'un de l'autre ? Mais où es-tu donc ?

– Écoute, répondit-il, tu te souviens sûrement du petit prélude de Bach qui n'est pas très connu et que tu jouais si souvent. Tu sais, *le candide morceau d'anniversaire.*

– Oui, bien sûr. Pourquoi ?

– Pourrais-tu me le jouer vite fait par téléphone ?

– Comment ? Maintenant ? Mais j'ai des invités.

– Hanna, je t'en prie, ça ne prend que trois minutes. Il faut que je sache si c'est bien celui que j'ai gardé en mémoire. C'est important.

– Mais, pour l'amour de Dieu, pourquoi faut-il que tu le saches impérativement maintenant – en pleine nuit, alors que... attends... trente ans sont passés ?

– Je t'en prie, Hanna. S'il te plaît.

– Comme au bon vieux temps. Eh bien soit, dit-elle et, un instant plus tard, au cours duquel il perçut des voix, une porte se fermer et le bruit sonore du combiné posé sur le piano, il entendit le morceau qu'avait joué Millar.

– Alors ? demanda Hanna à peine la dernière note eut-elle résonné.

– Je ne me suis pas trompé. Et toi aussi, tu es bien certaine que c'est ce morceau-là ? À cent pour cent ? Aucune confusion possible ?

– Philipp ! Je le fais jouer à mes élèves. Tu sais bien que c'est un bon exercice.

– Et ton anniversaire, c'est bien le 30 septembre ? Pas le 2 ?

– Oui, c'est toujours le 30. Du reste le numéro 902 est en *sol majeur*.

– Et le morceau est tiré du *Petit Livre de clavecin* pour Wilhelm Friedemann Bach ?

– Oui, Philipp, répondit Hanna comme on s'adresse à un enfant pénible, et il ne fait pas partie des deux pièces pour lesquelles on n'est pas tout à fait sûr que ce ne soit pas le fils qui ait composé – avec l'aide de son père.

– Est-ce vrai que le morceau n'est pas disponible en disque ?

– Non, c'est faux. Il existe un CD de CBS. Avec Glenn Gould lui-même.

– Hanna, tu es formidable ! Mais comment pour-rais-je mettre la main dessus ? marmonna Perlmann pour lui-même.

– Je peux te le prêter, si tu en as besoin.

– Il arrivera trop tard, si tu me l'envoies. Il faut que j'essaie de le trouver ici pour demain.

– Mais au fait, où es-tu ?

– Dans les environs de Gênes.

– Philipp, bon sang, que se passe-t-il ? Tu as l'air si bizarre, si... crispé.

– Je dois prouver quelque chose à quelqu'un, et vite.

– Tu as fait une bêtise ?

– Non, non.

– Il s'agit juste de prouver que tu as raison ?

– Pas tout à fait ; mais ça y ressemble.

– Tu n'as pas l'air d'avoir beaucoup changé.

– C'est une longue histoire, Hanna, je te raconterai plus tard.

Ils se turent tous deux un instant, jusqu'à ce que Perlmann, sur un autre ton, demandât :

– Tu te souviens : *une clarté de verre dans un écrin de soie ?*

– Naturellement je m'en souviens. Les autres s'étaient payé notre tête.

– Oui. Mais même par la suite, je n'ai jamais entendu une meilleure formule qui définisse Glenn Gould.

– Moi non plus. Joues-tu encore de temps en temps ?

– Non.

– Ça ne va pas fort, je me trompe ?

– Pas vraiment.

Délicatement, comme s'il était fragile, Perlmann reposa le combiné du téléphone. C'était donc ainsi qu'Hanna l'avait conservé dans son souvenir : comme quelqu'un qui veut toujours avoir raison. Cela lui faisait mal, et il trouvait que c'était injuste. Et pourtant, au bout d'un moment, il admit que cela ne pouvait pas être un hasard. La conversation qu'ils venaient d'avoir, par exemple : il ne s'était d'aucune façon renseigné sur elle, il ne lui avait posé aucune question. Il l'avait littéralement assaillie, avec son besoin impérieux de régler son compte à Millar, sans lui donner la moindre explication. Toujours assis au bord du lit, épuisé et dégrisé, il eut un sentiment d'horreur en constatant l'étendue de son égocentrisme. Dans le microcosme de cet hôtel, il menaçait de perdre tout sens des proportions.

Il était donc vrai qu'elle avait fait carrière comme professeur de piano. Elle s'était imaginé les choses tout autrement, à l'époque. *Je lui rendrai visite quand je rentrerai à la maison. Dans quatre semaines et un jour.*

Hanna avait été la seule à immédiatement comprendre la décision qu'il avait prise, et à la trouver juste. Elle connaissait exactement les limites de son talent et, contrairement aux enseignants qui s'imposent de croire en leurs élèves, elle ne croyait pas en cet élève-là. Non pas qu'elle ait prononcé quelque phrase dans ce sens. Pas une seule fois. Lorsqu'il lui rendit visite, le jour où il venait de refermer le couvercle sur le clavier, elle avait remué un moment sa cuillère dans la tasse de café sans dire un mot avant de lui demander simplement : « Et qu'envisages-tu de faire maintenant ? »

C'était aussi indiscutable qu'un axiome : plutôt qu'une formation musicale, Perlmann entamerait des études. Il lui fallait admettre qu'il avait lui-même reconnu cet axiome, du moins dans la mesure où il ne s'y était jamais opposé de manière visible. Et pourtant, se disait-il aujourd'hui, cela ne constituait pas un principe qui aurait correspondu à l'expression naturelle, sincère, de ses aspirations d'alors et, en ce sens, ce n'était pas son propre principe. Le choix ne venait pas de lui-même, mais de ses parents. Non pas tant de leurs propos – il aurait dans ce cas été possible de s'y opposer. Ce qui avait exercé sur lui un pouvoir invisible, perfide, c'était leur façon d'être générale, lui l'employé des postes, et sa femme, dotée de grandes ambitions et d'une culture au rabais. Fille d'un professeur promu hors cadre, elle n'était jamais parvenue à accepter que son mari n'ait pas de titre universitaire, et c'est pourquoi le fils devait devenir ce que le père n'était pas. Et le père qui, malgré la tyrannie qu'il exerçait à la maison, dépendait d'elle, avait fait sienne cette ambition. L'idée que nourrissait leur fils de devenir pianiste les avait tout d'abord déstabilisés ; ils avaient ensuite commencé à parler de leur fils comme d'un *artiste*, et bien sûr cela avait beaucoup plus de poids que s'il était seulement devenu l'un de ces nombreux universitaires qui, comme disait sa mère, étaient bien souvent des gens plutôt niais. Lorsque cette envolée prit fin de manière précoce, quelques jours après le choc et les reproches, les parents se mirent à chanter les louanges de sa future solide carrière universitaire.

Perlmann était incapable de se souvenir de la moindre conversation où il eût été question de peser raisonnablement le pour et le contre des études. C'était littéralement impensable de remettre en cause cette évidence. Le pire était, pensait-il, que toute fantaisie avait été paralysée par la force silencieuse de cette condition préalable et précisément, pour la question de savoir ce qu'il comptait faire de sa vie – la question somme toute la plus cruciale à laquelle chacun doit répondre. Lorsque son intérêt pour les sciences – ou pour ce qu'il entendait par « sciences » – commença à s'éroder, il se mit à prêter attention aux métiers des autres. Il fut extrêmement étonné de découvrir tout ce qui existait et qu'il ignorait, agaçant peu à peu Agnès tandis qu'il se plaignait avec une indignation puérile que personne ne l'en ait informé. Au début, il eut légèrement tendance à idéaliser les autres professions, surtout celles qui étaient très éloignées de la sienne. Puis son regard devint plus lucide, plus analytique et déterminé par la sempiternelle question de savoir s'il aurait eu moins de mal à vivre le présent en exerçant un autre métier.

Cette nuit-là, Perlmann en voulut à ses parents morts, car il croyait voir une relation de cause à effet évidente entre les attentes intangibles, dogmatiques parce qu'inflexibles, que ses parents avaient projetées sur leur unique enfant, et la situation fatale, doublée d'une détresse intérieure, dans laquelle il se trouvait actuellement. De gigantesques vagues d'accusations, de reproches le submergeaient pendant qu'il faisait le décompte de sa culpabilité, de ses omissions et de ses manquements qui l'entraînaient dans la tourmente malgré les efforts de sa raison. Quand deux heures sonnèrent, il prit la moitié d'un somnifère. À trois heures, il avala l'autre moitié.

Il jouait la *Polonaise en la bémol majeur* face à un public qui semblait s'étendre à l'infini dans l'obscurité de la salle. Il savait qu'il devait se concentrer entièrement sur son jeu, tout ce qui importait était qu'il ne fasse aucune erreur. Au lieu de cela, il fixait la salle plongée dans le noir à la recherche de Millar, il savait que ses lunettes scintillantes étaient quelque part par là, mais il n'arrivait pas à les trouver, ses yeux pleuraient tant il faisait d'efforts. Soudain apparut le visage d'Evelyn Mistral, dont le sourire rayonnait, il voulut lui demander quelque chose mais entre-temps son visage était devenu celui d'Hanna, qui l'interrogeait du regard, c'était le visage d'Hanna et aussi celui de Laura Sand, moqueur, blême et serein. Il entendait depuis le début le passage sur lequel il butait systématiquement, il résonnait comme un écho paradoxal, en avance sur la partition, il savait qu'il ne pouvait pas s'en remettre à lui-même, que c'était une question de hasard si ses doigts exécutaient le passage correctement, s'ils arrivaient à s'affirmer contre l'influence paralysante de sa peur, ses mains transpiraient, la sueur ruisselait de plus en plus entre ses doigts et les touches, ses doigts glissaient, maintenant le passage arrivait, il entendait tout haut ce qu'il avait à jouer et comment, mais il ne pouvait rien faire, ses doigts ne jouaient plus, c'était un sentiment d'impuissance immense, et c'est alors qu'il se réveilla, ses mains étaient sèches et glacées, il les glissa aussitôt sous la couverture.

9 Ses yeux étaient encore lourds sous l'effet du somnifère, mais il ne parvint plus à se rendormir. Tandis que les premières lumières pâles du golfe rendaient l'heure irréelle, la silhouette invisible de Millar dont il avait rêvé se muait en un être bien réel à qui il devait prouver qu'il connaissait mieux Bach que lui. Mais comment faire pour le démontrer ? Se procurer la partition n'était pas une solution ; il ne fallait en aucun cas qu'il ait l'air d'avoir entrepris quelque chose de particulier. Au moment où il lui indiquerait son erreur, il était primordial qu'il ait l'air anodin, d'autant plus cinglant, de l'homme rompu à ces choses depuis des décennies. Le disque dont avait parlé Hanna permettrait de prouver qu'il s'était trompé à double titre : non seulement l'identification de l'œuvre était fausse, mais aussi son affirmation disant qu'il n'existait aucun enregistrement. Son histoire de *trouvaille* résonnerait alors de manière ridicule. Perlmann se souvint de la prononciation impossible de Millar lorsqu'il avait parlé de *trouvaille*, il lui avait fallu réfléchir à deux fois avant de comprendre. Mais il en allait de même pour le disque que pour la partition : comment expliquer qu'il l'ait avec lui ? Une cassette serait plus facile à justifier ; s'il avait eu un walkman par exemple. Il ne pouvait tout de même pas s'acheter en plus l'un de ces petits lecteurs CD qui devaient coûter dans les mille marks. Et pourquoi pas ?

I happened to see it and just picked it up. C'était simplement anodin comme il convenait, pensa Perlmann en se rasant. Et la phrase avait, de plus, s'il la prononçait sur le ton juste, une certaine note de mondanité. Sa remarque expliquerait ensuite pourquoi il ne mentionnait la chose que le lendemain. Signora Morelli avait indiqué qu'il y avait un lecteur CD dans le salon lors de son arrivée.

Il se détendit et, en décrochant le combiné pour commander du café, ragaillardi par son plan secret, il eut soudainement envie de s'asseoir en face de Millar ce matin même. Dans l'escalier, il eut l'impression que son cerveau flottait à l'intérieur de son crâne. Mais tout allait bien se passer. À huit heures précises, il entra dans la salle à manger.

À l'exception de l'homme roux au bord de la piscine, il n'y avait pas un chat. Perlmann salua et s'assit à l'autre bout de la salle. Hésitant, il commanda le petit déjeuner à un serveur qu'il n'avait encore jamais vu. À la porte apparut alors Evelyn Mistral qui s'avança vers lui d'un air surpris. Elle avait un pull-over sur les épaules et ses cheveux étaient attachés en queue-de-cheval. « Si, si, dit-elle, ils prenaient habituellement le petit déjeuner ensemble à huit heures, sauf le dimanche, où ils s'étaient mis d'accord pour neuf heures. Mais aujourd'hui ce serait trop tard pour elle. » Elle était visiblement gênée d'avoir à le lui expliquer à lui, le chef du groupe ; elle arrangea les couverts sur la table et s'empressa de changer de sujet.

— Tu ne vas pas le croire, dit-elle, mais le rouquin s'appelle John Smith. Il vient de Carson City, dans le Nevada. Récemment il a accosté Brian, d'Américain à Américain pour ainsi dire. C'est un type plein aux as qui vient passer l'hiver ici. *It figures*, lui a dit Brian à la fin, lorsque l'autre lui a dit son nom. Quand Brian a du mépris pour quelqu'un, il ne fait pas semblant, conclut-elle en souriant.

— Et ce ne doit pas être si rare que ça, laissa échapper Perlmann.

Evelyn Mistral, qui portait un croissant à sa bouche, interrompit son mouvement.

— Tu ne l'apprécies pas beaucoup, n'est-ce pas ?

Perlmann avala une gorgée de café. Son cerveau flottait.

— Je n'ai rien à lui reprocher, répondit-il, mais évidemment on ne peut pas dire qu'il souffre d'un manque d'amour-propre.

Elle rit.

– C'est vrai. Mais il y a cependant une chose à laquelle il n'arrive vraiment pas à se faire : c'est l'ironie de Laura. Ça le déstabilise complètement, il en frémit comme un petit garçon. À part cela, il se sent comme quelqu'un à qui rien ne résiste – si on peut s'exprimer ainsi.

Elle tripota sa queue-de-cheval et sur son front apparut un pli rosé.

– Lors d'une des dernières séances, je n'ai vraiment pas apprécié la manière dont il m'a traitée. Avec une sorte de condescendance, m'a-t-il semblé... Mais il a remarquablement joué, hier soir, n'as-tu pas trouvé ?

– Oui... si, répondit Perlmann dans un hoquet, comme s'il avait trébuché contre une marche.

Seul le mouvement hésitant de son couteau trahit qu'elle avait perçu le malaise de Perlmann.

– J'aurais bien aimé apprendre à jouer d'un instrument moi aussi, dit-elle en le regardant dans les yeux pour la première fois. Papa m'y a obligée ; mais à l'époque je n'en avais pas vraiment envie. Juan, mon petit frère, s'est mieux débrouillé que moi. Il joue du violoncelle. Pas de façon extraordinaire, mais il se fait plaisir.

Et toi, joues-tu d'un instrument ? Il fallait à tout prix qu'il évite cette question, ainsi voulut-il en savoir plus sur Juan puis sur toute la famille, y compris les grands-parents, on aurait pu croire qu'il cherchait matière à écrire une saga familiale.

Ils se tenaient à la porte de la salle à manger lorsque von Levetzov et Millar arrivèrent en bas de l'escalier. Ils se lancèrent un regard qui n'échappa pas à Evelyn Mistral. Elle leva le bras, mimant un trille du bout des doigts avant de saisir le bras de Perlmann pour le conduire de l'autre côté de la porte, vers l'escalier extérieur. C'est seulement lorsqu'ils furent sur la promenade qu'elle le regarda et tous deux éclatèrent de rire.

Elle garda son bras sous le sien pendant qu'ils marchaient le long du port. La balade faisait du bien à

Perlmann, et la pression qu'il sentait sur ses yeux céda peu à peu. Les derniers effets du somnifère l'enveloppaient tel un filtre protecteur et il s'abandonna à l'idée qu'il était en train d'apprécier ce matin d'automne rayonnant, avec les fines nappes de brume qui flottaient au-dessus des eaux lisses et miroitantes. Le présent était à portée de sa main pendant qu'Evelyn Mistral, qui avait dénoué ses cheveux, lui décrivait Salamanque, et il était tout à fait certain que cette destination serait son prochain voyage.

Lorsqu'ils bifurquèrent, ils se trouvèrent soudain en face d'une église dont sortait justement un couple de jeunes mariés. Il espéra que la séance photos, l'échange de félicitations et de plaisanteries durent encore longtemps et il fut déçu de les voir subitement tous monter dans les voitures avant de partir en klaxonnant joyeusement.

Evelyn Mistral finit par repasser son bras sous le sien et l'entraîna doucement en indiquant qu'il était déjà presque onze heures et demie et qu'elle avait beaucoup de choses à faire aujourd'hui.

– Dans quinze jours ce sera mon tour ! Maria est certes déjà en train de taper le premier chapitre, mais dans le deuxième, il y a encore tellement de trous et d'incohérences, c'est désespérant. Et quand je pense qu'il y aura Brian, Achim et Adrian dans le public…

Sur le chemin du retour, Perlmann eut l'impression qu'il n'arrivait plus à déglutir naturellement et qu'il lui fallait environ toutes les secondes le faire volontairement, presque de manière contrôlée. Lorsque Evelyn Mistral lui demanda pourquoi il était soudain devenu si silencieux, il répondit qu'il n'y avait pas de raison particulière.

De retour à l'hôtel, il tira les rideaux et s'allongea sur le lit. Il repensa avec stupéfaction au cérémonial conventionnel auquel ils avaient assisté devant l'église :

il n'avait eu aucune réaction de rejet. À quoi ressemblait la mariée, du reste ? Les traits de son visage se brouillèrent étrangement, et il tenta en vain de lui rendre des contours nets. Puis, il s'endormit.

Il était déjà trois heures passées lorsqu'il se réveilla. Il se doucha longuement, commanda du café et un sandwich, puis reprit le texte de Leskov. Il voulait le terminer aujourd'hui. Afin de pouvoir commencer sa communication le lendemain. Il ne passerait que rapidement à la trattoria, pour voir Sandra et la rassurer avant son examen.

Charge sensible ? Il mit un moment à retrouver le sens de la note qu'il avait inscrite dans la marge. Leskov en venait justement à aborder ce point, et Perlmann était impatient de connaître sa théorie. Mais le texte traitait la question de manière détournée. D'abord il discutait le cas de la qualité mémorisée des sentiments. De nouveau, le texte se corsait sérieusement car Leskov employait là le riche vocabulaire russe des émotions et des atmosphères, et le dictionnaire de poche était insuffisant pour de telles nuances. Irrité, Perlmann progressait en s'agrippant à chaque exemple, avec un sentiment d'imposture linguistique. Le résumé était bref : quand on raconte une histoire vécue, les particularités mémorisées du vécu se présentent elles aussi autrement.

Perlmann s'énervait de ne pas comprendre les exemples dans toute leur profondeur à cause de ses lacunes en russe. Ainsi ne savait-il pas quoi penser de l'affirmation générale. Et elle représentait le sésame conduisant à ce qui suivait : Leskov y présentait le cas des sensations mémorisées, par analogie avec celui des sentiments. Le vocabulaire servant à décrire les nuances d'odeur et de goût posait problème, et Perlmann ne comprenait certains éléments que par déduction.

Était-il possible de reconstituer tout un univers d'impressions sensorielles en créant un nouveau récit de ses souvenirs ? Il en doutait. Ce qu'il avait ressenti en voyant la nouvelle patiente couchée dans le lit de sa mère apparaîtrait peut-être véritablement sous un autre jour, tout comme la qualité de l'événement vécu, si le récit de ses souvenirs en venait à prendre un nouveau tour – si, d'une part, comme écrivait Leskov, il décrivait de plus larges courbes et, d'autre part, s'il devenait plus dense. Et il pouvait en aller de même pour le drame intérieur qui se jouait chaque soir : la scène où son père lui reprochait son ingratitude après qu'il eut interrompu sa formation au conservatoire. *C'est ma vie, et la mienne seulement,* lui avait-il répondu d'une voix tremblante avant de sortir dans la nuit. Il ne pouvait exclure que différentes histoires avaient le pouvoir de donner une autre coloration au vécu mémorisé d'un instant précis. Si l'on adoptait par exemple la perspective d'aujourd'hui, c'est-à-dire si sa vie, malgré l'héroïsme touchant de sa phrase, avait obéi au diktat des attentes parentales, la fureur qu'il avait éprouvée à l'époque n'aurait rien à voir avec celle qu'on pourrait percevoir dans un récit où il rendrait compte d'une libération réussie.

Jusque-là, on arrivait à suivre Leskov. Mais qu'en était-il de la couleur de la veste que portait son père, et du bruit sur le cercueil ? Y avait-il matière à recréer ? Leskov consacrait tout un paragraphe à Marcel Proust, sans citer de sources. Mais cela n'aida guère Perlmann, il trouva au contraire le passage embarrassant, car Leskov n'avait pas franchement l'air de connaître Proust.

Il alluma la lumière. Plus que neuf pages. Pour terminer, Leskov voulait traiter la question suivante : que signifiaient les conclusions qu'il avait établies jusqu'à présent dans le concept de l'*osvaivat'* du vécu individuel ? Dans le dictionnaire, il manquait précisément la page où aurait dû figurer *osvaivat'*. Furieux, Perlmann constata qu'il manquait trois pages consécutives. Il feuilleta la fin du texte et jeta un œil sur les dernières phrases. En conclusion, Leskov espérait avoir démontré que la capacité à raconter et la capacité à se créer son propre passé, tout à fait individuel, n'étaient au bout du compte qu'une seule et même capacité. En ce sens, la langue et le vécu étaient beaucoup plus étroitement liés que l'on pouvait le supposer de prime abord. Personne – c'était la dernière phrase, quelque peu ampoulée – n'avait compris l'essence de la langue tant qu'il ne l'avait pas considérée comme un moyen permettant avant tout de vivre une expérience différenciée du temps.

Perlmann se mit en chemin pour la trattoria. Quand il reprendrait ces dernières pages après une pause, il finirait bien par savoir ce que signifiait *osvaivat'*.

Sandra n'était pas là. Un enfant aussi, ça doit profiter de la vie, expliqua sa mère, et c'était pourquoi elle l'avait laissée sortir lorsque ses amies étaient passées la voir. L'examen – oh ! oui.

– *Che sarà, sarà !*

Perlmann avait posé ses coudes sur la Chronique et fumait. Il se revit allongé sur le ventre, à l'ombre du jardin de l'hôtel, son livre de latin sous le nez. Des vacances au bord de la Méditerranée, les premières que ses parents avaient pu s'offrir, grâce à un petit héritage venant de Suisse ; à l'époque, sept ans après la fin de la guerre, c'était encore un événement sensationnel. L'heure de la sieste. Les parents aussi s'étaient allongés un moment. Quelques clients de l'hôtel somnolaient dans les chaises longues installées sur la plage. Là-bas devant lui s'étendait la mer, scintillant sous le soleil de midi, et cet éclat frémissant, c'était cela le présent, ce qui importait vraiment. Quelques enfants jouaient à s'asperger dans l'eau en poussant des cris de joie. À ce moment-là, du haut de ses treize ans, il n'avait pas expressément formulé sa pensée, mais il s'était comporté avec le sentiment de devoir d'abord apprendre parfaitement tout ce vocabulaire latin et les verbes irréguliers avant d'être lui aussi autorisé à profiter du présent dans sa lumière étincelante.

Perlmann ouvrit la Chronique. Ils avaient dû partir en vacances au mois de juillet. Il lut la rubrique politique comme si les événements avaient eu lieu avant sa naissance, tant leur incidence sur sa vie avait été nulle. Cela valait autant pour Eisenhower que pour le roi Farouk, et il n'en fut pas autrement de la mort de Kurt Schumacher le mois suivant. Benedetto Croce enfin, c'était comme un autre monde. Il se souvenait seulement de Juan Manuel Fangio, le pilote automobile. Et, le lendemain de leur retour d'Italie, il y avait eu ce compte-rendu radiophonique de l'enterrement d'Evita Perón. On s'était assis devant la petite radio, et la voix mélodramatique du journaliste, entrecoupée par des perturbations atmosphériques, avait conféré à ce cortège funèbre quelque chose de mythique, si bien que sa mère en avait pleuré. Était-ce à ce moment-là qu'il avait compris le phénomène de décalage horaire entre les continents ? Car c'était bien étonnant d'entendre parler, tard dans la soirée, de centaines de milliers de personnes qui défilaient l'après-midi en Argentine.

Pour le jour où il était allé au cirque avec Hanna, la Chronique ne donnait qu'une seule information : Antonio Segni, encore président du Conseil italien, était parti en voyage à Washington.

Quelques semaines plus tard était sorti *Le Pont* de Bernhard Wicki. Il avait déjà les billets dans la main quand Hanna avait regardé encore une fois les affiches et déclaré que non, elle ne supportait tout simplement pas de telles images. À cet instant, la phase critique entre eux avait commencé, et lorsque Hanna avait traversé le hall du cinéma en courant, son manteau flottant dans l'air, on aurait dit que c'était plutôt lui que les images qu'elle fuyait.

Le visage de Sandra était échauffé, ses cheveux détachés, ébouriffés. Elle ne salua Perlmann que furtivement et, comme son humeur pétulante avait disparu dès qu'elle l'avait aperçu, on pouvait se rendre compte que sa présence lui rappelait l'examen à venir et qu'elle n'avait aucune envie d'en entendre parler maintenant. Perlmann régla sa note.

S'approprier, pensa-t-il en arrivant à proximité de l'hôtel. C'était peut-être ce que voulait dire le mot *osvaivat'*. S'approprier son passé en racontant ses souvenirs. Qu'est-ce que cela pouvait signifier dans la théorie de Leskov ? Et qu'est-ce que cela signifiait tout court ?

Il était presque trois heures lorsqu'il eut fini de lire le texte. Épuisé, il s'avança vers la fenêtre ouverte. Un silence de mort régnait. Il avait mal au crâne comme s'il avait bu la veille et, ce qui était pire, il sentait des pertes d'équilibre. Qu'était-il censé faire, maintenant qu'il n'était plus porté par la tâche de déchiffrer le texte de Leskov ?

Ce qu'écrivait Leskov dans les dernières pages, pensa-t-il en se déshabillant avant de se glisser sous la couverture, ne fournissait aucune image claire, cohérente. Tout d'abord on trouvait l'idée que l'appropriation – si tant est que la notion fût juste – était une forme de compréhension : on s'approprie son passé en lui trouvant un sens. La compréhension à laquelle on aboutissait en racontant ses souvenirs, poursuivait Leskov, éveillerait chez le locuteur le sentiment déterminant de s'appartenir à lui-même. Et en conséquence, il interprétait le parfum inconnu qu'un événement passé pouvait receler comme une lacune de compréhension. À travers le souvenir qu'elle racontait – c'était là un résumé qui voulait en imposer –, une personne se construisait une identité spirituelle intemporelle. Donc : sans langue, pas d'identité spirituelle.

Perlmann se sentait attiré par cette pensée, par moment elle l'enthousiasmait. Puis de nouveau, il se sentait mal : n'y avait-il pas aussi d'identité spirituelle au sens d'une structure émotionnelle mûrie, autour de laquelle gravitaient tant les actions que l'imagination d'un homme, et peu importait que l'ensemble des sentiments puisse être verbalisé ou non ? Mais ce n'était pas le vrai problème posé par la théorie de Leskov, pensa-t-il tandis que, contrairement à son habitude, il allumait une cigarette allongé dans son lit. Comment l'idée d'appropriation s'accordait-elle avec la thèse selon laquelle le souvenir était en quelque sorte une création ? L'appropriation – cela supposait pourtant qu'il y ait un espace intérieur de souvenirs vécus, espace qui devait être franchi et conquis. Mais, a priori, un tel espace intérieur ne pouvait pourtant pas exister, si le vécu passé n'était créé qu'avec son récit, et ce, même dans sa qualité émotionnelle. À moins que si ?

La fatigue s'empara de lui et il plongea la tête dans l'oreiller. Sur le bureau il y avait le texte de Ruge dont il n'avait pas lu un traître mot. Et dans les jours suivants, il lui faudrait faire signe à Millar qui voulait parler avec lui de sa question idiote. Pendant un moment il s'appuya sur les coudes et fit une tentative acharnée pour se souvenir. Mais la question lui avait échappé, et il se laissa retomber sur l'oreiller.

Dans le trou perdu qu'était Santa Margherita, il n'aurait aucune chance de mettre la main sur le disque des préludes méconnus de Bach. Fallait-il alors qu'il tente sa chance à Rapallo, ou bien qu'il aille directement à Gênes ? Et comment trouver le magasin le mieux approvisionné ? Les chauffeurs de taxi savaient-ils ce genre de choses ?

Il s'était donné bien de la peine avec Sandra, et voici maintenant qu'elle le regardait debout devant sa table, d'un air hautain. Et pourquoi les pages de la Chronique étaient-elles collées entre elles ? Deux ombres menaçantes obscurcirent tout l'espace et, lorsqu'il leva les yeux, Millar et Ruge se tenaient devant lui. Ruge penché en avant serrait entre son menton et ses mains une pile de papiers prête à céder en son milieu, risquant de s'effondrer à tout moment. Les lunettes scintillantes de Millar s'approchaient de plus en plus de la Chronique, le mot *sneering* traversa l'esprit de Perlmann, et tandis qu'il essayait désespérément de refermer la Chronique au nez de Millar, il se réveilla et entendit le bruit de la pluie.

10   À sa manière d'être assis là face à eux dans ce fauteuil pompeux, vêtu de son éternel costume marron aux manches trop courtes, Achim Ruge avait l'air d'un homme de la plèbe qui aurait usurpé le trône de l'empereur. Il avait du mal – c'était aujourd'hui plus visible que d'habitude – à accommoder sa vision de près à celle de loin, et comme il n'arrêtait pas de remettre ses lunettes de travers on pouvait redouter qu'il ne se blesse avec l'extrémité pointue de sa monture. Malgré sa prononciation cavalière, son anglais était d'une aisance épatante, et aujourd'hui encore il surprenait Perlmann par la richesse de son vocabulaire à côté duquel l'élocution de Millar, notamment, paraissait bien pauvre. Autrefois à Harvard, ils s'étaient d'abord moqués de lui. Le garçon fruste de la campagne allemande. Puis, racontait-on, il avait rendu son premier travail sur la grammaire théorique, long d'une centaine de pages. Celui-ci fit l'effet d'une bombe, et du jour au lendemain Ruge était devenu une star. Il y resta trois ans. Quand ensuite ils lui proposèrent une place enviable, il répondit – toujours à ce qu'on racontait – que l'*american way of life* n'était pas pour lui et qu'il préférait retourner à la ferme. Alors qu'il avait en fait grandi à Böblingen où son père était agent du fisc.

Son texte s'ouvrait sur une référence à des expérimentations qu'avait menées Perlmann presque dix ans auparavant et qui avaient alors fait du bruit car elles réfutaient une théorie du processus d'apprentissage linguistique communément admise. Perlmann s'en aperçut avec effroi tandis qu'il parcourait le texte en diagonale, assis au bord du lit, la tête lourde. En descendant dans la véranda, il avait vainement essayé de se rappeler les détails de ce qu'il avait écrit à l'époque. C'était tellement loin. Les grandes lignes ne lui revinrent en mémoire qu'en lisant le résumé rédigé par Ruge. Mais c'étaient les grandes lignes de quelque chose qu'avait découvert quelqu'un, en le défendant manifestement avec verve, et le hasard avait voulu que ce quelqu'un et Philipp Perlmann ne soient qu'une seule et même personne. Pourtant, ces expérimentations avaient consolidé pour des années sa place dans la discipline, et il avait fallu longtemps avant que les autres finissent par reconnaître qu'il était devenu un vrai théoricien de la linguistique. Ils ne pouvaient pas savoir qu'il en avait été ainsi parce qu'il n'aimait pas les laboratoires et qu'il se sentait harassé au bout d'une journée de travail en équipe.

Pour le père d'Evelyn Mistral, le pire avait été tous les autres médecins et infirmières qui se tenaient autour de lui pendant l'opération. *Oui*, pensa Perlmann, *c'est tout à fait cela.*

C'était somme toute curieux, voire ironique, se dit-il en lisant l'explication que donnait Ruge au sujet de ses propres travaux expérimentaux : pour une fois à cette époque, il avait voulu connaître quelque chose de manière vraiment précise, et c'était précisément cette volonté, si atypique chez lui, qui l'avait catapulté sous les feux de la rampe. Ou bien était-ce finalement faux, ce que, vendredi, assis sur cette chaise, il avait pensé de son besoin de comprendre le monde dans ses contours flous ? Après tout, ses travaux ultérieurs avaient eux aussi été précis. Du reste, aurait-il pu les réaliser s'il n'avait pas été animé par une volonté d'exactitude ? Mais il s'agissait justement de deux choses distinctes : le besoin naturel et la volonté acquise.

Ses travaux étaient appréciés des étudiants, ils étaient bien écrits et clairement structurés. Cependant : jamais il ne réalisa un coup de maître comme Adrian von Levetzov et Millar, avec leurs livres parus deux ans auparavant. Il était intimement persuadé que les autres se demandaient parfois en quoi consistaient finalement ses performances. Cette conviction ne le quittait jamais lorsqu'il côtoyait des collègues. Puis sa mémoire, combinée à la routine, se mettait à tourner à plein régime, les séances qu'il dirigeait étaient impressionnantes, il en mesurait l'effet ; l'espace d'un moment tous ses doutes étaient oubliés, il parvenait alors à formuler des arguments, des observations et des propositions qui, il fallait bien l'admettre, s'avéraient originaux, le visage des auditeurs en témoignait, la manche était gagnée, l'estime, assurée, et il restait éveillé jusqu'au milieu de la nuit pour graver en lui ce sentiment. Le lendemain, il ne redevenait rien d'autre qu'un ouvrier assidu qui se demandait en quoi consistait sa performance.

L'heure qui suivit tourna entièrement autour d'une discussion à deux voix entre Ruge et Laura Sand qui comparait en détail ses expérimentations sur les animaux à ce qui avait été fait à Bochum. À la surprise de Perlmann, elle ne manifestait plus ni exaspération ni impatience ; sa concentration sereine et la force de conviction de ses analyses avaient quelque chose de tellement hypnotique que même Ruge en oubliait parfois de réagir. Pour la première fois, Giorgio Silvestri prenait des notes. Cette atmosphère ne fut interrompue qu'une seule fois, lorsque l'Américain aux cheveux roux apparut devant la fenêtre pour faire sa gymnastique.

– John Smith, dit Millar sans laisser paraître quoi que ce fût. De Carson City, Nevada.

Pendant que des rires se faisaient entendre, Evelyn Mistral jeta un regard à Perlmann.

Le travail scientifique sur le langage tel qu'il se présentait ce matin-là, pensa Perlmann, était positif. Un travail intéressant qu'il fallait encourager. Et soudain il sentit que cette pensée lui venait d'un tout autre état d'esprit : comme quelqu'un qui regarde une émission scientifique le soir après le travail, avant de zapper ensuite sur la chaîne du sport.

Et pourtant, on ne pouvait vraiment pas dire que les langues ne l'intéressaient qu'à moitié. Mais elles ne l'intéressaient tout simplement pas de cette façon. Décomposer la langue, la mesurer, la traduire en formules : au fond cela ne l'intéressait pas plus que la chimie. Les langues ne cessaient de le fasciner, en tant que lien avec le vécu, et surtout moyen de palper le présent qui se dérobait à lui avec une habileté diabolique. À l'époque, il lui avait semblé si naturel, si logique, tandis qu'il se tenait dans le secrétariat des étudiants, de s'inscrire en sciences du langage. La plupart des autres matières, comme le droit ou la physique, il les avait exclues d'emblée, sans éprouver le besoin d'y réfléchir. Et il n'avait pas non plus été question de faire médecine, cela aurait impliqué beaucoup trop de proximité avec les autres.

Les langues, voilà quelque chose qui lui plaisait. *Et tu as de telles facilités dans ce domaine*[1], avait dit sa mère qui essayait de dissimuler, en premier lieu à elle-même, son absence de talent pour les langues étrangères en distillant çà et là quelques mots français. Alors que ce n'était pas du tout le cas. Comme dans beaucoup de domaines, seules les choses qu'il possédait,

----

1. En français dans le texte (*N.d.T.*).

c'étaient l'application, la ténacité et une volonté souvent aveuglément ferme.

Achim Ruge avait retiré sa veste et l'avait accrochée au dossier de son fauteuil. Les deux montants sculptés du dossier étaient plus éloignés l'un de l'autre que les épaules de la veste et s'enfonçaient si profondément dans les manches qu'on aurait dit un épouvantail dressé derrière la grosse tête chauve de Ruge. Mais Perlmann ne voulait se laisser distraire ni par cela ni par les ridicules élastiques que Ruge portait aux bras. Pour la première fois il avait l'impression de comprendre ce qui s'était passé autrefois lorsqu'il avait opté pour ces études. *C'était un malentendu, rien d'autre.* Et ce malentendu était au fond si simple que c'en était ahurissant : en abandonnant le conservatoire, il avait dit adieu à l'espoir qu'il nourrissait de pouvoir, grâce au piano, se jouer du présent et s'en approcher. Car se limiter à écouter de la musique ne ferait jamais qu'accroître son profond désir de vivre pleinement le présent. Et ce fut alors qu'il se plongea dans une occupation dans laquelle la langue, grâce à son rôle de médiatrice, était censée remplacer la musique et combler son espoir inassouvi de vivre au présent. Telle avait été l'intensité de son espoir, et la transition s'était faite dans cette même foulée, si bien qu'il avait omis de considérer un fait tout simple : la langue ne créait le présent qu'à condition qu'on s'y abandonne, qu'on s'y baigne et qu'on joue avec elle, et non qu'on la dissèque et l'observe avec les yeux de celui qui cherche des lois, des explications, des systématisations et des théories. C'était simple comme bonjour, à la portée du premier enfant. Et pourtant il avait confondu les deux ; amoureux de la densité impressionniste, sensuelle, de la langue, il s'était prescrit un effort analytique qui ne pouvait que systématiquement le détourner de ce qu'il cherchait, parce que cet effort était tout simplement défini autrement.

Pendant que Silvestri rendait compte d'expériences menées sur l'aphasie, déclenchant ainsi une discussion enflammée, Perlmann était dans le grand amphithéâtre de l'université de Hambourg et recevait son livret d'étudiant des mains du président de la faculté. Il n'arrivait pas à déterminer s'il avait vraiment senti, à l'époque, lorsqu'il avait vu sous sa photo et son nom la mention « Sciences du langage », que quelque chose ne collait pas, ou bien s'il décelait après coup, avec le recul, le malaise qui aurait dû donner l'alarme. Et si l'on en croyait Leskov, la question n'avait aucun sens. Dans tous les cas, il avait à présent l'impression d'être séparé des autres personnes assises dans la salle par un espace étroit, innommable, qui tenait au fait que ces autres personnes avaient délibérément choisi cette matière avec un enthousiasme plus marqué. Et plus Perlmann repensait à ce petit espace perfide, plus germait en lui le soupçon que sa démarche provenait déjà à l'époque d'un flou et d'une indécision intérieure au fond de laquelle il y avait son indifférence pour les études et la recherche, une indifférence qu'il avait mis trente ans à découvrir et à admettre.

Le départ des autres le ramena brutalement à la réalité, tant ses pensées l'en avaient éloigné. En sortant, Ruge lui demanda s'il n'avait vraiment rien eu à objecter. Perlmann, encore tout absorbé par la logique de ce malentendu qui venait de se révéler à lui, parvint à esquisser un sourire détendu. Il avait tout simplement apprécié, pour une fois, de ne faire qu'écouter, dit-il sans trop réfléchir. On a tellement d'occasions de parler à n'en plus finir.

— Ma foi… oui, vous n'avez pas tort, répondit Ruge en riant, et Perlmann eut l'impression que ce rire était un tout petit peu moins assuré que d'habitude.

Millar était adossé au comptoir de la réception et jouait avec la clé de sa chambre. Il marcha vers Perlmann. Qu'en était-il de leur entrevue ?

– Je veux dire concernant cette fameuse question.

Perlmann demanda sa clé à signora Morelli en cherchant à capter son regard, comme si elle pouvait l'aider. Le sentiment de protection issu de la révélation à laquelle avaient abouti plus tôt ses réflexions avait disparu comme par enchantement.

– Je vous fais signe, finit-il par répondre avant de disparaître si vite dans le bureau de Maria que cela en frôla l'impolitesse.

Tous les bracelets que portait Maria aux poignets tintaient à chacun des mouvements qu'elle faisait à l'ordinateur. Aujourd'hui elle avait un chewing-gum dans la bouche, et comme à son habitude elle recrachait la fumée pendant qu'elle parlait. Perlmann la pria d'appeler à Rapallo au sujet du disque. En plaisantant elle arriva à convaincre les gens à l'autre bout du fil d'aller voir dans leur stock, bien que ce fût l'heure de la sieste. Aucun des deux magasins n'avait le disque, mais le second proposa de le faire venir de Gênes, cela prendrait un ou deux jours. Perlmann secoua la tête lorsqu'elle lui en fit part, après quoi elle raccrocha, quelque peu décontenancée par son impatience incompréhensible. Elle ne laissa paraître aucun agacement quand Perlmann lui demanda d'essayer à Gênes. Seul son chewing-gum laissait échapper un claquement de temps en temps. Elle connaissait là-bas le plus grand magasin de musique car, comme elle l'expliqua, elle avait grandi dans cette ville. On lui fit d'abord savoir que le disque n'était pas en rayon et, vu le visage de Maria, on doutait même qu'il existât. Mais ensuite, Maria prononça quelques phrases incompréhensibles, tellement inarticulées qu'elles étaient inintelligibles, probablement du dialecte génois, et ils allèrent vérifier dans leur stock et parmi les derniers arrivages. Un long moment s'écoula, Perlmann se sentait mal à l'aise, et il lui fut reconnaissant lorsqu'elle dit en plaisantant que la musique sur ce disque devait être particulièrement belle. Elle fut visiblement soulagée de pouvoir dire à Perlmann que, finalement, le disque était disponible là-bas, il était arrivé avec la dernière livraison et n'avait même pas encore été déballé. Perlmann demanda qu'on le lui mette de côté et ne le vende en aucun cas, il passerait dans le courant de l'après-midi. En sortant, il aurait bien aimé fournir à Maria une explication, mais à part *Mille grazie !* rien ne lui vint à l'esprit.

Il alla chercher de l'argent et sa carte de crédit dans sa chambre avant de se rendre à pied à la gare. Cela ne rimait à rien de se presser, il ne voulait pas se retrouver une fois de plus devant un magasin fermé pour cause de sieste. Sur le quai de la gare, où il dut attendre près d'une heure, une sonnerie stridente retentissait à intervalles irréguliers, sans raison apparente, le traversant jusqu'à la moelle. Par chance, le train était presque vide. Perlmann tira le rideau crasseux et essaya de dormir. Une semaine était passée. Un cinquième. Était-ce beaucoup ou peu ? Il espérait que Silvestri ne tarderait plus à se décider pour la quatrième ou la cinquième semaine. S'il choisissait la cinquième, il ne lui resterait plus que quinze jours pour préparer une intervention. Sinon il aurait dix-huit jours ; dix-neuf s'il repoussait les photocopies au samedi. Parfois Maria ne travaillait pas le samedi. Était-il tout de même possible de faire des photocopies ? Au besoin, le laisseraient-ils se servir de la machine ?

Gênes était encombrée de voitures, partout des camions de livraison se garaient en plein milieu de la rue et déchargeaient, on restait au feu vert sans pouvoir avancer d'un pas, un concert de klaxons résonnait, c'était désespérant. « C'est toujours comme ça le lundi », expliqua placidement le chauffeur de taxi en toisant dans son rétroviseur son client qui commençait à s'agiter. Ils roulèrent pendant un bon moment avant de s'arrêter devant le magasin de musique encore plongé dans l'obscurité, alors que la pause de midi, d'après les horaires affichés, était déjà terminée depuis une dizaine de minutes. Perlmann laissa partir le taxi. Pourquoi les gens ne s'en tenaient-ils pas à ce qui était écrit ? Pourquoi ?

Et puis, comme si son énervement désespéré l'avait enfin réveillé, une pensée lui traversa l'esprit : en réalité, il fallait qu'il compte au moins deux, trois jours pour que Maria puisse taper son texte. Tous les calculs qu'il avait faits jusqu'à présent étaient faux. Il enleva sa veste et essuya son cou en nage avec un mouchoir. Au final, la situation se résumait ainsi : si Silvestri se décidait à passer dans la cinquième semaine et si Perlmann voulait aussi pouvoir accorder son vendredi à Maria, il ne lui restait pas plus de dix jours. Et si elle était prête à tout écrire entre le lundi et le mardi, cela lui laissait treize jours, tout en sachant que cela supposait que les collègues soient d'accord pour lire son texte en une seule journée. En revanche, si Silvestri passait la quatrième semaine, il lui restait alors seize jours, toujours en admettant que Maria arrive à boucler le travail en deux jours et fasse les photocopies le vendredi soir, avant de partir en week-end. Tremblotant, Perlmann remit sa veste et se secoua lorsqu'il sentit, écœuré, que sa chemise collait à son dos.

Dans le magasin il dut encore attendre parce que l'homme qui avait parlé à Maria arriva en retard. Sous l'œil ébahi du vendeur, il déchira l'emballage et trifouilla nerveusement le double disque sans parvenir à l'ouvrir. « *Ecco !* », lança le vendeur en souriant après l'avoir ouvert d'un seul geste et sans effort. Le deuxième disque était le bon. Perlmann chercha le numéro 930, demanda à écouter le disque et mit le casque sur ses oreilles.

C'était le morceau qu'avait joué Millar.

La panique qui l'avait saisi juste avant disparut. Mais il fut déçu de ne pas éprouver un sentiment de triomphe plus fort. De ne même pas l'éprouver du tout. Soudain, toute son opération lui parut complètement absurde, puérile et absurde. Il paya et sortit, fourbu et honteux. Il se dirigea vers la gare en traînant les pieds.

À peine visible au premier abord, cachée derrière l'échafaudage, se trouvait une librairie qui venait manifestement d'ouvrir ses portes. Perlmann fit demi-tour et entra dans le magasin merveilleusement éclairé dont plusieurs murs étaient recouverts de miroirs. Mains dans les poches, il flâna le long des présentoirs de best-sellers, dépassa le coin littérature et se dirigea vers le rayon consacré aux langues.

L'ouvrage grand format, avec son dos rouge et son inscription noire, lui sauta immédiatement aux yeux. C'était un dictionnaire anglais-russe et vice versa. Le papier était fin et grisâtre ; en le touchant, un film savonneux se déposait sur les doigts ; mais les indications données pour chaque mot étaient très nuancées et il n'était pas rare qu'elles s'étendent sur un quart de colonne. *Osvaivat'*. Perlmann s'installa dans un fauteuil élégant mais inconfortable et rechercha le mot. *To assimilate, master ; to become familiar with.* Il avait vu juste : au cours du processus qui consistait à raconter un souvenir, on en venait, d'après Leskov, à *assumer* son propre passé, le *rapprochant* ainsi de soi-même ; et tels étaient précisément les éléments contenus dans la notion d'*appropriation. Faire sien* serait une autre formulation possible, pensa-t-il. Comment trancher entre les différents mots donnés au moment de traduire le texte en anglais ?

Il aurait aimé avoir son cahier de vocabulaire sur lui, ainsi aurait-il pu remplir tous les blancs avec des mots anglais. Il examina l'étagère : pas de dictionnaire russe-allemand. En revanche, ils vendaient le Langenscheidt allemand-anglais qu'il avait lui-même à l'hôtel. *S'approprier : to appropriate, to acquire, to adopt. Appropriating* désignait, apparemment, l'acte de prendre possession de quelque chose, tandis qu'on employait *acquiring* pour les connaissances et *adopting* pour une opinion, voire peut-être pour une attitude qu'on reprendrait à son compte. Il rouvrit le dictionnaire rouge et chercha à *appropriate* : *prisvaivat'*. Puis à *to acquire* et *to adopt* : *ousvaivat'*. Des mots, donc, qui ne se distinguaient d'*osvaivat'* que par le préfixe. Comment fallait-il exactement interpréter les choix de Leskov ? Perlmann fit un pas de côté pour laisser passer une dame aux boucles d'oreilles énormes qui voulait accéder à l'étagère et attrapa d'un geste sûr le petit dictionnaire russe-italien. Il fut tenté de lui adresser la parole pour l'introduire dans sa discussion intérieure, mais voici qu'elle s'était déjà détournée avec un sourire furtif et marchait vers la caisse. On ne s'approprie pas son passé comme on s'approprie une chose, pensa-t-il. Cependant ce n'était pas non plus comme un bout de savoir, une opinion ou une attitude. *S'approprier* ne voulait-il pas dire ici également *reconnaître* ? À *recognizing*, le dictionnaire indiquait *soznavat'*, qui pouvait aussi dire *realizing* ; pour *acknowledging* on trouvait *priznavat'*. En survolant le texte de Leskov, n'avait-il pas rencontré l'un de ces mots ?

Il jeta un œil discret autour de lui puis reposa lentement le dictionnaire sur l'étagère. Il était à nouveau en nage, on devait le voir sur son visage. En tout cas, Agnès, elle, l'avait remarqué lorsqu'il était assis par terre entouré de montagnes de dictionnaires, et elle n'avait pas aimé ce visage. *Dans ces moments-là, tu as comme un air... fanatique*, avait-elle dit un jour, et cela n'avait servi à rien qu'elle lui explique ensuite qu'elle n'avait pas employé le mot qui convenait.

Il était déjà deux rues plus loin lorsqu'il fit demi-tour. Il s'arrêta un moment sous l'échafaudage, se balança sur ses talons en regardant la rigole dans laquelle baignait un reste d'emballage de glace au milieu d'une mare sale et brunâtre. Puis il fit volte-face, rentra dans la librairie et ressortit le gros dictionnaire rouge du rayonnage. Ce faisant, son visage était, comme le montrait le miroir, celui de quelqu'un qui accomplit à contrecœur une mission secrète. « Nous n'acceptons les cartes de crédit qu'à partir de cent mille lires », déclara l'homme à la caisse. Perlmann ajouta l'exemplaire du dictionnaire russe-italien que la femme avait acheté avant lui, et le compte y était.

Était-ce vraiment correct de traduire *osvaivat'* par *s'approprier*? s'interrogea-t-il dans le train. *Assimilating*: dans la mesure où, à propos des migrants notamment, cela signifiait *assimilation* ou *intégration*, le mot était plutôt éloigné de l'idée d'appropriation. Et en principe, *mastering* pouvait ici aussi vouloir dire que l'on tenait à distance certains souvenirs... En admettant que, dans le texte, apparaisse également le mot *usvaivat'*: était-il possible d'acquérir quelque chose tel que le passé, qui nous appartenait déjà? Bon, Leskov pourrait dire qu'il ne nous appartient justement pas vraiment tant que l'on n'a pas raconté son souvenir... Et qu'en était-il du mot *adopting*? Perlmann parcourait les associations d'idées qui lui semblaient découler du mot anglais. On pouvait aussi, songea-t-il, l'employer dans le cas d'une pratique culturelle ou religieuse qu'on adopterait. Cela signifiait qu'une certaine distance intérieure était en jeu, comme lorsqu'on joue un rôle. Et n'y avait-il pas là aussi un peu de fausseté et d'escroquerie? Dans ce cas, on ne pourrait pas traduire *usvaivat'* par *adopting* au sens d'appropriation. Ou bien si, au contraire? Car si le souvenir raconté était une sorte d'invention...

Beaucoup de gens montèrent à Gênes-Nervi, et le wagon devint bruyant. Perlmann ne parvenait plus à se concentrer qu'à grand-peine. S'approprier son passé: cela ne voulait-il pas dire aussi *l'approuver*? Comment disait-on cela en anglais? Pendant un moment il perdit le fil de sa pensée et sombra dans une sensation d'épuisement comme il lui arrivait d'en avoir lorsqu'il passait trop de temps assis par terre avec ses dictionnaires. À la gare de Recco il se rappela : *endorsing*. Sous le regard curieux des gens assis en face de lui, il vérifia dans son dictionnaire qui tanguait sur ses genoux. *Indossirovat'*. Mais ce mot n'était apparemment utilisé que dans un contexte financier. *Podtverždat'*, au sens de *confirming*. Le mot apparaissait-il chez Leskov ? Il évita le regard des autres et tourna la tête vers la fenêtre pour voir le crépuscule. *Incorporer quelque chose* lui semblait constituer une autre facette du concept d'appropriation. Le train s'arrêtait maintenant à Santa Margherita.

– Juste une minute, dit-il au taxi avant d'y monter – il posa les dictionnaires sur le coffre de la voiture et regarda à *incorporating*. *Vklutchat'*. Il avait l'impression de l'avoir déjà lu. C'est urgent, lança-t-il au chauffeur éberlué.

Arrivé dans sa chambre, il s'installa directement à son bureau. Il était content de ne pas avoir déballé ses livres comme dans la chambre occupée précédemment. Ainsi pouvait-il étaler commodément tout ce dont il avait besoin pour traduire. Et surtout, il avait assez de place pour le dictionnaire russe-anglais qui, une fois ouvert, occupait presque la moitié de la table. L'autre dictionnaire, qu'avait aussi acheté la femme aux énormes boucles d'oreilles, il le plaça dans le coin à droite. Il n'avait encore jamais vu de boucles d'oreilles de cette taille. Le vert émeraude finement serti d'or lui avait plu.

Il commença par le passage où Leskov en venait à parler de l'idée d'appropriation. Pour *osvaivat'*, il inscrivit *assimilate* et *master* en séparant les deux mots d'un trait oblique. Le travail avançait beaucoup plus lentement que lorsqu'il lisait en traduisant vers l'allemand. En contrepartie, c'était beaucoup plus stimulant et, quand il réussissait à écrire sans effort une phrase qui se tenait en anglais, il poussait un soupir de joie. Cependant, la tâche n'était pas souvent aisée. Lorsque le sens restait diffus, il arrivait encore à comprendre ce qu'il lisait. On faisait alors résonner, sans vraiment le remarquer, le savoir multiple qui accompagne chaque mot dans toute langue, et ce savoir permettait au lecteur de combler les lacunes de compréhension là où le manque de connaissance des mots étrangers devenait visible. Or, traduire d'une langue étrangère vers une autre rendait la moindre incertitude linguistique impitoyablement visible. Surtout en russe, évidemment. Mais Perlmann ne tarda pas non plus à sentir à quel point il doutait de certaines expressions anglaises, et il y avait des phrases où, des deux côtés, le flou régnait comme dans une équation à deux inconnues. Dans ces passages, il s'apercevait qu'il y avait bien des choses qu'il avait lues jusqu'à présent sans y prêter attention.

Et malgré tout, dès le début, une sorte de fièvre qu'il aurait voulu ne jamais voir retomber s'était emparée de lui. Il avait écrit presque deux pages entières lorsqu'il tomba sur le mot *priznavat'*. Il était sur le point de vérifier s'il y avait une autre traduction proposée que *to acknowledge*, lorsqu'il se souvint que c'était l'heure du dîner. De mauvais gré, il enfila sa veste et descendit les escaliers quatre à quatre. Le serveur était déjà en train de débarrasser les assiettes à soupe lorsque Perlmann prit place à table en face de Millar.

Ce n'est qu'alors, en voyant le visage de Millar, que Perlmann se rappela le disque. Il tâta la poche de sa veste et sentit le plastique froid de l'emballage. Il avait l'impression de toucher une relique d'un monde intérieur dépassé et rétrospectivement ridicule. Et si Millar n'avait pas affiché ce visage désapprobateur en réaction à son nouveau retard, il n'aurait pas donné suite à l'histoire.

– Ah, au fait, Brian, lança-t-il en essayant de ne laisser paraître aucun signe de triomphe sur son visage, ce rappel que vous avez joué samedi, ce n'est pas le numéro 902 du répertoire. C'est le 930. Le 902 est en *sol majeur.*

Il avait réussi à le dire sans crispation, sur un ton presque joueur, et le ridicule de la chose dont il venait de prendre conscience perça aussi un peu dans sa voix. Mais voici que, dans la salle où ce soir-là il n'y avait hormis leur groupe que John Smith, un silence s'installa soudainement, donnant à la scène une teinte dramatique de mauvais augure.

Millar réajusta ses lunettes, recula sur son siège et croisa les bras sur son buste. Il fit la moue un instant, secoua imperceptiblement la tête et, dans un sourire qui lui fit plisser les yeux, il déclara :

– Honnêtement, Phil, je ne crois pas me tromper sur cette question. En ce qui concerne les œuvres méconnues de Bach, je suis particulièrement calé.

Perlmann prit son temps. Il tint tête au regard plein de défi que lui adressait Millar. Pour une fois, il trouvait que c'était prodigieusement facile. Leurs regards se croisèrent et restèrent comme accrochés l'un à l'autre. Cet instant venait compenser beaucoup de choses, et il le savourait. Après ce qui n'allait pas manquer d'arriver, Millar n'oserait plus revenir sur l'histoire de la question idiote.

Il sortit de sa poche le double-disque et laissa planer son regard dessus comme s'il l'inspectait scrupuleusement, puis il le glissa lentement en direction de Millar sur la nappe dont les plis dessinèrent des vagues. *Laconique. Simplement laconique.*

– Vous pouvez constater votre erreur par vous-même. Au passage, c'est un enregistrement largement diffusé. Je vous l'offre.

Il était content d'avoir dit *mistake* et non *error.* Cela faisait plus scolaire, il en serait d'autant plus durement touché.

Von Levetzov jeta un regard curieux à Millar avant de se tourner vers Perlmann avec un sourire lui signifiant visiblement que, cette fois, il était de son côté. *C'est un opportuniste, quelqu'un qui retourne sa veste à chaque conversation, qui se place toujours du côté du bataillon le plus fort.*

Ruge aussi souriait, mais c'était un sourire impartial, la scène l'amusait, tout simplement, lui qui était offensif dans les discussions et savait toujours apprécier une joute verbale où l'on pouvait gagner ou perdre.

Millar avait ouvert la jaquette du disque et secouait la tête en retroussant les lèvres.

— L'étiquette du disque — cela ne veut rien dire du tout.

— Tout est écrit dans le livret. Dans l'autre pochette.

Avec un air de mépris, Millar feuilleta du pouce le livret.

— Cela voudrait alors dire que le morceau est tiré du *Petit Livre de clavecin*, dit-il.

Le grotesque de sa prononciation ratée ôta à ses paroles leur âpreté méprisante.

— Et ce n'est pas le cas. J'en suis absolument sûr.

Il referma le disque d'un geste énergique et le fit glisser vers Perlmann qui le laissa au milieu de la table, juste à côté de la saucière.

— *Well*, Brian, dit Perlmann en inclinant la tête de côté à la manière de ce dernier, nous pouvons toujours écouter le morceau dans la pièce d'à côté, après le repas.

— Oui, s'il vous plaît, intervint Laura Sand, j'aime cette mélodie tout en simplicité.

Si sa remarque avait quelque chose d'ironique, ce n'était que dans une infime mesure. Mais Millar leva les sourcils d'un air irrité, comme si quelqu'un cherchait à se moquer de lui avec la plus grande impudence.

— *Well*, Phil, déclara-t-il en singeant Perlmann, les notes d'éditeurs peuvent contenir des erreurs, n'est-ce pas. Ce sont des choses qui arrivent. Même chez CBS. Non, non, il faudrait voir la partition.

– … Qui pourrait, elle aussi bien sûr, porter le mauvais titre, dit Silvestri en laissant échapper la fumée de sa cigarette au-dessus de la table.

– *Well, now*, Giorgio, lâcha Millar.

– *Buon appetito*, ricana Silvestri en levant son verre.

Millar ne prit plus part au reste de la conversation. Il regardait son assiette devant lui. Une fois seulement, il balaya la salle du regard en s'arrêtant sur Perlmann, mais aussitôt il rebaissa la tête. Evelyn Mistral pouffa, et lorsque tous les autres se retournèrent, ils virent John Smith lever son verre en direction de Millar.

– Au fait, Phil, lança subitement Millar au moment du café, comment se fait-il au juste que vous ayez le disque sur vous ? – il posa le menton sur ses mains croisées et fixa Perlmann. *Sort of fluke, eh ?*

La phrase détachée, anodine, qu'il avait préparée à l'avance, s'était volatilisée. À la place, il n'y avait qu'un vide, et cette peur de Millar. Il ajouta un morceau de sucre dans son café et remua. Il revit l'emballage de la glace dans la rigole et les boucles d'oreilles vert émeraude. Là-haut, la traduction du texte de Leskov l'attendait. Soudain, la phrase lui revint. Il leva la tête et eut l'impression de sentir tous les regards réunis sur son visage comme la chaleur cuisante d'une lampe ou la légère brûlure d'une brise saline.

– *I happened to see it and just picked it up*, dit-il. La phrase ne sonnait absolument pas détachée, plutôt gênée et désolée, et il redouta la prochaine réflexion de Millar. C'est alors qu'il entendit le rire sombre, rauque, de Laura Sand.

– Une *trouvaille*[1], en somme, conclut-elle et, tandis qu'elle écrasait sa cigarette, elle jeta un de ses regards ironiques à Millar.

---

1. En français dans le texte (*N.d.T.*).

Sur le visage de Millar, on pouvait lire une fureur muette, décontenancée, pendant qu'il repliait sa serviette. Il fut le premier à se lever de table.

Perlmann récupéra le disque sur la table. Laura Sand assura qu'elle aimerait vraiment l'entendre, avec un sourire moqueur en direction de Millar qui marchait vers la porte à pas énergiques. Perlmann hocha la tête et partit devant. Sur le chemin du salon, il se sentit aussi lessivé qu'après une journée de compétition.

Millar arriva alors que le disque tournait déjà. La fureur sur son visage avait laissé place à une mine renfrognée et obstinée. Avec un ennui ostensible, il balayait le salon du regard, mettant de temps à autre ses lunettes de travers pour mieux voir quelque chose dans la partie reculée.

Perlmann tenait le livret du disque à la main.

– C'était le numéro 902 en *sol majeur*, dit-il à la fin du morceau.

– Oh, je connais très bien ce morceau, Phil, dit Millar d'un ton suffisant. Mais je crains que ce ne soit le 902a. En *sol majeur*.

Perlmann regarda le livret.

– Le 902a dure trois fois moins longtemps que celui-ci. Même pas. Vous allez l'entendre tout de suite. Car voici le morceau en question.

Le visage de Millar tressauta, mais il ne dit rien. Le temps de la courte pause qui précéda le morceau de l'anniversaire d'Hanna, Perlmann lui indiqua de l'index une ligne sur le livret, puis il dit :

– Maintenant. Le 930.

Millar leva les sourcils comme s'il ne comprenait pas, et continua de promener son regard à travers la salle.

– Je devrais signaler l'erreur à CBS, dit-il dès qu'eut retenti la dernière note du disque. Je pourrais par la même occasion leur faire savoir que je trouve l'enregistrement peu réussi. Rien de très surprenant avec Glenn Gould.

Plus tard dans le hall, il alla se poster à côté de Perlmann.

– Avez-vous oublié notre entrevue ?

– Non, dit Perlmann en faisant front à son regard bleu. Pas le moins du monde.

Lorsqu'il eut regagné son bureau, il retrouva immédiatement la pensée sur laquelle il s'était arrêté. Y avait-il une autre traduction possible que *to acknowledge* pour *priznavat'* ? C'était crucial pour comprendre cette question de composantes créatrices qui, selon Leskov, allaient donc de pair avec le récit de nos souvenirs. N'était-ce pas étrange de parler de reconnaissance à propos de nos propres inventions ? Ne reconnaissait-on pas plutôt des faits ?

Avant de vérifier dans le dictionnaire, il s'arrêta un instant pour bien prendre la mesure de cette émotion singulière qui accompagnait son nouvel effort de concentration sur le texte de Leskov. Il était surpris de remarquer avec quelle rapidité et quelle facilité il parvenait à mettre de côté la confrontation à laquelle il venait de se livrer avec Millar. En temps normal, ce genre de choses le préoccupait plus longuement que de raison, on pouvait même alors parler d'obsession. C'était comme si, à la vue de l'alphabet cyrillique, il disparaissait dans une autre partie de lui-même en fermant la porte derrière lui. C'était merveilleux de se trouver derrière cette porte qui le protégeait de tout ce qui, à l'extérieur, se déchaînait en lui. Certes, il n'arriva pas à oublier complètement la question de savoir comment il s'en sortirait par la suite, de l'autre côté de cette porte et dans le monde extérieur ; mais cette question n'était présente que sous la forme d'une faible lueur à l'arrière-plan, et l'on pouvait s'en accommoder, ignorer son retour régulier.

Priznavat' pouvait également signifier *admitting*, et *priznanie* était apparemment le terme classique employé pour *confession*. Ici aussi, Perlmann nota toutes les possibilités. Tous les signes de fatigue disparurent ; il était en train de commencer quelque chose de neuf, de stimulant.

Il manquait évidemment encore quelque chose, un petit détail, pour que tout soit parfait. Il mit un moment à trouver quoi. Puis il alla chercher l'échelle au fond du couloir et rétablit l'éclairage tamisé des lampes au plafond. À présent, ça allait. À présent, il pouvait travailler.

À quatre heures du matin l'histoire d'appropriation n'était toujours pas éclaircie. Une fois Leskov employait *podtverjdat'*, et trois fois, *vklutchat'*. Ainsi, il était aussi question de s'approprier un bout de son passé en le faisant devenir une partie du tout qu'est chaque être. S'il était auparavant un élément étranger, on l'intégrerait pour ainsi dire dans cette unité.

Si l'on mettait de côté la nécessité évidente de définir l'idée du tout ou encore de l'unité, Perlmann se demandait à quoi pouvait ressembler ce processus d'intégration, étant donné que les souvenirs n'existaient qu'à partir du moment où on les racontait. Cela signifiait-il que, pour ainsi dire, les différentes histoires fusionnaient peu à peu entre elles ? *Faire sien* – on pensait alors à une substance, à un noyau dur qui s'épaississait au contact du neuf resté à l'extérieur jusqu'au moment du récit. Mais pour Leskov, il ne pouvait y avoir un tel noyau dur, une constante requise pour toute appropriation par le récit, car ce qui valait pour un souvenir valait pour tous les autres. Était-il prêt à affirmer qu'un Moi, une personne au sens psychologique du terme, ne possédait pas de noyau dur et n'abritait absolument pas de substance en soi, et qu'au contraire cette personne était comme un tissu d'histoires en extension perpétuelle, soumis à une recomposition permanente – un peu comme les barbes à papa à la foire, mais dépourvu de matière ? Cette pensée lui donna le tournis et, tout excité, il s'attaqua au paragraphe suivant.

Il était cinq heures et demie lorsque la fatigue s'empara de lui. Sept pages sur les neuf dernières étaient traduites. Cela faisait longtemps qu'il n'avait pas été aussi fier de quelque chose. Et, pensa-t-il, c'était la première fois depuis bien longtemps qu'il avait réussi à se plonger aussi intensément dans un sujet.

Depuis la mort d'Agnès. Il sortit sa photo de son portefeuille. Elle était étendue sur une chaise longue sur la plage, les bras croisés derrière la tête, ses lunettes de soleil remontées sur sa chevelure châtain. Son regard bleu clair, qui avait si souvent donné du courage à Perlmann, était dirigé vers lui, et on pouvait lire sur son visage qu'elle venait de se moquer de lui après qu'il eut déclaré vouloir avoir une photo d'elle en couleurs.

Durant ces vacances, ils avaient appris l'alphabet cyrillique et leurs premiers mots de russe. Elle avait été plus rapide que lui, elle l'avait fait comme un jeu, tandis qu'il avait procédé comme à son habitude : de façon méthodique, presque pédante. Alors qu'elle déchiffrait déjà des mots entiers d'après leur forme, il lui fallait encore réfléchir à quoi correspondait chaque lettre.

Perlmann éteignit la lumière. Elle avait parcouru le trajet des centaines de fois, à grande vitesse et sans avoir peur. Jusqu'à ce matin d'un froid cinglant. Elle avait descendu juste un peu la vitre, et sa main qui faisait signe, emmitouflée dans son gant noir, avait ressemblé à celle d'une poupée mécanique. Tous deux en avaient ri et, tandis que leurs rires résonnaient encore, elle avait démarré en trombe avec sa vieille Austin dans leur entrée où la neige avait été dégagée. Elle n'avait même pas roulé dix minutes jusqu'au chemin forestier.

Un film de neige poudreuse sur le verglas traître, un moment d'inattention. Le matériel de photographie posé sur le siège arrière était resté intact.

11 Trois heures plus tard, dans la véranda, Perlmann avait toutes les peines du monde à garder les yeux ouverts et se reservait une tasse de café après l'autre. Silvestri souriait d'un air narquois quand il le voyait saisir une fois de plus la cafetière, et se frottait les yeux en signe de compréhension. Ruge commentait à présent un passage de son texte qui n'avait rien à voir avec les expérimentations de Perlmann. Il portait un pull-over informe dont le col roulé retombait en plis désordonnés sur celui de sa veste et donnait l'impression que son cou était encore plus court qu'à l'accoutumée. Perlmann pensa que ses impressions étaient dues à son esprit fatigué qui avait régulièrement des absences, pourtant il finit par remarquer que Ruge était bel et bien déconcentré ce matin. Son exposé était hésitant et décousu, et ses yeux ne pétillaient pas comme d'habitude de leur éclat combatif et espiègle. Il passait de plus en plus souvent la main sur son crâne chauve, en feuilletant ses papiers avec tant d'hésitation qu'on eût dit qu'il ne comprenait plus un mot de ce qui y était écrit. Et lorsqu'en plus il ajustait ses lunettes de travers, avec ses rares cheveux gris il avait l'air d'un vieillard qui perdait la vue. La lassitude qui émanait de lui gagnait les autres, même Millar n'intervint pas quand les pauses s'étirèrent et, pendant un moment, la séance sembla être un échec total.

Finalement ce fut Evelyn Mistral qui sauva la situation. Elle posa une question critique et, voyant les autres hocher la tête avec soulagement, elle continua de parler, encouragée de surcroît par l'attention que lui témoignait Ruge. Elle développa, sur un ton de plus en plus libre, une longue réflexion qui finit par inciter les autres à prendre leur stylo. La marque rouge apparut sur son front, et ses mains qui effectuaient des mouvements explicatifs étaient d'une vivacité et d'une expressivité que Perlmann ne lui avait encore jamais vues. La nervosité avec laquelle elle avait jusqu'à présent livré bataille dans cette salle la quitta, seul son talon droit sortait parfois de sa chaussure. Plus tard, tandis qu'elle se trouvait au centre d'une discussion animée et que des réponses et des objections germaient en elle, elle se mit à secouer régulièrement la tête vers la gauche pour dégager de son visage ses cheveux qu'elle avait aujourd'hui détachés. Mais au lieu de partir en arrière, sa chevelure restait comme un voile rebelle si bien que, lorsqu'elle baissait la tête pour regarder ses notes, on ne voyait plus que la moitié de ses lunettes. Elle se mit ensuite à souffler vers le haut du coin de la bouche et, comme cela ne suffisait pas, elle finit par écarter de la main les mèches blondes et sèches qui tombaient sur sa figure.

Lorsque, sous l'effet du café, il se sentit animé d'une vivacité fébrile, Perlmann chercha nerveusement une possibilité de contribuer à la discussion. Mais les idées lui venaient toujours trop tard à l'esprit, et les deux résumés qu'il essaya de formuler pendant le débat tombèrent tellement à plat qu'il commença à se sentir comme un spectateur étranger. Chaque fois, Millar poursuivait tout simplement son propos, sans même prendre la peine de se tourner vers lui, comme si ses paroles n'étaient qu'un bruit qu'il faut supporter.

Il avait cessé de pleuvoir, mais des nuages sombres surplombaient encore le golfe et de l'eau ruisselait des tables blanches de la terrasse sur les cailloux. Le jeune homme au sac à dos, couvert d'une pèlerine, qui entra dans le champ de vision de Perlmann avançait d'un pas hésitant et regardait autour de lui comme s'il redoutait d'être surpris en train de faire une chose interdite. Il leva les yeux vers la façade, fit quelques pas en direction de la piscine et, lorsqu'il vit que des gens se trouvaient dans la véranda, retourna prestement vers l'escalier extérieur. Sa silhouette malingre et la manière qu'il avait de tenir sa cigarette réveillèrent en Perlmann le souvenir d'un certain événement désagréable, pendant des vacances mais, juste avant qu'il ait pu la retrouver dans sa mémoire, cette évocation se fondit dans sa fatigue.

Au fond oui, disait Millar au même moment, ce serait là l'occasion idéale de passer en revue les différentes théories de la grammaire élaborées ces dernières années et d'essayer d'en dresser un bilan. Achim et lui-même pourraient préparer cela le lendemain puis, jeudi et vendredi, ils pourraient examiner de concert les différents points. Adrian avait-il une objection à ce que sa séance soit reportée au début de la semaine prochaine ?

Dans ce cas, tout est décalé de trois jours. Cela signifie déjà que je ne passerai définitivement pas pendant la quatrième semaine. Donc il me reste quinze jours, à condition que jeudi et vendredi suffisent pour la saisie du texte. Lorsque les autres l'interrogèrent du regard, Perlmann dit qu'il trouvait que c'était une bonne idée.

– Une bonne idée, et comment ! lui dit Evelyn Mistral en quittant la véranda la dernière. Comme ça je gagne trois jours ! Si on allait fêter cela en ville, autour d'une pizza ? Quitte à devoir braver la pluie ?

Il répondit qu'il préférait se reposer, il avait mal dormi.

– Oui, ça se voit, dit-elle en lui caressant légèrement le bras.

Lorsqu'il se réveilla peu avant seize heures, il savait subitement à qui lui avait fait penser le garçon chétif à la pèlerine. Cela faisait déjà trois fois que Frau Hartwig

lui avait rappelé de répondre à cette lettre d'un collègue israélien qui lui proposait une collaboration, et
ainsi s'était-il rendu dans son bureau avant qu'elle
rentre chez elle pour lui dicter son refus. Il avait ensuite
jeté un œil sur le reste du courrier et, comme il était
en train de bazarder vigoureusement un catalogue de
livres à la poubelle, il avait presque manqué d'entendre
qu'on frappait avec hésitation, voire un sentiment de
culpabilité, à la porte.

C'était un étudiant, un garçon maigre à la pomme
d'Adam proéminente et aux oreilles décollées, qui
tenait sa cigarette roulée étonnamment loin de lui,
comme si elle l'écœurait. Il expliqua qu'il s'était perdu
dans le dédale des bâtiments et voulait simplement se
procurer un programme des cours. Perlmann l'invita à
entrer et lui posa des questions pendant plus d'une
demi-heure, le garçon ne savait pas ce qui lui arrivait.
Perlmann l'interrogea même sur ses projets de vacances
et sa situation financière ; ce n'est qu'au dernier
moment qu'il s'abstint de lui demander s'il avait une
petite amie. Après coup, il fut saisi d'effroi en songeant
à son manque de retenue. Quelques jours plus tard, il
avait croisé le jeune homme qui marchait de l'autre
côté de la rue avec son amie. Perlmann avait tressailli
en les voyant se murmurer quelque chose à l'oreille et
rire, et il avait dû se rappeler à l'ordre en constatant
qu'il menaçait de sombrer dans un délire de persécu-
tion. La petite amie était très jolie et, à ses côtés, le
jeune homme n'avait absolument plus l'air d'un garçon
timide et sans défense. Ses oreilles paraissaient même
moins décollées. À présent, Perlmann se souvenait avec
précision de ce qu'il avait pensé : *Je suis en train de
perdre ma faculté de jugement. Si tant est que je l'aie
jamais possédée.*

Il se doucha longuement pour évacuer ce souvenir,
puis reprit le texte de Leskov depuis le tout début.
Maintenant, à la deuxième lecture, il comprenait tout

beaucoup mieux, et il écrivit les premiers paragraphes avec une rapidité étonnante. Le nouveau dictionnaire était véritablement fabuleux, seul le papier grisâtre à la surface savonneuse demeurait désagréable au toucher et lui donnait régulièrement envie de se laver les mains. La phrase du début, qui annonçait son projet de recherche, ne posait aucun problème en anglais ; ce n'est qu'à partir des exemples illustrant le concept de scènes mémorisées qu'il commença à tâtonner. Sa concentration lâcha prise, et à présent son estomac se nouait. *Sandra. Le contrôle.* Peu avant vingt heures, il emprunta la sortie arrière de l'hôtel pour se glisser dehors et marcha en direction de la trattoria.

– Où étiez-vous donc passé hier ? lui demanda le patron en plaisantant, avant d'appeler Sandra qui descendit les escaliers en courant, sa tresse sautillant sur la tête, et lui ouvrit son cahier sur la table. Il y avait encore beaucoup de rouge sur les pages, mais elle était arrivée à une note passable, la première depuis des semaines. En lui tapant sur l'épaule de sa lourde main, le patron de l'auberge dit à Perlmann qu'il pouvait manger gratuitement pour le reste de la semaine. Et qu'il n'hésite pas à choisir le plus cher !

Dans la Chronique, Perlmann consulta l'article sur l'attentat contre Robert Kennedy. C'était bien cela : à peine quelques semaines auparavant, pendant qu'il préparait la soutenance de sa thèse de doctorat, on avait aussi tiré sur Martin Luther King et Rudi Dutschke. Le Printemps de Prague. Les soulèvements étudiants à Paris. De semaine en semaine, voire presque de jour en jour, il était devenu tout à fait conscient de la tension qui opposait d'une part ses soucis personnels, tournant autour de la soutenance et du poste d'assistant à pourvoir, et d'autre part les changements politiques au-dehors, dans le monde. Qu'est-ce qui était le plus important ? Que signifiait *important* ? Et dans quel sens pouvait-on parler de l'obligation de prendre part aux changements politiques ? Était-ce clair, ce que *prendre part* voulait dire ? Pendant quelque temps il avait modifié ses habitudes et, le matin, avant de s'installer à son bureau, il avait lu le journal. Mais c'était aller à l'encontre de son inclination, et c'est pourquoi, sans avoir trouvé de réponse à ses questions, il avait repris son rythme de vie habituel.

C'est à cette époque, en lisant le journal dans le train pour Venise, qu'il avait appris l'attentat contre Robert Kennedy. Perlmann posa la tête sur ses mains croisées et repensa au moment où le train s'était engagé sur le pont ferroviaire de Mestre conduisant à Venise. Il avait passé la tête par la fenêtre, dans la chaleur du soir, et s'était répété, telle une formule magique : *Venise*. Même maintenant, ce moment était encore si vivace qu'il crut revoir devant lui tous les autres bras et têtes tendus hors du train. Et ensuite, lors de l'entrée en gare, son journal était resté ouvert à la page du rapport sur le procès de la thalidomide. Son sac de voyage déjà à la main, il avait jeté un dernier regard aux images qui montraient des enfants estropiés. Un douloureux état de conscience l'avait traversé, tandis qu'il était le dernier dans le wagon, seul avec son indécision qui en disait long. Depuis, il avait connu de multiples variantes de ce conflit qui l'écartelait entre son propre bonheur et son empathie à l'égard des souffrances d'autrui. Finalement, il avait laissé le journal sur le siège, et les images atroces des enfants avaient été emportées dans le merveilleux tourbillon bruyant de la gare.

C'étaient les pigeons qui les avaient réunis, les pigeons sur la place Saint-Marc. Alors qu'il se tenait là, mains dans les poches, à les regarder atterrir sur la tête et les épaules des touristes, il s'était lui aussi soudain retrouvé au milieu d'une nuée d'oiseaux battant des ailes, frôlant son visage et manquant de peu de lui arracher ses lunettes. Il avait vécu cela comme une agression, et, énervé, avait frappé l'air autour de lui. C'est seulement lorsque les pigeons s'étaient éloignés qu'il avait remarqué Agnès avec son gros appareil photo devant le visage. Il y eut encore quelques clics, puis il vit pour la première fois son regard clair, pétillant comme l'eau, ainsi que son sourire moqueur qui était plus doux et léger que celui de Laura Sand parce qu'il était dépourvu de colère.

Elle avait marché vers lui vêtue de son pantalon clair, ses sandalettes aux pieds.

– J'espère que vous ne m'en voulez pas, avait-elle dit et, comme d'innombrables fois par la suite, il avait été surpris par le timbre sombre de sa voix qui n'allait absolument pas avec ses yeux transparents. Mais c'était tout simplement trop comique, votre façon de vous défendre. Comme si vous aviez été pris dans une tempête de grêle ou un typhon. Il y a une histoire derrière cette scène. Je ne peux pas faire autrement que de conserver ce genre de choses. C'est comme une addiction. Si vous voulez, je vous enverrai quelques tirages.

Avant qu'il n'ait pu répondre, elle avait éclaté de rire et montré du doigt ses cheveux.

– Non ! Ne touchez pas ! Vous avez la tête couverte de crottes de pigeons.

Lorsqu'elle apprit que son hôtel se trouvait de l'autre côté de la ville, elle l'emmena avec elle dans la petite auberge à côté, où elle résidait. Il dut s'agenouiller sur un tabouret, après quoi elle lui lava les cheveux dans un lavabo taché, craquelé en plusieurs endroits. Ses manières douces et compétentes coupaient court à toute résistance. Elle était incapable d'expliquer pourquoi elle lui avait adressé la parole en allemand, dit-elle en frottant ; c'était comme ça, il lui avait tout simplement fait cet effet-là.

De retour dans la rue, elle n'avait pas tardé à prendre congé : un rendez-vous avec un collègue du journal. Il lui avait griffonné son adresse sur un bout de papier, et puis elle avait disparu dans la ruelle la plus proche. Ç'avait été comme une apparition. Il était content de ne pas avoir inscrit son titre de docteur fraîchement obtenu sur le papier. Par ailleurs, il n'avait plus la moindre idée de ce qu'il avait ressenti plus tard, assis dans un café à écouter de la musique sur la place Saint-Marc où il dépensa le peu d'argent qu'il avait dans des boissons au prix exorbitant, si bien qu'à la fin, il n'en avait même plus assez pour se payer un dîner. Ou plutôt si, il savait une chose : il avait aimé la façon dont cet épisode, avec cette femme, s'était déroulé, fugace comme un éclair, créant sans préambule ni continuation une incursion dans son histoire dénuée de présent.

Son train le ramenait le lendemain à midi, et comme il ne passait que trois jours dans la ville, il quitta l'hôtel de très bonne heure pour voir encore d'autres petits canaux enjambés par des ponts tout simples. Et c'est alors qu'ils se rencontrèrent pour la deuxième fois. Agnès avait l'air totalement différente de la veille, beaucoup plus fermée, et, au début, il eut le sentiment de ne faire que la déranger. Mais ensuite elle avait commencé, toujours en regardant à travers l'objectif de son appareil, à parler de lumière et d'ombre, de la magie de la photographie en noir et blanc. Il avait eu l'impression d'être un aveugle qui apprenait à voir. Après, en buvant le café qu'il régla avec l'argent initialement prévu pour payer son sandwich dans le train, elle voulut en savoir davantage sur lui.

– Linguiste, avait-il dit, et autrefois j'ai joué du piano. Chopin.

Les yeux mi-clos, elle avait répondu en hochant la tête :

– Ouii – puis un deuxième : Ouii.

Durant son long trajet de retour, ce « Ouii » n'avait cessé de revenir occuper ses pensées. Avait-il signifié son approbation ? Son approbation vis-à-vis de lui ? Ou bien ce renseignement n'avait-il fait que confirmer sa première impression qui pouvait tout aussi bien être négative ? Au cours de toutes ces années, il n'avait jamais posé la question à Agnès, il n'aurait su dire pourquoi. Le « Ouii » mystérieux l'avait retenu d'aborder le sujet des enfants de la thalidomide qui, ces jours-là, alors que l'instant semblait être parfait, l'avait à plusieurs reprises subitement assailli.

Lequel de ses compagnons de voyage lui avait à l'époque prêté *L'Espresso* ? Perlmann reconnut immédiatement le texte de Pier Paolo Pasolini que la Chronique reproduisait ici, c'était le texte qu'avait publié le magazine le jour de son retour : *Hier quand vous vous êtes battus à Valle Giulia contre les policiers/ Je sympathisais avec les policiers !/Parce que les policiers sont fils de pauvres, ils viennent de trous perdus, campagnards ou citadins.* Puis il accusait les étudiants : *Vous avez des visages de fils à papa/.../Vous êtes craintifs, incertains, désespérés.* Le texte l'avait encore longtemps préoccupé par la suite, car il trouvait qu'il y avait bien du vrai dans ses propos, et en même temps, ce genre de réflexions lui semblait déloyal. Les années suivantes, il avait évité les innombrables sit-in et préféré étudier dans la salle silencieuse de la bibliothèque comment les paysans andalous avaient élaboré l'idée de liberté et d'autodétermination pendant la guerre civile.

Les photos d'Agnès étaient arrivées alors que Venise était déjà un souvenir estompé et que l'excitation à l'idée d'obtenir le poste d'assistant le tenait en haleine. Jamais auparavant il n'avait vu d'images de lui dégageant une telle vivacité. Et si amusantes. L'une d'entre elles, sur laquelle une fillette aux traits asiatiques penchait la tête de côté, avait même quelque chose de burlesque. Et ce qui était incroyable : sur ces photos en noir et blanc, la place Saint-Marc était inondée d'une lumière plus éclatante qu'il n'en avait jamais vue sur des clichés en couleurs.

Cependant, il avait aussi été effrayé au plus profond de lui : la panique qui était apparue dans ses yeux au contact des pigeons trahissait une peur insondable de l'existence. *Il y a une histoire derrière cette scène*, avait-elle dit. Il espérait que l'appareil photo exagérait. Ou qu'Agnès ne voyait pas ce qu'il voyait. Les deux hypothèses étaient improbables. Des semaines s'écoulèrent. Ce fut finalement elle qui l'appela.

La Chronique était tout de même un pot-pourri étonnant, pensa Perlmann. Entre une analyse de la réaction de la presse italienne sur les révoltes étudiantes et le compte-rendu de l'invasion de Prague par les troupes soviétiques, on trouvait un article à sensation, à peine plus court, sur la nouvelle romance de Sophia Loren. La photo de la diva était même un peu plus grande que celle du char posté sur la place Venceslas. Perlmann aurait volontiers poursuivi sa lecture, mais il était le dernier client dans le restaurant, et le patron bâillait en débarrassant les tables. Et le lendemain il avait prévu d'avancer sérieusement dans le texte de Leskov.

Avec le temps, traverser la Piazza Veneto déserte pour rentrer à l'hôtel était devenu une étape familière. Il se demandait si Leskov décrivait vraiment correctement cette idée d'image de soi. Dans ses exemples, Perlmann s'en rendait maintenant compte, il était toujours question de quelqu'un en train de prendre une décision, ou en tout cas d'accomplir une action pertinente précédée d'un certain processus de réflexion : un appel politique avait été signé ; le médecin militaire avait été dupé ; une union avait été scellée contre la volonté des parents. Dans de tels cas, il était clair qu'il y avait un souvenir du Moi qui possédait des contours complexes, qu'on ne pouvait articuler qu'au moyen de la langue. Mais qu'en était-il, lorsqu'il se souvenait des pigeons qui lui avaient tourné autour ? Agnès avait peut-être raison en disant qu'il y avait là une histoire à raconter sur lui. Mais lui qui se souvenait, cette histoire il ne la connaissait toujours pas, pas même aujourd'hui. Pour lui, il n'y avait que panique et sueur et plumes tournoyantes. Et quand bien même il lisait dans ce foisonnement agité une image de lui, celle-ci ne se composait que de contours émotionnels, rien de plus. Tout le reste demeurait impénétrable : cela faisait partie de la nature particulière de cette panique, et de son pouvoir.

Il songea à un exemple plus paisible de son Moi passé qui refusait de s'ouvrir au récit : celui du jeune homme à l'élégance appuyée qui s'était énervé contre la bibliothécaire dans la salle de lecture, une vieille fille qui lui avait demandé pourquoi il ne participait pas lui aussi au sit-in dehors. Et qu'en était-il du moment tout à fait précis où l'excitation joyeuse d'arriver à Venise avait coïncidé avec son effroi en voyant les enfants victimes de la thalidomide ? Peut-être, pensa-t-il, ces choses-là deviendraient-elles plus claires lorsqu'il se pencherait maintenant, avec toute son attention de traducteur, sur les passages qu'il n'avait que survolés lors de sa première lecture impatiente.

Giovanni lui dit qu'il avait reçu un appel d'Allemagne une heure plus tôt. D'après ce qu'il avait compris, il s'agissait de sa fille.

Perlmann téléphona aussitôt à Kirsten.

— Tu t'es promené un moment, dis donc, dit-elle. Vous sortez souvent avec le groupe ?

Son exposé la rendait nerveuse. Plus qu'une semaine. C'était désespérant cette remarque de Faulkner selon laquelle le rapport entre deux histoires était proche du contrepoint en musique ! De jour en jour, elle trouvait les différentes théories sur l'unité du tout de plus en plus incompréhensibles. Elle se demandait si, à contre-courant de la plupart des interprètes, elle ne devait pas affirmer que cette unité n'existait pas du tout. Ou du moins seulement dans la perception de Faulkner. Le temps lui manquait maintenant pour pouvoir rédiger un texte entier, elle serait obligée de s'appuyer sur des notes détaillées.

– Qu'est-ce qu'on fait lorsqu'on a un trou de mémoire et qu'on n'est soudain plus capable de dire un mot ?

– Ça ne t'arrivera pas, dit Perlmann, et il sentit à quel point elle était déçue de sa réponse idiote.

12 Le mercredi fut une rayonnante journée de fin d'automne où l'horizon se fondait dans une brume idyllique. Quand Perlmann se levait de son bureau et regardait en bas vers la terrasse, il voyait Millar et Ruge assis à l'écart autour d'une table couverte de livres et de papiers pour préparer les deux prochaines séances. Il regarda même une fois juste au moment où John Smith s'approchait d'eux, tout guilleret. La réaction de Millar fut apparemment si hostile qu'il fit aussitôt demi-tour et se dirigea d'un pas lourd vers la piscine.

La traduction avançait bien et, après avoir jeté un regard à l'extérieur, Perlmann parvenait désormais machinalement à vite se retirer derrière le mur protecteur de ses dictionnaires. Il aurait voulu faire moins d'allées et venues à la fenêtre, mais il n'y avait pas grand-chose à faire pour y remédier. Lorsqu'il avait terminé un paragraphe, en guise de récompense il attrapait le dictionnaire russe-italien et transposait quelques phrases simples de Leskov en italien. Puis il s'imaginait assis dans une pièce ronde aux murs remplis de dictionnaires jusqu'au plafond. Il longerait ces murs et ne cesserait de traduire de nouvelles phrases dans de nouvelles langues. Il n'y aurait aucune raison de quitter cette pièce un jour, car ce serait l'endroit où il aurait enfin atteint ce qu'il voulait vraiment. Ici il pourrait, après plus de trois décennies, dissiper le malentendu qu'il avait décelé autrefois, dans le grand amphithéâtre, sans l'avoir compris ni pu en limiter les retombées.

Vers midi, il alla voir Maria dans son bureau et lui demanda comment dire *self-image* en italien. Pour lui expliquer qu'il ne parlait pas d'*autoritratto*, d'autoportrait, il lui présenta en deux mots l'une des réflexions de Leskov. Le sujet la rendit aussitôt tout feu tout flammes et elle le questionna tant et si bien qu'il lui fournit un résumé du texte entier.

– C'est donc de *cela* que vous discutez dans la véranda ! dit-elle à la fin en s'étouffant avec la fumée de sa cigarette. J'aimerais bien pouvoir écouter !

Il s'empressa de se tourner vers son écran et lui demanda sans transition si cette police d'écriture n'était pas usante à la longue pour les yeux.

Maintenant, il arrivait aux quatre phrases du texte de Leskov qui, jusqu'à présent, étaient restées une énigme totale pour lui. À l'aide du nouveau dictionnaire, il ne tarda pas à les traduire. Mais il mit un long moment avant de venir à bout de l'argument concis et maladroitement formulé qui démontrait la nature nécessairement langagière de toute image qu'on se faisait de soi :

Considérer un acte passé comme sensé signifiait attribuer au Moi antérieur des raisons justifiant cet acte. Mais ces raisons n'entraient en relation les unes avec les autres qu'au moyen de phrases les réunissant. Aussi, il ne pouvait y avoir de distinction précise déterminant l'image du Moi porteur de souvenirs qu'au travers du langage.

Cette pensée était frappante de simplicité et semblait concluante à première vue. Mais lorsque Perlmann s'allongea sur le lit pour se reposer, les doutes se mirent à l'assaillir. Tout d'abord, était-il vrai que l'on s'observait soi-même à la lumière de ses propres motivations, lorsqu'on regardait vers le passé ? Et ce tiraillement intérieur qui précédait régulièrement – en tout cas chez lui – toute action importante, qu'avait-il à voir avec des rapports logiques entre les phrases ? Sans parler de toutes les ambiguïtés et contradictions qui jalonnaient la vie des sentiments et dont on se souvenait parfois de façon très précise. Perlmann se revit debout dans le wagon vide en train de regarder les enfants victimes de la thalidomide avant de descendre sur le quai de la gare, entouré d'odeurs étrangères et de voix résonnant dans les haut-parleurs.

Le cheminement de pensée de Leskov lui sembla soudain s'effondrer comme un château de cartes et lorsqu'il se remit à traduire, il éprouva un sentiment de désenchantement presque doublé de répulsion. Mais cela se dissipa rapidement, à mesure qu'il parvenait à composer des phrases élégantes en anglais et, au cours de cet après-midi, il comprit que ce n'était pas seulement le caractère sensuel de la langue qui l'attirait irrésistiblement dans l'acte de traduire, mais aussi quelque chose de tout à fait différent : on pouvait penser sans devoir croire, et on pouvait parler sans devoir affirmer. On pouvait manipuler la langue sans qu'il s'agisse de devoir véhiculer la vérité. *Pour un homme sans opinion comme moi, traducteur ou interprète aurait été le métier idéal. Le camouflage idéal.*

Lorsque Perlmann regarda une nouvelle fois en direction de Millar et de Ruge, von Levetzov les avait rejoints à leur table. Entre les papiers se consumait une bougie dans un photophore et le serveur était en train d'installer le câble du lampadaire qu'on venait de lui demander d'apporter. De temps à autre, Millar frottait ses avant-bras nus en frissonnant, avant de reprendre la parole d'un geste énergique. À présent, Ruge secouait la tête, il attrapa une feuille de papier et la brandit du bout des doigts tel un mandat de perquisition sous le nez de Millar qui continuait de parler.

À cet instant, Perlmann sut qu'il ne voudrait plus, jamais plus, prendre part à une discussion. Il ne voulait plus jamais se voir attaqué ni devoir défendre quelque opinion qui soit tout aussi peu la sienne que celle des autres.

Il n'arrivait plus à se plonger dans le texte de Leskov. Les mots qu'il avait écrits au cours des dernières heures étaient comme effacés de son esprit, et le cahier de vocabulaire lui parut symboliser cet éternel devoir scolaire pour lequel une vie entière ne suffisait pas à en venir à bout. Lorsqu'il confondit pour la seconde fois deux caractères cyrilliques, c'en fut trop pour lui. Il crut s'être mis en route pour aller voir Maria et lui demander des renseignements sur cette jolie fontaine ancienne devant laquelle il était resté un long moment l'avant-veille à Gênes, avant de tomber sur la librairie dans la rue suivante. Mais en réalité, il se retrouva dans le couloir au bout duquel il y avait la chambre d'Evelyn Mistral et, après une brève hésitation, il frappa à sa porte.

Elle avait aménagé sa chambre en bonne et due forme. Tandis que chez lui, là-haut, sa valise non déballée et le sac en plastique contenant son linge sale traînaient entre les murs nus et que son manteau était posé sur le lit qu'il n'utilisait pas, ici, tout était rangé et agréable à habiter. Elle avait installé la deuxième table de nuit comme desserte à côté du bureau et, bien qu'il y eût partout des piles de papiers et de livres, on n'avait pas une impression de désordre. Deux posters de Rome et de Florence ainsi qu'une série de photographies étaient accrochés aux murs. « Les punaises ne sont pas autorisées », dit-elle en riant, mais signora Morelli lui avait permis d'utiliser des épingles. Pendant un moment interminable, elle resta réfugiée dans l'angle près de la fenêtre, et lorsque Perlmann dirigea son regard vers la photo accrochée derrière sa tête, elle eut un air gêné et la cacha d'une main. C'était une photo de son chien Totó.

— Mais ça fait déjà un an qu'il est mort, dit-elle. C'est un peu fou de ma part, non ?

Perlmann s'assit à la table ancienne aux pieds chargés de fioritures et la regarda par-dessus le bouquet de fleurs posé entre eux. Puisqu'une nuit elle avait, dans la grande cuisine de Salamanque, compris le problème de son père, alors elle serait aussi capable de comprendre son problème à lui. Malgré les lunettes à monture argentée posées à même un livre ouvert sur le bureau, à la lumière de la lampe. Il sourit et, lorsqu'il inspira profondément, ce fut comme s'il prenait son élan avant d'entreprendre quelque chose de risqué.

— Je t'ai parlé de mon frère Juan, il n'y a pas longtemps, dit-elle en se levant pour aller chercher une lettre sur sa table de chevet. Maintenant, ce fou m'écrit qu'il abandonne ses études et se tourne vers le cinéma. Il veut devenir caméraman ! Alors qu'il n'a pas la moindre formation dans ce domaine – elle cligna des yeux en tenant la lettre loin d'elle. Et cette remarque qu'il fait : « Et même si je dois me contenter de porter des câbles pendant les premiers mois... » *Dios mío*, c'est un garçon tellement intelligent, il aurait pu finir ses études de droit en un rien de temps !

— Je l'envie, s'entendit dire Perlmann, avant de répéter : Je l'envie beaucoup.

Elle replia la lettre d'un air abasourdi.

— Quand tu parles comme ça, on a l'impression que tu voudrais t'enfuir d'ici le plus vite possible.

Son sourire exprimait-il par là qu'elle était prête à faire des efforts pour comprendre un tel désir ? Ou bien sa réaction à l'égard de Juan dévoilait-elle les strictes limites de sa compréhension ? L'éléphant rouge sur la valise : que symbolisait-il ?

– Oh, non, dit-il en remettant une fleur en place, c'est juste que… Parfois je pense qu'on a bien trop peu d'expérience au moment où l'on décide de se fixer quelque part. Par peur, probablement. Une peur qui peut devenir une geôle. Il semblerait que Juan n'est pas du genre à éprouver cette peur.

– Non, répliqua-t-elle en riant, bien au contraire : parfois je me dis qu'il a l'âme d'une tête brûlée. Alors je commence à avoir peur pour lui et son manque de bon sens m'agace. Mais au fond, je crois que c'est ce que j'aime chez lui.

Elle regarda la pendule puis disparut dans la salle de bains afin de se changer pour le dîner.

Ils étaient déjà dans le couloir lorsqu'elle s'arrêta tout à coup et le regarda d'un air pensif.

– Tu viens bien manger avec nous, n'est-ce pas ?

Il hésita et la regarda d'une mine mal assurée.

– Ce serait mieux, dit-elle à voix basse – puis elle le prit un bref instant par la taille en le secouant légèrement. *Come on*, dit-elle en essayant de parodier Millar qui prononçait les *o* comme des *a*.

Il eut l'impression que ce geste qu'elle avait fait le protégeait au moment où ils entrèrent dans la salle à manger, et ce sentiment de protection dura jusqu'à ce que le serveur débarrasse les entrées. C'est alors que Millar se détourna subitement de Laura Sand et regarda Perlmann.

– Je finis par croire que vous préféreriez oublier notre entretien concernant votre question. Ou bien fais-je fausse route ?

– Oui, vous faites fausse route, rétorqua Perlmann en se réjouissant de ne pas avoir à en dire plus.

Sa réponse avait résonné de manière implacable, avec un brin de défi même. Mais il en allait autrement en son for intérieur. Il ressentit soudain un vide, une vulnérabilité que la présence d'Evelyn Mistral à ses côtés n'aidait plus en rien.

– *Oh, I see*, dit Millar en étirant la dernière syllabe de façon grotesque.

Ce fut ce mélodieux sarcasme qui fit déborder le vase. Perlmann eut tout juste le temps de remarquer la fébrilité qui l'envahissait, une sorte de signal d'alerte l'effleura, puis une offensive semblant sortir de nulle part s'enclencha en lui sans qu'il pût la stopper.

– Au fait, Brian, commença-t-il en penchant sciemment la tête de côté, j'ai lu dans un journal un article à propos de cet homme, Chessman, qui a été gazé chez vous en 1960. Douze ans dans une cellule du couloir de la mort. Son exécution a été reportée huit fois, chaque fois quelques heures avant la date prévue. Vous savez sûrement de quoi je parle ?

Millar s'essuya la bouche si lentement que son mouvement parut affecté. Laura Sand fixait Perlmann d'un regard pénétrant.

– Ma foi, Phil..., finit par dire Millar, j'avais huit ans à l'époque.

– Mais j'imagine qu'un Américain est tout de même au courant de ce genre de choses, n'est-ce pas ?

– *So what* ?

Le volume de sa voix s'était nettement adouci.

– Quoi ? Vous voulez dire..., intervint Giorgio Silvestri.

– Non. Bien sûr que non, l'interrompit Millar avec agressivité, ces longues tergiversations étaient impossibles.

Pendant un moment, la table fut silencieuse, on entendait les voix des quelques clients et les bruits atténués provenant de la cuisine. Silvestri faisait tourner une gauloise entre ses doigts comme s'il venait lui-même de la rouler. Il lança à Millar un regard dans lequel scintillait une sombre lueur.

– Mais dans le principe, vous trouvez cela normal qu'on gaze des gens ? Ou qu'on les attache à la chaise électrique ?

Les joues de Millar parurent se creuser d'un coup, et c'était comme s'il avait pâli derrière ses sourcils.

– Je n'ai pas d'avis arrêté sur la peine de mort. Mais il y a aussi des raisons qui la justifient. Et les feintes rhétoriques n'y changent absolument rien.

Brusquement, Silvestri recula sa chaise et fit mine de se lever lorsqu'il s'arrêta dans son mouvement pour rattraper sa cigarette tombée par terre et fit semblant d'examiner un pied de chaise branlant. Un esclandre pouvait survenir à tout moment entre les deux hommes, et tous les autres semblèrent soulagés lorsque le serveur apporta le plat principal.

– C'est le caractère impersonnel, bureaucratique, des exécutions qui me met hors de moi, déclara ensuite Laura Sand. Sans parler des détails effroyables de la mise à mort. J'ai toujours la même image en tête : deux hommes au visage bouffi de fonctionnaire et vêtus d'un uniforme qui conduisent un homme qui ne leur a rien fait le long d'un couloir avant de l'attacher. Quand je la vois, la justice stupide qui dicte leurs bottes, je me dis toujours que je serais capable de tirer sur ces uniformes, dit-elle en serrant les poings.

– L'État a le monopole de la violence, glissa von Levetzov.

– Précisément, dit Perlmann, c'est bien la raison pour laquelle il ne faut pas lui accorder de légitimité.

– Je ne cherche pas à prendre fait et cause, répondit von Levetzov pour calmer la discussion.

– Envisager la peine de mort relève d'une maladie incurable : l'absence d'imagination, déclara Silvestri qui s'était ressaisi et évitait de croiser le regard de Millar.

Evelyn Mistral posa la main sur son bras.

– C'est ce que nous avons toujours dit à la maison.
À propos de l'exécution au garrot qu'on a pratiquée
jusqu'à la mort de Franco.

– Vous croyez visiblement être la seule personne
douée d'imagination, dit Millar à Silvestri. Je trouve
cela prétentieux.

– Je vois les choses comme Laura, intervint Ruge,
mais il faut être honnête : il y a eu Höss, aussi.

– Et Eichmann, ajouta von Levetzov.

Perlmann y avait aussi songé à la trattoria, et il avait
ressenti un malaise en constatant qu'il ne savait pas
quoi penser de la question. Lorsqu'il vit Millar hocher
la tête, quelque chose se décida en lui.

– Ce sont les victimes qui auraient dû aller à Buenos
Aires, s'entendit-il affirmer, et non les services secrets.
Et c'est là-bas que les victimes auraient dû l'abattre. De
même pour Höss.

Millar plissa les lèvres et le regarda.

– Je n'aurais pas pensé, Phil, que vous étiez pour le
lynchage.

Perlmann eut le sentiment de perdre l'équilibre.

– La mise à mort doit être motivée par une relation
personnelle, dit-il à voix basse en touillant son café. De
la haine ressentie vis-à-vis de son bourreau, par exemple.
Sans quoi, c'est pervers.

Malgré le somnifère, Perlmann se réveilla à deux
reprises cette nuit-là et resta longtemps sans se rendormir. Il repensait au vertige qui s'était emparé de lui
après la remarque de Millar, et à la violence intérieure
qui s'était soudain installée dans ce vide. Il repensait
systématiquement à ces deux sensations et ne se reconnaissait plus.

Le matin commençait déjà à poindre lorsqu'il se
retrouva dans la pièce ronde pleine de dictionnaires.
À travers le toit conique en verre filtrait une lumière
paisible, laiteuse. La pièce n'avait pas de porte. Il n'avait

pas besoin de porte. C'était calme. Il était inatteignable, intouchable. C'était magnifique. Puis la pièce commença à tourner autour de lui et en même temps avec lui. Le mouvement fut de plus en plus rapide, les dos colorés des livres devinrent des traînées de couleurs pâlissant peu à peu jusqu'à se fondre en une fine paroi d'un gris très clair qui n'apparut qu'un bref instant avant de s'effondrer sous l'ardeur implacable du soleil au zénith, dégageant la vue sur le golfe qui était plein de joyeux cris d'enfants. Il dominait le golfe, mais cela ne faisait rien, il marcherait tout simplement vers la lumière, tout était parfaitement léger et plein d'espoir, et il était tout à fait incompréhensible qu'il se soit cogné la tête contre un mur invisible, dur comme un diamant. Il pouvait le toucher, ce mur singulier, puis il se dérobait, car la paroi qu'il touchait ne se distinguait pas d'un vide impalpable. Fébrile, il chercha une porte, mais ses mains humides glissaient impitoyablement le long du mur inexorablement vide, si bien qu'il plongea par terre et sentit d'un coup l'oreiller mouillé par son visage en larmes.

13 Durant les deux jours qui suivirent, Perlmann chercha à passer le plus inaperçu possible pendant les séances dans la véranda. Bien qu'il ne se soit pas consacré à la théorie de la grammaire depuis bien longtemps, les difficultés soulevées dans les différents exposés lui étaient familières et, à deux reprises, il réussit à formuler des objections qui surprirent et impressionnèrent les autres, à tel point que même Millar souleva les sourcils et acquiesça à contrecœur. Ensuite, il pouvait se remettre en retrait.

En écoutant, il fit une expérience qui, comme il s'en rendit compte, l'accompagnait depuis longtemps, mais sans qu'il ait jamais pu la formuler de manière aussi claire : chaque fois que tombait un nouveau titre, qu'on mentionnait l'étiquette collée à une énième théorie, il était effrayé et ce mot étranger, complexe lui faisait penser à un instrument de torture parce que sa première réaction était toujours : *C'est quelque chose que je ne connais pas alors que je devrais le connaître.* Quand on en venait ensuite à discuter la théorie, il constatait régulièrement qu'il la connaissait jusque dans ses détails. En réalité, il le savait dès l'instant où l'effroi le saisissait, on pourrait presque dire que c'était le fait même qu'il l'ait su qui contribuait en partie à cet effroi et lui donnait sa teinte particulière. Seulement, ce savoir n'avait aucun pouvoir sur sa peur. Et au fil des années, pensait-il, l'effroi à l'idée que son savoir fût lacunaire s'était transformé en effroi vis-à-vis de l'impuissance du savoir lui-même. Celui-ci était comme une roue qui tournait en surrégime sans mettre quoi que ce soit en mouvement dans son âme, et sans pouvoir le protéger contre la logique d'airain qui animait celle-ci. Perlmann se souvint des phrases de désespoir que Jacob von Gunten avait écrites.

Après les séances, il dormait jusque dans l'après-midi puis travaillait sur le texte de Leskov. Entre-temps, son anglais s'était rodé au vocabulaire théorique que déployait Leskov, quelques éléments se répétaient, et il était assez à l'aise avec les passages abstraits. C'étaient chaque fois les exemples, avec tous leurs détails et nuances sensoriels, qui étaient difficiles. Maintenant encore, il se sentait comme une poule devant un couteau et, dans certains cas, le texte anglais noirci de corrections restait désespérément raide et maladroit.

Il achoppait particulièrement sur les nombreux exemples avec lesquels Leskov illustrait l'idée que le souvenir raconté était sans scrupules lorsqu'il s'agissait de défendre l'intégrité morale du Moi passé. Il mettait en avant du matériel clinique qu'avaient rassemblé deux étudiants de Louria, le célèbre neuropsychologue russe. Cela concernait généralement des personnes qui souffraient d'un traumatisme moral. La fabulation et la réinterprétation des actes passés étaient d'une ampleur à rester coi, Leskov lui-même en était manifestement consterné car il était intarissable sur ces exemples.

Puis vint un passage dans lequel était décrit comment certaines de ces personnes, lorsque les souvenirs véritables étaient trop oppressants pour être maîtrisés, opéraient un dédoublement intérieur et séparaient le Moi fautif du Moi irréprochable, ce qui était une invention raffinée. Perlmann resta éveillé la moitié de la nuit pour peaufiner ces exemples. Et il découvrit par la même occasion que, dans l'impatience de son premier examen, il avait sauté tout un paragraphe dans lequel l'idée de cette séparation interne était expliquée en s'appuyant sur la ramification des histoires. Leskov, c'était clair, jouait ici avec les nombreux mots russes qui désignaient la séparation et le dédoublement, et Perlmann enrageait de ne pas sentir les nuances et d'être finalement obligé de tout traduire platement par *splitting* et *fission*. Pour la première fois, il trouva son nouveau dictionnaire décevant. *Razdvoit'* avait la même racine que *dvoynik*, le mot qui voulait dire *double*. Mais que signifiait exactement cette racine commune ? Il manquait ensuite une phrase d'exemple qui aurait confirmé son hypothèse selon laquelle *razyediniat'* désignait la séparation entre personnes, bien que cela ne correspondît pas à l'entrée *severing* – mais là encore il n'était pas tout à fait sûr de lui. Et ce qui était particulièrement irritant, c'était que le dictionnaire ne répondait pas à sa question de savoir s'il pouvait rendre la chute attendue par *cracking* sans faire violence au texte. Vendredi, lorsqu'il relut la version anglaise de ce passage avant d'aller à la trattoria, il raya le nom des élèves de Louria et adapta le texte en conséquence. Après tout, qui se préoccupait de ces noms ?

Ce soir-là, l'ambiance était bruyante à la trattoria : une association, à laquelle appartenait aussi le patron, fêtait son jubilé et même Sandra devait aider au service. Ils lui avaient réservé la petite table dans l'angle, mais un vieil homme fumant la pipe et coiffé d'un béret s'installa bientôt à côté de lui. « Sacré pavé », dit-il lorsque Sandra apporta la Chronique. Puis ses paupières tombèrent lentement sur ses yeux et il sembla s'endormir à côté de sa bière.

Perlmann avait été surpris autrefois que, le jour anniversaire de leur rencontre sur la place Saint-Marc, le *jour des pigeons* comme ils l'appelaient, Agnès ait proposé qu'ils se marient. Alors qu'elle fustigeait tout ce qui s'apparentait à la sentimentalité. Mais cela lui avait plu et, à l'état civil, il avait déployé tous ses trésors de persuasion pour rendre cela possible.

Ce jour-là, lorsqu'ils avaient ensuite attendu le train pour Paris, les unes des journaux à sensation annonçaient la mort de Louis Armstrong et, à présent, il avait l'impression que la photo de l'époque était exactement celle qui se trouvait dans la Chronique. Agnès, qui le surnommait affectueusement *Satchmo*, était restée silencieuse un moment et, après leur retour dans leur premier appartement commun, ils avaient écouté les nombreux disques de jazz qu'elle possédait. Leurs sentiments respectifs avaient été étrangement opposés : tandis qu'il commençait à apprécier ces notes qui avaient longtemps accompagné Agnès, elles lui paraissaient, à elle, subitement étrangères. Il ne se souvenait plus des détails, mais à la fin de leur conversation à ce sujet, ils avaient décidé d'acheter à crédit un piano à queue d'occasion.

À Paris, même dans les kiosques à journaux, la mort d'Armstrong avait été le sujet dominant.

À l'angle de l'hôtel, il y avait aujourd'hui encore un kiosque, il l'avait vu aussitôt lorsqu'il était allé à Paris les derniers jours du mois d'août, parce que le début de la nouvelle année scolaire, avec ses cris stridents dans les cours de récréation, l'avait fait paniquer. Néanmoins, le kiosque n'était plus du tout comme à l'époque où, pendant dix jours, il était allé chercher le journal quotidiennement. Et l'hôtel aussi était quasiment méconnaissable. Perlmann en avait été contrarié. *Comme si le monde avait pour tâche principale de servir de scène à ma mémoire.* De mauvaise humeur, il avait parcouru à grandes enjambées les rues écrasées de chaleur en se demandant ce qu'il était censé faire dans cette ville. Tout était différent de ses souvenirs et, chaque fois qu'il faisait une telle découverte, son français en pâtissait à tel point que le serveur lui répondait en anglais ou en allemand. Après la deuxième nuit, il avait pris un train matinal pour rentrer chez lui.

Pendant que le vieil homme au béret dormait, sa pipe lui tomba de la bouche. Il se réveilla en sursaut et but son verre d'un trait. L'œil curieux, il regarda la photo de Charles Manson que deux gardiens de prison conduisaient dans un couloir. Son visage ridé esquissa un sourire narquois, puis l'homme fit le geste de la décapitation avec sa main tout en faisant claquer sa langue.

Perlmann feuilleta hâtivement la Chronique pour revenir à l'année précédente. La photo d'un enfant victime de la thalidomide, à côté d'un rapport sur la suspension du procès. Le rapport est-il d'une ironie grinçante ou pas ? Son italien n'était pas encore assez bon pour le dire.

Viol de la neutralité du Cambodge et du Laos par les Américains qui les envahissent. Perlmann tourna les pages pour arriver trois ans plus tard : prix Nobel de la paix attribué à Henry Kissinger. Ça s'était passé un mois après la naissance de Kirsten, lorsque Agnès avait enfin pu quitter l'hôpital, encore affaiblie par l'infection. Non, la leucémie de Kirsten n'a absolument rien à voir avec cette infection, avait assuré le médecin deux ans plus tard. Pétrifiés par la peur, ils avaient réfléchi des nuits entières pour savoir s'ils devaient prendre le risque d'entreprendre la chimiothérapie qui venait d'être mise au point. Pendant des mois, la peur jeta une ombre sur tout le reste, et les nouvelles parvenues du monde extérieur lui passèrent au-dessus de la tête. Même le dernier hélicoptère américain qui décolla de Saigon le laissa de marbre.

Seule la mort de Dmitri Chostakovitch l'atteignit. Cela avait été incroyable de le voir en chair et en os arriver sur la scène après qu'on avait entendu son hommage à Bach, les vingt-quatre préludes et fugues. Un homme aux lunettes d'écaille rondes sur un visage pincé, frémissant, qui d'un côté avait écrit cette musique et, d'un autre côté, était enfermé dans un rapport d'amour-haine à l'égard de Staline. Pour la première fois, Hanna avait assisté à un concert à côté de Perlmann. Sa main bandée, sur laquelle une cloque l'empêchait de jouer durant plusieurs jours, était posée sur ses genoux. Sa robe noire et simple avait beaucoup plu à Perlmann.

Le vieil homme s'était levé puis était tout simplement parti sans payer. Perlmann paya pour lui, puis s'ensuivit une discussion parce que le patron, hormis pour la bière, refusait d'accepter de l'argent venant de lui depuis qu'il avait donné des cours particuliers couronnés de succès. Idem la semaine prochaine !

Aujourd'hui un motard fou vadrouillait autour de la Piazza Veneto déserte. On entendait le vrombissement jusqu'à l'hôtel.

Giovanni remit sa clé à Perlmann en même temps que les quatre textes qu'avait fait distribuer Adrian von Levetzov pour la séance de lundi. Presque deux cents pages en tout. Perlmann les posa sur sa valise puis alla chercher l'échelle pour dévisser à nouveau les ampoules du couloir qu'on avait remises en place.

14 Lorsqu'il se réveilla après quelques heures de sommeil agité, il s'attela au texte de Leskov tandis que l'aurore pointait. À présent, il en venait aux passages censés montrer que non seulement l'interprétation, mais aussi la qualité vécue des sentiments mémorisés dépendaient du récit qu'on en faisait. Telle était la thèse avancée : si le souvenir raconté devenait plus vaste et en même temps plus dense, il était possible que la teinte et les nuances de l'événement mémorisé se modifient considérablement. C'était habile de la part de Leskov, pensa Perlmann, d'avoir déjà recours ici aux concepts de *teinte* et de *nuance* : ils relevaient en fait du visuel. Par ce procédé, sa rhétorique anticipait l'idée à venir qui stipulait que, concernant le caractère influençable de la qualité du vécu au gré des récits, les impressions sensorielles ne se comportaient pas différemment des sentiments. Mais cette thèse était-elle véritablement juste quand il s'agissait de sentiments ?

Tout dépendait des exemples. À la première ébauche, il avait bloqué dessus parce que le dictionnaire de poche n'offrait qu'une petite partie du vocabulaire dans lequel puisait Leskov. Ce problème était résolu. Mais voici qu'il découvrait une fois de plus à quel point il était au fond peu sûr des mots anglais. Ce n'était pas un manque d'assurance maladroit dû à de simples lacunes. Les mots anglais lui étaient tous familiers. Mais lorsqu'il les essayait, c'était comme s'il marchait sur un sol prêt à s'effondrer à tout moment – un peu comme lorsqu'on marche sur du verglas recouvert d'une fine couche de neige fraîche.

C'était déjà le cas pour *coloring, shade, hue, tone* et *nuance*. Comment arrêter un choix s'il s'agissait par exemple d'exprimer la couleur d'un feuillage automnal ? Ou la couleur politique d'un quotidien ? Si l'on dérapait ici, il était facile de gâcher le texte de Leskov, voire de le rendre ridicule. Et il en allait de même pour la désignation et la description d'émotions et d'atmosphères. L'isolement n'était pas la même chose que la solitude ; la mélancolie était à distinguer de la tristesse ; sérénité ou tranquillité – que choisir ici ? Déjà dans la langue maternelle, trouvait-il, c'était difficile de séparer les variantes purement rhétoriques des différences nettes que pouvaient connaître les sentiments. Et plus la langue étrangère était éloignée, moins il y avait de certitude à ce sujet.

Mais comment pouvait-on donc savoir si un exemple soutenait véritablement la thèse de Leskov ? Et pouvait-on finalement escompter que ce champ lexical se transpose sans faille d'une langue à l'autre ? Ou chaque langue déployait-elle au bout du compte l'univers intérieur de manière un peu différente ? Et cela serait-il un argument pour ou contre la thèse de Leskov ?

Perlmann était tiraillé entre l'incertitude agaçante que tout cela représentait pour la traduction et la sensation satisfaisante d'avoir développé une nouvelle idée. Les heures filaient. De temps à autre, il allait à la fenêtre et regardait vers le golfe qui, aujourd'hui encore, était baigné par la lumière rougeoyante de l'automne, si différente de celle, diffuse et blafarde, qu'il devait y avoir chez lui en ce moment, dans les arbres devant sa fenêtre.

S'il mettait de côté cette histoire de traduction : qu'induisait la thèse de Leskov ? Le souvenir de la peur changerait-il vraiment s'il racontait la leucémie de Kirsten en empruntant d'autres voies ? L'attente angoissée, terrorisée, lorsque le jeune médecin aux lunettes d'écaille avait attrapé le dernier rapport du laboratoire, n'était-elle pas quelque chose de fixé à tout jamais, exactement comme le bruit des mottes de terre s'écrasant sur le cercueil de sa mère ? Et ce mélange inoubliable d'admiration et d'oppression qu'avait soulevé l'apparition de Chostakovitch ? Ces choses-là ne faisaient-elles pas tout simplement partie du noyau dur des expériences du passé autour duquel gravitaient des histoires qu'on pouvait souvent réécrire au cours d'une vie sans que le cœur de l'événement en soit pour autant changé ?

Tremblant de faim et de fatigue, Perlmann partit vers treize heures trente à la trattoria. Dans la Chronique aujourd'hui, seul le jour où il avait pu cesser de craindre pour la vie de Kirsten l'intéressait. Aucun autre jour ne s'était gravé avec une telle précision d'orfèvre dans sa mémoire. Pas même le jour des pigeons. Agnès lui avait touché le bras au moment où le docteur, tenant le rapport du laboratoire dans sa main, leur avait annoncé qu'elle était sauvée. Ils avaient ensuite traversé la moitié de la ville en se montrant inlassablement les couleurs des feuilles d'automne scintillant d'humidité. Pour la première fois, il avait annulé ses cours en prétextant quelque empêchement, et ils étaient partis une semaine à Sylt. Ce furent des jours dont ils vécurent pleinement le présent, des jours pleins de vent, d'immensité et de soulagement.

L'annonce de la mort de Jean Gabin dans les journaux lui avait échappé. Tandis qu'il lisait maintenant le long article de la Chronique, il se souvint d'avoir raconté à Agnès le film *Le Chat* pendant qu'ils marchaient en s'enfonçant dans la vase : durant des années, Gabin n'adressa plus un seul mot à Simone Signoret parce que, par jalousie, elle avait tué son chat bienaimé. Quand ils étaient assis le soir au coin du feu, il lui tendait de petits bouts de papier sur lesquels était toujours inscrite la même chose : *le chat*. Elle rangeait ces papiers dans un tiroir et, un jour, suite à un geste maladroit, ils tombèrent tous par terre, par centaines. Agnès avait trouvé cette histoire monstrueuse, et lui, il avait eu honte parce que le comportement de Gabin dans le film ne lui était pas si étranger.

Pour la première fois depuis son arrivée, Perlmann ressentit après déjeuner le besoin de sortir et, dans les environs de l'hôtel, il trouva un petit chemin qui montait vers les collines. Pendant qu'il tapait en rythme avec un bâton sur le muret de pierres naturelles, il testa la thèse de Leskov sur les sentiments qu'il s'était remémorés juste avant, à la trattoria. Il ne tarda cependant pas à simplement s'abandonner à la fierté d'avoir presque réussi à traduire en anglais ce long texte en russe. Il lui restait dix-huit pages, et il était déjà venu à bout de sept d'entre elles récemment, même s'il y avait encore quelques trous à cause du problème posé par le concept d'appropriation. Lorsque le chemin décrivit une courbe qui longeait le versant, il s'appuya contre le muret et regarda la ville et la mer en contrebas. *En milieu de semaine, la traduction sera finie.* Après quoi la pile de feuilles se trouverait rangée sur la plaque de verre de son bureau habituellement vide. Il était parvenu à faire quelque chose dont il ne se serait pas cru capable. Il sentait qu'en pensant à cet instant il aurait en fait dû envisager la suite. Mais c'était impossible. Impossible.

En milieu de semaine, la moitié du séjour serait écoulée. Et pourtant, la montagne de temps dont tout présent était absent demeurait exactement aussi élevée qu'au début. Et tout était encore pire qu'au commencement, car la peur, qui avait rongé sans bruit sa fierté de traducteur comme de l'acide et le consumait à tel point qu'il pouvait s'effondrer à tout moment, laissait maintenant apparaître la montagne comme un mur gigantesque qui s'inclinait vers lui, un tout petit plus à chaque battement de cœur.

– C'est tout bonnement impossible de fixer cette lumière sur la pellicule, dit Laura Sand en posant un grand étui d'appareil photo sur le mur à côté de lui. C'est comme si la profondeur de la lumière n'avait rien à voir avec le rayonnement physique auquel la pellicule réagit.

Perlmann avait eu un sursaut si violent qu'elle lui posa la main sur le bras d'un air effrayé et s'excusa.

– C'est toujours la même chose, dit-elle, même David, mon mari, je l'effraie souvent tant je suis discrète. Une discrétion que Sarah compense avec tout le bazar qu'elle fait ! Surtout avec son fichu aérobic !

Ils restèrent ensemble jusqu'au crépuscule. À un moment, elle déclara ne pas du tout aimer qu'on la regarde en train de photographier.

– Mais parce que c'est vous...

Elle lui apprit à voir. Comme Agnès. De manière tout à fait différente, cependant. Agnès avait toujours parlé de lumière, de forme et d'ombre, de clarté et de profondeur, de surfaces et de bordures. Si l'on ne faisait que l'écouter, on aurait pu croire qu'elle voyait le monde comme un tableau géométrique abandonné des hommes. Alors que son véritable sujet était le mouvement humain. Non pas n'importe quel mouvement : des moments qui sortaient de leur propre cadre, des scènes qui renfermaient une histoire et poussaient l'observateur à inventer cette histoire. Elle avait appelé cela *la photographie narrative. Tu comprends : les couleurs ne feraient que déranger, détourner de l'essentiel. Il s'agit de l'homme sur le quai qui explose dans ses mouvements lorsqu'il aperçoit la femme sur le marchepied. Peu importe la couleur de son manteau.*

Elle possédait un sens incroyable pour capter l'intensité d'un instant. Et sa patience était tout aussi incroyable quand elle attendait des scènes intenses des heures, des jours durant, dans des bars, dans des gares, à la plage, une fois même à un match de boxe qu'elle exécrait. Quand cette attente finissait par avoir raison de sa patience, elle était tentée de recommencer à fumer.

Pour Laura Sand, les choses étaient complètement différentes. Elle pensait en couleurs et en atmosphères, et ce qu'elle raconta à ce propos au cours de l'après-midi contrastait de façon si criante avec sa prédilection pour les vêtements noirs que Perlmann fut plusieurs fois sur le point d'amener la conversation sur ce sujet. Elle employait pour désigner les couleurs une quantité de mots qu'il n'avait jamais entendus, et lorsqu'elle remarqua qu'il n'en finissait pas de s'étonner, elle laissa résonner son rire guttural et poursuivit :

– … *edium flesh, canary yellow, rose madder lake, magenta, true blue, sap green, sanguine…*

Non, elle ne s'intéressait pas aux gens – « pour la photographie, je veux dire ». Elle n'avait d'abord fait que des clichés de paysages et, plus tard, dans le cadre de son travail, elle était passée aux animaux. Les instantanés pris pendant les vacances, c'était à David de s'en charger.

– Il me prend pour une misanthrope, dit-elle en souriant et, après une pause, elle ajouta : Il me connaît bien. « C'est pour ça que tu laisses le langage des singes aux autres, m'a-t-il redit récemment, pour toi les singes ressemblent déjà bien trop aux hommes. »

La photographie impressionniste, ainsi nommait-elle son idéal.

– Au fond, quelque chose d'impossible. Le procédé physique est bien trop dense. Je suis devenue experte en filtrage. En effet, ma théorie…, dit-elle en riant,… est que ce sont surtout les trous, les vides, qui importent plus que tout le reste. David et Sarah s'en moquent depuis des années, et même dans les soirées de poker de David, ma théorie est devenue une sorte de blague classique chaque mois : *À l'avenir, construisons les maisons avec beaucoup de vide, c'est moins cher !* Oui, bon.

C'est vrai que c'est une théorie extravagante, parfois je ne la comprends pas moi-même.

Il n'avait pas à craindre de sa part, pensa Perlmann, une remarque du type de celle qui avait échappé à Agnès autrefois, à l'aéroport. Dans l'escalator, il s'était retourné pour regarder une grande photo publicitaire de Hong Kong, une image aux contours doux, soyeux, une image idyllique. *Kitsch à souhait*, avait dit Agnès, *un peu comme ta façon de voir le monde.* Puis, visiblement effrayée par cette remarque qui lui était sortie de la bouche, elle l'avait pris par le bras en riant et avait blotti sa tête contre son épaule. *Ne sois pas fâché*, avait-elle dit à voix basse lorsqu'elle avait senti sa démarche raide. Au contrôle des passeports, il ne s'était pas retourné une dernière fois, contrairement à son habitude. Après son retour, tous deux avaient fait beaucoup d'efforts ; elle était particulièrement attentive, et lui, il avait été plus loquace que d'ordinaire. Il ne fut plus jamais question de cette remarque. Mais pendant quelque temps, il fut plutôt silencieux lorsqu'elle lui montrait ses photos. Entre eux une étroite fissure était restée, à peine visible et pourtant jamais complètement oubliée.

Il faisait déjà nuit lorsqu'ils rentrèrent à l'hôtel. Après avoir reçu leur clé des mains de signora Morelli, Perlmann aurait bien aimé dire à Laura Sand que les heures qui venaient de s'écouler avaient représenté quelque chose pour lui. Mais les quelques pas jusqu'à l'ascenseur ne lui laissèrent pas le temps de trouver les mots et, lorsqu'elle le regarda d'un œil interrogateur, tout ce qui aurait pu former une phrase convenable avait comme disparu. Il leva la main qui tenait la clé, il y eut un léger tintement, puis il monta seul les escaliers et fut content de voir qu'entre-temps personne n'avait touché au faible éclairage de son couloir.

C'était purement absurde, pensa-t-il sous la douche : quel soupçon pouvait-elle donc nourrir ? Il lui avait demandé si *severing* était un mot adapté pour parler du dédoublement de la personnalité ; ensuite, elle avait parlé un moment de *cracking* ; enfin, elle lui avait expliqué en riant l'expression australienne *cracking hardy*. Puis il y avait eu un instant où il semblait qu'elle voulait lui demander la raison de son intérêt particulier pour ces mots-là, mais il était parvenu à changer de sujet. Non, c'était vraiment impossible qu'il se soit trahi.

Allongé sur son lit, il songea de nouveau à Agnès et à ce que ses photos avaient de particulier. Une fois, pendant des mois, elle avait exclusivement photographié des visages de personnes très âgées, cela avait été comme une addiction. La série avait été un franc succès. Elle avait l'œil pour les détails, un regard qui était, semblait-il, capable de conférer aux éléments individuels une présence singulière, particulièrement intense – comme si ce n'était qu'à partir du moment où son regard s'était posé sur ce détail que celui-ci était sorti d'un horizon lointain et flou pour se placer dans le présent lumineux des formes aux contours nets. Comme il l'avait enviée pour ce talent !

Alors que par ailleurs, elle n'avait jamais rien planifié, oubliait des choses, perdait le fil dans le fouillis chaotique de ses notes. Dans ce cas c'était lui qui intervenait pour mettre de l'ordre. Il était devenu un organisateur compulsif, un fanatique de la vue d'ensemble. Cela avait été le prix à payer, le prix pour sa présence.

La salle à manger semblait complètement différente ce soir-là. La plupart des tables rondes avaient été remplacées par une seule, solennellement décorée, et des guirlandes de papier multicolores étaient accrochées aux lustres. C'était un dîner de mariage pour lequel deux serveuses supplémentaires avaient été engagées, comme le fit savoir Adrian von Levetzov.

– La faim vous a rattrapé ? demanda Millar à Perlmann en penchant la tête, un sourire résigné aux lèvres. Perlmann resta silencieux et se concentra sur les moules servies en entrée. Les plaisanteries qui circulaient à la table d'à côté étaient difficiles à comprendre, la plupart des invités du mariage s'exprimaient dans un dialecte qu'il ne connaissait pas.

À présent, von Levetzov parlait d'un livre sur Henry Kissinger dont il avait été question dans le *Herald Tribune*.

– Ce criminel de guerre, dit Giorgio Silvestri d'une voix étouffée. Il a poussé Nixon à bombarder le Cambodge et le Laos. C'étaient des pays neutres à l'époque. Cet homme devrait passer devant les tribunaux.

Il lança un regard de défi à Millar qui était en train de découper son poisson. – N'est-ce pas, Brian ?

Millar glissa délicatement son couteau sous l'arête en s'aidant de sa fourchette puis sépara le squelette entier avant de le déposer au bord de son assiette. Il eut un tressaillement à la commissure des lèvres. Il savourait le moment. Finalement, il avala une gorgée de vin, s'essuya la bouche avec sa serviette et répondit au regard impatient de Silvestri par un sourire doux, chaleureux, comme Perlmann ne lui en avait encore jamais connu.

– Vous avez absolument raison, Giorgio. C'est exactement ce que j'ai écrit autrefois, dans le journal de la faculté. En première page. Après quoi mes parents ont suspendu un moment leur chèque mensuel – il plissa les yeux. Ça ne s'est jamais vraiment arrangé depuis.

Le visage de Silvestri eut une réaction incroyablement rapide. À peine la surprise et l'irritation s'étaient-elles dessinées sur son visage que déjà l'expression tendue, hostile s'effaçait pour faire place à un rictus dans lequel était inscrite aussi clairement qu'avec des mots sa prise de conscience : son affect et la superficialité inadmissible qu'il imputait à Millar l'avaient incité à attendre une réponse stéréotypée qui sous-estimait largement ce dernier. Il leva son verre en direction de Millar.

– *Scusi. Salute !*

Perlmann tarda davantage à se remettre de sa surprise. *Millar, porte-parole du mouvement étudiant.* À la dérobée, il regarda en face de lui vers Millar qui était à nouveau concentré sur son poisson. Quelque chose se mit à bouger en lui, lentement et en grinçant comme une roue dentée rouillée. Peut-être l'avait-il mal estimé, uniquement par peur. La peur était un sentiment qui dégradait les autres comme un simple mur de projection. Il était sur le point de lui adresser la parole pour montrer qu'il avait changé d'avis lorsque la réflexion stupide concernant les repas lui revint à l'esprit, alors il s'affaira de nouveau à séparer la tête du corps de son poisson. Ce n'est que lorsque le serveur débarrassa les assiettes que son agacement fut suffisamment apaisé.

– Une question, Brian, commença-t-il, puis il lui exposa son incertitude quant aux différents mots anglais servant à exprimer la *teinte* et la *nuance*.

À ce moment-là aussi, Millar le surprit. Il testait les différents mots, tantôt à voix haute, tantôt avec un mouvement muet des lèvres. Il commençait à y prendre plaisir et, lorsqu'il prenait entre-temps une gorgée de vin qu'il laissait couler sur sa langue, il avait l'air de goûter, en même temps que le vin, les mots.

À nouveau quelque chose tiraillait et gémissait dans les émotions que ressentait Perlmann. *Millar, l'homme de Rockefeller, l'intellectuel qui interprète Bach, un homme des sens. Sheila.* Et puis, tout à coup, comme si un éclair le traversait, il fut à nouveau envahi par la haine contre ce Brian Millar qui, avec ses considérations dont il se délectait autour des nuances sémantiques, lui dérobait l'activité par laquelle lui, Perlmann, depuis des semaines, là-haut dans sa chambre, se défendait contre les autres, et précisément surtout contre lui. *Et c'est moi-même, comme un idiot, qui l'ai amené à le faire. Parce que je croyais devoir lui faire un signe. Je suis un idiot qui fait du zèle.*

Il remercia Millar pour l'interrompre, mais voici qu'à présent Laura Sand aussi s'en mêlait, en rappelant à Perlmann dans un sourire la conversation qu'ils avaient eue l'après-midi à propos d'autres mots anglais. Achim Ruge fit preuve une fois de plus de son épatante assurance en anglais et, durant tout le dessert, ces considérations furent le sujet de discussion.

— Vous devez en avoir besoin pour votre texte sur la langue et le souvenir, n'est-ce pas ? finit par demander Millar.

Perlmann sentit comme ses mains étaient glacées. Il ne voulait acquiescer à aucun prix et acquiesça pourtant.

— J'ai vraiment hâte de vous entendre, dit Millar et, dans la bouffée de chaleur qui le gagnait, Perlmann perçut qu'il disait cela sans défiance ni malice.

— On a l'impression que vous y travaillez jour et nuit. Hum... dans... voyons voir... dans deux semaines, nous pourrons le lire.

Avant de suivre les autres dans le salon, Perlmann alla aux toilettes et plaça son visage entouré de ses mains sous le jet d'eau du robinet. *Plus que onze jours. Il faut que Maria ait le texte jeudi matin au plus tard.*

— Si je rejoue aujourd'hui, cela relèvera déjà du rituel, disait Millar lorsque Perlmann entra dans le salon.

Von Levetzov et Evelyn Mistral bavardaient. Millar sourit, déboutonna son blazer et s'assit au piano après avoir esquissé une courbette. Il joua des préludes et des fugues tirés du *Clavier bien tempéré*.

Des minutes entières, Perlmann resta assis les yeux clos et s'enferma intérieurement de toutes ses forces pour empêcher la panique de jaillir en lui telle une fontaine. *Quand je suis plongé dans quelque chose, je suis capable d'écrire très vite. Je le sais. Cela ne peut pas changer. Pour m'y plonger, j'ai besoin d'une journée. Ou de deux. Il restera ensuite deux jours. Soixante-dix, quatre-vingts heures de travail. Je peux encore y arriver.*

La crispation se dissipa un peu, la musique entrait en lui et, vaguement, comme parvenant de loin, le souvenir de Szabo lui apparut, il le revit s'essuyer la sueur du visage avec un mouchoir. Perlmann saisit cette image diffuse tel un instrument salvateur, il s'en empara et la fixa jusqu'à ce qu'elle devienne plus claire, dense, et laisse peu à peu libre cours à une scène qui, dans sa vivacité grandissante, repoussait l'agitation provoquée par la peur.

Lorsqu'il avait raconté l'épisode à Perlmann d'une voix enrouée, Szabo était assis le dos courbé, les coudes appuyés sur ses genoux, la tête dans les mains. Chostakovitch, qui avait été envoyé à Leipzig en tant que membre du jury pour le concours de Bach, l'avait abordé lors du buffet offert à la fin. Il avait dit que la composition de Szabo n'était pas mauvaise, qu'elle était tout à fait plaisante, et même un peu plus que cela. *Mais pas non plus une idée vraiment géniale.*

Pendant qu'au-dehors, devant le conservatoire, des camions passaient en vrombissant, Szabo n'avait cessé de répéter cette phrase, et dans l'amertume de sa voix avait résonné la certitude qu'il ne l'oublierait jamais. Perlmann s'était levé et avait fermé la fenêtre malgré la chaleur.

À ce moment-là, à Leipzig, Chostakovitch s'était révélé être un fieffé lâche, avait dit Szabo en se passant un mouchoir sur le front. Lorsqu'il fut interrogé publiquement au sujet d'un article non signé paru dans la *Pravda* où Hindemith, Schönberg et Stravinski étaient taxés d'obscurantistes et de valets du capitalisme impérialiste, il avait déclaré, quoique hésitant, être d'accord avec ces propos. Szabo avait dit ne pas en avoir cru ses oreilles, et Perlmann avait ensuite vu le sang pulser dans la veine violette qui avait sailli sur sa tempe pâle d'albâtre. Cette forme de lâcheté, avait lancé Szabo, est aussi celle qui a été responsable de la répression sanglante déployée lors du soulèvement de la Hongrie, à l'issue duquel son père avait été fusillé. Pendant peut-être une minute, Szabo était resté assis les poings serrés. Puis il avait regardé Perlmann de ses yeux gris clair qui n'étaient pas sans rappeler ceux d'Achim Ruge. *Pourquoi est-ce que je vous raconte tout cela ? Let's get back to work !* Alors qu'il détestait l'anglais.

Ce soir encore, les préludes et les fugues de Bach devinrent, sous les mains de Millar, les peintures invisibles d'une architecture cristalline – *de fines lignes au fond de la nuit.* C'était la musique qui avait fasciné Chostakovitch au point de composer son propre cycle. Perlmann essaya d'entendre parallèlement les fugues des deux compositeurs. Avait-il vraiment aimé le pétillement et la façon particulière dont résonnaient les notes, si caractéristiques des morceaux de Chostakovitch ? Ou bien était-ce plutôt Hanna, avec sa main bandée, qui avait tout sublimé ?

– Tu semblais être très loin, sur une autre planète, dit Evelyn Mistral en sortant. Allons-nous nous promener demain encore ? Peut-être qu'il y aura un autre mariage !

Perlmann acquiesça de la tête.

Mais pas non plus une idée vraiment géniale. À peine avait-il fermé la porte derrière lui que Perlmann alla vérifier le mot *idée* dans le dictionnaire russe et essaya de formuler toute la remarque de Chostakovitch en russe. Il n'était pas sûr d'enchaîner les mots russes correctement, de restituer le style fluide de la formule allemande. Et soudain, il eut l'impression de ne pas du tout maîtriser le russe. Pendant un moment, il regarda fixement les mots pour s'assurer qu'il était vraiment capable de lire l'alphabet cyrillique.

Avait-il jamais eu une véritable idée ? Un rayon de lune inondait la chambre. Il tira les rideaux. À présent, l'obscurité était étouffante. Il rouvrit les rideaux. Neuf jours. Dix. La panique s'infiltrait dans cette lucidité qui le torturait. Il se rendit à la salle de bains pour prendre un somnifère entier.

15 Le dimanche était largement entamé lorsqu'il se réveilla. En lui apportant son petit déjeuner tardif, le serveur lui remit un bout de papier resté coincé dans la porte. *Pas de « promenade de mariage » finalement ? Fais-moi signe si tu veux aller quelque part cet après-midi ! Evelyn.*

Son écriture soignée, penchée en avant, aux lettres liées et arrondies, lui plaisait et, lorsque le serveur eut refermé la porte derrière lui, il alla au téléphone. Alors qu'il était en train de composer le numéro, il raccrocha. Pas avec cette tête, et encore moins dans son état tremblant.

Dans le texte de Leskov arrivaient maintenant les pages où le souvenir des expériences sensorielles était interprété de manière analogue à celui des sentiments. Le riche vocabulaire des nuances d'odeur et de goût, mais aussi de leurs différentes qualités, que Leskov déployait avec un plaisir manifeste, était comme un taillis à travers lequel il fallait se frayer un chemin pas à pas et, une fois de plus, Perlmann se rendit compte qu'il y avait en anglais une myriade de recoins qu'il n'avait encore jamais explorés. Il était souvent obligé d'avoir recours au dictionnaire anglais-allemand pour savoir de quoi il était question, et il resta une bonne douzaine de passages dans lesquels il écrivit un mot anglais sans savoir ce qu'il signifiait. *Millar le saurait.* Il eut ensuite l'impression d'être une machine qui ordonnait les mots d'après les seules règles syntaxiques, sans avoir la moindre idée de leur sens. Cela laissa non seulement naître en lui un sentiment de cécité et de détresse, mais l'empêcha en plus de se laisser happer par le tourbillon de la traduction qui aurait pu le protéger contre la panique, de plus en plus puissante dans son esprit maintenant que l'assoupissement de la nuit avait disparu.

Lorsqu'il sentit que sa peur menaçait de le submerger à tout moment, Perlmann tendit le bras et attrapa telle une ancre de salut le dictionnaire russe-italien qui se trouvait à l'extrémité du bureau. Il eut de la chance, une partie des mots incompris s'éclaircirent par ce biais et désormais il s'évertua à traduire les paragraphes suivants directement en italien.

Il raya les premières lignes qu'il avait écrites juste après un paragraphe en anglais et prit de nouvelles feuilles pour le texte italien. Progressivement s'installa le fourmillement qu'il ressentait toujours quand il jonglait entre deux langues étrangères. Dans les passages suivants, il était question de souvenirs colorés et il constatait à présent combien il était peu versé dans la langue italienne lorsqu'il s'agissait de mots de couleurs rares. Dans un élan d'excitation joyeuse, il s'empara du grand dictionnaire rouge où il retrouva un bon nombre de mots que Laura Sand lui avait expliqués la veille. Il dressa une liste anglais-italien de ces mots et s'agaça de voir que le dictionnaire russe-italien était trop limité pour combler toutes les lacunes.

Lorsqu'il chercha du papier supplémentaire dans son attaché-case, il tomba sur le cahier en similicuir noir qui contenait des notes à lui. *Le seul texte de moi que j'aie ici.* Avec une curiosité mêlée d'appréhension, il s'assit dans le fauteuil rouge et commença à lire :

On ne le soulignera jamais assez : on grandit dans le monde tel un perroquet, en répétant des mots. Ces mots ne viennent pas seuls, nous les entendons comme des parties de jugements, d'adages, de sentences. Il en va de même pendant longtemps avec ces jugements : eux aussi, nous ne faisons que les répéter. Quasiment comme le refrain d'une chanson pour enfants. Et il faudrait presque parler d'un cas heureux lorsque, plus tard, on parvient à reconnaître ces suites de mots envahissantes, engourdissantes, pour ce qu'elles sont : des habitudes aveugles.

MESTRE EST LAIDE, dit le père dès qu'il est question de Venise. VENISE EST UN RÊVE, MESTRE EN REVANCHE EST LAIDE. On continue sans cesse d'entendre la phrase, elle revient avec la régularité d'un automate. C'est de la pure répétition, le cliquetis d'un automatisme, rien de plus. Puis on en vient à reproduire la phrase. On ne l'a pas vérifiée, aucune trace d'appropriation. Il se produit uniquement ceci : on la reproduit, on la répète dans une routine qui finit par gagner du terrain. C'est tout. On comprend la phrase, c'est une phrase prononcée dans la langue maternelle. Néanmoins, elle n'exprime rien de ce qu'on pourrait nommer une pensée. C'est une phrase aveuglément comprise, littéralement dénuée de pensée.

LA PLAINE DU PÔ EST MORNE est une autre de ces phrases, prononcée par la mère cette fois. À l'avenir on dira : « S'il fait nuit quand on passe par la plaine du Pô, cela ne fait rien, de toute façon la plaine du Pô est morne » ; et ainsi de suite. La phrase n'est plus à disposition. C'est un point intérieur fixe, une constante, une poutrelle dans une charpente. Elle constitue un aiguillage, rend une voie impraticable, masque une possibilité. Elle vous vole un paysage, un bout de terre, car elle vous dirige tout autour de cette région, faisant ainsi d'elle une tache blanche, aveugle sur la carte des expériences. Avec combien

de ces phrases auxquelles nous sommes habitués en va-t-il
de même qu'avec les phrases sur Mestre et la plaine du Pô,
sans que nous le remarquions ?

Dans sa conscience pénétra le souvenir de la
chambre d'hôtel dépouillée au plafond haut et à la
robinetterie surannée de la salle de bains, un souvenir
que Perlmann n'avait pas réveillé depuis des années.
Maintenant encore, il ne voulait pas s'y confronter. Il
feuilleta le cahier, décidé à chasser par ce mouvement
l'écho lointain des sentiments qu'il avait ressentis à
l'époque.

C'est alors qu'il vit, ahuri, que le texte se poursuivait
en anglais, en lettres plus petites et écrites avec une
mine de stylo-bille plus fine. Le thème était d'abord
repris depuis le début, avec des variations. Les phrases
reproduites étaient décrites comme des éléments gelés
qui, dans leur discrétion perfide, empêchaient l'accom-
plissement et la modification des expériences. Il avait
noté que ces phrases avaient un effet hypnotique, puis
il avait ajouté que cela ne valait pas seulement pour des
constats tels que ceux tirés des propos sur Mestre et la
plaine du Pô, mais aussi pour des questions qui avaient
coutume de revenir comme une ritournelle lors de
toute discussion entamée sur l'avenir : ET ENSUITE ?
QUE VEUX-TU FAIRE APRÈS ? QUAND AURAS-TU
FINI ? À QUOI BON ?

Linguistic waste, avait-il nommé tout ce qui barrait
ainsi le chemin aux expériences et volait la possibilité
de s'engager vers la nouveauté, la surprise. *Des scories
du langage*, se dit Perlmann et, pendant qu'il répétait
ces mots à mi-voix, un tourbillon de souvenirs l'emporta et il se revit allongé sur le lit dans la chambre
dépouillée de Mestre, furieux contre toutes ces scories
du langage qu'il avait découvertes en lui bien trop tardivement ; furieux aussi contre lui-même, parce qu'il
avait entrepris ce voyage insensé à cause d'une seule
phrase.

Il était monté dans un train de nuit pour Milan et, par un matin gris au début du mois d'octobre, il avait traversé la plaine du Pô, bien que ce fût un détour. Il ne se souvenait plus du paysage. Mais il gardait très précisément en mémoire l'entêtement avec lequel il était resté le visage collé à la vitre du train, à tel point que les voyageurs qui étaient avec lui demandèrent à plusieurs reprises ce qu'il y avait de si intéressant à voir.

À Mestre, il était descendu dans un hôtel situé en face de la gare où le groom lui avait ouvert une chambre immense. Après avoir dormi quelques heures, il avait déambulé au crépuscule à travers des rues insignifiantes jusqu'à se retrouver complètement trempé. Ensuite, dans la baignoire, il n'avait plus ressenti que du vide. C'était grotesque et frisait la démence : tout ce voyage, tout cet exercice, juste pour en finir avec une phrase prononcée un jour par son père. Comme s'il voulait ériger un exemple représentatif de tous les autres décombres de langage. Un exemple pour qui ? Personne ne le voyait, personne n'en avait connaissance. Au contraire : il ne pourrait l'expliquer à personne, on se moquerait de lui ou on le considérerait comme quelqu'un de dérangé. Alors pourquoi ? Un haussement d'épaules indifférent n'aurait-il pas été bien plus efficace ? Le pire, c'était qu'Agnès ne le soutenait pas dans sa démarche. Elle considérait le voyage comme de la folie et était furieuse contre son fanatisme. Même le film qui passait à la télévision, avec ses acteurs favoris, ne le consola pas.

Plus tard, il appela chez lui et se réjouit que ce fût Kirsten qui décroche. Sa voix éveilla l'espoir absurde qu'elle, une adolescente de seize ans, le comprendrait mieux.

– Que fais-tu exactement à... comment ça s'appelle déjà... Mestre ? lui demanda-t-elle.

Après une pause qui, par chance, fut entrecoupée de grésillements et de craquements, il lui demanda comment faire pour vivre au présent.

– Quoi ? Je t'entends si mal.

Il répéta sa question, cette fois pleinement conscient de son ridicule.

– Papa, tu as bu ?

Non, ce n'est pas la peine d'aller chercher maman, dit-il, fais-lui simplement savoir que je suis bien arrivé.

Il n'avait absolument pas besoin de se prouver que la phrase était fausse. Cela faisait en fait longtemps qu'elle n'était plus un handicap pour lui. D'emblée il était prêt à se figurer Mestre comme une ville florissante, pourquoi pas comme Kyoto au milieu des cerisiers en fleur. Il s'était déjà dit cela à la gare de Francfort et, pendant un instant, il avait envisagé de faire demi-tour. Mais finalement il avait craint de perdre la face alors qu'en même temps un sursaut l'avait parcouru à l'idée qu'une chose pareille joue soudain un rôle entre Agnès et lui.

Fallait-il encore qu'il le prouve à son père ? Ou bien ce voyage était-il simplement une manière bizarre de trouver un exutoire à sa colère contre ces montagnes de scories langagières ? Un exemple représentatif pour toutes les autres phrases ? Pourquoi n'en voulait-il à personne d'autre pour la force étouffante des scories du langage ? Il avait regardé autour de lui à la gare et aussi dans le train – comme si l'on pouvait lire de telles choses sur le visage de quelqu'un.

Aurait-il tout de même fait ce voyage s'il n'avait pas dû s'affirmer avec sa colère solitaire contre quelqu'un ? L'aurait-il fait s'il avait été seul au monde ? Était-ce au bout du compte un voyage entrepris avant tout contre Agnès ?

La question l'avait poursuivi le lendemain, tandis qu'il avait arpenté Mestre de long en large. C'était absurde de marcher dans une ville – n'importe quelle ville – et de se demander en permanence si elle était belle ou laide. *Absurde* n'est pas le mot approprié, s'était-il dit. Et puis soudain, il avait atterri sur la Piazza Erminio Ferretto, une place tout en longueur avec beaucoup de cafés et une foule de gens qui savouraient le jour férié en fumant et en bavardant. Malgré la foule, l'endroit lui avait plu. Il lui avait plu, quoi qu'ait pu penser Agnès. Non loin de la place, il trouva ensuite la Galleria Matteotti, un écho à la célèbre Galleria milanaise, mais à l'échelle d'une petite ville. Il ne savait pas si c'était par désespoir ou bien par autodérision, en tout cas il l'avait mesuré en marchant, ce passage insignifiant, cinquante-trois pas sans se presser, il s'en souvenait encore aujourd'hui.

L'après-midi, lorsqu'il se trouva devant l'auberge à Venise où Agnès lui avait lavé les cheveux, ce fut de nouveau douloureux. Le soleil apparut lorsqu'il prit place dans ce café où, à l'époque, elle avait laissé échapper son énigmatique « Ouii ». Les touristes ôtaient leur manteau et leur veste. Cela ne le retint pas. Pendant qu'il était en train de commander, il s'excusa auprès du serveur et partit à pas pressés jusqu'au vaporetto qui le conduisit à la gare. À Mestre, il régla sa note d'hôtel exorbitante et prit une ligne directe pour Milan où il eut une correspondance pour le train de nuit le ramenant en Allemagne.

Lorsque, peu avant Francfort, il lava son visage épuisé par la nuit blanche, pas rasé, il constata avec étonnement qu'il était content et satisfait d'avoir fait ce voyage.

– Mestre est splendide, dit-il quand Agnès le regarda. Tu devrais voir la Piazza Ferretto ! Et la Galleria !

Il le dit de façon ironique, mais elle n'appréciait pas cette nuance. Elle sentait que derrière se cachait une solitude entretenue, et que cette solitude lui donnait une force désagréable, impitoyable, une force qui, parce qu'elle était imprégnée de douleur, pouvait le pousser à se venger cruellement de quelque chose.

Perlmann se doucha longuement puis poursuivit sa lecture. C'était encore une autre mine de stylo-bille, et l'écriture se faisait plus nerveuse, comme s'il avait été pressé ou excité. *Language as an enemy of imagination.* Il ne s'en souvenait pas le moins du monde, il lut cela comme si c'était le texte d'un étranger, étonné, incertain, et tout de même un peu fier aussi de constater qu'au cours des années il avait manifestement nourri plus de pensées que ce dont il se croyait capable.

La pensée formulée en phrases, lisait-il, signifie toujours une restriction des possibilités. Non seulement parce que la phrase une fois effectivement pensée ne permet plus de poser la question de sa logique et exclut l'attention que l'on devait porter aux autres phrases qui auraient pu être pensées à sa place. Plus important encore est que la pensée mise en mots s'oriente en premier lieu d'après le répertoire de phrases habituelles, bien rodées, dans lesquelles s'exprime une image familière des choses qui, étant donné son caractère familier, paraît être sans alternative. Cette impression de ne pas du tout pouvoir considérer les choses autrement est l'ennemi naturel de l'imagination en tant que capacité à se représenter toute chose de manière différente. Une série d'exemples s'ensuivaient. Au début, Perlmann fut abasourdi par leur diversité ; cependant, en voyant comme les alternatives esquissées se faisaient de plus en plus radicales, il reconnut au fur et à mesure clairement que le texte était le sien parce que sa haine à l'égard des conventions creuses s'exprimait avec de moins en moins de retenue.

Le paragraphe suivant présentait des observations qui allaient dans une direction diamétralement opposée : les phrases en tant que moyen de pousser le narrateur vers des images sans cesse renouvelées qui pouvaient tout à fait le surprendre. *La langue et l'imagination*. N'était-ce pas aussi le sujet d'Evelyn Mistral ? Ou bien était-ce une illusion provoquée par le simple rapprochement de ces deux mots ? Perlmann sentait ses pensées s'émietter, et cette sensation que les choses lui échappaient se confondait avec un sentiment de faiblesse dû à son estomac vide. Il enfila sa veste et était déjà dans le couloir lorsqu'il rouvrit sa chambre pour glisser le cahier sous le couvre-lit. Puis il se rendit à la trattoria en évitant de prendre le chemin direct.

Sandra avait visiblement expédié la couette sur le sol à coups de pied, et elle-même se trouvait allongée tout habillée sur le lit ; l'une de ses longues chaussettes descendue jusqu'à la cheville, elle avait enfoui sa tête dans l'oreiller. À peine Perlmann était-il entré dans l'établissement que les parents lui avaient dit qu'il fallait absolument qu'il aille la voir. Ils avaient été plus avares de mots qu'à l'accoutumée, il avait seulement appris qu'un examen en mathématiques aurait lieu le lendemain et, sur le visage de la mère, il avait pu deviner qu'il y avait eu une dispute qu'à présent, elle regrettait.

Sa natte soyeuse retombait sur le bord du lit et se balançait légèrement avec sa respiration. Perlmann regarda le tressautement de ses paupières et sa main qui pendait, une bague kitsch à l'un des doigts et l'ongle du pouce rongé. Une fois, son souffle fut interrompu par un faible râle. Il marcha vers le petit bureau qu'avait fabriqué son père et prit le cahier que Sandra, têtue, avait posé à l'envers. Les deux dernières pages étaient remplies d'opérations furieusement rayées. Il referma le cahier, éteignit la lampe et redescendit. « Elle dort », lâcha-t-il rapidement, et la patronne tressaillit en remarquant que son propre regard anxieux se heurtait au visage fermé de Perlmann.

— Je pensais juste…, dit-elle d'une petite voix en lui tendant la Chronique.

La Chronique ne relatait rien aux jours correspondant à son voyage insensé, solitaire, jusqu'à Mestre. Perlmann feuilleta en arrière : bain de sang sur la place Tian'anmen à Pékin. Il ne lut pas la colonne jusqu'au bout. À contrecœur il se força à esquisser un sourire conciliant au moment de payer, ce à quoi le patron n'osa pas opposer de résistance ce soir-là. Puis il marcha jusqu'au port dans le soir exceptionnellement chaud et s'assit tout au bout de la digue sur un rocher contre lequel de légères vagues venaient se briser.

Des milliers de gens avaient été abattus par balles, et lui, il avait gaspillé trois jours de sa vie pour une phrase innocente, ridicule, que n'importe qui aurait déjà oubliée depuis longtemps. Il avait le sentiment de devoir se faire tout petit et expier pour cette perte de repères en regardant, complètement impassible, les fines bandes d'écume qui jaillissaient et se détachaient de la nuit. Ce n'est que lorsqu'il commença à frissonner de froid qu'il ôta ses lunettes pour essuyer la couche de sel qui troublait sa vue.

Ce fut ce mouvement qui lui fit prendre conscience que cela faisait déjà un moment qu'une résistance s'opérait en lui, contre son sentiment initial de culpabilité. Ce n'avait pas été la première phrase venue, celle contre laquelle il s'était battu, mais une phrase, *ma phrase*, celle qui représentait toutes les scories du langage, qui était capable de ligoter et d'étouffer l'expérience d'un être humain. *Les phrases sont sources de servitude.* Et l'histoire des repères, des proportions, qu'il s'agissait de conserver – c'était faux aussi. En tout cas ici. Perlmann aurait voulu savoir en quoi il était erroné de penser qu'en élargissant l'horizon il en résultait automatiquement que l'insignifiance absolue de toute chose restait dans l'espace étroit qu'on avait quitté. Mais l'explication ne venait pas. Il savait seulement ceci : tel n'était pas le cas, puisque même en quittant la sphère géographique, il était impossible de prendre la mesure de l'ampleur de la souffrance.

Dans un mouvement de détermination empressée, il se releva et, tandis qu'il regagnait lentement l'hôtel, il vint silencieusement à bout de l'adversaire intérieur qui tentait à nouveau de ridiculiser sa phrase sur Mestre en brandissant des photos sanglantes de Pékin. Lorsque se profilèrent les pins tordus de l'hôtel, les drapeaux et les lampadaires, il commença à se douter de la raison pour laquelle il admettait ce voyage insensé : il avait un rapport avec le combat qu'il livrait inlassablement dans l'hôtel pour s'affirmer. Et lorsqu'il gravit les marches de l'escalier extérieur, cette idée se transforma en un défi brûlant, fiévreux.

Il avait traversé le hall et était arrivé au premier palier quand il entendit les voix de ses collègues qui sortaient de la salle à manger.

— C'est ce que nous verrons demain ! disait Millar, puis le rire d'Adrian von Levetzov se fit entendre, accompagné de la voix claire d'Evelyn Mistral.

Sans le vouloir Perlmann fit un pas en direction du mur, puis il enjamba deux fois deux marches et fut hors de vue. Même après cela, il continua de marcher vite et atteignit son couloir à bout de souffle. Le corridor entier était plongé dans le noir, les deux ampoules avaient dû griller. Pendant qu'il cherchait la serrure avec sa clé, il fut effrayé de constater à quel point cette obscurité anodine le déstabilisait. Le cœur battant, posté à sa fenêtre, il regarda alors un couple élégant qui esquissait un pas de tango à la sortie du restaurant avant de sautiller en riant et de disparaître dans une voiture de collection avec chauffeur.

Il mit un long moment avant de retrouver son obstination réconfortante. Finalement, il ressortit le cahier noir contenant ses notes qu'il avait laissé sous le couvre-lit et reprit sa lecture.

Dans les paragraphes suivants, il décrivait comment des phrases, résumant apparemment d'un point de vue général ce qu'on était et notre manière de vivre les événements, pouvaient se muer en une geôle, battant en brèche des émotions qui leur étaient contraires, réduisant ainsi toujours plus notre univers intérieur. Perlmann avait noté que la perfidie du propos tenait à ce que ces phrases donnaient l'impression trompeuse d'être un point de vue personnel, ce contre quoi même leur auteur pouvait à peine se défendre. J'AI BESOIN DE BEAUCOUP D'ANONYMAT était l'un des exemples, un autre disait : CE QUE JE PRÉFÈRE, C'EST ÉCOUTER. Et un peu plus loin : JE ME SUIS MIS À FUIR LES AUTRES.

Perlmann se souvenait confusément : il avait écrit ces lignes après une soirée en compagnie d'amis d'Agnès. Comme le temps lui avait paru si ralenti et interminable, il avait beaucoup trop parlé, y compris de lui-même. Après, dans l'obscurité, tout ce qu'il avait dit lui avait semblé absolument faux, et il s'était relevé pour faire le point sur ses sentiments.

Il se réjouit de voir qu'au paragraphe suivant il était question de phrases qui, plutôt que de fermer des portes, étaient à même d'indiquer le chemin d'une liberté d'abord seulement entrevue, en mettant des mots sur une nouvelle disposition intérieure qui n'était jusqu'alors présente que sous la forme d'une ombre furtive, préservant ainsi d'un énième dérapage. POUVOIR DIRE NON SANS EFFORT INTÉRIEUR : VOILÀ CE QUI COMPTE. Et un paragraphe plus loin : LES AUTRES SONT VRAIMENT AUTRES. AUTRES. MÊME CEUX QU'ON AIME.

L'air qui s'engouffra dans la pièce lorsqu'il ouvrit la fenêtre ne parut plus du tout aussi chaud qu'auparavant. En face, à Sestri Levante, un incendie faisait rage et, même vu d'ici, il semblait s'étendre assez largement. Déformées par des coups de vent irréguliers qui agitaient les pins de la terrasse en contrebas, les sirènes des pompiers résonnaient jusqu'à l'hôtel.

Tous ces exemples, inscrits en allemand à une exception près, si bien qu'au milieu du texte anglais ils lui sautaient littéralement au visage par le caractère familier, pénétrant de la langue maternelle, constituaient-ils des phrases qui s'appliquaient à lui ?

Il avait le sentiment que ses contours intérieurs se confondaient lorsqu'il voulait les regarder en face pour obtenir une réponse à cette question, et il fut traversé par l'idée que ce sentiment ressemblait à l'impression visuelle des choses qu'on approchait sous l'eau. Mal assuré, presque craintif, il tourna quelques pages et tomba sur des phrases écrites avec grand soin au sujet du rapport entre langue et présent. Dans un premier élan, il avait dépeint, sous différentes variantes, comment la verbalisation, en ôtant au vécu sa fugacité, pouvait conférer aux expériences un présent et une profondeur. Et, à sa surprise, il trouva, placée entre crochets, une digression dans laquelle il avait comparé la fixation du présent par la langue à celle réalisée par la photographie.

Perlmann était étonné de voir avec quelle ténacité et quelle exactitude il avait poussé ici sa réflexion et, en même temps, cela lui faisait mal de sentir qu'il l'avait fait en ayant très nettement les photographies d'Agnès sous les yeux. Il ôta ses lunettes et se frotta la racine du nez.

Le jeune Sicilien en manteau élimé de l'armée qui avait laissé tomber sur le quai sa valise usée et sa casquette, tandis que sa fiancée, qu'il tenait par la taille, tournoyait dans les airs. Agnès avait tiré une vingtaine de photos de la scène. L'une d'elles fut publiée, on pouvait voir par-dessus l'épaule de l'homme, dont la moitié du menton était cachée par son col de manteau relevé, la jeune femme luttant pour ne pas s'évanouir, sa main cachant son visage rieur. Cette photo avait valu beaucoup d'éloges à Agnès. Chez eux pourtant, ils en avaient accroché une autre qu'ils trouvaient bien meilleure : elle immortalisait le tourbillon au moment précis où le tournoiement, accentué par les cheveux au vent, dissimulait les deux visages de telle manière que l'observateur se sentait invité à imaginer ces visages. « C'est bien ce que je pensais ! » avait ri Agnès lorsqu'il avait dit être déçu par le vrai visage, très grossier, de la fiancée, et en avait inventé un autre.

Et puis cette autre photo : le Chinois grêle qui, une main posée sur la selle de son vélo, se penchait vers son fils et lui tendait la joue pour recevoir un baiser. L'enfant, un gamin coiffé d'une casquette à la Gavroche qui lui descendait jusqu'au-dessous des oreilles, lui tendait son visage et avançait les lèvres tandis que ses yeux, à moitié cachés par la visière de la casquette, étaient rivés vers tout autre chose qui se trouvait probablement dans la direction de la photographe. Agnès avait pris la photo à Shanghai, durant ce voyage auquel participait également cet André Fischer de l'agence, dont elle n'avait manifestement pas voulu parler.

Très lentement les pensées de Perlmann se recentrèrent sur le présent de la chambre d'hôtel. Le feu de l'autre côté du golfe était maintenant visiblement maîtrisé. Il ouvrit un nouveau paquet de cigarettes et lut à la page suivante des remarques contraires : le présent comme quelque chose de fugace par essence, qui était maintenu de manière artificielle par la description verbale. Ainsi, ce n'était pas le présent qui était créé, mais la simple illusion du présent. Le véritable présent, avait-il noté, venait de notre aptitude à nous en remettre sans réserve à la fugacité du vécu. Ensuite, deux lignes en allemand mises en exergue le surprirent encore une fois : *Le présent : un parfum, une lumière, un sourire ; un soulagement, une phrase réussie, un frémissement sous des oliviers.*

Il avait complètement oublié qu'il s'était ainsi lancé dans une vaine quête du présent en se livrant à des expériences avec les mots, les images et le rythme. Le temps de fumer deux cigarettes, il essaya sans succès de se remémorer la scène au cours de laquelle étaient nées ces lignes. Soudain il saisit un bout de papier et écrivit : *englouti dans l'oubli blanc.* Tandis qu'il écrasait lentement sa cigarette jusqu'à ce que s'émiette tout le reste de tabac et qu'il n'y ait plus que le filtre qui frottait contre la paroi en verre du cendrier, il scrutait ces mots. Puis il chiffonna le bout de papier et le jeta dans la corbeille d'un geste las.

Encore une page et demie, le reste du cahier était vide ; en le secouant, une aile de mouche morte tomba sur le texte de Leskov. Un long paragraphe, et à la fin un autre très bref. Dans celui qui était long, écrit avec le même stylo que le précédent, une observation toucha Perlmann comme s'il la lisait pour la toute première fois : tester différentes formes de verbalisation est un moyen de découvrir la véritable essence de nos expériences. Car en faisant seulement des expériences – en vivant quelque chose – on ne saurait toujours pas en quoi elles consistent. *Le mutisme s'apparente à une cécité du vécu,* avait-il écrit en allemand. Désappointé, parce que la formule lui paraissait ronflante, il poursuivit sa lecture et trouva une observation qui le frappa plus encore : il pouvait arriver que l'on continue de penser au moyen de phrases anciennes, dépassées, et que l'on se considère ainsi comme quelqu'un qui ne cesse de refaire les mêmes expériences, bien qu'entretemps ce soient de toutes nouvelles expériences qui se sont insérées dans l'ancienne structure et qui ne pourraient déployer leur pouvoir de transformation qu'au moment où de nouvelles phrases seraient créées.

Pendant que Perlmann méditait cette idée, il se souvint soudainement des circonstances au cours desquelles il avait couché ces lignes sur le présent, le parfum et le sourire. Cela s'était passé un soir d'hiver, à la lumière de la lampe, les épreuves de la deuxième édition de son dernier livre se trouvaient sur son bureau. Tout d'abord il y avait eu le contenu du texte, dont il ne savait désormais plus que faire. Puis une impression de défraîchi s'était posée sur tout le reste – sur le papier et les caractères imprimés, sur la lumière, le bureau et sur son échine courbée. L'espace d'un instant, les lignes en question l'avaient transporté dans un univers plus clair, plus libre, dans l'enclave réconfortante de l'imagination. La protestation n'était pas allée plus loin. *Pourquoi pas ? Pourquoi ne me suis-je jamais levé pour partir ?* Perlmann resta coi. Il ne savait pas si la question venait juste de naître en lui, ou bien si elle aussi faisait partie du souvenir de ce moment où il avait ressenti comme une torture le faisceau de lumière crue que diffusait la lampe.

Il lut les quelques phrases du dernier paragraphe avec une angoisse croissante et, d'un coup, ses yeux lui parurent si douloureux qu'il aurait préféré empêcher son regard d'entrer en contact avec le papier ligné. *Ce qui me sépare de mon présent est comme une fine nappe de brouillard, un voile insaisissable, un mur invisible. Ils n'opposent pas la moindre résistance. Rien ne volerait en éclats si je les traversais. Car au fond, il n'y a rien du tout entre moi et le monde. Un seul pas suffirait. Pourquoi ne l'ai-je pas franchi depuis longtemps ?*

Tandis qu'il balayait encore les mots du regard, Perlmann referma lentement le cahier et il ne put attraper au passage la question finale qu'en penchant rapidement la tête. Puis il enfouit le cahier dans son attaché-case et en attacha inutilement la courroie.

Lorsqu'il se redressa, son regard tomba sur les textes de von Levetzov empilés sur le bureau. Il n'allait pas tarder à penser : *Plus que neuf jours*, il le sentait avec certitude, et son cœur commençait déjà à battre plus rapidement. D'un geste hâtif, il attrapa une cigarette et étouffa cette pensée en regardant avec une concentration forcée le texte de Leskov.

Sur presque cinq pages, il le vit rapidement, le texte continuait à traiter des impressions sensorielles mémorisées avant que s'ouvre le passage final consacré à l'appropriation du passé. Ses notes l'avaient empêché de terminer aujourd'hui, puis il avait aussi gaspillé des heures à tenter de rédiger une version italienne. La mauvaise conscience l'envahit et sans le vouloir, il se défendit contre ce poids en s'obligeant à se persuader que cette mauvaise conscience tenait à la traduction et non pas à la lecture pour la séance du lendemain sur laquelle il avait fait l'impasse.

C'était quelque chose de bien déterminé qu'il cherchait tandis que, attendant l'effet du somnifère, il sombrait dans un demi-sommeil. Il le reconnaîtrait immédiatement ; mais cette impression abstraite de détermination ne suffisait pas encore à savoir quelle porte ouvrir dans quel corridor de sa mémoire. Ce n'est qu'une fois qu'il eut abandonné ses tentatives pleines d'efforts que cela apparut soudain : à l'époque, au cours du voyage à Venise, il n'avait pas pensé une seule fois à la phrase de son père concernant Mestre. Stupéfait, il enfouit son visage dans l'oreiller et se laissa glisser dans l'oubli. Au dernier moment, il se réveilla en sursaut et s'appuya sur ses coudes, les mains croisées, les pouces contre le haut du nez. À nouveau, il se battait avec les images atroces de Pékin qui ridiculisaient le fait que quelqu'un puisse trouver importante la question de savoir si, des années auparavant, il avait oui ou non pensé à une phrase en particulier. Et encore une fois, ce combat se termina par un sentiment d'opposition qui se faisait d'autant plus violent à mesure que le problème paraissait impossible à justifier.

Épuisé, il laissa retomber sa tête dans l'oreiller et ne tarda pas à basculer dans un rêve où il ne se passait rien si ce n'était qu'il cherchait, en nage comme avant un examen, le nom chinois de la grande place de Pékin. Sa quête vaine le rendait tellement furieux qu'il n'arrêtait pas d'inscrire le mot insaisissable, fantomatique, dans un carnet à carreaux, jusqu'à ce que ses notes deviennent des phrases de ses parents qu'il soulignait à gros traits alors qu'il cherchait à les rayer. Finalement, il posa violemment le cahier à l'envers sur la table et s'étonna de voir que, bien que ce fût sans nul doute le cahier de Sandra, sa couverture était en similicuir noir.

16 – Signor Perlmann !

Maria le rattrapa au moment où, le lendemain matin, à neuf heures passées depuis cinq minutes, il traversait le hall à la hâte.

– Je voulais seulement vous demander quand je pourrai commencer à saisir votre texte. La situation est la suivante : maintenant que sa vieille machine à écrire est réparée, signora Sand ne me donne plus rien à faire, et Evelyn, je veux dire signorina Mistral a son propre ordinateur. Giorgio est loin d'avoir terminé, alors je me suis dit que j'allais vous poser la question. Maintenant j'aurai du temps, et on m'a dit que vous interviendriez dans dix jours. Signor Millar a du travail à me donner, mais il va de soi que vous avez la priorité.

Perlmann ferma les yeux pendant un court instant et mobilisa son autre main pour lui venir en aide quand il sentit que la pile de documents sous son bras – y compris les textes de von Levetzov – menaçait de s'écrouler.

– Dans environ quinze jours, dit-il d'une voix atone, j'interviendrai dans à peu près quinze jours.

Maria arrangea le foulard en soie jaune dans le décolleté de son pull-over noir brillant et le regarda, décontenancée. Le cœur de Perlmann battait si violemment qu'il eut l'impression qu'elle devait l'entendre.

– Je cède volontiers ma place au signor Millar, finit-il par dire avec un sourire qui lui parut aussi artificiel que celui des stewards dans l'avion.

– *Va bene*, dit Maria sur un ton hésitant.

Il n'entendit pas le claquement de ses talons sur le sol de marbre lorsqu'il tourna dans le corridor en direction de la véranda. Elle devait le suivre des yeux, l'air songeur.

Von Levetzov était justement en train de remettre sa montre dans sa poche de gousset lorsque Perlmann s'assit. Cet homme aux cheveux noirs et lisses et aux lunettes à la monture invisible qui portait aujourd'hui une nouvelle cravate et ressemblait plus que jamais à la caricature d'un sénateur allait tellement bien avec le fauteuil au haut dossier sculpté qu'on aurait pu croire qu'il avait été fabriqué exprès pour lui.

– Il faudrait que nous commencions par vous dire, il se tourna vers Perlmann, que nous avons décidé de nous réunir désormais aussi dans la deuxième moitié de cette semaine. Il nous a subitement semblé insensé de gaspiller le peu de temps que nous avons. Laura interviendra jeudi et vendredi, Evelyn au début de la semaine prochaine et dans dix jours ce sera votre tour. De cette façon-là, il nous restera à la fin quelques jours que nous pourrons employer comme des jokers, cela dépendra de la disponibilité de Giorgio. Bien sûr, seulement si cela vous convient, ajouta-t-il avec une expression dénuée de tout soupçon.

Perlmann avait les yeux dans le vague. La panique feinte d'Evelyn Mistral le toucha comme une pitrerie de mauvais goût, et en même temps elle était aussi irréelle qu'une scène sur une décalcomanie.

– *It's okay,* s'entendit-il dire d'une voix caverneuse.

– *Fine*, dit von Levetzov et il commença à commenter ses textes.

Mardi au plus tard mon texte doit être dans les casiers.
Il faut que je donne quarante-huit heures à Maria. Le
samedi elle ne travaille pas. Donc vendredi matin. Il faut
que je termine jeudi dans la nuit. Il ne me reste que
quatre jours, dont trois demi-journées sont foutues à cause
des séances de travail. Deux jours et demi. Et les nuits.
Autrefois j'ai écrit dans le silence d'une seule nuit la moi-
tié d'un article. Autrefois. Il y a bien longtemps. C'est
seulement en interceptant les regards de ses collègues
que Perlmann se rendit compte que von Levetzov lui
avait manifestement posé une question.

— *Yes,* dit-il à tout hasard et il remarqua au froncement de sourcils de Ruge que cette réponse n'avait
aucun sens. Le visage en feu, il se mit à feuilleter le
texte et attendit jusqu'à ce que von Levetzov reprenne
avec un :

— *Well, then...*

Pendant un très long moment — deux heures peut-
être — Perlmann n'écouta rien de ce qui se passait
autour de lui. Il ne trouva qu'un seul moyen de résister à la panique surpuissante qui l'accablait : il se mit
au travail. Il nota méthodiquement dans son calepin
une liste de tous les sujets sur lesquels il n'avait jamais
travaillé. Puis il prit pour chaque mot-clé une nouvelle
page et nota les associations qui lui venaient à l'esprit
autour de ce mot. Avec différentes sortes de flèches, il
marqua les relations des sujets entre eux. Une structure
s'en dégagea. Petit à petit il se calma et à sa tension
intérieure se substituèrent bientôt les coups de boutoir
de ses maux de tête. Enveloppé dans le mince cocon
d'une assurance forcée, il se leva tout à coup et s'en
alla, ignorant le silence en train de s'installer entre deux
interventions, sans un regard pour ses collègues.

De l'aspirine, elle en avait toujours sur elle, dit Maria
en commençant à fouiller dans son sac à main.
Lorsqu'elle ne trouva rien, elle se passa les deux mains
dans sa chevelure brillant de laque et détruisit ainsi la

choucroute en surplomb au-dessus de son front telle une visière. Elle finit par trouver les comprimés sous un fouillis de papiers sur son bureau, proposa à Perlmann son verre rempli d'eau minérale.

Il lui donnerait son manuscrit vendredi matin, dit-il en reposant ensuite le verre sur le coin de son bureau. Le froid qu'il sentait dans ses doigts ne pouvait pas seulement provenir du contact avec le verre, se dit-il, sa main gauche elle aussi était glacée. Pourrait-elle avoir terminé pour le lundi soir ?

Elle voulut savoir quelle était la longueur du texte. La question le décontenança, et il eut pendant quelques instants l'impression de chanceler.

– Car les textes des autres sont tellement longs, dit-elle avec un sourire en guise d'excuse lorsque le silence s'étira en longueur.

– Peut-être cinquante pages, dit-il gauchement, il s'excusa cérémonieusement pour le comprimé et sortit du bureau.

Il s'avança un moment vers la porte vitrée de l'entrée. Le ciel au-dessus de la baie qui dégageait une étrange impression d'ennui semblait ce matin-là n'avoir absolument aucune couleur. *Disparaître derrière l'éperon rocheux.* Il ne voulait pas ressasser cette idée et se força à retourner dans la véranda.

Cette fois-ci, la discussion ne marqua pas de pause. La voix d'alto de Laura Sand avec son irritation de fumeuse continua son flot. Perlmann s'assit et regarda ses notes. Des mots, rien que des mots sans lien entre eux. Comment avait-il pu croire tout à l'heure que ce gribouillage pourrait l'aider à sortir de l'impasse ? Sans oublier qu'il était censé écrire un texte sur les rapports entre langage et mémoire.

À présent, les autres se penchaient en avant comme s'ils obéissaient à un ordre et feuilletaient les textes de von Levetzov. Pour ne pas se faire remarquer, il se mit lui aussi à les feuilleter. Mais ça n'allait pas : les feuilles étaient encore marquées par la photocopieuse et collaient les unes aux autres, si bien que chaque fois il ne pouvait qu'en saisir plusieurs en même temps. Perlmann essaya en vain de séparer les feuilles les unes des autres, et son pouce, son pouce repoussant, avec ses rainures ridicules sur l'ongle, devint de plus en plus grand sous ses yeux douloureux, de plus en plus laid, comme s'il tenait au-dessus de lui un verre grossissant impitoyable. Au-delà du pouce en train d'enfler, il perçut les regards amusés et méchants des autres, et ce qu'il ne pouvait pas voir, il le sentait.

Qu'il n'ait pas jeté à la tête des autres les piles de papiers collées ensemble et qu'il ne se soit pas tapé le front contre la table lui parut rétrospectivement un miracle. Au tout dernier moment quelque chose intervint insensiblement si bien que, sans rien manifester extérieurement, il se mit à détacher les feuillets de l'un des textes avec un léger crissement électrique et à inscrire quelques signes en marge.

Pourtant ce calme qui venait de le sauver n'était qu'une façade. Dans la discussion qui suivit, Perlmann prit la parole, et ce qu'il exposa pendant presque une demi-heure dans un silence de plomb, embarrassé, était un règlement de comptes véhément et impitoyable avec la linguistique telle que von Levetzov la concevait, et pas seulement lui.

Après les premières phrases prononcées sur un ton hésitant et au cours desquelles il dut à plusieurs reprises s'éclaircir la voix, il parla avec un calme et une aisance qui l'étonnèrent lui-même, qui de minute en minute se confortèrent, et les pauses au cours desquelles il tirait sur sa cigarette soulignaient encore, se dit-il, la fermeté de ses convictions. Pendant qu'il parlait il ne regardait personne en particulier, il fixait au contraire son regard sur le bois rougeâtre et luisant de la table de conférence, après avoir, au début de son intervention, caché avec une feuille de papier l'image qu'elle lui renvoyait de lui-même.

Il n'avait aucune idée d'où lui venait tout ce qu'il disait. Il ne l'avait encore jamais pensé sous la forme d'idées précises, mémorisées et pourtant tout lui semblait familier et évident, comme une conviction qu'on a portée en soi pendant la moitié de sa vie. À ce moment-là, il était furieusement décidé à laisser se dérouler ce processus étonnant aussi longtemps qu'il en serait capable, quelles que soient les réactions des autres. Il faillit à un moment perdre le fil, parce que l'idée lui traversa l'esprit que cet instant pourrait être un instant rare du présent – de ce présent qui avait quelque chose de particulier car il ne venait pas de l'extérieur, du monde, vers lui, mais avait sa source complètement en lui, si bien qu'il eut l'impression que le temps dans son ensemble ne prenait pas un cours indépendant mais que c'était quelque chose d'intime, un aspect de lui-même qui, selon le degré de liberté qu'il lui laissait, se déployait dans le monde sous une forme plus ou moins riche. À cette idée, Perlmann éprouva une sorte de vertige, il s'embrouilla, se répéta, et c'est seulement lorsqu'il eut écarté toutes ces considérations qu'il retrouva le fil de son intervention.

Dans la suite de ses propos, il veilla à ce que sa critique concerne expressément et avec une netteté meurtrière ses propres travaux. Il voulait ainsi atténuer l'impression, inévitable pensait-il, qu'il engageait un combat personnel contre von Levetzov. Alors qu'au fond de lui ses paroles n'avaient plus rien à voir avec von Levetzov : elles étaient dirigées contre Brian Millar dont il ne prononça pas une seule fois le nom. Tandis que, fixant comme un aveugle l'acajou, il se représentait le visage de Millar, ses phrases se firent de plus en plus acérées, son choix de mots de plus en plus incontrôlé jusqu'à devenir vulgaire. Sur les bords de son champ visuel, le monde commençait à devenir délavé et trouble, si bien qu'il proférait ses critiques au fond d'un tunnel aux reflets intérieurs rougeâtres qui lui renvoyait en pleine figure la phrase de son père à propos de Mestre et sa propre phrase sur le fait de dire non, comme si ces deux phrases venaient en même temps de l'intérieur et de l'extérieur. Consterné, il sentit que tout en lui était épouvantablement sens dessus dessous, il n'y avait rien où prendre appui, il parlait, parlait, fendant l'air comme un couperet, jusqu'à ce que l'énergie de son affirmation de soi désespérée finisse par céder la place à un sentiment d'épuisement.

Pendant un moment personne ne dit mot. On entendait des voix provenant du salon, et de dehors le bégaiement d'un canot à moteur qui ne voulait pas démarrer. Du coin de l'œil, Perlmann vit, avec angoisse, Laura Sand ajouter quelques détails aux personnages qu'elle dessinait dans son carnet de notes.

Le premier regard qu'il rencontra fut celui de Silvestri. C'était un regard d'une vigilance triste et calme, un regard comme il devait en porter sur un patient confus ou en larmes, sans aucune condescendance professionnelle, teinté d'une ombre de solidarité, mais c'était aussi un regard qui laissait transparaître la volonté de ne pas sortir de ses gonds, quoi qu'il pût lui arriver.

Perlmann se serait volontiers raccroché à ce regard, mais il y avait les autres : Achim Ruge nettoyait ses lunettes avec un coin de son chandail ; Evelyn Mistral l'effleurait d'un regard timide tout en jouant, embarrassée, avec le fermoir de son bracelet blanc ; Brian Millar, les bras aussi énergiquement qu'ostensiblement croisés et la tête inclinée, inspectait ses ongles. Et finalement, Adrian von Levetzov, que Perlmann regarda en dernier, certain qu'il venait de s'en faire un ennemi. Il avait retiré ses lunettes et les balançait dans l'une de ses mains, tout en se frottant les yeux avec le pouce et l'index de l'autre. Perlmann ne l'avait encore jamais vu sans lunettes et les poches sous les yeux visibles à ce moment-là l'effrayèrent. Pendant quelques secondes d'angoisse au cours desquelles espoir et peur déteignirent tour à tour l'un sur l'autre, il attendit la réaction de von Levetzov.

C'est alors que cet Adrian von Levetzov, à l'élégance désuète dont Perlmann avait secrètement ri avec mépris, lui infligea une sacrée honte. En prenant son temps, il remit ses lunettes, s'assura qu'elles étaient bien à leur place en faisant glisser deux doigts le long de la courbe de la monture derrière l'oreille. Puis, d'un air pensif, il repoussa doucement les papiers étalés devant lui, s'appuya complètement contre le dossier de son siège, croisa ses mains sur sa tête – un geste que Perlmann ne l'avait encore jamais vu faire et dont il ne l'aurait pas cru capable, sans pouvoir s'expliquer pourquoi.

– Récemment, au cours d'un colloque à Londres, commença-t-il – et, après un bref coup d'œil à Perlmann, il porta son regard au-delà de la tête de ce dernier comme s'il cherchait quelqu'un près de la piscine –, j'ai revu au théâtre *Macbeth*. J'étais seul et décidé comme jamais à ne pas m'en laisser conter. Je me suis littéralement laissé submerger par ce merveilleux anglais de Shakespeare. Et soudain j'ai eu le sentiment que rien n'était plus gratifiant dans le domaine du langage que cette expérience d'immersion dans la langue. Dans les minutes qui me séparaient de l'entracte j'ai pensé que notre métier avait quelque chose de fade, presque de ridicule, et j'étais sur le point de me débarrasser de l'uniforme de notre métier comme d'une peau fatiguée et usée. Les deux collègues que j'ai rencontrés au foyer m'ont trouvé assez bizarre, je crois. Et ensuite tout s'est évanoui d'un coup, comme un fantôme, et plus tard au pub j'ai eu une discussion véhémente avec eux sur une nouvelle parution dans notre discipline.

Du lointain, il ramena son regard sur Perlmann et lui sourit.

– D'une certaine façon, votre… explosion vient de me rappeler cet incident, dit-il en allemand. Seulement, je n'y peux rien. Ce n'est pas moi qui ai inventé notre discipline, n'est-ce pas ? Et elle n'est pas non plus si inintéressante que cela ; malgré Shakespeare. Sinon vous ne nous auriez pas fait venir jusqu'ici. Je me trompe ?

Perlmann baissa les yeux et secoua légèrement la tête, un mouvement sans intention ni signification claires qui se termina en un hochement de tête.

Ruge mit un terme au silence embarrassé.

– J'ignorais votre faible pour la poésie, Adrian, dit-il en ricanant et en dessinant des cercles virtuels sur le plateau de la table.

– Moi aussi, ajouta Millar, je suis curieux de savoir à quoi ressemble cette autre école, stimulante, des sciences du langage que Phil ne manquera pas de nous présenter la semaine prochaine.

Von Levetzov rangea lentement ses affaires, se leva et resta debout à sa place, les mains appuyées sur une pile de livres et de papiers. Il maintint son regard fixé sur le parquet au-delà de l'angle de la table, un regard interrogateur qui semblait né d'un vertige intérieur. Les traits de son visage, c'est du moins ce qu'éprouva Perlmann, révélèrent une indépendance qu'il n'avait encore jamais remarquée chez cet homme, et les yeux d'Evelyn Mistral restèrent eux aussi suspendus à son regard, comme on le fait seulement lorsqu'on remarque que quelqu'un est en train de se forger un jugement tout à fait personnel sur un sujet.

– Je ne sais pas, Brian, dit-il lentement – et le sourire avec lequel il se tournait maintenant vers Millar était en contradiction aiguë avec l'obséquiosité dont il faisait habituellement preuve dans sa relation avec son collègue américain, qu'il admirait –, il se peut que cela n'intéresse absolument pas Philipp. Il me semble qu'il ne s'agit absolument pas de cela.

Il jeta un regard rapide à Perlmann, puis se dirigea vers la porte comme s'il ne faisait pas partie du groupe.

Tout l'après-midi, Perlmann ne cessa de penser à l'attitude de von Levetzov et à sa dernière phrase. Il oscillait entre la sensation angoissante d'avoir complètement perdu son sang-froid et le sentiment libérateur de celui qui a fait un pas décisif pour se trouver lui-même, en défendant une opinion mal vue sans se soucier des conséquences.

Il lut enfin tous les textes dont il aurait dû avoir déjà connaissance ce matin. Ils ne l'intéressaient pas le moins du monde, ces textes, qui comme toujours chez von Levetzov étaient composés avec un soin pour ainsi dire maniéré. Il se contraignit cependant à les lire dans leurs moindres détails. Le lendemain, il voulait être bien préparé.

Mais caché derrière cette pensée, le désir l'aiguillonnait de remercier en silence l'homme de la Hanse à la haute stature – sur le compte duquel il s'était apparemment trompé sur toute la ligne – pour sa réaction pleine de bon sens. Aussi pour lui avoir adressé une phrase en allemand. Maintenant qu'il se remémorait ce moment, il avait l'impression de n'avoir jamais vécu l'intimité de la langue maternelle avec autant d'intensité et de reconnaissance. De temps à autre il revoyait le visage de von Levetzov sans lunettes qui donnait une impression d'extrême nudité. *Opéra. Et constamment Mozart. Alcool. Une comédienne.*

Soudain, au beau milieu de la lecture du troisième texte, il se leva, se glissa dans sa veste et descendit à l'étage de la chambre de von Levetzov. Il n'avait pas la moindre idée de la façon dont il allait s'excuser, et pour gagner du temps, il colla son oreille contre la porte. Von Levetzov était au téléphone, apparemment avec sa secrétaire.

– Dans ce cas, il nous faut modifier l'ensemble du programme, était-il en train de dire. Prévenez les inter-

venants pour qu'ils modifient leurs dates en conséquence. *All right,* c'est bon. Et qu'en est-il de la
demande de subvention à la fondation ? Aha... oui...
bon. Et les épreuves ?

Perlmann fit demi-tour et retourna dans sa chambre.
Encore une fois il se rappela la fin de la séance : la
phrase de von Levetzov, son attitude. Et maintenant
cette voix affairée, la voix d'un homme qui se consacrait à sa discipline. Les deux n'allaient pas ensemble.
Absolument pas.

Il parvint avec difficulté jusqu'au milieu du quatrième texte, puis s'interrompit et se rendit à la trattoria. En se frayant un passage à travers le rideau de
perles, il eut déjà le sentiment qu'il avait eu tort de
venir. Ce n'est qu'à grand-peine qu'il parvint à se
concentrer sur le récit du devoir sur table de Sandra, et
il l'oublia immédiatement. *Encore mardi, mercredi et
jeudi. Une journée entière et deux demi-journées. Et les
nuits.*

Lorsque le patron lui apporta la Chronique, il commença par la refuser ; puis il la prit et l'ouvrit à la page
de l'année où il avait été nommé à son premier poste
de professeur. Assassinat d'Aldo Moro. Élection du
nouveau président, Sandro Pertini. Mort du pape
Paul VI. Il referma le livre avec lassitude.

Ce qui s'était passé dans le monde à cette époque-là
ne l'intéressait pas. Il cherchait quelque chose de bien
différent, un souvenir qui essayait d'émerger et qui sur
le point d'y parvenir éclatait systématiquement comme
une bulle. Cela avait quelque chose à voir avec le piano
et une question qu'avait posée Kirsten, alors âgée de
cinq ans.

Perdu. J'ai perdu. C'était ça : c'est ce qu'il avait pensé
quand il avait déposé la lettre de nomination sur le
piano et essayé de jouer avec des doigts de plomb.
Apparemment la petite Kirsten devait s'être trouvée
depuis un moment déjà sur le pas de la porte, son ours

en peluche dans les bras, avant de lui demander pourquoi ce jour-là il faisait tant de fausses notes. *Tu es triste ? Nous allons déménager, Kitty, nous allons nous installer à Berlin. Ce n'est pas beau là-bas ? Mais si, ma fille. Alors pourquoi es-tu triste ?*

Papa est triste, dit-elle à Agnès, qui essoufflée déposait les sacs de courses. *Sottises*, dit-il et il lui montra en souriant la lettre. *L'agence de Berlin est plus importante*, dit-elle et elle lui donna un baiser.

S'il ne savait soudain plus que faire de la Chronique, c'était parce qu'il avait l'impression qu'on lui avait retiré sa corde de sécurité. Désormais la seule chose qui le retenait encore, c'était la traduction du texte de Leskov, se dit-il sur le chemin du retour, et il eut hâte d'arriver dans sa chambre.

Encore cinq pages consacrées à la thèse hasardeuse que le récit du souvenir crée aussi le contenu sensible de ce dont on se souvient. Une fois encore, Perlmann se fraya péniblement un chemin dans la jungle des mots insolites employés pour exprimer les différentes perceptions sensorielles, et au bout de trois heures, il avait une version anglaise de la partie que la veille il avait traduite directement en italien, avec de nombreuses fautes comme il le remarqua. Peu après arriva le passage embarrassant, pour lequel il s'était donné de la peine sur Proust. Le vocabulaire de la dernière page et demie sur ce sujet était à nouveau plus simple ; en revanche, l'argumentation de la conclusion était tellement lacunaire et audacieuse qu'il vérifiait constamment si cela ne tenait pas à la traduction. Pour finir il en conclut que Leskov avait bâclé son travail – il avait voulu à tout prix faire triompher sa thèse exotique selon laquelle le passé était une invention, apparemment il en était tombé amoureux.

Peu après minuit, Perlmann se rendit sur la Piazza Veneto pour chercher des cigarettes. Maintenant venait la conclusion sur l'appropriation, neuf pages, il en avait largement terminé sept d'entre elles, si l'on ne tenait pas compte des difficultés rencontrées avec le concept-clé du texte. Il voulait finir dans la nuit, pour pouvoir le lendemain après-midi définir les grandes lignes de sa propre intervention, de telle sorte qu'il pourrait le mercredi écrire son texte d'un seul jet. En même temps, il ressentait une angoisse étouffante à l'idée de devoir laisser de côté le texte de Leskov et d'être livré, seul, au vide de sa tête. À peine le paquet de cigarettes était-il tombé du distributeur automatique qu'il arracha le papier, et constata alors qu'il n'avait pas de feu. Il courut en frissonnant vers l'hôtel.

Il se saisit d'abord des deux dernières pages pour lesquelles il n'avait pas encore de texte anglais. Dans ces pages, Leskov résumait sa thèse sur la création d'un passé individuel par le récit. Et voilà qu'à nouveau il trichait et contournait une position dénuée de toute ambiguïté, en utilisant arbitrairement et sans explication tantôt un mot, tantôt un autre pour exprimer l'idée de *créer*. Il commençait avec *sozdavat'* et sans explication employait ensuite *tvorit'*. Pour les deux le grand dictionnaire indiquait *creating*. D'après les exemples donnés, le second mot convenait pour la création *ex nihilo*, on l'employait quand il s'agissait de la création divine. Le premier désignait plutôt la création artistique ou scientifique, donc une activité créatrice comme la création d'un personnage de roman. Une différence immense, se dit Perlmann, dont Leskov ne disait pas un traître mot. Ou était-ce seulement le sentiment du débutant qu'il avait soudain l'impression d'être ?

Puis surgissait tout à coup le mot *izobretat'*, traduit dans le dictionnaire par *inventing, devising*, et *designing* qui concernait des inventions, mais dans le sens de la construction d'objet, par exemple d'une machine, à partir de matériaux bien concrets. Découper d'une façon particulière son passé et en même temps sculpter d'une certaine manière son propre personnage – il y avait du vrai là-dedans. Cependant, c'était justement bien différent de l'idée qu'en faisant un récit de ce dont on se souvenait on s'inventait carrément ou même on se créait. Mais Leskov aurait encore préféré défendre la thèse limite de l'invention – Perlmann le devinait malgré toutes ses hésitations sur les termes employés et une fois apparut aussi le mot *pridoumat'* qu'il avait traduit par *thinking up*, comme quand on s'inventait une excuse par exemple.

La dernière phrase du texte. En anglais, elle ne sonnait pas de façon aussi grandiloquente, ce qui tenait surtout au fait que *essence* avait une tonalité plus légère, plus transparente que le sonore *Wesen* et, du moins Perlmann le supposait-il ainsi, que le *souchtchnost'* russe. Et qu'il soit essentiel à la langue de rendre l'expérience du temps plus variée – c'était une affirmation recoupant bon nombre de points contenus aussi dans ses propres essais.

Perlmann alla prendre dans son attaché-case le cahier en similicuir noir et s'énerva car il se cassa un ongle en ouvrant la courroie sottement serrée. Il relut ce qu'il avait lui-même écrit sur la formulation des souvenirs, et ensuite les passages concernant la langue et le présent. À certains endroits, le parallèle avec le cheminement de la pensée de Leskov l'épatait. Il remit le cahier dans l'attaché-case, sans serrer autant la courroie.

Dehors, il y avait maintenant un brouillard épais, on ne reconnaissait plus les lanternes sur la terrasse qu'aux tourbillons de lumière diffuse dans lesquels disparaissaient les nuages. Qu'est-ce qui l'avait poussé à prendre de la distance avec ses propres essais en passant par une autre langue ? *Peut-on avoir peur de s'approcher trop près de soi ?* Ou était-ce une autre peur qui avait été à l'œuvre ? Le peu que l'articulation dans la langue maternelle et seulement dans cette langue puisse modifier le vécu, si bien que l'expérience antérieure que l'on ne voulait pas perdre disparaîtrait d'un seul coup ?

Quoi qu'il en soit : en anglais, il pouvait lire ses observations comme si un autre les avait écrites, un autre qui avait une certaine affinité intellectuelle avec lui, tout en étant différent. Il ouvrit la fenêtre et sentit l'air frais de la nuit comme de la ouate humide sur son visage. Dans les langues étrangères aussi on pouvait se sentir caché comme dans le brouillard. Aucune agression exprimée dans une autre langue ne pourrait jamais l'atteindre, ne pourrait le pénétrer comme une agression dans sa langue maternelle. Et les phrases les plus personnelles, les plus intimes l'atteignaient moins elles aussi lorsqu'elles étaient tournées dans une langue étrangère. Car d'une façon paradoxale, il devait aussi se protéger contre ces phrases. Ou les choses se passaient-elles finalement de façon tout à fait différente : avait-il cherché à renforcer l'intimité en jouissant du secret qui n'en était pas un d'être l'auteur de ces lignes ?

Il avait beau tourner et retourner dans tous les sens les pages précédentes déjà traduites sur l'appropriation du passé, elles restaient confuses. Perlmann chercha encore une fois dans le dictionnaire les mots-clés, lut tous les exemples donnés et expérimenta toutes les combinaisons de traduction possibles. Pendant un instant il envisagea de traduire *osvaivat'* par *confer* qui n'était donné que comme traduction de *prisvaivat'* ; cela conviendrait bien à l'idée d'invention de Leskov. Pour finir il raya toutes les possibilités qu'il avait notées, sauf une ; cela ne le satisfit pas, il eut l'impression que c'était un choix arbitraire.

Le gris clair de l'aube suintait à travers le brouillard et les halos des lanternes brillaient d'un éclat blanc éblouissant. Perlmann empila soigneusement les feuillets manuscrits de la traduction. Quatre-vingt-sept pages. Il mit également de l'ordre dans le texte de Leskov et le rangea dans le tiroir avec son linge de corps. Puis il épousseta la table avec un mouchoir et vida le cendrier plein à ras bord. La traduction était terminée. Sa traduction. Elle était terminée. *Un soulagement, une étape réussie.*

Tremblotant, il commanda du café et dut à plusieurs reprises s'éclaircir la voix. Il grelottait de froid bien que le chauffage fût au maximum lorsque ensuite il laissa couler en lui le café. De temps en temps, il prenait la traduction en main et la feuilletait un peu, sans la lire. Il ne pourrait pas la montrer à Agnès. Il ne pourrait plus jamais lui montrer quelque chose. À neuf heures moins le quart, il se lava les yeux, prit sous son bras le texte de von Levetzov et descendit.

17 Lorsque les autres entrèrent dans la véranda et virent que Perlmann était déjà assis, ils interrompirent leurs conversations, et à peine eurent-ils pris place qu'ils se mirent à fouiller dans leurs documents. Perlmann ne leur adressa qu'un bref salut de la tête et continua à feuilleter ses notes.

— Bon, alors, continuons à nous occuper de cette science étrange, dit von Levetzov d'un ton enjoué et en quelques phrases il résuma le texte suivant.

Perlmann parvint à vaincre sa fatigue. Il lui fallut quelques instants pour extraire des souvenirs accumulés au cours de la nuit ce qu'il avait lu l'après-midi précédent ; mais ensuite son cerveau fonctionna comme un mécanisme bien huilé, et il réussit à faire des interventions qui contribuèrent largement à orienter le déroulement de la séance. À plusieurs reprises, von Levetzov lui demanda de répéter une objection, et il la nota. Seul Millar regardait le brouillard par la fenêtre avec un ennui ostentatoire pendant que Perlmann parlait. Evelyn Mistral ôta à plusieurs reprises ses lunettes tout en écoutant Perlmann avec l'expression d'un être qui se réjouit de constater la guérison d'un ami. Chaque fois qu'il le remarquait, il terminait son intervention plus vite que prévu.

– Eh bien, Perlmann, toujours sur le pont avec le gai savoir, dit von Levetzov en plaisantant lorsqu'il sortit de la salle.

Perlmann s'endormit dès qu'il fut sous la couette. Kitty, son ours en peluche dans les bras, lui posait en zézayant des tas de questions auxquelles il ne savait pas répondre. La seule chose qu'il savait était que le piano ne se trouvait plus là où il avait toujours été. Il n'était pas non plus à Berlin, là il n'y avait que des salles de cours avec des foules d'étudiants, et lorsqu'il rentrait à la maison et cherchait pour la énième fois dans les pièces hautes et sonores le piano, Agnès hochait chaque fois la tête et n'arrêtait pas de déballer des cartons de matériel pour sa chambre noire.

Il faisait déjà nuit lorsqu'il se réveilla, en sueur. S'il avait pu, il serait resté éternellement sous la douche et à plusieurs reprises il rouvrit le robinet dans l'espoir que l'eau ruisselant sur son visage change le regard qu'il portait sur l'avenir. Pour finir, il s'assit, en peignoir de bain, à la table ronde et laissa son regard glisser sur la traduction. Il avait oublié que dans les trente premières pages il avait laissé toute une série de blancs. Il constata avec satisfaction qu'il avait si bien travaillé sur les pages suivantes que les questions non résolues semblaient à présent limpides. Finalement, il raya aussi la remarque en marge *charge sensible ?* et fit en sorte qu'on ne pût plus la déchiffrer.

Seul le titre manquait encore. *Formitrovanie* signifiait *formation*. Donc : ON THE ROLE OF LANGUAGE IN THE FORMATION OF MEMORIES. Perlmann hésitait, il vérifia dans le Langenscheidt allemand-anglais *Rolle* et remplaça *role* par *part*. L'ensemble avait l'air un peu gauche, trouva-t-il, et en plus *formation* était faible en anglais, étant donné le sujet, quand on avait en tête les thèses radicales du texte. Leskov avait-il eu peur de son propre courage ? Si on cherchait *formation,* on trouvait *formirovaniye* et *obrazovaniye* avec la précision *(creation).* Quoi qu'il en soit : *creation* c'était, il n'y avait aucun doute là-dessus, *sozdaniye* ou *tvoreniye ;* c'étaient les mots que Leskov aurait dû préférer ici. Dans l'imbrication de la phrase programmatique qui lui avait donné tant de mal, il y avait bien *sozdavat'.* Perlmann s'arrêta un moment. Puis en caractères d'imprimerie, il écrivit tout en haut en marge : THE PERSONAL PAST AS LINGUISTIC CREATION. Pour le nom de l'auteur, il ne restait plus de place.

Pour effacer ses erreurs de la veille, il prit le chemin de la salle à manger. Maria était encore assise à son bureau devant l'ordinateur. Lorsque Perlmann la vit, il s'arrêta, se balança plusieurs fois sur ses talons, puis remonta dans sa chambre. Indécis, il prit la traduction dans ses mains, la roula à demi, puis la déroula. Pour finir il l'emporta.

Dans le hall les autres s'étaient entre-temps rassemblés. Il leur adressa un signe avec le rouleau de papier et entra dans le bureau de Maria.

— Je pensais que vous ne vouliez me donner votre texte que vendredi matin, dit Maria.

— Eh... c'est... ce n'est pas encore le texte, bredouilla Perlmann qui sentit son visage s'enflammer.

— Ah ! bon, c'en est encore un autre, dit-elle. Quel zèle vous avez tous !

Elle feuilleta le texte et s'interrompit tout à coup :

— Mais, il y a quelques lignes en italien ! Pourquoi les avez-vous rayées ?

— C'était... C'était simplement un essai, dit-il rapidement en faisant un geste dédaigneux.

– Pour quand voulez-vous le texte ? demanda-t-elle alors qu'il se tournait vers la porte. Je veux dire à cause de signor Millar.

– Ce n'est pas urgent.

Elle attacha les feuillets avec un grand trombone et le tint à distance d'elle.

– Joli titre, dit-elle en souriant. Où voulez-vous votre nom ? Au-dessus du titre ou en bas à la fin du texte ?

– Pas de nom, je vous prie.

Le *per favore* n'était pas approprié à la situation ; ce n'était pas seulement superflu, cela avait une tonalité ambiguë.

– Le texte est seulement pour moi, ajouta-t-il d'un ton raide.

Elle eut un hochement de tête comme si elle voulait dire qu'elle trouvait que ce n'était pas une bonne raison.

– *Va bene.* Comme vous voulez. On pourra toujours le rajouter. Et qu'en est-il de l'autre texte ? demanda-t-elle alors qu'il avait déjà la main sur la poignée. On reste à vendredi matin comme convenu ?

– Oui, dit-il sans la regarder.

– Au fait, Phil, dit Millar au moment où Perlmann allait tremper sa cuillère dans la soupe, à propos de Maria : elle m'a dit qu'elle avait du temps jusqu'à jeudi pour saisir mon texte. Mais j'ai pris cela pour un malentendu. Elle n'aurait eu alors qu'à peine deux jours pour votre contribution. Et je viens de vous voir lui remettre un document. Pas de problème. Jenny devra s'y mettre dès que je serai rentré.

La soupe brûla la langue et la gorge de Perlmann.

– Euh… non, non, vous pouvez…, commença-t-il, puis il ferma les yeux jusqu'à ce que la sensation de brûlure s'atténuât – il toussa et essuya les larmes de ses yeux. Je veux dire… Oui, merci beaucoup.

Millar le regarda d'un air songeur.

– *You okay ?*

Perlmann opina et dut s'essuyer encore une fois les yeux.

Il était content qu'ensuite chaque bouchée lui fasse mal en avalant. La douleur était quelque chose qui pouvait l'occuper pendant que les autres passaient en revue toute une série de collègues qui ces derniers temps n'avaient presque rien publié.

– Aujourd'hui, j'ai remarqué une fois de plus à quel point vous êtes un lecteur attentif, lui dit von Levetzov.

Perlmann laissa fondre la glace sur sa langue et l'avala par petites gorgées. Il avait trouvé repoussant, à l'époque, la façon dont sa mère, après son opération des amygdales, avait joui de son rôle d'infirmière.

– En même temps, hier soir on pouvait avoir l'impression qu'il détestait tout cela, gloussa Ruge en léchant sans la moindre gêne la crème qui s'était déposée sur sa lèvre supérieure.

Perlmann pensait à sa chambre d'enfant exiguë avec le papier peint à fleurs et il réussit à arborer un vague sourire.

– Au fait, dimanche dernier, il y a bel et bien eu un autre mariage dans notre église, dit Evelyn Mistral quand ils montèrent ensuite l'escalier ensemble. Cette fois-ci, je suis entrée. Un espace intérieur inhabituel. Partout des chaînes de lampions de couleur. Cela avait quelque chose de merveilleux. Irons-nous ensemble dimanche ? Maintenant que tu as terminé ton texte ?

Perlmann ne répondit rien.

– Bon, oui, on verra, ajouta-t-elle en lui touchant le bras. Tu as une mine, comme si tu avais passé ces derniers jours à travailler sans arrêt. Dors tout ton soûl !

Elle avait déjà tourné dans son couloir, mais elle revint sur ses pas. – Maria a aujourd'hui fait un tirage de mon texte pour toi. Il est dans ton casier. Tu pourrais me dire ce que tu en penses ? Surtout du point dont nous avons discuté récemment au café.

– Oui… bien sûr, dit Perlmann et il fit demi-tour dans l'escalier.

C'est seulement alors qu'il se rendit compte que depuis des jours il n'avait plus regardé dans son casier. Giovanni lui tendit une pile de documents. Les textes de Laura Sand pour le jeudi suivant en faisaient partie, ainsi que deux enveloppes envoyées par Frau Hartwig.

– Beaucoup à lire, dit Giovanni en grimaçant, tout en feuilletant un magazine. Perlmann se dirigea sans un mot vers l'ascenseur.

Il avait à peine déposé les papiers sur la table que le téléphone sonna.

– Imagine, ça a marché ! lui dit Kirsten. Lasker a commencé par froncer les sourcils, il a tripoté encore plus longtemps que d'habitude son nœud papillon. Une chance que Martin ait été présent. Mais quand ensuite j'ai réfuté un à un les principes de base, le vieux a pris un regard intéressé et a feuilleté le texte. J'ai continué sur ma lancée et je suis devenue de plus en plus impertinente. J'ai même attaqué l'affirmation selon laquelle des éléments d'une histoire trouveraient un écho dans chacune des autres. Et pour finir, j'ai expliqué que le romantisme était présent de façon différente dans chacune des deux histoires, même si ce n'était pas dans mes notes. Ensuite, je ne savais plus quoi ajouter. Mais à la fin tout le monde a longuement applaudi et Lasker a dit avec son ton grincheux : « Pas si bête, Fräulein Perlmann, pas si bête. » Incroyable : *Fräulein* Perlmann ! Il est bien le seul à pouvoir encore se permettre ça. Mais le commentaire – c'est ce que j'ai appris entre-temps – était un énorme compliment. Rends-toi compte, papa : le grand Lasker ! Je suis trop contente !

Elle avait le débit d'une mitraillette et c'est seulement vers la fin de ses propos qu'il se souvint qu'il s'agissait de son exposé sur *Les Palmiers sauvages* de Faulkner.

– Ça ne te fait pas plaisir ? demanda-t-elle comme il ne réagissait pas immédiatement.

– Mais si, mais si, bien sûr que ton succès me fait plaisir, dit-il maladroitement, et avant qu'il eût terminé sa phrase une panique étrange le submergea : pour la première fois de sa vie, il ne trouvait pas le ton juste pour parler à sa fille.

– Tes propos sont bien formalistes, dit-elle timidement.

– Ce n'est pas ce que je voulais dire, répliqua-t-il, et il se maudit d'être crispé à ce point.

Elle se domina – c'était perceptible – et retrouva son ton joyeux :

– Quand auras-tu terminé ton exposé, je veux dire ta conférence ?

– En milieu de semaine prochaine.

– Quand exactement ?

– Jeudi.

– Combien de temps durent vos séances de travail ?

– Deux, trois heures.

– Ah, mon Dieu, c'est deux fois plus long qu'un séminaire. Et tu dois parler pendant tout le temps ?

– Bah, oui…, dit-il si faiblement qu'elle n'entendit pas.

– Qu'est-ce que tu dis ?

– Rien.

– Papa ?

– Oui ?

– Tu as quelque chose ? Tes paroles ont l'air de venir de si loin.

– Rien. Ce n'est rien, Kitty.

– Il y a bien longtemps que tu ne m'as pas appelée ainsi.

Perlmann sentit son visage se décomposer.

– Dors bien, dit-il rapidement et il raccrocha.

Puis il enfouit son visage dans l'oreiller. Ce n'est qu'au bout d'une heure qu'il se déshabilla et éteignit la lumière.

Demain, demain il faut que j'en vienne à bout. En pensée il plaça bout à bout les heures de la journée suivante jusqu'à voir devant lui une portion de temps immobile ressemblant de plus en plus à une route toute droite, merveilleusement large et vide sur laquelle on avançait vers la ligne floue d'un horizon jaune ocre dans le chatoiement d'une atmosphère caniculaire.

18 Peu après six heures, il se réveilla avec la certitude qu'il devait immédiatement retourner chez lui pour se convaincre que tout ce qu'il avait écrit jusque-là n'avait pas été une imposture. Sans prendre de douche il se glissa dans ses vêtements, s'assura qu'il avait ses papiers, de l'argent et la clé de son appartement et se faufila hors de sa chambre comme quelqu'un qui prend la fuite.

Giovanni qui somnolait le regarda comme si c'était un fantôme et se trompa de numéro à trois reprises avant d'obtenir le standard des taxis. C'est seulement lorsque Perlmann fut assis au fond de la voiture qu'il remarqua à quel point il était à bout. Il s'étendit sur la banquette arrière, et au bout d'un moment le rêve qui l'avait à son insu tenu en haleine lui revint en mémoire. Ce qui était le plus évident là-dedans, et aussi le plus oppressant, était le frottement de son pouce mouillé de sueur sur la petite ardoise au cadre de bois, un mouvement qui lui collait à la peau comme une tare. Constamment il effaçait les conversions ratées de Réaumur en Fahrenheit et fixait le tableau qu'il aurait pu atteindre en tendant les bras depuis le premier rang.

— Qui n'a rien ? s'écria l'homme au nez épaté en chemise à col ouvert. Perlmann ne leva pas la main et retint son souffle tandis que son cœur cognait d'un bruit assourdissant, jusqu'à ce qu'il s'arrêtât soudain de battre lorsque le bras ridé de l'homme s'éleva du fond de son champ visuel et que ses doigts courts et noueux saisirent son ardoise vide.

Perlmann se redressa et demanda une cigarette au chauffeur. C'était un proverbe que le maître autrefois avait enfoncé dans sa tête avec un sourire jouissif. Mais il ne voulait plus lui revenir à l'esprit.

Lorsqu'il pénétra dans le hall de l'aéroport, il était sept heures moins le quart. Le premier vol pour Francfort décollait deux heures plus tard. Il acheta des cigarettes et but un café. Pendant qu'il attendait pour acheter son billet, il eut l'impression d'être vulnérable parce qu'il n'avait rien à lire.

L'avion s'éleva dans un ciel étincelant, et si l'on fermait à demi les yeux, la lumière se fondait avec l'éclat des ailes. Lorsque l'hôtesse apporta les journaux, Perlmann eut l'impression de s'éveiller du cauchemar que représentait l'hôtel et d'être de retour dans le monde normal. Il lut les journaux avec avidité, et pour un instant il parvint – pour ainsi dire au-delà de la lecture – à s'illusionner et à croire que tout était terminé et qu'il rentrait à la maison. Mais à peine l'avion amorça-t-il sa descente dans la couverture nuageuse qu'il remarqua que cette illusion se dissipait, laissant place à la seule pensée, désespérée, qu'il était en train de gaspiller la dernière journée entière qu'il aurait pu consacrer à écrire, et qui plus est, de la gaspiller en faisant le plus absurde des voyages.

Le paysage qui s'ouvrait en dessous des nuages était recouvert d'une couche de neige. Il n'avait pas pensé à cela et sa première réaction fut le désir d'arrêter l'avion et de faire demi-tour. Il oublia d'attacher sa ceinture en vue de l'atterrissage et une hôtesse peu amène le rappela à l'ordre. Lorsque les réacteurs s'arrêtèrent en sifflant, il aurait préféré rester assis comme au terminus du tramway.

Alors qu'il traversait le grand hall et passait devant une boutique qui vendait des livres et des journaux, son regard tomba sur le nom de LESKOV. Il sursauta comme quelqu'un surpris en flagrant délit dans le noir par le faisceau lumineux d'un projecteur. Il se hâta vers le présentoir sur lequel le livre était posé. La couverture montrait le fragment d'un tableau qui représentait le quai du palais à Saint-Pétersbourg, depuis la forteresse Pierre-et-Paul, avec la Neva au premier plan. C'est à cet endroit, qui avait semblé au peintre être celui qui convenait le mieux, qu'ils s'étaient tenus, Leskov et lui ; Perlmann eut l'impression qu'il devait s'agir très exactement du même endroit. C'était là qu'il avait contre son gré parlé d'Agnès à Leskov alors que le froid bloquait quasiment sa respiration.

Il ouvrit le livre avec excitation et lut les titres des nouvelles. *Il n'en a absolument pas parlé.* Puis, alors qu'indécis il tenait le livre dans sa main et faisait une première tentative pour dominer sa surprise, Perlmann remarqua enfin que l'auteur était Nikolaï Leskov dont il n'avait jamais encore lu une ligne, mais qu'il connaissait comme auteur célèbre de la littérature russe. Furieux contre lui-même, il reposa le livre. *Comme si quelqu'un dont les livres ont été traduits et sont vendus ici aurait les soucis matériels de Vassili Leskov !*

En réalité, sa colère n'était pas à imputer à son étourderie. Ce qui à chaque pas qu'il faisait en direction de la sortie le mettait en colère contre lui-même, c'était la nervosité dans laquelle la vue de ce nom l'avait plongé. Comme s'il avait nui à ce Vassili Leskov en le traduisant. Pourquoi s'était-il senti pris sur le fait ?

Il franchit la porte à ouverture automatique et, dehors dans le froid vif, se trouva presque nez à nez avec le doyen de sa faculté.

– Herr Perlmann ! Je vous croyais dans la douceur du Midi ! Au lieu de cela vous voilà ici dans notre hiver précoce en tenue estivale et vous grelottez. Il vous est arrivé quelque chose ?

– Que voulez-vous qu'il me soit arrivé, répliqua Perlmann avec un rire nerveux, il faut que je règle ici une affaire sans importance ; ce soir, je serai à nouveau dans le Sud.

– Au fait, on chuchote que vous auriez reçu une invitation à Princeton. J'en profite pour déjà vous féliciter. Un peu de votre gloire rejaillira sur notre faculté, n'est-ce pas !

– Je ne suis pas au courant, dit Perlmann, et la fermeté de sa voix lui redonna un peu d'assurance.

Il était gelé.

– Vous avez froid, dit le doyen, je ne veux pas vous retenir plus longtemps. Après Noël, vous allez certainement faire un rapport détaillé à notre faculté – nous qui vous avons laissé filer en plein semestre. Tout le monde n'a pas vu cela d'un bon œil, ce qu'on peut comprendre.

À cause d'un feu de circulation, le taxi s'arrêta à deux reprises devant la vitrine d'une librairie. Chaque fois, le volume de Nikolaï Leskov sautait aux yeux de Perlmann et il écumait de rage en constatant qu'il réagissait à sa vue comme s'il s'était agi de sa photo sur un avis de recherche. Au grand agacement du chauffeur, il baissa complètement sa vitre et inspira profondément l'air froid.

La boîte aux lettres débordait de publicité, l'appartement glacial sentait le renfermé et lui parut étranger. Au premier abord, il eut l'impression d'être un intrus qui ne devait toucher à rien. Puis il ouvrit la porte du balcon et avec ses chaussures d'été, fit deux pas qui crissèrent sur la neige.

Il enfila un pull-over épais. Il ne mit pas le chauffage en marche. Il ne pouvait pas habiter ici en ce moment.

Allongé sur le ventre devant le bahut, portes grandes ouvertes, il lut ses travaux. La dernière fois qu'il s'était trouvé ainsi allongé par terre, il était encore un jeune garçon et surmontant toutes ses angoisses, il savourait cette position inhabituelle.

Il était étonné de ce qu'il lisait. Non pas seulement du fait qu'il avait un jour su, pensé tout cela, qu'il en avait discuté. Son écriture aussi l'étonnait, son style qui tantôt lui plaisait, tantôt lui déplaisait totalement et lui semblait particulièrement étranger. Il ne lisait aucun texte en entier, au contraire, il fouillait fébrilement dans la montagne des tirés à part, lisant ici le début, là une ébauche, et parfois seulement quelques phrases en plein milieu. Que cherchait-il ? Pourquoi était-il venu ici ? Il était fou de croire qu'il pourrait de cette façon déceler s'il avait copié ou non. Et pourquoi ce soupçon qui jusqu'ici ne l'avait même pas effleuré en rêve ? Il avait donné toutes les références, avec une précision méticuleuse, ses sources remplissaient toujours plusieurs pages.

Il alluma en hésitant une cigarette et se rendit à la cuisine pour se faire un café. Le pain dans la panière était dur comme du bois. Il emporta la cafetière dans le séjour. De son divan, il regardait la neige voleter dehors. Le décor blanc lui était tellement étranger qu'il lui était impossible de penser qu'il ne faisait qu'un, dans le temps, avec le golfe devant l'hôtel. Il refusait ce monde blanc à l'extérieur et se réfugiait sur la terrasse de l'hôtel, près des pins tordus, du fauteuil rouge à côté de la fenêtre, du ruban des lumières de Sestri Levante. Mais sur ces images s'étendait une pellicule diffuse de peur et d'angoisse dont il les débarrassa jusqu'à ce qu'elles se fondent dans un monde serein, méditerranéen où il n'y avait plus que le rire rayonnant d'Evelyn Mistral, la main fine et blanche de Silvestri tenant une cigarette, le visage bonhomme de Ruge, la poignée de main ferme de Millar. Et d'innombrables couleurs répondant à de multiples dénominations.

La sonnerie du téléphone le fit sursauter. D'un geste du bras, il renversa la cafetière et fut comme paralysé lorsqu'il vit le liquide brun tomber goutte à goutte sur le tapis de couleur claire. La sonnerie s'arrêta, puis reprit. Elle dura très longtemps. Il compta les sonneries, sans raison. À la quatorzième, il se leva subitement. Lorsqu'il décrocha, il n'y avait plus personne.

Il remporta lentement la cafetière et la tasse à la cuisine, les lava. Il était près de trois heures. Son avion n'était qu'à six heures. Il s'assit tout au bord de la banquette du piano et souleva le couvercle. Non, cela ne pouvait pas tenir à la façon dont Millar touchait le clavier, ce ne semblait pas non plus être un jeu de pédales. Comment Millar s'y prenait-il pour que les séries de notes donnent l'impression d'une étrange simultanéité avec sa propre expérience ? Lorsqu'il referma le couvercle, il vit la trace de son doigt sur la poussière et l'effaça.

Devant la fenêtre à côté de son bureau, il y avait une photo d'Agnès, une photo grave sur laquelle elle tenait son menton appuyé sur sa main. Il évita son regard et se releva. Quelque chose s'était glissé entre eux. Elle n'avait pas été au sens conventionnel du terme ambitieuse. Malgré tout : aurait-elle compris ce qu'il lui était arrivé là-bas, dans le Sud ? Et aurait-il osé lui confier le peu qu'il en savait ?

Il se dirigea en hésitant vers la chambre d'Agnès où la température semblait être encore plus glaciale. Il caressa ses photos du regard. C'était insensé : bien sûr, il avait toujours su qu'il s'agissait de travaux en noir et blanc. Il n'était pas aveugle. Mais c'est seulement maintenant, ce fut son impression du moins, qu'il lui fut évident ce que cela signifiait : il n'y avait aucune couleur dessus. Absolument aucune. Pas de *bleu outremer*, pas de *rouge anglais*, de *magenta*, de *sanguine*.

J'ai retenu les noms. Son estomac lui fit mal.

À ce moment-là, son regard tomba sur le dictionnaire allemand-russe en deux volumes qu'Agnès avait triomphalement rapporté un jour à la maison, après l'avoir longtemps cherché. Il l'ouvrit, chercha : *recopier (devoirs du soir, solution) : spiyvat'. Pomper.* Il referma doucement la porte derrière lui qui jusque-là était restée ouverte.

Il ne jeta qu'un rapide coup d'œil dans la chambre de Kirsten. Depuis le mois de septembre ne s'y trouvait plus que la moitié de ses meubles. Le reste était à Constance. Elle avait emporté l'ours en peluche, mais pas la girafe. Le jour de son déménagement, il était allé de bonne heure à son bureau, et il n'était rentré que tard dans la nuit après avoir été au cinéma. Ce n'est que le lendemain qu'il avait trouvé le courage d'ouvrir la porte de la chambre de Kirsten.

Perlmann donna au chauffeur de taxi l'adresse de son médecin traitant. Sans une nouvelle ordonnance, il n'aurait pas suffisamment de somnifères. Le cabinet était fermé pour cause de congés et l'assistante du remplaçant, dans le cabinet voisin, resta implacable : non, pas d'ordonnance sans en avoir référé au médecin, et celui-ci faisait des visites à domicile jusque dans la soirée. Furieux, Perlmann se fit conduire à l'aéroport. En pénétrant dans le hall, sa colère avait laissé la place à un sentiment d'impuissance. *Je ne peux pourtant pas demander à Silvestri.*

Les récits de Nicolaï Leskov n'avaient vraiment rien à voir avec lui, ne cessait de se répéter Perlmann tout en faisant la queue à la caisse, le volume en main. Malgré cela, une fois dans la salle d'attente il ouvrit immédiatement le livre et se mit à lire sans plus attendre, comme s'il s'était agi d'un document secret. Même en montant dans l'avion, il garda le livre sous le nez et ne s'assit pas à la bonne place.

Pourrait-on penser cet homme informe dans son manteau en loden élimé capable d'un tel texte ? Cet homme essoufflé à la chapka de fourrure, à la pipe et aux dents jaunies ? Perlmann compara le texte avec des phrases de sa traduction, péniblement et sans la moindre idée de la façon dont on pourrait résoudre ce genre de questions bien au-delà des frontières des genres littéraires. Ils étaient depuis longtemps déjà au-dessus des nuages lorsqu'il réussit enfin à se dégager de l'obsession de cette occupation absurde. À peine avait-il refermé et reposé le livre qu'il avait déjà oublié ce que racontait la nouvelle.

– Pas assez captivant ? lui demanda avec un sourire aimable l'homme rondouillard sur le siège voisin, qui lisait un roman à deux sous.

Dans l'obscurité un dernier rayon de lumière recouvrait la mer de nuages. Perlmann éteignit la veilleuse et ferma les yeux. Oui, c'était cela : Agnès l'avait regardé depuis sa photo, comme si elle devinait ses pensées – même celles qu'il ne connaissait pas encore lui-même. Il tenta de chasser ce regard, en essayant de le remplacer par le visage qu'elle avait de son vivant, un visage qui riait, un visage offert au vent balayé par ses cheveux virevoltants. Mais ces souvenirs ne durèrent pas, ils ne tardèrent pas à laisser la place aux images d'une classe dans laquelle l'homme, toujours dans la même chemise à col ouvert, était assis à un pupitre surélevé et aboyait dans la classe le nom des élèves en postillonnant. Et tout d'un coup, il fut là le proverbe : *L'honnêteté finit toujours par être récompensée, pas vrai, Perlmann ?*

Perlmann demanda un verre d'eau à l'hôtesse et ignora les regards curieux de son voisin en refermant les yeux. Peut-être s'en serait-il sorti autrefois en latin et en grec sans le petit carnet étroit sous le banc. Mais il n'avait pas pris le risque. Car en réalité les langues étrangères ne lui avaient jamais paru faciles. Il ne pouvait être question d'un talent quelconque. Pour lui il n'en allait pas comme pour Luc Sonntag qui décortiquait immédiatement les constructions les plus alambiquées de l'ablatif, sans manquer pour autant de fréquenter des filles. Il était appliqué et perfectionniste – tellement perfectionniste qu'il n'était pas rare qu'Agnès se soit enfuie de la pièce parce qu'elle trouvait son perfectionnisme redoutable. Par la suite, il s'était encore plus acharné à consolider sa volonté et il avait continué à bûcher pour plus tard pouvoir se réjouir de sa nouvelle compétence linguistique.

En cela, pensait-il, il était bon, peut-être était-ce la seule chose où il était bon : entreprendre un effort avec une volonté ferme sans égale, par amour pour un but lointain, un savoir futur qui le rendrait un jour heureux. Renoncer à ce bonheur, le repousser, il maîtrisait la chose de mille façons différentes, et son talent d'innover était intarissable lorsqu'il s'agissait d'imaginer d'autres savoirs à apprendre pour être armé face à ce qui serait demain son présent. Et il s'était ainsi systématiquement menti à propos de son présent, avec un perfectionnisme insurpassable.

Lorsque l'avion atterrit, il eut le sentiment que les jeux étaient faits, même s'il ne savait pas lesquels. L'homme rondouillard à côté de lui corna une page de son livre et le rangea.

– Est-il tellement mauvais ? demanda-t-il en ricanant lorsqu'il vit que Perlmann laissait intentionnellement son livre sur la tablette.

Des installations industrielles près de l'aéroport s'élevaient des colonnes de fumée blanche dans le ciel nocturne. À pas lourds, Perlmann traversa le tarmac en direction du bâtiment rouge. Lorsqu'il prit son passe-port des mains du fonctionnaire, l'idée lui traversa l'esprit : *Je ne repartirai peut-être pas vivant d'ici.* Dans le taxi, il demanda au chauffeur de monter le son de la musique. Mais malgré cela, de temps à autre l'idée réapparaissait. Lorsqu'il pénétra dans l'hôtel, il fut reconnaissant à signora Morelli de le saluer d'un sec « *Buona sera !* », et ce soir-là cela ne le gêna pas qu'entre-temps la lumière ait encore une fois été rétablie dans son couloir.

Épuisé, il s'assit sur son lit et fixa pendant quelques minutes la pile de papiers sur son bureau ; les textes d'Evelyn Mistral et de Laura Sand, et le courrier de Frau Hartwig. L'épuisement se mua en indifférence et tout à coup une seule chose l'intéressa : il avait faim. Il prit rapidement une douche et descendit pour manger. En silence, comme quelqu'un qui a tout perdu, il engloutit son dîner et répondit aux questions avec la douce amabilité d'un convalescent.

Plus tard il resta longtemps éveillé dans l'obscurité, en ne pensant à rien. Il n'y avait plus lieu de calculer. Il ne pourrait pas donner de texte à Maria vendredi. La tension avait pris fin. Tout avait pris fin. Lorsque l'effet du cachet le submergea, il s'abandonna et capitula.

19 L'intervention de Laura Sand se déroula, dès le début, mieux que toutes les précédentes. La véranda était plongée dans l'obscurité et le projecteur envoyait des images du film sur un écran accroché un peu de guingois sur un trépied. Dans de longues séries d'images, les animaux révélaient un comportement qui ne pouvait être interprété que symboliquement. À de brefs intervalles, des nuages de fumée de cigarette croisaient le faisceau lumineux du projecteur. La voix de Laura Sand était étrangement douce et semblait pour cette raison parfois trahir un certain malaise qu'elle tentait de dissiper par une réflexion impertinente. Il n'y avait rien ni personne, c'était clair comme de l'eau de roche, qu'elle aimait autant que les animaux. Il lui arrivait parfois de montrer à plusieurs reprises la même série d'images, pour souligner une observation ou approfondir une explication. Mais elle repassait aussi des extraits au cours desquels les mouvements des animaux étaient tout simplement amusants. – Encore une fois, s'exclama Ruge à un moment, et à la surprise de Perlmann, Millar fit remarquer :

– Oui, où est donc le ralenti ?

Perlmann était content de pouvoir rester assis dans l'obscurité. Après avoir glissé dans sa bouche son troisième cachet d'aspirine de la façon la plus discrète possible et l'avoir avalé avec une gorgée de café, ses maux de tête commencèrent à s'estomper lentement et il se réfugia dans les vastes paysages de steppe qui formaient l'arrière-plan des scènes animalières. Souvent, Laura Sand n'avait pas pu résister et elle avait joué sur la lumière avec virtuosité jusqu'à ce que les corps des animaux se déplacent à contre-jour, comme les personnages d'un théâtre d'ombres. Et parfois, la caméra avait échappé à la discipline scientifique et balayait le paysage vide qui scintillait dans la lumière brûlante de midi. Perlmann parvenait alors à oublier que dans exactement une semaine, ce serait lui qui serait face aux autres.

Lorsqu'on remonta les stores et que tout le monde se frotta les yeux dans la lumière terne d'une journée pluvieuse, il était déjà plus de midi. Immédiatement une discussion enflammée démarra sur les concepts fondamentaux avec lesquels Laura Sand avait cherché à transmettre ses observations. Perlmann lui aussi intervint et la défendit d'une façon encore plus énergique qu'Evelyn Mistral. En ce sens, ses propos contredisaient tout ce qu'il affirmait habituellement dans ses publications, et plus d'une fois Millar haussa les sourcils, incrédule. La discussion n'avait même pas porté sur le quart des textes de Laura Sand qu'il fut l'heure du déjeuner.

– Eh bien, vous avez eu du cinéma aujourd'hui, lui dit en riant Maria qu'il croisa en chemin. Au fait : j'ai expressément redit au signor Millar que votre texte pouvait attendre, comme vous me l'aviez précisé. Mais il n'a malgré tout pas voulu que je tape son texte, je n'ai pas compris pourquoi.

Elle rit avec coquetterie et jeta un regard à son image qui se reflétait dans la porte vitrée.

– Je suis donc d'abord allée chez le coiffeur, puis j'ai commencé votre texte qui d'une certaine façon me plaît – si je peux m'exprimer ainsi. Je m'interromprai tout simplement demain quand vous m'apporterez l'autre, le texte urgent. *Va bene ?*

Perlmann fit signe que oui et fut content de voir apparaître von Levetzov qui l'entraîna dans la salle à manger.

– Tu as pu jeter un coup d'œil à mon argumentaire ? lui demanda Evelyn Mistral au moment du dessert.

– Oui, je l'ai fait, dit-il, en raclant le dernier reste de flan au fond de la coupelle et en réfléchissant fébrilement à la façon dont elle avait quelques jours auparavant, au café, exposé son problème.

– Alors ? Si tu trouves ça stupide, tu peux carrément me le dire, lui glissa-t-elle avec un sourire forcé.

– Non, en aucun cas. Je trouve bonne l'idée de placer le contexte au-dessus du concept de motivation. Il avait à peine terminé de prononcer cette phrase qu'il lui fut évident qu'en réalité il parlait de l'argument que Leskov avait développé dans ces quatre phrases qui lui avaient donné tant de mal.

La cuillère d'Evelyn Mistral tournait sans but dans la coupelle.

– Ah bon, oui. Ce serait aussi une idée, finit-elle par dire et elle lui jeta un regard embarrassé.

– Je... je vais m'y remettre cet après-midi. J'ai tellement peu de... temps.

Un je-ne-sais-quoi dans la voix à peine audible de Perlmann lui fit dresser l'oreille. Son visage se détendit.

– C'est bon, dit-elle en effleurant rapidement son bras de sa main.

Dans sa chambre, Perlmann essaya en vain de se concentrer sur les textes d'Evelyn Mistral et de Laura Sand. Sa conversation avec Evelyn l'avait au moins obligé à ça. Si ce matin, il avait pu montrer qu'il avait au moins travaillé sur ses textes, cela l'aurait un peu protégé contre tout ce qui allait maintenant irrémédiablement lui tomber dessus. Mais aujourd'hui, les textes le mettaient dans un état analogue à celui auquel il avait été en proie pendant le vol qui l'avait amené ici : il avait l'impression d'être aveugle, le sens des textes ne trouvait pas son chemin jusqu'à lui, l'écrit se déformait sous ses yeux en fioritures pédantes.

Pendant les heures qui suivirent, il erra lentement, sans but, dans la ville. La vitrine de la papeterie dans laquelle il avait acheté la Chronique avait été entièrement refaite. Perlmann fut contrarié de constater que ce changement le gênait ; il ne parvint à surmonter son trouble que quelques rues plus loin.

Une absurdité totale, se répétait-il toujours, lorsqu'il remarquait que quelque chose en lui s'obstinait à rendre la Chronique responsable du pétrin dans lequel il se trouvait. Au comptoir d'un bar où il était le seul à boire un café, son combat intérieur finit par cesser. Les nuages s'étaient découpés, le soleil scintillait dans les flaques d'eau, et tout d'un coup la vie sembla dehors reprendre rythme et couleur. Perlmann tint son visage dans le faisceau poussiéreux des rayons du soleil qui pénétraient par l'étroite porte en verre. Il éprouva brièvement un bonheur interdit, comme un écolier qui sèche les cours, et lorsque le soleil se cacha à nouveau, il s'accrocha de toutes ses forces à cette sensation qui cependant de minute en minute s'évaporait pour laisser la place à une peur sourde difficilement maîtrisée, mais parfaitement en accord avec la lumière sinistre qui remplissait à nouveau le bar.

Il fallait d'abord qu'il parle à Maria. Les collègues commenceraient seulement lundi prochain à s'enquérir de son texte et la situation ne s'aggraverait que mercredi. Cette idée apaisait un peu son angoisse, et il continua sa promenade sans but dans les petites rues adjacentes.

Il arriva de très bonne heure à la trattoria. La patronne lui apporta la Chronique et lui raconta, rayonnante, que ce matin le professeur de dessin avait fait des compliments particulièrement chaleureux à Sandra pour son travail. À la suite de cela, elle lui avait permis d'aller à Rapallo avec d'autres enfants. Perlmann s'efforça de lui sourire et se mit à manger les spaghettis qui aujourd'hui étaient déjà prêts. Le patron lui demanda où il était passé ces derniers jours, la question l'agaça et il fit semblant de ne pas avoir entendu.

Son intérêt pour la Chronique s'était définitivement dissipé, il le constata en la feuilletant. Mais juste au moment où il voulait refermer le livre, son regard tomba sur un tableau de Marc Chagall. Sur la reproduction bon marché en petit format, le bleu avait perdu de sa luminosité. Malgré cela, Perlmann avait immédiatement reconnu le bleu de Chagall. Le tableau était reproduit sur l'avis de décès du peintre. Perlmann rouvrit le livre et lut le texte. Cette date lui disait quelque chose d'insaisissable par le regard explorant la mémoire qui restait extérieur à la conscience, à sa périphérie, inaccessible comme le simple souvenir d'un souvenir. Cela n'avait rien eu à voir avec les couleurs de Chagall, il en était sûr. Depuis des années, il avait évité ce sujet pour ne pas devoir entendre une fois de plus le jugement sévère d'Agnès. Il n'avait absolument pas été question de Chagall ce jour-là, lui semblait-il, non, absolument pas. Il y avait une autre raison pour qu'il se soit subitement senti très seul. Mais elle s'obstinait à rester cachée derrière ses paupières fermées, ce qui suffirait à expliquer pourquoi la déception éprouvée autrefois semblait si étroitement liée à son angoisse actuelle.

La mémoire lui revint seulement lorsqu'il se trouva plus tard assis devant le téléviseur, tout aussi seul et désespéré qu'autrefois dans leur séjour, après qu'il avait annulé sa conférence. *Si c'est ton avis*, s'était contentée de dire Agnès lorsqu'il lui posa la question bien qu'il n'y eût plus d'alternative possible. Et lorsqu'elle lut sur son visage qu'elle l'avait blessé : *Ah bon, pourquoi pas, ça peut arriver à tout le monde.* Mais le ton badin et le geste dédaigneux de la main n'avaient pas réussi à masquer sa déception : son mari, une étoile montante dans sa discipline, n'avait pas réussi à écrire le discours solennel qu'il devait faire dans l'auditorium, bien que depuis des jours il y travaillât jusqu'à une heure avancée de la nuit.

Mais le pire, c'était que la petite Kirsten alors âgée de douze ans l'avait entendu, la veille, annuler sa conférence au téléphone, en prétextant qu'il était malade. *Mais pourtant tu n'es pas malade, papa. Pourquoi as-tu menti ?* C'était la seule fois où il avait souhaité que sa fille aille au diable, et il l'avait même haïe pendant quelques instants. Il s'était rendu dans le séjour et, contrairement à ses habitudes, il avait fermé la porte. Et ensuite, au cours du journal télévisé on avait annoncé la mort de Chagall. Il avait regardé les vitraux présentés dans le documentaire avec un tel engouement qu'il en avait eu honte quand il s'en était rendu compte et s'était hâté de changer de chaîne.

Perlmann avait perdu le fil du film qui se déroulait devant lui et il éteignit le téléviseur. Son souvenir remontait à sept ans. Pendant tout ce temps, il n'avait pas une seule fois pensé à cette conférence annulée. Et pourtant au cours des nuits qui à l'époque avaient précédé sa capitulation, il avait fait pour la première fois l'expérience qui actuellement le paralysait depuis des semaines : il n'avait rigoureusement rien à dire. Cette expérience soudaine avait été un si grand choc qu'il n'avait pas pu faire autrement que de la refouler. Sur ce point il avait bien réussi, car par la suite il avait écrit des douzaines de conférences qui avaient coulé de sa plume facilement, comme des évidences. Pendant tout ce temps il n'avait pas été perturbé par le moindre souvenir de son échec passé. Jusqu'à aujourd'hui où, rétrospectivement, cette soirée de la fin mars lui apparaissait comme le premier signe avant-coureur annonçant la catastrophe actuelle.

Il prit la moitié d'un cachet de somnifère, passa en revue toutes les chaînes de télévision et éteignit la lumière. Ce n'était pas tout à fait vrai que l'expérience refoulée en son temps ne lui était plus jamais revenue à l'esprit. Il se souvint du jour, il y a un an, où il avait tout à coup constaté qu'il était mentionné sur le programme d'un congrès comme l'orateur principal. La panique qui le submergeait trouvait ses racines, lui semblait-il maintenant, dans un conflit vécu six ans auparavant le jour de la mort de Chagall. *Pourquoi pas,* avait dit Agnès, lorsque, énervé, il lui avait déclaré qu'il ne pouvait tout simplement pas annoncer aux organisateurs du congrès qu'il n'avait rien à dire.

Les contours de son raisonnement commencèrent à devenir flous. Comment les différentes réactions d'Agnès, celle d'il y a sept ans et celle de l'an dernier s'harmonisaient-elles ? Il essaya de se la représenter en train de faire ces deux remarques. Mais le seul visage dont il se souvenait, c'était celui de la photo à Francfort, qu'il avait fui la veille parce qu'il en savait trop.

Quand plus tard toute pensée et toute volonté commencèrent à l'abandonner et qu'à tout instant le silence pouvait s'installer, il sursauta et tout se crispa derrière son front. Pour la quatrième fois, il alluma la lumière et se lava le visage dans la salle de bains. Puis il composa le numéro de Kirsten. Sa voix endormie était rauque.

— Oh, excuse-moi, dit-il, je t'ai réveillée.

— Ah, c'est toi, papa, un instant.

Il entendit un bruit, comme si on essuyait quelque chose, puis un silence. C'est alors qu'il regarda l'heure : une heure moins le quart.

— Bon, me revoilà — sa voix avait une tonalité plus claire. Il y a quelque chose de particulier ? Ou tu m'appelles seulement comme ça ?

— Euh... seulement comme ça. C'est-à-dire... En réalité je voulais te demander pourquoi Agnès... pourquoi maman n'aimait pas les couleurs de Chagall ?

Il se maudit d'avoir appelé comme ça, avec sa voix pâteuse, sans avoir au moins essayé auparavant de parler.

— Quelles couleurs ?

Il serra le poing et fut tenté de raccrocher purement et simplement.

— Les couleurs sur les toiles de Marc Chagall.

— Ah bon, Chagall. Tu prononces tellement mal. Eh bien... je n'en sais rien... quelle question bizarre. Vraiment, elle ne les aimait pas ?

— Non, elle ne les aimait pas. Mais maintenant autre chose : crois-tu qu'elle aurait compris si un jour je n'avais rien su dire ?

— Comment ça : *rien su dire* ?

— Si je..., je veux dire, si plus rien ne m'était venu à l'esprit.

— À quel sujet ?

– Sur... comme ça. Aucune idée. Alors que les autres attendent.

– Papa, tu parles par énigme. Quels autres ?

– Eh bien, les autres.

Il avait parlé si doucement qu'il ne savait pas si elle avait entendu.

– Je n'y comprends rien. Papa, qu'est-ce qui t'arrive ?

Il chercha à humecter sa bouche très vite et laissa sa salive se répandre sur sa langue.

– Rien, Kirsten. Je vais bien. Je voulais seulement parler un peu avec toi. Bonne nuit.

– Bah... oui, bonne nuit !

Il se rendit dans la salle de bains et prit encore un quart de comprimé. Par bonheur, il ne lui avait pas demandé si elle se souvenait encore de la conférence qu'il avait annulée. Il s'en était manqué de peu. Il se tourna sur le ventre et pressa son visage contre l'oreiller, comme s'il pouvait ainsi forcer le sommeil.

20 La deuxième séance de Laura Sand commença, elle aussi, par des films. C'étaient des documents tout à fait différents de ceux de la veille, mais au cours de la première demi-heure, elle montra de temps à autre des plans pour lesquels la lumière avait été mal calculée. Elle fustigea la mauvaise qualité des films, là-bas dans le Sud, mais Perlmann remarqua tout de suite que là n'était pas la cause. Il voyait presque aussi distinctement, comme si ces images avaient fait partie du film, Agnès en blouse blanche sortir de la chambre noire, furieuse contre elle-même et espérant se faire consoler. Au lieu de retrouver le fil du film, il resta sous l'empire de ces images et laissa son esprit vagabonder et se remémorer la nuit précédente, y compris sa conversation avec Kirsten. Il avait bredouillé

280

quelque chose sur Chagall et posé une question absurde sur Agnès. Le maudit comprimé l'avait empêché d'être précis. *Il faut enfin que j'arrête avec ça. Arrêter.* En saisissant la bouteille d'eau minérale il heurta la cafetière avec son verre et les autres tournèrent la tête vers lui. Par chance, Maria s'était trouvée tout à l'heure assise devant son écran. Ainsi n'avait-il pas eu besoin de dérouler les phrases qui devenaient encore un peu plus gauches chaque fois qu'il se les répétait intérieurement.

— *Dios mío*, s'exclama Evelyn Mistral à mi-voix.

Perlmann regarda devant lui. Les images sur l'écran étaient vraiment d'une beauté à couper le souffle. La lumière vitreuse d'un petit matin au-dessus de la steppe transformait les contours des maigres buissons en créatures mystérieuses et poétiques dont l'imagination s'emparait immédiatement et dans le contre-jour du soleil levant, le jaune délavé mélangé au gris clair de la steppe se perdait en une profonde immensité blanche. Ce cadrage, Laura Sand l'avait choisi et elle n'avait pas bougé jusqu'à ce que la fatigue commençât à faire trembler ses bras.

La caméra pivotait à présent lentement sur le côté et tout à coup la steppe apparut, parsemée de squelettes d'animaux.

— *Jesus, Maria !* s'exclama Evelyn Mistral, et on put ensuite l'entendre inspirer profondément la bouche ouverte.

La caméra continua à balayer le champ vers la gauche, puis en un plan de coupe, on découvrit les abords d'un groupe d'habitations, elles aussi plongées dans cette lumière merveilleuse. Les personnes bougeaient à peine, elles regardaient, fatiguées ou apathiques, vers la caméra. Des ventres d'enfants gonflés, des corps transformés si affaiblis que les articulations osseuses semblaient être des agrandissements grotesques. Partout des mouches contre lesquelles plus personne ne se défendait depuis longtemps. La caméra balaya lentement les habitations. Les images se res-semblaient. La caméra continua son parcours jusqu'à ce que les personnes soient hors-champ. Pour quelques secondes encore la beauté de la steppe déserte, désor-mais dans une lumière qui laissait présager la canicule brûlante de la mi-journée. Puis le film s'arrêta.

Pendant quelques instants personne ne bougea dans l'obscurité, on entendit seulement le bruit de la chaise de Laura Sand. Puis Evelyn Mistral et Silvestri s'appro-chèrent de la fenêtre et appuyèrent sur l'interrupteur qui fit remonter les volets roulants.

– *Well*, lâcha Millar sur le ton de celui qui vient d'entendre une information des plus problématiques.

D'un mouvement brusque, Laura Sand releva la tête :

– Un problème ?

Une dureté sur le qui-vive vibrait dans sa voix.

– Bon, dit Millar, la famine et la mort comme décor poétique. Je ne sais pas.

Le visage de Laura Sand émergeant d'un col roulé noir apparut encore plus blanc que d'habitude.

– *Nonsense*, dit-elle, et elle prononça le mot avec une telle violence qu'on n'entendit distinctement que la première syllabe.

– Ça, dit Millar, ce n'est pas mon avis.

La main d'Adrian von Levetzov laissait présager qu'il ne supportait pas la polémique qui pointait.

– Dans quelle région le film a-t-il été tourné ? demanda-t-il avec l'intérêt enjoué d'un bourgeois cultivé, une attitude qu'il n'aurait sinon jamais prise.

– Dans le Sahel, répondit Laura Sand sèchement.

– *Indeed*, murmura Millar, *indeed*.

Giorgio Silvestri fit plus de bruit que nécessaire en exhalant la fumée.

– Les images à la fin étaient très impressionnantes, dit-il. Même si cette lumière – *come dire* – séduit et fait oublier. Ou cache. Mais j'aimerais bien revenir au sujet : à l'interprétation des regards intéressants que les animaux se sont jeté.

Sa voix avait pris une autorité étrange, qui n'était pas inopportune, se dit Perlmann par la suite, lorsqu'une discussion pointue eut repris son cours. C'était la voix de quelqu'un habitué à intervenir exactement au bon moment et à donner à un débat un peu délicat un certain tour. En même temps, l'Italien ne s'était pas donné des airs de chef, avait à nouveau plié les genoux, vautré sur sa chaise comme un adolescent.

Laura Sand conserva un ton un peu froid dans ses interventions suivantes, son premier accès de colère calmé, on sentait encore la rage contenue. Heureusement, Evelyn Mistral était aujourd'hui intarissable et lorsqu'elle donna à ses remarques – sur les messages échangés, d'après elle, par les animaux – une formulation désinvolte, avec de surcroît une faute de grammaire amusante, Laura Sand ne put s'empêcher de rire elle aussi.

Perlmann ne dit rien. Il était bientôt une heure, et il répétait en silence les phrases destinées à Maria ; il était des plus improbables qu'il puisse passer deux fois de suite devant elle sans qu'elle le remarque alors qu'elle attendait son texte.

Millar trouvait cette matière excessivement passionnante, dit-il lorsque Laura Sand regarda l'heure et rassembla ses documents. Et pour cette raison, il proposait de reprendre ce sujet le lundi suivant. Il feuilleta dans les textes.

– Et mardi. Car sur le plan théorique aussi, il y a une foule de choses que je voudrais savoir.

Laura Sand se laissa du temps avant de répondre à son regard interrogateur.

– *Okay,* dit-elle enfin, et la façon dont elle imitait l'accent yankee de Millar était le signe qu'elle acceptait sa demande de réconciliation.

De l'index, Millar remit en place ses lunettes sur son nez.

— *Swell.*

Cette façon de s'exprimer lui fit faire la grimace. Ses lèvres tressaillirent légèrement.

Perlmann calculait fiévreusement : cela signifiait que la seconde moitié de la semaine suivante serait prise par Evelyn Mistral et ce ne serait son tour que le lundi de la dernière semaine. Au plus tard le samedi précédent le texte devrait être dans les casiers. Maria devait donc l'avoir le mercredi matin. *Cinq jours et demi. Ça peut suffire.* Son cœur battait la breloque. Il ne se heurtait soudain plus à un mur.

— Puisque nous en sommes à ce sujet, lâcha Silvestri en plein milieu des spéculations de Perlmann, je ne pourrai intervenir qu'au début de la dernière semaine. À partir de jeudi, j'ai quelques problèmes à régler à la clinique – il fixa Perlmann. Je ne pourrai donc pas assister à votre intervention qui aura certainement lieu à la fin de cette semaine-là. Mais vous m'enverrez le texte.

— Bien sûr, dit Perlmann d'une voix blanche.

Une semaine. J'ai gagné toute une semaine.

Soulagé, il traversa le salon, comme s'il était légèrement ivre. Dans le hall Maria l'attendait. Avec une présence d'esprit qui par la suite le surprit et l'écœura, il alla droit vers elle.

— Je n'ai pas eu l'occasion de vous le dire ce matin. Il y a eu une modification du planning, je vais donc saisir l'opportunité pour revoir mon texte. Au train où nous allons, vous n'aurez pas besoin de vous en occuper avant vendredi prochain.

— Ah bon ! dit-elle légèrement décontenancée, et elle se passa la main dans les cheveux, sur le côté, et fit tintinnabuler sa boucle d'oreille. Que dois-je... Ah oui... bien sûr, je continue tout simplement de taper votre texte, n'est-ce pas ?

Pendant que Maria terminait sa phrase, Evelyn Mistral l'avait rejoint.

– Oui, c'est cela, dit Perlmann qui eut ensuite besoin d'humecter ses lèvres du bout de la langue.

– Tu as beaucoup écrit ces derniers temps, pas vrai ? lui dit Evelyn alors qu'il traversait le hall. À l'abri des regards !

Perlmann fit une grimace maladroite et haussa les épaules.

– Et voilà que j'ai gagné une demi-semaine. Pas mal : bien qu'en réalité j'aie terminé et que je sois un peu déçue de devoir attendre jusqu'à jeudi. Stupide, hein ? En même temps j'ai un de ces tracs.

Non, dit Perlmann, il n'avait pas le temps d'aller se balader en ville, il voulait encore réviser un texte. Mais dimanche, il serait disposé à le faire, très certainement.

Il resta presque une heure assis dans le fauteuil rouge avant d'être conscient de ce qui se passait. Lorsqu'il avait quitté Evelyn Mistral et monté énergiquement les escaliers quatre à quatre, il s'était réjoui de pouvoir savourer son soulagement, et en même temps il avait ressenti une tension qu'il n'avait pas éprouvée depuis bien longtemps. Au cours de cette semaine qui se trouvait soudain à sa disposition, il aurait encore le temps de produire quelque chose. Mais après avoir allumé une cigarette et à sa grande surprise posé les pieds sur la table ronde, le sentiment de soulagement qu'il espérait tant se déroba : le tour heureux et inattendu de la situation qu'il avait pressenti ne se réaliserait pas. Tout penaud, il retira ses pieds de la table, et c'est alors seulement qu'il comprit que la fatigue et la tension qui l'avaient saisi n'étaient que l'expression de sa déception – la déception de ne pas en avoir enfin terminé ; une longue succession de jours allait encore se dérouler au cours de laquelle il devrait vivre avec cette tension, cette angoisse, et surtout son absence de confiance en soi. Il tira les rideaux, prit un quart de comprimé de somnifère et se mit au lit. Peu avant qu'il s'endorme, on frappa à la porte, mais il ne répondit pas.

Ce n'étaient pas les couleurs de Chagall qu'il avait défendues dans son rêve, se dit-il lorsqu'il se réveilla à la nuit tombante. Assis sur le bord du lit, il massait ses tempes qui tambourinaient. Il est vrai que le nom du peintre avait traversé comme un fantôme ses pensées, mais en hurlant d'une voix rauque des mots imprécis face à un mur d'incrédulité, il avait voulu défendre les images poétiques que Laura Sand avait réalisées de la souffrance.

Il alla sous la douche et essaya de trouver les mots qui dans son rêve n'étaient restés que des intentions lourdes de colère. Des mots lui venaient à l'esprit, il les prononçait dans le bruit du jet de la douche, il avalait de travers, et affûtait alors son réquisitoire de défense qui devenait un discours incendiaire culminant dans l'affirmation que seules des images d'une grande beauté étaient capables d'exprimer la souffrance, car la beauté était la vérité, la seule vérité capable de sonder la profondeur de la douleur. Lorsqu'il ferma l'eau et se frotta le visage avec une serviette pour faire disparaître le goût du chlore, il fut effrayé par son propre kitsch, et il se réjouit de pouvoir entendre pendant quelques instants la voix ennuyeuse du présentateur du journal télévisé.

Au dîner, Ruge l'époustoufla. En plein milieu du plat principal et sans s'interrompre dans la découpe de son poisson, il dit :

– Vous savez, Brian, je n'ai absolument pas compris ce qui vous a dérangé dans les films de Laura Sand. Ce sont des prises de vue très précises, très suggestives – bien meilleures que tout ce qu'on peut voir à la télévision.

Laura Sand continua de manger sans relever les yeux. Millar reposa fourchette et couteau, enleva ses lunettes et les essuya longuement.

– Eh bien, Achim, finit-il par dire, je vois les choses ainsi : une prise de vue romantique, techniquement réussie cache au lieu de montrer. On pourrait dire que la beauté, ici, ment. Laura, il est évident que je ne pense pas que vous mentez, se dépêcha-t-il d'ajouter, sans qu'elle lui adresse le moindre regard, je veux dire en un…, comment dire, en un sens objectif. Des images authentiques de la famine et de la mort ne doivent pas nécessairement ne pas être belles. Mais il me semble qu'elles devraient être comme les informations des agences de presse. Sobres. Tout à fait sobres. En aucun cas transfigurées. Pour moi, ce n'est pas une question esthétique, mais une question morale. Désolé, mais c'est comme ça que je vois les choses.

Il s'attendait à une réaction de Laura Sand, mais ce fut en vain et en s'excusant d'un geste de la main il se remit à manger.

Pendant un moment, on entendit seulement le cliquetis des couverts, et la présence du garçon qui resservait le vin semblait inopportune. Perlmann banda toutes ses forces pour résister au sentiment qu'il y avait du vrai dans ce que Millar avait dit. Il était tenté de défendre obstinément le point de vue opposé et cette réaction tenait sans doute aux mains poilues de Millar qui lui tapaient sur les nerfs, ces mains qui étaient capables de produire cette simultanéité mystérieuse des sons chez Bach et qui maintenant se servaient des couverts à poisson avec la minutie d'un chirurgien. Mais ensuite, il pensa au goût du chlore de l'eau de la douche et il se mordit les lèvres de honte.

– Cela ne me convainc pas, disait à présent Ruge. Prendre la souffrance au sérieux et se laisser moralement toucher par elle, cela ne signifie pas pour autant qu'on nie la beauté. Ou d'une certaine façon qu'on l'interdit.

Laura Sand lui jeta un regard approbateur.

– Eh… non, bien sûr que non, rétorqua Millar avec agacement. Ce n'est pas non plus ce que j'ai voulu dire. Mais dans le film de Laura il y a une contradiction. On ne peut pas l'évacuer dans la discussion.

– Certes. Et on ne le doit pas non plus, dit Ruge en souriant. Ce qui m'importe, c'est la chose suivante : c'est une contradiction que nous devons assumer – ici et ailleurs. Nous ne devons pas l'éviter.

– *Ecco*, lâcha Silvestri.

Laura Sand s'appuya contre le dossier de sa chaise et s'alluma une cigarette. Son regard furieux laissa percevoir une certaine satisfaction. Perlmann n'appréciait pas son attitude. Tout à coup Agnès lui manqua.

Millar prit acte de la remarque de Silvestri avec un regard méprisant.

– Je trouve ça trop simple, finit-il par dire, et à l'adresse de Ruge il ajouta : Un argument à bon marché, si vous me permettez l'expression.

– Oh, c'est permis évidemment, répliqua Ruge, mais c'est faux, je le crains. Car assumer cette contradiction, comme je l'ai dit, c'est le plus difficile. Ou le plus cher, ajouta-t-il en ricanant.

Les doigts de Millar tambourinaient sur la nappe.

– Je ne crois pas, Achim… *oh, well, forget it*.

Pendant le dessert et le café il ne dit plus un mot. De temps à autre, il se mordait les lèvres. Perlmann se demanda subitement si ce Brian Millar était un adversaire aussi redoutable qu'il l'avait supposé jusque-là.

Avant d'aller au lit, Perlmann prépara sa table de travail pour le lendemain. Il poussa la lampe sur le côté et installa une pile de feuilles blanches, à côté le nécessaire pour écrire. Il passa en revue les livres qui étaient dans son attaché-case et pour finir sortit trois volumes qu'il déposa sur la table. Pour pouvoir le lendemain matin se mettre immédiatement à écrire, il fallait qu'il dorme bien. Lorsqu'il sentit les premiers signes familiers annonçant le sommeil, il était en train de concevoir le plan de son texte. Quatre titres intermédiaires, soulignés et précédés d'un numéro. Les quatre lignes avaient exactement la même longueur. Elles avaient un aspect très soigné. Les choses allaient bien se passer.

21 Lorsque le lendemain matin Kirsten, annoncée par Giovanni, se retrouva devant sa porte, Perlmann dut faire un effort pour ne pas lui sauter au cou.

— Salut, papa, dit-elle avec un sourire mi-confus mi-moqueur, doublé d'une assurance qu'il n'avait jamais vue jusque-là chez sa fille. Tu avais l'air tellement bizarre l'autre soir au téléphone que je me suis dit qu'il fallait que je vérifie si tout allait bien.

Elle portait un long manteau noir, des baskets de couleur claire et ses cheveux rebelles étaient maintenus par un bandeau jaune citron. Par terre, à côté d'elle, le sac en cuir rouge usé qui avait accompagné Agnès dans tous ses voyages, comme un talisman.

— Viens, assieds-toi, dit-il, et il s'en voulut d'avoir la tête lourde et la langue pâteuse. Comment es-tu venue jusqu'ici ?

Son voyage depuis Constance avait duré quinze heures, tout en stop. Six fois sur la route, et une fois près d'une station-service sur le périphérique de Milan, bien après minuit, elle était restée une heure avant que quelqu'un ne la prenne. Perlmann en eut froid dans le dos, mais il ne dit mot. Le plus formidable, c'était au début, en Suisse. Un homme l'avait même invitée à déjeuner avant qu'ils attaquent la descente de la vallée de Leventina.

— Un bon Suisse, bien comme il faut, avec des bretelles ! dit-elle en riant lorsqu'elle croisa son regard.

Non, elle n'avait pas eu peur. Oui, bon peut-être un peu quand le type qui l'avait emmenée de Milan à Gênes s'était mis à parler constamment de son physique. Elle avait regretté de ne pas savoir suffisamment d'italien pour l'obliger à se taire. Mais ensuite il l'avait laissée s'installer à l'arrière où elle avait pu dormir un peu. Et il avait insisté pour qu'elle lui fasse la bise en lui disant au revoir, bon, en dehors du fait qu'il piquait et qu'elle n'aimait pas son odeur, elle avait trouvé ça très marrant. Le reste du voyage, elle l'avait fait dans un coupé Mercedes avec une femme très apprêtée qui n'arrêtait pas de lui raconter ses querelles avec son mari, sans le moindre égard pour elle, Kirsten. Et ici dans la ville endormie, il lui avait encore fallu un bout de temps pour trouver quelqu'un qui lui indique le chemin de l'hôtel.

— Mais maintenant je suis ici et je trouve ça formidable ! Tu sais, Martin était plutôt furieux que je parte subitement. Il m'en avait dissuadée. Mais en sortant du restaurant universitaire, j'ai rencontré Lasker et lorsqu'il s'est arrêté exprès pour me dire combien il avait trouvé mon exposé pointu, j'étais au septième ciel, il fallait absolument que je fasse quelque chose de fou. Tu crois que je peux appeler Martin pour lui dire que je suis arrivée sans encombre ?

Perlmann lui dit comment on pouvait obtenir le réseau, attrapa ses vêtements et alla à la salle de bains. Il prit alternativement une douche froide et une douche chaude pour éliminer les effets du somnifère en tendant de temps à autre la langue sous le jet d'eau.

Elle n'était donc pas seulement venue à cause de lui, mais parce qu'elle voulait fêter son succès. Il essaya de faire disparaître sa déception en se frictionnant énergiquement. Jusqu'ici il ne l'avait jamais vue avec des lèvres violettes. Sheila avait utilisé la même couleur violette. Elle soulignait ses lèvres proéminentes qu'elle avait pourtant essayé de masquer quand elle était enfant. La couleur ne lui allait pas. Absolument pas. Et puis toutes ces bagues, au moins une à chaque doigt. Elles n'étaient pas alignées, mais il lui semblait quand même qu'elle portait un anneau de combat à chaque main.

C'est seulement alors qu'il remarqua que son menton lui faisait mal, parce qu'il était cramponné à son rasoir. Il se baigna encore une fois les yeux qui avaient l'air gonflés et malades. Puis il se glissa dans ses vêtements, s'appuya quelques instants contre la porte les yeux fermés et retourna dans la chambre.

Kirsten qui était encore en train de téléphoner tourna la tête vers lui, se sentant fautive, lorsqu'elle entendit Perlmann.

— Bon, à mardi, se hâta-t-elle de dire, oui, d'accord. À bientôt. Salut.

Elle raccrocha.

— Je veux être de retour pour le séminaire de Lasker. Je m'étais dit qu'il y avait peut-être un train de nuit au départ de Gênes. À la prochaine séance du séminaire, je peux bien être un peu fatiguée ! Du reste... hum.

Elle baissa les yeux.

— Je paierai ton billet, c'est évident, dit Perlmann, finalement tu es venue pour me voir.

Elle s'approcha de lui et le saisit par les épaules.

— Tu as l'air fatigué. Et pâle, dit-elle, il t'est arrivé quelque chose ? La question que tu as posée au téléphone, à propos de maman, je n'ai rien compris.

— Ah, bon, c'est ça – sa langue recommençait à être lourde. Je ne sais pas... j'étais un peu déboussolé. Cela ne signifie rien d'autre. Et non, il ne m'est rien arrivé de particulier.

Elle lui jeta un regard concentré, sceptique qu'elle tenait d'Agnès.

— Mais tu ne te sens pas particulièrement bien ici, n'est-ce pas ?

— Ah, je ne sais pas. En un sens c'est plutôt fatigant avec tous ces collègues.

– Et en plus de ça, ça ne fait même pas un an. Moi, j'ai parfois l'impression qu'il y a tout au plus quelques semaines. Pas toi ?

Il sentit un picotement dans les yeux et il l'attira un instant contre lui. Puis il la repoussa avec une vigueur qui lui coûta.

– Bon, commençons par te trouver une chambre dans cette baraque !

Une heure après s'être installée, elle débarquait à nouveau dans la chambre de Perlmann ; elle s'était changée, ses cheveux étaient encore humides.

– Dis voir, le prix de ce genre de chambres, c'est fou, non ?

Elle ne voulait pas dormir, mais voir la mer au lever du soleil, voir la terrasse, enfin tout cet hôtel fantastique.

– La salle de conférences aussi, il faut que tu me la montres ! Vous avez une réunion lundi ? Tu crois que je pourrais y assister ?

Perlmann eut l'impression que sa poitrine se remplissait de plomb. D'abord prendre un petit déjeuner, proposa-t-il. Lorsqu'ils se dirigèrent vers l'ascenseur, il se retourna et regarda dans le couloir.

– Ils habitent tous à cet étage ?

– Comment ? Ah, non. Non, seulement moi.

Il appuya encore une fois sur le bouton de l'ascenseur.

– Et pourquoi ?

– Pourquoi ? Ah… euh… c'est plus ou moins un hasard. La plupart des chambres des étages inférieurs sont rénovées pendant l'hiver, et il y avait aussi un problème de lit. Mais je suis très content. C'est merveilleusement silencieux ici.

La porte de l'ascenseur s'ouvrit. « Ah bon ! » dit-elle en rajustant son sweat-shirt jaune avec l'écusson de la Rockefeller University. Pendant le trajet en ascenseur, Perlmann maintint son regard concentré sur les voyants lumineux qui s'allumaient les uns après les autres.

Il n'était que sept heures et quart et dans la salle à manger où la lumière électrique était encore nécessaire, il n'y avait personne. Le serveur ne parvint qu'à grand-peine à cacher son étonnement. *Benvenuta*, dit-il en s'inclinant légèrement après que Perlmann eut expliqué qui était Kirsten.

Elle mangea pour deux, admira les couverts en argent et le lustre et, enthousiasmée, n'arrêtait pas de montrer du doigt la mer sur laquelle le jour se levait à présent, le crépuscule s'effaçant devant un ciel immaculé.

Perlmann ne but qu'un café. Il aurait volontiers fumé, mais il n'osa pas. Un peu plus tôt lorsque Giovanni lui avait annoncé qu'il avait fait monter dans sa chambre une signorina qui prétendait être sa fille, il avait commencé par vérifier qu'il avait vidé la veille le cendrier et l'avait rincé. Il ne voulait pas avoir à lui expliquer maintenant qu'il avait recommencé à fumer. Il pressentait que cette demi-heure – pendant laquelle ils étaient assis tout seuls dans cette grande salle blanche comme neige où la lumière du jour pénétrait de plus en plus largement, si bien que quelques instants aupa-ravant la lumière des lustres s'était éteinte comme par enchantement – serait le plus beau moment de la visite de Kirsten et il voulait le prolonger aussi longtemps que possible.

Lorsqu'elle eut terminé de manger, elle sortit un paquet de cigarettes de sa besace en tissu indien coloré. Embarrassée, elle en porta une à ses lèvres.

– Seulement une de temps à autre. Pas comme maman et toi autrefois.

Puis elle extirpa du sac un briquet rouge à la fine bordure dorée et alluma sa cigarette. Perlmann nota qu'elle n'inhalait qu'à moitié. Il était sur ses gardes. Ce moment d'intimité dans le silence de la salle du restau-rant n'allait pas tarder à prendre fin.

Millar, Ruge et von Levetzov entrèrent en même temps et s'immobilisèrent un bref instant, interloqués. Puis ils s'avancèrent vers la table et Perlmann présenta Kirsten. Sur le moment elle ne sut pas ce qui lui arrivait lorsque von Levetzov souleva sa main en esquissant un baisemain. Elle souriait encore d'un air déconcerté lorsque Millar lui tendit la main en faisant une courbette sportive.

— *Good girl*, dit-il en montrant le sweat-shirt. C'est mon université.

— Et il la considère, bien sûr, comme la meilleure, ajouta Ruge en allemand à l'intention de Kirsten. Uniquement parce qu'il ne connaît pas Bochum, ajouta-t-il en gloussant et en lui tendant la main. Bonjour. Quand êtes-vous arrivée ?

Perlmann était content que les femmes ne soient pas encore là. Quand Kirsten eut terminé sa cigarette, ils s'excusèrent et sortirent sur la terrasse. Kirsten s'arrêta devant la véranda et tendit le cou.

— On dirait... C'est ça la salle de conférences ?

Perlmann approuva d'un signe de tête.

Elle le prit par la main.

— Viens, il faut que tu me la montres.

Une fois dans la véranda, elle s'assit immédiatement dans le grand fauteuil au dossier sculpté. Elle compara l'élégance de la pièce avec l'aspect miteux des salles de son université : ici les tables en acajou, là-bas des tables en formica grisâtre ; ici les cendriers en céramique étincelante, là-bas les mégots nageant dans des restes de café au fond de gobelets en carton. Ici le tableau impeccable au mécanisme électrique derrière elle, là-bas des tableaux ternis, toujours coincés. Puis elle saisit l'un des verres à eau en cristal :

— Tu sais, au début j'avais une bouche horriblement sèche lorsque je me suis retrouvée assise face aux autres. Par chance j'ai trouvé un bonbon dans la poche de ma veste. Ça a même réussi à faire sourire Lasker, quand il a vu que j'étais gênée par mes doigts poisseux.

En se dirigeant vers la porte, elle tira sur les pompons des armoiries et rit en voyant le nuage de poussière. Sur le seuil de la porte, elle se retourna encore une fois.

– Extrêmement élégant – tout simplement interdit. Et puis cette vue sur la piscine... Mais la situation, face aux autres, est la même. Je veux dire du point de vue de ce qu'on éprouve. J'ai ressenti cette peur d'avoir tout oublié au moment décisif. Complètement absurde, bien sûr, j'avais évidemment une masse de notes. Mais quand même – elle le regarda. Tu ne peux certainement pas comprendre, au bout de tant d'années tu es un vieux routier. Je me trompe ?

Perlmann posa sa main sur son épaule et la poussa délicatement vers l'extérieur.

Après la promenade le long de la mer au cours de laquelle elle parla de Martin, en s'arrêtant de temps en temps pour mettre son visage face au soleil matinal, elle se sentit fatiguée et voulut essayer de dormir. Devant la porte de sa chambre, elle lui plaqua un baiser sur la joue et rit en voyant la trace violette qu'elle y avait laissée.

– À tout à l'heure. Tu as à faire ?

Il leva la main et fit rapidement demi-tour.

Des heures durant il resta devant la fenêtre jusqu'à ce que le dos lui fasse mal. De temps à autre, il jetait un œil sur sa table de travail. *Comme ton bureau est bien rangé,* lui avait-elle dit avant qu'ils aillent prendre leur petit déjeuner. *Comme si tu venais juste de finir un travail.*

La présence de sa fille en train de dormir conférait à toute chose une certaine irréalité, ou mieux : elle créait une double réalité, deux niveaux pour ainsi dire entre lesquels il balançait, sans savoir duquel il faisait partie ou voulait faire partie. Avec l'arrivée de Kirsten le temps était surtout devenu double, deux vecteurs temporels indépendants l'un de l'autre le traversaient, tous les deux revendiquaient d'être le seul et vrai temps, le temps qui comptait. L'un était le temps que Kirsten avait apporté, celui de ses séminaires hebdomadaires ; c'était aussi celui dans lequel elle comptait les mois et les semaines de sa relation avec Martin. C'était le temps dans lequel, pendant leur promenade, il avait trouvé sa place près d'elle. À présent, debout à la fenêtre, il tentait de se glisser encore une fois dans ce temps, de chercher un présent, un présent qui rendrait insignifiant tout ce qui n'était pas sa fille et pourrait le délivrer de son angoisse. Mais le sommeil de Kirsten avait, si ce n'est déchiré, du moins gelé ce temps pour quelques heures, et le présent qu'il s'imaginait vivre avec elle ne pourrait redevenir un présent réel que lorsque, en bas au deuxième étage de l'autre aile, elle ouvrirait les yeux. Jusque-là il était dans l'autre temps, dans celui de l'hôtel, le temps de l'angoisse qui avait continué à battre derrière le temps de Kirsten en étouffant traîtreusement tout bruit.

Perlmann tira l'un des doubles-rideaux et s'étendit sur le lit. En y regardant de près il n'y avait pas que ces deux réalités temporelles, se dit-il, et il fut satisfait que ses réflexions prennent à présent cet aspect doux et lisse. Il y avait aussi le temps qui leur appartenait à eux seuls, à Kirsten et à lui, celui qui avait commencé avec la mort d'Agnès, le temps de l'abandon et de la douleur partagés. Dans ce temps – les mains de Perlmann s'accrochèrent involontairement au couvre-lit – ce Martin n'avait rien à faire, absolument rien. Et auparavant il y avait encore un autre temps dans lequel Herr Weidemann ou Wiedemeier, ou Dieu sait quel nom portait ce blanc-bec, n'avait pas sa place non plus : leur temps à eux trois, Agnès, Kirsten et lui, le temps dans lequel tous les trois ils avaient cherché la photo du mois, puis la photo de l'année dans des montagnes de tirages : en somme le temps de la famille.

Perlmann s'essuya les yeux. La photo d'Agnès à la mine sérieuse près de la fenêtre lui revint à l'esprit, et maintenant il revoyait aussi le café goutter sur le tapis aux couleurs claires. Il y avait aussi le temps de Francfort, le temps enneigé pendant lequel sa boîte aux lettres se remplissait de publicité et le recteur attendait son rapport. Ce temps avait quelque chose à voir avec le temps de Kirsten à Constance, lui sembla-t-il ; mais à présent ses idées devenaient si douces et agréablement floues qu'il aurait été dommage de les perturber en se concentrant.

Lorsque Kirsten le réveilla en frappant à la porte, l'après-midi était déjà avancé.

– J'ai dormi comme une bûche ! dit-elle en virevoltant dans la pièce. Maintenant, montre-moi la ville !

Lorsqu'il ressortit de la salle de bains, elle tenait le grand dictionnaire russe-anglais, le feuilletait et se frottait ensuite les doigts sur son jean.

– C'est un truc super, dit-elle. Chaque expression est expliquée. Je ne crois pas que Martin le connaisse. Mais le papier, il est dégoûtant au toucher. Particulièrement dégoûtant ! Où as-tu trouvé ce pavé ?

Perlmann eut l'impression de voir Santa Margherita pour la première fois. Et que la véranda Marconi ne se trouvait pas dans cette localité. Les nombreux porches, places, ruelles, il eut l'impression qu'ils n'étaient pas là les jours précédents, comme si le regard de Kirsten les faisait apparaître. On aurait pu croire qu'il s'ennuyait tant il restait figé quand elle s'approchait pour observer des détails. En réalité, les yeux souvent à demi fermés il se laissait tomber dans le présent caché dans l'admiration éprouvée par Kirsten et se sentait ainsi comme un prisonnier contemplant la mer à travers les barreaux de la fenêtre de sa cellule.

Plus tard, au café, il fut à un cheveu de succomber à la tentation violente de parler à Kirsten de sa détresse. Juste avant qu'il le fasse il sentit son sang battre dans son corps tout entier. Déçu et soulagé à la fois, il l'entendit alors demander au garçon où étaient les toilettes et lorsque de sa démarche souple elle revint, son sac se balançant à son épaule, il lui sembla impossible de faire le pas qui, cela il le savait, aurait changé tant de choses entre eux. Mais le sang continuant à battre, il sortit ses cigarettes de sa poche.

Elle le fixa, interloquée.

– Tu... depuis quand as-tu recommencé à fumer ?

Il minimisa les choses, parla avec une nonchalance creuse de l'Italie, des cafés et des cigarettes qui allaient tout simplement ensemble. Il se trouva immonde et elle ne crut pas un mot de ce qu'il racontait. Maintenant une ombre assombrissait son visage. Elle trouvait que c'était trahir Agnès, déserter. Il en était tout à fait certain. Un désarroi aigu le submergea et sans avoir vraiment pressenti qu'il allait le faire, il se mit à parler de l'intimité, des différentes formes de la loyauté, de l'amour et de la liberté.

– Si l'intimité a quelque chose à voir avec l'harmonie de deux vies, on peut se demander si elle est compatible avec l'idéal : que deux personnes n'amputent pas leur liberté, conclut-il.

– Papa, dit-elle doucement, je ne te connais pas comme ça !

L'ombre avait disparu et laissé la place à un sourire teinté d'une curiosité timide. Elle prit l'une de ses cigarettes et sortit son briquet rouge.

– À vrai dire, je ne trouve pas ça vraiment mal que tu fumes à nouveau, dit-elle. Comme ça, je n'ai vraiment pas besoin de m'excuser.

Lorsque, sur le chemin du retour, ils tournèrent à un coin de rue, ils se retrouvèrent tout à coup devant la trattoria. Perlmann s'arrêta et du plat de la main, il

écarta les perles de verre du rideau. Puis il les remit lentement en place et continua sans un mot.

— Qu'est-ce que c'était ?

— Rien. Ce genre de rideaux… j'aime ça. On se
croirait dans un conte !

— Aujourd'hui tu me réserves des tas de surprises,
dit-elle en riant. À propos de contes : l'hôtel blanc là-
bas en face n'a-t-il pas un aspect fantastique ? Est-ce
qu'on ne pourrait pas y aller demain ?

— *L'Imperiale.* Tu as des goûts de luxe, dit-il en
souriant, et pendant un moment il s'abandonna totalement à son temps à elle et oublia l'autre, celui de la
véranda qui se rapprochait inexorablement.

Lorsque plus tard il alla la chercher dans sa chambre
pour le dîner, il resta un moment sans voix. « *Smashing* »,
finit-il par dire, après l'avoir fait pivoter deux fois sur
son axe dans sa robe noire brillante qui montrait encore
quelques marques du voyage. Elle portait au cou un
collier indien et elle n'avait conservé qu'une de ses
nombreuses bagues. Lorsque le regard de Perlmann se
posa surpris sur ses mains, elle cligna des yeux en ricanant.

— Tu ne les aimais pas, pas vrai ?

— C'était si visible que ça ?

— Je sais lire en toi comme dans un livre. Je l'ai toujours su. Tu ne t'en souviens plus ?

Il regarda l'heure.

— Il faut y aller. N'oublie pas ton sac.

En allant vers la porte, elle se regarda encore une fois
dans le grand miroir mural presque complètement
piqué et tira sur l'un de ses bas. *Si seulement elle pouvait abandonner ce satané rose !* se dit-il. Et les talons,
ils n'avaient pas besoin non plus d'être aussi hauts.
Juste avant qu'ils sortent du couloir, il la prit par le
bras et la retint.

— J'ai quelque chose à te demander. Pas grand-chose.

– Ah bon ?

– Brian Millar va vraisemblablement vouloir jouer au salon après le dîner. Je veux dire jouer du piano – il fit une pause en regardant par terre. Personne ne sait ici que je joue aussi. Enfin que j'ai joué. Et je voudrais que les choses restent ainsi. D'accord ?

Elle lui jeta un regard interrogateur et hocha légèrement la tête.

– Mais tu n'as pas besoin de te cacher ! Je voudrais bien voir si ce Millar joue mieux que toi !

– Je t'en prie, je… je ne peux pas t'expliquer. Je voudrais que tu t'en tiennes à ça.

– Si telle est ta volonté : évidemment, dit-elle lentement en jouant avec les anses de son sac comme si elle était ailleurs. Mais… tu as quelque chose, je le sens depuis mon arrivée. Tu ne veux pas me le dire ?

– Viens, dit-il, sinon nous serons les derniers.

Ce fut un dîner pendant lequel Perlmann fut pour ainsi dire assis sur des charbons ardents. Il s'efforçait de ne pas regarder dans sa direction, mais son attention tout entière était mobilisée par les propos de sa fille, et à chacune de ses erreurs en anglais il sursautait. Et pourtant elle s'en sortait brillamment. Elle était venue s'asseoir à côté de Silvestri, presque en face de Millar. Lorsqu'ils s'étaient approchés de la table, l'Italien s'était levé aussitôt, Perlmann ne s'y serait pas attendu de sa part, et il avait avancé la chaise de Kirsten pendant qu'elle s'asseyait. À cet instant, le visage de Ruge avait esquissé un ricanement et Kirsten, sous ses taches de rousseur, avait légèrement rougi. Lorsqu'elle se risqua à dire quelques mots en italien, Silvestri continua aussitôt dans sa langue maternelle jusqu'à ce qu'elle lui indiquât d'un geste que c'était trop et qu'il posât en riant la main sur son bras nu. Même si par la suite elle s'entretint surtout avec Millar, Perlmann était certain qu'elle n'oubliait pas une seconde la présence de Silvestri.

Langue et littérature anglaises et aussi histoire, répondit-elle lorsque Millar lui demanda ce qu'elle étudiait. Mais peut-être ce choix se modifierait-il encore, elle n'en était qu'au début. En répondant aux questions de Millar qui s'enquérait de détails sur ses études, elle faisait davantage d'erreurs en parlant anglais que précédemment et Perlmann ne savait pas ce qu'il mangeait.

Mais quand ensuite la conversation tourna autour de Faulkner et particulièrement autour des *Palmiers sauvages*, les mots jaillissaient d'elle presque sans fautes, et il se demanda plus d'une fois d'où elle tenait toutes ces tournures désuètes. Son repas refroidissait, pendant que le visage en feu elle défendait sa thèse et Millar qui ne se souvenait plus très bien du roman et dont les arguments étaient étonnamment faibles, posa à plusieurs reprises ses couverts et enleva ses lunettes. Lorsque la victoire se dessina en faveur de Kirsten, Perlmann s'obligea à manger la dernière bouchée de son filet en pensant à son collègue Lasker qui s'était arrêté pour parler à sa fille.

Sans savoir pourquoi, il évita de regarder dans la direction d'Evelyn Mistral. Malgré tout il croisa à deux reprises son regard et chaque fois il y lut une lueur de moquerie timide. Comme si la présence de sa fille rendait visible en lui ce qui l'avait gênée dans les impressions qu'elle avait éprouvées jusque-là, et qu'elle en était dépitée.

Laura Sand au contraire suivait la discussion sur Faulkner d'un air grincheux et elle voulut finalement savoir quand l'auteur avait écrit ce roman. Une seule fois, alors qu'elle croyait que Perlmann ne l'observait pas, son regard se posa brièvement sur lui et révéla qu'elle était en train de vérifier si l'image qu'elle s'était faite de lui était juste.

Au café, Silvestri offrit une gauloise à Kirsten. Avec un sourire élégant, elle se pencha au-dessus de son briquet, aspira la fumée et eut une quinte de toux. Le visage avec une barbe de deux jours de Silvestri esquissa un ricanement et il garda la bouffée suivante particulièrement longtemps dans ses poumons. Kirsten essuya courageusement ses yeux pleins de larmes et tira prudemment une seconde fois sur sa cigarette ; maintenant elle maîtrisait sa quinte de toux. Pendant qu'elle ajoutait lait et sucre à son café, elle laissa de façon décontractée la cigarette aux traces violettes dans le coin de sa bouche. Lorsque Silvestri la regarda à nouveau d'un air ironique, on aurait pu s'attendre à ce qu'elle lui tirât la langue.

Lorsqu'ils quittèrent la salle à manger, von Levetzov tint la porte à Kirsten en s'inclinant légèrement devant elle. Perlmann qui la suivait en avait assez de voir sa fille être le point de mire de ses collègues, il aurait préféré monter immédiatement dans sa chambre. Mais voilà qu'à présent Kirsten donnait une poignée de main à Evelyn Mistral qui à cette occasion se tenait la tête aussi penchée que Millar le faisait habituellement, et ensuite les deux femmes se dirigèrent côte à côte vers le salon, en silence.

Pendant que Millar jouait, Kirsten jeta à plusieurs reprises un regard furtif à Perlmann pour lui signifier d'un tout petit tremblement des lèvres, ce qui autrefois avait rendu folle Agnès, qu'elle ne comprenait absolument pas pourquoi il se cachait face à cette prestation médiocre. Et lorsque Millar se leva et rabattit le couvercle sur le clavier, c'est elle qui applaudit le moins longtemps et avec le moins d'enthousiasme.

Et pourtant il avait été bon, même meilleur que d'habitude, et Perlmann regretta que sa fille pense devoir l'encourager en portant un jugement partisan sur Millar.

Bien qu'à présent on ne s'intéressât plus guère à Kirsten, elle avait l'air complètement excitée, se tournait vers celui qui prenait la parole et, pour le plus grand plaisir de Silvestri, fumait une gauloise après l'autre. Lorsque quelqu'un au détour d'une phrase évoqua l'invitation à Princeton reçue par Perlmann, elle fronça les sourcils, puis lui fit un sourire. Elle fut la dernière à se lever quand on se dispersa.

Au pied de l'escalier Evelyn Mistral s'avança vers Perlmann qui marchait à côté de Kirsten.

– Notre promenade de mariage ne va pas avoir lieu, n'est-ce pas, lui dit-elle en espagnol en le regardant de façon ostentatoire. Tu as d'autres projets ?

– Heu, je ne sais pas... nous allons bien... dit-il, et immédiatement il fut agacé d'avoir bredouillé, agacé aussi du comportement de cette Espagnole qui lui était tout à fait étrangère à cet instant et dont le regard ignorait Kirsten de façon si explicite.

– Tu n'as pas à t'excuser, lui dit-elle avec un air qui lui rappela une maîtresse d'école. *Buenas noches !*

Kirsten s'arrêta au milieu de l'escalier et regarda le hall en bas où Evelyn Mistral se tenait en compagnie de Ruge et de von Levetzov.

– Je me trompe ou elle t'a tutoyé ? Je veux dire, je ne sais pas vraiment l'espagnol, mais on aurait dit.

Perlmann ignorait que tant d'efforts étaient nécessaires pour prendre un ton vraiment détendu.

– Ah oui. C'est l'usage dans les milieux universitaires en Espagne.

Avant de tourner dans le couloir de sa chambre, Kirsten s'arrêta encore une fois.

– *Boda.* Qu'est-ce que ça signifie déjà ?

Cette fois-ci il réussit à avoir un sourire naturel.

– Mariage.

Une ride se forma à l'aplomb de son nez, il n'aimait pas ça. « Mariage ? »

– Une petite plaisanterie entre nous.

Elle shoota dans un objet imaginaire sur le tapis, lui jeta un bref regard et disparut dans le couloir.

22 Le lendemain matin, lorsque Perlmann s'éveilla après un sommeil léger et agité, il regarda dehors sur la terrasse, précisément au moment où Kirsten riait des exploits de Silvestri en train d'avaler sa cigarette. Devant eux, sur la petite table blanche de bistrot, des tasses et deux paquets de cigarettes, bleus, absolument identiques. Les cheveux emmêlés de Kirsten retombaient sur le sweat-shirt jaune et lorsqu'elle rejeta en arrière une mèche qui lui masquait le visage, il vit qu'elle portait de grandes lunettes de soleil qui lui mangeaient la moitié de la figure.

Dans son rêve, elle avait gardé la robe brillante de la veille au soir mais sa coiffure, les cheveux attachés en chignon, ne lui allait absolument pas. Avait-elle réellement porté des lunettes ? Perlmann laissa couler l'eau sur son visage. Ou y avait-il une autre raison qui justifiât le sentiment qu'elle lui était étrangère contre lequel il lui avait fallu constamment se défendre ? Il avait été étonné et fier qu'elle sache subitement l'espagnol. Seulement il n'avait pas vraiment compris ce que sa bouche violette disait lorsque passant devant lui elle avait descendu l'escalier. Les collègues l'attendaient dans le hall et lorsqu'elle les rejoignit, le son clair de son rire l'avait fait douter qu'il s'agisse réellement de sa fille.

Il traversa le hall si lentement que signora Morelli releva la tête de ses dossiers. Sa fille semblait bien se plaire ici, dit-elle. Il approuva du chef, commanda au garçon qui s'approchait un café et sortit sur la terrasse.

Kirsten voulait absolument aller à Rapallo.

– Sais-tu, demanda-t-elle à Silvestri dans son italien hésitant, si les bâtiments où ont été signés les deux traités existent encore ?

Perlmann se taisait. Elle tutoyait l'Italien. Et pourquoi deux traités ?

– Il faut vraiment que j'aille travailler, dit Silvestri en riant lorsqu'il vit à quel point elle était déçue qu'il ne se joigne pas à eux. Je n'ai pas été aussi studieux que ton père.

Plus tard, sur le bateau, Kirsten parla du travail de Silvestri dans sa clinique, et si ce n'avait été la désinvolture de son ton, on aurait pu penser qu'elle le connaissait depuis des années. Il lui avait apparemment raconté en détail son travail, des années auparavant, avec des enfants autistes, et voilà que maintenant elle connaissait même Francesco Basaglia dont elle décrivait l'audace, comme si elle avait été présente lorsqu'il avait mené son expérience de psychiatrie ouverte. De temps à autre elle tirait sur une gauloise sans filtre, et Perlmann eut l'impression que le geste avec lequel elle se retirait de la langue des débris de tabac était calqué sur le geste de la main de Silvestri. Dans dix jours, lui rapportat-elle, Giorgio devait se rendre à Bologne pour surveiller la mise en place d'un nouveau programme thérapeutique, et en même temps il pourrait contrôler l'état de santé de quelques-uns de ses patients à la pathologie lourde qui en ce moment étaient obligés de se débrouiller sans lui.

Parce que Kirsten, derrière ses grandes lunettes de soleil, s'intéressait à l'agenda de Silvestri, un autre temps complètement nouveau venait s'ajouter à tous les autres. Perlmann ne savait pas si ce nouveau temps dans lequel Kirsten accompagnait Silvestri lui rendait sa fille plus proche, car c'était un temps italien, un temps de ce côté-ci des Alpes ; ou si Kirsten, enveloppée dans ce nouveau temps, lui semblait une inconnue, voire une traîtresse, car il s'agissait du temps d'une personne qui, à la différence de Martin de l'autre côté des Alpes, attendait de lui, Perlmann, un texte.

Elle était même au courant du séjour de Silvestri à Oakland.

— À propos de l'Amérique, dit-elle, cette histoire de Princeton, je trouve ça formidable ! Tu crois que je pourrais te rendre visite là-bas ? – sa voix se fit hésitante, après un long silence, elle ajouta : Avec Martin. Il adorerait voir New York, comme si elle n'arrivait que difficilement à se souvenir de lui.

À Rapallo, les passants qu'elle interrogea ne purent pas lui dire si les bâtiments historiques existaient encore. Pendant le repas, elle expliqua à Perlmann le traité entre l'Italie et la Yougoslavie qui avait provisoirement fait de Fiume un État indépendant. Il s'étonna des vastes connaissances de sa fille et aussi de sa curiosité intellectuelle. *Voilà ce qu'au fond je n'ai jamais eu : la curiosité intellectuelle.*

En quelques minutes le ciel s'était couvert. Dans la lumière terne et plate qui filtrait maintenant au travers des vitres de la pizzeria, le zèle de Kirsten s'éteignit tout à coup et ils se regardèrent timidement.

– Je ne te prends pas trop de temps ? lui demanda-t-elle. C'est ton tour, jeudi, n'est-ce pas ?

Perlmann eut du mal à s'avouer que cette phrase le mettait dans une colère folle, car elle laissait percer que désormais Kirsten jugeait les performances de chacun à l'aune de l'expérience de son premier exposé. Il lui répondit d'un bref signe de tête et donna le signal du départ.

Pendant le trajet de retour, ils se tinrent en silence près du bastingage, regardant les couronnes d'écume des vagues qui se formaient sous le vent froid. Pourrait-elle lire le texte de sa conférence, demanda-t-elle soudain ? Perlmann fut content qu'un coup de vent lui accorde un répit. Le texte, il l'avait donné à Maria, et il lui expliqua qui était Maria. Pendant quelques minutes, il s'attendit à une question sur le sujet, mais la question ne vint pas. Au lieu de cela, Kirsten dit sans le regarder :

– Brian Millar, tu ne l'aimes pas. Je me trompe ?

– Heu... ça va. Je le trouve un peu trop... sûr de lui.

– *Cocksure*, dit-elle en lui souriant. *I can see that.*

Au moment de descendre du bateau, elle s'immobilisa soudain.

– C'est pour cette raison que tu ne veux pas jouer ? Tu n'as quand même pas peur de lui, non ? Hier soir pendant la discussion sur Faulkner je l'ai trouvé assez plat.

Perlmann shoota dans une canette de Coca vide près du mur.

– Il n'est pas à sa place ici, je trouve. C'est tout.

Maintenant il avait besoin d'être seul et il accéléra le pas. Mais lorsque l'hôtel fut en vue, Kirsten s'arrêta encore une fois.

– Et cette histoire avec maman et Chagall, tu ne veux pas me l'expliquer ? Excuse-moi, je te tape sur les nerfs. Mais tu es tellement... déprimé !

– Viens, dit-il, il commence à pleuvoir.

Dans le hall Silvestri s'avança à leur rencontre, le col de l'imperméable relevé, une cigarette au coin de la bouche. Il voulait aller au cinéma, dit-il avec le rire d'un élève conscient de sa faute qui fuit ses devoirs. Pouvait-elle l'accompagner, demanda Kirsten, qui rougit immédiatement en prenant conscience de la précipitation avec laquelle elle avait posé la question. Une fois encore Perlmann trouva incroyable la vivacité avec laquelle cet Italien était capable de réagir. Il aurait préféré s'y rendre seul, c'était évident, mais seul le ton un peu trop enjoué de sa réponse galante permettait de s'en rendre compte.

– *Volontieri ; volontierissimo,* signorina, dit-il, et il lui offrit son bras.

Perlmann dut allumer la lumière lorsqu'il s'assit à sa table de travail. C'est seulement quand il vit les stylos en désordre et les papiers froissés en boule dans la corbeille à papier qu'il se souvint de s'être levé dans la nuit pour essayer de travailler. Ce n'était pas un souvenir très précis, mais plutôt lointain et étrange, de sorte qu'il se demandait si c'était bien de lui qu'il s'agissait. Il ramassa les papiers froissés et après avoir légèrement hésité il les laissa retomber. Puis il commença à se faire une liste de mots. Lorsque Kirsten partirait de Gênes lundi soir, il pouvait prendre un taxi pour rentrer rapidement et commencer à écrire. Ensuite il ne lui resterait plus que trois jours avant de donner le texte à Maria.

Ces mots écrits tantôt les uns à côté des autres, tantôt les uns en dessous des autres ne formèrent pas de phrases, et en voyant son écriture devenir de plus en plus négligée, il se rendit compte qu'il ne croyait pas à qu'il se proposait de faire. Il se fit couler un bain et sans attendre qu'elle soit remplie, il s'assit dans la baignoire. Le pire c'était qu'il souhaitait être déjà lundi soir. En même temps il n'arrêtait pas de se demander à quelle heure la séance de cinéma prendrait fin et si Kirsten aurait envie de frapper à sa porte. Il continua à faire couler de l'eau chaude jusqu'à ce que la température lui fût insupportable. Puis il s'allongea sur son lit dans son peignoir de bain et, lorsque sa peau ne fut plus brûlante, il se mit à somnoler.

Quelque chose s'était mal passé entre Silvestri et elle. Perlmann le vit au premier coup d'œil quand il lui ouvrit la porte. Il y avait une sorte de défi dans ses yeux, une expression comme autrefois lorsqu'à l'école son ennemi juré dans sa classe avait mieux réussi qu'elle un concours. Elle s'avança vers lui et lui mit les bras autour du cou. Il y avait des années qu'elle ne l'avait plus fait, et Perlmann qui ne savait plus comment on serrait dans ses bras sa propre fille la tint comme un objet précieux et fragile. Lorsqu'elle se détacha de son étreinte, il lui caressa les cheveux qui sentaient le restaurant. Elle s'assit dans le fauteuil rouge et chercha dans la poche de sa veste ses cigarettes. Furieuse elle regarda le paquet de gauloises qu'elle avait attrapé et le jeta dans la corbeille à papier qu'elle rata. Perlmann ramassa les cigarettes qui étaient tombées. Lorsqu'il se releva, Kirsten tenait dans la flamme de son briquet rouge l'une de ses cigarettes. Ses yeux lançaient des éclairs.

— Et maintenant, je voudrais que tu m'invites à l'hôtel blanc sur la colline, dit-elle, la bouche violette en cul-de-poule.

Cela sonnait comme une phrase dans un film, et Perlmann réprima difficilement une envie de rire. Il s'habilla et chercha le blazer aux boutons dorés. Il était content que ce ne soit pas encore lundi soir. Lorsqu'il sortit de la salle de bains, elle lui désigna la feuille avec les listes de mots qui était encore sur la plaque de verre de son bureau.

— Quand je m'ennuie pendant les séminaires, je fais aussi des petits dessins, dit-elle.

Quand le taxi s'engagea sous le porche de *L'Imperiale*, il arriva à oublier cette remarque.

Kirsten était assise au fond du fauteuil turquoise pelucheux et regardait le décor que formaient les lumières de la baie.

— J'aimerais que maman soit ici aussi, dit-elle sur fond de la musique douce du bar qu'on entendait jusque dans le salon.

Perlmann faillit s'étouffer avec son sandwich. Les choses n'étaient donc pas comme il se les était imaginées, Kirsten ne faisait peut-être ni mieux ni plus rapidement que lui le deuil d'Agnès. Et même si cela avait été le cas : il était ridicule de le lui reprocher.

— Hier au café, poursuivit-elle, tu as parlé d'intimité et de liberté. Je ne sais pas si j'ai compris. – elle fit une pause sans le regarder. Tu étais heureux avec maman ? Je veux dire... c'était bien à la maison, il n'y avait jamais de disputes. Mais peut-être...

Perlmann ferma les yeux. Le bruit de l'appareil photo et le sourire ironique d'Agnès pendant qu'il se débattait pour repousser les pigeons. Ensuite ils se promenaient dans Hambourg en se montrant sans cesse les couleurs éclatantes du feuillage d'automne brillant des gouttes de pluie, pendant que lui, Perlmann, se répétait à l'infini les paroles du médecin annonçant la guérison de Kirsten. Il sentait sur son visage le vent balayer les rochers de la côte normande et voyait le bras d'Agnès dans sa veste jaune jeter dans le vide, d'un geste ample, le paquet de cigarettes tout neuf. Et ensuite, comme si ce nouveau souvenir se glissait sur les autres et les rendait flous sans complètement les effacer, il sentait la tête d'Agnès appuyée contre son épaule crispée, après que la remarque sur le cliché idyllique lui eut échappé à l'aéroport.

Il ouvrit les yeux et vit que Kirsten l'observait.

– Nous allions bien. La plupart du temps c'était bien entre nous.

Le sourire de Kirsten à ce moment-là, se dit-il plus tard, révélait qu'elle était heureuse de l'assurance de sa voix, mais insatisfaite du choix des mots. Finalement, ce qu'elle voulait savoir, c'était s'ils étaient heureux ensemble.

Elle secoua son paquet de cigarettes et voulut justement, suivant l'habitude de Silvestri, en attraper une avec ses lèvres, lorsqu'elle arrêta son geste, se reprit et saisit la cigarette, comme d'habitude, à l'aide de ses doigts.

– Tu sais, dit-elle, Martin est bien. Il est vraiment très bien.

Le silence qui suivit dura trop longtemps, elle en fut consciente ; elle avait du mal à trouver les mots.

– Vraiment. Seulement, il est... je ne sais pas... parfois il lui manque un peu de... punch. Quelque chose comme cet imbécile de Giorgio... cet imbécile de Silvestri... ou aussi comme François... *Oh ! Forget it.*

Elle tourna rapidement la tête vers Perlmann, le regarda en ricanant, puis se tourna à nouveau vers la fenêtre.

Perlmann se souvint d'Agnès revenant du voyage à Shanghai où elle avait rencontré cet André Fischer. L'unique cadeau qu'elle lui avait rapporté, un petit dragon en ivoire, elle le lui avait lancé à travers la salle de séjour, sans lui dire un mot, ce qu'elle ne faisait ordinairement jamais. Ses autres gestes aussi avaient eu pendant quelques jours un entrain inhabituel, elle avait été parfois exubérante sans raison. Ensuite tout était rentré dans l'ordre, et son exubérance s'était fondue dans la douceur qui caractérisait leur relation. *Une bouffée d'adrénaline.*

Alors que le silence de Kirsten commençait à l'oppresser, Perlmann voulut savoir si Martin parlait bien le russe. Il lui posait la question, dit-il, parce que la veille elle avait fait une remarque à propos du grand dictionnaire en mauvais papier.

– Oh assez bien, je crois. Son père, par ailleurs un être assez repoussant, a longtemps travaillé à Moscou et d'une certaine façon Martin voulait que ses connaissances linguistiques soient à la hauteur des siennes. Il me semble que c'est le seul lien entre eux deux – elle éteignit sa cigarette d'une façon compliquée. Il est doué. Dans de nombreux domaines. Ce... n'est pas ça.

Minuit avait sonné depuis longtemps quand ils descendirent du taxi. Pendant les deux dernières heures Kirsten avait parlé presque tout le temps, il y avait longtemps qu'il n'en avait pas appris autant sur sa vie. À présent il savait qui habitait avec elle dans la colocation, connaissait ses projets de voyages pour l'ensemble de l'année à venir, s'était indigné avec elle de l'incurie de l'assurance maladie à laquelle elle avait eu affaire pour un eczéma. Mais il savait surtout comment se déroulait son quotidien à l'université. Il aurait même pu réciter quelques-uns des graffiti qu'elle voyait chaque jour. Fasciné, il avait accueilli chaque détail et essayé de savourer l'intimité que sa fille cherchait auprès de lui, tandis qu'elle racontait, détendue et parfois rêveuse, les différentes atmosphères qui pouvaient régner sur le lac de Constance. Mais son ton trahissait sa fierté d'avoir un père qui connaissait l'université mieux, bien mieux qu'elle, et qui devait prendre ses histoires pour des radotages. *Arrête de dire ça, je t'en prie !* aurait-il dû lui crier une douzaine de fois. *Je ne suis plus dans la course depuis longtemps !* Elle n'en avait aucune idée, et plus le salon au charme désuet fin XIXe se vidait, plus cela le torturait et le rejetait dans cette solitude glaciale où il n'éprouva plus une seule fois la tentation de la veille de s'accommoder de son angoisse et de son désespoir.

Avant que Kirsten tournât dans son couloir, elle s'avança vers Perlmann, le serra dans ses bras et posa sa tête contre sa poitrine.

– Nous n'avons pas souvent parlé comme ça. Peut-être jamais encore. C'était bien. C'est aussi ce que tu as éprouvé ?

En silence il fit signe que oui. Lorsqu'elle releva les yeux et vit les larmes dans ceux de Perlmann, elle lui caressa les joues de ses deux mains. Après avoir fait trois pas et avant de disparaître dans le couloir, elle agita la main en lui souriant d'abord d'un air embarrassé, puis avec une affectation ironique.

23 Elle vint le chercher pour le petit déjeuner vers huit heures et demie. Elle portait les mêmes vêtements qu'à son arrivée et avait remis toutes ses bagues. En revanche, elle n'avait pas de rouge à lèvres et la proéminence de sa lèvre inférieure était nettement visible. Kirsten remarqua le regard de

Perlmann et passa son doigt sur sa lèvre.

— Je peux ? dit-elle en s'avançant vers le miroir de la salle de bains.

Les comprimés. J'aurais dû les ranger. Perlmann se dirigea vers la fenêtre opposée, ferma les yeux et chercha les mots pour lui fournir une explication simple et banale.

— Dis donc, dit-elle en sortant de la salle de bains. Barbiturique : ce n'est pas quelque chose d'assez fort ? Même d'assez dangereux ? À cause de l'addiction, je veux dire.

Perlmann reprit sa respiration avant de se retourner.

— Comment ? Ah bon, tu veux parler des comprimés — il réussit à rire. Ah non, le médecin m'a dit que je pouvais être tout à fait tranquille. Tout est une question de dosage. D'autre part je ne les utilise pas très souvent, heureusement.

Il n'avait même pas eu recours à l'explication qu'il avait préparée.

— Seulement de temps en temps la nuit, mon dos me fait mal. Le lit ne me convient pas non plus. Et pour éviter que le jour suivant ne soit pourri…

Elle posa le pied sur le sommier et refit la boucle de ses baskets. Impossible de savoir si elle l'avait cru.

Silvestri ne fit son entrée qu'à neuf heures moins cinq dans la salle à manger, Kirsten feignit d'ignorer qu'il s'était assis en face d'elle et se mit tout à coup à bombarder Ruge de questions sur son laboratoire de recherches à Bochum. Lorsque Silvestri attrapa ensuite ses cigarettes, il chercha le regard de Kirsten pour lui en offrir une. Il finit par allumer la sienne, jeta un œil en direction de Perlmann et fit glisser le paquet sur la table en prenant un élan tel qu'il heurta la sous-tasse de Kirsten et fit gicler le café. Kirsten se recula, souleva pendant un instant la tasse dégoulinante avec un regard plein de reproches et saisit le paquet de cigarettes. C'est seulement à ce moment-là qu'elle croisa le regard de Silvestri. Pendant un instant, Perlmann craignit qu'elle ne lui renvoie le paquet. Mais elle attrapa très lentement une cigarette, la porta à ses lèvres et tout en regardant de l'autre côté, elle étendit le bras en direction de Silvestri avec un geste si manifestement blasé qu'on aurait cru qu'elle avait étudié l'art dramatique. En ricanant, l'Italien leva exagérément le bras pour laisser tomber le briquet dans la main ouverte de Kirsten. On entendit un léger bruit métallique lorsqu'il heurta ses bagues. Sans l'honorer du moindre regard, Kirsten tint sa cigarette dans la flamme, referma le briquet et le posa sur la table. *Ecco*, dit Silvestri en riant et il reprit son briquet. Kirsten le regarda et lui tira la langue.

Perlmann intercepta un regard d'Evelyn Mistral. Son visage oriental aux yeux verts parsemés d'ambre lui sembla très lointain, et il ne sut pas si cela le réjouissait ou le rendait malheureux.

La troisième intervention de Laura Sand se déroula sur un rythme plus lent que les deux premières. Seuls les extraits de film lui rendirent un peu de vie, ils suscitèrent des questions, on lui demanda si les animaux comprenaient le sens de certains signes étant donné qu'ils réagissaient de façon cohérente, ou si leur capacité de compréhension – quelle que soit la signification simplifiée, minimale qu'on accorde à ce terme – leur permettait de comprendre l'intention de leurs partenaires de leur transmettre un message. Les animaux avaient-ils une sorte de théorie sur la vie intellectuelle des membres de leur espèce ?

– Mais ça coule de source ! s'exclama Kirsten. Évidemment ils en ont une. Ça se voit tout simplement aux regards qu'ils échangent !

– Le fait est – Millar lui coupa la parole – que l'on ne peut pas en déduire grand-chose et qu'accepter cette idée est assez risqué, pour ne pas dire plus.

Il s'était exprimé de son ton professionnel, sûr de lui, et seul un soupçon d'agacement trahissait qu'ils avaient discuté ensemble de Faulkner.

Perlmann songeait aux choses amusantes qu'Evelyn Mistral avait dites récemment au sujet des regards éloquents des animaux et s'attendait à ce qu'elle vole au secours de Kirsten. Mais elle ne dit mot, garda les bras croisés sur la poitrine, et approuva même lorsque Millar et Ruge tournèrent en ridicule la proposition bienveillante de von Levetzov qui aux yeux de Perlmann voulait seulement être aimable avec Kirsten.

Comme tous les autres, Laura Sand attendait que Silvestri intervienne, lui qui, on le savait, partageait le jugement spontané de Kirsten. Mais l'Italien opposa à l'attente concentrée sur sa personne un visage impénétrable et fit mine de s'ôter de la langue plus de débris de tabac qu'il n'y en avait. Finalement Laura Sand, d'un tremblement à la commissure des lèvres, lui signifia qu'elle comprenait qu'il s'abstînt, et se mit à développer sa thèse, pas tellement éloignée du sentiment de Kirsten. Celle-ci l'écouta d'abord avec intérêt. Mais lorsque les explications devinrent trop techniques, elle s'appuya discrètement contre le dossier de son fauteuil et regarda l'heure à la dérobée.

– Je suis quand même un peu surprise, dit-elle à Perlmann quand ils se retrouvèrent ensuite dans le hall, et ses paroles révélaient plutôt l'intimidation que la surprise, de la rigueur de la discussion. Dans un séminaire chez nous tout est plus informel, plus sympathique. Est-ce que tu as trouvé déplacée la façon dont j'ai débarqué dans le débat ?

Perlmann ne répondit pas : à cet instant précis Maria s'avançait vers eux et lui tendait un exemplaire du texte de Leskov avec, sous la pile, sa traduction manuscrite.

– *Eccolo*, dit-elle, je n'ai pas pu vous le donner plus tôt, car le signor Millar voulait que je saisisse encore quelque chose pour lui.

Pour le titre imprimé dans des caractères excessivement gros et gras elle avait utilisé une feuille entière. Et voilà qu'elle le lui montrait et voulait encore ajouter quelque chose. Avec une présence d'esprit dont il ne prit pas conscience, Perlmann lui coupa l'herbe sous le pied en lui présentant Kirsten. Il tenait le texte des deux mains derrière son dos, pendant qu'il faisait à Kirsten l'éloge de Maria en des termes qui lui semblèrent particulièrement creux. Maria eut à peine le temps de poser une question à Kirsten que Perlmann s'excusa d'un geste, se dirigea vers la réception et demanda à signora Morelli de déposer le dossier dans son casier.

– Le texte m'a beaucoup intéressée, disait Maria lorsqu'il revint vers elles. Mais dans le dernier tiers, cette histoire d'appropriation, je n'ai pas bien compris.

– Cela ne fait rien, dit Perlmann en amorçant un mouvement pour s'en aller. Et merci encore pour votre travail.

– Je vous en prie. Et…, un instant je vous prie. Est-ce qu'on s'en tient à ce qui a été convenu : l'autre texte vendredi ?

Perlmann sentit le regard de Kirsten sur son visage. Lorsqu'il se retourna, il eut l'impression de déplacer une masse lourde et informe.

– Oui, dit-il, comme convenu.

Perlmann avait déjà la poignée de la porte de la salle à manger dans la main lorsque Kirsten lui montra d'un geste les casiers en face.

– C'est maintenant le texte pour la séance de travail de jeudi, pas vrai ? Quelque chose avec LINGUISTIC CREATION. Ou ai-je mal lu ? Tu as immédiatement fait disparaître les feuilles ! dit-elle en riant.

– Plus tard, murmura Perlmann lorsqu'il vit Ruge et von Levetzov s'avancer vers eux.

– Tu sais, dit Kirsten lorsqu'ils s'assirent à table, je me suis dit que je pourrais peut-être emporter une copie du texte. Pour le lire pendant le voyage. Tu crois que je pourrais demander à Maria de m'en faire une copie ?

– Plus tard, dit Perlmann.

Il n'avait pas réussi à dissimuler détresse et colère dans sa voix. Il posa sa main sur son bras et sourit, mal à l'aise.

– Nous en reparlerons plus tard.

Elle n'en finissait pas de se préparer à partir et de mettre dans sa valise le peu qu'elle transportait. Angoissé, Perlmann contemplait la baie où les premières lueurs du crépuscule se posaient sous un ciel sombre. Elle n'avait plus dit un mot du texte. Et cela ne signifiait pas – il connaissait trop bien sa fille – que c'était parce que le déjeuner s'était prolongé jusqu'à trois heures ; ils étaient restés dans la salle à manger à rire des plaisanteries d'Achim Ruge à qui le regard admiratif de Kirsten donnait une verve éblouissante.

Il était évident qu'elle ne ferait pas allusion à ce texte la première. Elle se mordrait plutôt la langue. Il en avait toujours été ainsi lorsqu'il avait manifesté de l'impatience à son égard, quelle qu'en fût la raison. Comme elle venait de le faire, elle avait l'habitude de prendre cet air volontairement oublieux et désintéressé qui voulait simplement, mais très explicitement lui dire : *ce n'est rien*. Lorsqu'un jour au cours d'un débat de spécialistes quelqu'un avait défendu la thèse selon laquelle il n'existait pas, en dehors du langage, de formes d'expression traduisant des jugements existentiels négatifs, il était immédiatement parti d'un grand éclat de rire en ajoutant : « Vous ne connaissez pas ma fille ! »

Peu après que Kirsten eut rejoint sa chambre, il était allé chercher le texte dans son casier. Il avait regardé rapidement la dernière page imprimée : il y avait soixante-dix-sept feuillets. Puis il avait enfermé le texte dans son attaché-case et mis les feuillets manuscrits de Leskov dans le tiroir contenant son linge de corps. Il avait appelé la gare de Gênes et réservé un wagon-lit. Cinq minutes plus tard il avait rappelé et remplacé cette réservation par celle d'une couchette. Non, lui répondit la femme agacée au bout du fil, avec la meilleure volonté du monde, elle ne pouvait pas le renseigner sur les correspondances au départ de Zurich vers Constance à six heures du matin. Depuis il se tenait debout à la fenêtre et bien que son dos lui fît mal, cela lui semblait être la seule position adéquate pour supporter l'attente.

Elle portait à nouveau son manteau noir et tenait à la main son sac de voyage rouge, lorsqu'elle avait fini par se montrer à six heures et demie. On aurait dit que cette histoire de texte ne s'était jamais produite. Finalement il était assez sympathique cet imbécile de Giorgio, avait-elle dit, mais son ironie perpétuelle, ça elle ne pouvait pas l'encaisser. Et décidément, elle comprenait mieux Faulkner que lui. Elle s'était à nouveau fardée, et il trouva que la barrette rouge vif dans ses cheveux n'allait pas avec le violet brillant et gras de ses lèvres.

Ils arrivèrent bien trop tôt à la gare, le quai mal éclairé était encore vide. Un silence embarrassé ne tarda pas à s'installer entre eux, ils se jetaient des regards timides, et soudain Kirsten se mit à fouiller dans son sac de voyage sans savoir ce qu'elle cherchait. Soudain le quai déserté fut envahi par la sonnerie aiguë que Perlmann connaissait déjà. C'était un son pénétrant, traînant, un peu fantomatique car il résonnait dans la nuit sans qu'il se passât la moindre chose. Ils éclatèrent de rire de concert et Kirsten se boucha les oreilles. Ils sortirent précipitamment de la gare et se réfugièrent sous les platanes devant l'entrée.

Voulait-il réellement l'accompagner jusqu'à Gênes ? lui demanda-t-elle lorsque le silence menaça de s'installer à nouveau. Cela devait vraiment le déranger. Mais il y tenait ; ils se retrouvèrent donc assis face à face dans un wagon miteux, et Perlmann en aurait pleuré lorsqu'il se rendit compte qu'il cherchait nerveusement un sujet de conversation, comme s'il venait de rencontrer un inconnu. Il finit par amener la conversation sur la coiffure de Maria et demanda si c'était le dernier cri d'avoir de la laque dans les cheveux.

— Tu n'es plus du tout dans le coup, dit-elle en riant, il y a longtemps que c'est *out*, *méga-out*. Personne n'en met plus !

Un peu plus tard, elle alluma sa dernière gauloise et lui tendit le briquet rouge. Avant de le lui rendre, il l'observa attentivement, content de pouvoir faire quelque chose contre le silence. Juste au moment où il voulait lui demander d'où elle le tenait, l'expression de son visage le mit en garde et il le lui déposa sans dire un mot dans la main. Elle le fit tourner et retourner entre ses doigts tandis que son regard s'abîmait dans la nuit.

— Je te l'offre, dit-elle soudain avec un sourire de soulagement, comme si elle venait de quitter quelqu'un alors qu'elle aurait dû le faire depuis longtemps. Voilà, prends-le.

Il accepta en hésitant. Les lèvres de Kirsten se plissèrent, puis elle claqua des doigts.

— Fini.

Il jeta encore un regard au briquet puis le fit glisser dans sa sacoche. *François*.

Pour le moment, elle était toute seule dans le compartiment à couchettes. Les choses pouvaient changer à partir de Milan, dit-il, et il lui demanda si elle avait des francs suisses sur elle. Pour un petit déjeuner à Zurich. Elle se pencha à la fenêtre et tendit le bras. Il prit sa main. À l'avant du train, le contrôleur commençait à fermer les portières.

– À la maison, tu étais rarement là pour le petit déjeuner. Au grand désespoir de maman – elle renifla et il vit ses larmes. Nous prenions seulement notre petit déjeuner ensemble le premier jour des vacances, cela durait toute la matinée. C'était... c'était merveilleux.

Elle lâcha sa main et s'essuya les yeux.

– Évidemment Giorgio m'a dit qu'ici tu ne te montrais jamais au petit déjeuner.

Le train s'ébranla. Elle rit.

– *Gli ho detto che ti voglio bene. Giusto ?*

Perlmann fit signe que oui et leva la main pour lui dire au revoir. À travers ses larmes, il vit Kirsten mettre ses mains en entonnoir et lui crier quelque chose qu'il ne comprit pas. Il resta là jusqu'à ce qu'il fût absolument certain de ne plus voir les lumières rouges à l'arrière du train.

Parce que le billet de Kirsten avait coûté davantage que prévu, il n'avait plus assez d'argent sur lui pour un taxi. Il attrapa de justesse le dernier train pour Santa Margherita. De temps à autre pendant le voyage, il prit dans sa main le briquet rouge en répétant la phrase en italien prononcée par Kirsten. À l'hôtel, il se jeta sur son lit et laissa libre cours à ses larmes.

24 À la fin de la séance du mardi, Millar proposa de discuter le mercredi et le jeudi des travaux d'Evelyn Mistral pour qu'il puisse se rendre le vendredi à Florence ; il voulait rencontrer encore une fois son collègue italien pour leur projet d'encyclopédie. Pendant quelques minutes, une colère inutile submergea Perlmann car cette modification lui supprimait justement le dernier jour de liberté qu'il aurait pu consacrer à écrire. Mais pendant que Laura Sand ramassait ses affaires et que les autres se levaient, ce sentiment était retombé et avait laissé la place à une indifférence anesthésiante.

Elle s'accompagnait d'une fatigue de plomb qui ne disparaissait pas même s'il cédait de plus en plus souvent à un besoin obsessionnel de dormir. Quand il se réveillait, la fatigue se faisait encore plus lourde que précédemment, et chaque fois qu'il se glissait sous la couette tout habillé, il se sentait en proie à une indifférence de plus en plus grande jusqu'à ce qu'il se rende compte qu'en très peu de temps il avait désappris à éprouver une sensation quelconque. Manger était devenu un acte complètement mécanique et, en ce qui concernait l'absence de sensation, à peine différent de la façon dont une plante se nourrissait. Qu'il s'en abstînt n'était qu'une question de temps, se dit-il en glissant une fois de plus dans une douce somnolence où il se sentait pour un moment en sécurité, jusqu'à ce que le prochain tourbillon d'images oniriques l'entraînât à sa suite, tel un feu follet.

Le mardi soir, Kirsten l'appela. Il avait eu raison, lui dit-elle, à Milan le compartiment s'était rempli et un véritable concert de ronflements avait ensuite commencé, si bien qu'elle n'avait pas fermé l'œil. À Zurich, il lui avait fallu attendre presque deux heures la correspondance, mais son petit déjeuner avait été fantastique.

– J'espère, dit-elle inquiète et hésitante, que tu n'as pas mal pris la remarque que je t'ai faite au moment du départ. Cela ne voulait pas être un reproche.

La salle du séminaire dans son institut lui avait semblé encore plus minable que d'habitude.

– Et puis ces gobelets en carton ! Je ne pouvais pas m'empêcher de penser constamment à vos verres en cristal.

Martin ?

– Imagine, il était à la gare, à tout hasard, car il avait pensé que je prendrais le train de nuit – elle fit une pause. Lorsque je l'ai vu, j'ai eu mauvaise conscience. À cause… bon, à cause de ma remarque.

Le séminaire ?

– J'ai dormi tout le temps les yeux ouverts. Une fois, alors que Lasker évoquait *Les Palmiers sauvages*, je n'ai pas pu m'empêcher de penser à la discussion avec Millar. Mon Dieu, qu'est-ce que cet homme est sûr de lui. *Cocksure*, c'est un euphémisme !

Ensuite Perlmann n'arriva pas à s'endormir et regretta son sommeil obsessionnel des semaines passées. En pleine nuit, il alla chercher ses notes dans son attaché-case et s'assit à sa table de travail. Il feuilleta lentement ses notes. Non, cela n'allait pas, les exemples, traduits de l'anglais, sonnaient mal en allemand, bizarre et ridicule. *Présent : un parfum, une lumière, un sourire…* Il avait déjà le feutre prêt à rayer ces deux lignes lorsqu'il y renonça et fuma une cigarette. *Ce qui me sépare de mon présent…* Sans hésiter, il raya tout le dernier paragraphe. Mais cela ne lui suffisait pas. Il continua à noircir son texte jusqu'à ce que le tout dernier espace blanc eût disparu et que l'ensemble formât un bloc noir qui tacha la page suivante. Il agita la page et souffla dessus pour la sécher, puis feuilleta à rebours pour retrouver les deux lignes en question. Après un bref regard, il les raya aussi. Il resta un instant immobile devant la première page. Puis il dessina avec le feutre le titre : MESTRE NON È BRUTTA.

Le mercredi matin, en se rendant dans la véranda, il fit un détour par le bureau de Maria et lui donna ses notes. Elle rit en voyant le titre. Bon, il avait quand même réussi à terminer son texte, lui dit-elle. Aujourd'hui et demain, elle avait toute une série d'autres travaux à exécuter, mais d'ici lundi elle arriverait à saisir son texte, comme promis. Perlmann acquiesça à l'ensemble de ses propos. Il franchissait la porte lorsqu'il entendit son nouvel éclat de rire. Désignant le paragraphe de conclusion qu'il avait noirci :

— Comme dans un dossier des services secrets ! dit-elle. Ça éveille tout de suite la curiosité !

Il fallut presque une heure à Evelyn Mistral pour se libérer de sa nervosité. Ce n'est qu'ensuite qu'elle cessa de jouer frénétiquement avec ses lunettes, et elle s'assit enfin confortablement dans son fauteuil. Elle avait certainement du mal à croire que Millar et Ruge n'étaient pas seulement polis, mais que le texte leur avait réellement plu. Lorsqu'elle se sentit rassurée, elle maîtrisa de mieux en mieux la situation, donna de nombreuses explications qui n'étaient pas dans le texte et raconta toute une série d'expériences passionnantes pour développer l'imagination et la volonté qui parvinrent à vraiment enthousiasmer Millar. Le sentiment d'avoir réussi face à ce brillant aréopage la mit en verve, son visage s'était empourpré ; elle fumait encore plus que d'habitude et chaque fois von Levetzov, avec l'attention décente d'un entraîneur, lui tendait à temps une allumette enflammée. Une fois alors qu'elle essayait, contrairement à son habitude, d'avaler la fumée, et qu'elle ne pouvait retenir sa toux, il y eut des rires qui exprimaient sans équivoque que ses collègues l'acceptaient pour sa performance et se réjouissaient qu'elle en éprouve du soulagement.

Perlmann se donna une peine extrême pour se montrer intéressé et le mercredi après-midi, luttant encore et toujours contre un sentiment de lassitude, il rattrapa son retard dans la lecture du texte d'Evelyn Mistral. Mais ce que le texte disait lui parut lourd et les mots semblaient perdre toute signification. Dans le dernier tiers du texte arrivait le passage où Evelyn Mistral expliquait pourquoi la différenciation entre l'imagination et la volonté se réalisait dans le langage. Il remarqua immédiatement qu'elle ne faisait pas la même hypothèse que Leskov. Mais lorsqu'il essaya de se remémorer celle-ci, il eut un blanc. Cette sorte de blanc qui avait en soi quelque chose de définitif, tout à fait différent du simple trou de mémoire, le saisit d'effroi jusqu'au plus profond de lui-même. Il ne parvint que péniblement à s'ôter de la tête qu'il était en train de perdre la raison.

Le jeudi soir, il se rendit à la trattoria. Il remarqua que le couple d'aubergistes aurait bien aimé savoir où il était passé les jours précédents. Mais après l'avoir longuement dévisagé, effrayés ils réprimèrent leur curiosité. Perlmann se rendit aux toilettes et se regarda dans la glace. Il n'était, lui sembla-t-il, pas plus pâle que d'habitude ; au contraire, la traversée en bateau avec Kirsten avait légèrement bruni son visage. Mais la couleur, il s'en rendait compte maintenant, n'était pas la raison de l'effroi des aubergistes. C'étaient les traits de son visage sans vie qui effrayaient. Il avait quelque chose de l'épuisement d'un naufragé, il semblait abandonné, donnait l'impression étrange que celui à qui il appartenait l'avait tout simplement quitté. Perlmann essaya de sourire, mais s'arrêta immédiatement lorsqu'il constata la froideur de son sourire grimaçant.

Lorsque Sandra arriva dans le restaurant en sautillant, ses parents lui firent signe de ne pas faire de bruit par égard pour Perlmann. Il pria alors la fillette de s'asseoir près de lui et l'interrogea sur l'école. Elle ne semblait pas remarquer l'étrangeté de son visage, mais les questions l'ennuyèrent et elle fut soulagée quand elle put s'en aller. Perlmann laissa la moitié de son dîner, murmura une vague excuse, et éprouva un certain soulagement lorsque le rideau de perles de verre se referma derrière lui en faisant entendre un léger tintement.

Il resta un moment sur le port et regarda les vagues se briser sur les blocs en béton protégeant le môle. Ce n'était absolument pas vrai que c'était déjà pour demain. Demain, ce n'était que vendredi, le jour où il aurait dû remettre son texte à Maria. En admettant qu'il fasse des conférences pendant les séances au lieu de commenter des textes distribués au préalable, il n'avait qu'une marge de six jours. Moins le temps des séances de Silvestri. Il respira profondément à plusieurs reprises. Maintenant il s'agissait de maintenir en vie le peu de confiance qui pointait en lui. Cinq jours, c'était en réalité énormément de temps. Il se dit qu'il avait finalement une grande expérience pour rédiger des textes de conférence. Il rentra à l'hôtel lentement, comme si un mouvement trop brusque pouvait briser sa confiance.

Il avait à peine fermé la porte de sa chambre que le téléphone sonna.

— C'est moi, dit Kirsten. Je voulais simplement savoir comment ça s'était passé.

Perlmann ne comprit pas tout d'abord. C'est seulement lorsque Kirsten répéta *Hallo* qu'il réalisa. Elle croyait qu'il était intervenu aujourd'hui. À cause du ton de camaraderie estudiantine qu'elle avait pris dimanche à Rapallo, il ne lui avait pas dit que son intervention était repoussée.

— Ce n'était pas encore mon tour, dit-il. Le planning a été modifié. Ce ne sera mon tour que dans une semaine.

— Ah bon ! Alors j'ai croisé les doigts pour toi pour rien. C'était le tour de qui aujourd'hui ?

— Evelyn.

— Bon.

Il y eut un silence.

— Giorgio est toujours là ?

Il rit et en fut lui-même surpris.

— Oui, il est encore là.

– Salue-le de ma part. Mais pas trop amicalement. Et dis-lui… Non, rien.

Perlmann s'assit à son bureau et contempla la feuille où il avait listé les termes-clés et dessiné dans la marge. *Quand je m'ennuie pendant le séminaire, je fais aussi des dessins,* avait-elle dit. Ce qui s'était passé entre elle et Silvestri, il ne l'apprendrait vraisemblablement jamais. Et il ne devait en aucun cas poser la question. Une seule fois il avait commis cette faute. Il vit devant lui le visage furieux de Kirsten et entendit la plaisanterie d'Agnès devant sa mine stupéfaite.

C'est alors que le téléphone sonna à nouveau.

– Il faut que j'aille aujourd'hui encore à Bologne, à la clinique, dit Silvestri. C'est précisément maintenant, quand le chef n'est pas là, que l'autre médecin-chef tombe malade, et il semble que tout d'un coup ce soit la pagaille.

Perlmann entendit qu'il fumait.

– Deux patients ont… foutu le camp. Ils sont considérés comme dangereux et la police s'en est mêlée – il toussa. Je regrette de tenir aussi mal mes engagements. Mais je ne peux pas laisser les autres se débrouiller seuls. Je n'interviendrai évidemment ni lundi ni mardi. Je suppose que vous prendrez la parole à ma place. Je reviendrai de toute façon encore une fois et peut-être pourrai-je parler dans la seconde partie de la semaine – il rit. Et si ce n'est pas le cas, la science n'en mourra pas pour autant !

Perlmann reposa lentement le téléphone. Ses mains laissèrent des traces de transpiration sur le combiné. *Lundi. Demain, c'est vendredi. Et je n'ai rien. Pas la moindre phrase.* Il essuya ses mains sur son pantalon. Il avait froid. Ce qu'il faisait maintenant n'avait plus d'importance. Aucun de ses mouvements n'avait davantage de raison d'être ou d'utilité qu'un autre. Maintenant, il ne pouvait plus rien empêcher.

326

Il alla à la salle de bains en traînant les pieds et prit un comprimé entier de somnifère. L'eau avait davantage le goût du chlore que d'habitude. Le goût lui rappela son premier cours de natation à la piscine lorsqu'il avait failli se noyer. C'était un souvenir oppressant, mais il lui permettait de s'évader du présent et il s'accrocha fermement à lui pendant que l'inconscience le gagnait lentement.

DEUXIÈME PARTIE
Le Plan

25 À son réveil, il avait mal à la tête, son visage était luisant de sueur. Il était dix heures moins le quart, et le miroir lisse des eaux de la baie resplendissait sous l'éclat du soleil, brillant dans un ciel sans nuages. *Aujourd'hui, je dois prendre une décision. Quelle qu'elle soit.*

Dans cette chambre, en quelque sorte sous les yeux des autres, il n'y parviendrait pas, se dit-il en prenant sa douche. Il sortit de l'hôtel par la porte de service et prit un café dans un bar de la Piazza Veneto. Peu à peu, le mal de tête se dissipait, et il supportait mieux la clarté rayonnante de cette journée d'automne.

Cacher aux autres le départ de Silvestri ne servirait à rien. Ils l'apprendraient au cours de la journée par signora Morelli, au plus tard quand ils demanderaient les textes pour la réunion du lundi. Et à ce moment-là, ils supposeraient inévitablement que lui, Perlmann, prendrait en charge les deux prochaines séances. Il entendait Millar demander : *Where are his papers ?* Il faudrait qu'il puisse, au plus tard pendant le dîner, dire qu'on était en train de les photocopier. Sinon, il ne pourrait plus se montrer.

Dehors, sur le quai auquel accostaient les bateaux de ligne, des gens commençaient à s'assembler, des autochtones avec leurs paniers et leurs bicyclettes, mais aussi quelques touristes avec leurs appareils photo. Perlmann eut soudain l'impression qu'un long trajet en bateau l'aiderait mieux que n'importe quoi à y voir clair, et il s'efforça de se concentrer sur cette idée pour qu'elle fasse taire la panique qui menaçait.

À onze heures, un bateau partait pour Gênes. Il se tint à l'écart du groupe qui attendait, encore un quart d'heure, il fumait, impatient, il lui semblait maintenant insupportable de rester plus longtemps sur le continent, il voulait enfin monter à bord et voir l'espace liquide grandir entre lui et le quai. À onze heures, on ne voyait toujours pas le bateau. Il maudit le manque de ponctualité italien.

Quand une demi-heure après il se tint enfin debout contre la rambarde tout à l'avant du bateau, il s'efforça d'ouvrir tout grand ses sens pour que les impressions entrent en lui profondément, avec force, qu'elles triomphent des pensées qui le torturaient, qu'elles les étouffent. Il n'avait pas pris de lunettes de soleil, regarder droit dans la lumière éblouissante lui faisait mal, mais il cligna des yeux, s'efforçant tout de même de la laisser le pénétrer entièrement. Elle se brisait sur l'eau, près de la poupe on distinguait des points brillants, de petites étoiles lumineuses, et plus loin vers le large, c'étaient des surfaces tranquilles d'un blanc d'or ou de platine, recouvert d'une mince pellicule de brouillard ; dans le lointain, la surface scintillante devenait progressivement une vapeur qui se dissolvait en formant une coupole d'un bleu laiteux. Il respirait l'odeur lourde et un peu grisante de l'eau de mer, inspirant à longs traits cette odeur qui, enfant, l'attirait toujours et encore vers le port de Hambourg, parce qu'elle promettait, sans aucun effort, un présent intense.

Je dois me concentrer. Au retour, en repassant ici, je dois savoir ce que je vais faire. Il s'assit à l'ombre sous l'auvent de la cabine. Il n'y avait que trois possibilités. La première revenait à ne rien présenter. Pas de texte, pas de réunion. Ce serait une déclaration de faillite qui prendrait d'ailleurs les autres au dépourvu, car elle se produirait sans préambule, sans qu'il ait en aucune façon cherché à amener les autres à se montrer compréhensifs. Il avait négligé de le faire ; bien au contraire, il avait, en interrogeant Millar sur le sens de termes anglais, suscité sans équivoque l'impression qu'il travaillait sans relâche à un texte. Il s'agirait d'une faillite soudaine, brutale, sans explication de sa part, et sans compréhension de la part des autres, un abîme de gêne muette. Et cette possibilité semblait totalement insupportable à Perlmann au moment où il se demandait de quelle manière annoncer son échec. Il n'était pas envisageable de faire déposer dans les casiers des autres un papier leur indiquant en quelques mots secs qu'il ne leur proposerait aucune contribution et que les séances prévues pour en discuter étaient supprimées. Devait-il ajouter par exemple ? *parce que je n'ai pas eu la moindre idée, malgré toute ma bonne volonté.* Ils exigeraient une explication, de manière explicite ou par leur silence. Ou devait-il, au cours du dîner, annoncer officiellement son échec, frapper sur son verre puis déclarer, en des termes auxquels la situation conférerait une solennité involontaire et exécrable, que malheureusement, sur le plan scientifique, il n'avait absolument plus rien à dire ? Devait-il éventuellement se rendre auprès de chacun de ses collègues, dans sa chambre, et exposer son impuissance à six reprises, et une septième fois par téléphone pour Angelini, qui avait déclaré vouloir à tout prix assister à cette réunion ? Perlmann se sentit la bouche sèche et se hâta de regagner la proue pour laisser le vent du large chasser cette pensée.

Une famille d'ici, les parents et deux enfants, gagnait l'avant du navire, les enfants jouaient à la balle, et soudain, à l'avant où jusqu'alors seuls quelques touristes, accoudés au bastingage, prenaient des photos, le calme fut rompu. La violence du mécontentement qui l'envahissait fit comprendre à Perlmann combien il était déboussolé. Quand le petit garçon manqua le ballon qui passa par-dessus bord, il se mit à hurler comme si on l'égorgeait, ses parents n'arrivaient pas à le calmer, et Perlmann dut faire un effort pour ne pas crier après l'enfant, le secouer jusqu'à ce qu'il se taise. Il se réfugia à l'arrière du bateau, mais là aussi, on entendait les hurlements, et en plus, le grondement des machines rendait tout raisonnement cohérent impossible. Il finit par regagner l'intérieur et but un café tiédasse au comptoir.

Il pouvait, c'était la deuxième possibilité, présenter les notes qu'il avait prises sur les relations entre langue et vie comme sa contribution. Il lui faudrait appeler Maria de Gênes et lui demander de terminer aujourd'hui même la rédaction du texte, ou au pire d'ici demain midi. Il pouvait lui expliquer ce qui s'était passé avec Silvestri. Et lui demander de supprimer le titre. MESTRE NON È BRUTTA, un tel titre constituerait pour un texte, en soi déjà extrêmement problématique, une provocation supplémentaire et superflue.

Il se remémora les phrases qu'il avait relues dans la nuit de lundi à mardi ; il s'en répéta quelques-unes à mi-voix. Ce matin, elles lui avaient plu, elles lui semblaient toucher juste et paraissaient receler un aspect important qui échappait facilement. Il s'agissait de phrases sans emphase, de phrases précises, se disait-il. L'espace d'un instant, leur rythme tranquille se confondit avec la surface lumineuse de l'eau loin au large, et il ne lui sembla pas impossible de se présenter avec ces phrases devant les autres. Mais à ce moment-là, il fut bousculé par un vieil homme qui avançait d'un pas incertain, il heurta le comptoir, et d'un seul coup son assurance et la confiance que lui inspiraient l'instant d'avant ces phrases se brisèrent. Elles lui semblaient maintenant fallacieuses comme des mirages ou des fantasmes comme on en a dans un demi-sommeil, et tout en reversant dans la tasse le café répandu dans la soucoupe, il se dit avec une lucidité oppressée que cette solution était elle aussi inenvisageable. Indépendamment du fait qu'il ne s'agissait pas d'un texte cohérent, ces étranges notes seraient qualifiées d'impressionnistes et d'anecdotiques, elles feraient sourire, on dirait qu'il était impossible de les vérifier, qu'en outre elles présentaient des incohérences, des contradictions, bref, n'avaient aucun caractère scientifique. Ce texte laisserait sans voix des gens comme Millar et Ruge, ils ne trouveraient pas d'autre réponse que l'ironie, la réaction la plus mesurée de leur part serait un silence lourd de sens.

Il se retrouva alors dans la position de quelqu'un qui a renoncé à la science et sur qui on ne doit plus compter à l'avenir, juste au moment où il venait d'être couronné par ce prix et où l'invitation à Princeton était imminente – ce n'était même pas la pire conséquence de cette solution. Ce qui rendait une telle idée complètement insupportable, c'était que ces notes avaient un caractère beaucoup trop privé et le mettraient à nu devant chaque lecteur. Elles lui avaient semblé tellement intimes qu'il s'était senti plus à son aise en choisissant pour lui-même la distance d'une langue étrangère. Pour quelqu'un dont l'anglais était la langue maternelle – par exemple pour Millar – cette distance n'existait pas. Il eut soudain l'impression de mieux comprendre qu'auparavant sa retenue par rapport à ses propres phrases : de nombreuses notes le faisaient apparaître comme un enfant timide, vulnérable, qui luttait avec des expériences qu'il n'avait pas comprises.

S'il ne présentait rien du tout, il mettait également au jour quelque chose qu'il aurait aimé garder secret. Mais cela demeurait global, abstrait, c'était l'aveu d'une incapacité qui par ailleurs restait dans l'ombre. Ce qu'il pensait et éprouvait au fond restait peu clair, inconnu, il dépendait de lui qu'il ne donne pas d'autres ouvertures sur lui-même. Ses notes en revanche, lui semblait-il, étaient une sorte de fenêtre livrant accès de manière directe au plus profond de son moi. Permettre aux autres de les lire reviendrait à anéantir tout domaine privé acquis à force de grands efforts, et Perlmann avait l'impression qu'il n'y avait guère de différence entre ce processus et un anéantissement complet.

L'air était à couper au couteau dans la cabine, et il sembla à Perlmann que sa propre fumée allait l'étouffer. Il écrasa sa cigarette et sortit en hâte. Il fit le tour du bateau, ses yeux cherchaient quelque chose capable de retenir un moment son attention, rien que quelques minutes qui constitueraient un court et ultime répit, comme s'il prenait haleine pour se préparer à ce qui allait suivre.

Il fut heureux qu'un vieil homme, presque un nain, lui demande du feu. Il fut un instant tenté de se réfugier dans une conversation avec lui ; mais sa bouche qui restait ouverte et sa langue débordant largement le repoussèrent. Il grimaça péniblement un sourire et retourna à l'avant du bateau pour finir par s'approcher très lentement, comme dans un film au ralenti, du bastingage auquel il s'appuya sur ses bras tendus, fermant les yeux.

La troisième possibilité, il n'avait jusqu'à cet instant même pas osé y penser vraiment. Jusqu'alors il n'en avait eu qu'une impression vague, impénétrable dont il s'était très vite détourné, dès qu'elle avait été sur le point d'atteindre la frontière de sa conscience. Car c'était une impression – il le sentait avec une acuité toute particulière quand elle l'effleurait – d'où émanait une menace horrible, rien que le fait de la concevoir représentait un danger. Il eut l'impression de faire un effort extrême, d'un extrême courage qu'il lui semblait ressentir physiquement, quand pour la première fois il envisagea froidement cette possibilité : il s'agissait de faire passer la traduction du texte de Leskov comme son propre texte.

Lorsqu'il accepta de se la représenter dans toute sa netteté, on aurait dit qu'un poison sournois se répandait dans son corps. Se percevoir soi-même comme un être capable d'envisager tout à fait sérieusement ce genre de solution était une expérience douloureuse, c'était une souffrance aride, sans la moindre complaisance, ce qui la rendait d'autant plus horrible. Ce qui était en train de se produire, il le ressentait avec une acuité qui consumait tout argument apaisant qu'il aurait pu se trouver, c'était une profonde césure dans son existence, une rupture définitive avec le passé que rien ne pourrait réparer, le début d'une ère nouvelle.

Aucun de ses collègues ne pourrait déceler l'imposture, même si par un hasard hautement improbable le texte russe devait leur tomber entre les mains. Pour eux, un texte écrit en russe n'était rien d'autre qu'un ensemble de caractères indéchiffrables, quelque chose d'ornemental. En outre, aucun d'eux ne connaissait Leskov, ni son adresse, seul le nom de Saint-Pétersbourg avait été mentionné. Et enfin, aucun n'avait la moindre raison d'entrer en contact avec ce Russe inconnu, personnage obscur qui, dans la sphère spécialisée, n'était absolument personne – démarche qui aurait fait courir le risque que Leskov lui-même découvre toute l'affaire. Plus tard, quand il serait question de publier les contributions, il pourrait reprendre ce texte et y substituer l'un de ses propres travaux. Dans le pire des cas, il pourrait même retarder la publication, puisqu'il serait responsable de l'édition. Il n'y aurait en tout, le sien compris, que sept exemplaires du produit de la supercherie, et on respecterait sa demande expresse de ne pas diffuser ce texte davantage, dans la mesure où il s'agirait d'une première version non définitive, d'un brouillon en quelque sorte. S'ils n'entendaient plus parler de son devenir, ne voyaient pas d'autres versions, et lisaient sous sa plume une nouvelle version, complètement différente, les autres finiraient par oublier ce papier, il tomberait dans l'oubli et jaunirait, poussiéreux, dans un classeur ou dans un placard jusqu'au moment où il serait victime d'un grand rangement comme ceux auxquels chacun procède, à un moment ou à un autre, dans le flot de paperasses qui le submerge.

C'était par conséquent un risque qu'il pouvait prendre. Et quant à sa réputation de chercheur, elle s'en porterait nettement mieux que dans les deux autres cas de figure envisagés. Certes, le texte de Leskov était particulier et plusieurs passages étaient même hardis ; on pouvait aussi le qualifier d'original. Mais au cours de la discussion, il pourrait renvoyer à des ouvrages ayant trait aux recherches sur la mémoire auxquelles Leskov lui-même n'avait pas eu accès, et en outre, on pouvait qualifier ce texte de première étape présentant les grandes lignes d'une ébauche, donc au fond, tout à fait adapté à la situation. Millar et Ruge, c'était assez évident, ne feraient que froncer les sourcils en entendant autant d'hypothèses. Mais il était tout à fait possible que les autres trouvent le texte intéressant. C'était de toute façon clair en ce qui concernait Evelyn Mistral. Et même un homme comme von Levetzov avait récemment prêté une oreille attentive à la question. Perlmann, on pouvait voir les choses ainsi, s'engageait sur une voie nouvelle, qui certes ne relevait plus de la linguistique, mais la démarche était pleine d'imagination, de défi. Il se produisait, se développait quelque chose dans son travail, et ils l'envieraient peut-être même un peu en secret pour son audace.

Perlmann eut la nausée et jeta dans l'eau la cigarette qu'il venait d'allumer. À ce moment-là, il fut soulagé de voir qu'ils entraient dans le port de Gênes et que le spectacle – l'équipage en train de jeter les cordages, l'eau écumante jaillissant de la poupe et, plus loin, les grands bateaux et les grues dont les bras glissaient au-dessus des piles de containers – lui fournissait de quoi occuper son regard. Quand la famille rencontrée plus tôt se retrouva soudain à côté de lui et que les enfants se mirent à commenter à grands cris ce qu'ils voyaient, il n'en fut pas dérangé, bien au contraire. Il fuyait ses propres pensées et souhaitait pouvoir sortir de lui-même et se perdre dans ce qui était au-dehors, se fondre complètement dans les pierres du quai, dans les poteaux en bois contre lesquels le bateau frottait, dans les pavés de la rue, dans ces choses qui tout simplement étaient là et se suffisaient à elles-mêmes.

À terre, rien ne le retenait, l'absence de balancement du navire lui donna l'impression d'être emprisonné, même s'il était libre de marcher à sa guise dans cette ville à flanc de coteau qui dans la lumière automnale de midi avait quelque chose d'oriental, telle une ville du désert. Le bateau repartait seulement à trois heures un quart, mais il y avait toutes les heures une visite du port, et les passagers du départ de une heure étaient tout juste en train d'embarquer. Perlmann se réjouit que l'année fût avancée et que les deux places à côté de la sienne restent libres. En laissant pendre son bras par-dessus le bastingage, il pouvait presque effleurer l'eau vert sombre, quasi noire. Des flaques de pétrole et des détritus flottaient non loin, et quand l'eau était plus claire, on pouvait distinguer des algues et parfois une chaîne rouillée destinée à arrimer un bateau.

Il sursauta quand un craquement annonça la mise en service du haut-parleur réglé à un niveau sonore inutilement élevé et qu'une voix de femme salua les passagers d'abord en italien, puis en anglais, en allemand, en français et en espagnol, et pour finir dans une langue qui était sans doute du japonais. C'était idiot, mais il n'était pas préparé à cela, c'était comme s'il se trouvait pour la première fois de sa vie à bord d'un bateau de ce type. Pendant une heure, il serait à la torture avec toutes ces informations et explications dont il se souciait comme d'une guigne, le tout répété en six langues. Alors qu'il lui fallait de toute urgence réfléchir, jamais le calme et la concentration n'avaient été aussi importants.

La voix du haut-parleur, suraiguë et lasse, commença par donner des indications sur l'importance du port, le volume des marchandises traitées, puis un enregistrement répéta les mêmes indications dans les autres langues, rien que des voix de femmes, seul le texte espagnol était dit par un homme. Perlmann se boucha les oreilles, ces répétitions étaient insupportables. Avoir été stupide au point de faire ce tour du port, c'était à ses yeux le signe qu'il se trouvait dans une situation sans issue. Comme le signe annonciateur d'une catastrophe inévitable.

Ils longèrent un premier grand bateau, sa proue noire aux lignes courbes s'élevait loin au-dessus d'eux, le long du bastingage étaient arrimés les canots de sauvetage et de loin en loin, un marin les saluait de la main. Cachée derrière un autre bateau, la paroi noire d'un navire surgit soudain, portant le nom *Leningrad* peint en caractères cyrilliques blancs. Perlmann fut saisi de frissons, sueurs froides alternant avec bouffées de chaleur, il avala sa salive et sentit tout se contracter en lui. Il souhaita ardemment en cet instant que les caractères lui demeurent étrangers, seulement des traits blancs dont on ne pouvait rien lire, rien comprendre. Le fait qu'ils lui soient familiers et que, dans leur évidence, ils lui imposent une signification contre laquelle il ne pouvait lutter fut une source de souffrance, raison véritable lui sembla-t-il de sa situation désespérée.

Agnès, il en avait la certitude, lui aurait conseillé la première solution. Bien entendu, elle aurait compris que cela lui était désagréable ; mais elle aurait considéré cette affaire comme bien moins dramatique qu'il ne le faisait. C'était, lui aurait-elle peut-être dit, comme si, à l'agence, elle était obligée de dire : « Désolée, mais au cours des dernières semaines, je n'ai pas réussi à prendre de photos convenables. » Un point c'est tout, une crise passagère, cela ne justifiait pas qu'on parle de perdre la face.

Mais Agnès travaillait pour une agence où les relations étaient très cordiales entre collègues, presque amicales. Elle n'avait jamais connu de l'intérieur le monde universitaire et son atmosphère de concurrence, où l'on s'épiait mutuellement, seuls ses récits lui en avaient donné une idée, et à plusieurs reprises il avait été contrarié en pensant comprendre qu'elle lui reprochait, sans mot dire, une hypersensibilité en la matière, une sensibilité sans rapport avec la situation.

Leur trajet les faisait maintenant longer le quai auquel accostaient les gros cargos. Entre les différents bateaux, on pouvait apercevoir la longue file des poids lourds venus récupérer les marchandises. C'était là que les denrées étaient déchargées. En allemand, on parle d'« effacer la marchandise », se disait maintenant Perlmann, voilà une expression qui n'existe dans aucune autre langue. Il cessa un instant de résister au haut-parleur et concentra son attention sur le vocabulaire des ports et de la navigation. Il s'abandonna totalement à la voix italienne haut perchée puis aux autres voix enregistrées sur bande magnétique, avec leur intonation sans caractère qui, lui semblait-il, n'avait aucun rapport avec le décor chatoyant qui l'entourait.

Sans vraiment s'en rendre compte, il se mit intérieurement à traduire. Il testa d'abord la facilité avec laquelle il le faisait vers l'allemand. Il lui parut de plus en plus évident que pour cela l'essentiel était de trouver l'équilibre propre à la concentration. Il fallait en même temps regarder derrière soi la phrase en train de s'achever et démarrer la phrase allemande seulement lorsque, dans la phrase étrangère, on était parvenu à un point où, au plan de la syntaxe, ne subsistait aucune ambiguïté, pas avant, sinon on risquait de partir du mauvais pied et de se tromper. Ce qui voulait dire qu'on achevait inévitablement la phrase allemande en décalé, en éprouvant un besoin urgent de la terminer afin de se libérer l'esprit pour la suivante. C'est pour cette raison qu'on débitait automatiquement la deuxième moitié de phrase plus rapidement, en s'appuyant sur la routine et l'évidence offertes par la langue maternelle. Cette phase ne devait pratiquement pas requérir l'attention, car celle-ci devait se consacrer entièrement à la nouvelle phrase. C'était à chaque instant une démarche de funambule qui risquait de vous précipiter doublement dans l'abîme. Il pouvait en effet arriver que l'on soit obligé de réfléchir un rien trop longtemps à l'ancienne phrase, qu'un mot inconnu fasse paniquer ; on démarrait alors trop tard la procédure par laquelle on aurait pu construire la nouvelle phrase, en attendant comme on l'avait appris et conformément aux compétences dues à la pratique, et on devait y renoncer, c'était trop tard. Ou on se laissait dominer par l'angoisse qu'arrive cette situation ; on risquait alors de tourner ses regards une fraction de seconde trop tôt vers l'avant, avant même que la forme allemande de la phrase précédente ait atteint le point d'évidence permettant de l'abandonner à la routine qui la mènerait à son terme. La pire situation combinait les deux attitudes. S'installait alors une sorte de paralysie, on sentait qu'on devait en fait jeter un dernier coup d'œil en arrière pour achever de manière correcte la phrase précédente, mais il était clair qu'on arriverait trop tard pour la nouvelle phrase, on ne savait pas ce qui était le plus important, ce doute faisait perdre du temps et, du coup, on était en panne pour les deux phrases, l'ancienne et la nouvelle, et il fallait oublier au plus vite l'échec et l'insatisfaction qui en résultaient pour retrouver le fil de ses paroles.

Voilà ce qui semblait à Perlmann le plus difficile : ne pas se laisser emprisonner par la contrariété due à d'occasionnelles mais inévitables difficultés. L'entraînement d'un interprète, se dit-il, impliquerait en premier lieu de ne pas laisser cette contrariété s'installer, de prendre avec la rapidité de l'éclair et sans aucune émotivité la décision d'abandonner la phrase en cours qu'il n'était plus possible de sauver, incident normal qu'il convenait d'oublier immédiatement. C'était avant tout une question de confiance en soi ; il fallait se forger la certitude qu'en toutes circonstances on pouvait se fier à ses capacités de concentration. Et tant que ce difficile équilibre était préservé, on éprouvait un merveilleux sentiment qui pouvait s'apparenter à une sorte d'ivresse en constatant qu'on restait maître de la situation. Cette ivresse devait sans doute s'intensifier encore quand on en était arrivé au point de pouvoir passer d'une langue étrangère à une autre, aussi exotiques que possible l'une comme l'autre, bien loin des évidences naturelles de la langue maternelle. La diversité des langues maîtrisées, c'était la liberté, la faculté de repousser ses propres limites aussi loin que possible, qui devaient conduire à un sentiment extrême d'existence, à une vraie ivresse de liberté.

Perlmann tentait maintenant de sauter d'une langue à l'autre parmi celles jaillissant du haut-parleur, et il avait chaque fois l'impression d'être maladroit et stupide quand il se heurtait à la langue japonaise comme à une paroi infranchissable. Sa clarté et sa tonalité particulièrement haute lui donnaient à ce moment-là l'impression que cette femme se moquait de son incompréhension. Il lui plaisait de pouvoir se livrer à ces efforts sans que personne le sache, participant pour ainsi dire en secret, sans le bruit qu'implique le fait de prendre part au monde par la parole. Et dans l'une des pauses du haut-parleur, alors qu'on n'entendait plus que le doux bruissement de l'eau et le bruit du moteur, il sut soudain ce qu'il aurait aimé être : un coureur de fond au milieu de toutes les langues du monde, avec un grand espace vide autour de lui, et sans l'obligation d'échanger ne serait-ce qu'un mot avec les autres hommes.

Il poursuivait encore cette réflexion lorsque plus tard il se retrouva dans un bar minable proche du port, assis devant une pizza qui lui soulevait le cœur. Il demanda à l'aubergiste surpris du papier et un crayon, et entreprit de décrire sur un carnet crasseux la sorte de présent et de liberté qui naissaient de la circulation rapide entre plusieurs langues successives. Au début, il eut du mal, fatigué par le soleil et par les haut-parleurs, les voix beaucoup trop fortes résonnaient dans sa tête. Puis il trouva son rythme, il réussit des descriptions précises, dans un style dense, et il formula des pensées dont il n'avait eu jusque-là qu'une vague intuition, mais qu'il n'avait jamais exprimées avec des mots. Par moments, il regardait vers le sud. L'hôtel était à une heure de bateau. Il retrouva son calme. Ici, assis à cette table branlante dont la peinture s'écaillait, parmi des hommes en tricots de corps et en salopettes qui sans doute travaillaient au port, il se sentit d'un seul coup plein d'assurance. Il parvint à accepter complètement d'être quelqu'un qui s'intéressait bien davantage à des phrases comme celles qui se trouvaient sur ces petits feuillets qu'à tout le flot de données et de théories de la linguistique.

Il demanda s'il pouvait utiliser le téléphone qui se trouvait sur le comptoir et appela Maria à l'hôtel. Il y avait eu un changement de programme, dit-il, ne pourrait-elle pas terminer son texte d'ici ce soir ou au plus tard d'ici demain midi ?

Elle allait essayer, dit-elle, mais elle ne pouvait rien promettre, c'était d'ailleurs sans doute assez peu probable, car un certain nombre de représentants de Fiat venaient d'arriver, et il fallait bien entendu qu'elle soit aussi à leur disposition.

Il savait que c'était puéril, mais il fut blessé que Maria lui rappelât qu'il y avait d'autres choses au monde que son groupe et lui. Elle n'avait certes pas réagi de manière désagréable, sa voix était restée parfaitement professionnelle, mais cela suffit à le contrarier et à lui faire regretter de ne pas lui avoir demandé bien plus tôt de saisir ses notes.

Au retour, des nuages s'élevèrent, grossissant vite, devenant des montagnes sombres ourlées d'une fine bordure de soleil : un vent soufflant par bourrasques annonçait un orage, et la mer fut bientôt une surface écumante comme du plomb verdâtre sur un mur sombre, gris ardoise, sur lequel s'inscrivaient soudain des éclairs comme griffonnés. Quand une violente averse commença, les gens se réfugièrent à l'intérieur, seul Perlmann resta dehors, sous l'auvent de la cabine.

De nouveau, des phrases tirées des notes qu'il venait de prendre lui tournaient dans la tête. Il les examinait, les dégustait, s'efforçant de parvenir à un jugement distancé, neutre. Cependant en fait, son incertitude croissait, la langue anglaise édulcorait les phrases, les rendait plus ternes, moins prétentieuses, *mais au bout du compte, tout cela, ce ne sont que fariboles.* Il tira de sa poche les papiers maculés, les lut tandis que des bourrasques chargées de pluie le frappaient, le trempant jusqu'aux os. Quand il eut terminé, il s'arrêta un moment et regarda fixement au-dehors les éclairs intermittents. Puis il froissa lentement les pages, presque avec douceur, et les pressa des deux mains en une boule compacte. Il la tourna et la retourna plusieurs fois encore. Puis il la lança dans l'eau. La deuxième possibilité s'éloignait, de manière définitive.

Elle était si horriblement exiguë, cette prison des trois possibilités dont il secouait dans un élan de lassitude furieuse les barreaux. Il tentait par ses efforts renouvelés de fuir en se raccrochant à l'idée des grandes cohérences, des proportions remises d'aplomb. *Me laisser entraver de la sorte par la question ridicule du respect dont je jouirais au sein d'un groupe de collègues, quelle folie ! Et en arriver à considérer que tout ce que je suis au-delà est complètement dénué de sens et semble ne pas du tout avoir existé. Et en outre : il y a des catastrophes, des guerres, le monde connaît la famine, la misère, et il y a de véritables tragédies, une souffrance véritable. Pourquoi ne me libérerais-je pas en déclarant tout simplement que ce minuscule et ridicule problème n'a pas la moindre importance ? Pourquoi ne fais-je pas tomber les murs de la prison en les proclamant produits de l'imagination ? Qui donc m'en empêche ?*

Mais toute tentative pour faire de la sorte, en changeant de point de vue, en appréciant différemment la valeur des choses, le pas tant attendu vers la liberté, s'avéra fallacieuse ; elle s'effaçait dès que l'image de l'hôtel détesté revenait au premier plan et supplantait toute autre représentation, comme si elle avait été dotée d'un pouvoir hypnotique.

Lorsque le cap de Portofino se profila, il fut saisi d'une panique qu'il avait cru surmonter deux heures plus tôt, dans ce troquet du port. Le mot PLAGIAT prenait forme en lui, grossissant contre sa volonté, prenait de plus en plus d'ampleur, l'emplissant d'un grondement intérieur. Il ne s'était jamais encore confronté ainsi à ce mot, il le découvrait pour la première fois dans toute sa force. C'était un mot effroyable, un mot qui lui faisait penser à la couleur rouge, un rouge sombre tirant sur le noir. C'était un mot sombre, lourd, d'une sonorité funeste, un mot repoussant qui n'avait rien de naturel. Il lui semblait être construit intentionnellement pour faire trembler jusqu'au fond de l'être, pour mettre à la torture, suggérant que de toutes les actions dont les humains sont capables, nul méfait n'était plus lourd que ce que représentait ce mot anguleux, hideux.

La seule personne susceptible de le démasquer, c'était Leskov lui-même, bien loin d'ici, à Saint-Pétersbourg, à des milliers de kilomètres de distance, sans autorisation de voyage et prisonnier de sa mère malade. On ne pouvait imaginer plus grande protection contre la découverte d'une imposture. Mais cette réflexion semblait impuissante, abstraite, face à la certitude muette qui le glaçait encore plus dans ses vêtements humides : avoir été capable d'une telle tromperie, avoir accompli un vol intellectuel d'une telle importance, avoir dérobé un tel texte, pour quelqu'un comme lui, pour qui les mots signifient tant, serait une blessure qui jamais ne guérirait, un traumatisme dont il ne pourrait se remettre. Cela signifierait dans une certaine mesure la fin de son existence. Ensuite, le temps qui le séparerait de sa mort serait une période qu'il pourrait tout au plus subir. Oublier à l'occasion, sombrer dans les banalités du quotidien rendrait cela un peu plus supportable ; mais Perlmann était tout à fait certain que toute la route qui restait devant lui ne lui donnerait pas un seul jour où il n'y penserait pas et n'entendrait pas en son for intérieur le mot PLAGIAT.

En se dirigeant vers la sortie, il fut à nouveau envahi par la honte à l'idée qu'il puisse avoir donné autant de place à une telle pensée, et en même temps il fut heureux de l'avoir une fois au moins regardée en face et en avoir une fois pour toutes triomphé.

En posant le pied sur la terre ferme et en prenant le chemin de l'hôtel, il n'avait toujours pas la moindre idée de ce qu'il allait faire.

Une fois dans sa chambre, il quitta ses vêtements mouillés, se doucha longuement, puis s'approcha de la fenêtre ouverte. La pluie avait cessé, l'orage s'était éloigné vers le sud, on distinguait tout juste dans le lointain une lueur intermittente et on entendait un grondement sourd. Perlmann s'allongea sur le lit. Il se sentait épuisé jusqu'aux tréfonds de lui-même, d'une fatigue qui vibrait et ruisselait en lui, et en même temps son corps tout entier était tendu et résistait à tout effort pour se détendre. Il n'avait plus qu'un souhait : que cette tension s'estompe et cède la place au sommeil.

Mais cet état se prolongeait, son cerveau ne parvenait pas au changement de sujet auquel il aspirait, et au bout d'un moment, il se rendit à la salle de bains et prit le quart d'un comprimé.

Le miroir lui renvoyait l'image de son visage coloré par la traversée. *Philipp Perlmann, bronzé par ses vacances en Italie,* se dit-il sans savoir où aller avec tout son désespoir. Il fuma deux cigarettes, sa tête était lourde, vide, puis il se recoucha, et au bout de quelques minutes épouvantables pendant lesquelles il se tournait et se retournait il sombra dans un sommeil lisse mais agité.

Il était plus de dix heures du soir quand il se réveilla. Il remarqua aussitôt que l'angoisse qui l'avait aussi étreint pendant le sommeil l'avait submergé dès qu'il s'était réveillé. Mais il lui fallut un moment avant de parvenir à dominer son désarroi. *Il faut absolument que je fasse quelque chose, maintenant ou jamais, si je ne fais rien tout de suite, cela sera aussi une décision, il ne restera plus que la déclaration sous serment.*

Il sentait de manière vague que pendant la journée s'était déroulé un processus compliqué de réflexion, que s'était tressé un réseau touffu de pensées emmêlées qui ne menaient nulle part. Mais sa tête était trop lourde pour s'y attarder en cet instant. Il se souvenait de l'excursion en bateau, cependant toute cette journée lui semblait lointaine, irréelle. La seule pensée claire qu'il était capable de concevoir était qu'il lui fallait maintenant descendre et livrer un texte qui demain matin, pendant qu'il dormirait encore, pourrait être photocopié et distribué. *Maria ; mon texte n'est pas encore bouclé ; les gens de Fiat.*

En fermant sa valise avec le cadenas à chiffres, il sentit que le bout de ses doigts était engourdi à cause du comprimé. Il ne s'agissait pas d'une insensibilité totale, elle ne touchait que l'épiderme, en fait il s'agissait plutôt d'un léger picotement, mais cela donna à Perlmann l'impression qu'il était en train de perdre tout contact au monde, ce contact nécessaire pour se contrôler. C'était comme si entre lui et le monde s'était creusée une mince fissure, un hiatus imperceptible par lequel le monde lui échappait. Il sortit la traduction du texte de Leskov de sa valise et se dirigea vers la porte. Arrivé là, il fit demi-tour, se rendit à la salle de bains et avala un comprimé entier de somnifère. Pour descendre, il emprunta l'ascenseur.

Il n'y avait personne à la réception, mais dans la pièce derrière, Giovanni était assis devant la télévision. Perlmann distingua un stade de foot inondé de lumière ; Giovanni, penché en avant, fumait à traits rapides. Perlmann fit sonner la cloche, mais ce n'est qu'au deuxième appel que Giovanni tourna la tête et se leva d'un mouvement hésitant, sans quitter la partie des yeux. « Penalty », dit-il en guise d'excuse en voyant l'expression de Perlmann.

Perlmann eut un instant l'impression qu'il ne parviendrait pas à ouvrir la bouche. Il n'avait jamais jusqu'alors remarqué à ce point qu'il avait une bouche. Giovanni lorgnait d'un air impatient par-dessus son épaule en direction du téléviseur d'où provenait au moment même une explosion d'allégresse.

– Six copies, dit Perlmann d'un ton oppressé, merci de les déposer dans les casiers de mes collègues.

– *Va bene,* signor Perlmann, dit Giovanni en prenant le texte, laissant tomber un peu de cendre de cigarette sur la blancheur immaculée et brillante de la page de garde.

Heureusement Giovanni regardait déjà ailleurs et s'en allait, ce qui aida Perlmann à se contenir. Quand il se retourna, il se rendit compte que Giovanni glissait d'un geste prompt le texte sous le comptoir et disparaissait dans la pièce voisine.

Le somnifère commença à faire effet au moment où il accrocha à la porte le panonceau « Prière de ne pas déranger ». Il était heureux que la douce vague anesthésiante recouvre les sentiments qui remontaient à la surface, ces sentiments de défaite, de honte, de peur, l'impression d'une chute dans un précipice, sans savoir quand il s'écraserait, la certitude que désormais, il n'y aurait plus pour lui de terre ferme. Sans allumer, il se coucha dans son lit et fut heureux que s'ouvre rapidement la faille entre lui et le monde.

26 *Je devais être fou, complètement fou.* D'un seul coup, Perlmann fut submergé par une lucidité douloureuse, une lucidité derrière des yeux clos, entourée des vagues baignant son corps engourdi. Il était huit heures moins le quart. Avec des gestes rapides et encore mal assurés, il enfila par-dessus son pyjama son pantalon et son pull-over et glissa ses pieds nus dans ses chaussures. *Les copies ne sont peut-être pas prêtes, et dans le cas contraire, je vais simplement les récupérer, il ne s'est encore rien passé.*

Avec des gestes saccadés qui traduisaient son malaise, il descendit rapidement l'escalier et manqua même de tomber. Juste avant la dernière volée de marches, il s'arrêta, se cramponnant des deux mains à la rampe. En bas, près du comptoir, Millar et von Levetzov, debout, prenaient les textes que leur tendait signora Morelli.

— Le papier est encore tout chaud, dit Millar en grimaçant un sourire, faisant glisser son pouce sur le paquet de feuilles comme s'il s'était agi d'un jeu de cartes.

Les autres copies étaient encore dans les casiers. *Quelques minutes, je suis arrivé juste quelques minutes trop tard, mais maintenant, je ne peux plus m'avancer et récupérer le texte, je me ridiculiserais, impossible d'expli-*

quer pourquoi je le reprendrais. Si seulement la signora avait été moins consciencieuse, pour une fois.

Perlmann se hâta de regagner sa chambre, s'arrêtant sur chaque palier, le souffle court à l'idée qu'il puisse alors se trouver nez à nez avec un de ses collègues. Dans sa salle de bains, il se rinça la bouche, puis s'installa avec une cigarette dans le fauteuil rouge. La tête lui tournait. Il avait franchi un point de non-retour. Il allait lui falloir vivre à jamais avec cette imposture dont les conséquences se développaient désormais inexorablement. Le surlendemain et le jour suivant, il serait assis dans la véranda Marconi et il devrait défendre un texte qu'il avait volé. Les heures, les minutes qu'il passerait alors devant les autres, imposteur ignoré, dureraient une éternité, et une fois son séjour achevé, il pénétrerait dans son appartement de Francfort, marqué du sceau de l'imposture. Il contemplerait la photo d'Agnès et parlerait à Kirsten, et aurait en permanence conscience d'être un imposteur. Plus rien ne serait jamais comme avant. Le plagiat se dresserait pour toujours entre lui et le monde telle une mince paroi de verre visible à ses yeux seuls. Il effleurerait choses et gens sans jamais pouvoir les atteindre.

Impossible de rester en ces lieux où résidaient des gens qui suivaient dans les prochaines heures les raisonnements de Leskov en s'imaginant qu'il s'agissait des siens. Et il ne supportait plus cette chambre d'hôtel, qui depuis quatre semaines coûtait presque trois cents marks, sans qu'il y ait accompli la moindre tâche. À l'exception d'une traduction qui venait de se transformer en mystification.

Il ne prit pas de douche, dorénavant il n'avait plus aucun droit à utiliser plus longtemps que nécessaire la luxueuse salle de bains. Après s'être habillé pour de bon, il aurait volontiers commandé un café pour lutter contre les effets persistants du somnifère qui ne pouvait plus le protéger de quoi que ce soit et ne faisait que continuer à peser sans relâche sur ses yeux et à lui donner l'impression d'éprouver le besoin constant de les fermer. Mais il ne supportait même pas les regards du serveur, et se faire servir dans sa chambre, c'était encore une de ces choses auxquelles il n'avait dorénavant plus aucun droit.

Il quitta l'hôtel par la porte de service et se retrouva dans une journée d'automne rayonnante, sans nuages. Il se rendit aussi vite qu'il le put sur le promontoire rocheux derrière lequel disparaissait la route menant à Portofino, courant presque sur les derniers mètres, avant de disparaître à la vue de ceux qui se trouvaient dans l'hôtel. *Mais ils ne savent rien du tout encore. Peu importe, il faut que je disparaisse de leur champ visuel.* Une fois le tournant franchi, il n'osa pas s'appuyer à la rambarde. Il aurait inévitablement eu l'air d'un vacancier, d'un touriste qui prend plaisir à la vue d'un merveilleux matin d'automne sur un rivage italien. Il fuma donc sa cigarette en se tenant droit, raide, une main dans la poche de son pantalon. Il fallait qu'il s'en aille, toujours plus loin, c'est seulement en marchant que la situation était à peu près supportable. Son estomac était douloureux, depuis les quelques bouchées de pizza avalées hier à Gênes il n'avait rien mangé, et maintenant, ces cigarettes.

Il avait peine à se représenter ce qui s'était vraiment passé la nuit précédente. Il lui était particulièrement difficile de tenter de retrouver dans sa mémoire la structure interne de l'instant où il avait tiré le texte de Leskov de sa valise et marché vers la porte. Pendant les secondes qui s'étaient alors écoulées quelque chose s'était déclenché qui ne pouvait plus être stoppé, un enchaînement qui allait l'entraîner jusqu'à son but, jusqu'au geste fatal par lequel il avait remis le texte à Giovanni, jusqu'au mouvement difficile de ses lèvres lorsqu'elles avaient formulé l'ordre fatal : photocopier et distribuer ce document. En y repensant maintenant, les yeux fermés, il lui semblait que ce qui s'était alors passé n'avait pas été une action mais quelque chose qu'il avait subi, qui lui était tout simplement arrivé ; ou, si c'était une action, c'était celle d'un somnambule. L'espace d'un instant, cette pensée le soulagea et ses pas se firent un peu plus légers.

Mais cela ne dura pas. C'est dans sa propre pensée, dans sa sensibilité, et pas dans celles d'un tiers que l'affaire s'était formée et avait enclenché cet enchaînement particulier. Hier, sur le bateau, on aurait pu croire que les choses étaient dans un relatif équilibre. Les trois façons d'agir possibles étaient équivalentes, elles semblaient toutes trois aussi impensables, c'était bien ce qui l'avait torturé. Pendant son sommeil agité, tout cela avait dû travailler en lui, une épreuve de force, mais au bout du compte quelque chose avait été décisif, peut-être la minuscule supériorité d'un sentiment.

Perlmann boutonna son veston malgré les rayons du soleil qui dardaient sur lui. Penser qu'il était quelqu'un qui, sans s'en rendre compte, sans pouvoir influer sur le cours des choses, pouvait laisser l'imposture triompher le glaçait. Le seul argument qu'il puisse opposer à ce fait indiscutable, pour qu'il ne l'anéantisse pas complètement, était une explication à ce qui s'était joué dans son for intérieur. Sa peur d'être mis à nu, de se présenter là devant les autres sans aucune possibilité de se démarquer d'eux, devait être encore plus grande qu'il ne se l'était imaginé jusqu'alors, supérieure même à ce qu'il éprouvait de manière consciente. Elle était manifestement d'une force telle que les deux autres hypothèses étaient passées à la trappe sans qu'il y fasse rien et qu'il ne lui reste plus d'autre solution que de se cacher derrière le texte de Leskov, censé le protéger des autres. De cette manière était né en lui à son insu le désir paradoxal de parvenir à se retrancher, à défendre son moi profond contre l'étranger en recourant à une chose qui ne lui appartenait même pas, qui n'était pas sa propriété.

Une telle explication n'était susceptible ni d'atténuer ni d'embellir la situation. Mais elle constituait une forme de compréhension qui lui apportait une toute petite bribe de liberté intérieure, la liberté que confère la prise de conscience.

Une mince couche de brouillard s'étendait au-dessus de l'eau lisse comme un miroir étincelant, tout comme hier, quand il était resté debout à l'avant du bateau et avait tenté d'ouvrir ses sens à ce présent lumineux. Mais entre hier et aujourd'hui, des siècles s'étaient écoulés. Hier, les regards s'attardant sur ces surfaces brillant de pureté étaient encore ceux que l'on tourne vers un futur riche en possibilités. Il s'était senti soumis à la torture, car chacun des chemins sur lesquels il aurait pu s'engager avait semblé jonché de menaces. Mais en dépit de tout, l'avenir était encore ouvert, il avait plusieurs choix possibles et donc l'espoir ou tout au moins la liberté qu'apporte le manque de certitudes. Maintenant, tout était anéanti, l'incertitude aussi bien que l'espoir, l'avenir n'était plus un espace de possibles mais seulement un chemin étroit, un temps sans bifurcation possible, c'est dans cet avenir qu'il lui faudrait vivre les inéluctables conséquences de sa malhonnêteté. Dans cet instant qui avait décidé de tout, au moment où il avait tendu par-dessus le comptoir le texte de Leskov en laissant échapper les mots décisifs, il s'était pour toujours privé d'un avenir ouvert et ainsi de tout espoir de retrouver peut-être, malgré tout, un jour le chemin vers le présent.

La brillante surface de l'eau, la blanche profondeur de l'horizon, la voûte d'un bleu transparent, zébrée par la traîne argentée d'un avion prenant de l'altitude – tout cela était repoussé dans un lointain inaccessible, inaccessible à sa propre vie. Quand on avait commis un tel acte, on n'avait plus le droit de regarder vers le large. Se réjouir de la beauté, vivre même un instant de bonheur, on n'y avait plus aucun droit. Le prix de l'imposture, c'était la cécité. Ce qui restait, c'était se ratatiner intérieurement, se laisser submerger par la faute et la disparition du présent tourbillonnant autour de soi. Le monde extérieur n'était plus qu'un décor, un décor dont la beauté était souffrance, torture.

Perlmann était heureux que le trajet vers Portofino dure longtemps. Il avait trouvé un rythme qui, tandis qu'il marchait, permettait que douleur et désespoir s'équilibrent. C'était un équilibre fragile, et quand il lui fallut s'arrêter pour laisser passer un groupe de scouts marchant à la queue leu leu, les sentiments l'assaillirent, il leur fut livré sans défense et il lui fallut quelques minutes après avoir repris la marche pour parvenir à prendre un peu de distance avec eux. Le mouvement régulier et les effets persistants du somnifère se fondaient en un état qui, les yeux mi-clos et tournés vers l'asphalte de la chaussée, lui permettait par instants de ne pas penser du tout.

C'est dans un tel moment de vide intérieur que surgit soudain le soupçon que la première explication à son action nocturne était totalement dénuée de fondement. *Ce qui est vrai, c'est que j'ai voulu aussi vite que possible en avoir terminé avec ça, quel que soit l'acte envisagé, afin de pouvoir à nouveau dormir.* Ne remettre aucun document et se présenter devant les autres les mains vides, c'était une éventualité à laquelle il ne s'était pas une seconde attardé après son réveil, et ce n'était bien entendu pas l'effet du hasard. Dans cette mesure, voir derrière son acte un processus de décision, même inconscient, était la bonne explication. Toutefois il ne pouvait s'agir d'une décision revenant à choisir entre ses propres notes et le texte de Leskov. Il s'était produit quelque chose de beaucoup plus simple, de banal : il avait pris le texte de Leskov parce qu'il l'avait sous la main, parce qu'il n'avait rien de plus à faire que d'ouvrir sa valise. À ce moment précis, chercher à savoir si Maria avait tout de même, contre toute attente, fini de transcrire son propre texte, c'était trop lui demander. Il n'avait rien voulu d'autre que se recoucher au plus vite et s'abandonner à l'efficacité encore perceptible du somnifère. Et peut-être en plus, se dit-il en se mordant les lèvres, avait-il voulu esquiver une question concernant Maria, car il se sentait encore blessé par la remarque qu'elle avait faite au téléphone sur un ton professionnel. En tout cas, se dit-il avec une violence amère, dirigée contre lui-même, il avait été tout à fait satisfait que l'arrivée des gens de Fiat ait pratiquement rendu cette possibilité caduque.

Perlmann fut effrayé de la banalité de cette explication : dans une affaire qui pour lui était essentielle, il s'était laissé guider par un élément aussi primaire qu'un besoin de sommeil qu'il avait lui-même créé. *Les somnifères, ce sont eux qui ont décidé.* En fin de compte, il n'était pas sûr que ce ne soit pas pire que si sa décision de commettre une escroquerie avait été prise inconsciemment ; elle aurait été du moins authentique. Car ce qui en cet instant, pendant cette marche aveugle, lui apparaissait comme vérité n'avait pas d'autre signification que celle-ci : dans ce moment funeste, lui, l'acteur de la décision, le sujet de l'action, s'était dérobé à lui-même.

Perlmann ne prit conscience qu'il était arrivé à Portofino qu'au moment où il se retrouva à l'endroit où les bus faisaient demi-tour pour repartir en sens inverse. Il fut désemparé de se retrouver là, il n'avait rien à faire dans cette ville où, comme dans une voie sans issue, aucun chemin ne s'ouvrait devant lui. Il voulait avant tout continuer à bouger pour parvenir à endiguer sa propre détresse, il redoutait de se retrouver immobile et livré sans défense aux sentiments qui le torturaient. Il emprunta la ruelle par laquelle les flots de touristes, à la belle saison, se déverseraient vers le rivage. En cette saison, la plupart des boutiques étaient fermées. Le temps splendide et l'impression que tout dans ce lieu était mort n'allaient pas ensemble. La plupart des troquets autour du petit port de plaisance étaient fermés eux aussi. Il s'assit dans le dernier bistrot du quai et commanda un café et des cigarettes à un vieux serveur revêche qui ne le regarda même pas.

C'était ce matin-là son premier café et il en avala goulûment deux tasses. Son estomac se manifesta à nouveau et il engloutit deux petits pains qu'il était allé chercher à l'intérieur, au comptoir. Les yeux clos, il cherchait à percevoir le léger bruit que faisaient les bateaux en se heurtant doucement les uns aux autres. Pour quelques minutes, dans un état entre demi-sommeil et intervention volontaire de l'imagination, il parvint à se croire en vacances. Quelle illusion ! Un homme qui pouvait se permettre, par une belle matinée de novembre, de boire un café dans la célèbre station de Portofino, un homme sans contraintes, libre, qui pouvait voyager pendant que les autres devaient travailler, un homme libre de ses choix et qui n'avait de comptes à rendre à personne. À ce moment-là, il fut à nouveau submergé par la conscience de sa véritable situation. Il était un faussaire, certes pas démasqué, mais tout de même un faussaire. Et maintenant, cette station de Portofino lui semblait être un piège.

Il n'y tint plus, appela le serveur, le cherchant en pure perte dans le bar vide puis, ne trouvant pas de petite monnaie, il laissa un billet beaucoup trop gros à côté de sa tasse et regagna la rue principale. Il acheta un ticket au conducteur qui fumait à côté du bus prêt à partir et monta. Il était le seul passager. Quand le conducteur écrasa sa cigarette et se mit au volant, Perlmann, au tout dernier moment, se précipita dehors. Le conducteur le suivit des yeux dans le rétroviseur, l'air étonné, puis démarra.

Il ne voulait pas retourner d'où il venait, et il voulait dormir. Il fut tenté de s'allonger tout simplement sur le banc près de l'arrêt de bus, mais il se sentait trop exposé aux regards. Un hôtel. Il compta son argent. Cela suffirait, même si ce n'était qu'une chambre à très bas prix. Il fut soulagé d'avoir un but à court terme et parcourut les ruelles étroites de la station. Plusieurs hôtels étaient fermés pour l'hiver, et ceux qui étaient ouverts, même quand il s'agissait d'établissements particulièrement minables, affichaient des tarifs que la somme dont il disposait ne lui permettait pas de payer.

Il finit par trouver une chambre dans une auberge donnant sur une ruelle étroite encombrée de poubelles. L'aubergiste, un gros type trapu à moustache, portant des bretelles, le dévisagea d'un œil méfiant et méprisant, un homme sans bagages, sans argent, qui à onze heures et demie du matin cherche une chambre. Perlmann fut obligé de marchander, il ne voulait passer que quelques heures dans cette chambre, bon, jusqu'à cinq heures, et en échange, une réduction, mais payable d'avance et en liquide.

Il écarta le couvre-lit élimé et s'allongea, les bras croisés sous la tête. Le plafond à la peinture craquelée était maculé de nombreuses taches d'humidité jaunes et marron, dans les coins des araignées avaient tissé leurs toiles et au milieu pendait une lampe hideuse en plastique jaunâtre censé imiter l'ambre.

Légitime défense, se dit-il : ne pouvait-on considérer ce qu'il avait fait comme une sorte de légitime défense ? Il lui semblait que sans qu'il en ait une quelconque responsabilité, il avait perdu ses compétences scientifiques, celles qui lui avaient valu le respect et lui avaient permis d'accéder à la position sociale qu'il occupait, il s'était senti acculé par les attentes des autres qui réclamaient sans cesse de nouvelles productions intellectuelles et menaçaient de lui ôter leur reconnaissance, il lui avait fallu se défendre. En une telle situation, il n'avait eu d'autre solution que de recourir au texte de Leskov. On pouvait absolument y voir une défense de sa propre existence. Il n'avait pas agi à la légère ou pour obtenir un avantage mesquin, mais exclusivement pour écarter ce qui serait revenu à son anéantissement professionnel et en fin de compte aussi personnel. Légitime défense, exactement.

Certes, en prenant les choses au pied de la lettre, on devait peut-être tout de même qualifier ce qui s'était passé de plagiat. Les autres avaient en cet instant entre les mains un texte qu'ils ne pouvaient que considérer comme son propre texte alors qu'il l'avait seulement traduit, et non pas rédigé. Mais une telle façon d'envisager les choses était en fin de compte superficielle et ne correspondait pas à la manière dont les choses s'étaient réellement déroulées. Car il ne s'était pas contenté de simplement traduire le texte, sans être partie prenante au plan intellectuel, sans confrontation personnelle, comme l'aurait fait un traducteur professionnel travaillant pour une agence. Il avait discuté pied à pied les raisonnements menés par Leskov, il les avait constamment confrontés à des exemples tirés de ses propres souvenirs, et en fin de compte, pour ne mentionner que cet aspect, il avait consacré des heures et des heures, voire des journées entières, à tenter de rassembler les réflexions lacunaires de Leskov pour en faire une théorie cohérente de l'appropriation. On ne pouvait par conséquent vraiment pas dire que ses propres pensées n'avaient absolument aucune place dans le texte distribué aux autres.

Et ce n'était pas tout, ce n'était pas même l'essentiel. Il y avait un autre aspect qui rendait injuste et fausse à proprement parler l'accusation de vol de propriété intellectuelle. C'était le fait que chaque fois, après avoir résolu les problèmes linguistiques, il avait reconnu les pensées de Leskov comme étant les siennes. À cette idée, Perlmann vit le visage de Millar avec ses lunettes aux verres réfléchissants, et il entendit le ton sarcastique qui était le sien ; pas les mots, juste le ton sarcastique. Le visage et la voix se rapprochaient de plus en plus, le pressaient, menaçant de l'étouffer, il lui fallut se protéger, il se redressa, s'assit au bord du lit et alluma une cigarette. Tout cela, on ne pouvait le prouver à personne, et pour cette raison il ne pourrait le dire à personne sans se ridiculiser. Mais c'était pourtant ainsi : Leskov décrivait des expériences sur le langage et le souvenir qu'il avait toutes faites lui aussi, et il en avait tiré une vue d'ensemble conceptuelle qui pas à pas lui avait chaque fois donné la même impression : *souvent j'ai eu exactement la même idée, vraiment tout à fait la même.* Certes, il fallait en convenir, il ne s'était pas assis pour la noter, les phrases correspondantes n'étaient pas sorties de sa plume. Mais cela aurait tout à fait pu être le cas. Il se revit à son bureau de Francfort, écrivant mot après mot le texte par lequel Leskov l'avait, comme sous l'effet du hasard, en quelque sorte devancé. On ne pouvait en aucun cas affirmer qu'il avait fait passer pour siennes des pensées qui lui étaient étrangères.

Il s'approcha de la fenêtre étroite et sursauta. De l'autre côté de la ruelle, exactement en face de sa fenêtre et à moins de deux ou trois longueurs de bras, une vieille femme coiffée d'un fichu noir, bouche édentée, se penchait à la fenêtre et lui adressait un sourire grimaçant, menton en galoche dans son visage parsemé de rides. Près d'elle, sur le rebord de la fenêtre, un chat maigre, la séparation entre le roux et le blanc de son pelage dessinait une ligne oblique sur son museau, ce qui lui donnait une expression hideuse, pleine de méchanceté. Perlmann se hâta de tirer les lourds rideaux crasseux et se recoucha. Le souffle de respect de lui-même, que le monologue intérieur qui venait de se dérouler lui avait permis de retrouver, avait été effacé par la vue de la vieille femme et de son chat, ils lui semblaient maintenant des masques grotesques l'épiant, le menaçant. Il se vit à nouveau comme un lamentable imposteur allongé dans une minable chambre d'hôtel sombre, dans un piège à touristes désolé.

Il ne retrouva que peu à peu les deux raisonnements qu'il avait développés la veille sur le bateau, encore à ce moment-là choqué et honteux de se permettre de telles pensées. Premièrement, il était pratiquement exclu que puisse jamais se nouer une relation susceptible de représenter une menace entre l'un de ses collègues ici et l'inconnu Leskov dans sa lointaine Saint-Pétersbourg. Et deuxièmement, les sept exemplaires de la traduction, les sept manifestations et preuves matérielles de son imposture tomberaient un jour ou l'autre dans l'oubli et finiraient par être détruites. La disparition de ce texte effacerait aussi l'imposture – comme si elle n'avait jamais eu lieu.

Perlmann sentit que ce raisonnement était audacieux, que sa logique n'était pas sans faille. Mais il ne voulait pas chercher où elle se situait, il voulait regarder devant lui, considérer ce point de l'avenir où le monde, au plan de son intégrité, serait exactement ce qu'il avait été avant l'imposture. Il se rassit sur le bord du lit et fuma à traits rapides, le corps tendu comme si ce faisant il pouvait faire avancer le temps pour qu'il parvienne plus vite à ce point lointain de l'innocence retrouvée.

Il s'imagina comment pourrait se dérouler la destruction des documents et du texte ; il lui semblait que son raisonnement se faisait plus juste et plus évident dans la mesure où il parvenait à se représenter la scène dans le moindre détail. Par exemple, l'exemplaire de Millar finirait par atterrir un beau jour dans une rue de New York, au fond d'un sac poubelle noir et brillant. Peut-être le texte serait-il anéanti dans le sac lui-même, par exemple par un liquide se répandant ou alors à coup sûr par la pluie sur une décharge, Perlmann entendait jusqu'au bruissement de l'eau qui tombe. Il aimait imaginer que le texte était écrit à l'encre, de sorte que les lettres se mélangeaient et que l'ordonnancement fatal et coupable des lignes était effacé. Ou bien le texte partirait en fumée dans une usine d'incinération. Un beau jour – dans quelques mois, peut-être dans un an ou deux – ce malheureux texte, cette succession de signes, de molécules, aurait disparu du monde. Il en resterait des bribes de souvenir dans la tête de ses collègues. Mais elles deviendraient de plus en plus vagues et, à la fin, ne subsisterait plus qu'un vague sujet. Et c'est justement dans la tête des contradicteurs les plus dangereux qu'étaient Millar et Ruge que le souvenir s'effacerait le plus vite, car ils n'avaient de toute façon perçu ce texte que comme une image pâlie, comme un document dépourvu de contours conceptuels nets, l'effort nécessaire à un souvenir précis n'était pas justifié.

Perlmann retrouva son calme et s'allongea à nouveau. À présent, ses réflexions précédentes retrouvaient leur efficacité et il se fit mentalement une petite liste, relevant les points qu'il pourrait toujours envisager pour atténuer ses sentiments de peur et de remords : il s'agissait de légitime défense pure et simple ; les pensées de Leskov étaient les siennes propres ; au bout de quelque temps, tout serait redevenu comme avant. Il énumérait sans cesse ces points, en les faisant alterner, il commença par réfléchir à l'ordre dans lequel ils devaient se présenter, puis l'énumération mentale devint de plus en plus mécanique, elle se transforma en simple rite destiné à le calmer et il finit ce faisant par s'endormir.

Il lui fallut un moment pour percevoir les coups de poing martelant la porte et les aboiements de la voix désagréable de l'aubergiste lui criant que c'était l'heure. Il mit ses lunettes, regarda sa montre. Quatre heures passées. Sa colère monta comme une flamme subite. Il entrouvrit la porte et hurla en pleine figure à l'aubergiste qu'il avait payé jusqu'à cinq heures. Par la suite, dans la salle de bains exiguë qui sentait le chlore et les égouts, le son hystérique que venait de prendre sa voix lui laissa une impression pénible, et quand il vit que ses mains tremblaient sous le robinet, il détourna les yeux.

Il était néanmoins content de s'être mis en colère. Être en colère, cela voulait dire se percevoir comme quelqu'un qui avait le droit de se fâcher, de reprocher quelque chose à quelqu'un et cela même revenait à s'accorder à soi-même le droit d'exister, un droit qui ce matin même, quand il marchait à vive allure sur le pro-montoire rocheux, lui avait semblé annihilé, effacé. Il prit une douche. Ici, dans ce trou où la douche ne pro-jetait que de minces filets d'eau, parce que la plupart des orifices du pommeau étaient remplis de calcaire, cela lui était permis, d'autant plus que l'eau qui coulait était froide. Il se frotta longuement avec une serviette élimée et toute trouée et enfila à contrecœur la chemise trempée de sueur pendant son sommeil.

À présent, la fenêtre d'en face était fermée, il ouvrit les rideaux et aéra la pièce enfumée. La mince bande de ciel que l'on distinguait depuis cette étroite ruelle était désormais gris foncé, et la lumière qui régnait fai-sait penser à un crépuscule précoce de décembre. Il resta debout, tournant le dos à la fenêtre, fumant, et il savourait le droit qui était le sien de rester dans cette chambre jusqu'à cinq heures. Il descendit à cinq heures tapantes et jeta sans gratifier l'aubergiste du moindre regard la clé sur le comptoir en un geste si violent qu'elle retomba de l'autre côté.

Il avait faim, il lui sembla que c'était la première fois depuis une éternité. Le prochain bus n'était qu'à six heures et demie. Il n'avait plus de quoi se payer un taxi, il n'avait même plus assez pour le stand où l'on pouvait manger debout une pizza. Après avoir un peu cherché, il réussit à acheter la moitié d'un pain et un bout de fromage. Longeant les boutiques de souvenirs éteintes, abandonnées, il descendit vers le port et s'assit sur une froide pierre du môle. Le gris de l'eau se mêlait sans transition dans le lointain à celui du ciel. Le café de ce matin était éclairé, mais vide.

Il concentra toutes ses forces sur un unique point à l'intérieur de lui-même et se représenta son entrée, deux bonnes heures plus tard, dans la salle de restaurant de l'hôtel, il se vit s'asseoir et imagina sa réaction pendant le dîner aux premières remarques concernant le texte de Leskov. Il s'obligea par précaution à penser à la liste des arguments de sa défense qu'il avait élaborée dans cette obscure chambre d'hôtel, et à son grand soulagement, la panique ne se manifesta pas. Au lieu de cela, il se sentait oppressé, comme quelqu'un qu'attend un chemin long et pénible qui réclamerait toute sa résolution et sa vigilance. Il était possible de réussir, se dit-il, à condition qu'il ne perde jamais de vue le point suivant : *ils ne savaient pas ce qui s'était passé ; ils ne l'apprendraient jamais.*

Le pire, c'étaient les séances dans la véranda, où son texte – le texte de Leskov – serait discuté. Ces séances étaient faites d'un nombre limité d'heures et de minutes. Elles lui sembleraient infinies. Mais elles passeraient, et il ne resterait plus que trois jours avant la fin de tout cela et le départ des autres.

Perlmann jeta dans une poubelle le pain et le fromage presque entiers en se dirigeant vers le bus par la rue principale qui évoquait une ville fantôme. Par chance, il avait rayé les noms des élèves de Louria, se dit-il au moment où le bus s'ébranlait. Ils auraient pu éveiller des soupçons. Pour Louria, il en allait autrement, chacun le connaissait.

Au milieu du trajet, à l'endroit où la route en corniche était particulièrement étroite, le bus qui venait en sens inverse les croisa. Il y eut un bref grincement, le chauffeur jura, et les deux bus restèrent pendant de longues minutes à l'arrêt, à quelques centimètres l'un de l'autre. Aucun des deux conducteurs ne semblait vouloir prendre la responsabilité de la suite.

Perlmann était assis près d'une fenêtre donnant sur le milieu de la chaussée. Les gens de l'autre bus regardaient fixement dans sa direction ; avec la lumière diffuse de l'éclairage intérieur, ils semblaient tous ne fixer que lui. Leurs visages devenaient de plus en plus moqueurs de minute en minute, il se sentait exposé au pilori, un faussaire présenté comme exemple dissuasif aux autres. Un petit garçon le montrait du doigt, son index écrasé sur la vitre, en riant, il avait perdu une dent et le trou dans sa bouche lui donnait aux yeux de Perlmann une expression diabolique. *Je ne suis tout de même pas un criminel.* Il ne savait pas comment supporter les prochaines secondes, et craignait d'être pris d'un accès d'hystérie. Il ferma les yeux, mais le faisceau des regards des autres dirigés sur lui était toujours perceptible. Il vit l'image de gens arrêtés par la police, tirant leur veste sur leur tête pour passer entre la haie des photographes. Il se cramponnait à l'idée de sa liste et se la représenta comme une feuille blanche sur laquelle les trois aspects étaient inscrits en caractères d'imprimerie les uns au-dessous des autres : *légitime défense ; idées personnelles ; disparition.* Il ne rouvrit les yeux qu'au moment où le chauffeur appuyait sur l'accélérateur.

Il fut très calme pendant le reste du trajet, complètement immobile, comme si c'était nécessaire pour empêcher la panique de s'emparer de lui.

27 En arrivant dans le hall de l'hôtel, il fut soulagé de voir qu'il n'y avait personne derrière le comptoir de l'accueil. Le texte de Leskov dépassait de son casier, ce funeste tas de feuilles qu'il avait remis

vingt et une heures plus tôt à cet endroit même au distrait Giovanni. Les autres avaient récupéré leur exemplaire, restait seulement celui de Silvestri. Perlmann se précipita derrière le comptoir et retira les feuilles de son propre casier. Il fut aussi tenté d'emporter l'exemplaire de Silvestri et avait déjà commencé à tendre le bras, lorsqu'il entendit un bruit dans la pièce voisine et fit immédiatement volte-face.

Dans les escaliers, il croisa von Levetzov suivi d'un groupe de gens en tenue de soirée. Avant que ce dernier ait pu faire quoi que ce soit, Perlmann brandit vaguement le rouleau du manuscrit, salua puis se faufila à travers les gens en montant les marches deux par deux, soulagé que le groupe, qui occupait à présent toute la largeur de l'escalier, ait fait bloc entre eux deux. *Ça n'aurait servi à rien d'emporter l'exemplaire de Silvestri*, pensa-t-il lorsqu'il arriva dans le couloir de sa chambre. *Probablement cela n'aurait-il fait que semer le trouble. Voire éveiller des soupçons. Et de toute façon, ils auraient fait une nouvelle copie pour lui. On peut faire des copies de copies. Et ainsi de suite. Par milliers. Par centaines de milliers.*

La première chose qu'il fit en arrivant dans sa chambre fut de ranger le texte sous ses chemises dans le tiroir supérieur de l'armoire à vêtements. Ensuite il regarda autour de lui. Entre la chambre étroite de cet après-midi et le large espace dont il disposait ici, le contraste était saisissant. Il avait l'impression d'avoir passé des jours dans cette pièce morose qui sentait le renfermé. Angoissé, il s'attendait à ce que le luxe de sa chambre lui parût à nouveau quelque chose d'interdit, quelque chose qu'il ne méritait pas. Mais il n'éprouva pas ce sentiment et, au bout d'un moment, il tourna le robinet en laiton rutilant et se fit couler un bain.

Huit heures sonnèrent bientôt, et il s'étonna de la sérénité avec laquelle il envisageait le moment où, pour la première fois, il ferait face à ses collègues dans son rôle d'imposteur clandestin. Ce ne fut que lorsqu'il s'assit dans la baignoire de marbre qu'il comprit que ce calme était une forme d'indifférence, le résultat de son épuisement psychique total. Après deux jours d'errance, d'impasse et de désespoir, ne subsistait en lui plus qu'un sentiment de vide diffus.

Ce vide proche d'une perte complète de toute sensibilité demeura pendant qu'il descendait les escaliers, et il le brandit devant lui tel un bouclier en arrivant dans la salle à manger bondée de clients du samedi soir, avant d'aller s'asseoir à la table à côté d'Evelyn Mistral, remerciant en secret Silvestri dont la chaise était vacante.

Les autres avaient déjà commencé les entrées. La conversation à laquelle participaient visiblement Millar, Ruge et Laura Sand s'interrompit tout net et le silence qui s'installa, laissant place aux bruits de couverts et aux rires de la table voisine, fut perçu par Perlmann comme une réaction de stupéfaction : pour la première fois en quatre jours, il revient manger avec nous, et en plus il arrive en retard. Sans regarder personne, il se mit à déguster son avocat. Il n'avait aucun goût, la chair molle et farineuse avait en bouche une texture quelconque. Intérieurement, Perlmann était sur le point de prendre son élan et, chaque fois qu'il raclait la chair vert clair d'un tour de cuillère, on aurait dit que cet élan se prolongeait encore un peu plus.

Enfin il leva la tête et regarda ses collègues, l'un après l'autre, en s'efforçant de ne pas le faire de façon mécanique. Leurs regards, qui étaient assurément déjà fixés sur lui depuis un moment, ne parurent l'atteindre qu'à ce moment-là, et il s'agissait désormais de leur tenir tête, avec pour protection la certitude que ces regards ne pouvaient pas percer derrière son front. *Ils ne le savent pas ; ils ne l'apprendront jamais.* Il sentit son pouls accélérer et, lorsqu'il regarda Millar qui levait les sourcils avec un air de résignation ironique, il dut concentrer toutes ses forces dans ce regard pour ne pas le détourner trop vite comme le ferait un coupable.

Mais globalement, ce fut plus facile qu'il ne s'y attendait et, après une plaisanterie de Laura Sand sur sa longue absence, une nouvelle discussion fut entamée. La routine qui caractérisait les propos tenus lui donna le sentiment d'être en sécurité avec son dangereux secret ; mais elle lui révélait aussi de plein fouet l'ampleur de la solitude qui l'avait accompagné dans le drame des derniers jours et combien il se sentirait encore exclu par la suite : tel était le prix à payer pour garder secrète son imposture.

Personne ne dit un mot à propos du texte qu'il leur avait fait passer. Il n'eut pas besoin de réciter l'une des répliques qu'il s'était préparées sur le môle de Portofino et plus tard dans le bus. C'était fou mais, bien qu'il s'en réjouît, cela le vexait indéniablement. Après tout, le texte de Leskov n'avait pas à les bouleverser à ce point. Ce qui le blessait le plus – et une fois encore il était conscient de l'absurdité de ce sentiment –, c'était que même Evelyn Mistral, assise à côté de lui, n'ait pas fait la moindre remarque sur ce texte qui, pourtant, rejoignait son propre domaine de recherche sur bien des points. Lorsque leurs regards se rencontrèrent, il ne put déceler chez elle aucune désapprobation, mais son sourire était plus éteint que d'habitude, timide comme si elle redoutait de le blesser.

Pendant le plat de résistance qu'il avala machinalement, le regard rivé sur son assiette, il effectuait en pensée la démonstration du texte de Leskov. Il s'essayait au rôle de lecteur particulièrement rigoureux et à celui de critique railleur. Mais même ainsi, pensait-il, on ne pouvait pas passer à côté de la substance et de l'originalité de ce concept et, lorsque le dessert arriva, il s'était tellement acharné sur sa défense du texte qu'il regretta presque de devoir attendre jusqu'à lundi matin pour la démonstration publique. Une sensation de vertige à peine perceptible et son visage devenu brûlant lui signalèrent qu'il ne devait pas se laisser emporter dans cette direction. Mais il ne put pourtant pas contenir son acharnement furieux et s'alluma une cigarette en se tournant vers Evelyn Mistral pour lui parler du texte.

À ce moment-là apparut dans son champ de vision la manche noire du serveur qui tenait un plateau argenté sur lequel était posé un télégramme.

— Pour vous, *Dottore*, dit le serveur quand Perlmann tourna la tête dans sa direction, il vient d'arriver.

Kirsten fut la première chose qui lui traversa l'esprit, *Kirsten a eu un accident*, et cette pensée s'empara de lui si brutalement que tout ce qui l'avait préoccupé, torturé, ces derniers jours, ces dernières heures, fut comme effacé. Les doigts tremblants, il déchira l'enveloppe et déplia le télégramme. Il saisit le texte en un seul regard : *Arrivée Gênes lundi 15 : 05 Alitalia 00423. Vous saurais gré de venir me chercher. Vassili Leskov.*

L'espace de une, deux secondes, il resta sans comprendre. Le message était trop inattendu et trop loin de Kirsten, de cette pensée qui venait justement de gommer tout le reste. Puis lorsque la signification des mots sur le bout de papier blanc pénétra sa conscience, le monde extérieur devint incolore, silencieux, et le temps s'arrêta. Toutes ses forces le quittèrent, et il sentit le poids de son corps comme jamais cela ne lui était arrivé. *C'est donc ça qu'on ressent quand tout est fini*, pensa-t-il et, au bout d'un moment, dans son esprit vide, hébété, germa une autre idée : *C'est ce que j'attends depuis des années.*

Il était probablement resté immobile pendant un long moment car, lorsque Evelyn Mistral fit glisser un cendrier sous sa main et qu'il leva les yeux, il vit un long bout de cendre tomber de sa cigarette. Elle le regarda d'un air incertain, soucieux, et lui demanda en désignant le télégramme :

– Mauvaise nouvelle ?

Pendant un instant, Perlmann fut tenté de tout raconter à ce visage ouvert, franc, et à cette voix claire, chaleureuse –, sans se préoccuper des conséquences. Et si elle lui avait touché la main en lui tendant le cendrier, pensa-t-il plus tard, c'est effectivement ce qui se serait passé. Le sentiment d'isolement était si insupportable qu'une sorte de poison glacial se répandit en lui.

C'est alors qu'il perçut, pour la première fois depuis que le serveur lui avait tendu le plateau argenté, le regard des autres. Ce n'étaient pas des regards méfiants, des regards qui exprimaient de la suspicion. Bien plus étaient-ils circonspects, avec une lueur de curiosité. Ce n'étaient pas des regards hostiles, au contraire, même les yeux de Millar semblaient receler une disposition à exprimer sa sympathie. Et pourtant c'étaient des regards qui, tous, dans le silence de leur table, étaient dirigés vers lui comme tout à l'heure, dans le bus qui l'avait croisé. Perlmann sentait le malaise monter en lui, il se leva, fourra le télégramme dans la poche de sa veste et traversa le hall pour aller aux toilettes où il s'enferma pour vomir, secoué par des spasmes rapides et violents.

Lorsque la sensation d'étranglement s'estompa et que seuls des filets de bile brûlante s'échappaient encore de sa bouche et de son nez, il alla au lavabo, se nettoya la bouche et s'essuya le visage avec un mouchoir. Les lavabos luxueux de marbre brillant, les armatures à la mode, en laiton éclatant, imitation d'ancien, et le miroir immense lui semblèrent insupportables. Il évita de se regarder en face et repartit s'enfermer à clé dans une cabine pour réfléchir.

Il était impossible de retourner à table. La scène paraîtrait certes étrange pour les autres et friserait l'incorrection s'il ne réapparaissait pas du tout après son brusque départ. Les suppositions les plus diverses quant au contenu dramatique du télégramme seraient envisagées. Mais à présent qu'il était à deux doigts de la proscription sociale totale, cela n'importait plus. La seule chose désagréable – et Perlmann s'étonna en marge de sa conscience que cela puisse le préoccuper à un moment pareil –, c'était que ses cigarettes et le briquet rouge que lui avait offert Kirsten dans le train étaient restés sur la table.

Ses pensées n'allèrent pas au-delà de ces banales réflexions. Dans sa tête se dressait un mur grisâtre, infranchissable, accompagné d'une sensation d'abattement singulier. Jamais dans sa vie, la nécessité de penser et de prévoir avec lucidité n'avait été plus cruciale. Mais il faisait face à ce devoir comme quelqu'un qui n'avait encore jamais eu affaire à de telles opérations intellectuelles ; comme quelqu'un qui n'était même pas capable de prévoir au-delà de l'instant suivant. Son corps et son affect avaient réagi sur-le-champ ; sa pensée en revanche tâtonnait sans avancer d'un pouce. Assis sur la lunette des toilettes, il sentit la raideur de son corps. Scrutant la porte blanche devant son nez, il nota qu'aucun graffiti n'y était inscrit. L'arrière-goût brûlant du vomi se fit sentir sur son palais et il chiffonna le mouchoir humide dans son poing. Lorsque deux hommes entrèrent, continuant de s'entretenir en italien devant les urinoirs, machinalement il respira tout doucement et ne bougea plus. Il ne parvint à formuler qu'une seule pensée, et celle-ci se répéta à intervalles toujours plus rapprochés, comme un écho qui s'accélérait : *Un jour et demi. Il me reste un jour et demi.*

28 Lorsque les deux hommes furent partis, il quitta la cabine, regarda par l'entrebâillement de la porte pour s'assurer qu'aucun de ses collègues n'était dans le hall, puis monta vite dans sa chambre. Assis au bord de son lit, il relut le télégramme chiffonné. En haut à droite du papier blanc, il vit que Leskov l'avait envoyé la veille déjà, peu avant seize heures, de Saint-Pétersbourg. Il ne comprit pas très bien les autres indications rédigées sous forme de code. Mais visiblement, le message avait transité par Milan et Gênes avant d'arriver à Santa Margherita peu après sept heures et demie. *Si la liaison télégraphique avait été plus rapide et qu'on m'avait apporté le télégramme avant que signora Morelli ne commence à faire les photocopies, je ne serais pas devenu un imposteur au bord de la déchéance professionnelle.* Il regarda à nouveau avec attention : à quatre heures moins trois minutes le message avait été envoyé depuis Saint-Pétersbourg. Son bateau aurait dû quitter Gênes à trois heures et quart, mais il avait tardé jusqu'à presque trois heures et demie. Quatre heures moins trois – la tempête avait alors déjà commencé à se déchaîner. *À cette heure-là, sa venue était déjà définitive. C'était déjà définitif. C'était déjà un fait acquis.*

Entre l'autorisation de séjour refusée et la maladie de la mère de Leskov, Perlmann était parti du principe que celui-ci resterait incontestablement coincé à Saint-Pétersbourg. Ces deux obstacles indépendants l'un de l'autre avaient fait naître en lui l'impression qu'ils étaient insurmontables ; de fait, Perlmann n'avait pas envisagé une seule seconde la possibilité que Leskov apparaisse. Et voici que, par un enchaînement inattendu de circonstances, Leskov était parvenu à se libérer, et tout s'effondrait. Qui plus est, le ton de sa missive avait quelque chose de particulièrement définitif, d'irréversible.

Dans son estomac maintenant vide, Perlmann sentit des crampes douloureuses. Il alla à la salle de bains et but lentement un verre d'eau tiède. Son regard tomba alors sur la boîte de somnifères. Il savait précisément combien il en restait. Mais il emporta tout de même la boîte avec lui jusqu'au fauteuil rouge et recompta : sept comprimés. *Ça ne suffit pas, même avec de l'alcool. Si le médecin ne venait pas de partir en vacances, j'en aurais eu assez et j'aurais pu le faire.* Il alla ouvrir la fenêtre et resta, comme à son habitude, à deux pas du rebord. Dans un souffle lent et profond, il inspira l'air frais de la nuit et sentit les crampes diminuer peu à peu, relayées par une légère sensation de vertige. Il entendit des voitures passer, des voix qui quittaient l'entrée et se dirigeaient vers l'escalier en passant par la terrasse, des rires, les clients du samedi soir s'en allaient.

Il fit deux pas, se retint des deux mains à l'appui de la fenêtre et regarda le mur de l'hôtel. C'était la seule ligne de fenêtres qui n'était pas barrée par un balcon. Il s'écraserait sur le marbre blanc-marron. Évidemment, il ne le ferait pas maintenant, mais après minuit ou dans les premières heures du matin, quand tout le monde dormirait. Pour être sûr, il devrait sauter la tête la première, puis il s'ensuivrait trois ou quatre secondes sans fin, atroces, avant que sa tête atteigne la pierre. Il referma la fenêtre et posa sa tête contre ses mains qui enserraient la poignée. Pendant un moment sa vue se brouilla.

Lorsqu'il se redressa, quelqu'un frappait à la porte. L'idée d'avoir à parler avec quelqu'un maintenant, ne fût-ce que quelques minutes à travers la porte, l'emplit de panique. Il ne s'était jamais vu aussi abandonné et vulnérable. À ce moment précis, il n'avait rien à objecter à la présence d'un autre, mais cette présence à elle seule lui sembla pouvoir l'étouffer. En même temps il se réjouissait de ce geste à la porte qui le délivrait de la solitude glaciale dans laquelle il s'était trouvé ces dernières minutes. À mi-chemin en direction de la porte, il fit volte-face et attrapa la boîte de somnifères qu'il fourra dans sa trousse de toilette dans la salle de bains, les doigts froids, puis il alla ouvrir la porte.

C'était Evelyn Mistral qui venait lui rapporter ses cigarettes et le briquet rouge.

– Nous nous sommes inquiétés de ne pas te voir revenir, dit-elle avec un regard mal assuré, scrutateur. As-tu reçu une mauvaise nouvelle ?

Puis ses yeux se plissèrent légèrement et elle ajouta à voix plus basse :

– Tu es vraiment pâle comme la mort.

Il regarda ses cheveux secs, son visage ovale dont le teint paraissait encore plus mat que d'habitude dans le faible éclairage du couloir, et son tee-shirt lâche qu'elle portait sous une veste de soie brute aux larges épaulettes. Telle une vague prête à l'engloutir, la tentation de l'inviter à entrer et de tout lui avouer dans l'intimité de sa chambre, loin des regards des autres, se fit impérieusement sentir en lui. Il pencha la tête et pressa une main contre son front, juste au-dessus de ses yeux clos.

– *Everything is all right*, dit-il, lorsqu'il releva les yeux vers elle.

Il vit tout de suite que son visage prenait une expression gênée et blessée. C'était la première fois depuis leur conversation au bord de la piscine qu'il lui refusait l'intimité de l'espagnol, la langue qu'ils avaient toujours parlée en tête à tête. Et bien qu'il ne lui ait pas directement adressé la parole, c'était pourtant comme s'il avait ainsi anéanti la proximité et la magie que son *tú* espagnol avait évoquées en lui. C'était aussi douloureux que des adieux, et à la souffrance se mêlait le désespoir de ne jamais pouvoir lui expliquer que sa réaction avait été une tentative désemparée de se protéger.

– Et merci, dit-il en désignant les cigarettes pendant qu'il posait la main sur la poignée de la porte.

– Oui, eh bien bonne nuit alors…, dit-elle en anglais à voix basse, avant de s'en aller sans lui adresser un dernier regard.

Perlmann se jeta sur son lit, enfouit sa tête dans l'oreiller et, au bout d'un moment, il s'abandonna à des sanglots lents, sans larmes.

Lorsqu'il se releva et alla à la salle de bains pour se laver le visage, il éprouva la force froide et désespérée d'un homme qui vient de couper tous les ponts derrière lui. Il alluma une cigarette et, d'un seul coup, il fut en mesure de réfléchir clairement et méthodiquement à sa situation. Il écarta de son esprit l'image de son crâne percutant le marbre, se fracassant et s'écrasant sur le sol, pour reconsidérer maintenant, plus froidement et avec lucidité, son projet de mettre fin à sa vie.

Comment un tel acte serait-il perçu par les autres ? À partir de lundi soir, quand la vérité paraîtrait au grand jour après que Leskov aurait reçu le texte distribué, aux yeux des autres Perlmann passerait tout simplement pour un lâche imposteur qui n'avait pas trouvé le courage d'assumer ses responsabilités. Il n'aurait plus aucune possibilité d'expliquer quoi que ce soit, de faire état de sa détresse ou de raconter aux uns et aux autres, peut-être à Leskov lui-même, que le texte contenait tant d'idées qui étaient aussi les siennes que, dans un certain sens, c'était aussi son texte à lui. Son geste serait livré à la plus simpliste et à la plus superficielle des interprétations, et il ne serait plus là pour faire en sorte que ceux qu'il estimait portent un jugement plus nuancé et plus modéré. Personne ne se donnerait la peine de revenir dessus, en revanche Philipp Perlmann, le lauréat invité à Princeton, serait soupçonné haut et fort d'avoir probablement déjà plagié en d'autres occasions, bien qu'avec moins d'aplomb peut-être que cette fois-ci.

Perlmann essaya de regarder la situation de façon à admettre que tout ceci pouvait lui être parfaitement égal : tant qu'il était encore là et vivait, tout n'était pas perdu ; et si tout en venait à être perdu, plus personne ne serait obligé d'en faire l'expérience et de le supporter. Il était troublé de ne découvrir aucune erreur de logique dans sa réflexion, et cependant de la trouver trompeuse, voire perfide, malgré sa simplicité et sa transparence ; elle parvenait si peu à le convaincre qu'elle lui échappait chaque fois qu'il relâchait la concentration nécessaire à la fixer.

Pour certains collègues, il arrivait à tolérer l'idée d'être désormais considéré comme un impudent menteur, un imposteur de bas étage. L'opinion d'Angelini notamment le laissait de marbre. Et pour Ruge aussi, cela lui était en fin de compte assez égal, pensa-t-il avec un certain étonnement. Bien qu'entre-temps il l'ait un peu apprécié, il l'avait tout de même redouté durant quatre semaines, ce brave homme qui riait en poussant des gloussements, même quand Perlmann savait mieux que lui de quoi il parlait. Mais à présent, alors que la crainte aurait dû s'emparer de lui, la grosse tête chauve aux yeux gris-bleu derrière ses lunettes cassées lui était seulement étrangère, lointaine, et ne le touchait pas du tout. Le fait qu'il avait défendu les belles images de souffrance de Laura Sand n'y changeait pratiquement rien.

Les choses s'avéraient plus difficiles concernant Adrian von Levetzov qu'il avait appris à estimer dans toute sa préciosité. En public, il se rallierait au chœur des indignés ; c'était le jeu. Mais Perlmann espérait qu'en secret il lui témoignerait une certaine compréhension et une certaine sympathie – cela lui paraissait même plausible. Comment avait-il formulé la phrase qu'il avait adressée à Millar à la fin de cette fameuse séance ? *Il me semble qu'il ne s'agit absolument pas de cela.* Une fois de plus, Perlmann revit devant lui cet homme à la haute stature quittant la véranda avec une attitude si singulière. Non, son jugement ne lui était pas indifférent.

Giorgio Silvestri, il en était plutôt sûr, ne le jugerait pas, et Perlmann le croyait capable d'avoir déjà décelé sa détresse. Laura Sand. À sa manière ironique, distante, elle l'aimait bien. Et il y avait eu l'après-midi des nombreuses couleurs. Il avait l'impression qu'elle l'avait rapidement cerné et, si tel était bien le cas, elle ne serait pas plus surprise que ça et prendrait la nouvelle comme quelque chose qui s'intégrerait sans peine à la sombre image qu'elle se faisait de la communauté humaine. Loin de trancher sur lui, elle serait irritée qu'il ait laissé le monde ridicule des universitaires avoir tant d'emprise sur lui.

Ce serait grave pour Evelyn Mistral. Il repensait aux fois où elle s'était exprimée avec indignation au sujet de collègues espagnols qui ne travaillaient pas sérieusement, et il la revoyait toujours avec ses fines lunettes à la monture mate argentée et ses cheveux remontés en arrière. Elle serait tiraillée entre le sérieux indéfectible, un peu naïf, qui l'animait dans son travail, et les sentiments d'amitié délicats, platoniques, qu'elle éprouvait à son égard. Elle aurait alors l'impression qu'il se serait indûment arrogé ces sentiments. Ils partiraient en lambeaux et prendraient la couleur du mépris ou du dégoût. Il la revit devant lui se détourner sans un regard après la brusquerie de son comportement à lui. Il ne fallait pas qu'il pense à son visage lorsqu'elle l'apprendrait.

Et Leskov lui-même ? Que ressentait-on à l'égard d'un homme qui a volé un texte dont on était fier ? De la colère ? Du mépris ? Ou bien pouvait-on faire preuve de mansuétude en apprenant le prix que le voleur avait finalement dû payer pour cela ? Perlmann se rendit compte qu'il connaissait bien peu la personne de Leskov, que son monde intérieur, à travers ses écrits, lui demeurait flou. Il en ressentit un vague soulagement qui se mua en indifférence. Le jugement de Leskov ne comptait pas.

Il n'osait penser à la réaction de Millar qu'en détournant à moitié son regard intérieur. C'était insupportable d'imaginer la suffisance que ressentirait ce Yankee imbu de sa personne avec son regard bleu à la vivacité toujours intacte. *Quelque part ça ne me surprend pas outre mesure*, dirait-il peut-être en penchant la tête à gauche jusqu'à l'épaule, dans un sourire ostensiblement retenu. La haine s'empara de Perlmann, elle semblait frapper et pénétrer chaque cellule de son corps, et pendant un moment il eut à nouveau mal au cœur. Submergé par cette haine, il voyait, aussi distinctement qu'une hallucination, les mains velues de Millar glissant sur le clavier du piano à queue.

Mais ce qui était pire que tout, c'était la pensée de Kirsten. Ce fut une délivrance de sentir que sa fille comptait bien plus que tous les autres et que même la haine pour Millar s'estompait quand elle apparaissait dans son esprit. Cela lui donna le sentiment de ne pas avoir encore perdu tout sens de la mesure. Mais c'était alors d'autant plus effrayant d'imaginer ce qui se passerait lorsqu'elle l'apprendrait. Papa, un imposteur qui s'est emparé de la plume d'un autre parce qu'il n'était lui-même plus bon à rien. Qu'il n'ait plus rien eu à dire, à la rigueur elle pourrait le comprendre. Après tout elle avait bien décelé quelque chose lors de sa visite, et elle se l'expliquerait par la mort d'Agnès. Mais qu'il n'ait pas eu l'honnêteté ni le courage de l'admettre publiquement, ça elle ne pourrait pas le comprendre. Comme sa mère, elle ne connaissait pas la juste mesure, et surtout elle ne pouvait pas se douter que ce n'était pas à cause de la mort d'Agnès qu'il s'était retrouvé démuni, mais à cause d'une autre perte, une perte dans un certain sens encore bien plus grande, qui était si difficile à décrire et à vrai dire absolument impossible à expliquer. C'est pourquoi elle ne pourrait pas non plus savoir qu'il n'était pas en mesure de ressentir l'aveu de son incapacité comme quelque chose de désagréable, d'embarrassant, mais qu'il s'agissait bien d'un phénomène pour lequel on pouvait requérir de la compréhension, vu la tragédie personnelle qui était la sienne ;

elle ne pourrait pas savoir qu'il aurait dû vivre cela bien plus comme la révélation d'une déchéance encore plus vaste, qui concernait toute sa personne, et que c'était la raison pour laquelle un tel aveu d'impuissance avait été inimaginable. Il songeait à la manière dont elle était apparue devant la porte tôt le matin dans son long manteau noir, il voyait son sourire moqueur, gêné, et entendait son *Bonjour, papa.* Le contact de sa main chaude, sèche, avec toutes ses bagues, lui revint en mémoire, lorsqu'elle la lui avait tendue par la vitre du train. *Gli ho detto che ti voglio bene. Giusto ?*

Il regarda par la fenêtre. *Non. Non.*

Après une pause exténuée durant laquelle il se laissa tomber sur l'oreiller, il sentit avec une lucidité tremblante que d'épouvantables pensées étaient sur le point d'éclore et qu'elles opéreraient en lui des changements irrémédiables. Elles venaient, lui semblait-il, d'un endroit lointain, inconnu, et s'avançaient vers lui comme des vagues de plus en plus puissantes qui finiraient par l'engloutir. Il pressa ses paumes glacées contre son front comme s'il pouvait ainsi repousser ces pensées. Mais elles ne cessaient d'approcher, elles étaient plus puissantes que lui et, désarmé, il sentit qu'elles pouvaient à tout moment briser sa résistance.

Il alluma la télévision. Des films étaient diffusés sur la plupart des chaînes mais il n'avait aucune envie de se plonger à présent dans des histoires, des conflits et des sentiments inventés. Il zappait immédiatement aussi quand il tombait sur des talk-shows ; la vue d'inconnus ne lui avait encore jamais paru aussi insignifiante. Enfin, il trouva un journal télévisé. C'était ce dont il avait besoin à présent : des événements objectifs, réels, des échantillons du monde dans lesquels quelque chose d'important, quelque chose de vraiment notable se produisait, de préférence des événements dramatiques qui, parce qu'ils avaient une portée dépassant largement l'existence individuelle, pourraient l'aider à faire voler en éclats la geôle renfermant son monde intérieur, tout entier tourné vers sa propre personne. Chaque information était comme une passerelle par laquelle il pouvait parvenir au monde réel, là où le cauchemar qui le maintenait cloîtré dans cette chambre s'évaporerait tel un simple fantôme. Il regarda fixement les images jusqu'à ce que les yeux lui brûlent, il voulait se perdre complètement dans les événements extérieurs ; plus le théâtre d'une information était éloigné de lui, plus il lui paraissait facile de s'y plonger pour s'éloigner de lui-même. Il enviait les personnes qui faisaient l'objet d'un commentaire, ces gens-là n'étaient pas lui et, avec un sentiment de honte qu'il ne voulut pas sonder plus en profondeur, il remarqua qu'il enviait particulièrement le malheur violent de ceux sur qui une catastrophe s'était abattue. Il aurait même échangé les rôles avec les soldats blessés allongés sur une civière.

Il coupa le son et laissa les images défiler en silence. Était-il envisageable que Leskov se taise – par gratitude pour l'invitation et peut-être aussi en souvenir de l'Ermitage ?

Mais quand bien même : ce serait insupportable que de se savoir à sa merci pour toujours. Il ne le ferait pas chanter, Perlmann en était certain. Mais l'idée que Leskov ait dorénavant et à jamais la possibilité de lui faire du chantage suffirait à le paralyser complètement. Il fallait s'imaginer la scène : lui, Perlmann, présidant la table dans la véranda, devant expliquer et défendre le texte, pendant que Leskov serait assis quelque part au fond, vêtu d'habits élimés, tirant sur sa pipe, malicieusement satisfait, posant peut-être même des questions ou émettant des objections pour son seul amusement macabre, avec un visage parfaitement sérieux. Perlmann sentit la sueur froide ruisseler sur ses mains lorsqu'il y posa son visage brûlant.

Et il fallait aussi s'imaginer leur relation en tête à tête : objectivement, le ton paternel de Leskov ne changerait peut-être pas du tout. Mais Perlmann, lui, percevrait toujours à l'avenir une pointe de menace dans sa voix, une nuance qui lui déroberait toute possibilité de se défendre. Il serait contraint de se tenir tranquille, comme un valet, même si aucun mot sur cette affaire n'était jamais prononcé.

Perlmann commença à haïr ce Vassili Leskov. C'était une haine tout autre que celle qu'il éprouvait pour Millar. S'il haïssait Millar, c'était pour ce qu'il avait dit et fait. Cette haine puisait ses racines dans des circonstances qui étaient survenues entre eux deux. Millar y avait activement participé, par conséquent la haine de Perlmann était en quelque sorte ancrée en lui. La haine vis-à-vis de Leskov, en revanche, était née sans que ce Russe, qui faisait maintenant sa valise en toute insouciance, ait rien fait pour. C'est pourquoi, lorsque Perlmann examina de plus près ce sentiment qui semblait avoir pris Leskov pour cible, la haine se détourna de celui-ci pour se retourner contre Perlmann lui-même, qui en perçut la mesquinerie sans pouvoir lui opposer la moindre défense.

Il ralluma le son du téléviseur, irrité de voir que le compte-rendu d'un tremblement de terre touchait à sa fin. Le sport et la mode, ce n'étaient pas des images susceptibles de le délivrer ; au contraire, elles semblaient se moquer de lui. Il aurait voulu gifler les visages frais, allègres, des animateurs et fut saisi de frayeur en prenant conscience de son hystérie absurde. Lorsque arriva la carte météorologique, il fut soulagé ; la perspective distanciée de l'image satellite lui faisait du bien. Il n'avait encore jamais suivi un bulletin météo avec une telle attention. Il suivit des yeux avec avidité la pointe de la baguette qui se déplaçait de ville en ville – des lieux qu'il regardait avec une sorte d'ardeur nostalgique pour la simple raison qu'ils se trouvaient ailleurs.

Lorsque commencèrent les prévisions pour le lendemain, il céda à une panique qui s'accrut à toute vitesse : le programme était presque terminé, ensuite il serait à la merci de ces pensées qui faisaient de lui un autre homme, vil, froid et étranger à lui-même. Il se cramponna aux températures annoncées pour l'Italie. Lorsque la caméra se déplaça et que le pupitre des présentateurs se fit de plus en plus petit, il resta concentré dessus jusqu'à la dernière image et la dernière note du générique.

Une publicité criarde l'agressa, il éteignit aussitôt. Mais l'écran vide, sombre, sur lequel se reflétait la lampe de chevet, le rendait vulnérable à lui-même, aussi ralluma-t-il la télévision. Désespéré, il passa d'une chaîne à l'autre, essaya vainement de se laisser étourdir par des images érotiques ; même lorsqu'il chercha à se laisser entraîner dans le suspense d'une course-poursuite avec des sirènes hurlantes et des coups de feu, ce fut un échec. Fini de fuir ses pensées. Elles l'avaient rattrapé et pénétraient dans sa conscience avec puissance. Il appuya de plus en plus vite et désespérément sur les touches de la télécommande, les chaînes se chassaient les unes les autres, ne jetant plus que quelques éclairs de lumière, puis il éteignit.

Il se rendit à la salle de bains et sortit la boîte de somnifères de sa trousse de toilette. Deux de ces cachets devraient suffire à effacer pour un moment toutes ces pensées. Il avait déjà les comprimés sur sa langue et sentait leur amertume promettant l'oubli lorsqu'il laissa retomber sa main avec le verre d'eau. C'était de la folie de se plonger dans un état d'étourdissement, précisément maintenant, où tout était en jeu, sans savoir combien de temps serait nécessaire pour que sa tête redevienne assez claire pour penser efficacement. Il posa les comprimés humides sur le rebord du lavabo, but tout le verre d'eau et retourna très lentement, tête inclinée, s'asseoir dans le fauteuil rouge comme quelqu'un dont le temps est définitivement écoulé et qui doit enfin se rendre. Il reposa délicatement sur la table le briquet rouge qu'il tenait dans sa main et s'alluma une cigarette avec une allumette de l'hôtel. Il inhala la fumée plus profondément qu'à l'accoutumée et l'expira très lentement. Jusqu'au dernier moment, il retint son souffle. Puis il se remit à respirer.

Il fallait que ça ait l'air d'un accident. Un accident qui se serait produit quelque part entre l'aéroport et l'hôtel. Un accident qui survînt en sa présence et dont il pût témoigner. Il n'y avait véritablement qu'une seule possibilité : ce devait être un accident survenu avec une voiture qu'il louerait à l'aéroport.

Une voiture de location rien que pour Leskov : certains pourraient se demander si ce n'était pas un peu exagéré, si un taxi n'aurait pas fait l'affaire ; après tout, les autres étaient bien venus par leurs propres moyens. Mais il y avait des explications plausibles : Perlmann estimait ce Leskov plus encore que ce qu'on avait imaginé, et manifestement même sur le plan personnel. Ou bien : à l'égard d'un Russe venu de Saint-Pétersbourg et qui n'avait jamais mis un pied en Occident, il avait voulu faire un geste spécial. Ou encore : l'enveloppe de frais accordée par Angelini était si généreuse qu'on avait pu se le permettre sans préjudice. Et par ailleurs, personne ne soulèverait une telle question après un accident mortel. Il n'y avait aucune raison, Perlmann pouvait en être certain, que les soupçons se portent d'abord sur la voiture de location.

Mais comment s'y prendre, techniquement parlant ? Mettre en scène un accident sur le trajet de manière à ce que Leskov meure mais que lui s'en sorte indemne, c'était pratiquement impossible. Il fallait à tout prix qu'aucune autre personne ne soit affectée, c'était clair d'emblée, il n'eut pas à réfléchir une seule seconde là-dessus. Et percuter un arbre au bord de la route, un poteau ou un rocher – on ne pouvait jamais en prévoir l'issue à coup sûr. En fait, une seule option était envisageable, et Perlmann trouva à la fois étranges et inquiétants la rapidité et le quasi-savoir-faire avec lesquels il en vint à formuler cette idée : il fallait qu'il s'arrête juste avant un ravin – dans le massif montagneux ou le long des falaises côtières –, qu'il sorte de la voiture et la fasse rouler avec Leskov dans le précipice. Il vit la voiture avancer lentement devant lui, avec la silhouette massive de Leskov à son bord, son visage empli d'effroi, la bouche ouverte prête à hurler, la voiture basculerait en avant, se précipiterait dans le vide pour partir en flammes ou sombrer dans la mer. Perlmann pressa ses yeux avec le pouce et l'index pour dissiper les détails de cette image, et un moment s'écoula avant qu'il puisse reprendre le fil de ses pensées.

Il fallait que cela se produise à un décrochement de la route, à un endroit où le sol se terminait par un précipice. Comment s'arrêterait-il ? Il pouvait passer au point mort et tirer le frein à main. Après être descendu, il devait se baisser pour tendre la main, appuyer sur le bouton du frein à main, tirer un peu le levier vers le haut puis lâcher. Pour tirer vers le haut, pensa-t-il, il fallait qu'il garde le bras, ou du moins l'avant-bras, à peu près parallèle au levier, sinon il ne pourrait pas l'activer, et cela voulait dire qu'il devait se pencher loin en avant, vers Leskov, sa victime. Peut-être cela marcherait-il s'il s'appuyait en même temps de la main gauche sur le siège du conducteur ; mais peut-être était-il aussi nécessaire de s'aider du genou droit. Cela dépendait de la largeur de la voiture. Dans tous les cas, et c'était le pire à envisager, il s'approcherait encore une fois tout près du corps de Leskov et, s'il pliait maladroitement le bras ou perdait l'équilibre en s'appuyant, il le toucherait peut-être carrément. Il n'avait pas besoin de le regarder, il pouvait s'obliger à rétrécir son champ de vision au maximum et garder les yeux rivés sur le frein à main. Une fois qu'il aurait le levier en main, il pourrait fermer les yeux. Mais ce moment de proximité physique sans regards échangés, encore différente de la proximité physique pendant le trajet, serait épouvantable. Et l'idée qui l'acheva était que Leskov devine son intention et qu'il s'ensuive un combat qui pourrait finir par leur chute à tous les deux.

Il fallait qu'il se passe du frein à main, qu'il n'utilise que la boîte de vitesses. Il devait laisser la vitesse enclenchée au moment où il s'arrêtait, sortir puis se baisser très vite pour mettre l'embrayage au point mort. C'était l'affaire de une ou deux secondes. Il n'avait alors pas besoin de s'appuyer, ou tout au plus contre le volant, et il ne s'approcherait pas non plus du siège passager. Leskov tirerait-il sur le frein à main quand il sentirait le véhicule avancer ? Il ne savait pas conduire, Perlmann se souvenait maintenant qu'il avait fait remarquer sèchement que ses revenus ne lui permettraient de toute façon jamais de se payer une voiture. Mais tout de même, n'importe quel passager savait qu'il y avait un frein à main et où il se trouvait. D'un autre côté, l'attentat de Perlmann le frapperait comme un coup de tonnerre. Et même si, à ce moment-là, il ne regardait pas à travers la vitre et voyait exactement le mouvement de Perlmann, il ne pourrait pas saisir la situation assez vite ; la vérité était trop inattendue et trop monstrueuse. Il serait confus à cause des mouvements rapides, effrayé de voir la voiture avancer, et probablement ces deux éléments le tétaniseraient-ils. Mais Perlmann ne pouvait pas compter là-dessus. Il devait priver Leskov de tout moyen potentiel de défense, en avançant vraiment jusqu'au bord de la falaise, si près que les roues avant seraient déjà dans le vide dès que la voiture commencerait à glisser et que son centre de gravité se trouverait irrévocablement dans le vide. Leskov prononcerait peut-être des paroles apeurées s'ils approchaient si près du gouffre. Mais Perlmann n'aurait plus besoin de réagir, il se concentrerait totalement sur les manœuvres à exécuter, et quelques secondes plus tard tout serait terminé.

La police. Il devrait aller chercher les carabiniers. Jusqu'à présent il n'y avait pas songé un instant. Dans ses pensées des dernières heures seul Leskov existait et, à l'arrière-plan, ses collègues ; en prenant maintenant conscience que l'accident prémédité avait aussi des répercussions sur le reste du monde, le monde public des lois et des tribunaux, et celui des journaux, Perlmann vit une lumière crue, glaçante, inonder tous ses plans. Il retira ses chaussures, s'assit au bord du lit les genoux tendus et tira la couverture jusqu'à son menton. Cette position avait quelque chose d'inhabituel, d'étranger, qui lui fit sentir à quel point il s'était déjà éloigné de lui-même.

La première question serait : avez-vous gardé la vitesse enclenchée lorsque vous avez stoppé le véhicule ? Naturellement, répondrait-il, comment aurait-il pu descendre sinon. Par ailleurs après trente ans de permis de conduire, c'est quelque chose qu'on fait automatiquement à un endroit pareil. Il devrait avoir l'air irrité, effronté, en disant cela. Leskov avait dû repasser au point mort par mégarde, large comme il était, en se penchant pour attraper quelque chose. Pile au moment où lui, Perlmann, s'était retourné et avait remarqué que la voiture glissait en avant, la main encore sur la fermeture éclair de son pantalon, la tête de Leskov était apparue derrière la vitre tandis qu'il se relevait. Naturellement, Perlmann avait couru vers lui, quoique se doutant déjà que toute tentative serait vaine : la voiture avait basculé avant même qu'il arrive à sa hauteur.

On ne pourrait rien prouver contre lui, absolument rien. On pourrait lui reprocher de ne pas avoir serré le frein à main, précisément parce qu'une telle maladresse du passager était possible. Mais c'était un reproche d'imprudence, il ne pouvait en résulter aucune accusation d'homicide par négligence. Une poursuite pénale serait tout au plus envisageable si quelqu'un se levait pour dire : *Signor Perlmann, vous êtes un menteur, la vérité est qu'après être descendu de la voiture vous avez remis la main sur le levier et enclenché vous-même le point mort, ce qui signifie qu'il y a eu meurtre.* Mais cela tomberait comme une accusation sans consistance qu'aucun juge d'instruction ni procureur ne pourraient lancer. Car il ne fallait pas oublier ceci : il n'avait pas le moindre mobile. Interrogés, les collègues ne pourraient rien évoquer sinon la haute estime, l'immense respect même, avec lesquels Perlmann avait toujours parlé de Leskov.

À moins qu'un soupçon ne germe au sein du groupe ? Établirait-on une relation entre le télégramme, la réaction plutôt frappante qu'avait eue Perlmann en le recevant, et l'accident ? Evelyn Mistral se souviendrait-elle de son visage blanc comme la mort ?

Mais même en examinant ces deux choses côte à côte : son silence non plus ne laissait rien conclure. Car une fois de plus, ce qui importait, c'était que, pour les autres, il ne planait pas l'ombre d'un mobile. Ils ne pouvaient somme toute rien savoir du poison de l'imposture qui pulsait dans ses veines.

Pour autant, sur le lieu du crime, il fallait qu'il écarte tout ce qui pouvait soulever des questions méfiantes. Perlmann eut un haut-le-cœur et tira encore plus sur la couverture en grelottant.

Tout d'abord, il fallait que l'endroit choisi semble propice au stationnement ; il pourrait ainsi déclarer avoir voulu faire une courte pause. Mais il ne suffisait pas de trouver sur la route un décrochement où l'on n'entraverait pas la circulation. Il fallait un endroit invitant à garer la voiture face au gouffre ; de préférence un lieu offrant une vue particulière. *Je me suis arrêté là tout à fait naturellement*, dirait-il, *c'était la meilleure façon d'admirer le panorama.*

Ensuite, il fallait tenir compte de la nature du sol. Si c'était de l'asphalte, alors les traces de freins n'importaient pas. En revanche, sur de la terre, du gravier ou du sable, il devait être vigilant. Juste avant le précipice, là où il arrêterait véritablement le véhicule, il ne fallait pas qu'il y ait de traces de freinage, car d'après sa version des faits, la voiture aurait glissé sans conducteur. Un peu en amont par contre, là où il se serait soi-disant garé, il devait y avoir les traces normales de freinage. Ainsi les étapes seraient-elles claires : il devait quitter la route et dessiner un coude avec la voiture pour que le capot se retrouve perpendiculaire au bord de la falaise. Puis, à une distance normale du bord, il freinerait jusqu'à l'arrêt et éteindrait le moteur pour avancer tout doucement vers le gouffre, en donnant de tout petits coups sur la pédale de frein de manière à ne laisser aucune trace de dérapage.

Sous la couverture, Perlmann exécutait machinalement les gestes correspondants : appuyer sur l'embrayage de la jambe gauche ; de la droite, effectuer de petites pressions rapides et très, très légères, il ne fallait vraiment donner que d'infimes impulsions et, enfin, en même temps qu'un dernier léger coup de frein, libérer l'embrayage, là encore sans provoquer de traces de glissade. Concentré sur ces mouvements délicats, Perlmann s'était penché en avant. Il replongea en arrière, exténué comme après un gigantesque effort physique et, pendant un moment, il n'y eut plus rien en lui qu'un sentiment de vide oppressant et funeste.

Il se redressa en sursaut. Les témoins. Évidemment il ne fallait pas qu'il y ait de témoins. Avant de faire le mouvement décisif, mortel, sur le levier de vitesses, il devait se relever et regarder des deux côtés de la route pour s'assurer que personne n'arrivait. Si une voiture était en vue, il fallait qu'il attende, ce seraient des secondes de torture, interminables, les dernières secondes de vie de Vassili Leskov. Pour affronter le regard furtif, mais peut-être précis que lui lancerait le conducteur inconnu, Perlmann devait adopter une posture anodine, il pourrait porter une cigarette à ses lèvres qu'il jetterait dès que la voiture serait hors de vue. Il n'osait pas imaginer que Leskov sorte de la voiture pendant ce temps, ni même qu'un autre véhicule s'arrête à côté d'eux. Ce qui se produirait alors serait à peine supportable : il y aurait des mouvements, des échanges de paroles et même des scènes entières, fantomatiques, coupées du présent, car aux yeux de Perlmann elles ne viseraient en quelque sorte qu'à disparaître d'elles-mêmes, ouvrant ainsi une parenthèse dans le temps à l'intérieur de laquelle le meurtre pourrait enfin avoir lieu.

Il fallait que la route soit située dans un endroit reculé, tranquille, que pratiquement personne n'empruntait un jour de novembre. On s'étonnerait plus ou moins qu'il n'ait pas conduit Leskov à l'hôtel par le chemin le plus court, l'autoroute, alors que celui-ci venait déjà d'effectuer le trajet depuis Saint-Pétersbourg. Mais il pourrait dire que le voyage avait animé Leskov plus qu'il ne l'avait fatigué et que spontanément, ce dernier avait suggéré de faire un détour. Personne ne pouvait l'accuser de mentir et, sans autres raisons de le soupçonner, personne ne le souhaiterait non plus.

Il lui fallait une carte routière. En bas à l'accueil ils en auraient une. Perlmann regarda sa montre : onze heures moins le quart. Giovanni serait de service, c'était une bonne chose pour lui : plus la personne à laquelle il s'adresserait pour l'épauler dans son plan meurtrier lui serait antipathique et indifférente, mieux ce serait. Il repoussa la couverture, enfila ses chaussures et, déjà presque arrivé à la porte, il s'arrêta net, revint lentement sur ses pas et s'assit sur l'accoudoir du fauteuil rouge. Jusqu'à présent, il n'avait échafaudé son plan qu'en pensée, en silence sous une couverture.

Maintenant il était sur le point de franchir le premier pas vers le passage à l'acte. Un meurtrier qui préparait son geste. Le sentiment glacé de la perte de soi entourant cette pensée était grisant, et Perlmann resta inerte un moment, dans un désespoir innommable.

Lorsqu'il coinça ensuite une cigarette entre ses lèvres, il évita de jeter un regard sur le briquet rouge et attrapa de nouveau la boîte d'allumettes de l'hôtel. Il éprouvait le besoin de se remémorer encore une fois les raisons qui le poussaient à préméditer cet acte effroyable et de s'assurer de sa nécessité absolue. Mais tout élan de concentration échouait aussitôt, et il ne restait plus que la conviction sourde et un peu abstraite de ne pas pouvoir revenir en arrière – une conviction qui semblait forcée sans être moins ferme pour autant. Il finit par écraser sa cigarette à la moitié et marcha vers la porte dans un mouvement engourdi et mécanique.

Pendant qu'il regardait vers le hall depuis la dernière marche de l'escalier, l'espace d'un instant étouffant, il s'imagina Leskov apparaissant soudain face à lui. Il prit une profonde inspiration, ferma les yeux et retint l'air dans ses poumons comme si cette pression douloureuse pouvait écraser cette apparition intérieure. Puis il descendit jusqu'au comptoir de l'accueil où il n'y avait personne.

Ce ne fut qu'à ce moment-là qu'il entendit de la musique provenant du salon. Samedi soir, Millar jouait. Comme toujours c'était du Bach, l'*Ouverture française*, qu'Hanna avait interprétée une fois pour le soixantième ou soixante-dixième anniversaire d'une tante bien-aimée. Perlmann avait l'impression d'être une créature tout à fait irréelle, un être venu d'une planète lointaine qui se serait égaré ici, dans ce monde où tout suivait son cours habituel et où personne n'avait conscience de ce qui se tramait en lui, le poussant inexorablement vers l'abîme. Il eut le hoquet et ce halètement sans défense qui sembla particulièrement bruyant dans le hall désert renforça la sensation que des forces sur lesquelles il ne pouvait influer avaient pris le contrôle sur lui.

Il n'osa pas faire tinter la sonnette argentée et, alors qu'il allait retourner dans sa chambre pour mettre fin à cette attente qu'il ressentait comme une humiliation laissant présager du reste, signora Morelli arriva du couloir conduisant au salon. Après avoir jeté un regard sur le visage de Perlmann, elle pressa le pas, courant presque jusqu'au comptoir.

– La musique…, dit-elle comme pour s'excuser, signor Millar joue si bien.

Dans son sourire perçait l'étonnement non avoué de ne pas trouver Perlmann avec les autres et, en même temps, elle se souvint que son rôle ne lui permettait pas d'en demander la raison.

– J'ai besoin d'une carte de la région, dit Perlmann et, comme il n'avait eu aucune réaction à la remarque de signora Morelli, restant plutôt concentré nerveusement sur sa phrase pour ne pas hoqueter, son ton résonna de façon si autoritaire qu'il s'en effraya. Une carte à grande échelle, ajouta-t-il.

Il voulait que ce complément ait l'air aimable, adapté à une requête, mais le dernier mot fut déformé par un ridicule halètement.

Signora Morelli partit dans la pièce attenante, chercha dans plusieurs tiroirs et revint finalement avec une carte routière de la Ligurie.

– *Ecco !* dit-elle avant de marquer une courte pause durant laquelle Perlmann fut encore secoué par le hoquet. Un temps ensoleillé est annoncé pour demain.

Perlmann prit la carte, remercia en silence et se dirigea vers l'ascenseur. En se refermant, la porte coupa net l'un des accords fougueux de Millar.

La route côtière, pensa-t-il une fois installé sur le lit avec la carte dépliée, était hors de question. D'après les méandres représentés, on pouvait certes déduire qu'il s'y trouvait des portions avec des falaises ou en tout cas des versants abrupts. Mais de telles routes étaient pour la plupart découpées à même la roche et ne présentaient pas de décrochements suffisamment profonds. De plus, elles étaient généralement sécurisées par de larges glissières. Et enfin, c'était la route qui reliait de grands sites côtiers comme Recco et Rapallo : un lundi après-midi entre quatre et cinq heures, donc à l'heure de pointe, il y avait beaucoup trop de passage.

Il fallait qu'il prenne la route de montagne et quitte Gênes en direction de Molassana. Ensuite, plusieurs possibilités s'offraient à lui. Un endroit adéquat se trouvait peut-être sur la boucle qui commençait près de Bargagli et se terminait dans les environs de Lumarzo. Apparemment, la boucle serpentait beaucoup et était indiquée en vert, soit une route montagneuse avec un panorama particulier. Cela signifiait qu'il y avait là probablement des points de vue comme celui dont il avait besoin. À moins qu'à cet endroit aussi les glissières de sécurité ne lui mettent des bâtons dans les roues. Dans ce cas il pourrait essayer l'une des petites routes signalées en rouge par lesquelles on quittait la voie principale pour emprunter les nombreux lacets descendant vers la côte, notamment via Uscio. Et si là encore il ne trouvait rien, il pouvait toujours tenter l'itinéraire qui bifurquait peu après Molassana et menait au Passo di Scoffera en passant par Davagna.

Lorsqu'il vit prendre forme dans son esprit l'image des murs d'ardoise noire scintillant d'humidité, au milieu desquels serpentait une étroite route vers le col avant de s'enfoncer dans de sombres nuages lourds, Perlmann se redressa en sursaut. Pendant qu'il avait étudié la carte, son être s'était momentanément réduit à son cerveau, un esprit froid, calculateur, totalement détaché du reste de sa personne. À présent l'image de la route du col obscure le replongeait dans l'effroi et le désespoir, son estomac vide se crispait et il sentait l'odeur âcre, acide, que le vomi avait laissée dans son nez.

Il alla à la fenêtre fermée et regarda dehors sans rien voir. Pouvait-il vivre avec cet acte – avec l'image de la voiture basculant dans le vide, avec le souvenir du cri de Leskov s'échappant de la portière ouverte, avec le bruit du fracas et de l'explosion qui le poursuivrait ?

Une fois l'esprit lucide, clair, il ne supporterait pas d'avoir un meurtre sur la conscience, il en était sûr. Ce qu'il devait faire était ceci : jour après jour, se convaincre que c'était un accident ; ne cesser de recouvrir et d'enterrer le souvenir limpide, exact, du fait réel avec des images fictives, précises d'un accident, et ce aussi long-temps et obstinément qu'il le faudrait pour que les images authentiques, traumatisantes restent enfouies pour toujours et que des images fictives s'installent à la place, comme si elles étaient les véritables souvenirs. Il s'agissait d'empiler de fines couches d'autopersuasion les unes sur les autres jusqu'à ce que se développe une conviction nouvelle, solide, dont la fermeté aveugle serait telle qu'il n'aurait plus à s'en soucier au quoti-dien. Était-on capable d'une chose pareille ? Était-il possible d'élaborer si méthodiquement sa propre mys-tification, de construire de façon si planifiée la chimère sur laquelle reposerait son existence ? Il en résulterait, pensa-t-il, une absence de présent tout à fait particu-lière qu'il ne connaissait pas encore : une absence de présent gouvernée par le mensonge – un état dans lequel le présent manquait parce qu'une vérité fonda-mentale, une réalité déterminante de sa propre exis-tence était niée.

Le téléphone sonna. Bien que Perlmann l'eût réglé sur le volume le plus bas, la sonnerie lui parut stridente et perçante, comme si le monde entier le prenait d'assaut à travers ce bruit. *Kirsten.* Il alla jusqu'à la table de chevet, tendit lentement la main qu'il posa sur le combiné. Son désir d'entendre sa voix claire au ton insouciant était intense et ressemblait à une douleur brûlante. Il rétracta pourtant sa main, s'assit au bord du lit et appuya sa tête sur ses poings. À côté de lui, il le voyait derrière ses paupières fermées, il y avait la carte ouverte avec l'itinéraire du crime. La sonnerie ne voulait pas s'arrêter. Perlmann se boucha les oreilles mais en vain, car à présent il s'imaginait entendre le téléphone.

Dans le silence qui se fit enfin, il prit le briquet rouge dans sa main. *La mise à mort doit être motivée par une relation personnelle ; sans quoi, c'est pervers.* D'un seul coup, les pensées qu'il avait élaborées au cours des dernières heures lui parurent irréelles, proprement grotesques. Assassiner Leskov, c'était parfaitement hors de question. Car même s'il parvenait à tisser autour de lui une automystification efficace, dès la première rencontre avec Kirsten, dès le premier échange de regards, le premier contact, toute la construction de son mensonge s'effondrerait à l'intérieur de lui comme un château de cartes. Alors il se tiendrait devant elle avec la pleine conscience incandescente d'être un meurtrier.

Mécaniquement, il se releva pour étouffer d'un geste cette idée intolérable. Il prit une cigarette et ouvrit la fenêtre. Il était infiniment soulagé que les pensées meurtrières l'aient quitté tel un mauvais rêve et, au bout d'un moment, il commença à percevoir les lumières du dehors. Il les capta avidement du regard, chacune d'entre elles. Lorsqu'il eut absorbé le décor nocturne et se fut apaisé, il alluma la cigarette avec le briquet de Kirsten qui émit un léger cliquetis.

Pendant les premières bouffées, il arriva à se concentrer entièrement sur l'idée qu'il ne deviendrait pas un meurtrier, et il fit alors l'expérience d'un moment vécu au présent, le présent d'un grand soulagement. Mais cet état général, il le sentait plus que distinctement, avait en soi quelque chose de provisoire, comme une simple reprise de souffle, en quelque sorte il se manifestait entre deux parenthèses à l'intérieur desquelles résidait la question lancinante : qu'était-il donc censé faire, maintenant que même la possibilité du meurtre était exclue ? Lorsqu'il sentit qu'il ne pourrait plus écarter longtemps cette question, il alla à la salle de bains et avala les deux somnifères encore un peu humides. La carte qu'il replia et posa sur la table ronde était d'ores et déjà devenue un accessoire appartenant à un drame lointain de son imagination.

Lorsqu'il éteignit la lumière, les cachets commençaient déjà à faire effet. Son pied gauche appuyait sur l'embrayage, le droit donnait des coups de frein prudents. Sur ces mouvements compulsifs contre lesquels il lutta sans succès, Perlmann s'endormit.

Le frein à main était bloqué comme s'il avait été cimenté, il était obligé de ramper encore plus en avant et s'appuya du genou sur le siège du conducteur, mais le levier ne bougeait pas d'un millimètre, pas même lorsqu'il essaya de le lever des deux mains, le bouton qui le déverrouillait était lui aussi bloqué et dur comme de la pierre, puis soudain il n'y eut plus de bouton du tout, et son pouce appuya dans le vide, tout cela faisait perdre des secondes et il sentait battre son pouls à toute vitesse, maintenant des mains moites, rugueuses l'attrapaient par le bras, il y avait un combat, Leskov avait une force colossale, mais c'était par ailleurs un adversaire sans visage, d'un coup la voiture basculait, en fait c'était plus une glissade, effrayante parce que silencieuse, le combat était fini, et ils se précipitèrent lentement en avant, comme au ralenti, dans un décor aveuglément blanc.

Puis il sentit de nouveau sa main droite passer au point mort, il ne cessait de répéter ce mouvement rapide, nerveux, c'était comme s'il n'était plus que ce bras et que cette main, encore une fois la voiture commença à basculer, c'est alors que Leskov serra le frein à main, le crissement résonna dans un écho sans fin qui sembla emplir tout le parking et tout le ravin, cette fois, il avait un visage, avec des yeux exorbités, terrifiés, avant qu'il ne se transforme en un visage triomphant au regard dédaigneux, brusquement il s'approcha et passa en gros plan, à la fin ce fut un visage avec une large moustache entortillée qui se déforma vite en une face hideuse et ricaneuse.

29   Il était huit heures et demie lorsqu'il se réveilla trempé de sueur et encore sonné, et comme les deux jours précédents, le soleil brillait dans un ciel sans nuage si bien que, dans son engourdissement, Perlmann réussit l'espace d'un bref instant à penser que c'était encore vendredi matin et que tout allait bien. Une fois que cette illusion lui eut échappé, elle ne se laissa pas rattraper et il se dirigea vers la salle de bains à pas lents, incertains. La veille, se doucher lui était apparu comme une chose à laquelle un imposteur n'avait plus droit. Ce matin, après une nuit durant laquelle tout un tas d'autres choses lui avaient traversé la tête, ce sentiment lui paraissait caduc, presque ridicule. Sous l'eau abondante, l'engourdissement se dissipa et les images de ses rêves revenues l'assaillir perdirent peu à peu leur puissance.

Il ne s'est encore rien passé, ne cessait-il de se répéter, *il me reste encore une trentaine d'heures*. La sensation de faim qui se fit sentir l'écœura, il aurait voulu ne plus jamais rien manger. Mais pour que la sensation pénible disparaisse, il commanda un petit déjeuner, bien qu'il lui fût désagréable de croiser maintenant un serveur. Pendant qu'il avalait mécaniquement des croissants et buvait une tasse de café après l'autre, il se rendit compte qu'il y avait une autre possibilité à laquelle il n'avait pas songé hier. Il pouvait mettre en scène un accident de voiture dans lequel il se tuerait lui-même et emporterait Leskov avec lui dans la mort.

D'abord il n'osa pas se figurer à quoi cela pourrait ressembler en détail ; en premier lieu, il s'agissait de faire face à cette idée dans sa forme abstraite. Il sentit sa respiration accélérer et vit sa main trembler légèrement quand il s'alluma une cigarette. Et pourtant, il s'étonna de constater le peu de résistance à laquelle se heurtait cette nouvelle pensée. C'était tout de même un meurtre là encore. Mais cela lui parut étrangement secondaire. L'essentiel était qu'après tout ne serait plus qu'obscurité et silence total. Il tira de longues, profondes bouffées sur sa cigarette tandis qu'il se plongeait dans cette idée. Plus elle s'immisçait en lui, plus il sentait qu'elle l'attirait. Toute la fatigue accumulée en lui ces derniers jours semblait aspirer presque naturellement à ce silence imaginaire. Et plus encore : soudain, il eut l'impression de n'avoir rien attendu d'autre que ce silence durant tous ces mois qui avaient suivi la mort d'Agnès. Bien sûr, cela impliquait un meurtre. Mais la pensée de Leskov resta inconsistante, l'effet prolongé des médicaments paralysait l'imagination et derrière les paupières lourdes de Perlmann se dessinait sans cesse la même idée : *Je n'aurai pas une seconde à vivre avec ce meurtre. Pas une seconde de ma vie donc je ne serai un meurtrier.* C'était un sophisme, il s'en rendit bien compte, un jugement fallacieux, hasardeux, mais il n'avait pas la volonté de le démêler et se cramponna à la vérité contenue à la surface de ces phrases.

Il rédigea une circulaire dans laquelle il faisait savoir aux collègues que Vassili Leskov avait finalement trouvé un moyen de venir ne fût-ce que quelques jours, et qu'il arriverait demain après-midi. Ainsi la première séance consacrée à son texte n'aurait-elle pas lieu, comme prévu, lundi après-midi à la suite de la réception organisée à la mairie, mais mardi matin puisqu'il voulait aller chercher Leskov à l'aéroport lundi. Il écrivit cela en un rien de temps et sans hésitation puis, lorsqu'il eut empoché l'argent et ses cartes de crédit, il glissa la carte routière dans sa veste et descendit ; il était à la fois content et effrayé du professionnalisme, du sang-froid même, qui s'était emparé de lui.

Il chargea signora Morelli de photocopier la circulaire et de la déposer dans les casiers. Puis il lui expliqua que Leskov était sur le point d'arriver et épela son nom afin de lui réserver une chambre. Enfin, il pria signora Morelli d'appeler un taxi.

En cette matinée chaude et ensoleillée, tous les autres étaient installés à la terrasse. Perlmann mit ses lunettes de soleil, salua d'un geste bref de la main et descendit l'escalier extérieur sans ralentir le pas. Après coup lorsqu'il attendit dans la rue, il se dit qu'il s'était senti curieusement inattaquable en passant à côté des autres un peu comme un fantôme. Certes, il avait évité de regarder Evelyn Mistral. Mais cela avait finalement été inutile, comme il lui semblait maintenant : désormais, elle était loin de lui, dans un autre temps. C'était en effet cela qui l'avait rendu inattaquable : par sa décision de se conduire à la mort, il était sorti du temps habituel qu'on partageait avec les autres et dans lequel on était lié à eux, évoluant dorénavant à l'intérieur de son propre temps où les heures défilaient certes à l'identique, mais indépendamment de l'autre temps parallèle. *J'ai quitté l'espace-temps des autres et c'est seulement maintenant que je parviens à me détacher d'eux. Tel est le prix à payer.*

Ce nouvel espace-temps, pensa-t-il dans le taxi, était plus abstrait que l'autre, plus statique aussi. Il ne s'écoulait pas mais consistait bien plus en un strict enchaînement de moments qu'il fallait chaque fois traverser entièrement, ou plutôt : qu'il fallait endurer. Ne rien vivre au présent, constata-t-il ahuri en regardant par la vitre ouverte la surface lisse de l'eau scintillante, n'était soudain plus un problème. Dans le nouvel espace-temps, qui durerait jusqu'à demain après-midi pour ensuite disparaître de concert avec sa conscience, le présent n'existait pas même en tant qu'éventualité, aussi ne pouvait-il pas non plus lui manquer. La seule chose qui existait encore était ceci : le décompte des heures auquel il devait à tout prix se tenir pour organiser et exécuter son plan. Perlmann remonta la vitre, pria le chauffeur d'éteindre la radio et se renfonça dans le siège dépenaillé dont les plumes abîmées lui piquaient le dos. Il ne rouvrit les yeux que lorsque le taxi s'arrêta sous les platanes jaunis devant la gare.

Le lundi soir où Kirsten avait attendu sur le quai avec lui, il avait remercié en pensée la sonnerie inutile, stridente. Pendant un instant, elle les avait tous deux sauvés de l'embarras qu'ils ressentaient à être ensemble sans rien se dire. Perlmann revit le rire libéré de Kirsten tandis qu'elle se bouchait les oreilles. Aujourd'hui, le bruit perçant, interminable, le désarmait et il sortit en direction des platanes.

Il laisserait un bout de papier avec le numéro de Kirsten sur le bureau, afin qu'ils n'aient pas à fouiller dans ses affaires. C'était quelque chose qui allait de soi, après tout cela faisait à peine trois mois que Kirsten habitait à Constance. Lequel de ses collègues l'appellerait ? Probablement von Levetzov s'en chargerait-il ; une nouvelle aussi terrible se transmettait si possible dans la langue maternelle, et Ruge se tiendrait en marge. Mais au fait, comment les collègues l'apprendraient-ils ?

Il fallait que les carabiniers trouvent quelque chose dans son portefeuille leur indiquant qu'il logeait au *Miramare*. À moins que la voiture ne disparaisse dans les flammes. C'était la première fois que Perlmann envisageait la possibilité de brûler derrière le volant, et l'idée que les flammes pourraient l'avaler alors qu'il n'était pas mort, mais peut-être juste inconscient lui donna des sueurs froides. Il fut soulagé quand le bruit du train entrant en gare l'arracha à cette pensée.

Le battement rythmé des roues lui faisait du bien, il lui donnait le sentiment que tout était encore en suspens, qu'il était libre et pouvait à tout moment revenir sur sa décision désespérée. Il aurait voulu se laisser porter éternellement par ce battement et s'énerva d'être monté dans un tortillard qui s'arrêtait à chaque gare. Quand le bruit reprenait de plus belle après une halte, il parvenait l'espace de quelques minutes à se réfugier dans l'idée que tout n'était pas si grave, qu'il ne s'agissait somme toute que d'un texte, de quelques pages recopiées, ce ne pouvait pourtant pas être une raison valable pour violemment tout arrêter. Mais lorsque le train stoppait brutalement, il était en proie à la terreur à l'idée qu'on découvrirait son plagiat et le condamnerait, minute après minute, heure après heure, jour après jour, jusqu'à la fin de sa vie. Lorsqu'à Nervi une vieille dame coiffée d'un foulard noir au crochet s'assit en face de lui et fit une remarque amicale en lui souriant d'un air maternel, il se leva sans dire un mot et s'installa dans un autre wagon où les bancs étaient vides.

Ce qui était terrible dans le fait qu'il devait maquiller sa mort en accident, c'était qu'il ne pouvait plus rien régler au préalable. Il aurait bien aimé dire encore quelque chose à une poignée de personnes. En particulier à Kirsten, quoiqu'il n'arrivât pas à trouver les phrases justes. Hanna aussi, il aurait voulu la voir encore une fois, il lui devait une explication pour son coup de fil agressif, sinistre, durant lequel il ne s'était pas enquis une seule fois de savoir ce qu'elle devenait. Il essaya d'imaginer à quoi elle ressemblait aujourd'hui. Devant lui apparut son visage plat entouré de sa chevelure blonde aux mèches sombres, mais le visage resta fixé dans le passé, sans qu'il pût le faire évoluer depuis les trois décennies qui s'étaient écoulées.

Il aurait voulu revenir encore une fois dans son appartement lumineux de Francfort, il se serait assis à son bureau et aurait observé les photographies d'Agnès une dernière fois. Et puis il y avait les journaux intimes. Il aurait aimé avoir encore la possibilité de les détruire. Ainsi Kirsten ne les trouverait-elle jamais. Il chercha vainement à se souvenir de ce qui y était inscrit. Il espérait très fort se tromper mais, lorsqu'il était descendu du train à Gênes, il avait éprouvé le sentiment oppressant de laisser derrière lui un lourd fardeau de kitsch.

Il sortit par le préau de la gare, envoya paître plusieurs chauffeurs de taxi et finit par trouver un coin tranquille. Il prendrait la plus petite des voitures qu'ils avaient, un modèle avec un capot étroit et sans amortisseurs. Pour que ça aille vite et qu'il soit sûr de son coup. Soudain il eut l'impression de commencer à avoir la diarrhée et courut aux toilettes. C'était une fausse alerte. Son cœur battait jusque dans sa gorge lorsqu'il se rendit ensuite au comptoir des agences de location. Il resta debout dans un coin et se força à respirer calmement. En soi, louer une voiture ne l'obligeait encore à rien ; à tout moment, il pouvait la rapporter comme si de rien n'était. Il lui fallut se répéter cette pensée plusieurs fois, très lentement et avec concentration, avant d'arriver à neutraliser son émotion et d'avoir l'impression qu'il contrôlait sa voix.

Les guichets des trois agences étaient tous fermés. Il n'avait pas pris en compte cette éventualité et ne l'avait pas remarqué auparavant, bien qu'ils se soient trouvés juste sous son nez à la sortie. Pendant plusieurs minutes il resta simplement immobile, les mains dans les poches de son pantalon, les yeux dans le vide. Puis il marcha lentement vers le panneau d'affichage des horaires en face de lui et regarda à quelle heure partait le prochain train pour Santa Margherita. En chemin vers le quai, il s'arrêta brusquement en se mordant les lèvres puis fit demi-tour en direction des taxis.

– Tiens donc ! ricana le chauffeur qu'il avait envoyé promener juste avant.

Perlmann claqua la portière.

– À l'aéroport, dit-il sur un ton tel que le chauffeur se retourna et le regarda d'un œil étonné avant de démarrer.

– Je suis désolée, signore, dit l'hôtesse excessivement maquillée vêtue de l'uniforme rouge de la société AVIS, mais nous n'avons plus qu'une seule voiture disponible, une grande Lancia. Toutes les autres sont louées jusqu'en milieu de semaine, il y a une grande foire industrielle en ville.

– Puisque c'est ainsi…, dit Perlmann énervé, contenant l'hystérie qui se ranimait en lui, pourquoi votre guichet à la gare est-il fermé, et pourquoi les autres agences à côté ne sont-elles pas ouvertes ?

– Ça, signore, je ne peux pas vous le dire, répliqua l'hôtesse d'un air pincé avant de s'affairer à l'ordinateur.

Perlmann regarda l'heure : onze heures et demie. Dans cinq bonnes heures, il commencerait à faire sombre et il lui fallait peut-être un long moment avant de trouver l'endroit approprié.

– Eh bien soit, je la prends, dit-il.

L'hôtesse prit tout son temps avant de commencer à remplir le formulaire. Combien de temps voulait-il louer la voiture ?

La question déconcerta Perlmann comme si l'on venait de lui dire une obscénité. Vouloir obtenir de lui une information prenant effet après sa mort et ainsi dépourvue de toute signification à ses yeux, projetait une fois de plus violemment dans sa conscience l'immense décalage qui séparait désormais son temps intime, presque achevé, du temps régnant dans l'espace public, le temps des contrats et de l'argent qui continuerait toujours de s'écouler.

— Deux jours, dit-il d'une voix rauque.

— La ramènerez-vous dès demain soir ?

Il mit bien trop longtemps avant d'opter, sans raison et avec le sentiment de dire quelque chose de parfaitement hasardeux, pour un « oui », et sur le visage de l'hôtesse on pouvait lire sa stupéfaction à la vue de ce client qui, alors même qu'il venait de se montrer si arrogant, semblait si peu sûr de ses propres projets.

Quelle assurance voulait-il souscrire ? Assurances tous risques et passagers en supplément ?

— Ce qui se fait couramment, répondit Perlmann, éteint.

— Je vous demande pardon ? demanda l'hôtesse en s'efforçant de dissimuler son impatience.

— Ce qui se fait couramment, répéta Perlmann avec une fermeté forcée et tout en ayant le sentiment qu'elle devait remarquer à quel point ses joues lui brûlaient.

Dans le pire des cas, la police pourrait ainsi remonter à son hôtel grâce à la carte grise et à AVIS, pensa-t-il lorsque l'hôtesse inscrivit finalement son adresse italienne.

Sur le chemin de la sortie, il s'arrêta devant l'écran qui annonçait les arrivées. Le dernier alors sur la liste était un vol en provenance de Paris qui devait arriver à trois heures moins cinq. Ça n'avait pourtant pas la moindre importance, se dit-il, de savoir d'où arriverait Leskov. Il n'y avait évidemment pas de vol direct jusqu'ici, mais à quoi bon savoir maintenant où il ferait escale ? En plus l'avion qu'il prendrait le lendemain ne circulait pas nécessairement tous les jours. Malgré tout, Perlmann resta planté là à fumer, le regard fasciné rivé sur l'écran qui clignotait. Et lorsqu'il eut fini sa deuxième cigarette et relevé les yeux, le vol était affiché : AZ 00423, 15 h 05, en provenance de Francfort.

Pendant un moment, Perlmann imagina Leskov gesticulant, à bout de souffle, en train de traverser l'aéroport de Francfort dans le loden élimé qu'il l'avait vu porter l'autre fois. C'était puéril et même grotesque dans sa situation, pensa-t-il, mais cela le faisait enrager que cet homme change d'avion précisément dans son aéroport ; il avait l'impression qu'ainsi Leskov allait violer sa sphère intime. Exaspéré, il chassa l'image de sa tête et sortit en direction du parking.

30 En montant dans la longue limousine bleu foncé, son regard s'arrêta immédiatement sur le frein à main. Dans cette voiture il se trouvait particulièrement éloigné du conducteur, proche du passager. En lâchant le levier juste avant le ravin, il aurait donc inévitablement été obligé de frôler le large corps de Leskov. Cette idée qui n'avait plus lieu d'être et était devenue sans importance le plongea pendant quelques minutes dans le désarroi. Finalement il parvint à la chasser et déplia la carte.

Pour une collision frontale avec un camion qui ne devrait faire subir de dommage à personne d'autre, il était hors de question de choisir la route côtière. Les gros poids lourds ne l'empruntaient pas, et il fallait aussi tenir compte du fait qu'à l'heure prévue il y aurait beaucoup trop de circulation. Même pour ce plan, il ne restait plus que la route de Chiavari qui passait par Molassana. Perlmann devait miser sur le fait que des camions la prenaient aussi le lundi après-midi. Il lui était désagréable de voir qu'il était donc tributaire d'autres personnes et de leur emploi du temps pour exécuter son terrible plan. Juste avant de disparaître dans l'obscurité et le silence, son propre espace-temps devrait ainsi croiser celui des autres. Lorsqu'il posa la carte sur le siège à côté de lui et alluma une cigarette, un sentiment de dégoût l'envahit face à l'égocentrisme sans bornes qui transparaissait derrière cette pensée.

Le frein à main était fermement serré et ne se déverrouilla qu'après qu'il eut appuyé trois fois sur le bouton. *Comme dans mon rêve*, se dit-il en sortant maladroitement la voiture du parking. Il manœuvrait comme un débutant et, avant même d'être vraiment lancé sur la route, il heurta une bordure de trottoir et grilla la priorité à un autre véhicule.

D'après la carte, la bifurcation après Molassana se trouvait à l'est du centre. Perlmann longea donc d'abord les installations industrielles puis le port sur une route déserte bordée de maisons en ruine, de bâtiments abandonnés et de montagnes de gravats. Malgré le temps radieux, c'était un décor oppressant, et il roula tellement vite sur la chaussée accidentée avec ses nombreux nids-de-poule que le volant lui échappa des mains à plusieurs reprises. Il ne vit aucun panneau indiquant le centre-ville et, lorsqu'il commença à trouver ça louche, il s'aperçut qu'il était déjà sur la route de Nervi. Il se mit à transpirer et retira sa veste. Ce n'était pas si grave ; il avait seulement perdu un quart d'heure, vingt minutes au maximum. Il fit demi-tour et prit la première route qui conduisait vers la zone résidentielle.
– Toujours tout droit, lui dit le pompiste bourru à qui il demanda son chemin.

Subitement, lui sembla-t-il, il se retrouva sur l'une des places qu'il avait déjà traversées – cela remontait à une éternité – en se rendant au magasin de disques. Hésitant, il continua sa route, tourna à tout hasard dans la première rue, fut obligé de faire un détour à cause d'un sens unique et atterrit de nouveau sur la même place. En ce dimanche midi, le centre-ville était singulièrement calme, rien ne témoignait de la foire industrielle, et il dut courir derrière les rares passants pour leur demander sa route.

– Suivez toujours le fleuve, finit par lui dire un vieil homme habillé comme pour aller à la messe qui longeait les vitrines sombres en s'appuyant sur une canne. Ce n'est qu'à ce moment-là que Perlmann vit le fleuve sur la carte. En colère contre lui-même, il roula dans la direction indiquée. Arrivé à un terminus de bus, il demanda à un chauffeur.

– Molassana est un quartier connu de Gênes, une banlieue, personne n'a besoin d'un panneau pour y aller, rétorqua le chauffeur après la remarque réprobatrice de Perlmann qu'il regarda comme s'il débarquait de la lune.

Derrière son volant, Perlmann maudit le dessin de la carte qui l'avait induit en erreur et ne se calma pas avant d'avoir franchi le fleuve, où il y avait tout de même bien un panneau. Après avoir appuyé fort sur l'accélérateur, il freina et tourna à droite. *Demain je n'ai pas le droit de me perdre. Ce serait un cauchemar.* Pendant un moment, il essaya de reconstituer mentalement l'itinéraire direct qui l'avait conduit jusqu'ici, en supprimant les différents détours. Mais il n'y parvint pas, le va-et-vient avait semé trop de confusion. Une heure cinq. *Il atterrit dans exactement vingt-six heures.* Il tira hâtivement quelques bouffées sur sa cigarette puis la jeta par la fenêtre et reprit la route du port.

De nouveau en chemin pour Molassana, il s'arrêta régulièrement pour bien mémoriser les endroits critiques. Il y avait d'abord les deux quincailleries qui se ressemblaient comme deux gouttes d'eau : de même taille, situées à un angle de rues, elles étaient toutes deux fermées par des stores rouillés. Si l'on tournait dès la première, la circulation à sens unique obligeait alors à retourner vers le port, tandis qu'un embranchement tout aussi discret à la hauteur de la seconde menait en direction du centre. *Ne surtout pas tourner à la première.* Ensuite, à la place où se trouvait le bâtiment à colonnes, il devait veiller à ne pas suivre le tracé du tramway, contrairement à ce qu'il avait fait, mais prendre le virage à gauche. À la hauteur des travaux avec la déviation, il fit fausse route à deux reprises : il fallait encore une fois tourner vraiment juste derrière la boulangerie pour rejoindre la route principale. Et enfin, l'endroit avec les nombreux arrêts de bus était lui aussi délicat : il ne fallait pas suivre la route à trois voies qui passait en souterrain, mais serrer à gauche et continuer sur les pavés jusqu'au virage à angle droit qui menait à l'artère principale. L'itinéraire demeurait compliqué, pensa-t-il, probablement y en avait-il un autre plus simple. Mais il ne pouvait plus se permettre de perdre davantage de temps.

À deux heures, il était de retour au bord du fleuve où il avait tourné. Il conduisait bien trop vite sur la route presque déserte. Certes, il redoutait d'arriver à un endroit où son plan pourrait marcher ; mais rester dans l'incertitude était encore pire et, à mesure que les kilomètres défilaient sans qu'il trouve de lieu adéquat, elle devenait encore plus insupportable. Il lui faudrait peut-être attendre longtemps le passage d'un camion. À l'endroit en question, il devrait donc y avoir un décrochement où il pourrait garer la voiture à côté de la chaussée. Le camion devrait être visible de loin lorsqu'il apparaîtrait, de façon à avoir suffisamment de temps pour démarrer, accélérer et, au dernier moment, donner un grand coup de volant à gauche. De plus, il fallait que le conducteur soit dans l'impossibilité de l'éviter. De préférence, son côté de la route serait bordé de rochers.

Sur la portion escarpée avant le tunnel qui coupait le virage dans la montagne et constituait le point culminant du trajet, il y avait un endroit de ce type. Perlmann s'arrêta le cœur battant. Non, ça n'allait pas ici, pensa-t-il en essuyant ses mains moites avec un mouchoir. Étant donné la longueur et la robustesse du capot qu'il y avait entre lui et le poids lourd, tout reposait sur la vitesse et dans la montagne, même avec cette voiture, il ne l'atteindrait pas. En plus la collision pourrait endommager les freins du camion et dans ce cas, il dévalerait le long de la route en poussant l'épave de la Lancia, de plus en plus vite et sans que l'on puisse en prévoir les conséquences.

Après le tunnel se trouvaient quelques endroits qui, vu le tracé de la route, auraient pu être envisageables. Mais il y avait là des maisons avec des gens qui musardaient, accoudés à leur fenêtre. Ces gens-là seraient aussi là demain, et c'était impossible de le faire sous leurs yeux. De toute manière, il y avait bien trop de maisons, les villages se suivaient. Et partout, des gens à leur fenêtre, Perlmann crut en voir des centaines. Il ne se l'était pas imaginé ainsi ; sur la carte on ne voyait rien de ces patelins.

Il avait déjà largement parcouru la moitié du trajet lorsque arriva une portion de route de taille adéquate, droite et en pente douce, avec un mur de soutènement de l'autre côté. Exactement à l'endroit où il s'imaginait la collision, il y avait un panneau d'entrée d'agglomération écrit noir sur blanc : Pian dei Ratti. Au bout de la route, là où le camion apparaîtrait en sortant du virage, se dressait une maison dont les stores étaient baissés, elle semblait inhabitée. Dans le virage d'où Perlmann arrivait, il y avait un atelier ouvert sur la gauche où l'on découpait et taillait des plaques d'ardoise. Des gens y travailleraient demain. Perlmann roula jusqu'à un endroit où des arbres le cachaient de l'atelier. La partie restante de la route était encore suffisante. Seul l'arrêt posait problème. À droite, la bordure tombait à pic dans le fleuve et, malgré la glissière endommagée, il ne pouvait garer sur l'herbe que la moitié du grand véhicule. Tout de même, pensa-t-il, ici c'était faisable. Il fallait seulement qu'il mémorise précisément les repères précédant cet endroit afin de ne pas le manquer demain.

Il fit demi-tour jusqu'au prochain panneau de village : Piana, tel était donc le nom du lieu. Après le panneau se trouvait un grand bâtiment d'usine apparemment à l'abandon, puis deux maisons soignées et, derrière elles, au début du virage, trois pins où était placardée une affiche de publicité pour le service après-vente de Renault. Quand il dépassait l'affiche, il se retrouvait déjà dans le virage avec l'atelier et pouvait voir le panneau de Pian dei Ratti, après quoi il ne restait plus qu'une cinquantaine de mètres.

Il voulut descendre cette partie très lentement pour graver le plus de détails possible dans sa mémoire. Mais une voiture conduisant un couple de jeunes mariés, traînant derrière elle une ribambelle de boîtes en ferraille cliquetantes, klaxonna comme une folle derrière lui, si bien qu'il eut ensuite l'impression de ne plus pouvoir se fier à ses souvenirs. Il revint en arrière, fit demi-tour dans la cour de l'usine et répéta toute la scène. Mais sa mémoire semblait tout simplement ne pas vouloir enregistrer les images. Il n'y avait rien à faire : chaque fois qu'il lisait le panneau Pian dei Ratti, on aurait dit que son cerveau en effaçait aussitôt le souvenir.

Il lui fallait un indice d'alerte plus en amont et davantage de points de repère. En nage, il retraversa les deux villages qui précédaient le lieu et se concentra chaque fois sur les panneaux, jusqu'à en avoir mal aux yeux : demain il traverserait d'abord Monleone, puis Pianezza qui aboutissait directement à Piana. Ensuite les pins et l'affiche publicitaire, enfin Pian dei Ratti.

Il coupa le moteur à l'endroit en question et, épuisé, il s'alluma une cigarette. Lorsqu'il regarda devant lui pour évaluer encore une fois la distance, il vit qu'un store avait été relevé dans la maison à hauteur du virage. De nouveau, il se mit à transpirer. Était-il passé à côté sans le voir ? Ou quelqu'un était-il entré dans cette maison entre-temps ? Il ajusta ses lunettes mais n'arriva pas à distinguer s'il y avait quelqu'un à la fenêtre. Les gens étaient peut-être absents aujourd'hui seulement et demain, quand il prendrait le virage avec Leskov, ils seraient à leur fenêtre. Ils verraient la Lancia s'arrêter à cet endroit insolite, qui sait combien de temps, puis s'élancer pile au moment où un camion arriverait d'en bas. Et ils verraient la voiture braquer brusquement. Mentalement, Perlmann se plaça à cette fenêtre : pour n'importe quel témoin de la scène, cela aurait tout l'air d'un geste intentionnel. Il n'y avait aucun doute là-dessus.

Il lui était difficile de contenir sa colère à l'idée d'avoir passé une demi-heure à de vaines manœuvres. Mais il prit sur lui et continua sa route avec un calme maîtrisé. Vingt minutes plus tard, les villas mondaines de Chiavari étaient déjà en vue et il n'avait pas remarqué un seul endroit qui ait pu faire l'affaire : soit il y avait trop de virages sur la route, soit on ne pouvait pas s'arrêter, ou alors il y avait des maisons, encore et encore des maisons. À la périphérie de Chiavari, Perlmann stoppa sur le premier parking qu'il trouva et descendit de la voiture. Trois heures et demie. Son estomac se tordait tout à la fois de faim et de tension. Il fit quelques pas pour entrer dans le bar le plus proche, mangea un sandwich et demanda un grand verre d'eau tiède à la serveuse éberluée.

Le tunnel – je dois le faire dans le tunnel. Cette idée lui vint après qu'il fut resté immobile un moment, la tête complètement vide et visiblement sans entendre que juste à côté quelqu'un lui avait demandé du feu. Dans un geste de précipitation, il posa un billet sur le comptoir, courut à la voiture et démarra. *Je n'y ai pas fait attention, mais ce tunnel aussi doit avoir des bandes d'arrêt d'urgence où l'on peut faire halte, tous les tunnels en ont, c'est la réglementation,* ne cessait-il de se répéter en parcourant à tombeau ouvert le chemin inverse. Pian dei Ratti. Il ralentit, se retourna et leva les yeux vers la maison : tout était à l'identique, un seul store était remonté. Sur la dernière pente, là où la route s'élargissait, il roula à plus de cent kilomètres à l'heure et ne freina qu'à l'entrée du tunnel. Oui, des deux côtés, il y avait plusieurs voies d'accotement, Perlmann le vit immédiatement.

De nouveau hors du tunnel, il continua encore un peu à rouler avant de tourner. Ici aussi, il voulait mémoriser les éléments qui lui annonçaient l'endroit. C'était en fait très facile : d'abord il y avait un panneau indiquant Piacenza en haut à gauche et Chiavari plus loin à droite, puis peu avant le tunnel, on arrivait au croisement avec les différentes flèches. Perlmann roula jusqu'à une espèce de petit parking couvert de gravier à droite de l'entrée du tunnel, puis il coupa le moteur.

La vitre teintée s'ouvrit dans un léger bourdonnement lorsqu'il appuya sur le bouton. Il posa le coude sur le bord et s'alluma une cigarette. Après une courte pause, il revint à lui, écrasa la cigarette et retira son bras posé sur le bord de la vitre. Ici, juste devant le tunnel mortel, cette position confortable, vulgaire, lui parut obscène. C'était un sentiment semblable à celui qu'il avait ressenti la veille au matin, près de la rambarde derrière l'éperon rocheux. *Sauf que tout est plus grave maintenant, bien plus grave.* Et tout d'un coup, il ne sut plus que faire de ses mains. Il finit par les coincer entre ses genoux et, recroquevillé, il fixa son regard juste au-dessus du volant, en direction du tunnel.

Il se trouvait à une distance suffisante, probablement deux kilomètres. Évidemment, il ne pouvait pas s'élancer à partir d'ici. Quand on était sur le petit parking couvert de gravier, on ne voyait pas assez loin dans le tunnel et si l'on voulait avoir une meilleure visibilité, il fallait se placer à moitié sur la route, dans une position anormale qui attirerait l'attention. Demain cela pourrait durer un moment et ici aussi, il y avait des maisons dans les environs, avec des gens à leur fenêtre qui observeraient la luxueuse limousine. Et surtout, Perlmann se sentait attiré par le tunnel parce que alors l'attente tout autant que la collision auraient lieu à l'abri des regards.

Il entra dans le tunnel et s'arrêta sur la glaise claire qui recouvrait la première bande d'arrêt d'urgence. À présent, son regard portait jusqu'au bout du tunnel et dans le rétroviseur extérieur il pouvait contrôler si tout était libre derrière sans avoir à tourner ostensiblement la tête. À cet endroit il y avait amplement la place pour une deuxième voiture. Demain il devrait stationner de manière que personne ne songe à s'arrêter pour lui proposer de l'aide. Le mieux était qu'il se gare de biais par rapport au tas de glaise dans lequel une pelle était plantée. Il ne lui restait plus qu'à espérer que la police ne passe pas. À cette pensée il tressaillit et reprit sa route. N'osant pas faire demi-tour dans le tunnel désert, il en sortit puis retourna sur le parking couvert de gravier. Comme tout à l'heure, il se recroquevilla et posa son front contre le volant.

La première chose qu'il verrait du camion serait ses phares, plus grands et plus hauts que ceux d'une voiture. Il ne démarrerait que lorsque la cabine du conducteur serait distinctement visible, afin d'être sûr qu'il s'agisse d'un véhicule grand et solide. Le mieux serait qu'il tombe sur l'un de ces poids lourds américains qui étaient de véritables mastodontes. Ce qu'il lui restait ensuite à faire, très précisément, jusque dans les moindres détails, était beaucoup plus flou qu'il ne l'avait supposé.

Pour être absolument certain qu'ils meurent tous les deux, il devait percuter le camion de plein fouet. Pour cela il était nécessaire de s'écarter complètement sur la voie opposée, juste à temps, comme pour doubler. Mais en agissant ainsi, il serait clair pour tous ceux qui verraient la scène, donc au moins pour le conducteur du camion, que le geste était intentionnel. Et bien sûr Leskov, durant les effroyables secondes au cours desquelles le camion arriverait à toute allure droit sur eux, comprendrait qu'un meurtrier était assis à côté de lui, un meurtrier et un suicidaire ; peut-être se jetterait-il même sur le volant, et il y aurait une lutte entre eux, une lutte dont l'issue était incertaine. *Là encore, comme dans mon rêve.*

D'un autre côté, s'il ne donnait un coup de volant qu'au dernier moment avant la collision, et que celui-ci arrivait un instant trop tard, le pare-chocs du camion ne heurterait que la partie gauche de la Lancia, Perlmann serait peut-être tué, mais Leskov resterait en vie et pourrait témoigner de la tentative de meurtre. Mais si inversement il effectuait le geste trop tôt, si bien que la Lancia se retrouverait sur la voie opposée dans toute sa longueur, de biais par rapport au camion, ce serait d'abord l'aile et la portière de droite qui seraient écrasées, Leskov serait tué et projeté contre lui, son corps adipeux deviendrait le bouclier qui lui sauverait la vie et, ainsi enterré sous le cadavre de Leskov, il sentirait le camion pousser encore un peu la Lancia défoncée, avant de s'immobiliser dans le grondement de ses freins hydrauliques.

L'exactitude macabre de son imagination terrorisa Perlmann. Il essaya de se défendre contre le flux de détails qu'il se représentait et alluma la radio pour briser le pouvoir des images dans sa tête. Comme cela ne servit à rien, il sortit de la voiture et marcha mécaniquement de long en large sur le gravier, s'arrêtant parfois sur le bord de la route pour souffler sur ses doigts froids, le regard vide posé sur le tas de déchets.

Si seulement il connaissait l'état du trafic en semaine. Aujourd'hui, seules quelques voitures circulaient et jusqu'à présent, il n'était passé aucun camion, mais cela ne voulait rien dire. Que se passerait-il s'il y avait des files entières de voitures demain, s'il ne pouvait mettre à exécution son plan sans risques pour les autres ? *Mais c'est la seule possibilité. Je ne peux pas laisser tomber. Je ne pourrai pas me rendre chaque jour à l'université alors que je serai un imposteur démasqué, un homme banni.*

Cinq heures moins vingt. Sur la côte, il faisait encore jour, mais ici dans l'arrière-pays, dans la vallée, la nuit commençait déjà à tomber. C'était à peu près à cette heure-ci qu'ils arriveraient ici demain. Le temps que Leskov passe la douane avec ses bagages, il serait peut-être trois heures et demie passées. Demain Perlmann pourrait rouler plus vite qu'aujourd'hui, puisqu'il n'aurait plus rien à chercher ni à mémoriser ; d'un autre côté, il y aurait beaucoup plus de circulation qu'aujourd'hui à Gênes, il l'avait bien vu l'autre jour en allant acheter le disque. C'était pratiquement impossible de faire la route jusqu'ici en une heure. Une heure effroyable, interminable, durant laquelle il serait obligé de parler avec Leskov comme si tout allait bien et qu'il était content de son arrivée. Avant de foncer à toute allure dans la lumière blanche des phares d'un poids lourd.

Une circulation plus dense pourrait lui venir en aide, pensa-t-il de retour derrière le volant. Au lieu de simplement suivre la ligne qu'on prenait pour doubler quelqu'un, il pourrait faire en sorte que son geste ressemblât à une vraie manœuvre de dépassement. Cela arrivait bien fréquemment : un conducteur déboîte et heurte de plein fouet un véhicule arrivant en face sur la voie opposée. Pour que cela soit crédible, il fallait que le conducteur du véhicule qui déboîtait n'ait pas de visibilité en face. Comme il aurait un gros camion en face de lui, il ne fallait donc pas qu'il suive une voiture particulière. Il devait se trouver derrière un autre poids lourd, ou un bus, puis déboîter à toute allure dans son sillage et ce, exactement au moment où le camion en question arrivait. L'ensemble de l'opération devait être calculé de manière que le camion ou le bus roulant devant lui, pour ne pas subir de dommages, ait déjà croisé le véhicule arrivant en face quand se produirait la collision. Non, il ne fallait pas que ce soit un bus, en tout cas pas un bus qui transporte des passagers. *Voilà donc la dernière chose que je fais de ma vie : évaluer la vitesse des corps physiques qui se déplacent l'un vers l'autre.*

Ce plan aussi, il l'écarta. Trop de facteurs devaient coïncider : un camion adéquat, qui arriverait à contresens ; un autre derrière lequel il pourrait rouler pendant un moment ; et puis un tunnel désert. Cette constellation était bien trop invraisemblable, il ne pouvait pas miser dessus. À cela s'ajoutait le fait que personne ne dépassait un autre véhicule dans un tunnel à double sens, la ligne centrale y était respectée même par ceux qui avaient d'habitude la conduite sportive. Ce n'était pas une preuve, mais on serait tout de même étonné que Perlmann ait conduit comme un jeune écervelé.

Comme trois heures auparavant à la gare, une sorte d'indifférence étourdissante s'empara de lui pour un moment. Il fut tenté de rentrer tout simplement à l'hôtel pour se coucher, sans penser plus longtemps à quoi que ce soit. Au beau milieu de cette parenthèse d'épuisement et d'indifférence qui fit reculer le monde de quelques pas, le recouvrant d'un voile gris mat, un camion surgit du tunnel. Perlmann s'éveilla tout d'un coup, descendit de la voiture et, appuyé à la portière ouverte, il suivit du regard comme fasciné le véhicule chargé de gravier dont une petite partie s'échappait de la cargaison. Le pare-chocs avant pendait d'un côté et n'était retenu que par une corde. Perlmann fut comme hypnotisé par cette apparition et ne vit pas le conducteur lui adresser un signe de la main. Puis il suivit des yeux la trace humide qui s'écoulait du camion et chercha à saisir ce qu'il était en train de distinguer, une vision qui se mit à le torturer. *Le réservoir d'essence.* Sur ce vieux camion déglingué, il était situé tout à l'avant, la durit d'alimentation passait juste après la roue avant, et il lui avait semblé que le réservoir derrière la roue s'étendait encore plus loin devant. Un véhicule comme celui-ci s'enflammerait aussitôt, pour le conducteur ce serait la mort assurée.

C'était au port, vendredi, qu'il avait aperçu du bateau les nombreux camions attendant que la marchandise fût déchargée. Il devait s'agir du secteur où il avait vu la route fraîchement bitumée ce midi, celle qui conduisait directement à la zone portuaire. Là-bas, il pourrait s'assurer que les véhicules modernes étaient dotés d'un réservoir situé plus en arrière et mieux protégé. Mais il ne pouvait pas partir d'ici tant qu'il n'avait pas clairement établi le déroulement de l'accident simulé, les derniers mouvements qu'il accomplirait dans sa vie. Il reprit place dans la voiture, remonta la vitre et alluma le chauffage auxiliaire. Sentant les larmes monter, il éteignit brusquement la musique qui s'échappait de la radio. Quelqu'un qui concevait un dessein tel que le sien avait perdu le droit d'écouter de la musique, et aussi le droit de verser des larmes.

Son regard était figé sur le crépuscule où le contraste lumineux entre l'intérieur du tunnel et le monde audehors commençait à se faire de plus en plus faible. Oui, c'était ça : il roulerait d'abord tout à fait normalement face au camion puis, à deux ou trois cents mètres de distance, il commencerait à dévier de son axe dans le tunnel désert, de façon que le conducteur et la police supposent qu'il avait soudain eu un problème de direction. Peu importe que le conducteur en face essaie de l'éviter, ou appuie simplement sur le frein : dans une dernière embardée Perlmann lancerait la Lancia directement dans le capot du camion. L'autopsie exclurait le soupçon d'alcoolémie.

Mais même dans cette variante, Leskov ne se jetterait-il pas sur le volant ? Quelqu'un qui ne sait pas conduire ferait-il un tel geste ? Il le ferait s'il décelait l'intention cachée, ce serait comme un réflexe. Mais il ne le ferait pas si Perlmann simulait un problème de direction – s'il faisait comme s'il essayait de toutes ses forces de reprendre le contrôle de la voiture. Il devait le souligner en lançant une remarque désespérée, un juron. Il en passa quelques-uns en revue dans sa tête. *Ainsi la dernière scène de ma vie sera-t-elle de la comédie, une feinte médiocre, une farce.* À cette pensée, il eut un moment l'impression que le pire dans son plan n'était pas son absence d'égards ou sa froideur impitoyable, ni même sa brutalité, mais la redoutable bassesse dont il faisait preuve face à un homme qui avait fait de la prison, contraint à vivre dans des conditions autrement plus dures que les siennes et qui, à présent, se rendait pour la première fois en Occident, empli de grandes attentes à l'idée de rencontrer les collègues qu'il admirait.

Perlmann aurait voulu passer à l'acte dès cet instant et tout régler immédiatement. Mais il avait encore un dîner à endurer, et cette fois-ci il ne pourrait se contenter de le laisser passer sans un mot. À cause de la réception tenue le lendemain, Angelini serait également présent. On parlerait de Leskov et, maintenant que son arrivée était imminente, les autres voudraient en savoir plus que lorsqu'il avait été seulement question de son annulation. Il devrait les renseigner de façon naturelle, détachée, car ce serait une discussion dont les autres se souviendraient quand tomberait la nouvelle de l'accident. L'impression qu'il allait laisser devait être telle que chacun, si jamais on en venait à nourrir un soupçon secret, serait obligé de se dire : *Non, impossible, sinon il n'aurait jamais pu parler ainsi de Leskov hier soir encore.*

Et ensuite viendrait la cérémonie à la mairie, lors de laquelle il serait décoré citoyen d'honneur de la ville, juste avant d'aller accomplir son geste effroyable. Il fut envahi par une colère tremblante mêlée de hauts-le-cœur, une colère contre ce Carlo Angelini qui l'avait écrasé avec toute cette histoire, le conduisant à sa perte mortelle, et qui, pour couronner le tout, avait organisé ce rituel ridicule, cette façade creuse de politesse exacerbée, cette futilité conventionnelle. Perlmann le revoyait devant lui, cet Italien dans sa veste cintrée, avec sa cravate savamment nouée de manière à paraître lâche. À présent, son apparence et son attitude tout entières, pour lesquelles il l'avait envié, lui paraissaient seulement tirées à quatre épingles, présomptueuses et répugnantes. Il s'agrippa au volant et frappa son front dessus jusqu'à ce que le klaxon de sa voiture le ramène à la raison.

Le clic que fit la ceinture de sécurité en s'enclenchant n'était déjà plus qu'un souvenir, Perlmann tenait la clé de contact dans sa main lorsque l'idée traversa son esprit : *La ceinture de sécurité. Il faut que je fasse en sorte que la ceinture de Leskov soit inutilisable.* Il détacha la sienne, alluma l'éclairage intérieur et se pencha au-dessus du siège passager pour examiner le petit boîtier dans lequel était enroulée la ceinture. La seule manipulation qui passerait inaperçue consistait à bloquer la petite fente à travers laquelle sortait la ceinture. Il attrapa une poignée de pièces italiennes dans sa poche de veste. Les plus appropriées étaient celles de cent lires. Mais elles ne restaient coincées qu'en apparence entre la ceinture et la paroi du boîtier ; quand on tirait sur la ceinture, soit elles sortaient avec elle, soit – ce qui arrivait le plus souvent – elles glissaient à l'intérieur du boîtier. Les mouvements de Perlmann se firent de plus en plus nerveux, il utilisa une pièce après l'autre, puis finalement désemparé et hors de contrôle comme un toxicomane, il inséra aussi toutes les pièces qui lui avaient paru inadéquates au début. Au fur et à mesure, un léger bruit de ferraille se faisait entendre quand il tirait sur la ceinture, mais la bande continuait de glisser comme avant à travers la fente.

Perlmann se redressa, posa le crâne sur l'appuie-tête et s'obligea à respirer calmement pour se tranquilliser. Dans sa poche revolver, il sentit le porte-monnaie dans lequel il avait encore sur lui de l'argent allemand, bien qu'il ait souvent pris la résolution de le mettre ailleurs. Il le sortit. Les deux pièces de cinq marks paraissaient plus massives et plus épaisses que la monnaie italienne et, lorsqu'il en essaya une, elle se coinça plus fermement et résista quand il tira sur la ceinture. Mais au deuxième coup, plus énergique, la pièce tomba elle aussi sur les autres dans le boîtier en tintant légèrement.

Lorsqu'il attrapa le briquet dans sa poche de veste, il sentit une dernière pièce restante. C'était une fine pièce de deux cents lires. Il porta la cigarette à ses lèvres et posa la pièce de laiton à moitié noire sur la deuxième de cinq marks. À la main il était impossible de faire entrer les deux pièces dans la fente, mais il ne manquait pas grand-chose. Perlmann descendit de voiture et inspecta les outils dans le coffre. Puis il ouvrit la portière du côté passager, plaça entre son pouce et son annulaire gauches les deux pièces contre la fente au-dessus de laquelle il posa de l'index et du majeur la pointe d'un tournevis qu'il frappa prudemment avec une clé anglaise. Les coups légers restèrent sans effet ; mais quand il frappait plus fort, le tournevis dérapait et, une fois, il manqua de peu de faire entrer les pièces de laiton dans la fente. Lorsqu'il se releva pour étirer son dos douloureux, un cycliste à casquette vêtu d'un bleu de travail passait à côté de la voiture, une pioche à l'épaule.

– *Buona sera*, dit-il avec un regard de curiosité.

– *Buona sera*, voulut répondre Perlmann, mais il ne fut plus certain après coup de l'avoir vraiment prononcé ou seulement pensé.

Peu après, lorsque le tournevis lui glissa à nouveau des mains et griffa le boîtier en plastique noir, il perdit son sang-froid et frappa de toutes ses forces. Comme le tournevis lui rentra dans la peau et écorcha l'extrémité de son annulaire, il laissa tout tomber par terre, mit son doigt dans sa bouche et se tordit de douleur d'avant en arrière. Au bout d'un moment, il enveloppa son doigt dans son mouchoir et fit une dernière tentative. Les deux pièces commençaient à rentrer et il les martelait maintenant prudemment, millimètre après millimètre. Il y eut un bruit de craquement comme si le boîtier était sur le point de voler en éclats. Mais il résista et la ceinture fut finalement bloquée. Perlmann se rassit et la testa. L'arrondi des deux pièces demeurait visible, il ne fallait pas qu'il les enfonce davantage sans quoi elles glisseraient avec les autres. Si Leskov en venait à regarder de plus près la ceinture lorsqu'il remarquerait qu'elle était coincée, Perlmann n'aurait qu'à secouer la tête en évoquant quelque acte de vandalisme.

Il avait commencé par emprunter la carte routière, puis il avait loué la voiture, et maintenant ça. Il s'enfonçait peu à peu dans la réalisation de son plan, ses actions devenaient chaque fois plus ciblées, ses réflexions plus sophistiquées, les traces qu'il laissait se faisaient plus visibles. Et en même temps, pensa-t-il en rangeant les outils, tout cela s'apparentait à une spirale qui s'enroulait toute seule vers l'intérieur, sans qu'il intervienne, et l'enserrait progressivement avant de finir par l'étrangler avec le geste même qu'il s'apprêtait à commettre.

La main encore posée sur le coffre, il vit une femme de l'autre côté du carrefour qui était en train d'ouvrir une épicerie et d'allumer la lumière. Il se rua dans le magasin. Les cheveux blancs de la vieille femme étaient si fins et clairsemés qu'elle semblait presque chauve. Ses lèvres rentrées et son menton saillant lui rappelèrent la vieille édentée à la fenêtre de Portofino.

– Fermé, dit-elle en avançant encore plus sa mâchoire inférieure pointue.

– Juste une question, dit Perlmann.

Elle le regarda d'un air méfiant.

– Y a-t-il beaucoup de camions qui circulent par ici ?

– Comment ?

– Est-ce que beaucoup de camions passent par ici, est-ce qu'il y a beaucoup de circulation ? Dans le tunnel, je veux dire.

– Pas aujourd'hui, ricana-t-elle, lui dévoilant son unique chicot.

– En semaine, je veux dire.

– Eh bien... tantôt ça circule plus, tantôt ça circule moins.

– Comment est-ce le lundi ?

– Comme j'ai déjà dit : tantôt ça circule plus, tantôt ça circule moins.

– De quoi est-ce que cela dépend ?

Perlmann enfouit ses mains dans ses poches pour pouvoir serrer les poings.

– J'sais pas. En été y a plus de monde.

– Mais il y a aussi des camions en cette période ?

– Bien sûr qu'y a des camions. Font un boucan infernal. Et en plus ils puent. Mais dites, pourquoi voulez-vous donc savoir tout ça ?

– Nous tournons un film, et nous avons besoin qu'il y ait des camions qui passent, dit Perlmann.

Il ignorait totalement d'où sortait cette idée, mais la réponse lui vint sans hésitation.

– Un film ? Dans ce patelin ?

Elle rit d'une voix enrouée puis glissa le bout de sa langue entre ses lèvres.

– À quoi ressemblent les horaires ? À partir de quelle heure la circulation est-elle moins dense dans la soirée ?

– On dirait que vous voulez tout savoir dans le détail, pas vrai ? dit-elle en affichant maintenant un visage curieux, comme si elle commençait à croire à cette histoire de film. De Piacenza, il arrive plus rien après quatre heures. Et de Chiavari, par le tunnel… hum, ça se calme à partir de quatre heures et demie, *c'è meno*.

Et puis, soudain toute fâchée, elle ajouta :

— De nos jours, v'là qu'ils débauchent dès cinq heures !

— Après quatre heures et demie il ne passe donc plus beaucoup de poids lourds ?

— Je viens d'vous le dire.

Perlmann fut tenté de répéter la question, aussi absurde que cela fût. Mais il n'osa pas.

— Un film, pour de vrai ? dit-elle lorsqu'il prit congé.

Il eut le sentiment d'être sur le point d'étouffer et se contenta de hocher la tête.

— Qui l'eût cru ! marmonna-t-elle.

Elle le suivit des yeux lorsqu'il retourna à la voiture. Il était content qu'il fît maintenant trop sombre pour qu'elle ait pu la voir distinctement. Quand il fit demi-tour et prit la direction de Gênes, elle se tenait encore à la porte.

31 Le contrôle douanier à l'aéroport de Gênes est une formalité, pensa-t-il en rétrogradant après être passé à deux doigts de la collision dans un virage serré. Il l'avait pris trop large. Si l'avion atterrissait à l'heure, Leskov pourrait être sorti dès trois heures et quart, et ainsi arriveraient-ils alors que les camions circulaient encore. À condition que son calcul du trajet, qui tombait en pleine heure de pointe, soit correct. Il devait veiller à ce que Leskov ne remarque pas son empressement et ne pose aucune question.

Mais surtout : comment lui expliquerait-il qu'ils n'empruntaient ni la route côtière ni l'autoroute et traversaient plutôt cette vallée triste, désolée, où il n'y avait absolument rien à voir ? À cette pensée soudaine, Perlmann s'arrêta. Cependant aucune excuse un tant soit peu plausible ne lui vint à l'esprit. Plus une seule idée ne lui venait, les dernières heures l'avaient lessivé. Son doigt lui faisait mal. Et comment les autres s'expliqueraient-ils cet itinéraire incongru ? Les collègues ? Kirsten ? La police ? Il reprit sa route. *Après tout, il me reste encore vingt et une heures.*

Avant même qu'il ait pu s'orienter, il arriva sur un terrain portuaire enveloppé d'un épais brouillard qu'entrecoupaient des cercles de lumière froide et rousse émanant des hauts projecteurs du port. On n'y voyait pas à un mètre, et ses propres phares n'arrangeaient rien. Il descendit de voiture. En dehors du bruit de la mer, tout était parfaitement silencieux. Il ne savait pas où trouver le parking, mais dans son épuisement, il remercia intérieurement le brouillard et s'y enfonça de plus en plus.

Tout à coup, une ouverture apparut dans la brume et, entre deux nappes, il aperçut, à quelques centaines de mètres de distance, la rangée de camions qu'il se souvenait avoir vue depuis le bateau. Il releva le col de sa veste et, frissonnant, continua de marcher à pas lourds. Il ne vit le grillage qu'au moment où il surgit juste devant son visage. C'était une clôture de métal coulissante qui ceinturait visiblement tout le parking. Elle devait faire trois, quatre mètres de haut. Pendant un moment, Perlmann, découragé, resta immobile et fuma. Puis il jeta sa cigarette mouillée par la brume qui avait un goût détestable, et il entreprit d'escalader.

C'était difficile, les mailles du grillage étaient serrées et n'offraient que peu de prise pour les pieds, et ses mains, dont il ne pouvait utiliser vraiment que la droite, menaçaient de glisser sur le treillage humide dès qu'il relâchait un peu ses forces à cause de la douleur. Il finit par attraper la maille la plus haute et, après une courte pause pour reprendre son souffle durant laquelle il resta suspendu à la grille, pendouillant comme un sac, et sentit l'humidité pénétrer dans son pantalon, il parvint dans une traction à se hisser. Lorsqu'il voulut ramener son autre jambe, son pantalon s'accrocha à une vis. À la hauteur de sa cuisse, il y avait une longue déchirure, le bruit de l'étoffe arrachée sembla résonner dans tout le port. Arrivé en bas, il eut le sentiment d'avoir fait quelque chose de totalement insensé, et seules ses mains douloureuses, ainsi que son obstination désespérée, le retinrent de faire aussitôt marche arrière.

Les bras tendus comme un aveugle, il marcha lentement vers les camions. La première chose qu'il toucha fut un phare. Ensuite il chercha le pare-chocs à tâtons qu'il parcourut de la main, de gauche à droite puis inversement. Il ôta ses lunettes embuées et approcha ses yeux tout près, tâta le métal et la couche d'ébonite, examina la hauteur qu'il compara mentalement à celle du capot de la Lancia. Il toucha les armatures métalliques qui soutenaient le tout et les secoua, en ayant désespérément conscience du ridicule de son geste. Puis il passa les doigts sur le flanc du camion et chercha la durit du réservoir. Il la trouva de l'autre côté, après avoir presque rampé sous la surface de chargement. Le réservoir se trouvait au milieu, et un large espace le séparait de la cabine du conducteur. Épuisé, il s'appuya contre le pare-chocs, contempla ses mains enduites d'huile et de rouille humide, puis enleva de sa blessure le mouchoir sali, saisi d'un désespoir muet à l'idée, amère, qu'une telle attention à soi était désormais devenue bien superflue.

Pendant un instant, il lui sembla que l'image du camion déglingué au pare-chocs branlant n'était plus à prendre en compte, et il était prêt à rebrousser chemin.

Ce fut alors qu'il ne put s'empêcher d'aller voir le camion suivant, qu'il inspecta de la même manière, après avoir constaté que c'était un modèle tout à fait différent. Le troisième véhicule possédait à l'avant une structure constituée de deux puissantes barres métalliques, ce qui lui donnait l'air d'avoir été conçu pour laminer tout ce qui croisait son chemin. Perlmann l'imagina s'avançant vers un mur de briques rouges et l'éventrant sans le moindre effort, tel un décor de film en carton-pâte. Il fit quelques pas en arrière vers le brouillard rougeâtre puis marcha lentement vers l'avant du camion, en s'imaginant qu'il était assis au volant, le pied sur l'accélérateur.

Il avait froid, ses vêtements étaient humides et sa jambe dans son pantalon déchiré, frigorifiée. Son nez coulait, et cela ne servit absolument à rien qu'il se mouchât dans le dernier coin propre de son mouchoir. Plus tard, lorsqu'il alla voir le dernier camion, son nez recommençait déjà à couler. La compulsion qui l'enjoignait à continuer croissait proportionnellement au sentiment d'absurdité que lui inspirait sa démarche. Il était maintenant trop fatigué pour examiner le réservoir de chacun des semi-remorques. Ses inspections se firent de plus en plus sommaires, et à la fin, il se contenta de tâter le pare-chocs. Au début, il le faisait encore en regardant de ses yeux plissés, ses lunettes inutiles à la main, pour comparer un nouveau modèle de barre à ceux qu'il avait déjà vus. Plus tard, tandis qu'il était depuis longtemps déjà perdu dans le décompte des camions, il ne faisait plus que balayer de la main droite le métal humide. Il s'arrêtait de plus en plus rarement, et finit par basculer dans un automatisme, son bras tendu de pare-chocs en pare-chocs, un peu comme sur le chemin de l'école, quand il passait sa main sur les clôtures de fer ponctuées par les entrées de maisons, dans le quartier de Hambourg.

Ce ne fut que lorsqu'il eut brièvement touché le dernier camion qu'il fit demi-tour. Le brouillard était à présent épais comme un voile contre lequel on avait l'impression de buter à chaque pas. Il aurait bien voulu toucher encore une fois le véhicule aux gigantesques barres métalliques. Mais le brouillard lui avait ôté toute notion de distance et pendant un instant où, aveugle derrière ses lunettes tout embuées, il sembla perdre tout à fait pied, il n'était plus certain que ce véhicule eût vraiment existé.

Il glissa à deux reprises, avant de finalement arriver en haut de la clôture grillagée, contorsionné, la tête en bas. Il avait balancé le mouchoir qui l'écœurait, son doigt blessé lui brûlait, et son nez coulait si abondamment qu'il en vint, dégoûté, à se moucher directement dans sa main. Pour la dernière partie il se laissa chuter et se réjouit de ne pas se faire encore plus mal.

Il craignait de ne pas retrouver sa voiture. Pourtant soudain, sans transition aucune, le voile de brume fut dissipé, Perlmann se retrouva dans une nuit étoilée et vit immédiatement la Lancia. Il hésita d'abord à s'asseoir avec ses vêtements humides, salis, sur le siège élégant et immaculé. Puis il avala plusieurs fois sa salive, se glissa harassé derrière le volant et alluma le chauffage à fond. Sept heures et quart. *Dans vingt heures il sera en train d'attendre ses bagages à la douane. Ou bien il en sortira et me verra.*

Après Santa Margherita, Perlmann prit l'autoroute sans se soucier des limitations de vitesse. Il voulait quitter ses vêtements et filer sous la douche. *Les besoins physiques restent les mêmes, ils sont plus forts que tout.* La vive allure l'aidait à ne penser à rien. Il était huit heures dix lorsqu'il gara la Lancia à la station-essence près de l'hôtel. Avant de monter l'escalier extérieur, il jeta un œil derrière lui. Les pneus étaient couverts de glaise claire.

32 Dans le hall, il tomba sur les collègues qui se tenaient devant la salle à manger en compagnie d'Angelini. Ils le regardèrent d'un air ahuri et effrayé.

— Mais qu'avez-vous donc fabriqué ? demanda von Levetzov en désignant le pantalon de Perlmann, dont l'étoffe déchirée pendait vers l'extérieur et se balançait à chacun de ses mouvements.

— J'ai aidé quelqu'un qui était tombé en panne, il a fallu que je me glisse sous la voiture, répondit Perlmann sans hésiter, et c'est là que je suis resté accroché à quelque chose.

Il n'avait aucune idée d'où lui venait la phrase, c'était comme si un ventriloque invisible se tenait à côté de lui.

— J'ignorais que vous saviez faire ce genre de choses, dit Millar la tête inclinée, et sur son visage on pouvait lire à quel point il rechignait à revoir l'image qu'il s'était faite de Perlmann.

— Oh, si…, répondit Perlmann en souriant, soulagé d'être à nouveau maître de ses déclarations, je m'y connais un peu en voiture.

Jamais de toute sa vie il n'avait menti avec autant d'aplomb et d'insouciance. Une fougueuse sensation de liberté se répandit en lui, une perte de retenue désinvolte face au temps qui lui était compté. Il était désormais prêt à inventer absolument tout ce qui le concernait, n'importe quelle histoire lui convenait ; plus il serait audacieux, mieux ce serait.

— Autrefois j'étais bon coureur de rallye, on acquiert pas mal de connaissances techniques au passage, ajouta-t-il avant de s'élancer dans l'escalier, montant ostensiblement les marches deux par deux.

La bonne humeur factice qu'il n'avait que difficilement réussi à sauver le temps de prendre une douche à la hâte et de se changer, revint de plus belle au moment du repas lorsqu'il enjoliva son histoire de panne et inventa la conductrice de la voiture en question qui, au gré de son récit, s'avéra être une speakerine de la télévision locale. D'un ton détendu et comme s'il était à peine nécessaire de le mentionner, il glissa avoir loué une voiture avant de partir se promener dans les montagnes. Son histoire, agrémentée de dynamiques mouvements de mains qui lui étaient étrangers, encouragea les autres à raconter eux aussi des anecdotes. On rit beaucoup, Perlmann en tête ; buvant un verre après l'autre, il plongeait de toutes ses forces dans une exubérance désespérée. Chaque fois qu'il riait, il s'apercevait qu'il lui fallait systématiquement surmonter un obstacle que son âme lui imposait : il le sentait dans les muscles de son visage, tendus comme une opération mécanique qui déclenchait en lui une sensation de chaleur désagréable. À certains instants, qui assombrissaient soudain froidement son état, il se faisait l'impression d'être une marionnette ingénieuse, un mort qui, par le rire, faisait croire aux autres qu'il était en vie. Alors il priait le serveur de remplir son verre, buvait et continuait de rire jusqu'à retrouver sa bonne humeur qui était un peu comme du verre imperceptiblement déformé, prêt à voler en mille éclats au moindre faux mouvement.

Laura Sand semblait l'observer déjà depuis un bon moment lorsqu'il capta son regard pensif. Il se retourna pour faire signe au serveur et lui demander du pain. *Non, c'est impossible qu'elle lise dans mon esprit. Elle me trouve peut-être un peu étrange ce soir, et demain soir, lorsque la nouvelle tombera, elle y repensera éventuellement. Mais elle non plus ne saura pas quel lien établir entre ces deux éléments. Définitivement pas.*

— C'est tout à fait réjouissant que signor Leskov puisse finalement venir pour quelques jours, déclara Angelini assis à côté de lui puis, après une pause significative, il ajouta : Ce sont les autres qui me l'ont appris.

En temps normal, Perlmann serait tombé dans le piège et il se serait empressé de fournir une explication à son omission. Désormais, rien ne lui importait moins que le fait d'avoir oublié de laisser un message à Angelini.

— N'avez-vous donc pas reçu mon message ? demanda-t-il d'un ton froid, presque indifférent, avant de boire une gorgée.

— Non, répondit Angelini, cette fois avec une obligeance marquée, mais à présent je le sais et je vais veiller à ce qu'il dispose d'argent liquide à son arrivée. Pour des gens dans sa situation, c'est bien entendu autre chose que pour nous. Au fait…, poursuivit-il alors à voix basse en italien, sa main posée sur le bras de Perlmann, à l'accueil on m'a remis l'exemplaire de votre texte destiné à Giorgio, et je l'ai déjà parcouru dans la chambre. J'ai vraiment hâte d'entendre ce que vos collègues diront de ce travail, ma foi, insolite. Mais vous saurez certainement le défendre.

— Certainement, dit Perlmann qui tourna la tête vers le serveur lui apportant son café.

Pendant qu'il multipliait les remerciements à son égard comme s'il venait de recevoir un énorme cadeau, toute sa sinistre gaieté disparut en lui, et il ne sut plus comment faire pour supporter de rester ne fût-ce qu'une minute de plus à cette table.

Il répondit avec concision aux questions qui furent posées, comme il s'y attendait, au sujet de Leskov, et espéra que personne ne remarquait la fréquence à laquelle il tirait sur sa cigarette ou portait la main à sa tasse à café vide, simplement parce qu'il redoutait que sa voix ne lui joue des tours.

En sortant, il se retourna encore une fois. C'était donc ici qu'avait eu lieu son dernier dîner. Il dut probablement rester là ainsi un bon moment car Evelyn

Mistral, qui lui tenait la porte, s'y adossa, croisa les bras et attendit tout en lui jetant le regard que l'on porte à celui dont on ne veut pas troubler la réflexion.

– *Gracias*, dit-il d'une voix rauque avant de la dépasser dans un mouvement rapide.

La chambre tournait autour de Perlmann lorsqu'il se laissa tomber tout habillé sur le lit. Bien qu'il sût que ce n'était guère possible, il fut pris de peur à l'idée que l'effet de l'alcool ne soit pas encore dissipé le lendemain, au moment-clé. À cette peur se mêla une sensation qu'il n'identifia pas immédiatement : une mauvaise conscience – non pas à cause de l'acte prévu, mais parce qu'en ce dernier soir de sa vie il était ivre. C'était fastidieux d'y réfléchir, car parallèlement, il lui fallait lutter contre une nausée latente. Et quand il finit par savoir ce qu'il en était, la découverte accrut encore davantage son désespoir, car elle signifiait bel et bien qu'un bouleversement des valeurs avait eu lieu en lui : il trouvait blâmable, dans l'attente de la mort, de ne pas avoir respecté la sobriété et la lucidité de mise ; il se le reprochait comme pourrait le faire un malade incurable pour qui il aurait été crucial de garder son esprit clair jusqu'au bout. En revanche, le caractère monstrueux, criminel, de son plan, lui était déjà tellement devenu étranger – à moins qu'il ne s'y soit déjà habitué en l'espace d'une journée – qu'il ne s'adressait plus l'once d'un reproche, pas plus qu'il n'y eut de vagues déferlant sur sa conscience au moment où il se formula la chose, et même lorsqu'il se reprocha cet état froid, répugnant, il vit avec effroi le reproche se heurter silencieusement à son insensibilité.

Quand la spirale de l'introspection se confondit avec les cercles que la chambre continuait de dessiner, c'en fut trop et il alla se doucher à l'eau froide jusqu'à ce qu'il se mette à trembler. Ensuite, sous la couverture du lit, il se sentit mieux. Il se leva encore une fois, appliqua machinalement un pansement sur son doigt brûlant, traumatisé, et prit un mouchoir propre pour arrêter enfin d'avoir le nez qui coule. La chambre ne tournait plus autour de lui, et la nausée laissa place à une lassitude qu'il accueillit comme un salut. Seul son sang pulsait violemment. Il guetta son battement et glissa dans un demi-sommeil dont il se réveilla parce que l'éclairage au plafond le dérangeait.

Il était onze heures et demie. Sa tête était à nouveau claire. Il s'assit au bureau et écrivit en grand, très lisiblement, le numéro de Kirsten sur un papier, suivi de son nom complet et de son adresse à Constance.

Cela ne rimait à rien de l'appeler. Il ne savait pas ce qu'il aurait pu lui dire. Même les phrases habituelles qu'ils échangeaient toujours ne lui revinrent pas à l'esprit.

Il s'assit sur le lit et composa son numéro. Elle décrocha en disant seulement « Kirsten ». Dans sa voix résonnait encore un rire, apparemment elle avait de la visite et venait d'avoir une conversation amusante.

Perlmann raccrocha. Il essaya de se souvenir de ce qu'elle avait dit en dernier, lorsqu'ils s'étaient téléphoné trois jours auparavant. Ça avait été quelque chose de joyeux, de pétulant, oui, c'était ça : Bonjour à Silvestri. *Mais pas trop amicalement !*

Ses études étaient assurées, et l'argent suffirait même pour quelque temps au-delà. Il le savait sans y réfléchir. Malgré tout, il passa en revue les sommes dans sa tête, les livrets d'épargne, les quelques actions, l'assurance-vie qu'Agnès avait tenu à contracter.

Agnès. Il éteignit la lumière. Elle qui s'était toujours montrée plus virulente lui aurait conseillé d'avouer qu'il n'avait rien à présenter pour le moment. L'autre jour sur le bateau, il avait été profondément convaincu qu'un tel conseil ne pouvait venir que de quelqu'un qui n'avait pas d'expérience du monde universitaire ; et c'est pourquoi il lui avait paru sans valeur. Maintenant que sa fin était imminente, cela lui semblait être le seul conseil valable.

Son imposture aurait pour toujours occupé un espace entre eux deux, pensa-t-il. Mais il n'était pas exclu qu'elle ait tout de même pu le comprendre. Elle aussi aurait peut-être pu y voir une sorte de légitime défense. Et elle aurait certes trouvé idiot qu'il ait songé à se suicider après le télégramme, cette pensée lui aurait fait l'effet d'une réaction masculine excessive ; mais elle ne l'aurait pas jugé pour autant. En revanche, qu'il ait été capable de manigancer un plan meurtrier si retors – ça, c'était quelque chose qui n'aurait suscité en elle qu'effroi et dégoût, elle aurait reculé et l'aurait considéré, incrédule, comme un monstre.

Il ralluma la lumière. Subitement il n'était plus du tout sûr de savoir comment elle ressentait vraiment les choses. Il sortit sa photo de son portefeuille. Se serait-il confié à elle dans sa détresse ? L'aurait-elle préservé de la catastrophe ? Comment réagissait-elle au juste quand il lui laissait parfois entendre que sa profession lui correspondait de moins en moins ? Avait-elle jamais clairement su à quel point il lui fallait se battre pour s'affirmer intérieurement face aux attentes des autres ? Il avait de plus en plus l'impression de l'avoir peu connue, surtout en ce qui concernait la perception qu'elle avait de lui. Lorsqu'il tint finalement la photo à bout de bras devant lui, le sentiment qu'elle lui avait été parfaitement étrangère s'empara de lui, et il sentit avec certitude qu'elle n'aurait pas pu l'aider. Pour la deuxième fois il lui fit ses adieux. Ce fut encore bien pire que devant la tombe.

Dans la chambre obscure qui n'était plus éclairée que par le faible filet de lumière froide émanant du clair de lune, Perlmann s'adossa contre le mur au bout du lit. S'allonger confortablement, se blottir sous la couverture et la tirer jusqu'à ses oreilles – avec un projet tel que celui fomenté dans sa tête, c'était impossible.

Bien dormir pour être en forme quand je roulerai vers la mort. Il fut parcouru de frissons lorsque ces mots s'assemblèrent dans sa tête et attrapa une cigarette pour les chasser de son esprit. S'il voulait éviter tout mauvais goût, il était rigoureusement impossible, pensa-t-il, de faire encore autre chose que ce que requérait impérativement l'exécution de son plan abominable. Tout ce qui allait au-delà n'était que sarcasme, cynisme, même si telle n'était pas son intention et que personne d'autre ne le voyait.

Il ne savait pas bien pourquoi, mais il lui semblait que cela valait avant tout pour la lecture, pour le désir de se plonger dans un livre. Il aurait aimé ouvrir une dernière fois le récit de Robert Walser. Il aurait au moins voulu le toucher. Mais c'était déjà trop. Les livres étaient désormais des objets interdits. Pour Perlmann, ce fut comme si ses derniers liens avec le monde avaient été rompus par cette pensée radicale. Là sur le lit, dans sa position inconfortable qui commençait à lui faire mal au dos et au cou, il se sentait comme sur une île où, isolé de tout, il ne lui restait plus qu'à demeurer assis en silence jusqu'à ce que son heure ait sonné.

Il commença à récapituler l'itinéraire à travers Gênes. Sur la droite, d'abord la zone industrielle avec sa fumée blanche, puis les premières grues du port. Ne tourner en aucun cas à la première quincaillerie. Mais prudence : quand venait la première, il ne restait plus que trois cents mètres à peine. Arrivé aux colonnes, ne pas suivre le tracé du tramway, mais prendre à gauche. La portion de route défoncée avec la déviation où il s'était trompé à deux reprises était particulièrement traîtresse parce que l'itinéraire de substitution autour de la petite place avec l'aire de jeux décrivait une courbe si naturelle, quasiment logique, qu'on voyait trop tard l'embranchement avec le panneau de déviation qui par-dessus le marché était à moitié caché par une maison, et on se retrouvait alors dans un labyrinthe de rues à sens unique dont il était difficile de s'échapper. En arrivant à la place, il fallait serrer tout à droite pour laisser passer les autres, et ensuite il s'agissait de repérer à temps la boulangerie dans la maison jaune et de freiner, même si l'embranchement n'était pas encore visible du tout. Et enfin, le point de rassemblement des bus : serrer à gauche toute, afin de ne pas être entraîné dans le flux de circulation en direction du souterrain, en début d'heure de pointe le lendemain ce serait particulièrement important.

En dehors de cela, il ne pouvait guère se passer grand-chose, se dit-il. Il songea alors qu'il ne savait plus s'il devait s'engager dans le deuxième ou bien le troisième embranchement à la hauteur de la grande place où trônait une colonne. C'était quelque chose qu'il n'avait pas expressément mémorisé. Probablement parce que cela semblait évident. Mais l'était-ce vraiment ? Il commença à transpirer et pendant un moment, il envisagea d'y aller sur-le-champ pour s'en assurer. Cependant après trois jours et trois nuits où une peur en avait chassé une autre, cette dernière crainte, bien qu'elle fût minime en comparaison, était tout simplement celle de trop. À l'intérieur de Perlmann, toute émotion disparut et, sans le remarquer, il se glissa sous la couverture.

C'était peut-être la centième pièce à déraper et à tomber à travers la fente dans le boîtier. Avec tout le métal contenu à l'intérieur, la ceinture aurait en fait dû être bloquée par le bas depuis longtemps, mais elle glissait vite, sans encombre, comme une courroie de transmission, et lui entailla le doigt si bien qu'il ne put plus utiliser cette main pour s'empêcher de tomber la tête la première du haut de la clôture grillagée dans le brouillard rouge. Sa jambe était raide et engourdie, il reniflait sans cesse et boitait en passant sa main sur les innombrables pare-chocs qui au début paraissaient trompeusement solides avant de ployer soudainement comme s'ils étaient en carton humide. Les bras tendus à l'aveugle, il toucha la grille du capot qui céda sans bruit lorsqu'il fonça dessus en appuyant à fond sur l'accélérateur. Il l'emboutit et traversa une sorte de ouate rouge et molle à l'intérieur de laquelle la Lancia n'était plus du tout contrôlable, il avançait comme sur des rails sans que ses mouvements de volant aient d'effet. Puis la ouate disparut, et la voiture zigzagua comme un serpent à travers le tunnel. Telle une auto-tamponneuse à la fête foraine, il fonçait à droite et à gauche contre les bordures, et soudain il entendit et sentit avec effroi que son propre pare-chocs frottait contre l'asphalte, il vit une pluie d'étincelles devenir de plus en plus haute et dense, il voulut s'arrêter, mais la voiture accéléra toute seule et se précipita droit sur les énormes phares aveuglants de tous les camions qui roulaient vers lui en formant un seul front large sans le moindre intervalle. Il leva les bras devant son visage, attendit l'impact et se réveilla à cause du silence étourdissant qui s'installa à la place.

33 Il resta allongé jusqu'à ce que les battements de son cœur s'apaisent. Cette fois-ci le réveil en plein cauchemar ne fut pas du tout comme d'habitude : le soulagement des premières secondes fut balayé par la certitude croissante qu'une de ces dernières scènes se répéterait dans la réalité quelques heures plus tard. Avant que cette pensée n'ait pu déployer tout son effet paralysant, Perlmann alluma la lumière et se leva. Le réveil indiquait six heures tout juste passées, mécaniquement il fit le décompte des heures restantes. Devant la douche il hésita et regarda dans le vide, puis laissa couler rapidement un peu d'eau froide sur son corps. En frottant, il sentit la peau de son crâne lui démanger, mais il remit le shampooing à sa place. C'était impossible. En peignoir de bain, il commanda du café par téléphone et précisa bien à la fille de cuisine encore mal réveillée qu'il ne souhaitait pas de petit déjeuner complet.

Il s'assit ensuite au bureau. Dans sa tête régnait un état de veille transparent d'où tout sentiment était absent et qui relégua à l'arrière-plan toutes ses tempêtes intérieures. Il entama les derniers préparatifs, concentré et méthodique comme s'il planifiait une séance de cours ou un long voyage.

Il serait obligé de commettre le meurtre dans les plus beaux habits qu'il avait avec lui, son pantalon de flanelle gris clair, son blazer à boutons dorés, et les chaussures noires qu'il n'avait pas portées depuis la première soirée. Car il était hors de question de retourner encore une fois à l'hôtel pour se changer après la réception. *Mettre des vêtements plus confortables pour le meurtre.* Cette pensée lui fit monter le sang à la tête, il se mordit violemment les lèvres et chassa de sa conscience ces paroles épouvantables. Puis il enfila le pantalon gris et une chemise blanche, suspendit le blazer à la porte de l'armoire et mit de côté la cravate bleu foncé à motif rouge.

Ce n'étaient pas seulement la lecture, la nourriture et l'hygiène corporelle qui étaient devenues impossibles, pensa-t-il lorsque le serveur referma la porte derrière lui. Même saluer quelqu'un, le remercier et lui rendre un sourire étaient des gestes désormais chargés d'hypocrisie, de cynisme, d'obscénité de la plus répugnante facture. Assis à son bureau, Perlmann écarta le lait et le sucre lorsqu'il se versa du café. Seule la cigarette était à part : la brûlure ressentie sur la langue et le pincement régulier dans les poumons concordaient avec la peur et la destruction.

Dans la brochure de l'hôtel, il prit une carte de visite comportant l'adresse, inscrivit son nom dessus et l'inséra dans le portefeuille avec son passeport. Le réservoir d'essence était encore plein à plus de la moitié, pensa-t-il avant de presser son pouce et son index sur ses yeux pour chasser l'image des flammes. La taxe de stationnement à l'aéroport et éventuellement devant la mairie, le péage, un ou deux cafés. À part ça, il n'aurait plus besoin d'argent. Il fourra quelques petits billets dans la poche de sa veste. Puis il sortit les cartes de crédit du portefeuille et les rassembla avec les grosses coupures dans la poche intérieure de sa valise, avec les chèques de voyage. Ce fut là une découverte singulière : il aurait préféré ne pas avoir la moindre pièce sur lui avant de prendre la voiture pour la dernière fois.

Ensuite il inspecta la valise. Il enfouit son pyjama dans le sac plastique contenant son linge sale et fit un nœud. Mais ce sac le tourmentait. Il sortit les ouvrages théoriques qui étaient dans son attaché-case et y casa le sac. Il le jetterait quelque part en chemin.

Durant un instant il regarda les livres éparpillés sur le lit. Puis il entreprit de les ranger sur le bureau.

Dehors il commençait à faire jour. *Maintenant il doit déjà être dans les airs.* Perlmann sortit le texte russe et la traduction manuscrite du tiroir où il rangeait ses vêtements. Les pages au format inhabituel, noircies de lettres cyrilliques et mal photocopiées, il les fourra dans son attaché-case à côté du sac de linge sale. Indécis, il garda la traduction à la main et s'assit sur le lit. Ils supposeraient qu'il avait écrit le texte ici ; on saurait qu'il préférait écrire à la main et c'était donc tout naturel qu'on retrouve la version manuscrite. Il feuilleta la pile épaisse. Les corrections réalisées au fil d'une traduction n'étaient-elles pas d'un autre genre que celles qu'on faisait en rédigeant ? Il y avait là par exemple de nombreux passages où plusieurs variantes d'un mot ou d'une phrase étaient séparées les unes des autres par des traits obliques, et à la fin il les avait toutes barrées pour n'en laisser qu'une. Peut-être admettrait-on qu'il avait eu des incertitudes en anglais ; ou bien ils le considéreraient comme quelqu'un qui soignait fanatiquement son style. Mais si on y regardait de plus près, attentivement, on ne manquerait pas de trouver ça bizarre, d'autant qu'il ne figurait aucun paragraphe barré, ni ajout ou changement qui ait pu s'apparenter à des corrections de fond.

C'était trop dangereux. Il devait aussi emporter cette pile de feuilles et la jeter quelque part en chemin. Certes, la plupart des gens qui commençaient par écrire leur texte à la main lui attribuaient une valeur sentimentale ; mais il en connaissait d'autres qui se débarrassaient de leur manuscrit dès qu'ils en avaient la version imprimée. Il entassa énergiquement ces papiers dans l'attaché-case à côté du linge. Une partie se plia et se mélangea à l'original russe, certaines pages furent arrachées, et le bruit du papier qui se déchirait fut comme un signal déclencheur, ou peut-être un catalyseur de ses émotions. Perlmann céda à une rage impuissante. Les yeux aveuglés de larmes, il enfouit ses deux mains dans la masse de papier comme dans une pâte, froissant, déchirant, écrasant les feuilles de ses poings jusqu'à perdre haleine et s'arrêter, à bout de souffle, le visage écarlate et la tête qui lui démangeait atrocement.

Il se lava le visage puis, après avoir fumé une cigarette et bu lentement, à petites gorgées, une tasse de café entre-temps refroidi, il put continuer. Ce dont il devait également se débarrasser, c'était du cahier de vocabulaire. Perlmann l'attrapa et c'est alors que son âme, pareille à un corps exténué qui s'accorderait de courtes phases de sommeil contre sa volonté, s'octroya une pause sans qu'il puisse s'y opposer : elle lui fit oublier sa situation et laissa libre cours à sa curiosité. D'une main, il cacha la colonne écrite en anglais et vérifia combien de mots il connaissait par cœur, puis il fit la même chose dans l'autre sens. Au bout de plusieurs minutes seulement, il reprit conscience de sa situation, se sentit comme pris sur le fait et, après deux vaines tentatives, il déchira le cahier en son milieu et le fourra dans son attaché-case avec les autres tas de papiers.

Les trois dictionnaires et la grammaire russe gribouillés de passages soulignés et de renvois : si on les trouvait ici, ils susciteraient l'étonnement car soi-disant il ne connaissait pas un mot de russe. Mais en soi, ça n'avait rien de suspect ; cela pouvait passer pour de la modestie, de la coquetterie ou une simple marotte. Evelyn Mistral repenserait au moment où elle l'avait surpris au bord de la piscine avec le texte russe et au regard de conspirateur qu'il lui avait jeté pendant le dîner lorsqu'il avait menti. Mais sans plus d'information, il ne pouvait pas naître de défiance précise ; même pour elle, le simple fait qu'il eût péri dans un accident de voiture avec un Russe devrait rester sans rapport avec les dictionnaires.

D'un autre côté : pourquoi Perlmann avait-il ces volumes – et a fortiori ce pavé anglais-russe – s'il n'avait pas le moindre texte russe ici ?

Perlmann ne savait plus quel soupçon était le plus probable ; il abandonna ses suppositions pour ne garder que cette seule certitude : il ne voulait pas laisser le moindre caractère cyrillique derrière lui. Personne ne devait établir de lien entre lui et la langue russe, et s'il demeurait quelque souvenir de ce lien, il fallait qu'il s'estompât au plus vite. Son regard oscilla entre les quatre livres et son attaché-case plein à craquer ; puis il retourna précipitamment l'attaché-case et renversa son contenu sur le lit. Les papiers froissés et déchirés voltigèrent pour former un tas au-dessus du sac de linge sale, une autre partie des feuilles s'étala par terre. Il rangea les livres dans l'attaché-case, enfila sa veste habituelle et descendit en direction de la sortie arrière de l'hôtel. La porte était encore verrouillée. Avec une détermination qui n'autorisait aucun autre sentiment, il traversa alors le hall, adressa un signe de tête à Giovanni qui était au téléphone, et emprunta l'escalier extérieur pour descendre au parking de la station-service.

Abrité par le capot du coffre relevé, il disposa les livres sous la planche qui couvrait la roue de secours. Pendant un moment il s'inquiéta de voir que la planche ne reposait plus vraiment à plat et vacillait un peu à cause de l'épaisseur du dictionnaire ; puis il s'interrompit brusquement et retourna à pas rapides vers l'ascenseur en traversant le hall de l'hôtel. Pendant qu'il attendait, Ruge et von Levetzov descendirent l'escalier pour aller prendre le petit déjeuner. Ils furent surpris de le croiser de si bonne heure et lancèrent un regard interrogateur en direction de l'attaché-case.

— À tout à l'heure, dit Perlmann d'une voix ferme avant de disparaître dans l'ascenseur.

Arrivé en haut, il rempila le linge sale et le papier dans l'attaché-case et sortit la version imprimée de la traduction rangée parmi les chemises dans le tiroir supérieur. Où la mettre ? Le plus naturel serait sur le bureau. Mais il sentait quelque chose lui barrer le chemin, et ce n'est que peu à peu qu'il comprit ce dont il s'agissait : il ne voulait pas que les regards de ceux qui entreraient, que ce fussent les collègues, le personnel de l'hôtel ou encore la police, tombent en premier sur le texte fatidique. Il ne leur divulguerait rien, ce texte, rien du tout, ils pouvaient le lire mille fois et le regarder autant qu'ils le voulaient. Et pourtant, il ne voulait pas que cette pile de feuilles posées sur la plaque de verre de son bureau, qui allait faire de lui un meurtrier et l'envoyer à la mort, accroche leur regard — bien que chacun d'entre eux ait eu exactement la même pile entre les mains.

S'il ne le voulait pas, c'était aussi à cause de Kirsten. Il ne fallait pas que le texte frauduleux soit la première chose qu'elle trouve en venant récupérer ses affaires. Il ne pourrait rien lui divulguer à elle non plus. De même qu'à Martin. Mais s'il était posé sur le bureau, elle s'en emparerait aussitôt. *La dernière chose que papa a écrite.* Elle reconnaîtrait le titre et se souviendrait du malaise survenu lorsqu'il avait réagi avec tant d'agacement après qu'elle eut émis l'idée de l'emporter comme lecture de voyage. L'idée était insupportable. Perlmann regarda la chambre autour de lui. Finalement il glissa le texte sous l'annuaire dans le tiroir du bureau.

Il était bientôt huit heures et demie. Il ne faisait plus le compte à rebours. Maintenant, il était capable de sentir combien de temps il lui restait. Pendant plusieurs minutes, il ne pensa à rien du tout, regardant uniquement la lumière encore pâle du soleil au-dessus de la baie. Il aurait bien voulu savoir comment faire ses adieux à un lieu avant de se donner la mort. Il pensa que désormais tout ce qu'il voyait aurait dû avoir une qualité particulière : plus clair, plus serein, parce que dans une telle situation on ne projetait plus rien sur les choses – parce qu'on ne jetait soi-même plus aucune ombre émotionnelle qui obscurcissait la vue. Car en décidant de mourir, on s'était totalement retiré du monde, les imbroglios avaient perdu leur pouvoir, on se tenait à l'écart et on pouvait tout regarder sans hypocrisie. Ainsi approchait-on au plus près l'éternité. C'était cela qu'on gagnait lorsqu'on était prêt à tout mettre en jeu.

Au bout d'un moment cependant, il s'avoua ne rien ressentir de tel. Il se tenait à la fenêtre ouverte, comme toujours deux pas derrière le rebord, au-dehors le golfe s'étendait dans la fine brume du matin, le bruit de la circulation lui parvenait, une sirène de bateau, dans sa gorge la fumée avait laissé des glaires. Rien de plus.

Il noua la cravate autour de son cou, enfila le blazer et s'assit dans le fauteuil rouge pour attendre, l'attaché-case à côté de lui. Quitter un lieu, mais devoir encore attendre, un peu comme avant de prendre un avion : dans ces moments-là, pensa-t-il, il lui avait souvent semblé qu'il pourrait lui aussi réussir à faire l'expérience du temps présent. On avait un peu de temps devant soi, une ou deux heures peut-être, durant lesquelles on n'avait pas besoin de faire quoi que ce soit, on avait l'excuse d'être contraint à l'attente et on pouvait s'abandonner entièrement au sentiment de liberté intérieure qui se déployait si on laissait tout simplement passer ce temps consciemment. Plongé dans cet état, il s'était respectivement imaginé à quoi pouvait ressembler vivre ici et avoir conscience de vivre le présent ; et c'était exactement ce qu'il faisait lorsqu'il prenait l'avion pour quitter sa ville. L'imagination atteignait alors sans peine ce qui semblait sinon inaccessible : en dessinant l'image d'un présent pleinement vécu, elle conférait à ce laps de temps consacré à l'esquisse la qualité même du moment présent. Il était fragile, ce présent, et réclamait un certain entraînement à qui voulait l'approcher. Car au moment où l'on commençait véritablement à vivre à l'endroit en question, ou ne serait-ce qu'à l'aéroport, si l'on promettait une chose insignifiante à quelqu'un, comme surveiller une valise ou échanger de l'argent – à ce moment-là, c'en était fini du présent. C'était un présent en marge de la valise, et tout ce qui comptait, c'était que véritablement aucune obligation, pas même une conversation, ne vienne briser voire simplement effleurer cette sphère de détachement, d'attente parfaitement détachée. Comme ce phénomène risquait constamment de se produire à cause de la façon qu'avaient les gens de passer à proximité de lui dans les halls de départs, Perlmann n'avait eu de cesse de changer de place avec sa valise.

Maintenant qu'il ne lui restait plus que quelques heures à vivre, tout était différent. L'opération délicate consistant à passer d'une représentation du présent au présent bien réel ne pouvait fonctionner qu'à condition d'avoir devant soi un avenir ouvert dans lequel on pouvait se réinventer. Mais Perlmann, lui, savait tout de son avenir, étroit au point d'en être étouffant à force de se ratatiner. Il aurait pu coucher par écrit la suite entière des événements encore à venir jusque dans leurs moindres détails, et c'est pourquoi l'heure restant avant son départ n'était rien d'autre qu'un moment abstrait, morne, déterminé par une dimension irréversible, inflexible du monde physique dans lequel on pouvait observer le soleil se lever et compter le nombre de fois où quelqu'un klaxonnait en bas sur la berge.

Ce n'est pas de l'ennui, pour l'amour de Dieu, non, ce ne peut pas être de l'ennui. Et cela ne l'était d'ailleurs pas, pensa-t-il soulagé. Rien à voir avec autrefois, dans son lit avec une tisane de camomille et le sempiternel livre d'images. Car ce qui rendait ici cette attente si effroyablement inerte n'était pas un handicap, une limitation, un manque d'opportunités. C'était une torpeur intérieure qu'il cherchait vainement à éradiquer jusqu'à ce qu'il comprenne qu'elle était la seule chose apte à le protéger de l'horreur qui surgissait sans bruit du tunnel, haute et aveuglante, et fonçait droit sur lui.

Il se leva une fois pour aller chercher deux paquets de cigarettes dans l'armoire et les mettre dans sa poche. Plus tard, il alla se laver les mains dans la salle de bains. En les séchant, il s'arrêta subitement et voulut retirer l'alliance de sa main droite. Il eut beau s'aider du savon, l'opération fut difficile et il se fit mal. Indécis, il fit tourner la bague entre ses doigts puis la rangea dans la valise avec les objets de valeur. Kirsten la retrouverait, et il était sûr qu'elle penserait alors à Evelyn Mistral. Cela ne le laissa pas indifférent, mais il sentait combien au fil des heures la pensée des autres perdait de son influence, et, à présent, il était visiblement sur le point de se détacher aussi de sa fille.

Peu avant dix heures et demie, il déposa l'attaché-case près de la porte. Puis il arpenta lentement la chambre. Il s'arrêta devant le bureau et déplaça le bout de papier portant le numéro de Kirsten au milieu de la plaque de verre. Après examen, il le fit glisser vers lui à droite, puis à l'opposé. Il prit le briquet rouge posé sur la table ronde et l'y déposa à côté. Il s'était déjà retourné en direction de la porte, lorsqu'il revint placer le briquet sur la table en le poussant du doigt jusqu'à ce que sa place lui parût suffisamment fortuite.

Du seuil de la porte, il balaya encore une fois la pièce du regard. Il ne remarqua qu'au dernier moment le bout de papier blanc qui dépassait de la couverture pendant vers le sol. Il se précipita pour attraper la feuille. C'était un extrait froissé et déchiré du texte russe. Perlmann souleva la couverture, s'agenouilla et examina partout. Son regard sonda à plusieurs reprises toute la surface sous le lit, comme si une nouvelle feuille pouvait s'y être glissée entre-temps. Il finit par reposer la couverture sur le lit, fourra la feuille dans l'attaché-case et attendit, le front appuyé contre la porte, que son pouls ralentisse. Puis il sortit sans regarder derrière lui.

34 Dans le hall, Millar qui venait d'avoir une conversation avec signora Morelli se dirigea droit vers lui. Il portait son costume bleu foncé et sa cravate ornée d'une ancre brodée. Sur son visage et dans ses mouvements, on pouvait reconnaître l'élan du leader.

– Avez-vous pensé à déposer un exemplaire de votre texte dans le casier de Leskov ? demanda-t-il en levant les sourcils, sur le ton de quelqu'un qui est sûr de recevoir une réponse négative.

Perlmann s'attendait à devoir comme d'habitude lutter contre la peur que lui inspirait Millar. Pourtant tout à coup, il ressentit ce détachement qu'il avait vainement attendu tout à l'heure. L'espace de trois, quatre secondes, il parvint à ne pas réagir du tout et regarda vers la porte sans arrêter ses yeux sur Millar. Il savoura son comportement : absence de peur, pas la moindre tentation de répondre avec obséquiosité. Puis il plongea son regard dans les yeux bleus de Millar qui dévoilaient déjà un soupçon d'irritation, attendit encore deux, trois secondes, avant de dire avec une froide indifférence :

– Non, je n'y ai pas pensé.

– Je m'en doutais, répliqua Millar d'une voix dans laquelle Perlmann crut déceler une pointe de stupeur, voire de manque d'assurance.

En quatre semaines, jamais Perlmann ne l'avait connu ainsi.

– C'est pourquoi j'ai donné mon propre exemplaire du texte à signora Morelli, afin qu'elle s'en occupe. Il est préférable, pour Leskov, qu'il reçoive le texte dès son arrivée. Question de style.

– *Okay,* dit Perlmann qui le quitta sans transition pour se diriger vers l'accueil où il remit sa clé à signora Morelli.

Il exécuta ce geste avec plus de lenteur et d'attention que d'habitude ; cela lui sauta aux yeux car avant même qu'il l'ait achevé, le téléphone sonna.

Sur le seuil de l'escalier extérieur, il s'arrêta pour mettre ses lunettes de soleil. Plus aucune peur vis-à-vis de Millar, et une nonchalance spontanée – voilà donc ce qu'il avait gagné en prenant la décision de mourir. Il alluma une cigarette et descendit lentement vers la Lancia. Il voulait pleinement apprécier l'expérience qu'il venait de faire. Sur le siège arrière il déposa son attaché-case puis resta un moment silencieux derrière le volant.

C'était un instant vécu au présent – ou cela aurait pu en être un s'il s'était inscrit dans une vie à l'avenir ouvert, une vie emplie d'attentes, d'espoirs et de projets. Ici à cette station-service, la main sur la clé de la voiture avec laquelle il allait passer à l'acte, Perlmann comprit pour la première fois à quel point la capacité de s'isoler intérieurement des autres était liée à l'expérience du présent. Avec une lucidité démesurée qui lui donna presque le tournis, il saisit que cet isolement sans cesse raté et ce présent constamment hors de portée étaient deux facettes d'une seule et même difficulté qui avait traversé sa vie comme un fil rouge et fait de lui un homme qui, même dans les phases les plus paisibles de sa vie – et également lorsqu'il ne le remarquait pas réellement –, était perpétuellement à bout de souffle. Et avec cette même lucidité, il vit que l'idée de sa mort approchant, celle-là même qui lui permettait désormais l'isolement et aurait ainsi pu constituer la condition préalable à une expérience du présent anéantissait en même temps ce présent, comme elle lui volait son futur et laissait naître en lui un sentiment conscient de culpabilité qui pétrifiait toute expérience.

Lorsqu'il partit vers la berge, tous les autres descendaient l'escalier extérieur. Seul Angelini n'était pas là.

– Perlmann ! cria von Levetzov vêtu d'un costume sombre assorti d'un gilet gris qui lui donnait une certaine prestance.

Perlmann avait machinalement regardé dans sa direction, et maintenant il était trop tard pour continuer à rouler comme si de rien n'était. Il arrêta la voiture.

– *Nice car*, dit Millar en passant le bout de ses doigts sur la carrosserie rutilante.

Sans se préoccuper des voitures qui klaxonnaient, il fit le tour du véhicule en arborant une mine de connaisseur, puis regarda Perlmann avec un regard mêlé de surprise, de curiosité et d'approbation. *Et voici qu'à présent l'arme de mon crime, cette arme qui m'a été imposée à cause de la foire, fait de moi un homme de style.*

– À part la boue sur les pneus, commenta Ruge en ricanant.

Pour l'occasion il portait lui aussi un costume, brun, avec une chemise à col ouvert. Il monta à l'arrière.

– C'est bon, dit-il tandis que Perlmann faisait mine de vouloir mettre l'attaché-case dans le coffre. C'est même très confortable, ajouta-t-il en s'accoudant.

Même s'il regardait à l'intérieur, il ne se passerait rien. Il ne connaît pas le russe. Personne ici ne connaît le russe.

Après que Millar et von Levetzov furent également montés, Perlmann attacha machinalement sa ceinture et alluma le moteur. Le « clic » incita Millar, qui était assis à côté de lui, à s'attacher lui aussi. Il tira deux fois et, comme la ceinture ne venait pas, il se tourna à moitié sur son siège et tira dessus des deux mains. Perlmann retint son souffle. Il sentit la douleur dans son doigt et remarqua que son autre main, qui agitait le levier de vitesses au point mort, était moite de sueur.

– C'est juste pour un court trajet, dit von Levetzov derrière lui lorsque Millar voulut faire passer un genou sous son corps pour mieux examiner d'où venait le problème.

– Oui, c'est vrai, dit Millar en se renversant confortablement sur son siège, jambes croisées. Mais tout de même, déclara-t-il pendant que Perlmann démarrait brutalement, dans une bagnole de ce standing, on serait en droit d'attendre que les ceintures de sécurité ne soient pas défectueuses.

Avant de prendre le virage, Perlmann jeta un dernier regard dans le rétroviseur pour voir l'hôtel détesté et le pin tordu qui dépassait de la route. Puis il dépassa les deux femmes qui avaient préféré marcher. Evelyn Mistral portait une jupe plissée blanche qui se balançait à chacun de ses pas, avec une veste rouge dont elle avait tellement relevé le col que sa chevelure blonde gonflait vers l'extérieur. Lorsqu'elle fit signe aux passagers dans un rire rayonnant, Perlmann ferma les yeux et manqua de heurter légèrement un cycliste qui déboulait du trottoir. Dans les quelques minutes qui s'étaient écoulées depuis la station-service, toute la distance et toute la lucidité qui lui avaient paru si inébranlables, si définitives, s'étaient envolées ; il eut un accès de claustrophobie dans cette voiture pleine, son corps se crispa et il conduisit avec la raideur d'un élève d'auto-école.

Millar et Ruge parlaient de normes de sécurité automobile, de zones de déformation, de système d'airbag et de colonnes de direction défaillantes qui cassaient dans les collisions frontales. Ruge conduisait une Volvo, Millar une Saab.

– J'ai récemment lu un rapport sur cette voiture, dit Millar en regardant Perlmann de profil. Apparemment, c'est la bagnole italienne la plus sûre.

– Vraiment ? murmura Perlmann d'une voix enrouée avant de répondre au regard de Millar, un peu trop tard.

Devant la mairie, il dédaigna plusieurs places libres que les autres lui indiquaient, craignant qu'elles ne soient trop étroites pour la Lancia. Il ne voulait pas se ridiculiser en garant cette voiture aux dimensions inhabituelles. *Comme si cela avait encore de l'importance.* Dans le silence perplexe qui s'installa parmi les autres, il tourna dans une rue latérale où toutes les places étaient libres. Il était déjà descendu lorsque von Levetzov jeta encore un regard à travers la portière mi-ouverte.

– Étrange, dit-il, le boîtier de la ceinture est tout griffé.

Puis il referma la portière.

Millar, qui avait déjà vigoureusement claqué la sienne et marchait vers une vitrine, fit demi-tour. Mais avant qu'il ne pose la main sur la poignée, Perlmann avait déjà enclenché le verrouillage centralisé et il laissa glisser la clé dans sa poche de pantalon.

Sur la place de la mairie, Angelini, qui avait pris en chemin les deux femmes dans sa voiture, sortait de son Alfa Romeo rouge. Il portait un costume d'un gris délicat et à large revers sur lequel était accroché un petit insigne, avec une chemise rose et une cravate bleue. Il ôta la cigarette de sa bouche et raconta quelque chose au sujet de la figure couverte de lierre qui était représentée sur le monument, un homme aux bras croisés, la tête pensivement inclinée, un rouleau à la main. Perlmann n'enregistra aucun mot, il se contenta de tourner la tête en direction d'Angelini, lorsqu'il remarqua que l'Italien ne cessait de chercher son regard.

Lui qui avait cru connaître la torture qu'infligeait l'absence de tout présent constatait désormais qu'il avait encore un degré de plus à franchir. Tandis que la voix d'Angelini paraissait lui parvenir d'un univers lointain, le présent se retirait de tout ce qui l'entourait. Il s'échappait des choses pour laisser un monde pareil à un décor inanimé de papier mâché, lui sembla-t-il, dans lequel chaque mouvement apparaissait aussi dénué de but et de réalité que ceux des personnages d'une horloge. Il fut content lorsqu'ils se dirigèrent enfin vers la façade d'un jaune délavé du bâtiment aux volets verts et à la porte encadrée de deux palmiers pour pouvoir regagner un peu de réalité à travers ses propres mouvements.

Personne n'était là pour les accueillir. La salle du conseil et le bureau du maire étaient fermés à clé. Dans le couloir du premier étage depuis lequel on pouvait voir la cage d'escalier poussiéreuse et le hall décrépi, des employés circulaient en fumant et en bavardant, sans accorder la moindre attention au groupe qui attendait, avant de disparaître dans l'un des bureaux.

Pendant que les autres se balançaient sur leurs pieds d'un air gêné ou allaient voir les affiches accrochées sur le panneau vitré, Laura Sand se délectait de la situation. Son visage arborait une satisfaction moqueuse, elle se balada le long du couloir dans son pantalon de velours noir et son élégante veste gris clair, puis finit par glisser à Perlmann d'un ton amusé qu'ils s'étaient tous un peu trop mis sur leur trente et un. Angelini, dans ses petits souliers depuis le début, tourna brusquement la tête lorsqu'il entendit sa remarque. Avec le visage glacial d'un chef, il écrasa sur le carrelage sa cigarette tout juste allumée et entra sans frapper dans le premier bureau.

Il en ressortit, suivi d'un homme mince et blême aux lunettes d'écaille noire, qui ressemblait jusque dans son comportement à une caricature d'employé de bureau, telles qu'on les voit dans les films. Après avoir essayé deux mauvaises clés, il finit par ouvrir le bureau du maire.

L'espace était concentré autour d'un bureau noir sculpté et d'un siège dont les ornements et le haut dossier faisaient penser à une chaise d'église. Derrière se trouvait le drapeau de Santa Margherita tendu entre deux hampes argentées et ciselées : deux lions jaunes sur un fond vert et blanc. À côté du drapeau italien dans l'angle était accrochée la photo du président de la République. Avec un sourire forcé qui dissimulait mal sa colère, Angelini esquissa le geste de l'hôte et invita les gens à prendre place sur les banquettes en cuir rouge ornées de boucles dorées.

Le maire débalau au milieu des rires qu'avait provoqués Ruge en faisant une remarque à propos de l'épaisse couche de poussière sur le bureau. Avec son ventre, ses cheveux gras et sa moustache, il rappela à Perlmann l'aubergiste de Portofino. Il s'excusa en haletant pour son retard et jeta un regard gêné à Angelini qui refermait la porte. Puis il déposa sur le bureau la boîte plate et le rouleau de papier qu'il avait apportés et, pendant que retombait la poussière soulevée, il sortit péniblement quelques feuilles de sa poche de veste.

Il commença par exprimer son grand honneur et sa joie toute particulière de pouvoir souhaiter la bienvenue dans la ville à Professore Philipp Peremann et à son groupe.

— Per*l*mann, siffla Angelini depuis la banquette, *con l.*

— *Scusi*, dit le maire en secouant la tête devant son texte où il y avait manifestement une faute. Il pria Perlmann de venir jusqu'à son bureau, lui serra la main avant de continuer à lire son texte préparé en anglais tout en relevant régulièrement de sa main libre son pantalon qui menaçait chaque fois de glisser sous son ventre.

Perlmann regarda de côté le visage en nage du maire, son cou mal rasé et le col sale de sa chemise. Tout à l'heure, lorsqu'il était entré dans le hall et avait effleuré par mégarde la main d'Evelyn Mistral qui lui tenait la porte, il avait pensé qu'il aurait besoin ici de toute la volonté qui lui restait pour résister seconde après seconde à son impérieux besoin de prendre la fuite. Entre-temps, le déroulement comique et même grotesque de la réception l'avait plongé dans un état d'indifférence joyeuse, presque exaltée, qu'il voulait conserver le plus longtemps possible, même s'il lui semblait désagréablement artificiel, comme s'il était sous l'empire d'une drogue. Il devait faire attention, pensa-t-il, à ne rien faire d'insensé maintenant, comme par exemple s'approcher tout près du maire en disant *Permesso !* avant de lui réajuster sa cravate de travers.

Il conserva le regard penché vers le bureau sur lequel des rayons de soleil gorgés de poussière filtraient à travers les hautes fenêtres comme dans une église. Il ne releva la tête qu'une seule fois. Ses yeux tombèrent alors sur Millar qui s'était un peu détourné et regardait par la fenêtre. Perlmann ne put tout d'abord pas le croire, il sonda encore une fois ses sentiments, mais sa haine envers Brian Millar avait disparu, elle n'était tout simplement plus là, volatilisée comme un fantôme. Et lorsqu'il suivit son regard et vit que Millar observait un ballon de baudruche géant sur lequel étaient peintes des lèvres boudeuses de femme en violet vif et qui évoluait tout doucement au-dessus du monument de la place, il pensa alors au baiser de Sheila et, tout d'un coup, il se mit à apprécier ce bel Américain à l'assurance naïve et aux reflets roux qui donnaient un charme particulier à sa chevelure sombre.

Au moment où leurs regards se croisèrent, Perlmann lui sourit. Millar hésita, puis son visage s'assombrit, et il souleva les sourcils d'un air irrité. Il semblait croire que Perlmann se moquait de lui. Puis il vit pourtant que le sourire que gardait Perlmann était d'un autre genre, ni ironique ni hostile. Il cligna des yeux deux, trois fois, rajusta ses lunettes et fit une première tentative prudente pour lui rendre son sourire. Cependant, le scepticisme se lisait encore sur son visage et ce ne fut qu'après un autre instant d'hésitation que ses traits se relâchèrent en un sourire apaisé, détendu, qui se transforma en une expression franche et chaleureuse telle que Perlmann ne lui en avait encore jamais vu. *Il est lui aussi content, tout autant que moi. Cette haine était-elle nécessaire ?*

Perlmann se rendit compte que le maire avait arrêté de parler lorsque celui-ci se racla ostensiblement la gorge. Il avait sorti de la boîte une médaille qui était accrochée à un ruban d'étoffe aux couleurs des armoiries de la ville. À présent voici qu'il s'approchait avec une solennité ridicule de Perlmann, lequel se pencha largement en avant pour éviter de toucher son ventre. Le maire lui passa le ruban autour du cou, puis lui tendit le certificat enroulé qui le déclarait citoyen d'honneur de la ville. Ensuite, il lui secoua interminablement la main tout en déclamant les formules usuelles en italien. À la colère de Perlmann, Angelini commença alors à applaudir, et il le fit sans se décourager jusqu'à ce que les autres se joignent à lui, timidement et visiblement embarrassés par ces conventions si creuses. Mais le soulagement d'avoir perdu toute haine contre Millar transporta Perlmann encore un moment, il prononça un petit discours de remerciements et réussit même à faire une plaisanterie. Ce soulagement, ainsi que l'évocation de temps présent qu'il abritait, balayèrent tout le reste et il échangea un sourire avec Evelyn Mistral – pendant un instant ce fut comme si tout était enfin rentré dans l'ordre. Aussi incroyable que cela lui parût après coup dans la voiture : il oublia tout simplement que dans moins de quatre heures, il allait assassiner quelqu'un et mettre fin à sa vie.

Le livre d'or de la ville relié de cuir rouge était estampé des deux lions emblématiques tracés en fines lignes noires. Le maire l'avait sorti de son bureau et il pria maintenant tout le monde de s'approcher pour y inscrire son nom. Perlmann s'assit en premier sur le siège au dossier haut, l'approcha du bureau et tira à lui le livre ouvert. Machinalement, il porta la main à gauche sur son blazer, mais il n'avait pas de stylo sur lui. Il essaya aussi à droite et dans ses poches extérieures puis, alors qu'il était sur le point de demander un stylo-plume, on lui en tendit un. Lorsqu'il remonta le bras du regard, il vit d'abord seulement von Levetzov ; mais ensuite, il prit subitement conscience que tous se tenaient en demi-cercle autour du bureau et le regardaient. Et pendant qu'il dévissait le stylo-plume, il s'aperçut qu'entre-temps quelques employés étaient également arrivés dans la pièce et l'observaient du deuxième rang.

À ce moment-là, tout ce qu'il avait réprimé depuis le début de la réception s'effondra. Il se sentit pétrifié au milieu de tous les regards, son nez se mit à couler, sa main qui tenait le stylo parut engourdie de froid et, lorsqu'il voulut écrire, il vit avec une horreur indescriptible que sa main tremblait comme si elle était parcourue de violents frissons. Pendant deux, trois secondes, il essaya en vain de la calmer en appuyant son avant-bras sur le rebord du bureau. Puis il posa bruyamment le stylo tremblant à côté du livre et sortit un mouchoir de sa poche. En se mouchant, il ferma les yeux et essaya de se détendre en expirant. Il eut alors l'impression que ce geste de se moucher, qui était pourtant soumis à sa seule volonté, n'arrêterait jamais, c'était comme le début d'une compulsion sans fin par laquelle le temps s'étirait jusqu'à presque sembler en suspens.

Crispé comme s'il devait arracher ce mouvement à des forces extérieures, il refourra finalement le mouchoir dans sa poche à l'intérieur de laquelle il serra le poing pour s'assurer qu'il lui obéissait à nouveau. Puis il prit son élan, saisit le stylo-plume d'un geste vif et l'appliqua aussi rapidement qu'il le put sur le papier, mais il ne parvint à écrire que le *P* correctement, le *e* fut tout juste suggéré et les autres lettres s'uniformisèrent en une seule ligne qui, sous la pression de la plume en son milieu, comportait un fin trait blanc. Ce n'était pas sa signature, elle ne lui ressemblait même pas. Ce n'était du reste pas même une signature acceptable pour son nom : elle ne contenait pas le moindre trait un peu plus élevé suggérant le *l*. Il vit aussi, en revissant inconsciemment le stylo-plume, qu'elle penchait de façon ridicule et avait été apposée bien trop bas sur la page blanche. Et pour une telle occasion, pensa-t-il en se relevant, on signait évidemment de son nom complet. Il oublia de rendre son stylo à von Levetzov, le laissant simplement sur le bureau, et se retira, sans un regard à personne, dans l'angle près de la porte où il s'alluma une cigarette sous les yeux ébahis d'un employé.

Lorsqu'on servit le vin mousseux, les collègues vinrent le rejoindre pour observer de près la médaille. Aucun mot ne fut prononcé quant à sa main tremblante, et il ne put également rien déceler de particulier dans les regards. Le ruban portant la médaille circula d'un cou à l'autre, les plaisanteries échangées autour de la cérémonie se firent de plus en plus frivoles et puériles, et une fois Millar tapa sur l'épaule de Perlmann en riant. Perlmann s'efforçait de ne pas se faire remarquer et riait avec les autres, c'était un rire sans écho intérieur, un rire qu'il s'obligeait à émettre, une sorte de gymnastique faciale. Mais soudain il sentit monter des larmes irrépressibles. Il fut content lorsque Ruge surenchérit sur une plaisanterie qui venait d'être faite ; il tourna la tête de côté et fit semblant de se tordre de rire. Pendant qu'il se redressait, sans cesser de feindre l'éclat de rire, il sécha ses larmes.

Lorsque l'hilarité finit par retomber, ils remarquèrent quelque peu gênés que le maire ainsi qu'Angelini étaient déjà partis. Hormis eux, il ne restait plus que deux employés dans la salle qui discutaient, leur verre vide à la main.

Perlmann regarda l'horloge au-dessus de la porte : douze heures vingt. *Il doit maintenant être à Francfort.* Son nez recommença à couler, le mouchoir tomba sur le parquet brillant et, lorsqu'il se redressa, sa vue se brouilla un instant. Il était déjà derrière les autres dans l'escalier quand Laura Sand toucha son bras et lui tendit dans un sourire narquois le certificat qu'il avait oublié. Comme ils descendaient l'escalier l'un à côté de l'autre, elle lui lança de but en blanc et sans le regarder :

– Ça ne va pas très fort, n'est-ce pas ?

C'était la première fois qu'elle lui disait quelque chose d'aussi personnel, et il n'avait encore jamais entendu un timbre si chaleureux dans sa voix rauque.

De toutes ses forces il lutta contre ses larmes, écrasant en même temps le certificat qu'il tenait par le milieu. Il avala deux fois sa salive, lui jeta un bref regard et déglutit encore une fois.

– C'est bon, ça va, dit-il d'une voix plus basse qu'il ne le voulait, avant d'ajouter plus fort : J'ai passé une nuit épouvantable.

– *See you later*, dit-elle, lorsqu'ils se séparèrent dans le hall. Il la suivit des yeux : elle ouvrit la lourde porte, s'y adossa puis alluma une cigarette avec son gros briquet avant de s'élancer vers la place. Il fut soulagé d'avoir résisté à l'immense tentation de se confier à elle. En même temps pourtant, il eut le sentiment d'avoir à l'instant manqué de saisir sa toute dernière chance.

D'un pas pressé, il alla aux toilettes qui étaient en fait réservées aux employés. Ce n'était pas la diarrhée, mais une fois de plus cette sensation trompeuse dans le bas du ventre. Il resta malgré tout assis un moment, la tête entre les mains, sans penser à quoi que ce soit. Ce ne fut que lorsqu'il commença à avoir froid qu'il se releva. Péniblement, comme si son corps était de plomb.

Devant la porte attendait Evelyn Mistral.

– C'est bien maintenant que tu pars à l'aéroport, n'est-ce pas ? lui demanda-t-elle en espagnol. Sur son visage se lisait encore un reste de timidité, mais surtout l'espoir que son éloignement des derniers jours appartenait au passé.

– *Sí*, répondit Perlmann qui sentit sa gorge se nouer dans l'attente de ce qui allait suivre.

– Verrais-tu un inconvénient à ce que je t'accompagne ? Il fait tellement beau ! Et dans une voiture aussi classe ! Je me disais que nous pourrions peut-être prendre la route de la côte. Combien de temps reste-t-il avant l'arrivée de Leskov ?

Perlmann resta un moment immobile, le regard plongé dans le vide, exactement comme s'il n'avait jamais appris que les questions appelaient des réponses. Puis il regarda sa montre avec tout le zèle d'un retardé mental avant de dire d'un ton monotone, absent :

– Encore deux bonnes heures.

Tandis qu'elle attendait qu'il poursuive, Evelyn Mistral mit ses mains dans ses poches, croisa les jambes en dégageant à moitié son pied de la chaussure. Après une pause qui sembla interminable, elle releva les yeux du pavé.

– *Forget it*, dit-elle en levant rapidement ses yeux mi-clos dans sa direction, puis elle se retourna pour partir.

– *No, por favor, no*, se hâta-t-il de dire avant de l'attraper par le bras et de la tirer de l'autre côté de la rue, obligeant une voiture à freiner en klaxonnant.

Quand ils furent arrivés de l'autre côté, elle se dégagea doucement et le regarda d'un air mal assuré.

– *Seguro ?*

Perlmann se contenta de hocher la tête et partit devant dans la rue voisine. *Même maintenant je suis incapable de tracer une frontière autour de moi et de dire non. Même maintenant, alors que tout est en jeu.*

Il venait de déverrouiller la voiture et Evelyn Mistral avait déjà la main sur la poignée de la portière lorsqu'elle se frappa le front avec sa paume.

– Oh, bon sang, s'exclama-t-elle, ce n'est pas possible en fait. Je suis obligée d'attendre ce maudit coup de fil de Genève !

Elle parla alors à Perlmann, par-dessus le toit de la voiture, de sa colère suite au refus de financement de son projet.

Ensuite, installé dans la voiture, il la suivit des yeux dans le rétroviseur, elle se retourna une dernière fois en se dégageant le visage des cheveux, avant de tourner à l'angle de la rue. À peine eut-elle disparu qu'il se mit à trembler de tous ses membres. Ces tremblements étaient bien plus violents qu'auparavant, lors de la signature, et il était intimement certain qu'ils ne cesseraient plus jamais.

35 Peu avant l'entrée de l'autoroute près de Rapallo, il trouva un container à ordures à un endroit où il ne se sentait pas observé. Il avait mis presque trois quarts d'heure pour se rendre jusque-là. Il venait juste de quitter la petite rue à côté de la mairie lorsqu'il s'était retrouvé dans une série d'embouteillages provoqués par des camions de livraison qui, comme l'autre jour à Gênes, s'arrêtaient en plein milieu des rues pour décharger leur marchandise. Son désespoir avait fait place à une rage folle, sans limites, contre les conducteurs de ces camions, qui, une fois qu'ils avaient refermé leur véhicule déchargé, retournaient à leur volant avec une lenteur provocante, tout en échangeant souvent encore quelques mots avec des inconnus avant de redémarrer. En nage, Perlmann avait baissé la vitre, pour la refermer cependant aussitôt, ne supportant pas les klaxons hystériques qui s'élevaient des embouteillages. Il avait balancé sa cravate avec la médaille et le certificat sur le siège arrière. Il n'avait pu s'empêcher de s'imaginer ce qui se serait passé si Evelyn Mistral avait oublié qu'elle attendait un coup de fil. Mais la fatigue qui paralysait son esprit avait fait échouer toutes ses tentatives de se le représenter.

Il posa l'attaché-case par terre et poussa des deux mains le lourd couvercle du container. Une odeur âcre de légumes en décomposition l'assaillit. La moitié du container plein de choux brunâtres, presque noirs déjà, dégageait des effluves chauds et nauséabonds. Perlmann ouvrit l'attaché-case et regarda autour de lui. Que la femme au volant de la voiture qui arrivait le voie faire ou non était sans importance. Néanmoins, il attendit qu'elle fût passée avant de jeter le sac de linge et les deux textes compromettants dans le tas de choux. C'est alors qu'en se bouchant le nez il vit, fasciné, le papier absorber la substance visqueuse et sombre qui s'était formée entre les feuilles de choux. Allongé sur le lit à Portofino, il s'était imaginé la destruction du texte plagié à peu près de cette façon. Ce qui l'avait torturé là-bas lui parut désormais insignifiant, dérisoire, et il aurait tout donné pour revenir quarante-huit heures en arrière.

Il sortit les quatre livres du coffre. En premier, il jeta le Langenscheidt jaune, qui produisit un gargouillis étouffé en tombant dans le tas de choux puants. Puis le dictionnaire italien-russe. Perlmann fit un bond en arrière lorsque du jus foncé gicla. Puis ce fut le tour du gros dictionnaire rouge. Il s'écrasa à moitié ouvert sur le tas en décomposition, et aussitôt le papier grisâtre commença à se gondoler. Ce fut pour la grammaire qu'il hésita le plus longtemps. Il l'ouvrit et la feuilleta. Il y avait là plusieurs séries de remarques méticuleuses notées dans la marge, autant de témoignages de son travail d'appropriation échelonné dans le temps, reconnaissable aux différentes encres utilisées. Si on les observait les yeux mi-clos, en prenant un certain recul intérieur, c'était comme si on regardait à travers un long corridor de souvenirs remontant son passé. Ce qu'il tenait dans sa main, pensa-t-il, faisait partie de ce qu'il y avait de plus authentique, de plus vrai dans sa vie. Chez lui, sur les étagères de livres d'Agnès qui étaient restées totalement en l'état, il y avait un autre exemplaire de cette même grammaire. Lorsque Perlmann se rendit compte à quel point il était absurde de ressasser cette pensée, il referma le livre avec une détermination forcée et le jeta dans le container. Avant même d'entendre le bruit sourd de sa chute, il avait déjà fait demi-tour.

Il replaça l'attaché-case vide sur le siège arrière. La médaille et le certificat. Il les avait déjà à la main et s'apprêtait à retourner au container lorsqu'il s'arrêta net. *Non, évidemment que non. Il faut qu'on les retrouve dans la voiture.* Il s'assit au volant.

Les nombreux tunnels qu'il traversa sur le trajet furent une torture. Hier soir dans la pénombre, il ne l'avait pas vécu ainsi, mais à présent, il voyait un camion derrière chaque paire de phares arrivant sur la voie opposée. La vision des arbustes couverts de poussière et les deux glissières de sécurité installées entre les voies le rassurèrent. Malgré tout, avant chaque tunnel, son cœur se mettait à palpiter. Pendant un bref instant, il souhaita en son for intérieur que, dans la montagne qu'il traverserait avec Leskov, la circulation dans l'un et l'autre sens s'effectue aussi dans deux tunnels différents. Ce n'était qu'un souhait et il ne laissa pas la moindre trace dans sa mémoire.

En descendant de voiture à l'aéroport, il remarqua que le dos de son blazer était tout trempé et collait au dossier du siège en cuir. Il verrouilla les portières et il s'était déjà éloigné de quelques pas lorsqu'il fit demi-tour pour revenir à la voiture. Mieux valait desserrer le frein à main dès maintenant. Après il y aurait la jambe de Leskov. C'est la dernière fois, pensa-t-il en baissant le levier.

En pénétrant dans le hall des arrivées, son regard tomba sur l'horloge digitale accrochée au mur : quatorze heures précises. Mais un minuscule instant plus tard, alors que son regard était encore dirigé vers elle, l'affichage passa à quatorze heures une. Le chiffre 01 et la perception de son apparition silencieuse eurent sur Perlmann l'effet d'un signal : le temps qui lui restait s'exprimait d'ores et déjà en minutes. Il sentit battre son pouls, et les cris joyeux des passagers fraîchement débarqués, mêlés à ceux des enfants qui attendaient, ne lui parvinrent plus que comme des bruits lointains, tandis qu'il gardait les yeux rivés sur l'horloge jusqu'à ce qu'il fût quatorze heures cinq. Ensuite, il régla sa montre. Il lui fut impossible de se défendre contre l'absurdité de ce geste.

Le vol en provenance de Francfort était annoncé depuis longtemps sur le moniteur ainsi que sur le panneau noir d'affichage. Perlmann s'adossa contre un pilier et alluma d'un geste machinal la dernière cigarette du paquet qu'il jeta dans la poubelle à côté de lui. Il aurait bien voulu occuper à bon escient les minutes qui s'égrenaient, plutôt que de contempler le revêtement du sol en caoutchouc noir. Mais plus rien ne voulait s'animer dans sa tête, ses pensées étaient comme taries, il semblait même avoir perdu sa capacité d'attention. Seul son corps était là, balourd et répugnant. La peau de son crâne lui démangeait, il se gratta jusqu'à saigner et balaya ensuite d'un geste mécanique les pellicules tombées sur son blazer. Ses chaussures encore presque neuves lui serraient les pieds et, lorsqu'il se pencha pour les délacer un peu, son nez frigorifié commença à couler.

C'est alors que ses pensées se mirent subitement à s'emballer. Les autres avaient vu sa main tremblante à la mairie, et ils y repenseraient lorsqu'on les informerait de l'accident. Il vit Ruge ajuster ses lunettes rafistolées pour examiner l'attaché-case vide sur le lieu de l'accident. On apprendrait que Leskov n'avait pas sa ceinture de sécurité ; von Levetzov et Millar se regarderaient en silence. On trouverait étrange que Perlmann n'ait pratiquement pas d'argent sur lui et qu'il ait laissé ses cartes de crédit dans sa valise. *Et la pièce de cinq marks, bon sang, elle me trahira, la voiture n'a pratiquement jamais servi, et je suis probablement le seul Allemand à l'avoir louée.* Perlmann sentit une impulsion aveugle lui dicter de courir à la voiture, mais déjà une nouvelle pensée l'assaillait : *La pelle, pourquoi y avait-il une pelle dans le tas de glaise ? Que vais-je faire si quelqu'un travaille pile à cet endroit tout à l'heure ?* Cette pensée fut chassée par une autre : *Kirsten. Elle se demandera où sont restés les livres russes, surtout le gros dictionnaire au papier désagréable, celui que Martin ne connaît pas. Elle ne laissera pas la question sans réponse, elle n'en fait qu'à sa tête et peut se montrer tenace, elle demandera aux autres, à chacun d'entre eux, et dans les esprits s'établira un lien entre cette énigme et les autres éléments bizarres, comme par exemple l'itinéraire incongru.* Et dans la tension que mobilisait cette succession de réflexions jaillit une dernière idée qui laissa Perlmann pétrifié : *La vieille femme. Si jamais il lui arrivait de tomber sur une photo des morts dans la presse locale, elle parlerait. C'était idiot, proprement aberrant, d'aller lui parler et d'attirer l'attention sur moi, qui plus est avec cette stupide histoire de film. Pourvu que je sois méconnaissable après ça.*

Perlmann ne supportait plus de rester ainsi debout et il marcha en direction du hall des départs. Avant de prendre l'escalator, il jeta un œil sur le panneau d'affichage. *In ritardo* était-il maintenant inscrit à côté du vol arrivant de Francfort. *Ça se calme à partir de quatre heures et demie, c'è meno*, entendit-il lui dire la voix de la vieille femme tandis qu'il revoyait sa bouche édentée. Il monta l'escalator en courant jusqu'au comptoir d'Alitalia.

– Un petit quart d'heure seulement, lui indiqua l'hôtesse stupéfaite de son agitation.

C'est rattrapable. Encore trois quarts d'heure, donc. Il se dirigea vers les sièges en face où, presque deux semaines auparavant, il avait attendu de bon matin et s'était senti vulnérable de ne pas avoir de livre avec lui. Mais le souvenir était insupportable, alors il alla au bar et commanda un expresso.

Quelqu'un ouvrit un journal à côté de lui. Perlmann lut les gros titres et observa les photos : à la une, la nappe de smog au-dessus de Milan et, en dernière page, un instantané pris lors de l'élection d'une miss. Derrière lui, une femme à la voix sonore éclata de rire et s'écria : *Ancora !* Il se retourna et vit celui qui l'accompagnait, un homme à l'allure de star de cinéma, paré d'une longue écharpe blanche. Celui-ci marcha sur quelques mètres, se retourna, puis resta immobile un instant, comme pour prendre son élan avant un saut en longueur. D'un air blasé, il fit alors quelques pas en se traînant exagérément et, tout à coup, dans un enchaînement de mouvements incroyablement rapides, tel un éclair, il tourna la plante de ses pieds vers l'extérieur et se mit à marcher prestement, toujours sur l'intérieur de ses chaussures et tout en faisant une grimace imbécile avec sa langue contre sa joue. Cette vision était si grotesque que tout le monde dans le bar, y compris le serveur, rit à gorge déployée.

Il se produisit alors une chose que Perlmann n'aurait plus crue possible : le comique de la scène le gagna lui aussi, quelque chose éclata en lui et il rit d'un rire libéré, bruyant – non pas un rire forcé, hystérique, comme la veille au soir pendant le repas, ni un rire feint comme tout à l'heure à la mairie, mais un rire qui le rapprochait trompeusement du présent, comme s'il pouvait, lui sembla-t-il, le saisir de ses propres mains. Ce rire agissait comme une érosion soudaine du tissu contracté, endurci, d'émotions sur lequel s'était fondée sa décision de tuer et de mourir ; l'ensemble de cette structure intérieure s'effondra et, à cet instant, son projet meurtrier tout entier lui parut être quelque chose d'étranger et de lointain, d'abscons et littéralement ridicule.

Il espéra que l'homme allait faire une nouvelle démonstration, mais entre-temps il s'était laissé tomber dans les bras de la femme, toujours avec sa grimace idiote, et il s'appuya si lourdement contre elle qu'elle perdit un moment l'équilibre et heurta l'épaule de Perlmann. Ce dernier saisit au passage son sourire navré, sentit son parfum et évita de regarder ses cheveux de jais, les yeux tournés vers le lointain, au-delà de la grande vitre du hall, où un avion aux ailes étincelantes décollait au milieu d'un rectangle bordé de toits et de barres. Il n'avait pas su que cela existait : une volonté de vivre capable de traverser un être d'un flux chaud et étourdissant, comme une drogue. Il commanda un deuxième expresso, y versa trois cuillerées de sucre puis laissa les petites gorgées couler sur sa langue. Ensuite il mangea une tranche de panettone, puis une deuxième et une troisième, avec un autre expresso. Il retira son blazer, le tenant d'un doigt par-dessus son épaule, et s'appuya sur le comptoir de son bras qui tenait la cigarette. Il aimait la façon dure, claire, dont la femme à côté de lui prononçait le *e* et, tandis qu'il attendait sans cesse d'entendre à nouveau ce son, il se mit à réfléchir à la destination vers laquelle il pourrait s'envoler. *Quand décolle votre prochain avion ? Pour quelle destination ? N'importe laquelle.*

Lorsque la femme et son comique furent partis et que le serveur derrière le comptoir houspilla ses commis, tout s'effondra, disparaissant comme un mirage, et Perlmann se retrouva seul avec ses tremblements provoqués par les trop nombreux cafés qu'il avait bus. Il regarda l'horloge : trois heures dix. Lentement, il regagna le hall des arrivées. C'étaient les dernières minutes de sa vie qu'il pouvait passer seul avec lui-même. Malgré l'air lourd régnant dans le bâtiment, il était frigorifié. Et si ce n'était pas ce lundi-là ? Dans le télégramme ne figurait aucune date. Cela dit, quand l'invitation avait été lancée, il avait bien communiqué le calendrier du séminaire à Leskov. Et aujourd'hui, c'était le dernier lundi possible.

Le moniteur annonça que le vol de Leskov avait déjà atterri. Perlmann eut une crampe d'estomac. Il se posta tout au fond derrière le groupe des gens qui attendaient. Il ne savait que faire de ses mains. Finalement, il les pressa contre son ventre douloureux qu'il massa, tout en se repassant l'itinéraire dans sa tête. D'abord la seconde quincaillerie. Ne pas suivre les rails du tramway. Tout de suite à droite après la boulangerie. Serrer à gauche avant le passage souterrain. À la place avec la colonne, c'était non pas le deuxième, mais le troisième embranchement. Malgré les frictions, ses mains restaient glacées. Dans son dos sa chemise trempée de sueur était tout aussi froide et collait. *Si seulement il n'y avait pas eu l'Ermitage.* Il aurait voulu que Leskov ne lui ait jamais proposé, autrefois au bord de la Neva, de se dire *tu*.

Il chercha à attraper les allumettes dans sa poche de veste et ses doigts rencontrèrent le ticket de stationnement. Puis il se rendit compte qu'il n'avait plus que quelques pièces de monnaie, et plus aucun billet. Il regarda les pièces : six cents lires. *Je ne vais pas pouvoir sortir d'ici*, pensa-t-il, *je n'ai pas de quoi payer le parking.* C'est alors qu'il aperçut Leskov.

36 Il était vêtu du même loden élimé que la dernière fois et paraissait encore plus large et difforme que dans les souvenirs de Perlmann. D'une main, il portait une grosse valise qui semblait dater de Mathusalem et dont la couleur brune ternie, tachée, donnait l'impression qu'elle était en carton. Dans l'autre main, il tenait un petit attaché-case muni d'une poche extérieure. Leskov s'arrêta et, d'un air incertain, il regarda autour de lui à travers ses épais verres de lunettes, légèrement voûté sous le poids de sa valise.

Perlmann eut l'impression de trembler de froid lorsqu'il le vit apparaître. Durant les dernières semaines, Leskov avait été un auteur invisible, une voix sans présence physique qu'il avait de plus en plus appréciée et admirée à mesure que sa traduction avançait, et provisoirement il avait pu s'identifier à son ton incisif. À présent, il était là : un homme à l'air hagard, au crâne dégarni perlant de sueur entre ses cheveux en désordre et à la barbe de trois jours grisonnante, attendant avec anxiété, la pointe de la langue coincée entre les dents. Perlmann le trouva répugnant. Son apparence avait aussi quelque chose de ridiculement pathétique. Mais ces sentiments n'amoindrirent pas le choc qui assaillit Perlmann à l'idée de tuer cette personne présente là devant lui, en chair et en os, qui, au lieu de poser simplement sa valise, tâchait de garder l'équilibre en écartant les jambes.

Perlmann se fraya un chemin à travers la foule qui attendait et se dirigea vers lui d'un pas crispé, les mains dans les poches. Lorsque Leskov l'aperçut, son visage tout entier rayonna, il posa ses bagages à ses pieds et écarta les bras. Plus tôt que nécessaire, Perlmann sortit sa main droite de sa poche et parcourut les derniers mètres le bras tendu. Son visage avait perdu toute sensation et ne lui obéissait pas. Ne sachant plus comment agir, il fixa son regard sur le col de la chemise déboutonnée à carreaux rouges et bleus que portait Leskov. Celui-ci ne vit pas sa main tendue, il l'attrapa par les épaules et, sans un mot, le prit dans ses bras, étouffant le « bonjour » formel qu'avait soufflé Perlmann.

Il sentait le tabac sucré et la transpiration. Perlmann resta figé lorsque Leskov le serra contre lui, espérant pouvoir se dégager au plus vite. Mais il ne fallait pas que Leskov remarque son dégoût, aussi le prit-il dans ses bras, avec un temps de retard, dans une brève et molle accolade. Lorsque Perlmann chercha à se dégager, Leskov continua à se presser contre lui et Perlmann eut envie de se libérer avec force. Finalement, Leskov relâcha lui aussi son étreinte et Perlmann, dans sa mauvaise conscience, l'attrapa par les bras en laissant ses mains monter et descendre comme s'il voulait le caresser. Ce geste mécanique, creux et vide, était aussi ridicule pourtant ; quand Perlmann s'en aperçut, il aurait voulu disparaître sous terre.

– Philipp, dit Leskov, avant de marquer une pause théâtrale, c'est merveilleux de te revoir ! Fantastique ! Tu ne peux pas imaginer comme je suis ravi !

– Oui, fut la seule réponse que put émettre Perlmann.

Il ne parvint à soutenir le regard de Leskov que pendant une ou deux secondes, après quoi il s'empressa d'attraper la valise et, dans sa gêne indicible, tout cela lui parut complètement irréel, comme si cet épisode se déroulait hors de la réalité, n'était qu'une scène virtuelle sortie de son imagination.

– Attends, s'il te plaît, dit Leskov, tandis que Perlmann se hâtait de porter la valise comme s'ils avaient un train à prendre, je voudrais changer un peu d'argent – il attrapa non sans difficulté son portefeuille rangé dans sa poche-revolver et en sortit un billet de cinquante dollars. Je n'ai pas grand-chose…, dit-il avec un sourire embarrassé, mais j'ai quand même réussi à avoir ça, et j'aimerais l'échanger dès maintenant.

Dans son imagination avide de détails, Perlmann s'était passé tout en revue par le menu ; il avait cherché à prévoir chaque pas, à contrôler chaque facteur afin de laisser le moins de place possible au hasard. Il avait seulement omis de penser à une chose : que Leskov était un homme de chair et de sang avec une volonté et une fierté propres. Dans son imagination encore, il avait été un personnage doté d'une apparence particulière, d'un passé aussi, et bien sûr d'une voix scientifique ; accessoirement un personnage qui, considéré de façon tout à fait générale et abstraite, se comportait comme un être humain de telle sorte qu'il était grosso modo prévisible – mais un simple personnage, qui pouvait précisément être manié au gré de l'imagination, un être dépourvu de ces volontés et de ces préférences spécifiques, surprenantes et tenaces qui constituaient la force de résistance, l'autonomie et l'autorité individuelles d'un homme.

D'un geste très lent, Perlmann reposa la valise par terre, expira et resta penché plus longtemps que nécessaire, les yeux fermés. Par chance, il était tourné vers la porte, Leskov ne pouvait voir son visage. Lorsqu'il se redressa et se tourna vers lui, il avait repris contenance. Au guichet de la banque en face, un quatrième voyageur se plaçait dans la file d'attente. Mais la question n'était pas seulement la perte de temps. Ce qui était bien pire, c'était le fait même de changer de l'argent : pour Leskov qui avait suivi le regard de Perlmann et s'apprêtait déjà à faire le premier pas, c'était un acte qui signifiait une prise d'élan vers un futur ouvert, plein d'attentes, alors qu'il ne durerait qu'une petite heure.

– Ce n'est pas la peine, dit Perlmann, soulagé d'entendre que sa voix avait seulement déraillé sur le premier mot. Il y a une enveloppe pour toi à l'hôtel.

Leskov hésita et regarda le billet.

– J'aime bien avoir mon propre argent, répondit-il dans un sourire gêné qui exprimait en même temps sa fermeté. Et de toute façon il n'y en a pas pour longtemps, ajouta-t-il en désignant le premier des quatre voyageurs qui était en train de quitter le guichet.

– Mais ce n'est vraiment pas la peine, répéta Perlmann avec une sévérité incontrôlée. Par ailleurs on peut changer de l'argent à l'hôtel exactement au même cours, renchérit-il d'un ton conciliant avant de faire un geste de la main qui écartait toute discussion.

Puis, sans attendre davantage de réaction de Leskov, il prit la valise et franchit la porte qu'il lui tint ouverte sans se retourner, jusqu'à ce que Leskov n'ait d'autre choix que celui de le suivre.

Ce ne fut que lorsqu'ils arrivèrent devant la petite cabine de la caisse que Perlmann se rappela la taxe de stationnement. *Quel idiot je suis. Si je l'avais écouté, lui au moins, il aurait eu de l'argent.* Il alla au guichet et glissa le ticket de parking sous la vitre coulissante. À l'intérieur, une musique rock assourdissante s'échappait d'un transistor. L'homme à la casquette rouge le regarda d'un air morne et attendit.

— Combien ? cria Perlmann en se penchant à la hauteur de l'ouverture.

Sans tourner la tête, l'homme indiqua le tarif affiché : *1 000 l.* Perlmann fit semblant de chercher son portefeuille des deux côtés de son blazer avant de palper ses poches, puis il finit par sortir les six cents lires qu'il glissa sous la vitre.

— C'est tout ce que j'ai sur moi, cria-t-il, les lèvres juste devant la paroi en verre, j'ai oublié mon portefeuille !

L'homme à la casquette indiqua de nouveau le tarif de la caisse et se balança sans un mot au rythme de la musique. Perlmann se pencha encore une fois vers l'ouverture et hurla :

— Portefeuille oublié ! Plus d'argent !

L'homme à la casquette rouge avait à présent les yeux mi-clos et, à nouveau, il désigna l'affiche sans toutefois tendre complètement le bras, mais d'un geste rapide du poignet, à la fois brusque et provocateur.

Lorsque Perlmann sentit son visage bouillir de colère et qu'il se redressa sans avoir la moindre idée de ce qu'il pouvait encore faire, Leskov effleura son bras et, dans un sourire légèrement triomphant, il tendit sous son nez un billet de deux mille lires qui avait été recollé en son milieu par un morceau de scotch.

— Un souvenir que m'a donné mon beau-frère.

Sans un mot, Perlmann prit le billet et attendit en tapant impatiemment du pied que l'homme à la casquette, qui sifflait maintenant la mélodie, lui rende la monnaie. Il tendit les six cents lires à Leskov.

– Merci beaucoup, dit-il d'un ton revêche, le reste plus tard.

Il expliqua qu'il avait été retardé à midi et que dans sa précipitation, il avait oublié son portefeuille à l'hôtel.

Mais Leskov refusa l'argent d'un signe de main.

– Apparemment ça vaut trois fois rien, constata-t-il en riant.

Pendant que Perlmann entassait les bagages dans le coffre et remettait en place le hayon qu'il avait fait un peu dévier en sortant les livres, Leskov retira son manteau et regarda autour de lui.

– Cette lumière, dit-il en mettant ses mains en visière, je n'ai jamais vu une telle lumière. *Kakoi svet !*

Étudiant, il avait été une fois dans le Sud, en *Grouziya*, mais c'était il y a longtemps et, d'après lui, la lumière n'y était pas aussi intense.

– Pas aussi *siyayuchtchiy*. Elle ne produisait pas un éclat aussi fort qu'ici. Alors qu'en même temps la lumière ici n'est absolument pas… comment dit-on ? Crue ?

– Oui, répondit Perlmann, retournant une fois de plus les bagages sans raison.

Leskov regardait maintenant en direction des montagnes violettes en face, dans la brume marron qui faisait penser à une tempête de sable.

– Baignée dans cette lumière, dit-il rêveur, *Guenouya* a quelque chose d'une ville orientale, d'une ville du désert.

Perlmann savait que l'heure à venir serait difficile. Épouvantablement difficile, plus que tout ce qui avait précédé. Et qu'elle lui paraîtrait sans fin. Il se l'était répété hier en essayant de s'y préparer. Et pourtant, pensa-t-il maintenant en montant dans la voiture, il n'avait eu aucune idée de la réelle ampleur de son tourment. D'abord l'ironie macabre : il avait eu besoin de l'argent de Leskov pour pouvoir entamer le trajet mortel, meurtrier. Puis la perception précise de la lumière méridionale qu'avait évoquée Leskov, et la joie qu'il avait ressentie. Et maintenant ce commentaire à propos de la ville, qui rejoignait ce que Perlmann avait pensé lui-même en voyant Gênes vendredi du bateau. La convergence de leurs perceptions abolissait entre eux cette distance que l'apparence de Leskov avait contribué à créer et, lorsque Perlmann inséra la clé de contact, pour pouvoir continuer comme prévu, il se répéta intérieurement : *Il est celui qui me démasquera. Celui qui fera de moi un homme proscrit, banni. Il n'y a aucune autre solution, j'y ai suffisamment réfléchi.*

L'heure s'afficha avec l'allumage du contact : quatre heures moins vingt. Leskov s'avachit sur le siège en reniflant et posa ses mains sur ses genoux. Il ne semblait absolument pas disposé à vouloir attacher sa ceinture, préférant s'installer confortablement dans l'élégant rembourrage en cuir gris clair comme s'il s'agissait d'un fauteuil club. Perlmann sentit son regard posé sur lui et ne put s'empêcher de tourner également la tête. Cela aurait été le moment de lui dire comme c'était bien qu'il ait finalement réussi à se libérer, avant d'ajouter : « Raconte ! » Mais Perlmann détourna à nouveau le regard. Pendant une fraction de seconde, il eut le réflexe d'attraper la ceinture de sécurité, il retint sa main à temps tandis qu'elle s'était levée vers la gauche au lieu de se poser sur la clé de contact. *Surtout pas ça maintenant ; sinon il va essayer lui aussi.* Soulagé de l'avoir remarqué avant qu'il ne soit trop tard, il attrapa la clé et la tourna. Aussitôt retentit un bruit aigu, strident, qui fit à Perlmann l'effet d'une décharge électrique et, l'espace d'un instant, il perdit tout son sang-froid. *Le signal de la ceinture qui n'est pas attachée. Évidemment, de telles voitures en sont équipées. Oh mon Dieu, je vais être obligé de le faire avec ce bruit.* Sa manche resta accrochée à la commande des phares avant qu'il ne rallume finalement le contact. Dans un mouvement qu'il voulut le plus discret possible, il tira la ceinture contre son corps et l'enclencha très prudemment. Son geste avait la délicatesse de quelqu'un qui chercherait à ne pas réveiller un enfant. Il attendit un moment, angoissé.

– Incroyable, cette lumière, dit Leskov.

Perlmann démarra comme s'ils étaient dans une coque en porcelaine. Ce n'est que plus tard qu'il prit vraiment de la vitesse.

– Oui, dit Leskov, tout cela a pris une tournure surprenante.

Sa mère était décédée dix jours plus tôt, ce qui n'avait pas été tout à fait inattendu après sa maladie, mais c'était survenu bien plus vite que prévu. Lorsqu'il avait parlé à Larissa, sa sœur venue de Moscou, de l'invitation que lui avait adressée Perlmann, celle-ci l'avait poussé à retenter sa chance pour obtenir un visa de sortie de territoire. Cette insistance dont elle avait fait preuve, ajouta-t-il après une pause, avait probablement à voir avec sa mauvaise conscience : depuis qu'elle avait emménagé à Moscou après son mariage, Leskov avait dû s'occuper tout seul de leur mère.

Dans le scénario que s'était imaginé Perlmann, l'homme assis à côté de lui avait été quelqu'un qui s'occupait de sa mère, mais qui par ailleurs vivait complètement seul, sans personne à qui il aurait manqué. Tout ce que Leskov racontait maintenant sur sa sœur, avec force détails et sur un ton affectueux, lui noua la gorge. À chaque trait de caractère qui venait étoffer le portrait de Larissa, la corde invisible se resserrait encore un peu plus. Lentement et discrètement, il cherchait à calmer son souffle et à se libérer en se concentrant sur tout un tas de choses le long de la route, sans la moindre importance pour la conduite.

La circulation s'intensifia et, grâce à deux motards qui le doublèrent dangereusement, l'obligeant à les éviter, il put détourner son attention des propos débités à côté de lui. Leskov n'avait aucune considération pour la concentration que requérait la conduite, c'était un vrai moulin à paroles. Les stores rouillés de la première quincaillerie étaient déjà en vue. Perlmann sentit son dos et son cou se crisper encore un peu plus. *Ne surtout pas tourner à la première.* Ses mains froides se cramponnèrent plus fermement au volant et il regarda devant lui avec une attention redoublée pour ne pas rater la seconde.

Quelque chose n'allait pas. Le bâtiment rouge tout en longueur ne lui disait rien du tout. Il se mit à transpirer. Il aperçut les stores au loin, puis se retourna pour regarder derrière eux. Pendant un moment où il retint son souffle, il ne savait plus où il en était. C'est alors qu'il comprit : il s'était attendu à voir des stores baissés. L'image de leur surface rouillée s'était gravée dans son attente sans qu'il pense à prendre en compte que les magasins étaient aujourd'hui ouverts. Mais la première quincaillerie était également ouverte, les stores étaient relevés, tout l'angle de la rue avait ainsi l'air complètement différent et, sans le remarquer, il avait dépassé le deuxième magasin dont les stores étaient restés baissés comme avant.

Il appuya rageusement sur le frein, donna un grand coup de volant et fit demi-tour devant les stores. Derrière lui et sur la voie opposée, des freins crissèrent, des klaxons retentirent et le conducteur à qui il avait coupé la route comme un fou passa en se tapant sur le front. Perlmann s'arrêta et prit une cigarette.

– Pardon, dit-il, puis il ferma les yeux pendant la première bouffée.

À présent, Leskov s'agitait en soufflant et cherchait la ceinture de sécurité. Perlmann fut pétrifié.

– Cette ceinture est cassée, dit-il d'une voix éteinte et, comme Leskov se mettait à tirer sur la courroie, il répéta plus fort que nécessaire : la ceinture est cassée de ce côté.

Leskov se retourna péniblement vers lui et le regarda avec calme.

– Tu es pâle, déclara-t-il d'un ton paternel, cela m'a déjà frappé tout à l'heure. Quelque chose ne va pas ?

– Non, non, s'empressa de répondre Perlmann en rallumant le moteur, c'est juste que je ne me sens pas très en forme aujourd'hui. Mais parlons d'autre chose : comment cela s'est-il passé finalement avec le visa de sortie ?

Leskov raconta qu'en dépit des bouleversements politiques à la tête du pays les choses n'avaient pas évolué dans la majeure partie de l'administration. Puis il se renfonça dans son siège pendant que Perlmann redémarrait et sentait son pouls s'apaiser.

– Ce sont toujours les mêmes personnes qui occupent les mêmes bureaux. Et les listes noires n'ont pas encore disparu, dit Leskov avec une sobriété dans laquelle perçaient son expérience et sa souffrance. Il faudra encore du temps avant que les nouvelles lois ne garantissent réellement la liberté de circuler.

C'était la raison pour laquelle il avait déposé une nouvelle demande sans se faire d'illusions. Cette fois-ci, il l'avait fait passer par le recteur et cela semblait avoir été utile, bien que jusqu'à présent il ne l'eût pas pris pour un homme de pouvoir. En tout cas, vendredi de très bonne heure, il avait reçu un appel : on le priait de venir chercher son passeport, ainsi que l'autorisation. Leskov attrapa un portefeuille en similicuir de couleur grise dont il sortit son passeport, puis il regarda le tampon du visa.

– Ils m'ont accordé exactement une semaine, dit-il avec amertume. Pas un jour de plus. Dimanche soir je dois être rentré à Moscou.

Il sortit sa pipe et la bourra maladroitement. Entretemps, ils étaient passés à côté de l'endroit où l'on devait quitter les rails du tramway. Perlmann avait fait ce qu'il fallait, le seul moment désagréable fut lorsqu'il dut obliger toutes les voitures derrière lui à s'arrêter à cause d'un tramway venant en sens inverse, bloqué par une voiture qui avait tourné à un endroit interdit.

Ils arrivaient maintenant à hauteur du premier panneau de déviation. Perlmann était soulagé de voir que la circulation était fluide ici aussi, il pensa à la boulangerie dans la maison jaune, suivit la file de voitures dans le virage au bord du grand hôtel et se retrouva tout à un coup au milieu d'un bouchon où retentissaient des klaxons furieux. Quelques conducteurs étaient déjà descendus de voiture et tapotaient d'impatience sur le capot. L'horloge indiquait quatre heures passées d'une minute. *Elle n'a pas dit qu'il n'y avait plus du tout de camions après quatre heures et demie, mais juste qu'il y en avait moins,* c'è meno. *Il peut en passer encore quelques-uns.*

Leskov avait découvert le bouton d'ouverture électrique des vitres et s'en extasiait comme un enfant.

– Cette voiture, dit-il, c'est tout simplement un rêve.

Perlmann changea brusquement de sujet et l'interrogea sur son vol.

Cela avait été tout un cirque à organiser, expliqua Leskov en riant et, tandis que Perlmann regardait les minutes défiler sur le tableau de bord devant lui, il raconta qu'il avait été obligé d'emprunter de l'argent à des amis, puis qu'il avait attendu des heures à l'agence de voyages et ensuite au bureau du télégraphe, avant de prendre l'avion, la veille, pour Moscou où la famille de Larissa l'avait hébergé.

– J'ai à peine dormi, dit-il, tellement j'étais excité. C'est mon premier voyage à l'Ouest ! – puis, après une pause : À vrai dire, je ne sais plus du tout comment la journée de samedi s'est déroulée. Ah si, bien sûr, Youri est passé me voir. Tu sais, celui qui m'a donné les cinquante dollars. Il y a des années, il a été autorisé à rendre visite une fois à son père mourant en Amérique. C'était lui qui m'avait accueilli, à l'époque, à la sortie de la prison. Et maintenant... comment dire ? Tu sais, il m'a offert ce voyage tout simplement par bonté de cœur. Il me l'a vraiment offert. Ça a l'air banal dit comme ça. Mais pour Youri c'est différent : c'est la seule personne qui soit véritablement capable de mesurer ce que ça signifie pour moi de venir ici. Ici, sur la côte méditerranéenne. Sur la Riviera.

Un policier muni d'un talkie-walkie apparut dans le virage et longea la file des voitures qui roulaient au pas. Perlmann sursauta et lorsque le policier, un géant aux longs favoris, s'arrêta soudain pour regarder la Lancia avant de se diriger droit vers eux, son cœur battit à tout rompre et sa bouche devint sèche. Le géant lui fit signe de baisser la vitre. À deux reprises, Perlmann appuya de ses doigts moites sur le mauvais bouton, et il lui sembla n'avoir encore jamais vu un visage comme celui-ci, large et sombre, s'approcher autant de lui.

– Vos phares sont allumés, dit le géant d'un ton amical.

– Oh, oui, *mille grazie*, s'empressa de balbutier Perlmann.

Aussitôt après, la circulation redevint fluide. Ils n'eurent aucun problème à tourner à la boulangerie : un autre policier indiquait cette direction aux véhicules et, une fois à la grande place où trônait la colonne, il fallait bien sûr prendre le troisième embranchement.

Perlmann se détendit. Pendant quelques instants, il profita de ce sentiment et s'enfonça complètement dans son siège. Puis il se redressa en sursaut, c'était un sentiment semblable à celui qu'on éprouve en se réveillant brusquement sans raison ; comment pouvait-il se détendre alors qu'il était en route vers la mort ?

Leskov parlait des retards et du chaos qui régnait à l'aéroport de Moscou tout en soufflant des volutes de son tabac sucré contre le pare-brise lorsque la route souterraine apparut dans leur champ de vision. Perlmann voulut serrer à gauche au moment où une Jaguar surgit à toute allure à leur hauteur, l'obligeant à rester sur sa voie. Il s'en fallut de peu qu'il ne perde son sang-froid. Brusquement, toute sa peur et son désespoir éclatèrent et firent place au désir bouillonnant, impétueux, de donner un grand coup de volant pour percuter de plein fouet cette rutilante carrosserie rouge foncé. *Pour l'amour de Dieu, ne surtout pas provoquer d'accident maintenant.* Cet avertissement semblait venir de très loin, et sa force paraissait atténuée par cette distance, mais Perlmann s'y agrippa avec la volonté qui lui restait ; il freina violemment, si bien que Leskov bascula à nouveau en avant, et lorsque la Jaguar l'eut dépassé, il esquiva de justesse le socle de béton qui marquait le début du souterrain, et s'engagea sur la route pavée. Aussitôt, il reprit de la vitesse et demanda à Leskov, qui s'agrippait maintenant à la poignée au-dessus de la portière, comment s'était passée sa correspondance à Francfort.

— Cahin-caha, répondit-il.

En plus, il s'était perdu.

— Avec ces interminables couloirs, on a l'impression de ne jamais arriver.

— Je connais l'aéroport, coupa Perlmann.

Il n'avait plus la force de dissimuler son irritation.

Il était quatre heures vingt lorsqu'ils arrivèrent au fleuve et traversèrent Molassana. *Quatre heures et demie, c'était un horaire approximatif, il peut y avoir des variations, et puis en début de semaine on transporte peut-être plus de marchandises que les autres jours.*

Lorsque la route commença à monter, Leskov rompit le silence pour demander quand est-ce qu'ils atteindraient la route côtière.

— Il doit bien y en avoir une, non ?

Perlmann tira l'allume-cigare qui venait de faire « clic » et le garda longtemps contre le bout de sa cigarette. En le remettant à sa place, il souffla lentement la fumée par le nez.

— Oui, dit-il alors avec un calme qui cachait le tremblement de sa voix, il y a une route côtière. Mais elle est momentanément fermée à cause d'un grave accident, ils l'ont annoncé à la radio. C'est pourquoi je passe par-derrière dans les montagnes.

Les phrases lui vinrent d'un trait, on aurait presque dit qu'il les lisait. Il se contentait de les activer dans sa mémoire, après les avoir formulées des dizaines de fois dans sa tête sur le trajet de l'aéroport en veillant à ce qu'elles ne soient ni étonnamment concises ni inutilement longues.

— Ah bon, dit Leskov, déçu. Et l'autoroute ? Tout à l'heure nous sommes passés devant des panneaux verts où il y avait écrit *Autostrada*.

— Il y a une circulation terrible à cette heure-là, répondit Perlmann en reprenant doucement son souffle.

Maintenant, ça y est, il l'avait fait. Il était quatre heures vingt-huit.

Ils croisaient encore des poids lourds. Perlmann se mit à examiner leurs pare-chocs. Quand ils passaient à côté d'eux, il tournait vite la tête à la recherche du réservoir d'essence. Sans pouvoir opposer quelque résistance, il s'enfonçait chaque fois un peu plus dans le même état que la veille au soir, au milieu du brouillard rouge du port, lorsqu'il avait passé la main sur les pare-chocs humides et, au bout d'un moment, il sentit aussi les images du rêve de la nuit dernière forcer les portes de sa conscience.

– As-tu pu jeter un œil sur mon texte ? demanda soudain Leskov. Sa voix était changée, elle trahissait une attente angoissée qui frôlait la soumission.

Perlmann n'était pas préparé à cette question. C'était insupportable, absolument impossible de parler à présent du texte maudit avec Leskov, ce texte qui avait tout détruit et allait tous les deux les tuer dans quelques minutes. L'idée était tellement insupportable, au-dessus de toutes ses forces que Perlmann se tassa derrière son volant comme paralysé, scrutant à travers le voile rouge du brouillard onirique le pare-chocs du camion haut et blanc qui arrivait en face. *Dans quelques minutes tout est fini.* Il se cramponna à cette idée désespérée en se redressant sur son siège – le camion était passé – puis il dit :

– J'ai commencé, mais je ne suis pas allé au-delà des premières phrases. J'ai été obligé de le mettre de côté. Il est tout simplement encore bien trop difficile pour moi. Peut-être plus tard.

– Alors dans ce cas ce n'est pas cette première version que tu liras, mais la nouvelle, répliqua Leskov d'une voix qui avait maintenant repris toute son assurance. J'ai en effet retravaillé le texte en profondeur ces derniers mois. Il est bien meilleur à présent. À vrai dire, c'est un tout autre texte. En rejetant un œil récemment sur la première version, je l'ai trouvée terriblement primitive et confuse. Maintenant je peux la mettre à la poubelle ! Heureusement que je n'ai pas remis ce texte-là. Le nouveau, c'est la meilleure étude, la plus indépendante, que j'aie pu mener jusqu'à aujourd'hui. Le mot *original* s'emploie avec précaution, mais je pense qu'il y a certaines choses dedans qui sont vraiment originales. En tout cas, j'ai le sentiment de l'avoir créé de toutes pièces. J'en suis vraiment un peu fier. Et j'ai aussi l'espoir que ce travail m'aide enfin à obtenir un poste. Il y en a justement un à pourvoir en ce moment.

Il expliqua qu'il avait le texte sur lui et comptait le présenter au groupe. Malheureusement il n'avait que son exemplaire manuscrit, bien trop illisible pour être photocopié. Dès qu'il l'aurait tapé à la machine, il en donnerait une copie à Perlmann.

– Car je suis tout à fait certain..., dit-il avec une audace taquine et en posant sa main sur le bras de Perlmann, que tu peux comprendre ce texte. Si tu prenais simplement le temps de le faire !

Perlmann eut un haut-le-cœur, et ses crampes d'estomac réapparurent. De nouveau, il avait cette sensation d'avoir la diarrhée. Il débraya. Le corps avait réagi plus vite que la raison. En effet, ce fut seulement à ce moment-là qu'il comprit clairement en quoi résidait le choc qu'avaient déclenché les paroles de Leskov : si la voiture ne brûlait pas entièrement, le texte en question, derrière dans le coffre, survivrait à la collision, on le retrouverait et il serait alors possible que l'imposture soit finalement découverte – avec toutes les conséquences que cela pourrait aussi avoir sur l'explication du prétendu accident. Les modifications apportées à la deuxième version n'y changeraient rien. Bien sûr, se répéta-t-il encore une fois, personne à l'hôtel ne connaissait le russe. Mais si on rapportait les affaires des morts à l'hôtel après leur identification, il se pourrait que les deux textes, le russe et l'anglais, se retrouvent dans la même pièce, voire peut-être sur la même table, directement posés l'un à côté de l'autre. Et la seule éventualité, la seule pensée que quelqu'un maîtrisant les deux langues puisse accéder à cette table fit ruisseler des sueurs d'angoisse sur le front de Perlmann.

Il y avait encore une station-service avant le tunnel. C'était là qu'il devait se débarrasser du manuscrit de Leskov, le sortir en vitesse de son attaché-case en se cachant derrière le capot du coffre avant de le dissimuler quelque part et de repartir aussitôt.

— Il faut que je jette un coup d'œil sur les pneus, dit-il, lorsque la station-service fut en vue.

Il s'arrêta à côté de la borne de gonflage, ouvrit le coffre de l'intérieur et alla derrière la voiture d'un pas pressé. Les sangles de l'attaché-case de Leskov étaient déjà défaites, il sentit alors la voiture bouger et regarda par-dessus le capot du coffre. Leskov se hissait hors de la voiture en soufflant. Il était obligé de se tenir des deux bras pour se relever. La portière cogna contre la borne. En un éclair, Perlmann referma le coffre et se pencha vers le manomètre à air.

— J'ai été assis toute la journée, et les sièges étaient tellement étroits dans l'avion, dit Leskov en bâillant et en s'étirant. Il faut que je me dégourdisse un peu les jambes.

Perlmann dévissa la valve sur le pneu et fit semblant de mesurer la pression. Sa rage à l'égard de ce Russe difforme, qui produisait maintenant les bruits les plus dégoûtants sans la moindre gêne en faisant de la gymnastique, culmina en un sentiment de haine. Cette haine l'aiderait tout à l'heure, pensa Perlmann. Il alla voir l'autre roue arrière. Leskov était en train de se pencher en avant et lui exposait son large derrière, une vision grotesque et répugnante. Non, il ne pouvait pas miser sur l'éventualité que sa gymnastique dure assez longtemps, d'autant qu'il était d'abord obligé de revenir à son siège pour rouvrir le coffre. Il remit l'appareil de mesure à sa place et s'assit derrière le volant. Il céda alors à l'abattement, prêt à rentrer à l'hôtel et à laisser simplement les choses suivre leur cours. Épuisé, il ferma les yeux. Dormir, dormir très longtemps, aussi longtemps qu'il le fallait jusqu'à ce que tout soit terminé, son imposture démasquée, l'infamie, tout.

La tête de Leskov apparut dans l'entrebâillement de la portière passager.

– Tu crois qu'il y a des toilettes ici ? demanda-t-il d'un ton incertain.

– Aucune idée, répondit Perlmann, éteint.

Visiblement, Leskov s'était attendu à ce que Perlmann l'accompagnât. Il se dirigea alors seul vers le pompiste à qui il s'adressa en gesticulant. Perlmann posa la main sur la commande du coffre et se tint prêt, les pieds déjà au sol. Mais le pompiste secoua la tête une fois, puis deux.

Leskov retourna à la voiture de sa démarche pataude. Il jeta un œil sur la banquette arrière.

– Il y a une médaille, là. Avec un ruban. Comme une décoration. Est-ce que je peux savoir ce qu'elle représente ?

Pourquoi n'y ai-je pas pensé ? J'aurais tout de même pu mettre ce truc dans mon attaché-case.

– Comment ? Ah oui, ça. Quelqu'un a dû l'oublier.

Il n'eut aucun mal à le dire d'un air indifférent.

Son épuisement s'en était chargé tout seul.

– Le rouleau à côté ressemble presque à un certificat. Si nous regardions ce que c'est ?

Perlmann avala sa salive.

– Je veux reprendre la route maintenant, dit-il pressé.

Une ombre glissa furtivement sur le visage de Leskov.

– Naturellement.

Il reprit péniblement place sur son siège. Une de ses bretelles s'accrocha à la poignée de la portière.

– C'est encore loin ?

– Non, ce n'est plus très loin, dit Perlmann, et sa voix ne voulut plus lui obéir.

37 Sa montre indiquait cinq heures moins six minutes lorsque Perlmann reprit la route, phares allumés. Des nuages s'étaient amoncelés, les derniers rayons de soleil reflétés par la mer leur donnaient une lueur violette. Il régnait une pénombre singulière, hostile. Perlmann conduisait lentement, à quarante à peine, serrant tout à droite.

– Quelque chose ne va pas ? demanda Leskov au bout d'un moment.

Perlmann ne donna aucune réponse, concentrant son attention sur le virage devant eux où déboucha un énorme poids lourd aux phares aveuglants. Perlmann se protégea les yeux du revers de la main et attendit que le camion les ait croisés. Puis il s'arrêta, appuya sur le levier du coffre, ouvrit la portière avant de la rabattre dans un réflexe, évitant de justesse un accrochage avec la voiture qui les dépassait. Après s'être précipité à l'arrière en se forçant à ignorer les klaxons furieux et les appels de phares, il leva le coffre et tira sur la fermeture éclair de l'attaché-case de Leskov. Celui-ci était rempli de papiers. Comment allait-il mettre la main sur le texte déterminant, dangereux, dans tout ce fatras ? Avec une hâte fébrile, il fouilla dans les papiers, tous des textes russes, certains tapés à la machine, la plupart manuscrits, que faire, c'était désespérant. Il tira sur la fermeture éclair de la poche extérieure. Elle contenait un seul manuscrit, une pile épaisse de feuilles jaune pâle entourée d'un élastique rouge. Perlmann s'en empara, l'élastique se coinça dans la fermeture et se déchira. C'était le texte, manuscrit, avec son en-tête inscrit en lettres soignées, presque calligraphiées : O ROLI YAZYKA V FORMIROVANII VOSPOMINANIY. Il n'avait donc pas changé le titre. Les doigts tremblants, Perlmann referma les deux fermetures éclair et raccrocha les sangles. Puis il se pencha sur la route et déposa la pile de feuilles sous le pot d'échappement, tandis qu'un conducteur le houspillait, agacé de ne pas pouvoir le doubler à cause de la circulation en sens inverse. Perlmann claqua le capot du coffre et remonta dans la voiture.

– C'était encore un problème de pneus, dit-il sans tourner la tête vers le siège passager.

Il s'agissait à présent d'éviter que Leskov ne regarde dans le rétroviseur latéral.

– Là-bas sur la gauche se trouve un célèbre vignoble, dit-il en démarrant d'un coup, les yeux rivés sur le rétroviseur intérieur.

Le texte dont il n'existait que ce seul exemplaire, la version dont Leskov se sentait si fier et qui était censée l'aider à avancer dans sa carrière, ce travail qui lui avait pris des mois entiers, s'envola, les feuilles jaunes tourbillonnèrent, éclairées par les phares des autres voitures, dansant dans les airs avant de s'échouer dans l'obscurité du talus. La voiture derrière eux essaya d'éviter les pages volantes comme s'il s'agissait d'objets lourds, et la voiture suivante roula probablement à l'endroit même où étaient restées les dernières feuilles car il y eut un nouveau nuage de papiers. Ils dépassèrent ensuite le virage, et les pages disparurent du champ de vision de Perlmann. Leskov avait mis ses épaisses lunettes de travers et regardait encore les hauteurs sur leur gauche.

– On n'y voit plus grand-chose, dit-il.

Maintenant il ne doit plus rester que trois ou quatre virages. D'un seul coup, Perlmann ne sut plus s'il devait appuyer sur l'accélérateur ou bien rétrograder. Il était cinq heures quatre. La veille, devant le tunnel, au moment où il aurait voulu exécuter immédiatement son plan, le temps restant lui avait fait l'effet d'un obstacle, d'un espace matériel qu'il lui fallait traverser à pas lourds, minute après minute. Et à la mairie aussi, il lui avait semblé que pour faire le moindre mouvement, il lui fallait briser la résistance du temps qui ne s'écoulait qu'au ralenti. Pour venir jusqu'ici en revanche, il s'était passé l'inverse, le temps lui avait échappé, les minutes filaient, ça avait été une course contre la montre, contre les chiffres de l'horloge qui changeaient bien trop vite sur le tableau de bord. À présent, au moment précis où il comptait les derniers virages, Perlmann sentait à quel point quelque chose se modifiait, se transformait, se décalait : maintenant encore, il voulait stopper le temps, de toutes ses forces même ; mais c'était bien différent de ce qu'il avait connu jusqu'ici, car il voulait en même temps stopper la route qui filait derrière lui et qu'il ne reverrait jamais plus. Il ne voulait atteindre le tunnel ni dans l'espace ni dans le temps. Sur tout le trajet déjà, le temps avait été précieux parce qu'il savait bien qu'après quatre heures et demie ses chances diminuaient, *c'è meno*. Mais maintenant, ce même temps s'avérait précieux dans un sens tout à fait différent, beaucoup plus vaste. Il envahissait désormais l'esprit de Perlmann sous la forme d'un bref et ultime itinéraire, d'un décompte tangible de minutes impitoyables qui le rapprochait inexorablement de l'obscurité et du silence définitifs.

Juste derrière lui, un énorme camion se mit en pleins phares et Perlmann entendit alors aussi le bruit fracassant, menaçant, du moteur diesel. Il eut peur, mais c'était une peur singulière, encore jamais éprouvée, car elle se mua aussitôt en un désir ardent, presque voluptueux, de se faire tout simplement écraser et éliminer par ce camion et ses phares, son bruit et ses tonnes de chargement. Il accéléra, prit le virage suivant et aperçut le panneau indiquant Piacenza et Chiavari. Dans le rétroviseur, le haut du camion se rapprocha d'un coup, il entendit le conducteur accélérer et passer à la vitesse supérieure, maintenant ils se trouvaient au croisement et pouvaient voir le tunnel, le camion vrombit et s'élança sur la ligne droite à travers la montagne, Perlmann appuya sur la pédale, donna un coup de volant à droite et s'arrêta dans un crissement de pneus sur la petite place de parking couverte de gravier.

— Il y a décidément quelque chose qui cloche chez toi, dit Leskov avant de se pencher vers lui pour poser sa main sur son bras. Tu es malade ?

Perlmann sentit l'odeur de tabac et de sueur qui émanait de lui.

– J'ai seulement eu le tournis pendant un instant, répondit-il, ça va passer.

Il coinça une cigarette entre ses lèvres et attrapa des allumettes dans sa poche parce qu'il ne savait pas comment supporter d'attendre l'allume-cigare.

– Mais dans ce cas, tu ferais mieux d'éviter ça, dit Leskov qui venait d'ouvrir la vitre et d'éteindre sa pipe de son pouce jauni de tabac.

Perlmann interrompit son geste avant d'avoir allumé sa cigarette, ferma les yeux un moment puis descendit de voiture sans un mot. Il marcha jusqu'au bord de la route, alluma sa cigarette et regarda dans le tunnel. La pelle n'était plus là, mais le tas de glaise se trouvait toujours à sa place. De la direction opposée n'arrivaient que de rares voitures. Il regarda sa montre : cinq heures treize. Tout de même il venait bien de croiser un camion. Pourquoi n'en passerait-il aucun autre ?

Maintenant il fallait qu'il se décide. C'était une décision entre d'un côté le meurtre et la mort, d'un autre côté la vie d'un homme qui serait contraint à connaître l'effondrement de sa carrière, la mise en pièces de sa réputation. S'il traversait le tunnel, dépassait la glaise et sortait de l'autre côté dans la nuit, Leskov le découvrirait une heure plus tard. Au dîner, les autres l'apprendraient, Perlmann ne pourrait plus regarder personne dans les yeux, et à partir de là, l'affaire ne cesserait de faire des remous, jusqu'à ce que le dernier collègue finisse par être au courant. *Et Kirsten devra être spectatrice de tout ça. Kirsten, à qui je ne serai jamais capable d'expliquer mes actes.*

Il avait baissé les yeux vers le sol, lorsqu'il aperçut le camion qui arrivait en face dans le tunnel. Immédiatement, il laissa tomber sa cigarette et retourna à la voiture. Leskov en était sorti et lui tournait le dos, planté jambes écartées au bord de la route. *De toute façon ça n'aurait pas suffi.* Il ralluma une cigarette, l'avant-dernière du paquet. Lentement, il balaya du regard l'espace autour de lui. La quincaillerie de la vieille femme édentée était éclairée d'une faible lueur. À l'ouest, un dernier faisceau de lumière dans le ciel rougeâtre. *La dernière lumière.*

Leskov s'était rassis dans la voiture et regardait devant lui. Contrairement à son habitude, Perlmann fuma sa cigarette jusqu'au filtre, la fumée brûla ses poumons et il sentit dans sa bouche un goût de nicotine qu'il n'aimait pas. Il eut l'impression que toutes ses forces allaient quitter son corps. Ankylosé, tête basse, il regagna la voiture, s'assit au volant et attacha sa ceinture.

— Désolé pour tout à l'heure, dit Leskov, je ne voulais pas te dicter ta conduite.

— N'en parlons plus, répondit Perlmann à voix basse avant de démarrer le moteur.

Il fit une large boucle sur le gravier puis lança la voiture sur la route déserte. Pendant un moment il se contenta de la laisser rouler. Puis il donna un coup d'accélérateur et s'engagea dans le tunnel. Il leva les yeux vers l'arrondi clair au-dessus de l'entrée du tunnel et, une fois qu'il l'eut dépassé, il eut la sensation de quitter le monde.

Peu avant la première voie de détresse, il porta sa main à son front, freina et roula sur le sol de glaise. Sans enclencher le frein à main, il s'arrêta entre deux glissières de sécurité, détacha sa ceinture et posa ses deux mains sur son visage.

— J'ai à nouveau la tête qui tourne, dit-il à travers ses mains.

Leskov effleura doucement son bras et ne dit rien. Ce n'est qu'après une longue pause, au cours de laquelle Perlmann fixa des yeux le tunnel à travers ses doigts, qu'il demanda :

— Tu crois que tu vas tenir le coup jusqu'à l'hôtel ?

À ce moment apparut dans le rétroviseur latéral le gyrophare bleu d'une voiture de police. La voiture les avait déjà dépassés lorsqu'elle freina brusquement et entama une marche arrière en zigzag qui fit hurler son moteur. Le passager descendit, mit son képi et se pencha vers la vitre de Perlmann.

– Vous ne pouvez pas stationner ici, dit-il d'un ton bourru, c'est pour les cas d'urgence.

– J'ai soudain eu... je me suis senti mal, il a fallu que je m'arrête, répondit Perlmann la gorge sèche.

Le mot pour dire *tournis* en italien lui avait échappé, et dans cette seule phrase il avait fait deux erreurs.

– Étranger ? demanda le policier qui fit alors quelques pas vers l'avant et regarda la plaque d'immatriculation. Voiture de location ?

– Oui, répondit Perlmann avant d'avaler sa salive.

– Vous avez besoin d'aide ? Voulez-vous que nous appelions une ambulance ?

– Non, non, lâcha Perlmann précipitamment, merci beaucoup, mais ça va déjà mieux.

– Dans ce cas, il faut que vous repartiez, indiqua le policier en le regardant pensivement. Juste après le tunnel il y a un parking.

Puis il tapota son képi et se redressa.

– *Va bene*, dit Perlmann sans rien faire.

Dans l'intervalle où le policier regagna sa voiture, Perlmann ressentit ce contretemps comme un salut. Il était à deux doigts de se rendre, seulement pour ne pas avoir à supporter plus longtemps cette effroyable tension. Ces policiers l'empêcheraient de devenir un meurtrier. Il devait simplement tourner le contact, passer la vitesse et rentrer à l'hôtel avec Leskov. Rien de plus.

Mais l'image de l'hôtel détesté qui apparut devant lui l'en empêcha. Il se voyait à côté de Leskov traînant sa valise tachée, tandis qu'ils monteraient l'escalier et arriveraient au comptoir de l'accueil derrière lequel le texte falsifié dépasserait du casier de Leskov où Millar l'avait fait déposer. À nouveau, Perlmann cacha son visage dans ses mains. Il pouvait désormais seulement espérer que les carabiniers ne fassent pas ce que les policiers faisaient chez lui : attendre pour s'assurer qu'il parte.

– Que voulait-il ? demanda Leskov.

Perlmann resta silencieux.

Le policier ôta son képi et monta dans la voiture. Il n'avait pas regardé derrière lui. La voiture demeura immobile. Le conducteur devait être en train de les observer dans le rétroviseur. Le passager alluma une cigarette, souffla la fumée par la vitre, posa son bras sur le rebord, les deux policiers rirent, puis la voiture démarra de façon cavalière. *Ils témoigneront que je me sentais mal. C'est une bonne chose.* Il était six heures moins vingt.

Tant que les policiers étaient dans leur champ de vision, le regard pouvait s'accrocher à quelque chose. Lorsque les phares arrière disparurent dans la nuit, le tunnel se retrouva vide et silencieux. Perlmann aurait bien aimé allumer sa dernière cigarette, il en avait envie plus que jamais. Mais il ne pouvait pas risquer cela ; il ne voulait pas le faire une cigarette à la main. Du coin de l'œil, il vit les jambes imposantes de Leskov dans son pantalon marron, ses chaussures à semelle épaisse et ses mains croisées sur ses genoux, avec son pouce jaune à l'ongle noirci. Le laps de temps au cours duquel deux personnes pouvaient rester assises l'une à côté de l'autre dans une voiture à l'arrêt sans se regarder était dépassé depuis longtemps. Perlmann essaya nerveusement d'atteindre l'impossible : abolir tout contact entre deux personnes assises à seulement quinze, vingt centimètres d'écart. Il sentit le regard de Leskov posé sur lui et ferma les yeux. La peau de son crâne lui démangeait, son nez se mit à couler. Il était content d'avoir quelque chose à faire et attrapa de sa main glacée un mouchoir.

– Tu penses encore sûrement beaucoup à Agnès, n'est-ce pas ? dit Leskov au milieu de ce silence.

Tandis que le froid et la peur tétanisaient Perlmann, une rage monstrueuse se mit à bouillonner en lui, une rage contre le ton délibérément doux, presque tendre, qu'avait adopté Leskov, un ton comme celui qu'on utilise pour s'adresser aux enfants, ou aux malades. Mais c'était par-dessus tout une rage contre le fait que cet homme gras, répugnant, coupable de tout, ose parler d'Agnès et se permette de remuer le couteau dans cette plaie ouverte, le touchant ainsi au plus profond de lui. Et c'était aussi une rage contre lui-même, car c'était lui, dans l'air glacial de Saint-Pétersbourg, qui avait dévoilé sans aucune raison cette partie de son existence. On aurait dit que cette rage le replaçait au beau milieu de sa vie et qu'il n'était pas dans sa phase ultime, sa rage se frayait un chemin en lui et l'irriguait tout entier, comme si le tunnel empli de ce silence de mort n'existait pas, comme s'il n'attendait pas l'apparition des phares incandescents enchâssés sur une masse haute et vrombissante. C'était une rage si violente qu'elle l'étourdit littéralement. Il enfouit son visage dans le mouchoir et laissa libre cours à sa rage en se mouchant à n'en plus finir, bien que tout son mouchoir fût déjà humide de morve et lui inspirât du dégoût ; chaque fois qu'il expirait son souffle se faisait plus violent, il se mouchait de plus en plus fort, mais il n'y avait rien à faire, son nez continuait à couler, des glaires ne cessaient d'arriver de Dieu sait où, ça coulait, ruisselait, Perlmann soufflait tant et plus et il ne s'arrêta qu'au moment où l'humidité dans son nez froid devint soudain chaude et que le mouchoir se teinta de rouge. Pendant qu'il écartait son mouchoir et regardait le sang avec surprise, des gouttes tombèrent de son nez et, lorsqu'il baissa les yeux, sa chemise blanche et le coussin en cuir gris clair entre ses jambes étaient maculés de taches de sang. Comme hypnotisé, il contempla sans réagir ces taches dont les bords s'étalaient peu à peu, et oublia de remettre le mouchoir sous son nez si bien que le sang continua à couler abondamment.

C'est pourquoi il ne perçut que tardivement ce qui apparut. Une vibration légère, saccadée, qui émanait du sol pour parcourir la voiture et son corps. Toujours prisonnier de la vue du sang, Perlmann jeta un rapide coup d'œil juste au-dessus du volant, c'est alors qu'il aperçut les deux phares d'un orange cru qui clignotaient à brefs intervalles. Ils appartenaient à un énorme bulldozer qui s'était déjà largement engagé dans le tunnel et avançait vers eux sur une chenille grande comme celle d'un char de combat, lentement et par à-coups. Les deux lumières étaient fixées à deux pare-chocs qui dépassaient sur les côtés et délimitaient les contours de la machine qui serrait de très près la glissière de sécurité tout en empiétant un peu au-delà du marquage central. Perlmann mit deux, trois secondes à détourner son attention des taches de sang pour bien prendre la mesure de ce qu'il voyait : la pelle surdimensionnée du bulldozer, une haute paroi légèrement voûtée et dentée sur les côtés. Il réagit alors à la vitesse de l'éclair. Laissant tomber le mouchoir, il appuya sur l'embrayage et tourna la clé de contact. La sonnerie stridente le surprit, il l'avait oubliée et tressaillit comme la première fois. Il retourna la clé de contact, un crissement se fit entendre, à cause de la sonnerie Perlmann n'avait pas perçu que le moteur discret était déjà allumé. Il se cramponna des deux mains au volant et la voiture s'élança sur la route.

La Lancia, *la bagnole italienne la plus sûre*, accéléra avec souplesse, mais Perlmann roulait en surrégime si bien que le moteur hurlait, le sang chaud coulait sur ses lèvres et son menton, la sonnerie était à devenir fou, Perlmann gardait les yeux rivés droit devant lui, bras tendus, plus qu'un kilomètre à peine, maintenant il pouvait distinguer l'intérieur de l'étroite cabine jaune du conducteur, un homme maigrelet en bleu de travail et béret, la paroi voûtée portant des restes de terre claire était en hauteur, *elle est assez haute, il ne lui arrivera rien*, l'heure avait donc sonné, les dernières secondes de sa vie, *et même maintenant, aucun présent*, il dépassait à présent les cent kilomètres/heure, cela suffirait, sa tête se vida complètement, il oublia tous ses plans échafaudés pour faire croire à une perte de contrôle et à un volant défectueux, tout ce qu'il savait à présent, c'était qu'il devait braquer à temps le volant à gauche, mais pas trop tôt à cause de Leskov, maintenant il entendait le moteur pétaradant du bulldozer, la vibration du sol se confondit avec la sensation de vitesse tandis que résonnaient la sonnerie furieuse et la voix terrorisée de Leskov, et soudain tout devint silencieux, il n'y eut plus un bruit, comme dans du coton et de la neige, moins de cent mètres à parcourir, *les lunettes*, il les arracha de son visage, maintenant c'était à lui d'agir, *maintenant*, il s'enfonça dans son siège, ferma les yeux et ses mains trempées de sueur lâchèrent le volant.

À côté de lui, à quelques centimètres seulement de la vitre, des lumières rouges clignotaient, il rouvrit les yeux, ils avaient dépassé le bulldozer mais tout était flou, les lignes étaient brisées comme s'ils étaient sous l'eau, Perlmann frappa le volant d'une main, la voiture partit sur la gauche, il redressa sa trajectoire et le véhicule dérapa, l'aile droite heurta la glissière, sur toute la longueur la voiture frotta contre le métal, un crissement assourdissant retentit, maintenant Perlmann entendait de nouveau la sonnerie, il dirigea la voiture vers la gauche au milieu du tunnel, mais deux phares surgirent de l'obscurité en face, comme un faisceau brouillé de cristaux lumineux qui se confondaient, Perlmann tourna encore une fois le volant à droite, à nouveau il y eut des chocs et des crissements, et toujours cette sonnerie démentielle, mais Perlmann garda le volant braqué à droite, la voiture d'en face les dépassa, encore un frottement, puis ils se retrouvèrent à l'extérieur du tunnel, dans l'obscurité, Perlmann dirigea la voiture vers la droite sans rien y voir, des deux pieds il appuya sur la pédale, la voiture dérapa puis glissa et enfin, au bout d'une éternité, elle s'arrêta devant un tas d'ordures.

Dans un premier temps, Perlmann fut simplement soulagé que la sonnerie se soit tue. Il sentait le sang marteler son corps de la tête aux pieds, ses veines semblaient sur le point d'exploser. Puis, au bout d'une trentaine de secondes, il se mit à trembler. Ce n'était pas un simple frisson mais un tressaillement de tous ses membres, violent, incontrôlable, tel qu'il n'en avait jamais connu. Pour le dissimuler, il posa ses bras sur ses cuisses, les cognant au passage contre le volant. Maintenant il sentait que son pantalon aussi était plein de sang et son nez saignait toujours, encore plus abondamment que tout à l'heure. Il se pencha vers le mouchoir qui était tombé près de la pédale. Le sang dessus s'était mêlé à la saleté. Une goutte de sang tomba sur le revers de son blazer lorsqu'il se redressa, il posa son crâne contre l'appuie-tête et pressa le mouchoir sous son nez de sa main tremblante.

– Prends le mien, dit Leskov qui s'était tourné sur son siège et lui tendait un mouchoir chiffonné devant le visage.

Ce fut la première parole échangée depuis qu'ils s'étaient arrêtés. Perlmann ignorait totalement ce que Leskov pensait en ce moment et à quoi ressemblait son visage. Mais il était étonné de la sobriété sereine qui transparaissait dans sa voix. Il n'aurait pas attendu cela de la part de l'homme qui s'était montré si peureux à l'aéroport. Le mouchoir le répugna, il sentait le tabac sucré.

– Merci, dit-il, puis il sortit de la voiture.

Il pencha la tête en arrière le temps de longer les vieux pneus et les ordures. Lentement et profondément, il respira l'air froid de la nuit. Les saignements ralentissaient et les tremblements disparaissaient peu à peu, un tressaillement parcourait encore parfois subitement son corps. Sur le bord de la route, il resta immobile et porta à ses lèvres sa dernière cigarette ; mais redoutant que les saignements ne reprennent de plus belle, il n'osa pas l'allumer. De la lumière brillait derrière les fenêtres le long de la route en contrebas qu'il avait empruntée hier à toute allure. Il vit des ombres se mouvoir. *Je ne suis pas devenu un meurtrier.*

— Le phare droit est cassé, dit Leskov deux pas derrière lui, et il y a de vilaines éraflures – il posa sa main sur l'épaule de Perlmann. Mais sinon il n'y a pas grand-chose. C'est juste la carrosserie. Ce fut tout de même un sacré choc. Et sans ceinture, par-dessus le marché.

À nouveau Perlmann fut parcouru de tremblements, plus faibles que précédemment mais on ne pouvait pas manquer de les remarquer.

— Tu trembles comme un feuillage, dit Leskov. C'est comme ça qu'on dit, n'est-ce pas ?

La faute de langue et cette question candide firent monter des larmes dans les yeux de Perlmann, sans qu'il sache pourquoi.

— Comme une feuille, dit-il en s'y prenant à deux reprises, essayant d'esquisser un sourire. Ça m'a pris quand j'ai vu le bulldozer, ajouta-t-il après un blanc. Excuse-moi.

— Ça... t'a... pris ? demanda Leskov en scandant chacune des syllabes comme une suite de mots qu'il n'aurait jamais entendus.

Perlmann sentit ses intestins se tordre. Il déglutit et regarda Leskov dans les yeux. Non, ce n'était pas un sarcasme tranchant comme il l'avait d'abord cru. C'était simplement l'expression de sa curiosité. L'effroi fit place à l'irritation.

– Panique, répondit-il crispé, j'ai eu un accès de panique en voyant cet engin. Il fallait que je le dépasse au plus vite.

– Mais pourquoi ?

– Je ne sais pas, dit Perlmann brutalement, ça a toujours été comme ça.

Il alluma la cigarette.

– Et que s'est-il passé avec tes lunettes ?

Non, ce n'était pas de la méfiance, sa question était motivée par un réel intérêt qui faisait fi de la brusquerie de Perlmann.

– J'ai encore eu le tournis, alors j'ai porté involontairement la main à ma tête et je les ai fait tomber sans faire exprès.

Ce n'était plus nouveau. Au cours des derniers jours, il s'était découvert des talents de menteur éhonté. Pas comme un homme qui a parfois recours à des mensonges de circonstance, mais comme quelqu'un qui ment de façon routinière et sans s'émouvoir.

En silence, Perlmann regarda furtivement les dommages sur la voiture comme quelque chose qui ne le concernait pas le moins du monde. Ce qui le dérangeait, c'étaient les taches de sang sur le cuir clair. Il humecta le dernier pan sec de son mouchoir et frotta ; mais cela ne fit qu'aggraver les choses. Leskov s'évertuait à tirer sur la ceinture de sécurité lorsque Perlmann se rassit derrière le volant. Leskov donna un coup rapide, puissant. Perlmann retint son souffle dans le noir jusqu'à ce qu'il prenne conscience : *Peu importe à présent.* Les deux pièces de monnaie résistèrent.

Leskov se tut lorsqu'ils reprirent la route et au moment où Perlmann jeta un œil de son côté, il avait fermé les yeux. Dans l'obscurité, sa silhouette silencieuse lui fit l'effet d'être la méfiance incarnée. *Non, il n'a aucun soupçon. Parce qu'il ne connaît pas mon mobile. Dans une heure, il en sera peut-être déjà autrement.* Il se garerait à la station-service près de l'hôtel et

devrait éventuellement répondre à une question concernant les dégâts de la voiture, puis il monterait l'escalier extérieur aux côtés de Leskov, saluerait signora Morelli qui remettrait le texte à Leskov, celui-ci se reposerait un peu, ensuite il faudrait que Perlmann le présente aux collègues lors du dîner, s'ensuivraient les rituels habituels de salutation, les paroles toutes faites, le sourire de circonstance, les formules lisses, élégantes d'Angelini, et puis de retour dans la chambre, Leskov le découvrirait, il ouvrirait le compartiment extérieur de son attaché-case pour se voir confirmée sa découverte effroyable, l'horreur s'emparerait de lui, et quand le premier choc serait passé, il commencerait à y voir clair, et il saurait tout. Ou alors il était trop fatigué pour lire ce soir et cela arriverait le lendemain matin lorsque lui, Perlmann, se tiendrait en bout de table dans la véranda. À moins que Leskov ne soit si curieux que malgré le long voyage il s'attelle aussitôt à la lecture, peut-être déjà dans l'ascenseur, ils se feraient face sous les lustres dans l'élégante salle à manger, et alors…
À ce moment, l'imagination de Perlmann capitula, les images s'effondrèrent et tout devint gris, gris foncé, mais surtout opaque, impénétrable, et sourd, sourd à lui donner le tournis.

Il savait qu'il n'aurait pas la force de supporter cela. Pian dei Ratti lui traversa l'esprit, Pianezza, Piana, Pian dei Ratti. Ces noms, inscrits noir sur blanc, s'enchevêtraient dans des sentiments d'oppression et de hâte, vibrant en lui dans un écho multiple. Dans l'usine de meulage d'ardoise, il n'y avait plus personne à cette heure et dans le noir les gens ne s'accoudaient plus à leur fenêtre. Cela ne ferait rien non plus s'il y avait des gens dans la maison près du virage. Il hésita. On pouvait se demander s'ils croiseraient encore un camion, il était maintenant six heures vingt. Mais ce n'était pas le problème. Perlmann sentit qu'il n'avait tout simplement plus la force de prendre un second élan. Il lui était désormais impossible de rassembler la volonté nécessaire et quand il essayait avec force de se convaincre, sa résolution paraissait creuse, prête à céder à la moindre résistance qui lui serait opposée.

Ils passaient maintenant à côté de Lumarzo et bientôt ils rencontreraient la bifurcation de la première des deux routes qui conduisaient à la côte et coupaient celle d'hier qui menait à Chiavari. Perlmann freina lorsque le panneau fut en vue.

— Avez-vous déjà débattu de ton sujet ? demanda Leskov juste après que Perlmann eut enclenché le clignotant.

Au début, aucun son ne réussit à sortir de la bouche de Perlmann.

— Non, finit-il par dire d'une voix éraillée.

Il continua de freiner jusqu'à ce que la voiture roule au ralenti.

— Oh, alors j'ai eu de la chance. De quoi s'agit-il ?

En plein dans l'embranchement, là où la route bifurquait, Perlmann appuya sur le frein et le temps d'un souffle la voiture fut à l'arrêt. Il éteignit alors les clignotants, enfonça l'accélérateur et prit la direction de Chiavari. Il ne fournit aucune réponse à la question de Leskov. Celui-ci pouvait toujours croire que Perlmann ne l'avait pas entendue parce qu'il se concentrait sur l'embranchement, ou bien qu'il réfléchissait à la manière la plus simple de décrire son sujet.

— C'est une étude formaliste, quelque chose de technique ? interrogea Leskov.

— Non, dit Perlmann à voix basse.

— Voilà qui me réjouit. En tout cas j'ai hâte de l'entendre. Quand aura lieu la discussion ?

— Demain matin.

— C'est comme si tu n'avais attendu que moi ! dit Leskov en riant.

Je dois le lui dire. Maintenant. Ici. Perlmann ignorait comment Leskov réagirait à cet aveu. Il y avait ce rapport presque paternel qu'il éprouvait parfois vis-à-vis des gens qui avaient pratiquement le même âge que lui. Ce sentiment jouerait-il un rôle ? Naturellement, Leskov serait choqué par la nouvelle. *Mais peut-être pourra-t-il le voir comme un cas de légitime défense si je lui explique comment c'en est arrivé là.* En plus, il n'avait visiblement pas oublié l'accident d'Agnès. Ce qui avait auparavant déclenché une colère aveugle, étourdissante, s'était désormais mué en un espoir, une brindille à laquelle Perlmann se raccrochait : peut-être Leskov pouvait-il considérer son imposture comme le fait d'un homme qui, à la suite d'une perte sans commune mesure, avait entièrement perdu l'équilibre et n'était plus du tout lui-même.

Mais il était autrement plus vraisemblable que Leskov serait si consterné que Perlmann ne pourrait définitivement pas lui demander de taire la chose. Il aurait besoin de temps pour mesurer l'ampleur de l'aveu, il ne comprendrait qu'au fur et à mesure à quel point la confidence de Perlmann était monstrueuse. Lui qui les avait invités avait ensuite profité sans vergogne du fait que les autorités aient refusé de délivrer à Leskov un visa de sortie, il avait tiré parti de son assujettissement politique, aussi bien que de sa relation à sa mère qui représentait aussi un devoir moral. Il avait également abusé de sa confiance qui l'avait incité à lui remettre sans protection le premier jet de son manuscrit, un texte non achevé et donc intime. À présent, les collègues avaient en main cette version provisoire, encore à l'état d'ébauche, un texte peu orthodoxe qui pouvait susciter la réprobation. C'était délicat de présenter un tel texte dans cette assemblée, Leskov se sentirait mis à nu, et ce même s'il acceptait la prière de Perlmann et n'apparaissait pas en tant qu'auteur.

— Une date est-elle déjà arrêtée pour la séance autour de mon texte ? demanda Leskov.

– Jeudi, dit Perlmann. Ce jour lui paraissait infiniment loin, c'était un jour qu'il ne pouvait plus s'imaginer atteindre, un jour qui figurait certes sur le calendrier et existait pour ainsi dire théoriquement, mais un jour irréel sans matin, midi et soir, un jour qu'il ne vivrait plus.

La demande de Perlmann revenait à exiger de Leskov qu'il se place devant l'assemblée et déclare n'avoir rien à présenter – lui, ce Russe naïf qu'on avait invité par pitié pour sa situation politique, comme pour lui apporter une aide humanitaire. Cela signifie, dirait-il, que la deuxième version de son texte rangée dans le coffre ne lui servirait à rien non plus, il ne pourrait évidemment pas la présenter. Il ne pourrait absolument rien présenter de tout le travail réalisé ces derniers temps. Sans quoi on penserait que c'était lui qui avait copié Perlmann et tout simplement collé à son sujet. On ne pourrait qu'être frappé par le fait qu'ils aient tous deux écrit sur des questions très proches et de manière similaire, peu orthodoxe. Le soupçon serait inévitable, et quand se poserait la question de l'authenticité de ces travaux, on ne trancherait pas en sa faveur à lui, le Russe inconnu de tous. Il ne viendrait à l'idée de personne que c'était l'inverse, d'autant que Perlmann avait un vrai texte à présenter alors que Leskov ne pouvait exposer ses travaux qu'oralement.

– Tu sais, j'ai élaboré cette idée d'après laquelle on peut s'approprier son passé en le racontant, dit Leskov en pleine réflexion. C'est précisément cette idée-là qui est devenue beaucoup plus claire dans la nouvelle version. J'ai mis beaucoup de temps avant d'y arriver. Car je veux en même temps démontrer que le souvenir est en quelque sorte une invention – il rit. Pour toi qui entends ça de but en blanc, ça doit te paraître assez fou. Mais je le développe pas à pas dans le texte. Et imagine, de façon purement hypothétique, que je sois dans le vrai : ce qui me pend alors au nez, c'est bien sûr la question de savoir ce que l'appropriation peut signifier dans les inventions. Ce point reste très obscur dans la première version, celle que tu as. Mais à présent j'ai la solution, me semble-t-il. C'est une histoire assez compliquée et je suis content d'être finalement arrivé à la coucher sur papier avant mon départ.

Osvaivat'. S'approprier. C'est donc correct. Cette pensée traversa l'esprit de Perlmann sans qu'il intervienne. Elle paraissait étrangère et détachée de tout. Non, en réalité, elle ne paraissait rien du tout. Elle n'était absolument pas présente en tant que pensée propre. C'était plutôt comme si Perlmann méditait la pensée d'un autre. Comme s'il pensait juste que quelqu'un était maintenant en train de méditer cette idée.

Leskov sortit le mouchoir qu'il avait tendu à Perlmann et se moucha avec difficulté.

– D'ailleurs j'ai failli oublier le texte. Il était encore un peu trop tôt pour aller à l'aéroport, j'ai jeté un œil dessus et noté quelques petites choses. Là-dessus je reçois cet appel qui me met dans tous mes états, à propos du poste que j'espère obtenir. La conversation s'éternise, tout à coup, il est vraiment temps de partir, je prends mes deux valises et me dirige vers la porte, encore tout énervé, et ce n'est qu'au moment où je vois la poche ouverte de mon attaché-case que je pense à prendre le texte. Je me serais trouvé bien stupide sinon…

Je devrais aussi lui dire pour le texte sur la route. Car lorsqu'il découvrirait qu'il l'avait perdu, Leskov y verrait aussitôt clair : l'arrêt étrange au milieu de la route, alors qu'ensuite il n'avait plus jamais été question des pneus. Sa colère serait forcément sans borne, d'abord à cause de la destruction du texte, ensuite parce que Perlmann, ce lâche, n'avait pas même eu le courage de lui avouer toute la vérité. Et cette colère pourrait l'inciter à parler.

500

Ils arrivaient à présent à l'embranchement menant à Uscio puis à Recco le long de la mer. Perlmann s'arrêta.

– Il faut que je descende un instant, dit-il.

S'il prenait cet embranchement, il n'y aurait pas de seconde fois ; ce n'était pas une route pour les poids lourds. Il monterait ensuite l'escalier extérieur avec Leskov, et la catastrophe se déclencherait. Il n'y aurait alors plus rien pour l'en empêcher. S'il allait tout droit, ils seraient à Pian dei Ratti dans une dizaine de minutes. Perlmann resta planté là, inerte, la main contre sa braguette pour faire semblant d'uriner. Il ne pouvait pas se livrer à cet aveu, à ces longues explications en regardant simplement son volant. À un moment ou à un autre, il devrait regarder Leskov dans ses yeux gris clair et lui dire qu'il avait détruit son texte. Le texte sur lequel il avait tout misé. Le texte qui l'aurait aidé à obtenir le poste. Il devrait lui dire qu'il l'avait tout simplement posé par terre sous le pot d'échappement, comme un petit tas d'ordures, un monceau de saletés.

C'était impossible.

Pian dei Ratti. L'usine, les pins, l'affiche pour Renault. Attendre le pare-chocs aux grands phares. Rester assis en silence à côté de Leskov. Redémarrer, entendre encore cette alarme, avec ses lunettes sur le nez.

C'était impossible.

Perlmann remonta dans la voiture et prit la direction d'Uscio et de Recco. Il conduisait vite sur la route déserte, juste assez pour que Leskov ne proteste pas. Il ne voulait plus penser à rien. Il voulait que plus jamais une seule pensée ne traverse son esprit. La Lancia prenait les virages sans effort. Une fois seulement, dans un virage à droite très serré, un bruit laissa penser que le pneu avait touché l'aile cabossée.

– Je croyais que nous arriverions plus vite à l'hôtel, dit Leskov. À quelle heure est le dîner ?

À Recco, lorsqu'ils tournèrent dans la ruelle menant à la route côtière, il était presque sept heures. Perlmann s'arrêta à une station-service.

— Juste un instant, dit-il, avant de disparaître aux toilettes où l'odeur d'urine lui coupa le souffle. Il s'appuya contre le lavabo et vomit. Mais il ne sortait presque que de la bave et de la bile, à la fin ce ne fut plus qu'un étranglement sec. Le visage dans le miroir était blanc comme la mort, sous son nez et sur son menton était collé du sang séché presque noir, les cheveux sur son front étaient humides de sueur. Il se passa de l'eau sur la figure puis l'essuya avec la manche de sa veste.

Face à ce Russe adipeux qui lui répugnait et l'excédait avec son ton paternaliste, il devait se comporter comme face à un confesseur, en espérant son absolution. Et il serait à sa merci à tout jamais. C'était inenvisageable.

Mais si l'on faisait le calcul : il n'était désormais plus possible que l'imposture reste secrète ; il n'y avait plus rien, absolument plus rien que Perlmann puisse faire pour empêcher d'être démasqué. Restait donc la question de savoir combien de personnes l'apprendraient — la découverte s'arrêterait-elle à Leskov ou bien remonterait-elle jusqu'à tous les autres ? En toute objectivité, il fallait au moins tenter le coup. Il n'avait plus rien à perdre.

Un homme obèse entra. Perlmann eut un sursaut, croyant un instant qu'il s'agissait de Leskov. Pour le moment, il ne pouvait pas lui faire face, il n'y était pas encore prêt. Il ne voulait pas passer aux aveux dans des toilettes puantes. Il s'enferma dans une cabine. Il aurait bien voulu s'asseoir et poser sa tête dans ses mains, mais c'étaient des toilettes à la turque, il ne pouvait donc s'appuyer qu'à la porte, front et nez collés contre le plastique poisseux.

Ce n'était pas vrai qu'il n'avait rien à perdre. Mais il fallut un moment avant que Perlmann ne trouve la concentration nécessaire. Voilà, ce qui n'était pas vrai, c'était ça : s'il n'avouait pas immédiatement son plan meurtrier, ce qui était totalement impensable, il ne lui restait alors aucune explication plausible justifiant la raison pour laquelle il s'était débarrassé de la deuxième version. Elle n'avait en effet pas la moindre importance si Leskov reconnaissait le texte anglais comme le sien. Qu'est-ce que Perlmann avait donc cherché à faire en détruisant le texte ? *Tu aurais dû te débarrasser de moi aussi*, pourrait arguer Leskov. Entre cette phrase qu'il dirait et la vérité qu'il soupçonnerait, il n'y aurait qu'un espace minime prêt à être franchi à tout moment dès lors que Leskov repenserait au tunnel.

Et soudain Perlmann eut une vision : Leskov, qui détenait désormais toute l'autorité morale, le sommerait de faire demi-tour, de revenir sur ses pas et de rassembler les papiers dispersés entre-temps maintes fois écrasés. Il se vit dans le noir, rampant sur le talus, faisant des allées et venues sur la chaussée, pressé par les klaxons des voitures aux phares aveuglants.

Pour supporter l'odeur d'urine pestilentielle, Perlmann prenait de profondes inspirations qu'il expirait ensuite tout doucement. C'était impossible d'avouer. Impossible.

— La Riviera de nuit, je me la suis toujours imaginée ainsi, déclara Leskov lorsqu'ils aperçurent Recco puis Rapallo en contrebas. Exactement ainsi. C'est fantastique !

Perlmann ne regarda pas en contrebas. Il fixait la route éclairée d'un seul côté par des lampadaires. Il conduisait et se concentrait à chaque mètre sur sa conduite. Bien que la bile lui brûlât encore le palais, il aurait tout donné pour une cigarette. Mais les mille six cents lires, *son argent*, ne suffisaient pas à acheter un paquet. Tout au fond de sa conscience, dans une indifférence mate, il nota qu'il avait vu juste : la route côtière n'aurait pas été envisageable pour son premier plan, celui où il prévoyait de précipiter la voiture dans la mer.

– Qui est le dernier à passer cette semaine ? demanda Leskov lorsque les lumières de Santa Margherita furent en vue.

Encore une fois, une dernière fois sur ce trajet, Perlmann eut un sursaut. Au cours de ces quatre dernières heures de torture, d'asphyxie, il était parvenu à ne pas s'adresser directement à Leskov, à éviter le tutoiement. Cela lui avait parfois coûté des efforts, réclamant de sa part des pirouettes de langage. Mais il n'avait pas pu se résoudre à faire autrement. Il devait bien y avoir une phrase qui convienne ici aussi. Mais son cerveau ne voulait plus jouer le jeu, alors il le dit :

– Toi.

Ils tournèrent à l'angle. Le pin tordu. Les lampadaires. L'enseigne lumineuse. Les fenêtres peintes. Les drapeaux. Chez Millar, Ruge et Evelyn Mistral, il y avait de la lumière. Perlmann conduisit la voiture jusqu'au parking de la station-service. Elle était fermée. Donc aucune question au sujet des dégâts sur la carrosserie. En sortant du coffre l'attaché-case de Leskov, il aperçut un petit bout d'élastique rouge resté coincé dans la fermeture éclair de la poche extérieure.

– Par là, dit-il, et, comme s'il était le domestique de Leskov, il prit un bagage dans chaque main.

38 Ce qui se produisit alors, Perlmann l'avait si souvent anticipé dans des scénarios d'horreur que son imagination avait pour ainsi dire déjà galvaudé la réalité. Maintenant que le moment était véritablement arrivé, il se réduisait à une sorte de scène qu'on aurait répétée jusqu'à saturation – plate, morne, dépourvue de réalisme ; le seul élément réel, c'était la poignée de bois carrée sur la valise de Leskov que portait Perlmann et qui lui sciait la main. Mais cette irréalité ne lui apporta aucun soulagement. Le sentiment d'usure et de mort qui planait quand il monta l'escalier était au contraire, comme le savait Perlmann, l'expression de son effroi le plus total. Sa démarche était plus traînante que les bagages ne le demandaient, et son corps ressemblait à une marionnette dont on devait guider chacun des mouvements. Il fallait déployer une volonté colossale pour pousser ce corps pas à pas jusqu'à la porte.

Lorsqu'il atteignit les colonnes de l'entrée, il remarqua que Leskov ne le suivait plus. Il se tenait sur le grand perron et regardait la façade illuminée de l'hôtel.

– Fantastique ! cria-t-il à Perlmann d'une voix essoufflée tandis que son bras dessinait un mouvement embrassant tout l'hôtel.

Il se retourna, s'appuya contre la balustrade et contempla le golfe plongé dans la nuit.

Perlmann posa les bagages par terre. Il lui était insupportable d'attendre Leskov. Certes, le moment où il serait démasqué s'en trouvait ainsi légèrement retardé. Mais cette attente-là était la pire de toutes, pire encore que celle à l'aéroport. Là-bas, il avait attendu avec la perspective de mener ensuite la danse lui-même – une danse sanglante, meurtrière certes, mais au moins il pouvait faire quelque chose, c'était lui qui déterminait quand et comment se déroulerait la suite. Maintenant en revanche, il ne pouvait plus rien faire, il n'était plus un participant actif de ce qui allait suivre, mais une simple victime, une balle de jeu. Il était contraint d'attendre impuissant que Leskov daigne s'extraire de sa contemplation pour entrer prendre le texte qui signifiait la fin de Perlmann. Et il devait rester cloué dans cette attente, qu'elle dure des heures, des jours ou des années. Il ne devait cette humiliation qu'à lui-même. Mais cette pensée n'était pas supportable, il ne pouvait pas rester seul avec elle plus d'un court instant, il imploserait si, dans la logique implacable des choses, il devait se claquemurer complètement avec elle. Il avait besoin de se délester, il lui fallait quelqu'un pour porter au moins une partie de sa culpabilité, et c'est pourquoi le sentiment d'humiliation se transforma en une haine féroce contre Leskov qui le rejoignait enfin, une expression rêveuse et enthousiaste sur son visage bouffi.

Il toucha le bras de Perlmann.

– Je n'oublierai jamais, dit-il, que tu m'as invité ici, dans cet endroit idyllique.

Le hall était désert lorsqu'ils foulèrent le sol de marbre pour atteindre le comptoir de l'accueil. De loin, Perlmann vit déjà le texte, il n'y avait qu'un seul casier où la pile de feuilles dépassait. Et à présent, la peur reprenait sa forme habituelle, il sentit son cœur battre jusque dans sa gorge. Il n'y avait personne derrière le comptoir. *J'y vais, tout simplement, et j'embarque le texte.* Cette pensée le submergea, il n'en admit aucune autre, pas plus qu'il ne réfléchit à peser le pour et le contre. D'un pas rapide, il contourna le comptoir et sortit le texte du casier. Il voulait le rouler pour empêcher Leskov de le regarder quand signora Morelli dit derrière lui :

– Excusez-moi de vous avoir fait attendre, signor Perlmann.

Perlmann se figea. Il dut d'abord amortir l'impulsion qui l'avait conduit à s'emparer du texte avant de pouvoir réagir.

– Oh, j'ai dû vous faire peur, dit signora Morelli. Je ne voulais pas.

Perlmann se trouvant alors face à elle, elle vit le sang sur ses vêtements.

– *Dio mio !* s'exclama-t-elle en plaquant sa main sur sa bouche. Que s'est-il passé ?

Perlmann baissa les yeux vers son propre corps comme s'il devait se souvenir de quelque chose qu'il avait depuis longtemps oublié.

– Ah, ça…, dit-il sur un ton insinuant que signora Morelli avait grotesquement perdu tout sens de la mesure, juste quelques saignements de nez.

D'un geste résolu, il roula le texte, y mettant une telle force qu'on eût dit qu'il voulait le faire rentrer dans un tube.

– Je… je voulais donner dès maintenant le texte à signor Leskov.

Debout à côté d'elle, il fit un geste de présentation balayant le haut du comptoir.

– Voici le professeur Vassili Leskov dont je vous ai parlé, dit-il en anglais.

– *Benvenuto !* dit-elle en souriant avant de serrer la main, décontenancée, que Leskov lui tendait.

Pendant que Perlmann, le texte à la main, revenait vers Leskov, il eut le sentiment que la présence d'esprit qui l'avait fait réagir venait de consumer ses toutes dernières réserves de force. À l'avenir, il ne serait plus jamais capable de réagir avec présence d'esprit, plus jamais. *Pourquoi est-ce que je m'efforce encore de dissimuler ? S'il commence à lire le texte là-haut, tout sera déjà terminé dans quelques minutes. Et pour couronner le tout, c'est moi qui vais lui remettre le texte en mains propres.*

Signora Morelli avait tendu le formulaire d'enregistrement à Leskov qui était à présent occupé à le remplir. Il fut décontenancé lorsqu'elle lui dit qu'elle garderait dans un premier temps son passeport, et demanda timidement quand il le récupérerait, son autorisation de séjour étant à l'intérieur. Signora Morelli le rassura, il pourrait le reprendre après le dîner, ce n'était qu'une simple formalité. Au moment où elle prit la clé de sa chambre sur le tableau, elle s'arrêta subitement dans son mouvement pour attraper tout au fond du casier une enveloppe qu'elle remit à Leskov.

En bas dans l'angle était discrètement imprimé en lettres vert olive le nom de la société Olivetti.

– Signor Angelini m'a priée de vous donner ceci. Vous le verrez tout à l'heure au repas.

Elle eut un tressaillement au coin de la bouche en voyant Leskov palper l'enveloppe, avant de la glisser dans sa poche de veste avec une gêne maladroite. Puis elle sonna un groom en agitant la clochette pour qu'il s'occupe des bagages.

Le moment était venu. Perlmann tendit le texte à Leskov. Ce mouvement scellait sa fin, il était enveloppé du silence étourdissant des cauchemars. Perlmann ne souffla mot et leurs regards ne se croisèrent que furtivement.

Leskov prit le texte d'un geste un peu distrait, car au même moment le groom chargeait sa valise sur le chariot, ce qui manifestement le mettait mal à l'aise. Il se pencha vers son attaché-case et tira sur la fermeture éclair de la poche extérieure. Le petit bout d'élastique rouge pendait. *Il va le remarquer maintenant. Maintenant.*

– *Good evening*, lança Brian Millar qui arrivait vers eux en compagnie d'Adrian von Levetzov.

Leskov leva les yeux et se redressa, le texte encore à la main.

– J'imagine que vous êtes Vassili Leskov, dit Millar de sa voix sonore. Heureux de faire votre connaissance. Il regarda la main de Leskov.

– À ce que je vois, on vous a déjà remis le texte.

– Bon sang, mais que vous est-il arrivé ? s'exclama von Levetzov au milieu de ces salutations en désignant les vêtements de Perlmann.

– Philipp a eu des saignements de nez en route, répondit Leskov lorsqu'il vit Perlmann planté là comme un somnambule.

C'était la première fois que Perlmann l'entendait parler anglais. Sa phrase maladroite et sa prononciation forcée, nasillarde, résonnèrent en lui comme une insulte. C'était comme si le châtiment de l'humiliation avait déjà commencé.

Montrant le groom qui attendait, von Levetzov déclara qu'ils ne voulaient pas les déranger plus long-temps. Ils se verraient de toute façon à huit heures et demie au dîner.

Entre-temps l'attaché-case dont la poche extérieure était ouverte avait été placé lui aussi sur le chariot.

— Dans ce cas, à tout à l'heure, dit Leskov en agi-tant vaguement le texte, puis il suivit le groom dans l'ascenseur.

Perlmann le regarda partir. Il n'avait jamais encore perdu connaissance. Maintenant, il aurait voulu que cela lui arrive. Pour ne plus avoir à supporter davan-tage cette sensation, la sensation d'un effondrement intérieur et d'une chute inexorable.

— Vous êtes blanc comme un linge, lui dit signora Morelli. Vous ne vous sentez pas bien ? Vous voulez vous allonger ?

— Ce n'est rien, dit Perlmann en la regardant si lon-guement qu'elle en fut gênée et passa sa main sur sa coiffure.

Il faut que je le dise à quelqu'un, avant même que les autres ne l'apprennent, pourquoi pas à elle, mais non, c'est impossible, que comprendrait-elle à cet aveu, de toute façon ça ne changerait rien.

Elle lui tendit sa clé, son visage prit une expression maternelle qu'il ne lui avait encore jamais vue.

— Ça a dû être un trajet fatigant de Gênes jusqu'ici…, dit-elle, le lundi il y a toujours beaucoup de circulation, en particulier des poids lourds.

— Oui, acquiesça Perlmann d'une voix à peine audible avant de prendre la clé et de se diriger vers l'as-censeur.

Il s'assit sur le lit et se laissa tomber en arrière. Juste avant, en fermant la porte derrière lui et en voyant la vaste chambre devant lui, il avait respiré : après quatre heures entières passées pratiquement corps à corps avec Leskov, il se retrouvait enfin seul. Il était resté un moment adossé contre la porte et s'était abandonné à ce sentiment de soulagement, tout en sachant que c'était un sentiment dérobé, un mensonge que la peur allait balayer à tout instant. Ce ne fut pas tout à fait ce qui se produisit. La conscience désespérée de sa situation était montée en lui de façon continue et irrémédiable, avait décoloré et dissous toutes les autres émotions. Perlmann était allé jusqu'à l'armoire pour ouvrir précipitamment le paquet des cigarettes tant attendues et s'en allumer une. Mais après deux bouffées, il l'avait écrasée.

À présent, une seule émotion avait encore la place de siéger en lui : le sentiment de ne pas savoir quoi faire de lui-même. En pensée il pouvait se déplacer à n'importe quel endroit, dans n'importe quel recoin de l'univers – et chaque fois il éprouvait strictement la même chose : *Je n'ai pas le droit d'être ici.* À chaque souffle d'air qu'il inspirait, c'était, lui semblait-il, comme s'il devait lutter contre cette sensation impitoyable, destructrice. Il y avait ce point de départ qui déterminait tout ce qu'il vivait et vers lequel tout retournait, ce point central intérieur qu'il portait perpétuellement avec lui. Sans cesse Perlmann tentait de se retirer totalement dans ce point central et de s'ancrer en son sein pour instaurer un tout petit peu de distance entre lui et les sentiments impérieux, omniprésents, de culpabilité et de honte – une distance qui lui aurait permis de dire : *Je ne me résume pourtant pas qu'à cela ; vous ne pouvez pas me juger seulement à la lumière de cette faute isolée.* Mais ses tentatives échouaient les unes après les autres, la culpabilité et la honte le talonnaient où qu'il s'égare, le suivant comme une ombre jusqu'au plus profond de lui. Il essayait d'esquiver et de refaire un pas en arrière vers l'intérieur, mais c'était sans issue.

Il se dit en pressant ses poings contre ses tempes qu'il avait pourtant bien un passé, et que dans ce passé, il y avait des choses qu'il avait faites correctement. Mais cela ne servait à rien, les sentiments qui l'étranglaient comme dans un étau n'admettaient aucun appel, aucun plaidoyer.

Épuisé par toutes ses vaines tentatives de s'imposer, il lui semblait pratiquement impossible de surmonter ne serait-ce que la seconde suivante, d'autant qu'elle se faisait indéfiniment attendre. Et cela n'avait rien à voir avec le phénomène du temps qui semble s'étirer quand on est dans la peur et l'incertitude avant de prendre une décision. Dans ces cas-là, le temps s'étirait vers un but précis, on savait que la tension se relâcherait tôt ou tard, même si l'issue était négative, et on savait qu'on retrouverait alors le cours normal du temps, dans son rythme habituel. Maintenant en revanche, il n'y avait aucun but ni aucune incertitude, ainsi n'y avait-il également aucun espoir pour Perlmann de pouvoir bientôt s'en remettre à l'évidence et à la discrétion du temps qui passe. La veille au matin, sa préméditation meurtrière avait engendré une notion du temps intime, détachée de tout présent, qui s'était volatilisée quelque part derrière le tunnel, et désormais il aspirait à retrouver sa place dans le temps habituel, universel. Mais cela aussi était devenu impossible. Car ce temps-là menait vers un avenir ouvert ; alors que pour lui, l'avenir n'avait plus la moindre ouverture. La révélation de son imposture enfermait son temps à clé en quelque sorte, elle l'emmurait, l'achevait comme un cocon dans lequel sa vie pouvait se développer. Dorénavant, le temps se résumait à ceci : un enchaînement de moments indolents, étirés, qui ne recelaient plus aucune possibilité. Il fallait attendre que passe chacun de ces moments, l'un après l'autre, indéfiniment et sans le moindre espoir. C'était l'enfer.

Il aurait voulu sombrer dans un état de profonde inconscience, dans lequel la vie ne graviterait autour d'aucun point central et où plus personne ne serait illégitime. Mais déjà dans la minute qui suivait, Leskov pouvait lui téléphoner ou frapper à sa porte. Il avait été distrait en prenant le texte ; mais depuis il était monté dans sa chambre et n'avait plus de souci à se faire pour ses bagages. Il prenait peut-être d'abord une douche, se changeait et contemplait encore une fois le golfe. Peut-être aussi était-il excité à l'idée de dîner avec tous les collègues, et il avait pour l'instant mis le texte de côté. Mais il était tout aussi possible qu'il ait déroulé la liasse de papiers dans l'ascenseur et déjà jeté un œil sur le texte. L'intitulé modifié avait d'abord été une protection, et il n'avait de toute manière pas reconnu son texte immédiatement, du fait qu'il était en anglais, cela créait une distance. Plus tard son incrédulité avait érigé dans sa tête une barrière qui était progressivement tombée à mesure qu'il continuait de lire, jusqu'à ce que la première vague impression de déjà-vu se transforme en certitude. *Ce pourrait être maintenant. En ce moment même.*

En chemin, Perlmann s'était imaginé que Leskov reconnaîtrait déjà toute la vérité à cet instant. Mais cette supposition n'était pas une évidence, pensa-t-il maintenant. Comme le nom de Perlmann ne figurait pas dessus, Leskov ne penserait pas une seconde à un plagiat. Il supposerait plutôt que Perlmann avait réussi à lui réserver une surprise parfaite en commençant par lui raconter sur le trajet que le texte russe était encore bien trop difficile pour lui, puis il lui avait remis sans le moindre commentaire la traduction qu'il en avait réalisée. Il devait se sentir flatté, à vrai dire même ému à l'idée qu'un homme tel que Philipp Perlmann ait passé tant de temps à traduire un texte aussi dense. Perlmann devait considérer son travail comme important, excellent, ça ne s'expliquait pas autrement. Excité et débordant de reconnaissance, Leskov attraperait le téléphone ou viendrait le voir, Perlmann pouvait presque déjà entendre sa main frapper à la porte. À moins qu'il ne regrette que Perlmann n'ait pas traduit la deuxième version, bien meilleure. Il mettrait la main dans la poche extérieure de son attaché-case et resterait pétrifié. Incapable de comprendre, il fouillerait toute sa valise de fond en comble. Mais il ne soupçonnerait rien, au contraire, il serait une fois de plus infiniment reconnaissant envers Perlmann car au moins, il pourrait présenter la première version. Et à nouveau, Perlmann eut l'impression d'entendre les pas de Leskov dans le couloir.

Il ne pouvait pas rester ici. Il fallait qu'il fasse le sourd et ignore, tremblant, chaque sonnerie de téléphone, chaque coup à la porte. Et Leskov essaierait longuement de le contacter, sans relâche, car signora Morelli lui apprendrait que Perlmann n'avait pas quitté sa chambre. Il se leva et sans vraiment s'en rendre compte, il se réjouit d'avoir temporairement un but à poursuivre, même confus.

Il enleva ses chaussures et c'est seulement à ce moment-là, alors que la pression se relâchait, qu'il prit conscience que ses orteils lui faisaient mal depuis des heures et qu'ils étaient devenus comme des boulets insensibles sous l'effet de la douleur diffuse. Mais le temps manquait pour les masser. En hâte, il enfila son autre pantalon et comme il s'apprêtait à mettre une chemise propre, il s'aperçut que c'était le pantalon déchiré à la jambe. Maintenant il ne lui restait plus que le pantalon clair, bien trop léger pour un soir de novembre, même dans le Midi. Pas le temps de prendre une ceinture, Leskov était en chemin, un pull-over et une veste – par chance aujourd'hui il n'avait pas verrouillé le cadenas de la valise –, l'argent, les chèques de voyage et les cartes de crédit, les cigarettes, encore un peu d'eau froide sur le visage ; la boîte de somnifères il la glissa dans sa poche de pantalon sans y penser, comme un réflexe. Ce ne fut qu'arrivé à la porte qu'il regarda l'heure : huit heures trente-deux. Il referma la porte. Il fallait qu'il attende au moins cinq minutes, sans quoi il pourrait tomber nez à nez avec les autres.

Ainsi donc, Leskov n'avait encore rien lu. Ou bien il avait l'intention de le remercier de sa traduction à table, haut et fort, de manière que les autres ne puissent pas passer à côté. Lorsque Perlmann alla à la fenêtre, il vit sur le bureau le bout de papier avec l'adresse de Kirsten. Il avait glissé, et le briquet rouge ne se trouvait pas non plus à la même place que ce matin sur la table ronde. La femme de chambre.

Au plus tard à cet instant précis, les autres étaient en train de prendre place à table. Leskov était nerveux et, malgré sa gratitude, un peu agacé que son hôte n'arrive toujours pas pour le présenter. Millar était indigné par cette énième faute de savoir-vivre en société de Perlmann, au moins aujourd'hui il aurait pu être ponctuel. Il n'hésitait pas à jouer le rôle de l'*host* remplaçant – Perlmann l'entendit prononcer ce mot, péremptoire et accusateur. Mais peut-être Angelini l'avait-il devancé et endossé le rôle du chef avec une amabilité adroite.

Perlmann poussa légèrement le briquet de Kirsten et remit à sa place le bout de papier portant son adresse. Il venait juste d'ouvrir la porte lorsqu'il se souvint : *le texte*. Il devait se débarrasser du texte qu'il avait mis ce matin sous l'annuaire. Cette pensée n'était pas le fruit d'une réflexion ni la conclusion d'un raisonnement, elle avait surgi d'un seul coup, tout simplement, en même temps que le besoin irrépressible de se débarrasser de cette pile de feuilles. Il la sortit du tiroir. Sa respiration s'accéléra, qu'en faire, il ne pouvait pas traverser l'hôtel avec sans la camoufler. Son attaché-case était encore dans la voiture. Il finit par la coincer à l'intérieur de la grande brochure de l'hôtel qui contenait le menu du restaurant ainsi que des prospectus et du papier à lettres. La main sur la poignée, il se retourna une dernière fois. Quoi qu'il arrive désormais, il ne reviendrait jamais dans cette chambre. Il n'avait aucune idée de qu'il adviendrait de ses affaires, vêtements, livres, papiers – où ils seraient transportés et par qui. Il ne savait qu'une chose : ici, dans cet hôtel, il ne regarderait plus jamais personne dans les yeux.

Quand la porte se referma, le téléphone sonna à l'intérieur. *Ils se sont lancés à ma recherche.* Il franchit la sortie arrière sans être vu.

39 Derrière l'éperon rocheux où l'on ne voyait plus le reflet des lumières de la ville, il ne tarda pas à faire très sombre et la surface tranquille de l'eau noire fit à Perlmann l'effet d'une menace muette. En face, vers Sestri Levante, défilait un flot incessant de lumières, et au large on pouvait distinguer un bateau sur la proue duquel une lumière clignotait régulièrement. Pendant les longues pauses entre le passage de deux voitures, Perlmann entendait le clapotis léger des petites vagues. Son état d'épuisement le rendait insensible, il n'arrivait à penser à rien. Il sursauta lorsqu'un jeune couple enlacé le dépassa. Au moment où il faillit faire glisser la brochure de l'hôtel par-dessus la rambarde, il se rendit enfin compte à quel point c'était absurde, insensé, de sortir en douce de l'hôtel avec son exemplaire du texte de Leskov alors que tous les autres en avaient déjà un entre les mains. *Voici que je perds le sens des priorités, même pour les choses les plus simples*, souffla-t-il dans la nuit, et il fut envahi par le sentiment sinistre que ses pensées n'avaient ni queue ni tête, que sa capacité à réfléchir se délitait sans bruit.

Il commençait à être transi de froid. Marcher en direction de Portofino était hors de question, là-bas il y avait le chat au museum bicolore et l'aubergiste en bretelles qui cognait contre la porte. En plus, il faisait sombre dans cette direction, sombre et froid. Perlmann revint à pas hésitants vers l'éperon rocheux, la brochure sous le bras, les mains dans les poches. Il regarda les hôtels en face, puis au-delà la ville et ses lumières, comme quelqu'un qui se tient sur le seuil d'un monde interdit.

Le *Miramare* avait l'air sorti tout droit d'un prospectus publicitaire : il était élégant, l'éclairage de l'entrée surmontée de colonnes et la lumière des projecteurs fixés dans les pins le rendaient mystérieux, attrayant, séduisant, et il y avait aussi ces lettres blanches lumineuses sur fond bleu roi – des images de films, des images oniriques. Vues d'ici les fenêtres de la salle de restaurant étaient cachées par les colonnes, mais derrière la plus reculée il crut distinguer un lustre.

Il ne pouvait ni avancer vers ce monde scintillant, ni reculer vers l'obscurité. C'était comme s'il ne pouvait plus faire un seul pas dans sa vie, comme s'il était condamné à rester pour toujours à cet endroit précis.

Devant l'hôtel *Regina Elena*, un taxi s'arrêta, le chauffeur aida une vieille dame à descendre. Perlmann se mit à courir comme s'il s'agissait d'alpaguer le dernier taxi sur terre. La brochure l'encombrait, sa couverture se tordait à cause de l'épaisseur du texte, Perlmann leva le bras, héla le taxi, et lorsqu'il arriva à sa hauteur, le chauffeur avait déjà allumé le moteur. Il monta à l'arrière et indiqua l'hôtel *Imperiale*. Quand ils passèrent à côté du *Miramare*, il cacha sa tête derrière la brochure de l'hôtel ; ce faisant il se fit l'effet d'être un personnage de mauvais polar kitsch plein de clichés. Dans la montée conduisant à *L'Imperiale*, il se rendit compte qu'il ne pouvait pas entrer dans cet hôtel avec une brochure sur laquelle était inscrit *Miramare* en majuscules dorées. Il sortit le texte et glissa discrètement la brochure sous le siège passager.

Le coin salon près de la fenêtre où il s'était installé avec Kirsten était occupé par un groupe de personnes élégamment habillées qui fêtaient quelque chose, buvaient du champagne et éclatèrent de rire exactement au moment où Perlmann entra. Il s'assit dans un coin sombre où visiblement la lampe était cassée, et commanda un whisky plus une eau minérale.

Kirsten avait été particulièrement impressionnée qu'il y ait un serveur pour parcourir tout ce long chemin entre le bar et les clients. *On a le sentiment d'être une personnalité importante, et riche*, avait-elle dit. Perlmann avait alors remarqué comme elle était tiraillée entre le plaisir des mondanités et les conceptions opposées, typiques de sa génération, qu'elle exprimait depuis quelque temps.

Il posa le texte de Leskov à l'envers sur la table basse en marbre et alluma une cigarette. Après les deux paquets qu'il avait fumés aujourd'hui, ses poumons étaient comme encrassés et obstrués ; auparavant déjà, dans le taxi, sa quinte de toux sèche lui avait fait très mal et ne voulait pas s'arrêter. Mais cela n'avait plus aucune importance. Il n'avait pas faim, son estomac était même barbouillé, et une sensation singulière de faiblesse dans tout le corps, inconnue jusqu'alors, lui donna le sentiment absurde de chavirer à l'intérieur de son fauteuil profond et pelucheux aux accoudoirs surélevés. Lorsque le serveur apporta les boissons, il commanda un sandwich. Il n'arriverait à l'avaler qu'avec peine. Mais il fallait qu'il mange quelque chose.

Il ne lui était encore jamais arrivé d'ignorer à ce point ce que ses pensées lui réservaient pour les minutes suivantes, si tant est qu'il en eût. Ce n'était pas de l'aveuglement ni un manque de discernement, c'était le sentiment qu'une voie sans issue s'étendait sur son imagination comme une pellicule, la recouvrant d'une substance blanche, laiteuse et opaque pour le paralyser complètement. Et pourtant : il se refusait à commettre une erreur maintenant, à la fin, par pure faiblesse physique.

Neuf heures vingt-cinq. Maintenant ils étaient tous au courant. Pendant le repas, ils en étaient venus à parler de la séance du lendemain, et Leskov avait demandé si Perlmann avait distribué un support écrit, il avait oublié de lui poser la question pendant le trajet. Millar avait levé les yeux d'un air étonné. « J'ai moi-même fait déposer un exemplaire du texte de Perlmann dans votre casier », dirait-il, et lui, Leskov, l'avait même salué avec ce texte à la main. « Non, non, répliquerait Leskov décontenancé, ça c'était tout à fait autre chose, c'était une surprise que Perlmann lui avait préparée : son texte traduit en anglais. » Leskov raconterait sa stupéfaction en découvrant toute la peine que s'était donnée Perlmann, et il aurait même encore du mal à y croire. Un témoignage d'amitié si bouleversant ! De plus la traduction avait l'air remarquable ; sauf le titre, où Perlmann s'était étrangement trompé. Leskov lui en était particulièrement reconnaissant parce qu'il pouvait ainsi leur remettre un document écrit, malgré la terrible erreur qu'il avait commise : il avait laissé chez lui, à Saint-Pétersbourg, le texte qu'il voulait présenter ici, à savoir la nouvelle version de celui qu'avait traduit Perlmann, bien qu'il eût juré l'avoir mis dans ses affaires. Mais désormais ce n'était pas si grave, il pourrait expliquer oralement les modifications apportées à la première version. Dès le lendemain matin il demanderait que l'on fasse des photocopies pour tout le monde afin de préparer la séance qu'il devait tenir jeudi, comme le lui avait indiqué Perlmann.

Tout d'abord, il y aurait une pause, pensa Perlmann. Evelyn Mistral comprendrait alors pourquoi il avait voulu cacher qu'il savait le russe. Il voyait son visage rieur tandis qu'elle parlerait de leur complicité. La confusion n'apparaîtrait qu'après, lorsqu'elle aurait compris que ce secret n'était pas logique : si c'était Leskov qu'il voulait surprendre, pourquoi les autres n'avaient-ils pas le droit d'être au courant ? Et si le jeu de cache-cache autour de cette surprise était prétendument réservé pour l'arrivée de Leskov, pourquoi Perlmann s'y était-il adonné déjà des semaines avant le télégramme, alors qu'il ne pouvait encore rien savoir de son arrivée ? Mais elle n'irait pas jusque-là. Ce serait Achim Ruge, s'imagina Perlmann, qui aurait posé la question cruciale, foudroyante. Il l'aurait posée très sèchement, en délayant son accent souabe – attendant qu'un indice confirme son intuition : quel était donc le titre erroné que Perlmann avait donné à sa traduction ? *The Personal Past As Linguistic Creation*, dirait Leskov. Une erreur de traduction flagrante et quelque part incompréhensible, mais c'était un beau titre, bien plus beau que le sien, et qui plus est pertinent. Leskov dirait qu'il demanderait à Perlmann l'autorisation de l'utiliser à l'avenir, bien sûr en mentionnant son nom.

La tablée aurait alors sombré dans un silence total, pensa Perlmann, un silence de plomb. Il voyait les autres qui avaient arrêté de manger et regardaient leur assiette. Ils n'en croiraient pas leurs oreilles ; ce qui découlait de cette annonce était bien trop monstrueux. Ils n'échangeraient d'abord aucun regard, chacun réfléchirait dans son coin pour trouver une explication différente, moins grave.

– Vous voulez donc dire, demanderait Millar au bout d'un moment avec une lenteur menaçante, que le texte intitulé *The Personal Past As Linguistic Creation* est un texte que vous avez rédigé et que Perlmann a simplement traduit ?

– Euh... oui, c'est ça, répondrait Leskov d'une voix mal assurée, il serait désarçonné, alarmé par l'intonation de Millar et les brusques mouvements saccadés qu'il ferait avec son couteau.

Le silence qui retomberait serait assourdissant.

– C'est incroyable, murmurerait Millar, tout simplement incroyable.

Puis, remarquant le regard interrogateur de Leskov :

– Voyez-vous, Vassili, le fait est malheureusement que nous tous ici présents avons précisément reçu une copie de ce texte. Certes le nom de Phil n'y figure pas, mais nous ne pouvions que supposer qu'il s'agissait de son support pour la séance de demain. Il n'a distribué aucun autre texte ni fait quoi que ce soit pour rectifier la chose. À cela s'ajoute…, aurait-il peut-être renchéri, que le texte a été distribué à un moment où personne n'était encore informé de votre arrivée, pas même lui. Tout cela nous amène à supposer que Perlmann voulait nous duper en livrant ce texte comme étant le sien. Un plagiat, donc. *Plagiarism.* Inconcevable ; mais il n'y a pas d'autre explication. Et maintenant il n'y a pas non plus lieu de s'étonner qu'il ne se soit pas présenté au repas.

Perlmann mit une éternité avant d'avaler la première bouchée de son sandwich. Il mâcha un long moment, chaque mouvement de sa mâchoire était une épreuve, le saumon et l'œuf n'avaient aucun goût, et il ne réussit à avaler qu'en exerçant une violente pression dans sa bouche, les yeux fermés. Évidemment, c'était Millar qui prononcerait le mot. Perlmann sentit sa haine pour Millar se raviver, et le désespoir en accentua encore davantage la noirceur. Il reposa le sandwich sur la table et commença à boire le whisky à petites gorgées.

Il n'osait pas s'imaginer le visage de Leskov lorsque la vérité aurait éclaté au grand jour. Après le premier choc, il se serait mis à réfléchir. Toutes ces choses frappantes survenues sur le trajet ressurgiraient d'un coup et s'assembleraient pour former un tout : l'énervement de Perlmann à l'aéroport ; son agitation au volant et son mutisme ; l'itinéraire étrange ; son malaise ; sa conduite démente dans le tunnel et ses justifications vaseuses ensuite. Il ne pourrait rien prouver, même s'il n'avait pas cessé de l'observer. Il n'y avait pas eu un seul faux mouvement, rien qui ait clairement, irréfutablement trahi un dessein meurtrier. Qu'il ait lâché le volant et fermé les yeux à un moment où il s'agissait de manœuvrer une grosse cylindrée sur une voie rétrécie était un acte imprudent, irréfléchi et encore plus irresponsable que de rouler à tombeau ouvert. Ce n'était pas compréhensible au premier abord et révélait une zone obscure dans la personnalité du conducteur. Mais cela ne constituait pas l'ombre d'une preuve, la trace d'un meurtre avec préméditation. Leskov lui-même le savait bien et ce serait la raison pour laquelle il n'en parlerait à personne ; une telle accusation était bien trop monstrueuse. Il ne pourrait pas prouver que l'histoire du malaise et l'explication qu'il en avait donnée, sa peur panique des bulldozers, soient des mensonges inventés de toutes pièces. Et pourtant Perlmann était persuadé que Leskov, ce soir, *maintenant, à cet instant*, savait tout. Il était définitivement exclu de recroiser cet homme qui le regarderait comme son assassin.

Lorsque par mégarde la main de Perlmann effleura le coin de la table, le pansement tomba de son doigt. Ce n'est qu'à ce moment-là qu'il remarqua qu'il était très enflé. Tout autour de l'ecchymose la peau était jaune et verte, tendue et brûlante. Et maintenant sa tête recommençait à lui démanger. Il sortit la boîte de somnifères, la dissimula sous sa veste, regarda discrètement autour de lui avant de prendre un comprimé. Après un moment d'hésitation il le coupa en deux et avala une moitié avec de l'eau minérale.

Ils l'attendraient tous en silence demain matin lorsqu'il entrerait dans la véranda Marconi.

— Vous avez donc tous reçu ce texte..., pourrait-il dire en souriant, j'espère que vous ne l'avez pas considéré à tort comme étant le mien, bien que mon nom n'ait pas figuré dessus. Entre-temps vous aurez sûrement appris qu'il s'agit d'un texte de notre collègue russe que j'ai traduit. Je l'ai fait distribuer afin de m'en servir comme point de départ pour ce que j'aimerais à présent développer. Et c'est un revirement heureux que Vassili lui-même puisse finalement y assister. J'en attends beaucoup.

Ce serait un coup de poker osé. Perlmann eut le tournis à cette idée, et cette sensation se confondit avec les premiers effets du comprimé. Ils n'en croiraient pas un mot venant de lui. Ils savaient que c'était un imposteur, un tricheur, et à présent, ils le découvraient sous son jour de menteur éhonté. Jamais il n'aurait la force de rétorquer à leur regard méprisant avec une dureté capable de les faire douter. Ils auraient des doutes, tout au plus, s'il leur faisait ensuite une présentation originale, brillante de bout en bout. Mais il n'avait rien à dire, pas la moindre phrase. Il se tiendrait devant eux comme quelqu'un qui lutte pour retrouver son souffle.

Ou bien devait-il s'asseoir en bout de table et afficher un visage de marbre pour leur avouer succinctement la vérité ? Combien de phrases lui faudrait-il ? Dans quelle direction allait-il regarder ? Et quand il l'aurait dit, que se passerait-il ensuite ? Pouvait-on du reste s'excuser d'avoir commis un tel acte ? N'était-ce pas quasiment une offense de se contenter de dire : *I am terribly sorry* ? Et après : se lever et partir ? Où ça ?

Pouvait-on vivre avec une telle condamnation ? Vivre pleinement et se développer intérieurement, sans devenir l'ombre de soi, l'échine courbée, qui ne ferait que supporter, endurer, végéter ? Il faudrait trouver une possibilité de se détacher totalement du jugement des autres et du besoin de reconnaissance. Devenir libre, vraiment libre. D'un seul coup, Perlmann se calma. Les vagues de panique et de désespoir s'apaisèrent et il eut le sentiment d'approcher de très près une révélation décisive, salutaire, la plus importante de toute sa vie. Pourquoi ne serait-ce donc pas possible d'abandonner complètement le rôle professionnel, l'identité publique, pour se retirer dans l'identité privée, la vraie, la seule qui compte ?

Au fond, c'était tout simplement son désir de traduire, son vieux penchant pour les langues avec lesquelles il aimait jongler, passant d'un univers à l'autre, son rêve de devenir interprète donc, qui n'avait cessé de l'inciter à s'emparer du texte de Leskov. C'était comme ça, ce n'était pas si grave, il pouvait l'assumer. Aucune intention malhonnête ne l'avait manœuvré, ni consciemment ni inconsciemment, comme une lame de fond. Il en était parfaitement sûr, c'était ça, il n'avait pas besoin de s'en convaincre. Et le reste – le reste avait justement été de la légitime défense. Il avait brandi devant lui le texte de Leskov, tel un bouclier contre les regards insistants, contre les sempiternelles attentes qui se renouvelaient à un rythme monotone, comme si les êtres humains se développaient de façon linéaire et sans faille – comme si réussir sa vie consistait à exécuter un choix professionnel arrêté bien trop tôt, méritant du reste à peine d'être qualifié ainsi, dans une identification sans répit, et donc une totale absence de distance, décennie après décennie. *Que veux-tu devenir, il faut devenir quelque chose, qu'est-il devenu* – les leitmotivs de ses parents à la table du déjeuner et au dîner, il les avait entendus un nombre incalculable de fois et ces phrases s'étaient imprimées au plus profond de lui, et plus profondément encore. C'étaient des phrases qui n'avaient jamais été remises en question, elles survenaient avec une évidence hypnotique, et dans leur répétition monotone, inconsidérée, elles étaient devenues un point d'orgue, une petite musique de fond si accaparante et envahissante dans sa discrétion diabolique que même plus tard on ne savait pas à quoi pouvait ressembler une vie sans elle.

Il faut devenir quelqu'un, sans quoi on n'est rien. Tel était l'axiome, dans sa simplicité et son évidence perfide. Et il allait s'en saisir, de cet axiome d'airain, il rassemblerait toutes ses forces, même celles enfouies aux confins de son âme, et avec ces forces réunies, il le tordrait jusqu'à le briser. Ce qu'il était devenu, un professeur de renom couvert de prix et invité à Princeton, il ne l'était plus depuis ce soir, il l'avait réduit à néant. Mais il n'était pas rien pour autant. Il restait encore beaucoup de choses de lui, des tas de choses que les autres ignoraient. Ce serait son refuge et il faudrait que son âme s'arrondisse comme une boule, qu'il l'enduise de cire pour que tout glisse et ruisselle à l'extérieur, même les regards hostiles des autres. Il marcherait dans la rue bien droit, la tête haute.

Cet enchaînement d'idées fut une délivrance. Mais encore neuf, il menaçait de se volatiliser à peine avait-il été conçu. Perlmann devrait se le répéter souvent et en quelque sorte s'y entraîner mentalement jusqu'à ce qu'il soit bien ancré. Il prit la seconde moitié du comprimé et l'avala avec le reste de whisky. Son doigt ne tirait plus et les démangeaisons du crâne s'étaient calmées. Il mangea le sandwich. Il avait à nouveau un avenir. Assis dans le fauteuil profond, il se sentait bien et se réjouit de reconnaître immédiatement la mélodie lui parvenant du bar. Le point crucial était de ne pas perdre le sens de la mesure. Si l'on regardait la situation sous l'angle de l'éternité, quelle espèce d'importance cela avait-il que ces soixante-treize pages proviennent de sa plume ou de celle de Leskov ? Qui s'en préoccupait sérieusement ? Il existait des voies lactées et derrière elles bien d'autres encore, à l'infini, et ici, sur ce minuscule bout de terre, emprisonnés dans leur petite vie insignifiante qui tomberait aux oubliettes au bout de quelques décennies seulement, les humains se rendaient la vie infernale pour une poignée de mots. C'était à hurler de rire, tout simplement. Perlmann essaya de s'imaginer à quoi ressemblerait la communauté humaine si chacun s'observait et observait les autres en fonction de l'éternité. Mais il n'y arriva pas bien, la question était difficile à traiter, il ne cessa d'achopper. Ce n'était pas grave. Le principal, c'était de ne pas perdre des yeux les vraies proportions. Les vraies proportions. Les proportions.

Lorsqu'il fut brusquement tiré de son demi-sommeil par le serveur, il était onze heures moins cinq et la salle était vide. Le serveur lui dit qu'il n'allait pas tarder à fermer, il s'enquit de savoir si Perlmann désirait encore quelque chose. Ce dernier commanda une eau minérale. Sa bouche était sèche et sa langue enflée, rugueuse. Il ne se souvenait absolument plus de ce qui s'était passé au cours de cette dernière heure. Il était transi de froid. Il ne savait plus où aller. Dans quelle direction. Il lui restait encore quatre comprimés. Ce n'était pas suffisant. Il prit le texte et s'en alla sans attendre le serveur et sans payer.

L'air frais de la nuit lui donna le tournis, mais il lui fit aussi du bien. Sur le chemin qui descendait vers la grand-place, il aperçut un container à ordures situé dans une rue latérale. Celui-ci semblait appartenir à un hôtel ou à un restaurant car du ventilateur au-dessus s'échappaient des odeurs de cuisine et Perlmann entendit des bruits de vaisselle. Hormis un tas d'épluchures de pommes de terre, le container était vide. C'était la troisième fois aujourd'hui qu'il se débarrassait d'un texte. Il était bon à ce jeu-là, on aurait dit qu'il n'avait rien fait d'autre ces dernières semaines, lui sembla-t-il. Mais cette fois-ci c'était quelque chose de particulier. Car parfaitement insensé. C'était comme si quelqu'un détruisait son exemplaire de journal pour imposer le silence aux médias.

Perlmann posa ses deux mains sur le bord du container et se mit à rire à voix basse. En espérant que cela le soulagerait, il essaya de continuer à rire et de s'y encourager intérieurement, mais c'était un rire hystérique qui ne tarda pas à l'étrangler. La pile de papiers tomba lourdement sur les ordures.

Sur la Piazza Vittorio Veneto, il dénicha un taxi et se fit conduire au *Regina Elena*. Il demanda au conducteur de l'arrêter à un endroit sombre après l'hôtel. Il chercha dans ses billets et lui donna ensuite le plus gros, une coupure de cent mille lires.

— Le reste est pour vous, dit-il.

— *Ma no, signore*, balbutia le conducteur, je ne peux pas l'accepter. Vous ne voyez pas ce que vous m'avez donné ?

Il brandit le billet juste au-dessous de la petite lumière du toit.

— C'est bon, répliqua Perlmann irrité, puis il descendit.

Il s'assit tout au bout du petit ponton réservé aux clients de l'hôtel et posa les somnifères à côté de lui. Aller dans l'eau tout habillé et nager, toujours plus loin, jusqu'à ce que ses forces l'abandonnent. Depuis ce fameux jour à la piscine couverte, ça avait toujours été un drame de mettre la tête sous l'eau. Mais les somnifères étaient là pour l'aider. Il ne sentirait pas grand-chose et perdrait bientôt conscience.

Une vague de fatigue provoquée par les somnifères le submergea, puis ce fut le vide. Il se réjouit qu'il n'y ait pas d'éclairage sur la plage. Il n'arrivait plus à penser que très lentement et perdait souvent le fil.

C'était une façon dépouillée, silencieuse, de quitter la vie. Pas de spectateur, pas d'agitation suscitée par quelque détonation. Le lendemain un bateau de police le repêcherait dans l'eau. Point final. Ça correspondait à ce qu'il souhaitait : disparaître du monde sans faire de bruit. Il souhaitait aussi arriver comme par magie à effacer toutes les traces qu'il avait laissées dans la tête des autres. Comme s'il n'avait jamais été là.

Un suicide tel qu'on le définit, pensa-t-il, un classique : un homme qui ne voit plus aucune issue pour échapper à la honte. Quarante-huit heures auparavant, après avoir regardé au pied de la façade de l'hôtel, il avait exclu cette voie. À cause du jugement des autres, qui l'en avait dissuadé. Mais à ce moment-là, il semblait y avoir encore une marge de manœuvre possible, il pouvait encore planifier des choses qui auraient empêché qu'on le démasque. Et de cette prétendue marche de manœuvre était née l'idée qu'il fallait peser le pour et le contre. À présent que la mer noire là-bas devant lui demeurait la seule possibilité, Perlmann fit une expérience nouvelle, singulière, en songeant aux autres. Elle était en fait trop compliquée pour sa tête lourde, et par moments tout s'interrompait comme s'il avait un trou de mémoire. Il frissonnait alors encore plus violemment dans son pantalon fin, assis sur la pierre froide. Malgré tout il revenait systématiquement à cette expérience, la sondait, et pour finir il réussit à la saisir avec plus de précision et de rigueur.

C'était l'expérience d'un détachement intérieur inattendu. Il devait se concentrer sur l'une des personnes qu'il redoutait, sur son visage, mais encore davantage sur les contours de son aura, sur le genre de situation qu'elle installait par sa présence. Il s'agissait alors de ne pas fuir les émotions menaçantes et presque insupportables qui montaient en lui lorsqu'il songeait au jugement qu'entre-temps cette personne s'était forgé là-haut dans sa chambre d'hôtel éclairée et qu'elle compléterait peut-être demain, lorsqu'on l'aurait retrouvé, en y ajoutant la lâcheté. Il fallait laisser venir ces émotions, sans y opposer la moindre défense, et leur résister avec un calme discipliné. Au bout d'un moment la personne concernée perdait alors sa proximité menaçante, étouffante, et commençait à reculer. Son âme oppressée pouvait se détendre, peu à peu les émotions douloureuses se dissipaient, et il était libre. C'était une libération éthérée et fragile qui survenait alors, et un présent volatil dans lequel on se balançait comme sur une pointe d'aiguille. Perlmann se trouvait sur une étroite bande d'un no man's land situé entre la vie derrière lui, enchevêtrée avec les autres, et l'obscurité devant lui dans laquelle il n'y aurait pas de vie. Être libre de cette façon aurait pu constituer une forme de bonheur s'il n'y avait pas eu la mer noire qui monterait à chacun de ses pas. Et sans la mer, il le sentait avec une grande clarté, il n'y aurait pas cette liberté. S'il faisait demi-tour et retournait vraiment vers la terre, elle s'évanouirait aussitôt, et les autres l'enterreraient sous leur regard.

Le seul visage qui ne voulait pas céder était celui de Kirsten. Au contraire, plus il la voyait devant lui, plus il devenait difficile de s'en détacher. Il n'avait pas eu l'occasion de le lui expliquer. La nouvelle de son suicide puis celle de son imposture s'abattraient sur elle d'un seul coup. Pour elle, ces deux nouvelles seraient silencieusement accolées l'une à l'autre, sans explications : il avait triché et, lorsque l'affaire s'était étalée au grand jour, il s'était mis à l'eau. L'histoire ressemblerait à celle du petit employé qui a pris de l'argent dans la caisse.

Elle était si minable, si atrocement minable, cette fameuse histoire qui, même pour le petit employé, ne racontait pas la vérité tant elle était raccourcie. D'une manière ou d'une autre, Kirsten sentirait que dans son cas à lui aussi, il manquait la vraie clé de l'histoire. Mais elle n'aurait aucun moyen de mettre la main dessus, ou du moins de s'en approcher. Il ne lui avait jamais parlé de la distance qui l'éloignait chaque jour davantage de son métier. Ni de son échec à la tenir à l'écart. Ni même du fait que son travail sur les langues était une tentative de saisir çà et là une petite ombre fugace de présent. Ce n'étaient pas des choses qu'on pouvait expliquer à une personne de son âge. En tout cas, c'était ce qu'il avait toujours supposé.

Mais peut-être était-ce faux après tout, pensa Perlmann, et il se mit à parler à mi-voix avec sa fille. Au début les mots ne lui venaient que de façon saccadée, il les disait à l'eau tranquille et sombre, levant rarement les yeux pour chercher sur le visage de Kirsten le signe qu'elle comprenait. Plus tard, ce qu'il avait à dire coula davantage, gagnant en force de conviction, et Kirsten commença à hocher la tête. Cependant la langue de Perlmann était encore lourde, ses lèvres ne lui obéissaient pas toujours et certains mots ne sortaient que confusément. Mais Kirsten ne s'en formalisait pas, elle comprenait cela aussi, si bien qu'il n'avait plus à se sentir gêné et pouvait continuer de parler, encore et encore, jusqu'à ce que tout soit clair, qu'il ne subsiste plus aucune zone floue et que tous ses actes deviennent compréhensibles. Pour qu'il puisse être pardonné.

Il remit les somnifères dans sa poche, se leva dans une suite de mouvements raides, mal assurés, puis il retourna vers la route. Conduire lui-même était impossible dans son état. Mais il pouvait convaincre un chauffeur de taxi de prendre son passeport et de le conduire à Constance. Moyennant une rémunération royale, il trouverait bien quelqu'un. Il pourrait dormir sur la banquette arrière et quand ils arriveraient demain matin, il aurait à nouveau la tête et la diction claires. Il pourrait alors tout raconter à Kirsten, tout lui expliquer tel qu'il venait de le faire, mais avec davantage de détails, mieux encore.

40 Dans le hall du *Regina Elena*, des convives bruyants et ivres réunis pour un mariage essayaient de forcer le portier de nuit à prendre une coupe de champagne, tandis que celui-ci tâchait de dissimuler son agacement derrière un sourire pincé.

Dans ce contexte, Perlmann ne pouvait définitivement pas le prier d'appeler un taxi, il n'était même pas client de l'hôtel. Il n'avait pas de jetons, les cabines téléphoniques ne lui servaient donc à rien. Il regagna le *Miramare* en face et s'adossa contre le mur au pied de l'escalier extérieur. Se faufiler vite à l'intérieur, dire ce qu'il fallait à Giovanni et revenir aussitôt ici attendre le taxi sans être vu. Il n'en aurait pas pour plus de dix secondes à l'intérieur. Il était improbable qu'il croise l'un des autres juste à ce moment, il était déjà minuit et demi. Cependant, ce n'était pas exclu. Laura Sand, par exemple, faisait parfois une dernière promenade à cette heure.

Perlmann gravit les premières marches pour pouvoir apercevoir l'entrée au-delà de la terrasse. Il avait des palpitations et respirait très faiblement. Giovanni avait posé un coude sur le comptoir et lisait le journal. *Réfléchir à deux fois.* De nouveau, il s'adossa contre le mur. Le cas échéant il devait chercher une station de taxis en ville. Il pouvait monter jusqu'à la gare. Mais il n'y avait quasiment aucun train qui s'arrêtait ici en pleine nuit, pourquoi y aurait-il des taxis ? Et il ne se souvenait d'aucune autre station. Perlmann déambulerait péniblement à travers les ruelles silencieuses, chaque pas serait une torture. Il jeta encore une fois un œil vers l'accueil. Giovanni était maintenant appuyé bras tendus sur le comptoir et lisait le bas de la page. Dans le bar des ombres remuaient et un moment plus tard, un homme aux cheveux gris traversa le hall jusqu'à l'ascenseur. C'était trop dangereux. Perlmann serait obligé d'attendre encore une heure ou deux. Il ferma les yeux. Un sentiment d'indécision s'empara de lui, le paralysant.

— *Buona sera, Dottore*, dit signora Morelli qui descendait l'escalier à pas énergiques, son manteau au vent. Est-ce que… quelque chose ne va pas ? Vous attendez quelqu'un ?

– Non, non… rien, répliqua Perlmann pris de panique, luttant pour articuler correctement.

Comme il lui semblait impossible de ne rien ajouter, il reprit :

– Vous ici, à cette heure ?

– Hélas oui, répondit-elle en faisant une grimace. Les impôts, c'est toujours une source de problèmes. C'est de pire en pire chaque année. Je suis restée jusqu'à maintenant pour m'en occuper – elle sourit. Enfin, il faut dire que c'est fou de diriger un hôtel avec si peu de personnel de direction, presque comme une affaire familiale…

C'était la première fois qu'il l'entendait s'exprimer de façon aussi personnelle et s'il avait encore fait partie de son monde, du monde en général, il aurait volontiers rebondi sur le sujet plutôt que de se contenter de hocher la tête en silence.

– Ah, au fait, dit-elle déjà prête à repartir, je vous ai déposé l'original de votre texte dans le casier. Dans la précipitation samedi, je l'avais oublié à côté de la photocopieuse. J'espère qu'il ne vous a pas fait défaut.

Perlmann ne comprenait pas. Et il ne voulait pas non plus comprendre. Il ne voulait plus jamais avoir à comprendre une phrase dans laquelle revenaient les mots *texte, original* et *copie*. Plus jamais.

– *Venga*, dit signora Morelli en voyant son visage inexpressif, puis elle remonta l'escalier.

C'était impossible de ne pas la suivre. Elle poussa Giovanni qui leva les yeux de son journal avec surprise et salua ; dans le casier de Perlmann elle attrapa un texte.

– *Eccolo*, dit-elle. Mais maintenant je dois vraiment y aller. *Buona notte !*

Giovanni le regarda d'un œil interrogateur une fois qu'elle fut dehors.

– Un taxi, dit Perlmann, il me faut un taxi.

Giovanni décrocha le combiné.

Perlmann remarqua à quel point il était déboussolé lorsqu'il constata que, contrairement à son intention, il restait planté là tandis que Giovanni était au téléphone. Il tenait le texte dans sa main pendante comme quelque chose qu'on voudrait jeter dans le premier égout venu. Il voulait ne plus jamais tenir un texte dans sa main. Plus jamais.

La centrale des taxis prit son temps, et une attente désagréable, silencieuse, s'installa. Perlmann baissa les yeux vers le texte dans sa main pour la seule et unique raison qu'il voulait se défendre contre cette attente. Et cela dura un moment, avant qu'il remarquât la petite carte coincée sous le trombone qui tenait les pages. Avant même qu'il sache ce qui était inscrit dessus, quelque chose se mit à vibrer en lui. Brusquement il plia le bras, porta la petite carte à ses yeux et lut : *6 copie. Per il gruppo di Perlmann. Distribuire, come sempre.* Il ne comprit pas, *j'ai pourtant jeté l'original,* mais sa respiration s'accéléra, il lut encore une fois, souleva la petite carte et c'est alors qu'il vit le titre : *Mestre Non È Brutta.* Suivi de son nom.

Pendant plusieurs secondes il resta immobile, inerte, aveugle et sourd, bercé par les pulsations de son sang. *Maria. Le coup de fil de Gênes. Elle a finalement eu le temps de taper mes notes. Malgré les gens de Fiat.*

Un moment s'écoula avant que ces pensées ne traversent tout son corps. Perlmann se mit alors à courir, il se jeta contre la porte, se tordit la cheville dans l'escalier et perdit une chaussure, mais malgré la douleur et le pavé froid, il courut comme il ne l'avait jamais fait de sa vie, le texte enroulé dans son poing tel un témoin dans une course de relais, il eut un point de côté et ne put s'empêcher de tousser, *Bon Dieu, pourvu que je sois dans le vrai,* c'est alors qu'il vit la silhouette de signora Morelli longeant le port de plaisance ; tandis qu'il courait ses poumons menaçaient d'éclater, le souffle lui manquait pour pouvoir crier, et enfin, alors que ses genoux flageolants refusaient de le porter plus long-temps et qu'il commençait à trébucher, il arriva à sa hauteur. Aucun mot ne sortit de sa bouche, il se pencha seulement en avant, hors d'haleine, et toussa, les mains pressées contre ses côtes.

— Cette note, là..., finit-il par lâcher d'une voix hachée, et d'un coup il ne lui importait plus que sa bouche ne lui obéisse pas correctement, ça veut dire que vous avez photocopié le texte six fois ?

— *Sì, Dottore*, répondit-elle, et sur son visage la surprise laissa place à une expression de défense.

— Et ce sont les photocopies que vous avez déposées samedi matin dans les casiers de mes collègues ?

— *Sì.*

— Et vous n'avez photocopié et distribué aucun autre texte ?

— *No,* signor Perlmann, dit-elle, désormais visiblement agacée par cet interrogatoire pressé, c'est le texte que Maria m'a déposé. Je n'en ai pas reçu d'autre.

Il brandit les feuilles tout près du visage de signora Morelli, comme si elle était à moitié aveugle.

— Ce texte-là ? Celui-là ? Aucun autre ?

Le ton de signora Morelli changea au moment où Perlmann laissa retomber son bras tenant les feuilles et qu'elle vit des larmes inonder ses yeux.

— Mais oui, *Dottore*, dit-elle doucement, c'était ce texte-là, précisément celui-là, et aucun autre. Quelle bêtise ai-je donc commise ?

— Quelle bêtise ? Non, rien..., balbutia-t-il entre ses larmes qu'il ne pouvait plus retenir, au contraire, c'est... c'est mon salut.

Il se détourna et chercha vainement un mouchoir. Puis il essuya ses yeux du revers de sa manche et la regarda de nouveau.

— Je vous prie de m'excuser, dit-il à voix basse en essayant de lutter contre les larmes qui continuaient de couler, il m'est impossible de vous l'expliquer, mais je n'ai encore jamais ressenti un tel soulagement. Je ne peux pas… le décrire. Je ne peux tout simplement pas le décrire.

Après s'être encore frotté les yeux, il vit qu'elle le regardait comme si elle le voyait pour la première fois. Elle sourit et effleura son bras.

– Dans ce cas vous devriez aller dormir maintenant, dit-elle, vous avez l'air complètement épuisé.

Il la suivit des yeux jusqu'à ce qu'elle tourne dans une ruelle sans se retourner. Ce fut un moment dont il vécut pleinement le présent. Le présent d'un salut qu'il ne croyait plus possible, qui lui apparut comme un miracle.

Lorsqu'il revint tout doucement sur ses pas de manière à savourer le précieux présent, son point de côté le lançait comme des piqûres d'aiguilles dès qu'il appuyait sur son pied glacé et ses poumons aussi étaient régulièrement parcourus d'une douleur lancinante. Mais cela n'avait aucune importance. Plus rien n'avait d'importance en dehors de son soulagement immense. *Pas de plagiat. Je n'ai commis aucun plagiat. Aucun plagiat.* C'était comme sortir lentement, incrédule, de ténèbres profondes, et cette impression s'accompagnait d'un sentiment de frayeur qu'il croyait percevoir dans chaque cellule de son corps. Il relut l'indication de Maria sur la petite carte. Puis deux fois encore. C'était ce texte-là que signora Morelli avait saisi, précisément celui-là, et aucun autre. C'était ce qu'elle avait dit. *L'avait-elle dit ?*

Lorsqu'il tourna au coin de la rue et vit les pins tordus qui n'étaient plus éclairés à cette heure mais s'élevaient dans leur couleur laiteuse gris-vert vers le ciel nocturne, son soulagement vola en éclats et ce fut comme si un boulet le faisait replonger au plus profond. *Giovanni a dû faire les photocopies lui-même puis les distribuer, c'est pour ça qu'elle ne sait rien du texte de Leskov.* Une griffe de fer lui étreignit la poitrine, et chaque signal de douleur dans son pied fut une véritable torture pendant qu'il remontait l'escalier en boitant, rattrapant sa chaussure au passage, avant de se rendre à l'accueil en respirant péniblement.

– Vendredi soir, lâcha-t-il, pendant la retransmission du match de football à la télévision, je vous ai apporté un texte. Qu'en avez-vous fait ?

Giovanni baissa les yeux.

– Euh... rien, dit-il en tirant une longue bouffée sur sa cigarette ; puis lorsqu'il eut recraché toute la fumée, il regarda Perlmann d'un air mal assuré. C'est-à-dire que... je n'étais pas très concentré, pour ainsi dire, parce que... Voyez-vous, il y a eu ce but d'égalisation à la quatre-vingt-dixième minute, et ensuite le penalty... et après je ne savais plus ce que vous m'aviez dit exactement, alors j'ai juste remis le texte dans votre casier. Je suis désolé si ça a causé des problèmes, mais c'était tellement captivant que...

Perlmann ferma les yeux un instant et sa respiration se fit plus lente. Puis il posa sa main sur celle de Giovanni.

– Vous avez fait ce qu'il fallait, dit-il, exactement ce qu'il fallait. Je suis très content. *La ringrazio. Mille grazie. Grazie.*

Le cœur de Giovanni fut libéré d'un poids.

– Vraiment ? Je... Vous savez, j'ai eu mauvaise conscience après coup... Je peux peut-être encore faire quelque chose pour vous ?

– Non, rien, dit Perlmann en souriant, et encore une fois merci beaucoup !

Giovanni fit un geste maladroit du bras, qu'il n'exécuta pas jusqu'au bout et qui exprima mieux que n'importe quel mot et n'importe quelle mimique sa stupéfaction.

Perlmann marcha jusqu'à l'ascenseur, pourtant il n'attendit pas qu'il arrive, préférant prendre l'escalier en boitant. Il s'accorda du temps. Il était trop bouleversé pour pouvoir articuler une phrase. Mais le sentiment était là : il pouvait de nouveau se déplacer librement dans l'hôtel. Il n'était pas un tricheur.

Lorsqu'un grésillement se fit entendre au bout de la ligne, il raccrocha. Qu'aurait-il voulu dire à sa fille ? Qui plus est en lui passant un coup de fil alarmant, à presque deux heures du matin. Et avec sa langue lourde. Sa main enserra le briquet rouge. À présent, il n'avait nul besoin de s'excuser, ni de lui expliquer quoi que ce soit. Il pouvait revoir sa fille exactement comme avant. Il était revenu du no man's land. *Aucun plagiat. Aucun plagiat, et aucun meurtre.* Il répéta ces mots à plusieurs reprises, à voix haute et dans sa tête, Dieu sait combien de fois, jusqu'à ce que sa fatigue les vide de sens et qu'ils ne soient plus l'expression d'un sentiment, mais seulement un écho intérieur de plus en plus traînant.

Si je n'avais pas repris confiance et courage en écrivant dans le bar du port pour assumer mes notes, je n'aurais pas appelé Maria et le texte n'aurait pas été prêt à temps. Si je n'avais pas fait l'excursion en bateau et si je ne m'étais pas passionné pour l'interprétariat, je n'en serais pas venu à écrire dans le bar du port. Ainsi, c'était précisément cette inclination, son obsession pour les langues, qui l'avait mis en péril et en même temps sauvé. Perlmann poussa un soupir. En remettant les choses dans ce contexte, il eut le sentiment que le retournement des choses, salutaire, n'était pas uniquement dû à une succession de hasards, mais à lui-même, à sa façon de penser et de sentir.

Il alla sous la douche et se lava les cheveux. Toutes les parties de son crâne qu'il avait grattées jusqu'au sang le brûlèrent. Cette brûlure lui fit du bien car elle contribuait à dissiper le brouillard de l'alcool et du somnifère. Il alterna le chaud et le froid à deux reprises, une sensation de régénération le parcourut tout entier, et à présent il se sentit à nouveau tout à fait sobre et lucide.

Ce n'était pas vrai du tout qu'il s'était sauvé lui-même. C'était tout l'inverse qui s'était produit : *Si je n'avais pas appelé Maria, les casiers seraient restés vides samedi matin, j'aurais repris le texte de Leskov et n'aurais pas eu besoin de subir tout le cauchemar du tunnel.* Son besoin fanatique de traduire l'avait non seulement poussé au bord du plagiat, mais en plus au bord du meurtre et du suicide. L'autre jour à Gênes, en recherchant de manière fanatique, désespérée, le présent dans la familiarité avec les langues étrangères, il avait eu pendant un moment le courage d'assumer sa personne y compris devant les autres, et c'était précisément ce courage qui lui avait valu de passer trois jours et trois nuits interminables dans un monde de fantasmes et de terreur qui ne correspondait en rien au monde réel.

Ce qui m'a sauvé, ce n'est rien d'autre qu'une série de coïncidences, de banales coïncidences, et d'erreurs d'inattention. Dans l'esprit de Perlmann, une sorte d'écluse s'ouvrit, laissant s'engouffrer en lui une cascade de phrases hypothétiques. *S'il n'y avait eu aucun but d'égalisation, il n'y aurait pas eu de penalty, Giovanni aurait été attentif et il aurait transmis la demande de photocopies pour le texte de Leskov. Dans ce cas samedi matin, les deux textes se seraient retrouvés dans les casiers, ce qui m'aurait permis de rectifier le tir sans perdre la face. Si Giovanni avait fait ce qu'il était censé faire, et si Maria n'avait pu terminer à cause des gens de Fiat, seul le texte fatal se serait retrouvé dans les casiers, la catastrophe ne se serait pas produite uniquement dans ma tête, mais dans le monde réel. Si Giovanni avait simplement oublié le texte de Leskov dans l'un des placards derrière le comptoir, le seul casier vide samedi matin aurait été le mien, j'aurais demandé pourquoi, on m'aurait appris ce qui s'était passé, et alors il n'y aurait eu aucune préméditation de meurtre. Mais peut-être n'aurais-je pas demandé non plus, paralysé comme je l'étais. Si Giovanni avait oublié le texte dans l'un des placards, signora Morelli aurait remarqué en distribuant que mon casier était le seul à rester vide et elle aurait alors cherché l'original près de la photocopieuse. Si mon casier avait été dans la même rangée que ceux des autres, donc si je n'avais pas changé de chambre, signora Morelli aurait tiqué en distribuant, puis elle aurait vu que le texte dans mon casier n'était pas le même, elle aurait cherché l'original près de la photocopieuse, en revenant de Portofino, j'aurais eu deux textes dans mon casier et, grâce à la petite carte de Maria, la chose aurait été éclaircie dès ce moment-là. Si je n'avais pas eu ce besoin démesuré de faire le vide autour de moi, le tunnel m'aurait été épargné. S'il n'y avait pas eu ce bruit dans la pièce voisine samedi, quand je suis revenu de Portofino, j'aurais pris l'exemplaire de Silvestri dans son casier et reconnu le contenu. Et si, en arrivant avec Leskov, j'avais jeté un œil sur le texte redouté que j'avais dans la main, rien qu'un seul regard rapide, je n'aurais pas eu besoin de songer à m'enfoncer dans l'eau noire.*

Perlmann savait qu'elle était absurde, cette orgie de phrases irréelles au conditionnel, et qui plus est, elle dévorait aussi son sentiment de soulagement, si bien qu'il aspirait à présent à retrouver les larmes du premier instant salvateur. Mais cela ne lui servait à rien de le savoir, la recherche de ces rapprochements s'apparentait à une addiction contre sa volonté. *Si la mauvaise conscience n'avait pas tourmenté Larissa, elle n'aurait pas poussé Leskov à faire une nouvelle demande, il n'y aurait pas eu de télégramme et pas de crainte d'être démasqué, et ce soir, je n'aurais pas été assailli par une intention suicidaire, mais par un sentiment de culpabilité qui m'aurait rongé. Si le serveur ne m'avait pas apporté le télégramme au moment précis où je voulais parler du texte de Leskov à Evelyn Mistral, j'aurais remarqué, dans ce qu'elle aurait dit, que quelque chose n'allait pas, et là aussi le bulldozer m'aurait été épargné. S'il n'y avait pas eu de noces célé-*

brées au Regina Elena *ce soir, j'aurais peut-être fait appeler un taxi de là-bas et, arrivé à Constance, j'aurais raconté à Kirsten un plagiat qui n'aurait pas eu lieu.* Perlmann s'arrêta là.

Ainsi donc, cela faisait des jours qu'ils avaient entre les mains ses notes, avec leur en-tête en italien qui devait leur paraître maniéré et vaniteux. Il attrapa le texte imprimé. Cinquante-deux pages au total. *J'aurais pu m'en apercevoir au volume, à l'épaisseur de la pile. Soixante-treize pages dans mon casier et cinquante-deux dans celui des autres, c'est une différence qu'on aurait pu repérer de loin. Et ce soir en arrivant, j'aurais pu sentir au toucher que ce ne pouvait pas être le texte de Leskov, que la pile était trop mince pour ça.*

Il laissa défiler les pages entre ses doigts et soupesa l'ensemble de la main. Il n'osa pas le feuilleter attentivement et en lire quelques passages, il veilla à ce que son regard ne reste pas prisonnier de la première page. À présent qu'il se sentait comme le survivant d'une catastrophe, il ne voulait pas non plus s'angoisser – à cause d'une métaphore kitsch ou d'un ton larmoyant. Et il ne voulait pas non plus lire son anglais écrit – un anglais qui, bien que rarement vraiment faux, ne possédait jamais la justesse naturelle qu'il aurait souhaitée. Il glissa les feuilles dans le tiroir du bureau.

La remarque d'Angelini dimanche soir, pensa-t-il, apparaissait maintenant sous un nouveau jour. *Un lavoro insolito*, comme il avait défini le texte. Ce n'était pas non plus étonnant que personne n'ait prononcé un mot au sujet du texte. Qu'ils l'aient pour ainsi dire tous passé sous silence.

Dans six heures et demie, il lui faudrait monter les trois marches menant à la véranda et s'asseoir au bout de la table. Tous ceux qui seraient assis là et le regarderaient auraient son texte devant eux, et aussi en tête de la première à la dernière page. *Il n'y a que moi, moi seul, qui ne sais pas ce qu'il y a dedans.* De toute évidence, c'était une pensée fausse, absurde, Perlmann le savait. Vendredi encore, sur le bateau, il avait mentalement passé ses notes en revue. Mais il n'arriva pas à chasser cette pensée, au contraire, elle prit de l'ampleur. Ils en savaient plus long à son sujet que lui-même. Ils attendraient, et il ne saurait pas quoi dire. Ils poseraient des questions, et lui ne saurait pas quoi répondre. Ils critiqueraient, et lui ne saurait que rétorquer.

C'était pourtant impossible qu'une nouvelle angoisse ait déjà étouffé le soulagement inouï éprouvé encore une heure auparavant. Ce ne pouvait pas être vrai. *Je ne suis devenu ni un tricheur ni un meurtrier. Que peut-il y avoir d'autre comme raison d'avoir peur ?* Perlmann puisa un nouvel élan dans cette idée et essaya de saisir, de s'emparer d'un seul coup de cette liberté intérieure qui le rendrait invulnérable face à tout ce que diraient ou ne diraient pas les autres, face à leurs mimiques, à leurs regards, ces regards qui dans le silence embarrassant fixeraient la surface brillante de la table.

Il téléphona à Giovanni.

– Finalement il y a bien quelque chose que vous pouvez faire pour moi – et il le pria de lui faire monter deux cafetières de café corsé.

Il lui restait six heures. Pour une présentation complète c'était insuffisant. Mais il pouvait écrire un exposé qu'il pourrait développer ensuite à l'oral. Ce qui comptait, c'était de développer un raisonnement abstrait et de dessiner les contours d'un concept. La discussion se concentrerait alors dessus. Le texte distribué, pourrait-il dire facilement, était au fond accessoire, il avait juste voulu leur donner ainsi un bref aperçu des observations dont il était parti.

Perlmann avait des palpitations lorsqu'il s'installa au bureau. Être assis ici, cela avait signifié jusqu'à présent traduire le texte de Leskov. Heure après heure, jour après jour, il n'avait cessé de s'éloigner de la réalité.

Chaque phrase traduite l'avait rapproché un peu plus du silence mortel du tunnel. Une sourde sensation de tournis le gagna lorsqu'il installa soigneusement la chaise, alluma une cigarette et saisit son stylo. Quatre semaines durant il avait évité cet instant. Ses mains poisseuses rendirent le stylo collant. Il se leva, se lava les mains dans la salle de bains puis essuya le stylo. Giovanni apporta le café. Perlmann le posa d'abord à droite sur le bureau, puis à gauche. Il jeta à la corbeille le bout de papier portant l'adresse de Kirsten. Il mit à portée de main un paquet de cigarettes en réserve et prit le briquet rouge sur la table de chevet. En peignoir, il ne tarderait pas à être frigorifié. Il s'habilla entièrement. Cependant le pantalon d'étoffe claire était bien trop froid. Mais la déchirure sur l'autre était dérangeante. Il opta du coup pour le pantalon de flanelle sombre taché de sang. Et avec, le pull-over plus léger. Pour compenser, il monta le chauffage. À nouveau, il ajusta la chaise. Il fallait qu'elle soit bien près du bureau. Mais pas trop près.

Pourquoi n'avait-il pas essayé de le faire bien plus tôt ? Les phrases lui venaient, pourtant. Elles lui venaient vraiment, l'une après l'autre. Au début il redouta chaque fin de phrase, car la source risquait ensuite de se tarir. Mais une fois que la première page fut entièrement noircie, sa peur s'envola, toutes ses émotions furent reléguées à l'arrière-plan et la logique sereine des phrases elles-mêmes prit les rênes. Depuis des mois, presque des années, il avait dû s'extorquer laborieusement chaque phrase, comme s'il avait été voué à ne plus penser qu'en toutes petites séquences. Et voici que tout à coup, les phrases semblaient automatiquement donner naissance les unes aux autres, quelque chose se construisait, il écrivait un texte, un vrai texte. *J'en suis donc encore capable. Maintenant tout est rentré dans l'ordre.*

Le stylo-bille survolait désormais les pages et Perlmann parvenait à peine à fixer sur le papier les pensées qui défilaient. Il avait à nouveau quelque chose à dire. Il écarta le stylo du papier pour allumer une autre cigarette et se servir une nouvelle tasse de café. Il fumait de la main gauche et porta aussi la tasse à sa bouche de cette main-là, c'était inhabituel, mais la droite ne devait pas être interrompue dans son écriture. *Ce ne sera pas un exposé, ce sera une conférence, une conférence aboutie.* À force de tenir sa cigarette de cette façon inhabituelle, la fumée lui brûla souvent les yeux, et des larmes coulèrent, mais sa main droite ne cessait d'écrire. Il était étonné mais heureux de la qualité, de la pertinence de ses formulations qui s'enchaînaient sur le papier avec la plus grande aisance, certaines d'entre elles, trouvait-il, dégageaient même une force poétique. Il espérait avoir assez de papier, sinon il serait obligé d'écrire au verso des pages. À un moment ou à un autre, il n'aurait plus de café. Une chance qu'il y eût encore des cigarettes dans l'armoire. Il fallait espérer que le briquet ne le lâche pas subitement. Il s'arrêta tout net et ferma les yeux. *Le présent. C'est ça. Maintenant je le vis enfin. Il aura fallu tous ces bouleversements pour parvenir jusqu'à lui.*

À cinq heures, il ouvrit la fenêtre. Des nappes de fumée s'échappèrent dans la nuit. Perlmann inspira profondément l'air frais. La tête lui tourna, il ne put s'empêcher de s'agripper à la poignée de la fenêtre. Il eut l'impression d'être en train d'effectuer une course folle sur une toute fine couche de glace. L'étroit ruban de lumières de l'autre côté du golfe était parfaitement régulier et tranquille. Lorsque son regard balaya le ponton du *Regina Elena*, il referma précipitamment la fenêtre. Il voulait croire que ces choses remontaient à un temps très lointain.

Il ne sut pas immédiatement de quelle manière commencer le paragraphe suivant et la panique l'envahit. Mais en relisant les trois dernières pages, il replongea dans l'enivrement de l'écriture. Au bout d'un moment, quand il n'eut plus de café, sa langue devint râpeuse. Agacé d'être interrompu, il alla à la salle de bains et but un verre d'eau. Il était habitué à voir son visage blafard, marqué par la peur, il l'avait vu bien assez souvent ces derniers jours. À cet instant pourtant, la frayeur l'envahit. Ses traits étaient creusés et affaissés. Ils lui firent penser aux images des gens exposés à une pesanteur décuplée. Mais cela n'avait aucune importance. Ce qui avait de l'importance, c'étaient les phrases qui prenaient forme derrière ce visage et circulaient jusqu'à sa main droite. Cela se produisait d'une manière prodigieusement énigmatique, Perlmann se trouvait dans une incompréhension abyssale et, l'espace d'un court instant, il ressentit la fascination du scientifique confronté à un phénomène mystérieux – une fascination qui s'était dérobée à lui. *Tout va s'arranger.* Bien qu'il n'eût pas mal à la tête, il prit deux aspirines dans la boîte posée sur l'étagère rehaussée d'un miroir et les avala. Il retourna ensuite au bureau un verre d'eau à la main.

L'aube se leva peu avant sept heures. Privé de l'obscurité de la nuit, il se sentit sans défense et déstabilisé. Ses phrases ne se tenaient plus, il dut en rayer plusieurs, puis il chiffonna une première page avant de la jeter à la corbeille. La lumière de la lampe mêlée à celle du jour qui pointait le mit hors de lui. Lorsqu'il alla éteindre le lampadaire, une vive douleur se fit sentir dans sa cheville, accompagnée d'une sensation de faiblesse désagréable. Mais sans lumière électrique, ça n'allait pas du tout, alors il alluma la lampe de bureau. Sa mémoire commençait à défaillir, les mots anglais les plus simples ne lui revenaient plus et d'un seul coup, il n'était même plus sûr de son orthographe.

Une petite pause. En attendant qu'il fasse complètement jour, il pouvait s'allonger un peu. Juste quelques minutes. Après quoi il lui resterait encore une heure et demie pour finir d'écrire son intervention.

41 Des coups de klaxon tonitruants retentissant depuis la route côtière le réveillèrent en sursaut. Il se sentit désorienté et replongea aussitôt dans un état de fatigue comateux. Ses paupières semblaient comme paralysées, il ne parvint à les ouvrir qu'après s'être redressé et assis sur le bord du lit au prix d'un effort extrême. Au moindre mouvement sa tête lui faisait mal et ses veines semblaient bien trop étroites pour le sang qui pulsait violemment. Le bruit de la circulation était insupportable. Il était huit heures cinquante-trois.

Plus le temps de se doucher ni de se raser, et il était aussi trop tard pour commander du café. Il constata avec soulagement que sa langue, bien qu'elle fût enflée et brûlante, lui obéissait à nouveau. Des deux mains, il se passa de l'eau sur le visage, ravivant ainsi le souvenir de l'épisode dans les toilettes de la station-service à Recco. *Pas d'assassinat. Pas de plagiat.* En hâte il rassembla les feuilles éparpillées sur le bureau. Il y avait au minimum vingt pages, pensa-t-il. La dernière demi-page était biffée. *À la fin il faudra que j'improvise.*

L'ascenseur était occupé. Neuf heures moins deux minutes. Perlmann se mordit les lèvres et descendit l'escalier en boitant. Il avait oublié la version imprimée de ses notes et, lorsqu'il voulut s'assurer d'avoir au moins un stylo sur lui, il vit que deux traînées de saleté maculaient sa veste. *Le container près du ventilateur.* Il baissa les yeux vers son pantalon : partout des taches de sang. Arrivé dans le hall, il aperçut à travers la porte vitrée de l'entrée la mer étincelante sous le soleil matinal. À un moment donné dans la nuit, il s'en souvenait encore, il avait cru avoir enfin trouvé le présent. Une chimère tissée de soulagement, d'alcool et de médicaments. Le présent n'avait jamais été aussi lointain.

La porte de la véranda était ouverte. Perlmann ne ressentit plus aucune douleur vive lorsqu'il traversa le salon et monta les trois marches. La peur se déposa sur lui comme un voile étourdissant. Avant même d'être entré dans la pièce, il vit que tous étaient là, y compris Silvestri et Angelini. Et au fond à droite, Leskov la pipe à la bouche. Perlmann détourna immédiatement son regard. Il ne voulait laisser aucun de ces visages le blesser. Comme il l'avait fait pendant la nuit, il voulait rester entièrement enfermé en lui-même, hors d'atteinte pour les autres.

Comme d'habitude il y avait sur la table du café, une cafetière entière pour l'orateur. Perlmann s'assit sans dire bonjour, se servit une tasse tout en se concentrant pour ne pas trembler. Le café était brûlant, on ne pouvait le boire qu'à petites gorgées. Perlmann ne pouvait pas prendre le temps de boire une tasse entière sous le regard des autres. Il la reposa après trois gorgées. Il avait prévu de dire quelques mots en guise d'introduction : pour présenter le texte distribué et expliquer son rapport avec ce qu'il allait maintenant exposer. Mais il n'aurait pas pu le faire en gardant les yeux baissés, et il n'arrivait pas à croiser le regard des autres. C'était impossible tant qu'ils n'auraient pas entendu le texte de cette nuit qui allait le réhabiliter. Il but une autre gorgée de café, alluma une cigarette et commença à lire son texte.

Les phrases d'introduction prirent un tour fastidieux. Il s'en rendit compte aussitôt, l'impatience le gagna et il les débita alors à toute vitesse pour aboutir enfin à la première thèse qui, dans son originalité, il en était persuadé, allait immédiatement capter l'attention de tous ses auditeurs. Il mit de côté la première page et se réjouit de voir qu'il ne restait plus que trois lignes avant le paragraphe crucial. Après les avoir lues, il avala deux grandes gorgées de café, leva les yeux un instant puis il attaqua la présentation de son raisonnement.

Ce qu'il lut alors était d'une médiocrité tellement indicible que les phrases lui restèrent littéralement coincées dans la gorge. Il lui fallut fournir un effort tout particulier, il manqua presque de s'étouffer, pour les lire de bout en bout. C'était d'un kitsch absolu, des fadaises sentimentales auxquelles s'était livré un homme à bout de forces, qui plus est sous l'effet de l'alcool et des médicaments, si bien que toute capacité critique, tout mécanisme de censure était passé à la trappe. Perlmann aurait tout donné pour que la terre s'ouvrît sous ses pieds et, s'il continuait à lire à voix de plus en plus basse, c'était pour l'unique raison qu'il ne savait pas comment supporter le silence qui s'ensuivrait s'il s'interrompait.

Leskov avait avalé sa fumée de travers. Il eut une quinte de toux, se recroquevilla sur lui-même le visage écarlate, et sa toux fut si bruyante que tout orateur se serait normalement interrompu. Perlmann regarda dans sa direction et à cet instant sa conscience fut traversée par une idée jusqu'à présent réprimée par Dieu sait quelle force inconnue : *Je l'aurais tué pour rien. Son meurtre aurait été parfaitement absurde. Un meurtre commis à la suite d'une erreur.* Les feuilles lui glissèrent des mains sans qu'il le remarque, sa bouche s'ouvrit à moitié et son regard devint vide. Il était frigorifié. Il entendit la sonnerie stridente, suraiguë, et vit l'immense pelleteuse dentée lui foncer dessus. Le silence se fit autour de lui, comme dans du coton et de la neige. Il écarta du volant ses mains gelées, moites de sueur. Puis ce ne furent que faiblesse et obscurité. La cigarette tomba de sa main et, dans un mouvement fluide étrangement ralenti, il s'effondra de côté sur le sol.

Ce fut la sensation agréable de s'élever, sans effort, à travers des couches de plus en plus fines, de plus en plus claires. À la fin, il ressentit une légère frayeur à peine perceptible, le monde s'immobilisa complètement et, avec un minuscule décalage, Perlmann comprit que les impressions lui parvenant à travers ses yeux ouverts signifiaient qu'il s'éveillait.

Il était allongé tout habillé sous la couverture, on lui avait seulement retiré sa veste et ses chaussures. Dans le fauteuil rouge près de la fenêtre ouverte était assis Giorgio Silvestri. Il lui tournait le dos et lisait le journal. Perlmann se réjouit de voir qu'il fumait. Cela lui ôtait l'impression d'être un malade à qui on rendait visite. Il aurait voulu regarder sa montre. Mais Silvestri l'aurait entendu, et Perlmann voulait être encore un moment seul avec lui-même. Il ferma les yeux et essaya de mettre de l'ordre dans ses pensées.

Le malaise l'avait apaisé et la fatigue avait beau tout ralentir, il avait cependant le sentiment de pouvoir penser clairement. Ce qui s'était passé dans la véranda, il ne s'en souvenait plus en détail. Les seuls éléments encore présents dans son esprit étaient l'effroi ressenti devant son texte affligeant, et Leskov en train de tousser, avant d'être balayé par un tourbillon d'images tournant autour du tunnel. *Je me suis ridiculisé à vie. Ça n'aurait pas pu être plus affligeant. Mais c'est du passé maintenant. Je n'ai commis aucune imposture ni aucun meurtre. Et je ne devrai plus jamais présider la table dans la véranda. Plus jamais.*

Deux hommes avaient dû le porter jusqu'en haut. Heureusement, ils ne l'avaient pas déshabillé. Qui s'en était chargé avec Silvestri ? Quelqu'un d'autre en plus des deux hommes était-il entré dans la chambre ? Les somnifères puissants étaient dans la poche de sa veste. Silvestri les avait-il trouvés ? Avait-il reconnu chez Perlmann les symptômes de son intoxication et cherché d'où ils provenaient ? Ou peut-être les somnifères étaient-ils tombés pendant qu'on le portait ?

Le texte de Leskov. Bon Dieu, pourvu qu'ils ne l'aient pas trouvé ici. Involontairement Perlmann se redressa. Silvestri se retourna, se leva et le regarda avec un sourire chaleureux qui se confondait singulièrement avec une expression professionnelle, clinique.

— On dirait que je suis revenu juste au bon moment, dit-il.

— Combien de temps suis-je resté inconscient ? demanda Perlmann.

Silvestri regarda sa montre.

— Quelques minutes seulement. Calmez-vous. Il n'y a aucune raison de s'inquiéter.

Perlmann se laissa retomber sur l'oreiller. *Quelques minutes. Ça pourrait être dix, ou encore vingt. En tout cas assez pour tomber sur le texte. S'ils entendent Leskov faire une présentation pratiquement identique, ils sauront que quelque chose ne va pas, et leur calcul sera vite fait. Ce n'est pas encore terminé.*

— Est-ce que Leskov aussi est entré ici ? demanda-t-il d'une voix enrouée.

— Oui, répondit Silvestri en souriant, il a insisté pour aider Brian Millar à vous porter. Ça l'a fait souffler comme un cachalot. Un brave type, ce Leskov.

Ça veut dire qu'il a vu son texte ici, et maintenant il doit être en train de repenser au tunnel. Perlmann se mit à transpirer et demanda un verre d'eau.

Pendant qu'il buvait, Silvestri le regardait d'un air songeur. Il hésitait à se comporter en médecin. Finalement il prit tout de même le pouls de Perlmann.

— Cela vous est-il déjà souvent arrivé ?

Perlmann répondit que non, c'était la première fois.

— Vous prenez des somnifères ?

Silvestri s'arrangea pour poser sa question de manière innocente, presque anodine.

Perlmann mentit et sut immédiatement que Silvestri lisait dans ses pensées.

Après avoir replié le journal et allumé une gauloise, Silvestri s'appuya contre le bureau et ne dit rien pendant un moment. Perlmann était tenté de tout lui raconter. Simplement pour ne pas avoir à être seul plus longtemps avec ses pensées. Pour être enfin en paix.

– Vous savez…, dit lentement Silvestri sans donner la moindre impression de vouloir lui faire la morale ou de jouer les paternalistes, vous vous trouvez dans un état d'exténuation profonde. Sans risques directs pour le moment. Mais vous devriez désormais faire un peu attention. Reposez-vous. Dormez beaucoup. Et chez vous, allez consulter un médecin. Il doit dans tous les cas vous examiner attentivement. Si vous avez besoin de quelque chose, appelez-moi.

Il marcha jusqu'à la porte.

– Giorgio, dit Perlmann.

Silvestri se retourna.

– Je… je suis content que vous ayez été là. *Grazie.*

– *Di niente*, répondit Silvestri en souriant, puis il posa la main sur la poignée ; la relâchant finalement, il fit deux pas en arrière. Au fait, il y a beaucoup d'observations que je trouve très intéressantes dans votre texte. En particulier les aspects concernant la fixation du passé à travers la langue, et l'idée que des phrases soient aussi bien capables de débrider l'imagination que de la paralyser – il eut un sourire narquois. Les autres s'étaient naturellement un peu attendus à autre chose de votre part. Mais je n'y attacherais pas trop d'importance si j'étais vous. De manière générale d'ailleurs, vous ne devriez pas attacher trop d'importance à ce qui se passe ici, dit-il en joignant à sa parole un geste qui désigna l'hôtel dans son ensemble.

Perlmann acquiesça en silence.

Quand la porte se referma, il repoussa la couverture et se hâta de clopiner jusqu'à sa valise. Épouvanté, il vit que le cadenas à chiffres était sur la bonne combinaison. Aucun texte à l'intérieur. À chaque pulsation de son cœur il lui sembla que les veines de son crâne allaient exploser. Il s'assit sur le rebord du lit avant de se relever d'un bond. *L'annuaire.* Pressant sa tête d'une main, il ouvrit en grand le tiroir du bureau. Sous l'annuaire non plus il n'y avait aucun texte. Il savait que c'était vain, mais il vérifia aussi dans la table de chevet et dans l'armoire. Ils l'avaient donc découvert et emporté en guise de preuve. Leskov identifierait le texte. Tentative de plagiat. C'était la seule explication justifiant que Perlmann ait minutieusement caché l'existence du texte. Et vu sous cet angle, ils comprendraient aussi l'incident survenu dans la véranda. Aujourd'hui ils le ménageraient encore, il était en quelque sorte inapte à comparaître en jugement. Mais demain, ils lui demanderaient des comptes.

Perlmann éteignit sa cigarette et se réjouit de constater que sa nausée se dissipait lorsqu'il s'allongea. Non, il n'avait pas pu distribuer le texte en guise de cadeau de bienvenue. Il avait appris l'arrivée de Leskov à peine trois jours avant. Et pourquoi ne lui avait-il pas remis le cadeau depuis longtemps ? Il avait trouvé le texte tellement bon qu'il avait prévu de lui envoyer la traduction terminée à Saint-Pétersbourg et de lui proposer une publication dans une revue *ad hoc*. Lorsque ensuite il avait appris son arrivée, il avait prévu de lui faire une surprise avec le texte. Il voulait le lui remettre ce soir au dîner. *C'est bon, ça n'a pas l'air tiré par les cheveux. En tout cas ils ne peuvent pas prouver le contraire.* Perlmann tira la couverture jusqu'à son menton. Le martèlement dans ses tempes se fit moins violent. *C'est terminé. Chez l'un ou chez l'autre il y aura peut-être encore quelques soupçons. Ça ne peut pas aller plus loin. C'est terminé.* Il se retourna sur le ventre et enfouit son visage dans l'oreiller.

Mais le texte n'était déjà plus là. Je l'ai jeté cette nuit à la poubelle. Perlmann se rassit et entoura ses genoux de ses bras. À l'exception des épluchures de pommes de terre, il n'y avait rien dans le grand container sous le ventilateur. Et le couvercle fermé avait protégé du ventilateur. Perlmann chercha à rassembler le plus de détails possible sur la situation pour s'assurer qu'il s'agissait bien de souvenirs et non d'un tour que lui jouait son imagination. Il entendit le bruit sourd avec lequel s'était écrasée la pile de papiers et il sentit à nouveau les effluves de cuisine que brassait le ventilateur. C'était pénible de ranimer tout ça, car c'était enveloppé dans une fine couche de brouillard impossible à dissiper même en se concentrant au maximum – comme si ce brouillard n'était pas seulement un voile posé autour des souvenirs mais en faisait partie intégrante. Qui plus est les images étaient également instables, difficiles à fixer, comme si les perceptions de la nuit dernière n'avaient pas eu l'occasion de s'imprimer dans son cerveau. Perlmann eut pourtant de plus en plus la certitude que c'étaient des souvenirs authentiques. L'imagination ne fournirait pas des images si denses et si cohérentes malgré le brouillard. Hier soir, il s'en souvenait aussi, il lui avait semblé totalement dérisoire de détruire le texte. Maintenant il se réjouissait de cet accès de sottise. Entre-temps des quantités de détritus étaient tombés sur le texte et l'avaient recouvert.

Lorsqu'il sortit de la salle de bains en pyjama, son regard tomba sur la veste claire qu'ils avaient accrochée sur un dossier de chaise. Elle n'était pas seulement maculée de traînées de saleté sur la poitrine : les deux manches aussi, du côté extérieur sous les coudes, étaient tachées. Il s'était appuyé contre le container à ordures. Et en plus la brochure de l'hôtel avait disparu. À présent, c'était définitivement clair. Il n'y avait rien, plus rien susceptible de le trahir.

Au bout du bureau, il y avait une pile de papiers dont un angle était coincé sous le pied de la lampe. C'était le texte qu'il avait écrit pendant la nuit. *Le texte kitsch*. C'était donc ici qu'ils l'avaient mis. Discrètement, le verso caché. Dans quelle main avait-il été pendant qu'ils l'avaient porté ? Celle de Silvestri ? Celle de Millar ? Son écriture était plus large que d'habitude, les lignes plus vigoureuses, plus amples. Sur les dernières pages, bon nombre de passages étaient illisibles. Perlmann déchira chaque page en plusieurs morceaux qu'il laissa tomber dans la corbeille à papier.

Ensuite, il s'allongea sur le lit. Il aurait voulu dormir une année durant. Silvestri n'avait pas trouvé ses notes délirantes. Il revoyait son sourire lorsqu'il avait évoqué les attentes des autres. Cette distance railleuse à laquelle il n'avait pas besoin d'ajouter la moindre méchanceté – Perlmann n'avait encore jamais envié quelqu'un si ardemment. Il essaya de se projeter totalement dans ce sourire – d'être l'un de ceux qui savaient sourire de ce genre de choses. C'est alors que, pour la première fois depuis des jours, il glissa vers un sommeil profond, sans rêve.

42 Il était presque trois heures lorsque le téléphone le réveilla. Comme s'il n'avait jamais rien vécu de tel, il eut un mouvement de recul pour se protéger. *Ce n'est pourtant plus la peine que je me cache. C'est du passé maintenant.* Il décrocha et entendit la voix de Leskov, bien trop sonore, lui demandant s'il pouvait lui rendre visite. À condition bien sûr que cela ne le dérange pas. Le sang commença à marteler les tempes de Perlmann, et une brûlure sèche se fit sentir sur son visage encore chaud de sommeil, comme s'il avait marché des heures dans une atmosphère hivernale glaciale.

– Allô ? Tu es encore là ?

Perlmann lui répondit qu'il serait content d'avoir sa visite. Il ne savait pas ce qu'il aurait pu lui dire d'autre.

Le temps s'était couvert et une légère pluie tombait du ciel gris clair. *La deuxième version. La pluie est en train de tomber sur les feuilles jaunes.* Le trajet par Recco et Uscio prendrait tout au plus une heure. S'il se débarrassait rapidement de Leskov, il pourrait y être à temps pour rassembler les pages tant qu'il faisait jour. Il prit la clé de la voiture dans la poche de son blazer et enfila sa veste sale. Ainsi, Leskov remarquerait forcément qu'il s'apprêtait à partir.

À peine Leskov se fut-il affalé dans le fauteuil rouge qu'il sortit sa pipe de sa poche en demandant s'il pouvait fumer.

– Oui, bien sûr, dit Perlmann.

Il n'était pas obligé de le dire. *Je préférerais que tu évites*, aurait-il pu répondre à la place. Dans la bouche d'un convalescent, cela aurait suffi. Une simple phrase. Il ne l'avait pas prononcée. Il en avait été incapable. À présent, il sentait se répandre l'odeur de tabac sucré. Elle resterait imprégnée partout. Des jours entiers, il aurait à la sentir. Il haïssait ce Russe.

– Tu nous as fait une belle frayeur, dit Leskov.

Naturellement, il n'avait pu s'empêcher de repenser à cette nausée qu'avait eue Perlmann sur le trajet, et à son agitation à l'intérieur du tunnel. Les autres n'en savaient rien, du reste. La veille au soir, il s'était contenté de mentionner vaguement une indisposition pour expliquer l'absence de Perlmann au repas. Les détails, dit-il en souriant, ne concernaient après tout personne d'autre qu'eux deux, pas vrai ?

L'intimité qu'il avait imposée à travers cette remarque ne pouvait être l'intimité du chantage. Perlmann le savait, même si cette certitude lui semblait encore très récente et un peu bancale. Pour autant, c'était une intimité insupportable, et elle rendit Perlmann si furieux qu'il fut soudain indifférent de voir la pluie redoubler.

– Au fait, dit Leskov, on m'a parlé de la réception qui s'est tenue à la mairie – il sourit. C'étaient donc ta médaille et ton certificat qui étaient posés sur la banquette arrière. Maintenant je comprends mieux pourquoi il y avait aussi cette cravate qui traînait, comme si tu l'avais balancée dans un excès de colère. Toute cette mascarade a dû te paraître horriblement embarrassante et écœurante ! Nous nous sommes tordus de rire au déjeuner, quand Achim nous a décrit la scène.

Leskov était enthousiasmé par le texte de Perlmann. Il raconta être resté éveillé encore longtemps, la nuit précédente, pour le lire jusqu'au bout. Il n'avait pas tout compris, étant donné qu'une série de mots et de tournures en anglais lui étaient inconnus. Mais aussi bien les thèmes que sa façon de les traiter étaient étonnamment proches de son propre travail. Quel dommage vraiment que Perlmann ait trouvé le texte russe encore trop difficile pour lui. Sinon il aurait lui aussi immédiatement reconnu cette proximité. – Mais tu as sûrement compris le titre, n'est-ce pas ?

Perlmann acquiesça.

– Nous devrions écrire un texte ensemble ! dit Leskov en lui touchant le genou.

Il confia qu'en tout cas le texte de Perlmann l'avait encouragé à parler ici de ses propres travaux. Car il avait tout de même eu un peu la trouille. Au sein d'une équipe aussi illustre. Il trouvait formidable qu'on soit si ouvert ici, qu'on ne paraisse pas enfermé dans quelque camisole universitaire. Si seulement il n'était pas arrivé un tel malheur à son texte ! Il expira subitement de gros nuages de fumée qui formèrent peu à peu une nappe opaque de volutes bleues, comme un deuxième plafond à hauteur de leur tête.

– Ah mais c'est vrai, tu ne peux pas être au courant de cette histoire, s'interrompit-il en gesticulant avec véhémence. Je t'ai parlé de cette seconde version de mon texte, et je t'ai aussi dit que j'avais failli l'oublier à la maison à cause de ce fichu coup de fil – Leskov attendit que Perlmann hochât la tête. Eh bien, on dirait que c'est ce qui a fini par arriver. Hier soir, en revenant du dîner, je mets la main dans la poche extérieure de mon attaché-case, là où le texte aurait dû se trouver. Mais il n'y avait rien dedans. Absolument rien. Vide.

Leskov pressa les poings contre ses tempes.

– C'est une véritable énigme. Je pourrais jurer l'avoir mis dans mes affaires au dernier moment. C'est justement en voyant la poche ouverte que je m'en suis souvenu.

Perlmann ouvrit la fenêtre, se pencha au-dehors et regarda vers le nord-ouest. Dans cette direction, le ciel était plus clair. Peut-être ne pleuvait-il pas là-bas.

– Tu es sûr que la fumée ne te dérange pas ? demanda Leskov.

– Absolument pas, répondit Perlmann tourné vers la pluie, avant de regarder l'horloge du coin de l'œil.

Quatre heures moins vingt-cinq.

Leskov poursuivit en disant qu'il avait passé la moitié de la nuit à se perdre en suppositions. Et par moments, il finissait par se dire que son souvenir n'était peut-être qu'une simple illusion dont la vivacité ne traduisait que sa volonté de croire dur comme fer qu'il avait bien mis le texte dans ses affaires.

– C'est très désagréable, dit-il, et non pas seulement à cause du texte. J'en viens à avoir le sentiment de ne plus pouvoir me fier à moi-même. Cela t'est-il déjà arrivé ?

– Oui, dit Perlmann en s'allumant maladroitement une cigarette, il connaissait ce sentiment.

Songeur, Leskov dit qu'il avait pour habitude de se plonger dans une lecture dès qu'il avait à attendre. Et du coup, maintenant, il n'arrêtait pas de se demander s'il n'avait pas sorti son texte quelque part sur le trajet, puis l'y avait oublié. Pas à l'aéroport de Saint-Pétersbourg : tout s'était fait dans la précipitation là-bas. Pas plus que durant le vol pour Moscou, où un vétéran ivre assis à côté de lui n'avait cessé de l'importuner. Ensuite, chez Larissa et Boris, il avait été tout le temps accaparé par les enfants. À l'aéroport de Moscou, peut-être. Ou bien dans l'avion. Ou à Francfort, pendant qu'il avait attendu sa correspondance. C'était fou.

Comme il n'avait pas le moindre souvenir d'avoir fait une chose pareille, il devait maintenant réfléchir à ses actes comme si c'étaient ceux d'un étranger – de l'extérieur pour ainsi dire. Cependant il espérait ardemment que tout ce raisonnement était faux. Certes, son adresse était inscrite à la fin du texte, c'était quelque chose qu'il faisait de façon systématique, même sur les manuscrits. Mais il ne croyait pas que quelqu'un se donne la peine de faire quoi que ce soit. Certainement pas à l'aéroport de Moscou. Et à Francfort, personne ne saurait la lire. Peut-être la Lufthansa interviendrait-elle, si le texte était retrouvé à l'aéroport. D'un autre côté, le service de nettoyage, en tombant sur cette pile de feuilles illisibles, se contenterait tout simplement de la jeter à la poubelle.

– Ou bien qu'en penses-tu, toi ?

– Je... je n'en sais rien, dit Perlmann d'une voix éteinte.

Leskov marqua une pause et plissa légèrement les yeux. Perlmann savait ce qui allait suivre à présent. Il y avait encore un détail, poursuivit Leskov, qu'il osait à peine mentionner tant il lui paraissait ridicule : un petit bout d'élastique était resté coincé dans la fermeture éclair de la poche extérieure. Ce détail ne lui sortait pas de la tête, car il pouvait signifier qu'en prenant le texte il avait déchiré l'élastique qui l'entourait. Il cogna ses poignets contre son front.

– Si seulement j'avais ne serait-ce qu'un souvenir !

Après un instant, il rouvrit les yeux et considéra Perlmann, dont le regard était rivé au sol.

– Pardon de t'ennuyer avec ça. Dans ton état. Mais tu sais bien tout ce que représente ce texte pour moi. J'ai déjà essayé de téléphoner à des amis chez moi, pour qu'ils aillent vérifier dans mon appartement. Mais je n'arrive pas à avoir la communication.

Il posa sa pipe sur la table ronde et cacha son visage dans ses mains.

– J'espère devant Dieu que mon texte est là-bas. Sinon... je n'ose pas y penser.

La pluie avait cessé. Perlmann alla à la salle de bains et s'adossa contre le lavabo. Il tremblait et sa tête menaçait d'imploser. *Il faut que je rassemble les feuilles. À tout prix.* Quatre heures cinq. Si Leskov ne tardait pas à partir, c'était encore possible. *Même à la tombée de la nuit, j'arriverai à distinguer les feuilles.* Il tira la chasse. Puis il serra les poings pour s'empêcher de trembler et revint dans la chambre.

Leskov se leva. Il devait retourner travailler : il ne lui restait que peu de temps avant sa séance jeudi.

– Probablement mon texte est-il tout simplement resté chez moi. C'est la seule possibilité, en fait. Sinon, j'aurais tout de même un quelconque souvenir. Ne serait-ce qu'une bribe.

Perlmann ne soutint pas longtemps son regard interrogateur et avança jusqu'à la porte. Avant de sortir, Leskov se planta tout près de lui. Perlmann sentit son haleine de tabac.

– Crois-tu qu'on pourrait trouver un traducteur pour mon texte ? demanda-t-il. J'aimerais tant que toi et les autres puissiez le lire. Surtout maintenant que je connais le tien. Évidemment, la rémunération poserait problème, je le sais bien.

– Je vais y réfléchir, dit Perlmann.

Il dut déployer des efforts énormes pour refermer la porte en douceur.

Un peu plus tard, il quitta la chambre et, après une brève hésitation, il prit le chemin qui traversait le hall. C'est alors que Maria sortit de son bureau en courant pour l'intercepter au passage, reniflant, un mouchoir à la main. Elle s'enquit de savoir s'il allait mieux.

– J'ai terminé votre texte vendredi et signora Morelli m'a dit que vous aviez été surpris de voir qu'il avait été distribué. Veuillez m'excuser si je n'ai pas fait ce qu'il fallait. Mais vendredi au téléphone, lorsque vous m'avez dit que c'était urgent, j'ai automatiquement supposé que le texte était destiné à votre séance et c'est pourquoi j'y ai collé un post-it afin qu'on le photocopie. Je crois aussi que j'y ai ajouté votre nom.

Les gens de Fiat ?

— Ah, eux…, dit-elle en riant avant de se moucher, je n'avais pas l'impression qu'ils s'éreintaient à la tâche. Et lorsque j'ai parlé du groupe de recherche et d'un texte important, Santini m'a aussitôt fait signe de partir. C'est un type efficace. Il est déjà souvent venu ici avec des gens.

Elle frotta ses yeux rougis.

— Vous aviez bien dit que samedi midi, ce serait encore dans les temps. Mais ensuite, j'ai senti que je couvais ce rhume, alors j'ai terminé le texte vendredi pour pouvoir rester au lit samedi. Ah, un instant, dit-elle en lui faisant signe d'attendre avant de disparaître dans son bureau.

Si elle n'avait pas été enrhumée, les casiers seraient restés vides samedi matin et j'aurais aussitôt découvert l'erreur de Giovanni. Cela dit, s'il n'avait pas fait d'erreur, le rhume de Maria aurait été mon salut.

— Voilà, dit Maria en lui tendant le cahier de similicuir noir. J'aime bien taper vos textes. Ils ne sont pas aussi techniques que ceux des autres, ni aussi austères. C'était déjà le cas dans l'autre texte, celui sur le souvenir. Et en plus celui-ci porte un titre original. Ça me plaît. Vous n'avez donc vraiment eu aucun problème ? Peut-être aurais-je dû réimprimer l'autre texte et le faire photocopier ?

— Non, non, dit Perlmann en s'efforçant de dissimuler la précipitation dans sa voix. Vous avez exactement fait ce qu'il fallait. *Mille grazie.*

À la lumière on pouvait voir que la Lancia avait subi de sérieux dommages. Sur toute la longueur, la peinture bleu foncé était rayée à plusieurs endroits, les éraflures avaient attaqué la tôle en profondeur, et au niveau du phare avant droit, l'aile avait été violemment emboutie. Perlmann prit la cravate, la médaille et le certificat posés sur la banquette arrière pour les ranger avec le cahier noir dans son attaché-case vide. Puis il démarra.

Avant même d'avoir atteint la grande zone portuaire, il se rendit compte qu'il n'y arriverait pas. Il tremblait de faiblesse, et ses réactions étaient grotesques de lenteur, comme si son cerveau fonctionnait au ralenti. Sous le regard d'un policier, il s'arrêta à un endroit interdit et essuya la sueur qui perlait de ses mains froides.

Juste au moment où il s'apprêtait à tourner pour rentrer, son regard tomba sur l'hôtel *Imperiale*, juché en haut de la colline. Cela lui rappela quelque chose, mais quoi ? Encore une fois, son cerveau marqua une pause effroyablement longue. *Le serveur. Je ne l'ai pas attendu. Et je n'ai pas payé. Voilà que je resquille, pour couronner le tout.* En comparaison avec le reste, c'était si ridicule que le visage de Perlmann se déforma en un rictus. Il roula tout doucement jusqu'à l'hôtel et attendit plusieurs minutes devant l'entrée que passent les voitures arrivant au loin.

C'était le même serveur. Il toisa Perlmann d'un regard réprobateur. Son visage blême, pas rasé. Sa veste tachée. Son pantalon maculé de sang. Ses chaussures sales.

— J'ai oublié de payer hier soir, dit Perlmann en sortant une poignée de billets de sa poche.

— Nous n'avons pas l'habitude de recevoir des clients comme vous ici, répondit sèchement le serveur.

— Ce n'est pas non plus dans mes habitudes, dit Perlmann avec un sourire las. J'avais pris, je crois, un sandwich, un whisky et une eau minérale.

— *Deux* eaux, répliqua le serveur d'un ton rude.

– Excusez-moi. Je n'étais pas... très en forme hier.

– C'est également mon impression. Et je dirais que nous pourrons à l'avenir nous passer d'une nouvelle visite de votre part, dit le serveur en empochant les trois billets de dix mille lires dans sa veste rouge.

Ces deux choses coup sur coup, se faire mettre dehors et le geste du serveur, fusionnèrent dans l'esprit de Perlmann, ce qui le libéra d'étrange façon. Il regarda le serveur droit dans les yeux avec un mépris non dissimulé.

– Savez-vous ce que vous êtes ? *Un stronzo.*

Et comme il n'était pas sûr que cette insulte soit assez forte, il ajouta sa traduction :

– Un connard. Un vrai connard.

Le visage du serveur s'empourpra.

– *Stronzo*, répéta encore une fois Perlmann avant de partir.

Sur le trajet du retour, il conduisit avec plus d'assurance jusqu'à ce que, tout à coup, il éprouve une vraie faim – une sensation qu'il avait presque fini par oublier ces derniers jours. Dans un snack, il mangea plusieurs parts de pizza tout en restant debout. À la télévision derrière le comptoir, les informations de dix-sept heures touchaient à leur fin et une carte météorologique s'afficha. Perlmann garda les yeux rivés sur les nuages à l'est de Gênes. Ils étaient blancs, et non gris. Mais c'était toujours le cas sur ce genre de carte. Non ?

– Connaissez-vous la route entre Gênes et Chiavari qui passe par Lumarzo ? demanda-t-il à l'homme en marcel qui sortait les pizzas du four à l'aide d'une longue pelle.

– Bien sûr, répondit l'homme sans s'interrompre dans ses mouvements.

– Croyez-vous qu'il va pleuvoir là-bas cette nuit ? Au niveau du tunnel, je veux dire.

L'homme s'arrêta net, laissa la pelle à moitié dans le four et se retourna.

– Vous vous fichez de moi ?

– Non, non, s'empressa de dire Perlmann, il faut vraiment que je le sache, c'est très important.

L'homme en marcel tira une bouffée sur sa cigarette et le dévisagea comme s'il était un peu simplet, voire carrément dérangé.

– Bon sang, comment voulez-vous que je le sache ? dit-il d'une voix légère.

– Oui, dit Perlmann doucement, avant de partir en laissant un pourboire bien trop élevé.

– Cette conversation hier soir, dit Perlmann à signora Morelli pendant qu'elle déposait devant lui l'enveloppe jaune de Frau Hartwig et une autre, plus petite, sur le comptoir de l'accueil, je…

Elle croisa les mains et le regarda. Elle eut un léger tressautement à la commissure des lèvres, à moins que ce ne fût le fruit de l'imagination de Perlmann.

– Quelle conversation ?

Perlmann avala sa salive et décala les deux enveloppes jusqu'à ce qu'elles soient parfaitement parallèles au bord du comptoir.

– *Grazie*, dit-il à mi-voix en la regardant.

Elle hocha imperceptiblement la tête.

La chambre sentait le tabac sucré de Leskov. La fumée s'était dissipée, mais la fenêtre ouverte n'avait rien changé à l'odeur pénétrante. Le seul résultat à présent était qu'il faisait froid. Perlmann jeta le tas de cendre de pipe et de tabac carbonisé dans les toilettes, puis il ferma la fenêtre.

L'enveloppe de Frau Hartwig contenait deux lettres. L'une était l'invitation pour Princeton, écrite sur du papier luxueux qui faisait penser à du parchemin, et signée par le président. L'invitation faisait suite à ses *remarquables travaux scientifiques*. Et le président lui assurait que ce serait *un grand honneur* pour l'université entière de le recevoir comme professeur invité. Perlmann ne prit pas la peine de relire la lettre : il la remit directement dans son enveloppe qu'il jeta dans sa valise.

L'autre était une invitation à venir faire une conférence. On lui demandait d'ouvrir un cycle de cours, et les organisateurs tenaient beaucoup à ce que ce soit précisément lui qui intervienne en premier. Il était question dans la lettre de travaux qu'il avait déjà achevés trois ans auparavant, mais qui n'étaient parus qu'en début d'année. À l'époque, songea-t-il, tout semblait encore aller correctement. Si ce n'était que ses travaux l'ennuyaient de plus en plus souvent. Et parfois, il s'était levé en plein milieu de la nuit, perdu. Non pas qu'il eût commencé à parler tout seul. Du reste dans ces moments-là peu de pensées lui venaient à l'esprit. Il écoutait de la musique, la plupart du temps en se tenant debout près de la grande fenêtre. Agnès s'étonnait alors de le trouver si tôt le matin déjà à son bureau.

Dans l'autre enveloppe, il y avait une note d'Angelini. Il était hélas contraint de retourner dès cet après-midi à Ivrée. Il lui souhaitait un bon rétablissement. En espérant que ce ne soit rien de grave. Il essaierait de venir vendredi lors du dernier dîner, mais ce n'était pas encore sûr. En tout cas, il priait Perlmann de l'appeler avant son vol de retour. À la fin était inscrit son numéro de téléphone personnel.

C'étaient des phrases amicales, quoique conventionnelles. Perlmann les lut plusieurs fois. Il repensa à leur première rencontre et aux coups de fil enthousiastes qui s'en étaient suivis. On ne pouvait pas dire qu'une quelconque déception se lisait dans ces lignes. Pas du tout. Ni même une distance ou de la froideur. Mais Perlmann la sentait. Lui, Philipp Perlmann, s'était révélé être un mauvais investissement.

Il mit les informations de dix-huit heures. Mais cette chaîne ne diffusait qu'une carte météorologique sous forme de schéma, ce qui ne lui servait à rien. Aucun grand changement à attendre pour demain. Tout à l'heure les routes avaient presque séché. Il alla à la fenêtre. Regarder le ciel nocturne sans étoiles ne rimait à rien.

Il se doucha longuement puis alla se coucher. L'oreiller sentait le tabac de Leskov. Perlmann en sortit un autre de l'armoire. Les draps et la couverture de laine sentaient également. Il les enleva et prit une couverture de rechange. Le chauffage intensifiait l'odeur. Il l'éteignit et ouvrit la fenêtre. Son corps tremblait d'épuisement, mais le sommeil ne voulait pas venir. Il ne prit aucun somnifère. Au journal de dix-neuf heures, les nuages autour de Gênes paraissaient plus épais que cela n'avait été le cas deux heures auparavant. Dehors, le temps restait sec. La route côtière était trop bruyante, alors il ferma la fenêtre. S'il partait à cinq heures et demie, il serait là-bas aux premiers rayons du soleil. Il régla son réveil pour cinq heures. Vers vingt heures, il s'endormit.

Il ne vit ni bulldozer ni parois de tunnel. En fait, il ne vit rien du tout. Sa vue ne fonctionnait pas. Il n'avait tout simplement pas la force de retirer ses mains du volant. Il le tenait fermement et le braquait à gauche, toujours à gauche. Peut-être était-ce lui qui tournait le volant. À moins que ce ne fût quelque chose en lui, une force, une volonté qui lui était cependant étrangère et ne lui appartenait pas réellement. Il se pouvait aussi que le volant ait pris le contrôle et dirigeât sa main contre sa volonté. Perlmann était perdu, ses impressions s'embrouillaient et il ne savait pas ce qu'il redoutait le plus. La peur le paralysait totalement et il avait le sentiment de perdre le contrôle de ses fonctions corporelles, surtout de son bas-ventre. Cela dura une éternité, il s'attendait à tout moment à une collision, puis il se réveilla dans un sursaut qui l'agita tout entier, un mouvement qui avait quelque chose d'effrayant en soi, d'étrangement inquiétant, car il se dérobait lui aussi à tout contrôle, c'était un sursaut animal, biologique, qui semblait provenir d'une zone enfouie au fond de son cerveau.

Il se leva d'un bond et examina le matelas. Il était propre. Perlmann s'assit au bord du lit et fuma. De temps à autre, il sentait la réminiscence physique de ses mains sur le volant braqué à gauche. Plus tard il retira son pyjama trempé et prit une douche. Il était presque minuit. La route côtière était mouillée. Mais il ne pleuvait plus.

Au cours des heures suivantes, il se réveilla fréquemment, toujours après le même rêve, puis se rendormit. Cette fois-ci ce n'était pas un cauchemar mais une association d'idées pénibles et ridicules qui, pour lui, n'avaient pas le moindre rapport entre elles. Le nom Pian dei Ratti revenait si souvent qu'il résonnait presque comme un bruit de fond permanent, un écho incessant qui emplissait l'espace intérieur jusque dans ses derniers recoins. Et ce nom dégageait une senteur. Il était enveloppé de brume et d'une odeur de tabac sucré ; on aurait dit que cette odeur collait au nom et que celui-ci n'avait aucune signification sans elle. À cause de ce nom qui était constamment présent et résonnait, il faisait un froid glacial et on était obligé de chercher en reniflant des pièces de monnaie qui glissaient sans cesse des doigts en les râpant douloureusement. Les chaussures se balançaient, et les femmes riaient. Puis tout se remplissait de feuilles jaunes et cela ne servait à rien de se recroqueviller dans le coffre.

Perlmann changea son pansement au doigt. L'inflammation commençait à s'apaiser. Chaque fois qu'il se réveillait, il aérait. Dehors, il ne tombait plus que quelques gouttes. Le rêve avait la récurrence et la monotonie d'un disque vinyle sur lequel l'aiguille parcourrait toujours le même sillon. À quatre heures et demie, Perlmann se doucha, se rasa et s'habilla.

– *Buon giorno*, dit Giovanni en se frottant les yeux puis en regardant l'heure.

Arrivé à la porte, Perlmann se retourna.

– Ce but d'égalisation l'autre jour, qui a donné lieu aux tirs au but, qui l'a marqué ?

La question laissa Giovanni pantois.

– Baggio, répondit-il avec un rictus.

– De quel club ?

Giovanni le regarda comme s'il avait demandé de quel pays Rome était la capitale.

– La Juve. La Juventus de Turin.

– *Grazie*, dit Perlmann.

Il sentit Giovanni le suivre de son regard ahuri.

Il passait désormais pour un original.

43 La route côtière était si calme et déserte que Perlmann oublia aussitôt la présence fugitive des trois ou quatre voitures qu'il croisa. Rapallo était une silhouette nocturne aux lumières immobiles qui faisaient penser à des gravures sur cuivre et à des formes découpées dans du papier. Les feux clignotants dans les rues mortes de Recco lui donnaient le sentiment de traverser une ville fantôme, et les deux vieillards qui rasaient les maisons vinrent renforcer cette impression. Dans les fermes le long de la route d'Uscio, il y avait déjà de la lumière à plusieurs endroits. Le cri de nombreux coqs couvrait le bruit sourd du moteur. Perlmann essaya de ne pas repenser à lundi. L'essentiel, c'était qu'ici il n'avait visiblement pas plu ces dernières heures. Soudain, après Lumarzo, le levier de vitesses fut couvert de la sueur de Perlmann qui se mit à déglutir de plus en plus souvent. À l'entrée du tunnel, il conduisit bras tendus vers le volant, déterminé à ne pas regarder devant lui et à ne penser à rien.

Il freina. Sur la glissière gris clair, il y avait des traces sombres. Il accéléra – pour rétrograder aussitôt après. *C'est ici, exactement ici que j'ai lâché le volant.* Il se redressa. On ne pouvait rien voir. C'était idiot. Furieux, il fit crisser les pneus avant d'écraser le frein, comme s'il devait empêcher une collision dans ce tunnel désert. La plus grande partie de la glaise claire était couverte d'une bâche qu'on avait fixée par des briques dans les angles. Contre le mur sous une brouette vide traînait une corde mal déroulée. Perlmann n'avait pas réussi à comprendre à quoi servait véritablement cette voie de détresse, de même qu'il n'arrivait pas à s'expliquer les changements récents qu'on y avait opérés. Il savait que c'était stupide et qu'il frôlait la paranoïa, mais il ne pouvait se défaire de l'impression qu'on cherchait à se moquer de lui, de lui seul : que quelqu'un ne cessait de déplacer les objets à cet endroit, dans l'unique but de le perturber, de provoquer des pensées ineptes et d'attiser son malaise. Il se mordit les lèvres et sortit du tunnel. L'échoppe de la vieille édentée était plongée dans l'ombre, elle lui fit penser à un décor onirique qu'on aurait mis au rebut. Il était six heures et quart, il faisait encore nuit noire.

Il ne restait probablement que deux, au maximum trois kilomètres à parcourir. Quelques virages seulement. Mais ce n'était pas après celui-ci, ni même après le suivant. Vu dans ce sens, tout avait l'air différent. Tout à coup, tellement vite qu'il n'en crut pas ses yeux, il arriva à la station-service où il avait pour la première fois tenté d'*abandonner* le texte de Leskov. Oui, c'était le mot adéquat. Il arrêta la voiture devant la maisonnette sombre et essaya de se souvenir de ce qui s'était passé ensuite. Sa mémoire était chancelante, rien ne lui revenait. Dans la voiture, il faisait chaud, l'air était moite : il avait conduit tout le trajet avec le chauffage allumé à fond. Mais il eut froid lorsqu'il aéra et il remonta la vitre grinçante. La peau de son visage était tendue, rêche comme du papier.

Pourquoi au juste était-il ici ? Uniquement pour avoir en main une pile de feuilles salies et déchirées. Et après ? Que diable voulait-il dire à Leskov lorsqu'il lui tendrait ces pages ? Il serait évidemment contraint de lui raconter une histoire qui justifierait une erreur, une maladresse, une sottise fortuite. Et en plus, il faudrait que cette histoire explique pourquoi il n'avait remarqué sa sottise qu'aujourd'hui. Perlmann sentit sa tête se vider pour se remplir ensuite peu à peu d'une fatigue qui le paralysait. Même en déployant la meilleure volonté et toute son imagination, y compris la plus hasardeuse, rien ne pouvait expliquer comment le texte avait pu sortir de l'attaché-case et du coffre fermés pour atterrir dans la boue sans que quelqu'un y ait activement contribué.

Une première lueur de lumière grise et diffuse éclaircit l'épaisse couverture nuageuse. À présent, quelques voitures circulaient. S'il se contentait de continuer à rouler jusqu'à Gênes, il serait à l'aéroport peu avant huit heures et le comptoir d'Avis ne tarderait pas à ouvrir. *Mais je ne peux tout de même pas laisser les feuilles ici jusqu'à ce qu'elles se désagrègent. C'est hors de question. Il doit récupérer son texte. D'une manière ou d'une autre.*

Perlmann démarra lentement, plus lentement encore que lundi. C'était là-bas devant, dans le virage, qu'avait surgi le camion aux phares aveuglants qu'il avait laissé passer. Et en effet : avant le virage, dans le fossé, se trouvait déjà la première feuille de couleur claire. Sa vue l'électrisa, d'un seul coup, il fut totalement éveillé. Comme si le papier risquait de se dérober à lui au dernier moment, Perlmann se précipita hors de la voiture et se pencha vers le sol. C'était un morceau d'emballage à moitié transparent et froissé. Il ne put retenir sa main, il fallait qu'elle le touche. De la mayonnaise lui colla aux doigts. Écœuré, il les frotta contre son pantalon avant de remonter dans la voiture.

Le prochain virage ne pouvait également pas être le bon : pas le moindre papier nulle part. Le virage suivant : de loin déjà, Perlmann aperçut de nombreuses feuilles pâles dans le fossé et donna un dernier coup d'accélérateur. Il se gara, deux roues en surplomb au-dessus du fossé, s'extirpa de la voiture penchée et se rua vers les feuilles sans respirer. Nombre d'entre elles étaient dispersées, mais à deux endroits, certaines étaient tombées d'un bloc et formaient de petits tas irréguliers. Perlmann les posa sur le capot. Le soleil avait dû briller hier : les deux pages supérieures étaient sèches. Leur teinte jaune pâle avait presque complètement disparu, les feuilles se gondolaient et semblaient avoir des bulles. Certaines autres étaient restées humides ; d'autres, dessous, n'avaient reçu aucune goutte de pluie au milieu. Elles étaient toutes mouillées et grises de saleté, mais seulement sur les bords. Sur les pages supérieures, l'encre avait bavé, les deux premières étaient à peine lisibles, les autres étaient en meilleur état.

Jusqu'à présent, il avait rassemblé dix-sept feuillets, la page soixante-dix-sept était la dernière de la pile. Il lui fallait maintenant récupérer les feuilles éparpillées loin les unes des autres dans le fossé. Lorsque Perlmann se baissa pour ramasser la première, une voiture passa à côté, faisant voler trois des feuilles posées sur le capot. Perlmann se rua dessus pour les rattraper. L'une d'elles avait glissé sous les roues et s'était déchirée. Agacé, Perlmann posa toute la pile sur le tapis devant le siège passager. Dans le fossé, il parvint à rassembler deux douzaines de feuilles. La moitié était complètement tachée, mais Leskov réussirait encore à reconstituer le texte. Pour les autres, celles dont le côté écrit s'était retrouvé sur le sol, c'était un peu mieux. Cependant même sur celles-là, les lettres rondes de l'écriture soignée de Leskov étaient souvent effacées sur les bords, l'encre bavant vers l'extérieur. La page n'était même plus jaune, mais d'un bleu délavé teinté de vert. Pourtant, le texte était encore lisible. Les feuilles qui étaient restées dans une trouée avaient été séchées par le soleil et se gondolaient, les autres avaient pâli et leur contact était répugnant.

Ensuite, Perlmann dut grimper sur le talus pentu pour attraper les autres pages. Sur beaucoup d'entre elles, de la terre était collée, certaines étaient chiffonnées et déchirées. Il glissa sur le sol humide, une douleur traversa sa cheville comme des coups de couteau, et il faillit tomber. Au dernier moment, il réussit à s'agripper à un buisson. Maintenant il avait de la terre sous les ongles. De là, il rassembla quatorze pages, dont la page soixante-dix-neuf sur laquelle il y avait certes un peu d'espace vide, mais ce ne pouvait pas être la dernière puisqu'il n'y avait aucune adresse à la fin. Il manquait donc au moins vingt-cinq pages. Épuisé, Perlmann s'appuya contre le capot et fuma une cigarette.

À présent, il était huit heures moins vingt et le jour s'était complètement levé. La circulation s'intensifiait, un premier camion le dépassa. Il avait un pare-chocs bien trop étroit et un réservoir à essence sans protection. Lorsqu'il fut passé, Perlmann, planté au milieu d'un nuage de fumée noire, se rendit compte avec stupeur et soulagement que ses palpitations n'avaient pas repris. Seule la cigarette lui avait glissé des doigts sans qu'il s'en aperçoive. C'était, pensa-t-il, comme si un premier mur de séparation très fin s'était formé entre lui et le poids lourd, une première distance protectrice qui ne cesserait de s'accroître avec le temps jusqu'à ce qu'un jour il puisse aussi oublier le brouillard rouge. *À condition qu'il récupère son texte.*

Étonnamment, de nombreuses feuilles avaient été balayées sur le talus qui tombait à pic de l'autre côté de la route. Le sol y était mou et humide, Perlmann s'enfonça dans la boue. Les feuilles déposées sur les brins d'herbe n'avaient pas été trop salies. À l'exception de deux pages, le recto avait été en contact avec le sol et elles étaient encore lisibles. Au total maintenant, il avait sauvé soixante-sept pages. Lentement, méthodiquement, recoin après recoin, il scruta un périmètre plus large, trois fois de suite. Plus la moindre trace jaune à l'horizon. Le soleil levant perçait à travers la couverture de nuages, Perlmann leva la tête en plissant les yeux. Dans les hauteurs, deux feuilles étaient encore accrochées à des buissons. Il mit un temps désespérant à les faire descendre, il avait certainement l'air bizarre en s'agitant furieusement, car le bus scolaire jaune ralentit nettement en le dépassant et les enfants le montrèrent du doigt en riant.

L'une des feuilles était la première page portant le titre. Aucun nom ne figurait dessus. La feuille était froissée et une branche l'avait transpercée, mais on pouvait la lire sans problème. Il ne manquait à présent plus que onze pages. Perlmann regarda les roues des voitures qui passaient et s'imagina que les feuilles étaient peut-être restées collées à des pneus semblables avant d'être pressées régulièrement, entre le caoutchouc et l'asphalte, pour finalement échouer quelque part en lambeaux.

Lorsque la route demeura déserte un moment, son regard tomba sur un rectangle brun qui couvrait une partie du marquage blanc au milieu de la chaussée. C'était une page du texte de Leskov, imbibée de pluie et de saleté, sur laquelle on avait maintes fois roulé. Il en souleva un coin, mais le papier était fragile et se déchira aussitôt. Un dossier. Dans son désarroi, Perlmann ouvrit la boîte à gants et vit la carte routière que signora Morelli lui avait prêtée samedi. Il la plia en deux et la glissa prudemment, centimètre après centimètre, sous la feuille boueuse. Sur le coffre de la voiture, il entreprit d'éponger soigneusement la page avec un mouchoir, comme s'il s'agissait d'une précieuse trouvaille archéologique.

C'était la page cinquante-huit. Au milieu, Leskov avait noté un intertitre. On pouvait encore distinguer que les deux mots étaient plutôt longs et précédés du chiffre 4. Mais l'encre avait presque entièrement bavé, se mêlant à la boue, et il ne restait plus qu'un gribouillis. Perlmann se remit à essuyer les mots avec un autre coin de son mouchoir. Peut-être pourrait-on dégager certains des caractères rédigés à Saint-Pétersbourg en épongeant l'encre qui avait bavé. Quelques tracés apparurent en effet. Mais ils ne permettaient toujours pas de distinguer nettement une suite de mots. Perlmann s'alluma une cigarette. Le dernier mot, il en fut de plus en plus sûr, devait être *prochloye*, le passé. Mais il s'imagina ensuite au moins trois variantes possibles : *iskajennoye prochloye*, le passé falsifié ; *pridoumannoye prochloye*, le passé inventé ; *obmantchivoye prochloye*, le passé trompeur. Et même une quatrième : *zastyvcheye prochloye*, le passé figé. S'il connaissait *zastyvat'*, figer, c'était grâce à un homme venu contempler les photographies d'Agnès. Celui-ci avait osé comparer sa façon singulière d'immortaliser le présent vivant sur une image au processus de figement, ce qui avait suscité une colère sans bornes chez Agnès car, pour elle, le figement était le processus par lequel les gens conventionnels s'immobilisaient en silhouettes inertes. Pour ne pas étouffer de rage, elle avait ensuite fait quelque chose qui d'ordinaire était une habitude de Perlmann : elle avait vérifié le mot dans tous les dictionnaires qu'ils avaient à disposition.

Tout en fumant nerveusement, Perlmann comparait ses hypothèses aux maigres traces d'encre. Mais les lignes indistinctes ne permettaient aucune certitude. Il mesurait ses suppositions à ce qu'il savait des pensées de Leskov et au vocabulaire qu'il s'était approprié à travers son texte. Mais même ainsi, aucune évidence ne se dégageait. L'intervention de la langue dans le processus du souvenir pouvait, d'après la première version, être caractérisée de ces quatre manières. De plus, le texte qu'il connaissait n'était pas une valeur sûre, étant donné que Leskov, comme il le lui avait dit, l'avait rigoureusement retravaillé pour la deuxième version.

Qu'avait-il dit lundi, sur le trajet, au sujet de la nouvelle version ? Au milieu de la circulation qui s'intensifiait de plus en plus et où les camions commençaient à s'entasser, Perlmann essaya de se remémorer les paroles de Leskov. Il les avait perçues, il s'en souvenait. Et quelque chose lui avait alors traversé l'esprit. Il ferma les yeux. Sur son visage, il sentit la chaleur des gaz d'échappement. L'embrayage d'un poids lourd crissa. Il revit le faisceau de lumière de son phare gauche, mais rien à droite. Il n'eut pas d'autre souvenir. Et l'espace d'un instant furtif, effrayant, il eut l'impression de ne plus savoir comment faire pour se souvenir. Il posa la carte et la feuille sur la pile puis remonta dans la voiture.

Il aurait voulu mettre en ordre les feuilles pour voir combien il en manquait – s'il en manquait chaque fois une ou deux que Leskov arriverait relativement facilement à remplacer, ou s'il manquait trop de pages, il faudrait des semaines, parce qu'il s'agirait de reconstruire tout le fil d'une pensée. Et vu l'état dans lequel se trouvaient les feuilles, cela ne serait pas sans effort.

Il était certain d'avoir vu des pages allant jusqu'au numéro soixante-dix-neuf, c'était ce à quoi il avait fait attention en premier, et cette page traînait à côté de la pile. Il la prit et traduisit péniblement la dernière ligne que Leskov avait calée en lettres minuscules entre deux lignes biffées : *Néanmoins, cela serait une conclusion erronée. Il faut plutôt...*

En conséquence il n'était pas impossible que le texte se terminât à la page suivante, ce qui signifierait qu'il manquerait seulement dix pages. Annoncer une vraie conclusion pouvait représenter la fin rhétorique, l'ultime point d'orgue, et cela pouvait tout à fait être concentré sur une seule page. Mais il était bien sûr tout aussi possible que Leskov ait ici repris son souffle avant d'apporter une nouvelle idée dont le développement requerrait cinq ou dix pages, voire plus encore.

De nombreuses roues étaient passées sur les feuilles du dessous de la pile. Il n'avait pas plu lundi. Malgré tout, la saleté des pneus et de la route avait peut-être eu l'effet d'une colle, si bien qu'un paquet entier de feuilles était resté accroché sur une roue. Il ne devait pas y en avoir vingt dans ce cas, sinon celles du dessous se seraient déchiquetées et il aurait dû les trouver. Dix ? Cinq ? Trois ? Perlmann fit demi-tour et partit pour Gênes, lentement, les mains fermement accrochées au volant.

44 Dans le premier grand magasin qu'il trouva, il alla au rayon papeterie et demanda trois cent vingt feuilles de papier buvard. La vendeuse répéta la quantité d'un air incrédule avant d'aller les chercher dans la réserve. Perlmann déposa les quatre paquets dans la voiture puis déambula dans la rue d'un pas hésitant, sans savoir que faire. Il s'imaginait une salle de bibliothèque lumineuse où, sur de longues tables, il pourrait nettoyer en paix chaque feuillet de Leskov qu'il placerait ensuite entre deux papiers buvards. Sans but précis, il traversa la rue puis bifurqua dans une ruelle plus calme au bout de laquelle s'échappaient les cris d'une cour de récréation. Dix heures. Il resta immobile un moment, se balançant sur ses talons. Puis il reprit son chemin, évitant la cour des enfants chamailleurs, pour entrer dans l'école.

Dans le couloir, il rencontra une femme vêtue d'un tablier blanc, on aurait dit un médecin. Perlmann lui demanda si par hasard elle avait une salle de classe libre pour lui. Ou une pièce quelconque pourvue de longues tables. Juste pour une demi-heure environ. Il avait des papiers importants à sécher.

– Je... je sais que c'est une requête insolite, ajouta-t-il lorsqu'il la vit faire la moue.

Elle ôta ses lunettes et se frotta les yeux comme si elle voulait chasser un mirage. Puis elle toisa Perlmann de la tête aux pieds, depuis son visage marqué par les nuits sans sommeil jusqu'à ses chaussures, dont l'une était couverte de boue séchée.

– Où vous croyez-vous ? demanda-t-elle froidement. À l'Armée du Salut ?

Après quoi elle le laissa planté là et referma derrière elle la porte du bureau.

Deux ruelles plus loin, il passa devant un petit atelier de menuiserie. Au milieu de la salle se trouvaient deux longues tables vides. Un homme assis dans un fauteuil lisait son journal. Perlmann se prépara à un nouvel échec et descendit les deux marches. – Pourrais-je utiliser quelques minutes ces deux tables, pour... classer des papiers importants ? Voyant le visage de l'homme s'assombrir, il ajouta qu'il paierait, en quelque sorte pour louer les tables.

– *Chiuso*, dit l'homme d'un ton bourru tout en relevant le journal devant son visage.

Le détraqué avec ses papiers importants tout trempés. *Le fou de Gênes aux mille papiers buvards.* Perlmann s'abrita dans un corridor et attendit que l'averse se dissipât.

Il pouvait lui envoyer le texte à Saint-Pétersbourg de façon anonyme. L'adresse était dans le bureau de Frau Hartwig. Mais comment l'expéditeur inconnu connaîtrait-il l'adresse alors que la dernière page était manquante ? Ça ne collait pas. Perlmann se rendrait suspect en agissant ainsi. Il ne pouvait ni lui donner le texte ni le lui envoyer. Que comptait-il faire au juste avec ses centaines de papiers buvards ? *Le fou avec son papier buvard.*

Non loin de la voiture, dans une rue latérale, il tomba sur un bar équipé de longues planches fixées le long des murs. Après avoir commandé du café et un sandwich, Perlmann demanda s'il pouvait étaler quelques papiers sur les planches pendant un moment.

– Tant que ça ne fait pas fuir les clients, reçut-il pour toute réponse.

– *Mamma mia*, dit le patron en voyant Perlmann revenir avec la pile de feuilles mouillées et deux paquets de papiers buvards.

Avec la plus grande minutie, Perlmann commença à détacher chaque feuille qu'il sépara par un papier buvard. Il dit au patron qu'il lui fallait aussi une feuille de papier pour prendre quelques notes.

– Ce sera tout ? interrogea celui-ci d'un ton ironique en lui tendant un bloc-notes qui ressemblait comme deux gouttes d'eau à celui de vendredi, dans le bistrot du port. Un stylo peut-être ?

Perlmann eut un rictus et sortit le sien de sa poche. Il nota les numéros des pages et classa les feuilles. Le papier buvard devenait bleu et marron. Le patron quitta son comptoir pour jeter un regard curieux sur la pile jaunâtre.

– C'est quoi cette langue ?

– Du russe, répondit Perlmann.

– Vous parlez donc russe ?

– Non.

– C'est à n'y rien comprendre, dit le patron. Et quelle saleté sur ces feuilles ! *Mamma mia !*

Le fou au texte russe tout souillé qu'il n'est même pas capable de lire.

Autour de la page trente, il manquait trois feuilles ; plus loin vers la fin, il en manquait deux d'affilée.

Sinon, il ne manquait qu'une page çà et là. À la page trois apparaissait le premier intertitre : *1. Vspomniv-chyessia sceny. Scènes mémorisées.* Les intertitres 2 et 3 devaient se trouver sur des feuillets manquants. Et probablement y avait-il vers la fin aussi un paragraphe intitulé *Appropriation* ou quelque chose comme ça.

Ç'aurait pu être bien pire, songea Perlmann en posant les feuilles les unes sur les autres. S'il ne manquait pas un long morceau décisif à la fin, Leskov s'en sortirait.

— *Mamma mia !* lâcha le patron en agitant ses mains d'un geste ironiquement théâtral lorsque Perlmann lui demanda en plus un bout de ficelle. Il le regarda ficeler le tout avec précaution.

— Et qu'allez-vous en faire maintenant ?

— Aucune idée, répondit Perlmann avant de manger son sandwich.

— *Buona fortuna !* lui lança le patron lorsque Perlmann s'en alla, et sa phrase résonna comme s'il relâchait dans le monde des brutes un être désespérément confus et des plus vulnérables.

Perlmann entassa le reste de papiers buvards et la liasse de feuilles ficelées dans l'attaché-case. Puis il se rendit à l'aéroport. L'homme à la casquette rouge fumait à côté de sa cabine en affichant un air las. Sans que Perlmann sût pourquoi, cet homme, dont la vue lui fit monter le sang au visage, lui rappela qu'il y avait encore une chose qu'il voulait faire, une chose confidentielle. Il fit demi-tour et se gara derrière une haie. L'épuisement obstruait sa mémoire. Ce ne fut qu'en voyant le pansement sur son doigt qu'il se souvint. Il alla chercher le tournevis et la clé anglaise dans le coffre de la voiture. Puis il jeta un bref regard autour de lui, avant de positionner le tournevis là où étaient coincées les deux pièces de monnaie. Au troisième coup puissamment asséné, le boîtier émit un craquement et les pièces tombèrent à l'intérieur avec les autres. La ceinture frottait un peu, mais elle se déroulait sans problème. En fermant la portière, Perlmann remarqua que la laque en bas dans l'angle avait été éraflée. Cela ne venait pas des glissières du tunnel. Probablement cela s'était-il produit lorsque Leskov était sorti de la voiture à la station-service et avait cogné la portière contre le socle en béton où était le manomètre. *Là où il a failli me prendre sur le fait.*

Perlmann prit l'attaché-case, verrouilla la voiture et jeta un dernier regard sur le siège du conducteur. Les taches de sang sur le cuir clair étaient presque noires.

– Cela fait deux jours que nous attendons ce véhicule, signore, déclara la dame d'Avis – ce fut à ce moment qu'elle le reconnut et son ton devint glacial. Pourquoi ne vous êtes-vous pas manifesté ? Nous aussi, il faut bien que nous fassions notre travail.

Jusqu'à présent, Perlmann n'avait à aucun moment songé au délai de location. Avec stupéfaction, il s'aperçut qu'il était reconnaissant qu'on le rabroue. Se faire rappeler qu'il était sous contrat, cela signifiait être ramené à la vie normale dans laquelle les choses suivaient un cours établi. C'était comme si on lui fournissait l'autorisation de quitter l'espace-temps personnel de son cauchemar, où l'agitation était dépourvue de tout présent, pour retrouver l'espace-temps public qui s'écoulait à une cadence habituelle.

– Je... je n'ai pas pu faire autrement, dit-il en essayant de sourire. Je suis désolé, mais je n'ai vraiment pas pu faire autrement.

– Quelque chose à signaler ? demanda la femme sur un ton implacable, tout en réajustant ses lunettes à la mode.

Perlmann prit une inspiration.

– Oui, on m'a fait une queue de poisson et j'ai percuté la glissière de sécurité. Le côté droit de la voiture est endommagé.

– La police s'est-elle rendue sur place ?

– Non, dit-il en coupant court à la prochaine question qu'elle s'apprêtait à lui poser, le véhicule incriminé avait disparu avant même que je descende de voiture.

– Vous auriez néanmoins dû avertir la police, répliqua-t-elle sévèrement avant de sortir un formulaire du tiroir. Où cela s'est-il passé ?

Il lui décrivit l'endroit puis signa le document.

– Un demi-million de franchise, dit-elle après avoir jeté un regard sur la police d'assurance. Ce sera prélevé sur votre carte avec le reste.

Perlmann reprit son attaché-case et monta au bar. Cette fois-ci il y avait un autre serveur et, pour tout client, une jeune fille en baskets qui mangeait une coupe de glace en vérifiant fréquemment l'heure. Peu à peu, Perlmann finit par se rendre compte à quel point il était soulagé de s'être débarrassé de la voiture. Le ciel s'était assombri et le hall se retrouvait plongé dans la faible lumière de novembre. La sobriété qui caractérisait cette lumière lui plut. Il se calma et, pendant qu'il fumait en tirant de longues bouffées, il ne cessait de se dire : *C'est terminé, terminé*. Ils partaient tous samedi ; Leskov, dimanche matin. Dans quatre jours à la même heure, il prendrait lui-même son vol retour et rentrerait le soir dans son appartement familier. L'épuisement se transforma en une confiance discrète. Il régla l'addition puis déambula, mains dans les poches, jusqu'à l'escalier qui conduisait à la terrasse panoramique. Il voulait voir la piste au bord de l'eau et s'imaginer comment son avion s'élèverait dimanche en dessinant une grande boucle au-dessus de la mer.

– Votre mallette, signore.

La jeune fille en baskets avait couru. Perlmann lui prit l'attaché-case des mains en s'efforçant de dissimuler ses sentiments.

– Oh, oui, merci beaucoup, c'est très gentil de ta part.

La jeune fille retourna à sa coupe de glace. Une fureur désespérée s'empara de Perlmann et il resta immobile dans l'escalier, le regard vide. Juste avant, les mains dans les poches, il s'était senti léger et libre de façon singulière, presque irréelle. Mais il n'avait pas voulu savoir pourquoi et, résolu à ne penser à rien, il s'était contenté de suivre cette impulsion qui lui enjoignait de laisser derrière lui, en même temps que la voiture, les jours précédents et tout ce qui allait avec. Comme s'il reprenait enfin son souffle librement après avoir failli mourir étouffé. Et à présent, il tenait à la main, lourd comme du plomb, l'attaché-case contenant le texte de Leskov, une quantité invraisemblable de papiers buvards, son cahier noir et l'attirail ridicule de la mairie. Il eut l'impression que le cauchemar entier de ces derniers jours se trouvait compacté dans cet attaché-case sur lequel étaient gravées ses initiales.

Arrivé sur la terrasse, il s'accouda contre la balustrade. Le moteur d'un avion de la Lufthansa démarrait. Perlmann regarda sa montre. *Mon avion.* Lorsqu'il décolla en vrombissant, juste au moment où les roues arrière quittèrent la piste, Perlmann eut le sentiment d'être incapable de le supporter une minute de plus. Il fallait mettre un terme à ces notes et à ces textes, à ces traductions et à ces photocopies, à ces mensonges, ces feintes et ces cachotteries. Il fallait que cela cesse maintenant. Il fallait que cela cesse. Exactement maintenant. *Maintenant.*

Son pied frôla l'attaché-case. Comme en transe, Perlmann enfouit ses mains dans ses poches, pencha la tête en avant et se dirigea à grands pas, le pantalon flottant, vers la porte. Il manqua de peu de bousculer la jeune fille en baskets. Elle regarda l'horloge et désigna un appareil qui s'approchait.

– *Mio padre !*

Puis elle le dépassa pour se faufiler à travers la porte, avant de se mettre à courir vers la rampe d'escalier. Perlmann renonça. Lentement, il lui emboîta le pas. Lorsqu'elle se retourna et lui montra l'attaché-case en riant, il leva la main en signe de remerciement. L'avion de la Lufthansa disparut dans la couverture de nuages.

Le fait que l'expéditeur anonyme ne puisse pas connaître l'adresse n'était pas le seul problème, pensa Perlmann dans le train. Il n'y avait pour Leskov que trois endroits où il ait pu oublier son texte : Moscou, Francfort ou l'avion. Et il était tout simplement impossible d'expliquer comment, dans un aéroport ou un avion, les feuilles avaient pu se retrouver dans un tel état. Et de quelle manière toute une partie avait pu disparaître sans laisser de traces.

Si l'on additionnait ces deux points, il ne restait à Leskov qu'une seule hypothèse : quelqu'un qui connaissait son adresse sans l'avoir lue sur le texte avait trafiqué quelque chose d'étrange avec les feuilles et les lui envoyait à présent sous le coup de la mauvaise conscience. Et il n'y avait à ce jour qu'une seule personne avec qui Leskov se soit trouvé dehors et qui se soit approchée de l'attaché-case : Philipp Perlmann, qui connaissait son adresse depuis longtemps. Si Leskov refaisait le trajet dans sa tête, il verrait vite qu'il y avait effectivement deux endroits où cela avait pu se produire : la station-service et la halte un peu plus tard au bord de la route. La brièveté de ces deux pauses ne pouvait signifier qu'une seule chose : Perlmann avait manigancé quelque chose de mystérieux, d'inexplicable avec ce texte – il l'avait tout simplement jeté.

Mais pour l'amour de Dieu, pourquoi ? Dans quelle mesure pouvait-il lui nuire ? Qu'avait-il à redouter d'un texte qu'il ne connaissait pas ? Il possédait la première version et peut-être, en fin de compte, l'avait-il bien lue. Dans ce cas il y avait... oui, c'est ça, il n'y avait qu'une seule hypothèse justifiant la menace qu'aurait pu représenter la deuxième version : il avait fait circuler la première version, traduite bien entendu, comme s'il s'agissait de son propre texte.

À ce stade, les pensées de Leskov deviendraient très, très prudentes et il serait content que son raisonnement soit hésitant. C'était illogique de jeter le texte menaçant alors que son auteur, qui pouvait démasquer le plagiat de façon bien plus directe et rapide, était assis à côté de lui dans la voiture. Ce n'était logique que si... Le tunnel.

Il était exclu d'envoyer le texte à Saint-Pétersbourg. Il ne restait qu'une chose à faire : le jeter une seconde fois. Jeter comme prévu ce texte soigneusement conservé, pour ainsi dire restauré, dans un container à ordures. Ou bien l'égarer discrètement. Perlmann jeta un regard sur les initiales gravées à côté du fermoir de l'attaché-case. Puis, lorsque le haut-parleur annonça Santa Margherita, il sortit de ses doigts froids le certificat, la médaille et le cahier noir. L'attaché-case, il le laissa sur la banquette dans le compartiment désert, puis il se dirigea rapidement vers la porte du wagon. Les roues crissèrent sur les rails. Quelqu'un à côté de lui ouvrit la porte. *Tu sais bien tout ce que représente ce texte pour moi. Les listes noires existent toujours, et mon nom figure sur plusieurs d'entre elles.* Perlmann fit volte-face en courant, saisit l'attaché-case et descendit du train.

Leskov était assis à côté de Maria dans son bureau, penché en avant, les mains entre les genoux, les yeux rivés sur l'écran. Perlmann ne sut pas immédiatement pourquoi cette vision l'alarma. Dans l'ascenseur, il comprit enfin : sa traduction, le texte imposteur, était encore enregistrée dans l'ordinateur en bas. Bien sûr, Maria n'avait aucune raison d'afficher ce texte sur l'écran en présence de Leskov. Mais ce genre de choses pouvait arriver par mégarde. Il était très probable qu'elle eût créé un dossier spécial pour leur groupe. Une ou deux erreurs de clavier, et Leskov lirait : *The Personal Past As Linguistic Creation.* Le titre lui ferait l'effet d'un électrochoc et il s'avancerait un peu plus pour lire les premières phrases. *De qui est ce texte ?* demanderait-il tout émoustillé. Maria pouvait être distraite, ou fatiguée, ou encore étourdie, et déjà le mal serait fait. Vis-à-vis de Leskov, il n'y aurait plus d'explication innocente possible. Plus aucune, trois jours entiers après son arrivée. Sans parler de leur discussion à propos du texte perdu. Les soupçons commenceraient à germer en lui.

Malédiction, pensa Perlmann. Le texte de Leskov l'empoisonnait comme une malédiction dont il ne se libérerait jamais, où qu'il aille. L'attaché-case, dont il n'avait pas pu se débarrasser. Et maintenant les traces sur l'ordinateur, qui pouvaient tout trahir si Maria commettait par mégarde ne serait-ce qu'une minuscule erreur. Perlmann plaça l'attaché-case dans l'armoire qu'il verrouilla, et posa la clé dans le tiroir de la table de nuit. À peine venait-il de tirer les lourds rideaux et de s'allonger qu'il se releva pour attraper l'attaché-case. Avec le soin d'un restaurateur, il remplaça les vieux papiers buvards tachés par de nouveaux. L'opération avait eu son utilité. L'encre avait été absorbée et les lignes du texte réapparaissaient maintenant plus nettement. La saleté avait séché et était devenue plus claire. Perlmann remit l'attaché-case avec le texte dans l'armoire et se glissa sous la couverture. Si Maria était en train de travailler avec Leskov, elle avait créé un nouveau fichier pour lui. Il n'y avait alors aucune raison d'en ouvrir un autre. Il n'y avait aucune occasion de commettre une erreur. Quand elle rentrait chez elle à cinq ou six heures, elle éteignait tout simplement l'ordinateur.

Plus tard. À un moment, plus tard, il s'arrangerait pour accéder au bureau et effacer lui-même le fichier dangereux. Ce n'était pas impossible à faire. Il se détendit.

La jeune fille aux baskets balançait l'attaché-case au-dessus de sa tête comme s'il était aussi léger qu'une plume. Quand Perlmann en revanche essayait de le soulever, il était lourd comme un morceau de plomb fixé au sol par un aimant. Une mer de papiers buvards autour de lui se colorait dans des tons sombres pour former à la fin une immense plaque de rouille. *Vous vous imaginez peut-être vous trouver dans une quincaillerie ?* demanda l'institutrice en blanc, enfonçant sur sa tête le chapeau de l'Armée du Salut. *Non !* cria-t-il d'une voix étranglée en tirant sur l'attaché-case coincé dans la porte du wagon. Tandis qu'il essayait depuis le quai de suivre l'allure du train qui accélérait, il vit se rapprocher le tunnel noir.

45 Il faisait nuit noire lorsque Perlmann fut finalement réveillé par la sonnerie répétée du téléphone. Leskov voulait s'excuser de ne pas être présent au dîner. Maria avait accepté de travailler encore un moment avec lui à l'ordinateur afin de terminer sa présentation écrite pour la séance du lendemain.

– Je ne sais pas quoi faire sinon, dit-il. Je viens juste de finir, bien que j'y aie travaillé pratiquement toute la nuit. Et cela uniquement parce que j'ai oublié ce maudit texte, idiot que je suis !

Perlmann sortit le texte de son attaché-case. Les nouvelles feuilles de papier buvard n'avaient plus que de petites taches. Entre-temps la plupart des pages avaient séché. Le plus problématique, c'était la page retrouvée au milieu de la route, celle qui mentionnait le quatrième intertitre. Ainsi qu'une des pages récupérées dans le fossé : elle était tellement mouillée qu'elle avait dû rester sous un arbre qui n'avait cessé de goutter dessus. Perlmann remit ces deux feuilles entre deux papiers buvards. Il renferma l'attaché-case dans l'armoire et rangea la clé dans la poche de son blazer avant d'aller dîner. Pour la première fois à l'heure depuis des semaines.

Comment interpréter l'amabilité, la chaleur même, que tout le monde lui témoigna lorsqu'il arriva à la table ? Il n'y avait rien de fallacieux, ni même d'intrusif dans ce comportement, pensa-t-il en mangeant sa soupe. Et pourtant, c'était difficile à supporter. Car il y avait là quelque chose qui s'apparentait à cette amabilité et à cette humanité forcées dont on fait preuve envers un patient – envers quelqu'un à qui on accorde une pause, un répit. Pour un moment, on met entre parenthèses beaucoup d'attentes et d'exigences d'ordinaire évidentes. Et cela signifiait une chose : pour le moment on ne le prenait pas tout à fait au sérieux. Perlmann se réjouit lorsque Silvestri lui demanda de l'autre bout de la table, sur un ton très professionnel, s'il était envisageable qu'il fasse, tout compte fait, une modeste intervention vendredi.

Il lui fallut du temps pour prendre clairement conscience de ce qui commençait à le préoccuper en entendant la conversation des autres à table. Pendant qu'il avait été prisonnier de sa folie et de sa peur, les autres avaient continué de vivre leur vie. Et ils l'avaient aussi fait ensemble, en tant que groupe dans lequel divers types de relations s'étaient tissés. Ainsi entendait-on continuellement des insinuations, des allusions et des souvenirs partagés. Il y avait de l'ironie, une connaissance des faiblesses pardonnables des uns et des autres, un jeu de critique et d'autoaffirmation, une joie à se livrer à des joutes intellectuelles et personnelles. Et il y avait aussi des expériences communes vécues ici, dans les établissements, les églises, à la poste – des expériences que les autres avaient faites pendant qu'il était resté assis dans une cour intérieure avec sa Chronique, à essayer de trouver le présent via le passé. Perlmann sentit un pincement, se rappelant alors les voyages scolaires où il avait souvent été le mouton noir.

Achim Ruge – cela aussi, Perlmann s'en aperçut avec étonnement, comme s'il venait juste d'arriver ici – était visiblement devenu une sorte de star secrète au sein du groupe. Ses gloussements entraînaient régulièrement les autres et, à chaque nouveau sujet lancé, Perlmann avait l'impression que la tablée attendait l'une de ses remarques cinglantes. Dans la discussion autour du film de Laura Sand la dernière fois, Ruge avait livré un peu de lui-même. En dehors de cela, Perlmann ne savait au fond rien de lui.

Je n'ai jamais laissé aux autres une chance de mieux me connaître. Jamais il ne s'était montré à eux sous un autre angle que l'angle purement professionnel. Sa peur avait d'emblée réduit les autres à des figures unidimensionnelles, schématiques. Ils étaient avant tout des adversaires. Cela valait en fin de compte aussi pour Evelyn Mistral. Sans cesse, il avait tenté d'évaluer les autres. Intérieurement, il avait rendu de rudes jugements à leur égard. Alors qu'en dehors des apparences il ne savait quasiment rien sur eux. Sa peur panique d'être démasqué avait figé ses perceptions dans une effrayante superficialité. Plus que deux jours, ensuite ils s'en iraient. Il n'avait rien appris à leur sujet, rien appris d'eux, et la seule relation qu'il avait développée à leur contact consistait à rechercher l'isolement, à se protéger d'eux.

– Leskov a vraiment la poisse avec ce texte qu'il a oublié, déclara von Levetzov. Il a effectué ce long voyage, il vient pour la première fois en Occident, et voici qu'il est enfermé depuis hier midi sans interruption dans sa chambre pour se préparer. Alors qu'il doit repartir dès dimanche. Parfois, poursuivit-il, il semble craindre d'avoir égaré le texte quelque part en venant ici. C'est ce qu'il a insinué ce midi. Il avait l'air sens dessus dessous. Il semblerait qu'il y ait également des conséquences professionnelles en jeu.

Perlmann laissa son dessert et sortit pour aller dans le bureau de Maria. Lorsque Leskov le vit à travers la porte en verre, il vint à sa rencontre, le visage rougi de fatigue et d'agitation.

— Nous avons bientôt fini. Incroyable, tout ce que peut faire un ordinateur comme celui-là ! Qu'on puisse afficher un texte sur l'écran en appuyant sur une touche ! Sur une seule touche ! Il faut juste positionner le curseur au bon endroit !

Perlmann alla fumer une cigarette sur la terrasse. Il revit les mains de Maria, avec ses ongles rouges et ses deux bagues en argent. Elle ferait attention au curseur. Elle n'était pas étourdie. Elle ferait attention. Avant de se retourner vers la porte, il leva involontairement les yeux vers sa chambre. La seule rangée de fenêtres sans balcon.

Au café, Laura Sand lui demanda si son père vivait encore.

— Car il se trompe sur toute la ligne : il y a des coins merveilleux à Mestre. Si l'on a des yeux. Je ressens toujours comme du répit dans cette ville modeste, très travailleuse, après avoir été à Venise, si spectaculaire et quelque part irréelle. Je vais toujours à l'hôtel à Mestre, jamais à Venise. David prend cela pour une marotte de ma part. Mais moi, ça me plaît. Et cela n'a rien à voir avec le prix.

— Moi, en revanche, je trouve Mestre abominable, dit Millar en regardant Perlmann avec un rictus dans lequel se lisait une raillerie conciliante. Une fois j'ai dû y passer la nuit parce qu'il y avait un problème sur la digue qui mène à Venise. La soirée m'a paru interminable.

Perlmann lui fut reconnaissant d'avoir fait cette remarque. Millar ne le méprisait pas à cause de l'incident d'hier. *Il m'a porté jusqu'en haut.* Leurs regards se rencontrèrent. Il sembla lui aussi repenser à l'épisode de la mairie.

— J'ai connu une fille à Mestre, déclara Silvestri sans rien laisser paraître. Une ville formidable.

— *Well*, dit Millar en fronçant ironiquement les sourcils.

— *Ecco !* lâcha Silvestri avant de souffler la fumée dans sa direction.

— Moi, je passe mes prochaines vacances à Mestre, gloussa Ruge en se levant, et je n'irai pas une seule fois à Venise !

Les feuilles neuves de papier buvard avaient encore absorbé un peu d'humidité des deux pages les plus abîmées. Mais celles-ci n'étaient toujours pas sèches, et Perlmann les posa avec d'autres sur le chauffage. Puis il fit de la place sur la table ronde, alla chercher la brosse à dents et se mit à retirer la saleté des feuilles sèches.

Il restait de nombreuses taches brunâtres, parfois mouchetées, qui étaient impossibles à enlever, et là où de grosses gouttes d'eau étaient tombées, le papier s'était déformé en séchant. Mais le texte, quoique pâli, était à nouveau lisible, et Leskov arriverait à s'y retrouver même là où l'encre avait bavé. Perlmann maniait de mieux en mieux la brosse à dents, il sentait maintenant quel angle choisir pour diriger les poils et il savait comment éliminer les restes de terre humide sans les étaler. Il soufflait régulièrement sur la poussière, et s'interrompit une fois pour aller chercher une serviette à la salle de bains afin de nettoyer la brosse à dents. Pendant

qu'il exécutait le travail, son buste se balançait légèrement tandis que son pied frappait en rythme.

Il venait de commencer la page quarante-neuf.
À onze heures et demie, on frappa à sa porte.

– C'est moi, dit Leskov. Est-ce que je peux entrer
un moment ? Il faut que je te parle.

Il faut que je te parle. Perlmann resta pétrifié, d'un
coup il eut le sentiment d'être resté assis des heures
dans un froid glacial. *Elle s'est trompée de fichier. Il a vu
le texte. Il sait tout.*

– Philipp ?

Leskov frappa de nouveau à la porte.

– Un moment, je te prie, cria Perlmann sans pouvoir réprimer le couac hystérique que laissa échapper sa
voix, il faut d'abord que je m'habille !

Il se hâta fébrilement d'empiler les feuilles nettoyées
sur les autres et ramassa les pages posées sur le chauffage. Ce fut alors que la feuille particulièrement fragile,
celle qui comportait un intertitre, glissa des papiers
buvards, tomba par terre et se déchira lorsqu'il la souleva. De précieuses secondes gaspillées. Perlmann
regarda autour de lui d'un œil paniqué puis entassa
toute la pile sous le lit. Avant d'ouvrir la porte, il lança
la serviette et la brosse à dents sur le sol de la salle de
bains, puis jeta un dernier regard derrière lui. La corbeille métallique pleine de papiers buvards tachés. Le
tapis bleu-gris couvert de poussière claire. La table
étonnamment vide. *Trop tard. Maintenant ça y est.
Toute cette histoire a bel et bien fini par me rattraper.*

– Excuse-moi de te déranger si tard, dit Leskov en
soufflant précipitamment de gros nuages de fumée
dans la pièce.

Il déposa un texte tapé à l'ordinateur sur la table en
expliquant qu'il s'agissait de sa présentation pour le
lendemain. En la relisant, il avait soudain été assailli de
doutes : était-elle convenable telle quelle, pouvait-on
vraiment présenter un travail comme celui-ci ? Il avait

l'impression qu'il y avait quelques contradictions, quelques incohérences.

– Mais je ne fais plus confiance à ma tête tant je suis fatigué. Devoir tout reprendre sans mon texte : c'est tout simplement trop. Pourrais-tu me relire ?

Perlmann attrapa les six pages et les tendit devant son nez. Il n'était pas en mesure de lire attentivement le moindre mot. Son sang pulsait jusque dans le bout de ses doigts glacés. Les seuls bruits qui traversaient la pièce venaient de Leskov qui crapotait et du chauffage qui grésillait. Il prit le temps de faire comme s'il lisait la première page, puis passa à la deuxième. Lorsqu'il fut temps de passer à la troisième page, il eut la sensation de devoir impérativement aller aux toilettes. Il leva un instant les yeux au-dessus de la feuille. Leskov le regardait d'un air mal assuré. Il demanda à Perlmann s'il pouvait utiliser une minute sa salle de bains.

Perlmann jeta la couverture sur le lit et tira dessus jusqu'à ce qu'elle touche le sol du côté de la fenêtre. Puis il se renfonça dans son fauteuil, les feuilles de Leskov à portée de main sur ses genoux. Maria avait fait attention au nom du fichier. Maria n'était pas étourdie. Et le texte de Leskov, dont le résumé se trouvait sur ses genoux, était sous son lit. Il resterait dissimulé même si Leskov en venait à se pencher. Pour autant la peur ne s'effaçait pas. Perlmann sentit des pincements tout autour de son cœur. De fines volutes de fumée s'échappaient de la pipe de Leskov posée dans le cendrier. Une fois de plus il allait être obligé de respirer cette odeur sucrée toute la nuit. Il haïssait Leskov. Non, ce n'était pas vrai. Il voulait juste qu'il disparaisse. Que tout disparaisse : son odeur, son texte, lui aussi. Que tout disparaisse sans laisser de trace. Pour toujours.

– Tu penses donc vraiment que ça va comme ça ?

Sur le visage soulagé de Leskov demeuraient des restes d'angoisse et de doute.

Perlmann acquiesça.

– Et les contradictions ? Ce qui m'énerve le plus, tu sais, c'est que je n'arrive plus à reconstituer cette histoire compliquée de compatibilité entre invention et appropriation. Alors que tout est écrit noir sur blanc. À Saint-Pétersbourg. Je l'espère.

– Les thèses que tu avances ici sont défendables, j'en suis sûr, dit Perlmann en lui tendant les feuilles dans un mouvement si déterminé qu'il parut presque violent.

Il vit ce mouvement avec stupéfaction et fut étonné d'entendre à quel point sa voix résonnait avec puissance et fermeté. C'était la voix, pensa-t-il un moment plus tard, avec laquelle on exprime une promesse.

Les doutes disparurent du visage de Leskov qui approcha une allumette de sa pipe avec excitation. Il demanda à Perlmann s'il voyait à présent la proximité qui unissait leurs textes respectifs.

Perlmann acquiesça en silence.

Leskov voulait commencer à parler de cette proximité lorsqu'il s'interrompit.

– Il vaut mieux que je te laisse dormir maintenant. Tu as encore l'air épuisé.

Sur le seuil de la porte, il surprit Perlmann en lui tendant la main.

– C'était très important pour moi, dit-il avec un sourire reconnaissant ; d'un geste lent, il posa sa main sur la poignée de la porte pour refermer derrière lui. Tu sais, là-bas dans ma chambre, assis au bureau, il y avait cette idée qui n'arrêtait pas de me revenir à l'esprit : *Le texte est perdu. Tout ce que j'ai, ce sont ces quelques lignes ici.* Plus la fatigue s'accumulait, plus cette idée faisait son chemin en moi – il sourit. Il est grand temps que je passe une nuit à dormir.

Perlmann regarda la main grossière qui tenait la tête fumante de la pipe et acquiesça. Avant que la porte se refermât, un moment interminable s'étira.

La fenêtre grande ouverte, Perlmann s'attela à nettoyer le reste du texte. Le lendemain matin, quand il verrait Leskov entrer dans la véranda et prendre place au bout de la table, il voulait pouvoir penser que le manuscrit était prêt, en haut dans sa chambre – prêt à être rendu à tout moment. Mais d'un seul coup, toute l'agilité qu'il avait acquise au cours des dernières heures était comme volatilisée. Il frottait soit trop doucement, soit trop fort et, dans son impatience, il oublia que les miettes de terre qui avaient l'air sèches pouvaient encore contenir de l'humidité. De plus en plus régulièrement, l'opération de nettoyage étalait la saleté, puis il s'aperçut qu'en plus les poils supérieurs de la brosse à dents étaient mouillés, probablement depuis qu'elle avait traîné sur le sol de la salle de bains, et cette humidité ruisselait maintenant le long des poils jusque sur le papier. En bas de la page cinquante-sept, il abandonna et se rendit compte, en mettant la feuille de côté, que sa main tremblait.

Puis ce fut au tour de la page cinquante-huit, la feuille problématique qu'il avait auparavant replacée entre deux papiers buvards sur le radiateur. Perlmann la saisit et observa les traces de l'intertitre qui restaient. Le mélange d'encre et de saleté avait séché entre-temps, il put le retirer avec un mouchoir. *Pridumannoe prošloe, le passé inventé* – telle était, songea-t-il, la lecture la plus vraisemblable de ce fragment de lignes pâles. Il ôta ses lunettes et les approcha du papier en guise de loupe. Il découvrit alors qu'une inscription ajoutée au crayon à papier précédait le premier mot. De cette inscription qui ne semblait contenir qu'un seul mot, seules les première et dernière lettres, *n* et *o*, étaient identifiables. *Nevolno pridoumannoye prochloye, le passé involontairement inventé*, pensa-t-il. Ainsi donc Leskov avait-il élargi son sujet dans la deuxième version de son texte : en plus de l'implication de la langue dans le souvenir, il était aussi question de vérité et de contrôle volontaire.

Perlmann jeta encore un regard clinique aux quelques traces restantes : rien de ce qu'on pouvait distinguer n'appuyait réellement cette hypothèse précipitée. Agacé, il recouvrit la page d'un papier buvard. Lorsqu'il retira ce dernier et se mit à lire, il éprouva la sensation d'oppression d'un toxicomane.

N'ayant pas l'habitude de lire le russe manuscrit, il avançait très lentement dans sa lecture. Mais il persévéra les yeux brûlants, jusqu'à ce qu'en bas de la feuille il rencontrât d'affilée trois mots qu'il ne connaissait pas. Il s'alluma une cigarette et, tandis que ses yeux restaient rivés sur la ligne, sa main chercha avec une impatience grandissante à attraper le dictionnaire. Il lui fallut tâter plusieurs fois dans le vide avant de s'apercevoir qu'il ne pourrait plus mettre la main sur un seul dictionnaire. Il eut un sursaut d'effroi comme après un rêve éveillé. Son visage était brûlant. Brusquement, il enferma le texte dans l'armoire puis se posta à la fenêtre en frissonnant.

– J'aurais besoin de regarder vite fait quelque chose sur l'ordinateur, dit-il peu après à Giovanni qui se tenait derrière le comptoir de l'accueil. Pour vérifier quelque chose dans mon texte. Pour demain.

Une crampe parcourut sa nuque jusque dans le dos, il eut le sentiment de ne plus pouvoir tourner la tête.

Giovanni tendit la main vers un tiroir, avant d'interrompre son geste. Hésitant, il leva la tête et regarda Perlmann d'un air incertain.

– Le bureau… personne… j'ai pour consigne…

Il baissa les yeux et frotta la poignée du tiroir avec embarras.

– Je comprends, répondit Perlmann en faisant mine de partir.

Ce fut alors que Giovanni le regarda en ricanant.

– Allez, pour vous, ce sera une exception – il sortit une clé du tiroir, se leva et ouvrit la porte. Vous savez sûrement vous débrouiller tout seul avec l'ordinateur, dit-il en allumant la lumière, parce que moi...

– Bien sûr, s'empressa de dire Perlmann, merci beaucoup.

Il espérait que Giovanni se retirerait dans la pièce de derrière. Mais il resta debout au comptoir, hocha la tête en souriant toujours et leva légèrement la main. Perlmann maudit la porte en verre du bureau. Voici qu'il devait agir juste sous les yeux de Giovanni. Il installa la chaise devant l'écran et appuya sur le bouton derrière l'ordinateur. Il ne se passa rien. À plusieurs reprises, il appuya sur le bouton. Rien. Allant voir de l'autre côté de la table, il regarda le bouton. C'était le bon. Giovanni leva les sourcils d'un air interrogateur puis fit mine de s'approcher. Perlmann s'empressa de lui faire signe de rester à sa place : *Tutto bene !* Ses mains étaient moites, et la crampe dans sa nuque se faisait de plus en plus violente. Il regarda dans le vide. *La prise.* Lentement, il fit rouler sa chaise en arrière et regarda sous la table. Toutes les prises étaient branchées. Il évita tout coup d'œil en direction du comptoir C'est alors qu'il remarqua la serrure ronde sans clé. *Verrouillé. Évidemment, les dossiers professionnels.* Il se tourna vers la table à tiroirs sur le côté en tournant le dos à Giovanni pour cacher ses mains. Les tiroirs accessibles ne contenaient que du matériel de bureau, il le vit en les entrouvrant. La clé de l'ordinateur se trouvait sûrement dans le petit tiroir supérieur, lui aussi verrouillé. Dans la seule boîte posée sur le bureau, il n'y avait que des trombones.

Perlmann prit deux lentes inspirations. Son dos se détendit. Un sentiment de soulagement se mêla à la fatigue. Grâce au plexiglas qui renvoyait la lumière du néon au plafond, il remarqua en se levant la boîte transparente pleine de disquettes. Il fit rouler la chaise jusqu'au meuble de rangement et ouvrit la boîte. La disquette portant son nom était la deuxième. Sous son nom, on pouvait lire sur l'étiquette : PERSONAL PAST. MESTRE.

Tandis qu'il faisait rouler sa chaise jusqu'à l'ordinateur où il inséra la disquette, Perlmann veilla à ce que ses gestes soient bien visibles pour Giovanni. Puis il fit semblant de se concentrer sur l'écran sombre tout en frappant sur quelques touches. Il pourrait au moins faire disparaître la disquette. Après tout, Maria n'avait peut-être travaillé que sur ce support et le texte n'était même pas enregistré sur le disque dur. Perlmann se calma. Il prit un stylo sur le bureau et le tapota quelques instants contre son front, puis il le coinça entre ses lèvres pendant que, enfoncé dans son siège, jambes écartées, il faisait comme s'il regardait au loin. Après avoir encore pianoté un peu, il ressortit la disquette et appuya sur le bouton. Le dos tourné à Giovanni, il cacha la disquette contre sa ceinture sous son pull-over, referma ostensiblement la boîte et sortit.

— Voilà, j'ai déjà terminé, dit-il, merci beaucoup.

Giovanni le rattrapa entre les colonnes du hall.

— Hier vous m'avez posé une question sur Baggio.

— Oui ?

— Il a encore marqué un but aujourd'hui. Contre le Bayern de Munich !

— Le roi des buteurs, si je comprends bien, dit Perlmann.

Son émotion, difficile à distinguer de sa véritable fatigue, lui fit monter les larmes aux yeux.

— *E come !* fit Giovanni.

— *Ciao*, dit Perlmann en effleurant son épaule.

— *Ciao*, répondit Giovanni.

Il le prononça à voix basse et d'un ton hésitant, comme dans un écho incrédule.

Au *Regina Elena*, lorsque Perlmann regarda vers la jetée en contrebas, il aperçut un groupe d'adolescents en train d'applaudir un grand dadais qui embrassait une jeune fille lui arrivant à peine aux épaules malgré ses cheveux relevés en l'air. Ce n'était pas sa jetée, ce n'était pas le ponton qui conduisait vers l'eau noire. C'était comme si la présence de ces adolescents avait fait disparaître le ponton de la nuit d'avant-hier, ou plus exactement : l'avait chassé de son monde à lui.

Il continua son chemin derrière l'éperon rocheux jusqu'à ce qu'il fasse complètement nuit. Puis il balança la disquette au loin dans la mer. Le mouvement partit à la fois du poignet et de l'épaule, la disquette dessina de rapides rotations autour de son axe tout en s'élevant quelques secondes dans une courbe plate avant de descendre en vrille et de tomber dans l'eau quasiment à la verticale. Perlmann entendit un léger bruit, mais sans savoir s'il venait de son imagination ou pas.

Depuis l'éperon rocheux, il regarda en face, vers le *Miramare*. Au centre de l'inscription lumineuse, une lettre semblait vaguement clignoter. Quelque part là-bas dans les collines sombres se trouvaient les poubelles dans lesquelles il avait jeté la première version du texte de Leskov. Demain, sitôt la séance terminée, il finirait de nettoyer la deuxième version. En aucun cas il ne pourrait la poster de l'Italie. À la rigueur de Francfort. Mais cette réflexion ne menait à rien. Il était impossible qu'il envoie le texte à Leskov.

Les adolescents s'étaient éloignés. La jetée était déserte. Le ponton, léché par l'eau noire, avait réintégré son univers. Perlmann sentit peu à peu son être se craqueler de petites fissures insidieuses. Il s'empressa de rentrer à l'hôtel.

L'air était froid dans la chambre, et ça sentait encore le tabac sucré bien que Leskov n'eût cette fois utilisé le cendrier que pour y jeter une allumette. Perlmann nettoya plusieurs fois la brosse à dents. Mais on aurait dit que la saleté s'était incrustée dans les poils. Quand il se lava les dents, la mousse avait une teinte brunâtre.

Demain matin, se dit-il dans l'obscurité, Leskov présidera la table dans la véranda, angoissé et les mains presque vides. Il ne le savait pas, mais Perlmann s'était promis de défendre cette partie qu'il ne connaissait pas du tout dans sa nouvelle version.

C'était un écran antédiluvien, un vert clair criard sur un vague vert foncé, et il clignotait tellement que les yeux en pleuraient aussitôt. Une odeur écœurante, sucrée, s'en échappait. C'était impossible mais c'était comme ça et lorsque Perlmann respirait près des fentes d'aération, une fumée se diffusait, une fumée perfide qui n'était d'abord pas visible, mais qui forma ensuite brusquement un épais nuage étouffant. Une myriade d'ordres et de noms de fichiers écrits en italien, incompréhensibles, envahit l'écran. Finalement il réussit à trouver le bon, mais le texte de Leskov était impossible à effacer ; des centaines de fois, Perlmann appuya sur la touche jusqu'à ce qu'il n'en restât plus rien, et pourtant le texte de Leskov portant le nom de Perlmann sous le titre continuait de clignoter. Il finit par appuyer sur l'interrupteur du réseau, débrancha même la prise, mais rien n'y fit, le texte de Leskov ne cessait de clignoter, lorsque soudain le nom de Perlmann apparut en majuscules. C'est alors qu'il prit à deux mains l'énorme marteau. Mais il n'était pas si léger que ça. Il fallait prendre son élan en esquissant des mouvements de côté, en rythme, pour le soulever assez haut au-dessus de la tête avant d'asséner le coup décisif. Enfin, le marteau s'élança au-dessus de son crâne, mais d'un coup il perdit tout son poids et toute sa substance et, au lieu de s'abattre avec fracas sur l'ordinateur, Perlmann se réveilla, le poing nerveusement serré autour de la couverture.

46   Pourtant, pour la première fois depuis une éternité, il eut le sentiment d'avoir passé une vraie nuit de sommeil. En s'habillant, il constata qu'il n'avait plus de vêtements propres et revit tomber sur le chou puant son sac en plastique plein à craquer. Sa blessure au doigt n'était plus humide, l'hématome enflé avait diminué. Mais à la moindre pression, le bout de son doigt lui faisait si mal que les larmes lui montaient aux yeux. Il le couvrit du dernier pansement qui lui restait.

À huit heures précises, il alla prendre le petit déjeuner. Si les autres interprétaient son comportement comme un repentir de sa part après qu'il se fut ridiculisé, c'était leur affaire. Signora Morelli venait d'entrer dans le hall et replaçait correctement l'une des tables rondes. Sans se faire remarquer, Perlmann se pencha au-dessus du comptoir de l'accueil et glissa entre quelques papiers la carte routière tachée qui avait passé la nuit sur le radiateur.

La salle à manger était complètement vide. À la table du groupe, aucune assiette n'avait été utilisée. Le serveur qui lui apporta du café et des œufs semblait visiblement gêné. À chaque minute qui passait sans que personne apparût, Perlmann se sentait encore plus bafoué. Demander au serveur si les habitudes de son groupe – oui, le sien – avaient changé était impossible.

À huit heures et quart arriva Adrian von Levetzov. Pour la première fois, Perlmann le vit sans veste et même sans cravate. Son cou blême, ridé, lui donnait l'air d'un vieillard.

– Ah, Perlmann, bonjour, dit-il d'une voix plus mate qu'à l'accoutumée, tout en se frottant les yeux. Nous sommes tous sortis très tard hier. Il règne déjà une ambiance de départ.

Perlmann acquiesça et reprit un petit pain. Puis encore un autre. Le silence était insupportable. Il y avait des taches sur la nappe. Les gestes du serveur étaient maniérés.

– J'ignorais le malheur qui est arrivé à votre épouse, dit von Levetzov une tasse de café à la main, jusqu'à ce que Leskov nous en parle mardi. Effroyable. Cela a dû profondément vous bouleverser.

Leskov : l'homme qui raconte aux autres ma descente aux enfers.

– Oui, répondit Perlmann en se resservant du café.

Quelqu'un avait plongé une cuillère humide dans le sucrier, il y avait des grumeaux marron. Dans le cendrier propre était collé un minuscule reste de chewing-gum sur lequel perlait une petite goutte d'eau.

Perlmann voulait faire des efforts envers Adrian von Levetzov. Mais il n'avait aucune idée de la manière de s'y prendre.

– Eh bien voilà, maintenant il va nous falloir revenir à notre train-train, dit von Levetzov en souriant. Qu'allez-vous enseigner ?

Pendant que Perlmann lui décrivait vaguement ses cours, quelque chose de dramatique se produisit sourdement en lui : il prit la décision d'abandonner sa chaire de professeur.

Ce qui se déroula en lui ne fut pas une action intérieure. Cela n'avait absolument rien d'actif. Cela s'apparentait plutôt au processus d'un rouage qui aurait longtemps tourné, doucement et inlassablement, autour de son axe jusqu'à enclencher enfin un mouvement plus grand, plus bouleversant. Perlmann ne savait pas que les choses étaient déjà allées si loin. Et pourtant, il semblait tout naturel que cela arrive précisément maintenant – à un moment où la salle à manger vide soulignait avec une telle évidence l'isolement qui le séparait des collègues et du monde, comme si un réalisateur avait voulu filmer un plan sur ce sujet.

Von Levetzov se leva en jetant un regard vers la pendule.

– Je dois passer un coup de fil, dit-il comme pour s'excuser. À tout à l'heure.

Perlmann s'imprégna de l'image de la salle vide. Il repenserait toujours à cette pièce et à ce moment. Le golfe était brumeux, on ne savait pas si le soleil percerait. Il finit lentement sa cigarette puis marcha jusqu'à la porte en effleurant d'une main les angles des tables.

C'est alors que quelqu'un poussa la porte d'un coup d'épaule. C'était Millar, il avait enlevé ses lunettes et était en train de se passer la main sur le visage. Ruge entra à sa suite.

– Un seau de café ! lança-t-il au serveur.

Evelyn Mistral qui le suivait laissa entendre son rire perlé. Ses cheveux étaient relevés et elle portait sous le bras son bloc-notes avec les armoiries de Salamanque.

– À tout à l'heure, dit Perlmann en évitant leurs regards incrédules.

– Signor Perlmann !

Maria, qui avait laissé la porte du bureau grande ouverte, quitta sa table de travail pour venir à sa rencontre.

– Giovanni m'a dit que vous aviez voulu utiliser l'ordinateur hier soir. Quelque chose ne va pas ? Je le verrouille chaque soir. Par précaution. Si j'avais su…

Perlmann regarda ses mains – des mains qui n'avaient surtout pas le droit de se tromper, de frapper à côté.

– Ce n'était pas si important, dit-il avec une impassibilité forcée, je voulais juste faire un essai sur mon texte – faire quelque chose… euh… qu'on ne peut pas faire sur la version imprimée.

– Je sais, tout le monde me dit cela.

Elle se passa la main dans les cheveux, et une fois de plus Perlmann se demanda machinalement si la laque ne lui collait pas aux doigts. *Tu vis sur la lune. Out. Méga-out.*

– Cela concernait quel texte ? demanda-t-elle avec un sourire. Celui sur le souvenir ?

– Non, l'autre, dit Perlmann en avalant sa salive.

– Cela me fait penser que je dois vous donner la disquette ! s'exclama-t-elle en se tournant vers le bureau.

Pendant qu'elle ouvrait la boîte et se mettait à chercher, Perlmann s'adossa bras croisés contre l'encadrement de la porte. *Elle ne le saura jamais.*

– Je ne comprends pas, murmura-t-elle – elle s'assit et parcourut de nouveau les disquettes depuis le début, lentement, l'une après l'autre. Elle était là-dedans, et maintenant elle a disparu.

Elle examina la table de travail en lui adressant un sourire au passage.

– Je ne suis pourtant pas si étourdie d'habitude.

L'esprit ailleurs et l'air incrédule, elle inspecta les tiroirs et, aux plis qui se dessinèrent près de ses narines, on pouvait voir qu'elle s'efforçait de ne pas laisser paraître à quel point elle s'en voulait.

Soudain, elle fit un geste résigné de la main.

– Peu importe après tout. Je vais vous refaire une sauvegarde des deux textes.

Elle alluma l'ordinateur et inséra une disquette neuve dans le lecteur.

À ce moment-là, Perlmann entendit la voix de Leskov derrière lui : « Commençons-nous à l'heure ? » Il se retourna. Leskov portait une cravate brune sur sa chemise d'un vert criard, et sa veste grise était tendue sur son ventre.

– *Ecco !* dit Maria, d'abord donc, le texte sur le souvenir… comment l'ai-je nommé… ah oui, voilà.

Il ne comprend pas l'italien. On entendit les premiers bruits de la disquette en train d'être enregistrée. Perlmann regarda bien trop longtemps vers la pendule.

– Oui, c'est bientôt l'heure, dit-il.

Leskov alla vers Maria et lui tendit la main.

— *Un momento*, dit-elle en souriant. Maintenant, l'autre. C'était... oui, tout simplement *Mestre*.

Ses doigts virevoltaient au-dessus des touches.

— *Ecco !*

De nouveau, le bruit. Elle tendit alors la main à Leskov qui regardait l'écran.

— *Good morning.*

— C'est incroyable à quelle vitesse ça va, dit Leskov, admiratif.

Puis il montra à Maria la pile de photocopies qu'il tenait sous le bras.

— Le texte d'hier. Encore merci infiniment.

Pendant que Leskov sortait, Maria récupéra la disquette sur laquelle elle colla une étiquette.

— Euh... ce n'est pas nécessaire, s'empressa de dire Perlmann tandis qu'elle attrapait un stylo.

Il fit glisser la disquette dans sa poche de veste.

— Maintenant vous pouvez effacer les textes.

Sa voix enrouée et tremblante rendit caricaturale cette remarque qu'il voulait anodine.

— Oui, je le ferai un jour, répondit-elle en éteignant l'ordinateur. Mais on a le temps. Cet ordinateur est doté d'une mémoire gigantesque ! – elle se leva et baissa les yeux vers ses mains jointes. Vous savez, je déteste effacer les textes que j'ai tapés. Tout ce travail pour ensuite n'appuyer que sur une seule touche – paf !

Elle leva ses mains dans les airs et le regarda avec un sourire timide qu'il ne lui avait jamais vu.

— Je sais, quelque part ce n'est pas raisonnable, car on n'a plus besoin de ces textes-là par la suite, une fois que les gens sont partis... Mais bon, je suis comme ça.

Perlmann acquiesça.

— Merci, dit-il en tapotant sur la poche de sa veste.

Leskov avait déjà distribué sa présentation écrite ; assis en tête de table, il farfouillait dans ses papiers.

Lorsqu'il commença à parler, il se cramponna des deux mains à sa pipe.

– J'ai déjà expliqué que mon texte avait été victime de la malchance, dit-il.

Son ton trahissait qu'il s'était résolu à ne pas en reparler. Mais d'une seconde à l'autre, l'expression de son visage se fit absente, son index frotta sa pipe tandis qu'il paraissait perdu dans ses pensées, et on pouvait clairement sentir qu'il replongeait dans le tourment de ses vains souvenirs.

Comme si souvent dans cette pièce, Perlmann cacha son visage derrière ses mains croisées pendant que Leskov racontait encore une fois des fragments de son histoire. Brusquement et sans qu'il ait cherché à en connaître les raisons, son sentiment de culpabilité se mua en colère : c'était bien d'une insouciance grotesque, impardonnable, de la part de Leskov que d'être parti en voyage avec un texte si important, dont dépendait la suite de sa carrière, sans en avoir fait une copie au préalable ! Comment avait-il pu !

Leskov avait entamé son exposé depuis longtemps et Perlmann continuait de se révolter contre lui. Jusqu'à ce qu'il s'arrête brutalement : *Que se serait-il passé s'il m'avait parlé d'une copie juste avant l'entrée du tunnel ?* Il ôta ses mains de son visage et essaya d'écouter.

Les autres, avec leur visage endormi, ne prenaient pas le Russe au sérieux. Le contraste entre la cravate qui enserrait le cou de Leskov et le col d'Adrian von Levetzov, ouvert contrairement à son habitude, en disait si long que la colère envahit de nouveau Perlmann. Mais cette fois-ci, c'était une colère qui se plaçait du côté de Leskov et qui allait si loin qu'elle prenait la défense de sa chemise d'un vert atroce. Millar, qui n'était encore jamais apparu sans son blazer dans la véranda, portait un blouson, un appareil photo devant lui sur la table. Et Evelyn Mistral, qui avait toujours écouté les autres un stylo à la main, décrivait avec ses lunettes des cercles sur son bloc-notes ouvert. Le seul visage curieux était celui de Giorgio Silvestri.

Lors de la discussion, Leskov fut d'abord ménagé : on pouvait percevoir une bienveillance condescendante. Mais entre-temps, Leskov s'était défait de sa gêne et surprenait tout le monde par son obstination. Il tenait fermement aux idées qu'il présentait et, à la stupéfaction de Perlmann, il ne tarda pas à passer à l'offensive. Il ne restait plus rien de l'angoisse qu'il avait montrée la veille au soir dans sa chambre, tel un étudiant avant son premier exposé. Si ses attaques, en dépit de la dureté de ses arguments, n'étaient jamais vexantes ni blessantes, c'était lié au fait que son anglais lacunaire possédait son propre charme. Nombre de ses objections qui manquaient de précision contenaient une charge comique involontaire que Leskov ne remarquait qu'une fois qu'elle se reflétait sur le visage des autres. C'était alors lui-même qui en riait le plus. Les personnes attaquées étaient souvent déstabilisées : Pense-t-il cela sérieusement ? À moins qu'il ne sache pas exactement ce qu'il vient de dire ? Ces incertitudes posaient problème en particulier à Achim Ruge qui semblait aujourd'hui totalement dénué d'humour et, lorsqu'il alla chercha un comprimé d'aspirine, Laura Sand ne put s'empêcher de rire haut et fort.

Leskov remarquait de plus en plus souvent et rapidement l'hésitation des autres. Il répétait alors l'objection avec d'autres mots et, la plupart du temps, la variante indiquait qu'il avait bel et bien voulu dire ce qu'il avait dit. Au bout de quelque temps, les doutes des autres se dissipèrent, ils le prirent au sérieux dès la première formulation et, comme on cessa de s'interroger sur les problèmes de langue, la discussion se fit plus directe et plus acerbe. À présent, Evelyn Mistral prenait des notes, et Millar suspendit son appareil photo au dossier de sa chaise. L'odeur sucrée de tabac emplit toute la véranda. Von Levetzov ouvrit la fenêtre.

Lui, Philipp Perlmann, avait été prêt à assassiner de sang-froid cet homme qui était à présent plongé dans son sujet, honnête et sans la moindre vanité. Pendant qu'il tentait de se camoufler en griffonnant sur le verso de la présentation de Leskov, Perlmann cherchait désespérément un point de vue, une manœuvre intérieure susceptible de l'aider à ne pas se faire complètement étouffer par les sentiments de honte et de culpabilité qui engloutissaient tout le reste. Il essayait de ne regarder Leskov qu'extérieurement, pour ainsi dire seulement comme un corps, et de se concentrer sur ce qui le répugnait : la sueur sur sa calvitie, les bourrelets sur son cou de taureau, son ventre, ses doigts boudinés. C'était une astuce mesquine, méchante, qui ne fit qu'accroître sa honte.

Lui aussi, il devait dire quelque chose. Et il ne pourrait plus repousser très longtemps son intervention. Il frissonna, le courant d'air émis par la fenêtre ouverte fut soudain glacial. Ce devait être ce genre de sentiments que ressentait un sportif après s'être blessé dès la première compétition, pensa-t-il. Au-dessus du golfe, le soleil semblait laisser place au brouillard laiteux des hauteurs ; la lumière matinale devint plus mate. John Smith était au bord de la piscine, l'air indécis. Millar fit une grimace moqueuse en le voyant.

Ce qui s'était passé dans la salle à manger vide avait laissé après coup à Perlmann la sensation de quelque chose de déterminant, de définitif ; l'impression que la tension s'était relâchée. En revanche, cela n'avait pas laissé place au sentiment tant attendu de délivrance. Peut-être n'était-ce qu'une question de temps. Après tout, la décision n'avait été prise qu'une heure auparavant. Mais dans son for intérieur, Perlmann savait de quoi il retournait. Cela n'avait tout bonnement rien à voir avec autrefois, lorsqu'en sortant du bureau du directeur il s'était retrouvé dans la rue devant le conservatoire. Malgré la pluie, il avait longtemps marché à travers la ville, sans parapluie, avec toutes les affaires de son casier dans sa serviette. Puis il était parti au bord de l'eau. À l'époque, le sentiment dominant avait été celui d'une délivrance. Certes, il savait que derrière, encore cachés, d'autres sentiments plus complexes et moins agréables l'attendaient. Mais dans l'instant, il s'était délecté de quitter la discipline de fer des entraînements. C'était un salut d'en finir avec les combats qu'il menait pour ne plus douter de lui-même et à vingt et un ans à peine, il se sentait prodigieusement adulte. Certes, un sentiment de vide n'avait pas tardé à surgir ; quand il avait repris pied, il ne savait guère quoi faire de tout ce temps libre, et il s'était réjoui que le semestre à l'université de Hambourg commençât bientôt. Mais en lui était demeuré un entrain, soulevé par cette révélation délivrante, par son départ du conservatoire et son engagement vers quelque chose de nouveau. Maintenant, une bonne trentaine d'années plus tard, c'était encore une révélation qui le guidait. En tout cas c'était ce qu'il espérait. Cependant elle était enchevêtrée dans une expérience autre, plus sombre : dans l'aliénation, la fatigue et la culpabilité. Seule la peur était absente. Il trouverait bien quelque chose. N'importe quoi. *L'avenir de Kirsten est assuré.* Perlmann était étonné de n'éprouver aucune angoisse. Il osait à peine le croire. Quelque chose avait changé en lui. Un processus d'évolution s'était mis en marche. D'un coup, il se sentit léger, presque serein.

Un silence s'était installé. Perlmann sursauta.

– Tel est donc mon raisonnement, déclara Leskov avant de se préparer une autre pipe.

Lorsqu'il prit la parole, Perlmann ignorait totalement ce qu'il allait dire. Il avait été bien trop préoccupé par sa propre situation pour écouter la nouvelle analyse qu'avait livrée Leskov à partir de sa présentation. Pour avoir au moins quelque chose à dire, Perlmann commença par expliquer comment il s'était plongé dans le raisonnement de Leskov. Les autres l'écoutèrent avec une attention résolument bienveillante. Ils ne voulaient pas le juger à cause de mardi, ils voulaient le prendre malgré tout au sérieux, se montrer complètement impartiaux – Perlmann avait l'impression de pouvoir presque palper cette volonté à travers le silence particulièrement intense qui s'installa lorsqu'il se mit à parler. Il prit soin de choisir des formulations sobres, simples, et employa des éléments puisés dans la rhétorique universitaire qu'il méprisait. Pour montrer qu'il en était encore capable. Au début, l'effroi s'empara de lui quand il remarqua qu'il suivait paragraphe après paragraphe sa propre traduction. Il eut alors envie de s'arrêter net et de se taire. Mais il n'était plus maître de la situation. Après tous ses efforts déployés pour traduire deux fois ce texte, celui-ci l'emporta avec lui et, tout à coup, il s'aperçut qu'il savourait le danger tel un risque-tout. Son exposé, qui avait depuis longtemps dépassé la durée d'une intervention destinée à une discussion, s'avéra de plus en plus peaufiné, fluide et engagé. Il comblait des lacunes du raisonnement, insérait des relations supplémentaires, évoquait des malentendus potentiels pour mieux les écarter ensuite. Les pieds d'Evelyn Mistral jouaient avec ses chaussures rouges pendant qu'elle prenait des notes. Laura Sand se frottait lentement le front. Ruge et Millar attrapèrent presque simultanément un stylo. *Me voilà réhabilité. Grâce au texte de Leskov.*

Son comportement aurait immanquablement paru forcé, voire traître, s'il n'avait pas régulièrement regardé en direction de Leskov pendant qu'il parlait. Il s'aida en fixant les pompons ridicules accrochés aux murs qui étaient dans la même ligne que la tête de Leskov. L'image de Kirsten lui apparut, elle tirait sur les pompons et se moquait des nuages de poussière. Perlmann s'arrêta subitement de parler et ne retrouva le fil de sa pensée qu'après avoir fermé les yeux un instant en faisant une grimace que les autres durent interpréter comme un tressautement épileptique. Parfois, lorsqu'il n'avait pas d'autre choix, il regardait certes Leskov, mais tout en faisant en sorte d'être extérieur à ce regard, puis il détournait rapidement la tête. Ce ne fut que lorsqu'il eut fini de parler qu'il se tourna complètement vers lui en donnant l'impression de le regarder d'un œil interrogateur.

Durant tout ce temps, Leskov était resté enfoncé dans son siège, ses cuisses puissantes croisées l'une sur l'autre. De petits nuages de fumée s'échappaient régulièrement de la commissure de ses lèvres. Lorsqu'il se pencha en avant pour poser ses coudes sur la table, son visage prit une expression qui oscillait entre la joie et l'incrédulité. Il se confondit en remerciements auprès de Perlmann pour son résumé, déclarant que c'était vraiment à peu près, non, très exactement la façon dont il avait développé ses idées à l'origine. Il marqua une pause, contempla Perlmann d'un air songeur, puis laissa son regard planer un moment sur la table, tandis qu'il pressait son tabac avec le pouce. *Il est sûr que j'ai lu le texte. Absolument sûr. Mais il ne pourra jamais le prouver.* Cependant entre-temps, poursuivit-il en indiquant sa feuille de présentation, il avait justement continué de développer ses réflexions. Il repassa alors les points nouveaux en revue en s'assurant que Perlmann arrivait à le suivre dans ses notes.

Tout en tirant un trait sous ses gribouillages précédents et en prenant de vraies notes avec son écriture minutieuse, Perlmann se mit à réfléchir. Il travaillait. C'était comme si s'enclenchait un mécanisme qui n'avait pas servi durant une longue période et avait patiné pendant ce temps. Il n'avait plus été aussi lucide depuis longtemps. Il n'y avait plus que Leskov et lui dans la pièce. Perlmann posait des questions, récapitulait, proposait des idées complémentaires afin de vérifier sa compréhension. Du coin de l'œil, il aperçut des mains qui écrivaient et des visages surpris, curieux. Ils ne l'avaient jamais connu ainsi depuis qu'ils étaient ici. Il savourait sa concentration, cette vue d'ensemble que lui offrait son savoir, et sa vivacité d'esprit. De temps à autre, lorsqu'il pouvait s'observer lui-même pendant que Leskov avait la parole, il avait l'impression de sentir qu'une libération commençait discrètement à opérer et que sa lucidité nouvelle qui, contrairement à la nuit de lundi, n'avait rien d'hystérique, était liée à la décision qu'il avait prise ce matin.

Puis, quand il eut parfaitement compris le nouveau raisonnement de Leskov, il commença à défendre l'ancien Leskov contre le nouveau. Cela aurait pu être un jeu, et d'ailleurs au début il soupçonna que le diable était en train de s'amuser à le chevaucher. Mais bientôt, il constata qu'il croyait bel et bien à ce qu'il était en train de défendre. *Dans ce cas ce n'aurait même pas été un plagiat, après tout.* Il se laissa aller à une véritable ivresse rhétorique. Leskov souriait dans son coin comme quelqu'un qui ne connaît que trop bien ces réflexions. Parfois il était stupéfait, fronçait les sourcils, ôtait sa pipe de sa bouche et notait quelque chose. Le visage d'Evelyn Mistral trahissait à quel point elle se réjouissait de voir Perlmann retrouver son équilibre. Elle hochait fréquemment la tête et, pour la première fois, Perlmann n'avait plus peur de ses lunettes.

À un moment, lorsque Leskov émit une objection pour défendre ses nouvelles idées, Perlmann s'oublia.

— Mais là, l'ancien argument est pourtant bien plus convaincant ! s'exclama-t-il.

Adrian von Levetzov remonta de l'index ses lunettes sur le haut de son nez et regarda en direction de Perlmann d'un œil interrogateur. Leskov sourit d'abord d'un air compréhensif pour ensuite reculer brusquement la tête et l'observer en plissant les yeux. Après une seconde d'effroi, Perlmann dit qu'il parlait de l'argument dont ils avaient discuté la dernière fois à Saint-Pétersbourg, tout en affichant un visage qui lui parût opaque et invulnérable. Leskov regarda un moment dans le vide. Puis il se mit à hocher la tête. Son regard était empli d'étonnement. Cela ne lui était jamais arrivé que quelqu'un se souvienne si longtemps après et avec une telle exactitude de ce qu'il avait dit. Ses idées n'avaient encore jamais revêtu une telle importance pour quiconque. Il sembla presque gêné devant les autres. Perlmann chercha à déceler des signes de défiance. Était-elle en train de s'installer ou n'était-ce qu'une stupéfaction incrédule qui donnait au visage de Leskov cette expression ? Il ne parvint pas à trancher.

Arrivés à bout de patience, les autres commencèrent à exposer leurs doutes vis-à-vis de la méthode de Leskov. Perlmann trouva que Leskov ne se défendait pas bien sur ce point. Pour la première fois il prit conscience que, durant les semaines passées à traduire, il avait anticipé toutes ces objections, de même que toute une série d'autres réflexions, et s'était préparé plusieurs défenses possibles. *Ça veut dire que j'ai passé tout ce temps à travailler. Donc je suis encore de la partie.* Il intervint dans la discussion. Il argumenta sans excitation, serein, et réussit même à lancer une remarque ironique. Et puis, pendant qu'il enchaînait une série de questions rhétoriques sur un ton résolument calme, froid, tout en posant son regard sur chacun des collègues, l'effet libérateur de sa décision se déploya enfin complètement. Il s'accompagna d'un violent sursaut perceptible dans tout son corps. Ce fut Silvestri qu'il regarda en dernier. L'Italien à la barbe de trois jours le toisait avec une curiosité clinique. Ce regard, pensa Perlmann, était la seule chose qu'il n'aimait pas chez lui.

Un élément qu'il n'avait pas encore mentionné, dit Leskov, était l'idée que l'on pouvait s'approprier son passé au moyen des souvenirs que l'on raconte. Pour quelqu'un comme lui, qui cherchait à démontrer le caractère inventeur, créateur, du souvenir, c'était naturellement une idée problématique. Mais le temps ne leur permettait pas d'aller au-delà d'une simple évocation de ce problème. Il jeta un regard vers Perlmann.

— Il s'agit avant tout d'être conscient que le Moi qui raconte n'est autre que les histoires qu'il raconte. En dehors des histoires, il n'y a rien. Ou plutôt : personne – il sourit. La plupart des gens trouvent cette affirmation choquante. Je n'ai jamais compris pourquoi. Moi, je trouve agréable qu'il en soit ainsi. Quelque part c'est... libérateur.

— Une question, Vassili, dit Millar. Voulez-vous vraiment dire *creating* et *inventing*, quand vous parlez du souvenir ? Je suppose que vous voulez plutôt dire *creative* et *inventive*. Dans ce cas-là, j'arriverais davantage à vous suivre.

Leskov regarda en direction de Perlmann.

— Quelle est la différence ?

— *Créateur* et *inventeur*, par opposition à *créatif* et *inventif*, répondit Perlmann.

Leskov sourit.

— Ah d'accord. Non, Brian, je crains que mon propos ne porte bien sur la première solution.

Millar regarda l'heure. Ruge rassembla ses papiers et commença à jouer avec son crayon. Mais Laura Sand avait encore une question : Au bout du compte, ce raisonnement ne conduisait-il pas à affirmer que ce qu'on considérait comme son passé n'était que pure invention ?

Leskov plissa ses lèvres et acquiesça, les yeux rieurs.

— L'une des sous-parties de mon nouveau texte s'intitule : *Neizbejno vydoumannoye prochloye*, le passé inévitablement inventé.

— Un instant.

Ruge fit la moue et s'accouda sur la table en se penchant en avant.

– Dans ce cas, *arrive-t-il* qu'on raconte l'histoire de notre passé tel qu'il a été vécu ?

Silvestri inspira bruyamment la fumée de sa cigarette. Laura Sand joua avec une mèche de cheveux qui balayait son visage. On pouvait voir dans le comportement de Leskov qu'il aurait voulu immortaliser ce moment. Cet homme, sembla-t-il, n'avait encore jamais savouré un instant à ce point. Perlmann n'aurait pas imaginé qu'il affichât un tel visage. C'était celui d'un homme sans peur, un homme qui était alors complètement en harmonie avec lui-même. Perlmann aimait cela.

– Non, on ne raconte jamais l'histoire de notre passé tel qu'il a été vécu, dit Leskov la pipe à la bouche. Bien sûr que non. Klim Sanguine.

Ses yeux gris étaient très purs et très clairs, et le défi qu'ils lançaient n'était rien d'autre que cette pureté et cette clarté.

Le crayon de Ruge se brisa en deux entre ses mains dans un craquement bruyant. Millar sortit une pellicule de sa poche de blouson et attrapa son appareil photo. Von Levetzov sourit d'un air compréhensif en le voyant faire.

Au moment où tout le monde se leva, Silvestri s'avança vers Leskov pour l'inviter à boire un verre au bar. Laura Sand demanda si elle pouvait les accompagner. Elle voulait en savoir plus sur cette théorie audacieuse.

47 De retour dans sa chambre, Perlmann fit les cent pas avec une application exagérée et, en même temps, sans poursuivre le moindre but. Régulièrement, il interrompait ses pas anxieux, croisait les bras et laissait tomber son menton sur sa poitrine. Comment s'y prenait-on pour abandonner une chaire de professeur ? À quoi ressemblaient les phrases qu'on écrivait pour ce genre de formalités ? Il fallait qu'elles soient laconiques. Il s'assit au bureau et rédigea des brouillons. Les textes se firent de plus en plus courts. Même les mots qui semblaient faire partie du minimum requis lui paraissaient superflus à la relecture. Dans l'idéal, il se serait contenté d'écrire : *J'en ai assez et demande à être renvoyé.* On exigerait des justifications. Au bout d'un moment, il remarqua qu'il se voyait, par la pensée, assis devant le président de l'université, un petit homme blême à la bouche de travers, dont les cheveux étaient séparés par une raie parfaite et qui ne portait que des vêtements au pli impeccable. *Vous aimeriez savoir pourquoi ? C'est tout simple : je viens de découvrir mon inaptitude professionnelle.* C'était la justification qui lui plaisait le plus. Surtout lorsqu'il arrivait à la présenter en riant. Il ne se lassait pas de voir le visage décontenancé du président. Pourtant, subitement, toute la scène s'effondra, et il se sentit épuisé comme après un long discours. Il déchira les brouillons en petits morceaux. D'un seul coup, la peur était là.

Il n'avait pas utilisé la brosse à dents ce matin. Dans l'armoire, il alla chercher le texte de Leskov. À de nombreux endroits où, la veille encore, il était resté des traces d'humidité, il put maintenant retirer la saleté poussiéreuse en l'effleurant légèrement avec les poils de la brosse. Mais ce n'était pas la seule raison pour laquelle, aujourd'hui, le travail était différent. Perlmann n'avait soudain plus aucun intérêt pour ces pages jaunâtres. Non, dit ainsi ce n'était bien sûr pas vrai. Il voulait à tout prix rendre le texte. Il lui suffisait de repenser à la façon dont Leskov avait amené la chute de son raisonnement : cet homme devait récupérer son texte, et ce même indépendamment de l'enjeu du poste. Non, c'était quelque chose d'autre. D'un seul coup, il se ficha de ne pas savoir dire *inévitablement* et *inventé* en russe, ces mots que Leskov avait prononcés si vite, si indistinctement, et qu'il était incapable de replacer en pensée dans les traces d'encre de l'intertitre. Il se fichait même que ce fût un texte russe. Il nettoyait à présent les feuilles presque comme s'il s'agissait d'un objet quelconque. Il ne comprenait pas pourquoi, mais cela était lié, pensa-t-il, à la discussion autour du texte dans la véranda. C'était comme si les autres, en prenant connaissance de son contenu, le lui avaient volé – sans pour autant l'en libérer.

Perlmann téléphona à Frau Hartwig.

– On vous regrette ici, dit-elle. Tout le monde demande quand vous reviendrez.

Il se fit donner l'adresse personnelle de Leskov, la seule dont ils disposaient. Il voulut couper court au plus vite à leur conversation et sentit que son ton sec blessait Frau Hartwig.

– Que suis-je censée dire aux autres, concernant votre retour ?

– Vous ne leur dites rien du tout.

– C'était juste une question, répondit froidement Frau Hartwig.

Perlmann observa le bloc-notes de l'hôtel sur lequel il avait inscrit l'adresse. La scène s'était déroulée à un angle de rues recouvertes de neige sale. Leskov s'était servi de son classeur comme sous-main pour griffonner son adresse sur un bout de papier qui vibrait au vent.

– Excuse-moi, mon écriture est une catastrophe, avait-il dit en remarquant à quel point Perlmann avait du mal à le lire.

Il avait sorti un autre bout de papier chiffonné et réécrit l'adresse, en caractères latins cette fois.

– Si tu m'écris, fais-le à cette adresse s'il te plaît, avait-il dit. C'est plus sûr.

Perlmann se souvenait de l'expression embarrassée sur son visage, et c'était cette expression qui l'avait retenu de lui demander si c'était à cause de la police secrète ou parce qu'il n'avait pas de bureau à l'université.

À quoi lui servirait cette adresse ? Leskov recevrait chez lui une enveloppe contenant le texte auquel il manquait entre autres la dernière page, celle qui indiquait l'adresse. Il ressentirait d'abord un immense soulagement, puis se mettrait à gamberger. Cet inconnu qui avait trouvé les feuilles quelque part sur sa route, où s'était-il procuré cette adresse-là ? Le courrier avait été expédié d'Europe de l'Ouest. Qui, à l'Ouest, connaissait cette adresse à part Perlmann ?

Il y avait déjà pensé hier. Mais Leskov en viendrait-il forcément à le soupçonner ? Il y avait néanmoins une autre explication possible – ce n'était certes pas la première chose à laquelle on pensait mais, après réflexion, on pouvait envisager ceci : la personne qui avait rassemblé et expédié le texte avait été déconcentrée ou distraite et, après avoir recopié l'adresse, elle avait oublié de glisser la dernière page dans l'enveloppe. Une erreur d'inattention, une étourderie. Le genre de choses qui pouvait tout à fait arriver, sans être une explication tirée par les cheveux. Et Leskov ne pencherait-il pas naturellement pour cette éventualité, plutôt que de soupçonner Perlmann ?

Les raisons qui avaient embarrassé Leskov à l'époque étaient peut-être telles que, pour ce texte aussi, il avait utilisé son adresse personnelle. Ou peut-être pas. Il enseignait tout de même à l'université et, bien qu'il n'y possédât pas de bureau, il pourrait vouloir le mentionner. Et le contenu du texte était politiquement neutre, en tout cas aux yeux des sbires de la police secrète. De plus, Perlmann n'avait-il pas déjà entendu dire certains collègues de l'Est que l'adresse professionnelle était la moins risquée ? Mais si Leskov avait noté son adresse professionnelle sur la dernière page, dans ce cas il ne comprendrait pas du tout pourquoi un inconnu aurait utilisé l'adresse personnelle qu'il ne pouvait définitivement pas connaître, plutôt que celle de l'université. Le soupçon serait alors inévitable : Perlmann avait perdu la dernière page et utilisé l'adresse dont il disposait. Leskov repenserait lui aussi à la scène au coin de la rue.

Mais que pouvait faire Perlmann ? Il ne connaissait même pas le nom de l'université de Saint-Pétersbourg, pas plus que l'appellation de l'institut ou la rue. Et inscrire quelque chose de vague sur l'enveloppe, c'était bien trop incertain, qui sait où le texte atterrirait, il se perdrait. Sans parler du fait que cela ne collerait pas avec la version qui mettait Perlmann hors de cause : soit l'inconnu avait l'adresse, et dans ce cas la bonne. Soit il ne l'avait pas, et ne pouvait donc même pas savoir qu'il fallait l'envoyer à Saint-Pétersbourg.

Et s'il demandait tout simplement son adresse professionnelle à Leskov ? Mais pourquoi cette question, alors que, selon la volonté expresse de Leskov, leur correspondance était toujours passée par son adresse personnelle ? Un jour ou l'autre, quand le texte arriverait à destination, Leskov se souviendrait de cette question, et il se souviendrait de l'avoir trouvée quelque peu étonnante. Et s'il s'avérait qu'en fait c'était bien son adresse personnelle qu'il avait notée au bas du texte…

– Quelle adresse inscris-tu habituellement à la fin de tes articles, celle de chez toi ou celle de l'université ?

Une question anodine entre collègues. On pouvait aussi la poser sous forme de généralité : quelle était la norme en Russie ? Une question soulevée par la curiosité innocente qu'on éprouve à l'égard d'un pays étranger avec lequel on est en train de créer des liens. Mais Leskov s'en souviendrait aussi, lorsqu'il se perdrait en conjectures devant cette enveloppe timbrée à l'Ouest.

Et s'il répondait qu'il notait d'habitude son adresse professionnelle, Perlmann ne s'en trouverait que plus bête : s'il lui posait maintenant la question de l'adresse, cette conversation serait la première chose à laquelle Leskov songerait en ouvrant l'enveloppe.

Même la plus solide des volontés n'y changerait rien. C'était tout simplement impossible à réaliser. Impossible sans se trahir.

On frappa à la porte. En même temps qu'il ramassait les feuilles à la hâte et soufflait sur la table pour dégager la poussière, Perlmann remarqua qu'aucune panique ne s'emparait de lui. Sans hésitation, presque avec un sentiment de routine, il cacha la pile sous le couvre-lit et glissa la brosse à dents dans sa poche de pantalon.

C'était la nouvelle femme de chambre qui apportait une brochure de l'hôtel. Cela faisait des jours qu'elle voulait en apporter une, dit-elle, mais ça lui était sorti de la tête chaque fois. N'y en avait-il en fait jamais eu une dans sa chambre ?

— Si, répondit Perlmann avant de se mordre les lèvres.

La femme de chambre le regarda un moment d'un air surpris en jouant nerveusement avec le chiffon qui dépassait de sa poche de tablier. Elle lui demanda ensuite si tout allait bien par ailleurs, puis elle sortit.

Il restait encore une douzaine de feuilles à nettoyer. Il était étonnant que les feuilles au-delà de la page soixante-dix ne fussent pas plus endommagées. Une multitude de pneus avait pourtant dû rouler dessus. Cela signifiait-il qu'elles s'étaient trouvées sur une pile encore plus épaisse ? Ou bien l'inverse ?

Au milieu de cette réflexion indécise, le téléphone sonna.

— Ça fait des jours que je n'arrive pas à te joindre quand je t'appelle le soir, dit Kirsten. Alors je me suis dit : maintenant j'essaie dans la journée. Même si ça va coûter une fortune. Tout va bien ? Tu as présenté ton intervention ? Ça s'est bien passé ?

Perlmann s'assit au bord du lit et déglutit, crispé. Le combiné du téléphone devint moite.

– Pardon, quelle question ! dit Kirsten dans un rire gêné. Bien sûr que ça s'est bien passé. Ce genre de choses se passe toujours bien pour toi. C'est juste que, avant-hier, Astrid – ma colocataire, je t'ai déjà parlé d'elle – s'est complètement cassé la figure pendant son exposé. Visiblement, Lasker ne l'aime pas et il l'a descendue en flèche. Ça m'a chamboulée en y repensant.

Kirsten lui demanda quand il rentrerait.

– Dimanche, répondit Perlmann.

– Tu as l'air fatigué. Tu es content que ce soit bientôt fini, pas vrai ?

Il resta assis au bord du lit jusqu'à ce que le soleil l'aveuglât en perçant la couche nuageuse. Il tira alors le rideau et nettoya les deux dernières pages dont seules les bordures étaient sales. Lentement, il feuilleta la pile entière pour la remettre dans le bon ordre. Leskov s'y retrouverait. En retapant l'ensemble à la machine, il pourrait de mémoire combler les trous. À moins qu'il ne manquât une grande partie de la fin. *Ce qui m'énerve le plus, tu sais, c'est que je n'arrive plus à reconstituer cette histoire compliquée de compatibilité entre invention et appropriation. Alors que tout est écrit noir sur blanc. À Saint-Pétersbourg. Je l'espère.*

Perlmann prit la dernière page dans sa main. S'il arrivait à s'y retrouver dans ce champ de bataille que formaient toutes les ratures et tous les ajouts, il parviendrait peut-être à estimer combien de feuilles manquaient encore. Mais dès le haut de la page à gauche figuraient deux mots qu'il n'arrivait pas à déchiffrer, et il ne connaissait pas le troisième qui suivait. La fatigue commença à le paralyser. *Plus jamais*. Il glissa la feuille sous la pile.

L'enveloppe dans laquelle il enverrait le texte de Leskov devrait être particulièrement résistante. Et étanche. Perlmann l'imagina à l'intérieur d'un fourgon postal ouvert. Dans une gare russe désolée, de nuit, la neige tombant à gros flocons. Cela ne servait à rien de se dire que c'était absurde parce que le courrier était expédié directement par avion jusqu'à Saint-Pétersbourg. Sur tout le chemin menant à la papeterie et même au moment où il posa énergiquement la main sur la poignée du magasin, il vit devant lui le quai de la gare désolée et la neige tombant sur l'enveloppe.

Le magasin était encore fermé. Oublier la sieste et se retrouver ensuite planté devant un magasin fermé – la scène lui fit soudain l'impression d'une rengaine se répétant tout au long de son séjour. Saisi de honte, il regarda autour de lui pour voir si quelqu'un l'avait observé. Mais à part un vieil homme voûté que son chien manqua de faire tomber, il n'y avait personne. Dans la vitrine où avait été exposée la Chronique, une crèche de Noël avait déjà été montée. Lentement, Perlmann voulut faire le tour du pâté de maisons. Lorsque du coin de la rue il vit quelqu'un relever à l'aide d'un manche le rideau de fer d'une pharmacie, il s'arrêta pour y acheter une nouvelle brosse à dents.

À quelle date devait-il rendre son texte pour obtenir le poste ? Leskov n'avait rien dit à ce sujet. Mais indépendamment de cette question, Perlmann aurait voulu poster le texte dès cet après-midi. D'ici à dimanche, jour où Leskov rentrerait bouillonnant d'impatience dans son appartement, le texte ne serait en aucun cas arrivé. Pourtant il était insupportable d'imaginer Leskov passant des jours à se dire que son texte était irrémédiablement perdu, et Perlmann voulait lui épargner que ce cauchemar dure une seconde, une minute de plus que nécessaire.

Cela dit, il était bien sûr hors de question de le lui envoyer d'ici, avec le cachet de Santa Margherita. Fallait-il qu'il se rende aussitôt après à Gênes et l'expédie de là-bas ? Avant-hier, en passant en revue les endroits où il avait pu oublier son texte, Leskov s'était arrêté à Francfort. Apparemment, il ne semblait pas envisager l'avoir oublié dans un avion d'Alitalia. Ou bien n'était-ce qu'un hasard, s'il n'avait pas mentionné cette éventualité ? Si son point de vue était fondé et s'il avait la certitude que cela n'avait pas pu arriver sur le vol à destination de Gênes, le cachet de la ville trahirait Perlmann, presque autant que celui d'ici. Non, il ne pouvait en aucun cas poster le texte d'Italie. Il devait le faire à Francfort. Mais il n'y serait pas avant dimanche, et cela signifiait pour Leskov trois jours de désespoir supplémentaires.

Perlmann regarda l'heure. Il y avait encore le vol du soir, à dix-huit heures. Mais il ne rentrerait pas le soir même et, après tout ce qui s'était passé, il ne pouvait décemment pas manquer la séance de Silvestri le lendemain matin. De même que l'après-midi et la soirée : c'étaient les dernières heures où le groupe serait réuni et il passerait définitivement pour un odieux personnage s'il disparaissait à ce moment-là. Ne restait que le samedi, quand tout le monde, hormis Leskov, partirait dans la matinée. Leskov pourrait passer l'après-midi seul, et il serait de retour pour dîner avec lui. Ce serait toujours une journée de désespoir en moins.

Perlmann accéléra le pas et se rendit à l'agence de voyages située dans une autre partie de la localité. Là encore, il dut attendre dix minutes qu'il passa à faire les cent pas. Combien de temps mettait un courrier, de Francfort à Saint-Pétersbourg ? La poste aérienne était-elle bien fiable ? Il ne pouvait pas poster le texte en envoi express : les employés d'une compagnie aérienne ne considéreraient pas un manuscrit comme quelque chose à retourner de toute urgence. Pouvait-on envisager qu'ils l'envoient en recommandé ?

L'ordinateur sur lequel s'effectuaient les réservations de vol était en panne, et on pria Perlmann de revenir plus tard. Heureusement, la papeterie était assez loin, et la marche l'aida à éviter que son désarroi ne tournât à la colère. En plus de la femme opulente, il y avait aujourd'hui derrière le comptoir un jeune échalas au visage couvert d'acné. Sur l'ordre de la femme, le garçon sortit différentes enveloppes sans dire un mot. Perlmann écarta aussitôt les modèles ordinaires qui n'étaient ni renforcés ni matelassés. Puis il prit celle pourvue d'un dos cartonné et la plia dans les deux sens, jusqu'à ce que le carton soit sur le point de craquer. Sa solidité lui plut, mais le papier était quelconque, et il n'était pas sûr non plus que l'enveloppe soit assez grande pour le format inhabituel des feuilles jaunes. Il humecta son index pour le passer ensuite sur le papier qui brunit et absorba peu à peu la salive.

— N'ayez pas peur, je vais bien sûr la payer, dit-il à la femme qui poussait des soupirs indignés.

Les deux enveloppes matelassées dont la taille lui sembla convenir étaient en papier mat, moins solide que l'autre en papier brillant, qui se décomposa à une vitesse inquiétante au contact de la salive. Sur une autre, une bulle de cellulose dégoûtante se forma ; ailleurs, la doublure matelassée était en plastique transparent. Le film strié serait une protection contre l'humidité. Mais si le papier tombait en lambeaux et si l'adresse devenait illisible ? Perlmann écarta également cette enveloppe. Pendant que le garçon le regardait d'un air médusé, la femme soufflait avec agacement, comme si Perlmann était sur le point de mettre son magasin sens dessus dessous.

— Vous n'avez vraiment pas à vous inquiéter, la rassura Perlmann en sortant quelques billets de sa poche, je paierai tout.

La dernière enveloppe était en papier bien encollé, brillant, mais la doublure matelassée était beaucoup plus fine que les autres, et le format de l'enveloppe était bien trop grand. Les feuilles n'arrêteraient pas de se déplacer à l'intérieur, ce qui les abîmerait encore plus. Perlmann se fit apporter une pile de feuilles d'ordinateur par le garçon toujours silencieux qui jeta un regard anxieux à la femme. Perlmann fit alors un test en secouant énergiquement l'enveloppe dans tous les sens. Le résultat ne fut pas aussi mauvais que prévu, mais certaines feuilles avaient tout de même été un peu malmenées. Il demanda à voir plusieurs agrafeuses, mais aucune ne permettait de réduire l'enveloppe à la taille voulue. Soumis au test de la salive, le papier s'en sortit bien. Indécis, Perlmann retourna l'enveloppe plusieurs fois, avant de demander subitement un verre d'eau.

Il dut réitérer sa demande. Pendant que le garçon s'en allait dans l'arrière-boutique, la femme alluma une cigarette avec une mine résignée lorsqu'un homme s'appuyant sur des béquilles, le pied plâtré, entra et la salua familièrement. Elle lui adressa un regard qui en disait long sur ses pensées. Perlmann avança jusqu'à la porte son verre à la main et il le renversa sur l'enveloppe. L'espace de deux, trois secondes, on aurait dit que l'eau allait glisser sans laisser de trace sur le papier. Mais ensuite, l'enveloppe se couvrit de taches sombres qui s'élargirent rapidement pour s'étaler sur toute la surface. Perlmann palpa l'enveloppe et sentit l'humidité. L'image du quai de la gare en Russie lui apparut, et cette fois de la neige fondue gouttait. Lorsqu'il se retourna, il vit les trois visages juste derrière la vitre. *Le fou furieux avec ses enveloppes mouillées.*

Sans dire un mot et en arborant le visage de quelqu'un qui se réjouit d'avoir eu une idée, le garçon lui fit signe d'attendre et alla dans l'arrière-boutique. L'homme à la béquille rempocha son porte-monnaie et quitta le magasin en secouant la tête. Perlmann paya et coinça les enveloppes utilisées sous son bras. Il raconta alors à la femme qu'il lisait souvent la Chronique, pendant que celle-ci regardait le sol en fumant. Elle ne semblait pas se la rappeler, et Perlmann fut content lorsque le garçon mit un terme au silence qui s'était installé.

L'enveloppe qu'il lui tendit était idéale, Perlmann le vit immédiatement. C'était une enveloppe déjà utilisée, qui portait une adresse et avait été envoyée par un Américain. D'après les gestes du garçon, Perlmann en déduisit que c'était lui qui avait décollé les timbres. L'enveloppe était en carton jaune épais, au toucher cireux, doublé de plastique, renforcé dans les angles, et le format correspondait parfaitement.

– *Perfetto*, dit Perlmann au garçon qui le regarda d'un air rayonnant avant de refuser catégoriquement l'argent qu'il lui tendait.

– Trois mille, lança la femme en ne relevant les yeux qu'un bref instant.

Pendant que Perlmann lui remettait l'argent, le garçon, furieux, attrapa l'enveloppe, fouilla dans un tiroir avant de coller deux étiquettes neuves sur l'adresse et le nom de l'expéditeur. Sans daigner accorder un regard à la femme, il donna l'enveloppe à Perlmann en esquissant un salut facétieux.

Au premier coin de rue, Perlmann jeta toutes les autres enveloppes dans une poubelle. Lorsqu'il traversa la rue, il vit l'homme à la béquille. Apparemment, celui-ci l'avait observé pendant tout ce temps. *Le fou furieux qui jette ses enveloppes.* Arrivé à la hauteur de la fontaine d'une école, Perlmann éclaboussa l'enveloppe jaune. Des gouttes rondes se formèrent. Quand il la secoua et souffla dessus, elles disparurent complètement. D'un coup, le quai de la gare en Russie perdit son importance.

À l'agence de voyages, Perlmann fut enregistré sur un vol pour Francfort le samedi midi. Pour son retour à dix-sept heures, il ne restait plus que des places sur la liste d'attente. Perlmann regagna l'hôtel à pas lents et réfléchit à la façon dont il pourrait déguiser son écriture lorsqu'il noterait l'adresse de Leskov sur l'étiquette. *Quelle adresse ?*

48 Une main l'attrapa par la manche et lorsqu'il se retourna terrorisé, ses yeux rencontrèrent le visage rieur d'Evelyn Mistral qui était installée à la table d'un café. Elle l'attira sur une chaise et fit signe au serveur. D'un geste hésitant, Perlmann posa l'enveloppe jaune sur la table. *Ce n'est pas dangereux, après tout elle ne peut pas savoir à quoi ça va me servir.* Pendant qu'il attendait son café et que tous deux discutaient de la température encore douce alors que la nuit tombait déjà et que des lumières s'allumaient le long des tables, Perlmann réfléchissait nerveusement à ce qu'il pourrait lui dire si elle en venait à évoquer l'enveloppe. Plus tard, alors qu'il remuait son café, elle posa un moment sa main sur son bras libre.

— Que s'est-il donc passé ces derniers jours ? demanda-t-elle. On l'avait à peine vu et, ces rares fois-là, il s'était montré si étrange.

— *Reservado*, dit-elle en souriant.

Et ensuite, son malaise. Ils avaient tous été plus ou moins pris de court, et inquiets.

Perlmann reprit une cuillerée de sucre. Il ne savait que faire de ses mains et, lorsqu'il les mit dans les poches de sa veste, il sentit la disquette qu'entre-temps il avait oubliée. Comme s'il venait de toucher quelque chose de brûlant ou de particulièrement dégoûtant, il ressortit aussitôt ses mains de ses poches et s'alluma une cigarette. Puis il regarda un moment les yachts qui avaient mis l'ancre en face et tanguaient sur les vagues soulevées par un bateau à moteur.

— Je ne sais pas moi-même, finit-il par dire en prenant soin de ne pas la regarder. Je... J'ai comme perdu l'équilibre.

— Et tu n'avais pas la moindre envie de présenter quelque chose, n'est-ce pas ? demanda-t-elle d'une voix douce en dégageant les cheveux de son visage qu'elle tenait appuyé sur sa main.

Perlmann, le regard posé sur les vagues qui se calmaient, hocha la tête. Il aurait voulu partir et, en même temps, il souhaitait qu'elle continue à lui poser des questions.

— Je peux te dire quelque chose ? Mais tu dois me promettre de ne pas mal le prendre.

Perlmann s'efforça de sourire et acquiesça.

— Si je peux m'exprimer ainsi : je crois que tu as fait une erreur. Tu aurais dû expliquer dès le début qu'actuellement tout est un peu difficile pour toi, et tu aurais aussi pu te contenter de dire que tu ne voulais rien présenter. La mort de ta femme — c'est quelque chose que tout le monde aurait compris aussitôt. Alors que les histoires de repas, etc., ont été interprétées comme de l'arrogance de ta part. Jusqu'à ce que Vassili remette les choses à leur place. Nous, nous n'étions quasiment au courant de rien.

Ainsi donc, c'était une bonne chose, l'autre fois dans la forteresse, que je lui parle d'Agnès. Comme ça il a pu fournir une explication qui m'a sauvé. Cet homme que j'ai failli assassiner.

Dans sa simplicité séduisante, le propos d'Evelyn Mistral incita Perlmann à se duper lui-même sans qu'il puisse s'y opposer. Il avait commis une maladresse en société, une erreur tout à fait simple. Il voulut savourer la sérénité que lui apportait cette révélation. Cela pouvait arriver à n'importe qui. On pouvait y travailler.

On pouvait l'éviter à l'avenir. Et à cette heure-là dans trois jours, il serait chez lui.

— Tu as parfaitement raison, dit-il, c'était une erreur de ne rien dire.

Ça sonnait creux, presque comme des paroles prononcées du bout des lèvres, aussi ajouta-t-il après une pause :

— C'est parfois tellement dur, en espérant n'avoir pas trop exagéré l'expression torturée de son visage.

Ruge, Millar et von Levetzov se laissèrent tomber sur les chaises en feignant l'épuisement et posèrent les cadeaux qu'ils venaient d'acheter sous la table voisine qui était inoccupée. Perlmann les avait vus arriver de loin et il attrapa l'enveloppe dans une sorte de réflexe pour la caler contre le pied de sa chaise.

— Pile à l'heure habituelle, dit Evelyn Mistral en souriant après avoir regardé sa montre.

— Oui, lâcha Millar dans un soupir nostalgique, la première fois, il y a un mois, il faisait encore jour à cette heure-ci. Ces rendez-vous quotidiens vont me manquer – il regarda Perlmann. Dommage que vous n'y ayez jamais assisté.

Les autres acquiescèrent. Perlmann était frigorifié et, lorsqu'il boutonna sa veste, la disquette cogna contre l'accoudoir dans un léger bruit sourd.

— Mais quand j'imagine ce que je ferais s'il m'arrivait la même chose qu'à vous…, poursuivit Millar, je crois que je n'aurais plus envie de rien. À part de faire de la voile, ajouta-t-il avec un rictus.

Pendant un instant, Perlmann eut le souffle coupé par cette remarque et sentit des larmes lui monter aux yeux. Achim Ruge vit probablement sur son visage qu'il se passait quelque chose. Avec une expression et une voix que Perlmann n'aurait jamais cru percevoir chez lui, Ruge commença à parler de sa jeune sœur qu'il avait beaucoup aimée. Pas une seconde il n'aurait imaginé qu'elle se droguait. Jusqu'à ce qu'on la retrouve morte.

— Vous savez, dit-il en allemand à Perlmann, et le gris clair de ses yeux parut encore plus délavé qu'à l'accoutumée, après, je me suis arrêté pendant pratiquement un an. Tout allait de travers au laboratoire, j'étais obligé d'annuler des cours, et mon agressivité à l'égard des collègues est devenue légendaire. Plus rien ne semblait avoir de sens.

Superficiel, pensa Perlmann, *ma peur de ces gens m'a rendu terriblement superficiel.* Au point qu'il ne les avait même plus crus capables d'éprouver les émotions et les réactions les plus élémentaires, les plus naturelles. Sinon, à présent il ne tomberait pas des nues comme ça. La peur rendait les autres plus grands et plus forts qu'ils ne l'étaient et, en même temps, ils en devenaient plus petits et plus primitifs. N'aurait-il pas pu aller les voir samedi matin et leur expliquer qu'il avait agi sans réfléchir ? Ou même plus tard, cela n'aurait-il pas été encore possible ?

— J'imagine…, déclara von Levetzov, que l'invitation à Princeton ne tombe vraiment pas à point nommé.

Perlmann hocha la tête et, une fois de plus, la compréhension qu'il rencontrait soudain le surprit. Peut-être n'était-ce pas tant la peur qui l'avait rendu superficiel ? La peur était survenue parce que son regard avait d'emblée été superficiel – parce qu'il ne les avait pas crus doués de compréhension et donc de profondeur.

— Ce genre de choses peut être repoussé, ajouta von Levetzov en jetant un regard interrogateur vers Millar.

— Sans problème, confirma ce dernier.

Il y songeait en effet, dit Perlmann en essayant de s'adresser à von Levetzov avec un regard particulièrement ouvert et personnel, comme pour s'excuser de son comportement bourru au petit déjeuner. En présence des autres, une relation personnelle à Adrian von

Levetzov s'établissait plus facilement qu'en tête à tête. Remarquant cela, Perlmann sombra dans la confusion. D'un seul coup, il eut l'impression de ne rien savoir des gens ni des relations qui les unissaient.

Les autres ne semblaient pas voir Leskov qui arpentait les rues, la démarche pataude et les bras ballants. Perlmann ne le reconnut pas tout de suite, car il portait aujourd'hui une casquette qui paraissait trop petite, le rabat censé protéger la nuque tombait sur les bourrelets de son cou. *Si seulement il marchait plus vite.*

— Eh, mais c'est Vassili ! s'exclama von Levetzov en se levant d'un bond pour le rattraper.

Perlmann s'empara de l'enveloppe calée contre le pied de sa chaise. Non, à cet endroit elle se remarquait moins que posée sur la table voisine.

Leskov apprécia les plaisanteries lancées au sujet de sa casquette qu'il exhiba en faisant le clown. Plus tard, lorsqu'ils se remirent à parler de la dernière séance, Leskov posa sa main sur l'épaule de Perlmann et lui dit être resté bouche bée en l'entendant intervenir.

— J'aurais mis ma main à couper que tu as en fait lu mon texte ! dit-il en riant, et ce, avec la plus grande attention – puis, se tournant vers les autres : Je lui ai en effet envoyé la première version du texte. Mais il conteste. Soi-disant mon russe est encore trop difficile pour lui.

— Ne disiez-vous pas que vous ne saviez pas du tout parler russe ? demanda von Levetzov avec un visage où se mêlaient à la fois l'irritation et l'admiration.

Perlmann évita le regard d'Evelyn Mistral, retira ses lunettes et se frotta les yeux. *Peu importe. Je n'ai commis aucun plagiat. Aucun plagiat.*

— Juste quelques mots, dit-il.

Ne supportant pas plus longtemps le silence qui retomba, il s'excusa et se leva. Au bout du couloir qui menait aux toilettes, une porte était restée ouverte, qui donnait sur l'autre côté du mur longeant le quai. Perlmann s'approcha de l'eau. Des épluchures flottaient en contrebas. Il sortit la disquette de sa poche et regarda autour de lui. Lorsqu'il la lâcha, un coup de vent la fouetta puis elle tomba en claquant sur le mur. Perlmann regarda à nouveau autour de lui, avant de la jeter d'un coup de pied.

– Nous étions en train de parler de cette enveloppe, qu'est-ce qu'elle est bien ! dit Leskov en la posant sur la table. Elle est tombée tout à l'heure, quand tu t'es levé. Brian a les mêmes chez lui. J'aimerais bien qu'ils en fabriquent aussi en Russie.

– Tout ce qui est important, je l'envoie dans ce type d'enveloppes, dit Millar, en particulier les manuscrits – il frotta son pouce et son index contre le carton. Elles sont presque complètement étanches.

Perlmann eut l'impression que toutes ses forces disparaissaient en un instant, si bien qu'il ne se sentit même plus capable de soulever sa tasse de café. Un sentiment d'inutilité le terrassa. Sans réfléchir à une réponse, il attendit qu'on lui demande comment il était tombé sur cette enveloppe. Mais personne ne posa la question.

La conversation tournait à présent autour du dîner. Les autres avaient envie, pour une fois, de ne pas manger au *Miramare*. Soudain, Millar, qui avait croisé ses mains derrière sa tête et regardait vers le versant de l'autre côté du golfe, proposa :

– Pourquoi ne pas aller à l'hôtel blanc là-haut ? Comment s'appelle-t-il déjà ?

– *L'Imperiale*, répondit von Levetzov. J'y ai déjà bu un verre. Le restaurant avait l'air bien.

Silvestri et Laura Sand devaient être mis au courant, et il fallait aussi prévenir signora Morelli. Perlmann hocha la tête. Sur le chemin de l'hôtel, Leskov le rattrapa et lui tendit l'enveloppe jaune en souriant.

Dans l'angle du salon, à l'endroit où il s'était installé lundi soir, la lampe était de nouveau allumée. Deux petits enfants s'amusaient sur le fauteuil tandis que leur grand-mère peinait à les calmer. Du coup, tout avait l'air très normal, très banal. *Le point de vue de l'éternité*, c'était à cela qu'il avait réfléchi ici. En s'agrippant à cette idée, il s'était défendu contre une peur épouvantable. Mais cette peur avait donné à sa pensée un poids et une profondeur désormais perdus. Entouré de ses collègues enjoués, déjà plongés dans la carte du restaurant, il jugeait maintenant l'idée plate et insignifiante, elle ne représentait guère plus qu'une suite de mots.

Par ailleurs, les autres le dérangeaient et il devait veiller à maîtriser son irritabilité, si grande qu'il venait d'arracher deux boutons de chemise en se changeant. Cet hôtel était l'endroit où Kirsten lui avait demandé s'il avait été heureux avec Agnès. C'était l'endroit où il avait traversé le pire désespoir. C'était son hôtel. Les autres n'avaient rien à faire ici.

Franchissant la porte battante de la cuisine, le serveur qu'il avait traité de connard entra dans la salle. Il portait la même veste rouge que le mardi précédent et se dirigeait à présent vers leur table, son bloc de commande à la main. Perlmann étant assis dans l'angle, le serveur ne le vit pas immédiatement et prit la commande de Ruge et de Silvestri. Puis, pendant que Laura Sand parlait, son regard glissa une chaise plus loin. Les yeux mi-clos, Perlmann attendait, agacé de sentir son cœur battre à tout rompre. Le serveur se repencha sur son calepin et nota la commande. C'est alors qu'il s'interrompit net, ses yeux se plissèrent et, après s'être figé un instant, il retourna brusquement la tête et regarda Perlmann qui pressait ses mains l'une contre l'autre sous la table. Le serveur fit une grimace, détacha lentement son regard, on eût alors dit qu'il allait se remettre à noter. Mais au contraire, il rangea stylo et bloc-notes dans sa poche de veste, tourna brutalement les talons et repartit à pas rapides vers la porte battante.

– Mais qu'est-ce qui lui prend ? demanda Laura Sand d'un air irrité en martelant le coin de la table avec la carte du restaurant.

– Je n'en sais rien, dit Perlmann comme elle le regardait d'un œil interrogateur.

Le maître d'hôtel en smoking noir resta planté bras croisés devant la porte battante et, l'air furieux, il suivit des yeux le serveur qui revenait à leur table. Il se tourna vers Laura Sand.

– *Scusi,* signora, dit-il pincé, pourriez-vous répéter votre commande ?

Ensuite, il prit une autre page du bloc et, sans daigner regarder Perlmann, il se tourna vers Millar. Surpris par le silence, celui-ci leva les yeux, jeta un œil de côté à Perlmann assis sur la chaise voisine, puis déclara sur un ton glacial que Perlmann lui envia :

– Il semblerait que vous ayez oublié quelqu'un.

Le serveur ne bougea pas d'un pouce, se contentant de lever les yeux au-dessus de la tête de Millar pour balayer la salle du regard. Le maître d'hôtel faisait déjà mine de vouloir intervenir quand Perlmann passa sa commande en hachant sèchement ses mots. Le serveur appuya son stylo contre son bloc, sans pour autant écrire dessus. Puis il regarda de nouveau Millar qui, après avoir levé les sourcils d'un air hésitant, dicta ce qu'il désirait.

Laura Sand reconnut n'avoir pas été au courant du malheur arrivé à sa femme. Elle lui demanda pourquoi il n'avait rien dit. Cela aurait aidé à comprendre certaines choses.

– Elle a raison, acquiesça Millar et, dans sa bouche, la phrase résonnait déjà comme une nouvelle remontrance.

– Je ne sais pas, répondit Perlmann.

Heureusement, sa voix ne laissa rien transparaître de la colère qui montait en lui. Maintenant qu'ils avaient assisté à son effondrement et qu'il n'était plus un rival ou un adversaire en lice dans la joute universitaire – maintenant, tous lui parlaient d'un ton compréhensif, se montraient magnanimes et semblaient ne pas du tout sentir à quel point la suffisance morale pouvait être répugnante. Auraient-ils pensé et parlé de la même manière s'il ne lui était rien arrivé d'aussi dramatique, au moins d'aussi grave qu'une maladie ? La superficialité : à la fois cause et effet de la peur ; c'était bien ça. D'un autre côté : comment aurait-il dû le dire, au juste ? Où étaient les mots à partir desquels il aurait pu construire son explication ? À quoi exactement aurait ressemblé leur visage lorsqu'il leur aurait annoncé ? Et à quel moment précis aurait-il dû le faire ? Perlmann était furieux de constater leur magnanimité superficielle, le manque de précision de leur imagination. Chaque fois qu'il s'interrogeait sur les détails, sa rage grandissait, il s'isola des autres convives, aveugle et sourd, et ne remarqua pas le long morceau de cendre au bout de sa cigarette qui tomba sur la nappe amidonnée d'un blanc éclatant.

Les autres avaient depuis longtemps leur plat devant eux alors que Perlmann n'avait toujours rien. Le serveur, qui faisait comme si Perlmann n'était pas là, se fit attendre plusieurs minutes. Dans le silence gêné qui régnait, ses collègues jetaient des regards perplexes vers l'assiette vide devant Perlmann. Celui-ci venait de reculer sa chaise pour aller chercher le maître d'hôtel quand le serveur, un air glacial sur le visage, lui apporta sa *piccata milanese* avec une indifférence ostensible, la posant avec fracas tout en veillant à ce qu'elle soit de travers sur la sous-assiette. Les autres recommencèrent à parler.

Dès la première bouchée, Perlmann sut clairement de quoi il en retournait : une fois son assiette dressée, elle avait été mise un moment au réfrigérateur. La nourriture était encore chaude à l'intérieur, mais la surface était froide, une sensation qui, sur la langue, paraissait artificielle. La sauce tomate était particulièrement froide et la couche supérieure du fromage ressemblait à du caoutchouc. Perlmann chercha des yeux le maître d'hôtel, se leva et marcha en direction de la porte battante. Visiblement, le serveur posté derrière la porte l'avait observé à travers la petite fenêtre. Il ouvrit alors la porte du pied pour se planter devant Perlmann, un air de défi sur le visage.

– Mon assiette est froide, lâcha Perlmann si fort que les gens attablés se retournèrent.

Le serveur se mordit la lèvre avant de le regarder avec un rictus haineux, méprisant. Puis il traîna délibérément les pieds jusqu'à la place de Perlmann, ramassa son assiette et disparut dans la cuisine en secouant la tête avec véhémence comme pour réprouver cet esclandre. Lorsque, peu de temps après, Perlmann retrouva son assiette devant lui, le plat avait un goût de réchauffé ; après quelques bouchées, il y renonça.

Le problème, ce n'était pas seulement qu'ils présentaient les choses de façon bien trop simpliste lorsqu'ils lui reprochaient amicalement de n'avoir rien dit et de ne pas avoir cherché leur compréhension. Ce qui était bien pire, c'était qu'il ne pourrait absolument pas compter sur cette compréhension s'il leur disait la vérité : que la recherche et le mode de vie qui allaient de pair avec elle lui avaient depuis longtemps échappé jusqu'à lui devenir étrangers. De temps à autre, pour ne pas trop se faire remarquer, il plantait sa fourchette dans son assiette qui ne ressemblait plus qu'à une bouillie jaune et rouge écœurante, cependant il s'aperçut que la rage qui bouillonnait en lui s'adressait en fait davantage à cette incompréhension plus profonde qu'aux discours simplificateurs déplorant qu'il n'ait pas expliqué sa situation personnelle.

Auparavant, au café, il avait aimé s'abandonner à l'idée que sa détresse avait été provoquée par le bouleversement dû à la mort d'Agnès. Ce genre de phénomène existait donc, pensa-t-il maintenant avec étonnement : on se réfugiait derrière une chimère déjà mille fois démasquée, et on privilégiait cet aveuglement parce qu'on voulait avoir la paix, se débarrasser des questions déroutantes, source de tourments quand on s'avouait la vérité. Et naturellement cela tenait aussi à ce que cette vieille solution séduisante lui avait été suggérée précisément par Evelyn Mistral. Mais à présent, tandis qu'il regardait son assiette avec dégoût et attendait de pouvoir enfin fumer une cigarette, sa rage se raviva à l'idée que les autres, dans leur incompréhension, le poussaient à utiliser l'excuse d'Agnès, sans le contredire, transformant en plus sa douleur en un mensonge.

Qu'en était-il vraiment de cette incompréhension ? Enfin il put s'allumer une cigarette, et la concentration qu'il déploya pour réfléchir à cette question l'aida à ignorer le serveur qui fit exprès de frôler sa manche avec l'assiette en débarrassant. Il passa en revue les collègues un à un en jetant un regard discret sur chacun de leurs visages chaque fois qu'il passait au suivant. Non, pour cette question-là, la peur ne l'incitait pas à sous-estimer les autres. Même le visage d'Evelyn Mistral, rougi par le vin et les rires, n'avait pas le droit de l'induire en erreur. Quand il fermait les yeux, la tête d'Evelyn Mistral avec ses cheveux relevés et ses lunettes recouvrait l'image qu'il venait de percevoir. Le seul qu'il croyait capable de comprendre était Giorgio Silvestri. Mais il n'était de toute façon pas représentatif du monde universitaire redouté, haï. Et puis : Silvestri pouvait-il vraiment envisager qu'un homme soit atteint d'une incurable indifférence vis-à-vis du monde de la recherche, de la soif de savoir ? Perlmann en douta lorsqu'il le vit maintenant prendre la parole, tendu, penché en avant, joignant le pouce et l'index pour exprimer l'exactitude.

À l'heure du café, la conversation s'orienta vers les missions d'enseignement qui attendaient les collègues à leur retour chez eux. Pendant qu'il écoutait, Perlmann se rendit soudain compte qu'aujourd'hui, au petit déjeuner, lorsque von Levetzov lui avait posé la question, il n'avait pas du tout décrit ses prochains cours, mais ceux du semestre passé. Et tandis qu'il fumait de plus en plus frénétiquement, il constata, avec un sentiment d'oppression croissant qui tournait presque à la panique, que ses cours débutant la semaine prochaine lui échappaient comme des noms dont on n'arrive pas à se souvenir : il avait les thèmes sur le bout de la langue, ils étaient présents sous la forme d'une vague sensation, mais toute tentative de les ramener au centre de son attention échouait, les intitulés et les problématiques exactes ne voulaient pas lui revenir. *Quand ma démission va-t-elle être valide ? Immédiatement ? Puis-je me contenter de ne plus revenir ? Au fond, il ne peut plus rien m'arriver. Maintenant, il ne peut plus rien m'arriver.*

Ce semestre, soupira Ruge, c'était à lui de donner un cours d'initiation. Tandis que Millar et von Levetzov rebondissaient avec empathie sur le sujet, Perlmann se revit lors de la dernière réunion au cours de laquelle le programme pédagogique avait été discuté. Les autres avaient trouvé exceptionnellement collégial de sa part qu'il soit prêt à dispenser pour la troisième fois d'affilée le cours d'initiation. Toutefois il y avait bien eu un moment de silence, et l'étonnement s'était fait palpable. Les visages avaient-ils révélé seulement leur réflexion, ou déjà leur suspicion ? *Je trouve cela de plus en plus important*, avait-il dit. *J'aime bien travailler avec les débutants.* C'était une explication à laquelle on ne pouvait rien opposer. Et pourtant le directeur de l'institut avait visiblement dû prendre sur lui avant de passer à autre chose.

Perlmann avait chaque semestre une façon légèrement différente de donner ce cours ; ce qui était nouveau, c'était sa distance de moins en moins dissimulée par rapport à la matière qu'il enseignait. Il multipliait plus souvent les remarques telles que : « À ce sujet, on peut poser la question de savoir si... On ne *doit* peut-être pas la poser, mais *si* on la pose, alors... », ou encore : « Il y a là une distinction... », puis il marquait un temps de réflexion ostentatoire afin de soulever dans l'audience l'impression qu'il considérait cette distinction comme inutile, voire inepte. Il risquait d'exagérer et de donner au tout des allures de comédie. En particulier les jours où il allait mal. Les étudiants s'en délectaient. Mais dès le moment où ils riaient, il se haïssait d'avoir fait son théâtre. Car il n'avait pas la moindre envie de faire du théâtre, la distance qu'il prenait vis-à-vis de sa discipline était tout à fait sérieuse, elle le frappait comme un inexorable processus de développement qu'il observait avec un désespoir croissant.

Leskov était resté concentré sur sa pipe et buvait son café à petites gorgées. Il aimerait bien lui aussi, dit-il quand une pause s'installa dans la conversation, pouvoir se plaindre de la sorte. De son côté, il n'avait aucune certitude d'un semestre à l'autre que son contrat soit reconduit. Il dit cela d'un ton très sobre, sans la moindre trace d'état d'âme.

– Mais si je remets mon nouveau texte, la situation va peut-être changer, déclara-t-il en souriant, avant de regarder vers Perlmann. À condition qu'il réapparaisse, ajouta-t-il avec un visage dans lequel le sarcasme forcé ne cachait qu'imparfaitement sa panique latente.

Perlmann fit un geste embarrassé de la main sans savoir si la contraction des muscles de son visage produisait un sourire ou seulement une grimace. *À quelle adresse bon sang*, se dit-il nerveusement, *à quelle adresse ?* Et l'enveloppe. Et la liste d'attente pour le vol.

Pendant que les autres laissaient un pourboire, Perlmann sortit la somme exacte et posa les billets vers le milieu de la table de façon que le serveur soit obligé de bien se pencher en avant pour les récupérer. Mais une fois de plus, le serveur fit comme s'il n'existait pas, se contentant de laisser son argent sur la table. Laura Sand le désigna en se levant et lança un bref regard interrogateur vers Perlmann. Il fit comme s'il n'avait rien remarqué. Il laissa passer les autres devant lui et attendit dans le hall jusqu'à ce que le serveur ramasse l'argent et sorte de la salle.

— Vous savez, dit Perlmann en essayant de le regarder droit dans les yeux, j'avais raison : vous en êtes un. Et un vrai.

— *Stronzo*, siffla le serveur en retour, sans que ses lèvres aient semblé bouger d'un millimètre.

Perlmann le laissa planté là et rejoignit les autres qui attendaient des taxis dehors.

49 Lorsqu'il se réveilla vers sept heures le lendemain matin, Perlmann crut d'abord que son mal de gorge venait des paroles qu'il avait rageusement vociférées dans le bureau du président de l'université. Au fur et à mesure seulement, il comprit que sa gorge sèche le grattait sûrement parce qu'il avait respiré la bouche ouverte et que son agitation était visiblement liée à une personne vue dans son rêve. À la fin, il y avait eu le président de l'université. Mais peu à peu Perlmann se souvint que cette silhouette était à l'origine celle du serveur. Perlmann l'avait sermonné devant les autres. Il s'était levé, avait renversé son assiette froide sur la nappe immaculée et, accompagnant chacun de ses mots d'un geste tranchant de la main, il avait répété en boucle son maigre répertoire italien d'injures maladroites, tout en prenant conscience de ses limites linguistiques, ce qui n'avait fait qu'attiser sa rage. Plus la scène durait, plus le serveur se déformait, et sa silhouette avait de plus en plus ressemblé à celle de Leskov. Dans une salle qui n'était plus celle du restaurant, Perlmann lui avait reproché de ne pas avoir fait de copie de son texte, de plus en plus fort, car Leskov donnait l'impression de ne pas écouter du tout. Silencieux et inatteignable, Leskov était ensuite devenu un personnage blême, presque sans visage, qui malgré ses contours vagues, était indubitablement le président de l'université. Perlmann avait réglé ses comptes avec lui de manière plus impitoyable et rigoureuse qu'il ne l'avait jamais fait avec personne. Le cœur battant à tout rompre, il avait hurlé ses accusations les unes après les autres jusqu'à ce que sa voix s'étrangle. Il tenait le président pour responsable de toute la paperasserie et de tout ce qui ne marchait pas dans le monde universitaire, il lui énumérait les méfiances, les jalousies et les peurs qui gouvernaient ce monde, le traitait d'instigateur de toute cette vantardise affichée, et finalement il le déclarait aussi personnellement responsable des décennies de sa vie qu'il avait perdues en exerçant son métier. Au moment où il lui demanda, fulminant, pourquoi il l'avait empêché de devenir interprète, Perlmann remarqua qu'il n'y avait plus personne dans la pièce et que sa voix braillarde résonnait dans un vide fantomatique. Porté par le sentiment d'impuissance qui l'avait alors assailli, il s'était finalement réveillé.

Il commanda du café et s'assit au bureau après s'être douché. La veille, il avait écrit des lettres de plus en plus courtes au président de l'université, mais aujourd'hui c'était l'inverse. Certes il s'opposait vigoureusement à l'amertume et à l'irritation qui résonnaient encore en lui. Il ne voulait pas que sa lettre de démission soit déterminée par ces émotions – qu'elle devienne en quelque sorte un épisode de plus dans la continuité de son rêve. Il rayait aussitôt chaque mot acerbe pour le remplacer par une expression résolument neutre, sobre. Il en résultait ainsi des textes dont le ton ressemblait de plus en plus au jargon administratif. Et pourtant, il n'arrivait pas à empêcher qu'elles basculent en lettres d'accusation, en justifications toujours plus longues dans lesquelles s'amoncelaient des preuves affirmant qu'une vie déterminée par la recherche scientifique finissait inévitablement par devenir une vie aliénée, ratée. Comme obsédé, Perlmann ne cessait d'écrire et chaque nouveau brouillon allait encore plus loin, était encore plus long que le précédent.

Il était déjà huit heures et demie passées lorsqu'il s'arrêta, épuisé et tremblant. Un moment il se posta à la fenêtre pour regarder la pluie tomber à torrents. Encore deux jours. Dans cinquante heures il serait à l'aéroport et attendrait son vol retour. Et demain il serait en déplacement la moitié de la journée, le temps passerait plus vite. Jusqu'ici il avait toujours eu de la chance avec les listes d'attente.

Il survola la dernière page qu'il avait écrite. Puis il rassembla toutes les feuilles et jeta la pile dans la corbeille. Le problème ne venait pas des scientifiques, ni même de la science, d'ailleurs. Le problème, c'était sa propre histoire. Rien de plus. En faire une idéologie, c'était de la sottise. Au fond, cela avait toujours été clair pour lui. En fin de compte, en écrivant ainsi ce matin, il avait bel et bien prolongé son rêve. Et en prime il s'était empêché d'aller prendre le petit déjeuner auquel, aujourd'hui, songea-t-il stupéfait, il se serait volontiers rendu.

La séance de Giorgio Silvestri fut chaotique au possible. Tout d'abord, il avait oublié la moitié de ses dossiers dans sa chambre et dut remonter les chercher. Quand il y vit enfin clair dans son désordre, il entama une présentation dépourvue de structure qui sembla pendant un moment ne même pas avoir d'objectif précis. Il parla de troubles du langage classiques chez les schizophrènes, dans lesquels s'exprimaient aussi des troubles de la pensée. Son vocabulaire technique donnait l'impression d'être bricolé, excentrique, et Silvestri ne s'efforça pas une seconde de l'introduire. Au bout d'un moment on pouvait certes facilement imaginer comment le traduire dans les concepts habituels. Mais c'était agaçant de devoir le faire soi-même. À cela s'ajoutait que la prononciation anglaise de Silvestri était ce matin-là bien plus mauvaise que d'habitude ; on aurait dit que sa bouche ne lui obéissait pas correctement. C'était particulièrement dérangeant dans les phrases d'exemples qu'il avait uniquement en italien sous les yeux et traduisait au pied levé. Souvent, à cause de sa lecture hésitante, on ne savait pas dans quelle mesure leur aspect singulier était vraiment le fait des patients, et si sa traduction de ce matériel langagier complexe ne donnait pas lieu à des déformations supplémentaires. Les collègues ne tardèrent pas à griffonner de petits dessins en marge de leurs notes et même Evelyn Mistral qui, au début, par sympathie pour Silvestri, avait souri du caractère chaotique de sa présentation, commença à montrer des signes d'impatience.

Une fois de plus, l'histoire se répète, pensa Perlmann : il se sentait laissé en plan par quelqu'un à qui, au fond de lui-même, il s'était raccroché. Silvestri – c'était pourtant l'homme au métier important et honorable qui lui procurait la distance intérieure nécessaire pour pouvoir s'asseoir sur la chaise longue le journal posé sur la tête et se balancer sur son siège pendant les séances ; l'homme qui lui avait conseillé de ne pas prendre tout cela avec autant de sérieux ; enfin, l'homme qui avait compris quelque chose à ses notes. Et voici qu'à présent il était assis en face, essayait pour la seconde fois déjà de se verser une tasse avec la cafetière vide et jetait de plus en plus souvent des regards incertains dans l'assemblée. Sa barbe de trois jours n'était tout à coup plus l'expression de son indépendance et de son incorruptibilité, elle faisait seulement négligé, Perlmann trouva sa peau encore plus blafarde qu'à l'accoutumée et il remarqua pour la première fois un petit furoncle sur son menton. *Toi et ta quête de héros*, entendit-il Agnès dire, sans savoir contre qui il devait être le plus agacé : contre elle ou bien contre cet Italien qui semblait une fois de plus lui donner raison.

Silvestri poussa ses feuilles de côté, alluma une nouvelle cigarette et se mit à expliquer les idées centrales de son étude. Ce n'était pas un orateur et sa présentation se déroula sans fluidité ni impact. Malgré tout, Perlmann remarqua avec un soulagement croissant que cet homme avait des choses à dire. Même Leskov qui avait affiché jusqu'à présent un air malheureux, soupirant faiblement plusieurs fois, se décontracta, tandis que Laura Sand commença à prendre des notes. Derrière ce que développait Silvestri, il y avait des années de travail avec des schizophrènes ainsi qu'une patience d'écoute pratiquement inépuisable. Son visage blanc aux yeux sombres était désormais très concentré et lorsqu'il parla avec admiration de Gaetano Benedetti qu'il considérait comme le chercheur le plus important dans le domaine de la schizophrénie, on sentit toute la passion qui l'animait dans son travail.

Le bruit d'un papier qu'on déchire fendit le silence qui s'était installé pendant que Silvestri cherchait une citation de Benedetti. Millar avait arraché un bout de papier dans ses notes et était en train d'écrire quelque chose qu'il glissa ensuite d'un geste désinvolte en direction de Ruge, lequel était aujourd'hui assis une place plus loin que d'habitude. Au dernier moment, Millar dut sentir qu'il s'y était mal pris car son bras se raidit comme s'il voulait rattraper le bout de papier. Mais c'était trop tard, le papier tomba du bord de la table et atterrit sur le sol, devant les yeux de Silvestri. En tendant un peu le cou, Perlmann put lire : *De Benedetti ? !*

Silvestri, qui avait enfin retrouvé sa feuille comportant la citation, leva les yeux, suivit le regard des autres et lut le bout de papier. Instantanément, il se figea, son visage s'empourpra, puis il ferma les yeux. Personne ne bougeait. Millar regardait la surface de la table. Au fond, pensa Perlmann, ce n'était qu'une blague de potache, une sottise d'écolier. Mais à ce moment précis, Silvestri dut le ressentir comme une gifle en pleine face : récemment, Carlo De Benedetti, le président d'Olivetti, s'était retrouvé devant le tribunal pour avoir été impliqué dans la faillite d'une banque. Quand on savait cela, le bout de papier rose tombé sur le parquet brillant évoquait alors le monde de l'argent, du pouvoir et de la corruption. C'était juste une plaisanterie, sans la moindre allusion sournoise. Silvestri lui-même le savait à coup sûr. Mais que quelqu'un à cet instant précis, pendant qu'il était question du travail dévoué de Gaetano Benedetti, de son œuvre exceptionnelle, s'aventure en pensée dans cet autre monde hideux, même si l'association d'idées était compréhensible, anodine, c'en était trop pour lui. Manifestement il le prit comme une attaque personnelle – comme si l'on méprisait, voire ridiculisait de façon indirecte son propre engagement.

Silvestri n'avait pas vu d'où venait le bout de papier. Sûrement, songea Perlmann, avait-il reconnu l'écriture de Millar, car c'est lui qu'il regarda en premier lorsqu'il leva les yeux. Il le fixa quelques secondes et les rides qui descendaient de son front vers son nez donnèrent à son visage maigre, émacié, une expression mauvaise et inflexible. Pendant qu'il dirigeait à nouveau son regard, désormais teinté d'une sorte d'abattement, vers le bout de papier, Silvestri attrapa son stylo-bille et d'un clic, il fit lentement sortir et rentrer la mine. Il répéta ce geste plusieurs fois, dans un rythme qui s'étirait comme un disque au ralenti, et chaque cliquetis semblait fouetter le silence oppressant tel un coup de feu. Perlmann retint son souffle malgré lui. Silvestri s'enfonça dans son siège, croisa les mains derrière la tête et dévisagea Millar en prenant une inspiration. Bien qu'il ne fût en rien concerné, Perlmann tressaillit en voyant la dureté de son regard sombre. La voix de Silvestri serait tranchante.

La porte s'ouvrit à ce moment-là et signora Morelli entra dans la véranda, un papier à la main. Le silence de la pièce dut lui paraître étrange car elle s'immobilisa, la main encore sur la poignée, avant de se reprendre avec un *Scusatemi*, et de se diriger vers Perlmann.

– J'ai pensé que vous aimeriez peut-être en être informé immédiatement, dit-elle en se penchant vers lui pour lui donner le papier.

Elle avait parlé à voix basse, pourtant sa phrase en italien était audible dans toute la pièce. Sur le papier était écrit *Appel agence de voyages : Vol Francfort-Gênes demain 17 h 00 confirmé.*

– *Grazie*, répondit Perlmann d'une voix enrouée, avant de plier le papier et de le glisser dans sa poche de veste.

Il n'osa pas regarder Leskov assis à côté de lui – avait-il rêvé, ou bien celui-ci venait-il juste de détourner la tête ?

Lorsque la porte se referma, Perlmann remarqua que Silvestri s'était levé pour faire les cent pas. L'Italien écrasa sa cigarette, hésita un moment puis s'assit sur la table pour passer de l'autre côté et se retrouver au milieu de l'assemblée. D'un geste saccadé il attrapa le bout de papier rose, se planta devant Millar et fit glisser avec précaution le papier sur la table sans un mot ni un regard. Puis il repassa de l'autre côté de la table, remit minutieusement sa chaise en place et poursuivit sa présentation. Après quelques phrases, il avait repris une respiration normale. On entendit Laura Sand souffler de soulagement.

Quand la discussion commença, Millar nettoya tout d'abord ses lunettes pendant plusieurs minutes. Plus tard, pendant que Silvestri bataillait avec les questions de Leskov qui étaient aujourd'hui plus confuses que d'habitude, Millar gardait les yeux tournés vers la piscine, le regard concentré mais vide, là où de lourdes gouttes de pluie s'écrasaient à la surface de l'eau. De temps à autre, Silvestri lui jetait un rapide regard en coin. Mais par ailleurs son agitation semblait s'être dissipée et il se révélait ici encore doué d'une bonne écoute, encourageant son interlocuteur, par de brefs hochements de tête et des sourires discrets, à poursuivre le fil de sa pensée.

Il y avait une chose que Perlmann lui enviait particulièrement : c'était tout ce temps qu'il s'accordait avant de répondre à une question. On avait l'impression qu'aucune question ne le mettrait sous pression. Les questions n'étaient pas quelque chose qu'il éprouvait comme une contrainte. Elles constituaient en première ligne des occasions de réfléchir, peu importe le temps que cela prenait. *Pas étonnant que Kirsten l'ait apprécié d'emblée.* Une fois de plus, Perlmann dissimula son visage derrière ses mains croisées et essaya de saisir intérieurement quel pouvait être l'état d'esprit d'un homme qui redoute si peu les autres et leurs questions. Il en eut presque le tournis lorsqu'il se concentra de toutes ses forces sur l'étape fictive qu'il devrait franchir pour arriver à déconstruire peu à peu l'entrelacs de sa peur et le transformer en un sentiment d'une autre nature.

Ce furent les gloussements de Ruge qui l'arrachèrent à ses contemplations. Il était visiblement question de la façon dont Silvestri réfutait les objections concernant sa méthode. Il avait travaillé avec ses patients si longtemps et avec un tel dévouement qu'il possédait la certitude irréfutable d'avoir compris en profondeur le modèle qui régissait leurs troubles du langage et de la pensée. Son refus que quelqu'un regarde par-dessus son épaule et le contrôle durant son travail le rendait attaquable d'un point de vue scientifique. Il ne s'appuyait sur aucun socle théorique, pensa Perlmann, mais quelque part ce refus ne pouvait surprendre personne, connaissant l'étincelle menaçante qui apparaissait dans les yeux de Silvestri dès qu'il était question des portes verrouillées des hôpitaux psychiatriques. Cet homme était un solitaire, un défenseur acharné de l'indépendance qui, au sein d'une clinique, devait passer pour un anarchiste, mais un anarchiste dans le bureau duquel la lumière restait allumée encore bien longtemps après que les collègues de l'équipe étaient rentrés chez eux. *Toi et ton imagination assoiffée de héros.* Agnès avait été fière de cette tournure.

– J'ai écouté la plupart de ces personnes pendant des années, déclara Silvestri avec un calme inébranlable. Je sais comment elles parlent et pensent. J'en ai une connaissance précise. Vraiment très précise.

Ruge baissa les bras en soupirant et un malaise silencieux s'installa si bien que Silvestri se mit à rassembler ses affaires. C'est alors que Millar se redressa ostensiblement sur sa chaise, s'appuya des deux coudes sur la table et attendit que Silvestri croisât son regard.

– *Look*, Giorgio..., commença-t-il, et ce préambule, par la mention du prénom, résonna comme une insulte.

Il donna alors à Silvestri une leçon sur la fiabilité et l'interprétation d'informations, sur les sources erronées et le danger des artefacts, sur les procédés de vérification systématique et enfin sur la notion d'objectivité. Peu à peu il adopta le ton de quelqu'un présentant dans un cours de débutants le b.a.-ba du travail scientifique tout en partant du principe que ses auditeurs disposaient au mieux d'une intelligence moyenne.

Silvestri regardait par-dessus le rebord de la table, vers le parquet où le bout de papier était tombé. Son visage était en pleine effervescence. L'expression de colère et d'indignation qu'il avait affichée au début laissa place à différentes nuances d'amusement et même d'exubérance, mais aussi d'ironie et de mépris, qui s'enchaînèrent sans rupture ni ordre défini. Puis, lorsqu'il remarqua que Millar avait presque terminé, il effaça toute expression de son visage, rajusta distraitement ses papiers et s'assit au bord de la chaise. Ses longs doigts blancs tremblèrent légèrement quand il approcha le briquet de sa cigarette. Evelyn Mistral rabattit ses mains sur son visage comme quelqu'un qui veut échapper à la vision d'une catastrophe inévitable.

– Je crois, M. le professeur Millar…, dit-il à voix basse et avec une prononciation maintenant impeccable…, vous avoir parfaitement compris. Vous voulez des expérimentations qui se répètent. Des conditions de laboratoire avec des objets calmes, stables. Des variables contrôlables. Me tromperais-je, ou voudriez-vous aussi, tant qu'à faire, qu'on sangle ces personnes sur leur chaise ?

Il écrasa sa cigarette à peine allumée, prit ses affaires et en quelques pas il était sorti.

Des taches empourprèrent le visage de Millar qui parut un instant assommé.

– *Well*, dit-il ensuite avec une vivacité feinte.

Il se leva et ses semelles de caoutchouc crissèrent sur le parquet tandis qu'il sortait à pas énergiques.

Alors seulement les autres commencèrent à bouger.

50 La pluie avait cessé et un souffle agitait les nuages. Perlmann se tenait à la fenêtre et essayait de trouver des excuses au dérapage de Silvestri sans pour autant se montrer injuste envers Millar. Il n'y parvint pas. Il basculait d'un extrême à l'autre sans arriver à apaiser son jugement et son ressenti. Dans son souvenir, la voix de Silvestri s'était transformée en un sifflement, et Perlmann n'avait aucun mal à sentir la haine qu'il cachait. Elle était d'autant plus facile à déceler si l'on se remémorait le ton détestablement moralisateur de Millar. Et dans un moment si évident, personne ne pouvait exiger de Silvestri qu'il prenne en compte l'attitude puérile de Millar qui, en se mettant ainsi en avant, avait cherché à faire oublier le faux pas commis en griffonnant ce bout de papier. Mais Perlmann revoyait alors sans cesse le visage de Millar avec ses taches rouges, le visage de quelqu'un qui sous la violence d'un coup subitement asséné se met à vaciller intérieurement. Il avait eu l'air très vulnérable, ce Brian Millar, rien à voir avec le monstre que Silvestri avait insinué qu'il était par sa remarque lapidaire. Soit, il considérait la peine de mort comme quelque chose de défendable, et cela faisait de lui un homme dont les vues étaient à mille lieues des siennes. Mais ce soir-là, que Silvestri n'oublierait probablement jamais, il n'avait pas été militant, il ne s'était pas acharné à la légitimer. Silvestri avait raison : au cœur du problème, il y avait un manque d'imagination d'un genre particulier, une sorte de naïveté. Mais ce manque d'imagination et cette naïveté ne faisaient-ils justement pas de Millar quelqu'un à qui il était impossible d'imputer les intentions perverses, inhumaines qu'avait sous-entendues la question perfide de Silvestri ? Ou était-ce précisément l'inverse ?

Perlmann tenta de se remémorer ce qu'il lui restait encore à régler aujourd'hui. Mais il ne parvint pas à rassembler ses idées, alors il s'assit à son bureau et dressa une liste. Cela prit un temps fou, pour chaque chose à faire il lui fallait surmonter un dégoût qui le paralysait. *Agence de voyages*. Il était urgent qu'il achète son billet. *Papeterie.* Retourner voir le garçon muet, c'était impossible. Il devait bien y avoir un autre magasin où l'on pouvait acheter des enveloppes. *Trattoria.* La cour intérieure lumineuse lui paraissait désormais lointaine et étrangère. Mais laisser la Chronique là-bas et partir sans un mot, c'était une chose à laquelle il ne pouvait se résoudre. Notamment vis-à-vis de Sandra. *Maria.* Il devait lui dire au revoir aujourd'hui, demain elle ne travaillait pas. Et il y avait encore autre chose. Oui : *Angelini.* Perlmann se sentit barbouillé. Devait-il simplement attendre de voir s'il apparaîtrait au dîner ? S'il ne venait pas, Perlmann devrait alors l'appeler demain au numéro personnel qu'il lui avait noté. L'idée le contrariait. Après tout ce qui s'était passé, il voulait adresser ses remerciements et prendre congé de façon formelle et professionnelle.

Il était sur le point de chercher le numéro d'Angelini pour le joindre chez Olivetti lorsque Silvestri arriva pour lui dire au revoir. En guise de valise il portait une sorte de sac marin sur l'épaule.

— Je m'en vais, se contenta-t-il de dire en tendant la main à Perlmann. Merci pour l'invitation. Appelez-moi si vous passez à Bologne. Et si vous avez un nouveau texte comme le précédent, je le lirai.

Alors qu'il s'était déjà à moitié retourné, il s'immobilisa, regarda vers le sol et décrivit un demi-cercle du pied sur le tapis.

— Sur ce sujet en particulier, je perds toujours mon sang-froid. Une vieille maladie, dit-il d'une voix contenue, sourde – puis il regarda Perlmann avec un sourire dans lequel se mêlaient l'embarras, l'obstination et l'espièglerie, avant d'ajouter : Incurable.

Sans même l'avoir déjà intériorisée, Perlmann sut qu'il n'oublierait jamais l'image de cet Italien avec son sac marin, le visage incliné vers le haut et son sourire équivoque, à la fois fragile et plein de force. Elle s'imprima en lui comme l'image figée à la fin d'un film.

– Ah oui : mes amitiés à votre fille, dit Silvestri sur le seuil. Si toutefois elle veut bien les recevoir, ajouta-t-il dans un sourire narquois. Et vraiment : une fois chez vous, allez voir le médecin, vous avez encore mauvaise mine.

Après quoi, il leva légèrement sa main libre et disparut.

Lorsque Perlmann le vit en bas sortir de l'hôtel, Evelyn Mistral l'accompagnait en hochant la tête. Ils marchaient lentement, comme sur un quai de gare désert. Juste avant l'escalier, Silvestri laissa glisser son sac par terre et tendit les bras pour l'embrasser. Elle fit alors un demi-pas en arrière et lui tendit la main. Il la serra automatiquement et, après une brève hésitation, il posa d'un geste maladroit l'autre main sur son épaule. Puis, sans plus la regarder, il se pencha pour jeter son sac marin par-dessus son épaule dans un mouvement vif, peut-être coléreux, avant de descendre rapidement les escaliers. Il s'était déjà éloigné quand les lèvres d'Evelyn Mistral formèrent un mot qui devait être *Ciao*. Des deux mains elle rassembla ses cheveux comme si elle voulait se faire une queue-de-cheval. Puis elle les laissa retomber et repartit lentement vers la porte, les mains dans le dos.

Lorsque Perlmann voulut fermer la fenêtre, il vit passer Silvestri dans sa vieille Fiat, jetant du bout des doigts sa cigarette par le toit ouvrant avant de se pencher vers l'autoradio. Que se serait-il passé s'il s'était confié à cet homme qu'il allait regretter, mais ne chercherait pourtant jamais à contacter ?

Le téléphone sonna. Angelini lui dit qu'il ne pourrait malheureusement pas se rendre au dîner. Il avait eu un contretemps totalement inattendu : un problème avec un traducteur qu'il avait recommandé à l'entreprise et qui s'était finalement révélé minable. Perlmann serra plus fort le combiné et écouta attentivement : non, Angelini ne lui racontait pas tout cela en détail pour dissimuler une excuse. Au contraire, il semblait vraiment vouloir partager avec lui ce souci d'une manière presque amicale. Véritablement comme si de rien n'était : comme s'il n'avait pas lu son texte kitsch, comme si Perlmann n'avait fait aucun malaise et que personne n'avait été déçu.

— *Senta, Carlo*, dit Perlmann dans un soudain élan d'inspiration qui lui fit l'effet d'un saut libérateur vers l'inconnu, j'aimerais vous parler de quelque chose. Quelque chose de personnel. Serait-il possible que je vous rende visite à Ivrée ?

Angelini répondit aussitôt qu'il en serait très heureux. Toutefois dimanche... non dimanche c'était hélas absolument impossible. Soit demain après-midi, soit lundi matin.

Perlmann hésita. Le texte de Leskov serait alors posté depuis longtemps, et à l'université ils devraient l'attendre encore un jour de plus. Mais cela n'avait plus aucune importance à présent.

— Lundi matin, lâcha-t-il finalement. À neuf heures ?

— Grand Dieu, non ! dit Angelini en riant, ils feraient un malaise en me voyant arriver si tôt !

Pendant le silence qui s'ensuivit, on eût dit qu'il s'était mordu les lèvres.

— Disons : un peu après dix heures ? Et faut-il que je vous réserve un hôtel pour dimanche soir ?

Perlmann refusa.

— Dites simplement au taxi : « Olivetti, entrée principale ». On vous guidera ensuite à l'accueil, indiqua Angelini.

Demander à Angelini s'il pouvait obtenir ce boulot de traducteur. Ou quelque chose dans le genre. Perlmann fumait nerveusement en faisant les cent pas. La décision d'hier était une chose, l'idée d'une alternative concrète en était une autre. Un sentiment bouillonnant, grisant, de délivrance s'empara de lui. Il ne tarda pas à laisser place à une impression de vertige, comme si le sol bougeait sous ses pieds. Et puis d'un seul coup, Perlmann se sentit abattu. Comment faisait-on pour obtenir une autorisation de travail en Italie ? Et qu'avait-il à faire valoir au juste ? Aucun certificat de langues, aucun diplôme, rien. Angelini pourrait-il s'en passer ? Était-ce aussi facile que cela pour lui ? Même si Perlmann ne devait pas travailler directement sous ses ordres : d'une manière ou d'une autre, à l'avenir, il serait tributaire de cet homme rusé au costume bien taillé et au nœud de cravate lâche. Tout à coup Perlmann revit ce visage de chef dont il s'était paré à la mairie, quand les choses avaient commencé à l'agacer. À ce moment-là, ce visage lui avait paru étranger, il incarnait le monde qui échappait à Perlmann minute après minute. Maintenant, en s'imaginant une vie hantée par ce visage, celui-ci lui paraissait dur, brutal et répugnant. Et puis il y avait la différence d'âge qui ne serait déjà pas simple à supporter lundi : l'aîné qui vient demander un poste au cadet. Perlmann se dit qu'il pouvait encore annuler. Un appel suffisait. Et il laisserait sa réservation de vol telle quelle.

À l'agence de voyages, il était le dernier client avant la pause du déjeuner. Il acheta son billet pour le lendemain et paya une somme exorbitante parce que aucune réduction n'était valable sur les réservations de dernière minute. Pour le lundi, il réserva une place sur le vol Turin-Francfort de l'après-midi. *Peut-être aurai-je déjà un nouveau boulot quand je monterai dans cet avion.* Restait l'hôtel à Ivrée. Le jeune homme aux cheveux longs et aux doigts bagués d'argent commençait à s'impatienter pendant qu'il téléphonait et jetait régulièrement des coups d'œil sur l'horloge accrochée au mur. Lorsqu'il trouva enfin une chambre à un prix invraisemblable, Perlmann n'osa pas refuser. Pour sortir, il dut utiliser le trousseau de clés que l'autre employé avait laissé sur la porte en partant.

Le vent avait redoublé de force, les nuages défilaient au-dessus de la ville depuis la mer et par moments le soleil inondait tout le paysage d'une lumière singulièrement froide, comme si l'on voyait à travers une paroi de verre. Perlmann se sentait léger et un peu tremblant, comme quelqu'un qui vient de faire le premier pas depuis longtemps nécessaire pour s'élancer vers un nouvel avenir. Un rendez-vous en vue d'un entretien, une réservation d'hôtel, un billet d'avion : ce n'était rien, et en même temps c'était énorme. Pendant qu'il contemplait son ombre qui se détachait nettement dans la lumière inhabituelle, il se sentit surpris par lui-même – surpris d'avoir bel et bien commencé à mettre en pratique sa décision qui avait à peine trente heures. Et un peu fier aussi. Puis au bout d'un moment, il prit conscience de n'avoir jamais connu une expérience comme celle-là : savoir à la minute près quand il avait commencé à vraiment croire à une décision. Il se voyait déjà dans un bureau baigné de lumière méridionale, absorbé par ce qu'il préférait faire par-dessus tout depuis qu'il ne jouait plus du piano : se laisser emporter par les mots, les tournures, et vérifier dans un tourbillon intérieur si l'expression de la langue d'arrivée correspond avec précision à la nuance recherchée. Les images et les sensations qui montaient à présent en lui étaient si précises et si puissantes que, sans vraiment le remarquer, il s'arrêtait systématiquement au bout de quelques pas et plongeait son regard dans le vide, immobile. Constatant une fois de plus avec effroi que son imagination débridée, ardente, cherchait à lui peindre un futur de rêve, il se frotta les yeux et poursuivit son chemin à pas disciplinés, tout en contemplant avec plus d'attention que d'habitude les étalages qu'il longeait.

Dès l'instant où il entrouvrit le rideau de perles de verre, il s'aperçut que la trattoria lui était devenue étrangère. Il se demanda brièvement si la lumière inhabituelle qui éclairait la cour intérieure à travers la verrière n'en était pas la cause. Mais ce n'était pas cela. L'établissement lui était désormais aussi étranger qu'un endroit où l'on a vécu il y a si longtemps qu'on a du mal à considérer encore cette ancienne vie comme la sienne.

– *Professore*, s'exclama la femme de l'aubergiste, nous pensions déjà qu'il vous était arrivé quelque chose !

Perlmann fut soulagé que, contrairement à ce qu'il avait craint d'abord, elle ne vienne pas le prendre dans ses bras. De la même façon qu'ils s'occuperaient d'un proche après une longue séparation, la patronne et son mari, qui avait mis son traditionnel tablier blanc, s'empressèrent joyeusement de lui apporter à manger et le forcèrent à prendre une deuxième portion.

– Vous avez l'air exténué, il faut que vous mangiez !

Même si les pâtes lui pesaient sur l'estomac, Perlmann continuait de manger : en mâchant, il pouvait se réjouir d'avoir une excuse toute faite pour son silence. L'atmosphère familiale qui avait auparavant régné ici lui semblait désormais une illusion sentimentale, kitsch, et il redoutait le moment du café où il apparaîtrait au grand jour qu'il n'avait absolument rien à dire à ces gens dont la cordialité bavarde lui paraissait aujourd'hui inadaptée et parfaitement abstruse. Ce fut Sandra qui sauva alors la situation en balançant son cartable à son arrivée dans la salle avant d'expliquer, en larmes, qu'elle venait de rater une dictée en anglais.

Quand l'aubergiste lui apporta la Chronique en enjoignant à Sandra de ne plus déranger le *Professore*, on aurait pu penser qu'il s'agissait d'un livre sacré, alors qu'aujourd'hui Perlmann trouvait les images de la couverture glacée criardes et répugnantes. Fatigué et l'estomac lourd, il resta assis devant le livre fermé, si bien que l'aubergiste, avant de disparaître dans la cuisine, lui jeta un regard étonné. Sans en avoir la moindre envie, Perlmann feuilleta quelques pages. Mais l'histoire du monde qui avait accompagné l'histoire de sa vie ne l'intéressait plus du tout, et cette idée de s'approprier son passé en se remémorant les événements du monde lointain lui sembla relever d'une lubie mystique.

Les images d'un bureau clair harcelaient à présent l'esprit de Perlmann, et derrière ses paupières closes il esquissa les différentes perspectives d'Ivrée depuis lesquelles il observerait la ville en contrebas. Interrompre le travail de traduction et contempler cette cité italienne banale, voire peut-être laide : cela pouvait, il en était sûr, devenir son nouveau présent – le premier qu'il parviendrait à atteindre.

Avec une hâte soudaine il se mit à traduire la page de la Chronique ouverte au hasard. Au bureau cela devrait aller du tac-au-tac, c'était une entreprise, il y avait de l'argent en jeu. Son italien serait-il suffisant ? Dans le texte devant lui il y avait plusieurs mots qu'il ne connaissait pas. Et l'italien des affaires ? Il se vit assis jusque tard dans la nuit dans une pièce mansardée, à combler les lacunes de son vocabulaire. À cette nouvelle image, son humeur enjouée s'assombrit pour se muer en un malaise pareil à celui qu'on ressent en rechutant dans un état qu'on croyait depuis longtemps surmonté. Mais ce ne fut qu'après, dans la rue, qu'il se rendit compte que dans l'image de la mansarde s'était redessinée l'époque où il avait été écolier puis étudiant, une époque marquée avant tout par le sentiment que le présent appartenait encore à un avenir lointain.

Lorsque les aubergistes apprirent que c'était la dernière fois que Perlmann venait les voir, ils refusèrent d'accepter le paiement du repas. Leurs gestes exubérants et leurs signes de protestation contrastaient nettement avec sa hâte, contenue, de s'en aller. Les pensées de Sandra tournaient visiblement encore autour de sa dictée ratée. Mais Perlmann fut tout de même dépité qu'elle ne lui tende la main que furtivement avant de disparaître. L'espace d'un instant il la revit allongée sur le lit, sa chaussette retroussée. Il avait eu l'intention de lui offrir la Chronique, mais il y renonça. Il partit, le livre lourd sous le bras. De sa main libre il entrouvrit une dernière fois le rideau. Il laissa lentement glisser les perles froides et lisses sur le dos de sa main. Il lui sembla alors que quelque chose se brisait, quelque chose d'insaisissable, de précieux.

Perlmann posa la Chronique sur le paillasson devant la papeterie que lui avait indiquée l'aubergiste. Les mains en visière, il essaya de regarder à l'intérieur encore plongé dans le noir. Mais c'était stupide, pensa-t-il, ce n'était pas ainsi qu'il arriverait à distinguer leur stock d'enveloppes. À côté du magasin se trouvait une boutique de nappes et de serviettes. Pendant qu'il attendait la fin de la sieste, il regardait distraitement de temps à autre vers la vitrine. À la troisième ou quatrième fois, la solution lui sauta soudain aux yeux. Tout au fond dans l'angle, emballé dans un étui en plastique avec une fermeture éclair, il y avait un set de mouchoirs. Involontairement son attention était passée du contenu à l'emballage, et il comparait à présent mentalement la taille de l'étui au format du texte de Leskov. Les feuilles jaunes, estima-t-il, glisseraient un peu durant le transport. Mais sinon c'était bel et bien la solution : s'il mettait le tout dans une enveloppe matelassée, qu'il neige ou qu'il pleuve, il ne pourrait rien arriver au texte.

À moins que l'eau ne pénètre à travers la fermeture éclair. Par chance, la propriétaire du magasin apparut alors, empêchant que cette pensée n'empoisonne Perlmann plus longtemps. Il acheta les mouchoirs et, dans la boutique voisine, la plus grande enveloppe matelassée dans laquelle l'étui en plastique rentrait aisément. Pour écrire l'adresse, il choisit le stylo-feutre le plus cher. Arrivé au coin de la rue, il fit demi-tour pour se faire remettre un sac en plastique. Il existait des milliers d'enveloppes de ce type. Pour autant, personne ne devait voir celle-ci lorsqu'il rentrerait à l'hôtel.

51 Adrian von Levetzov lui faisait signe de la main avec tant d'énergie que Perlmann n'eut pas d'autre choix que de traverser la terrasse de l'hôtel pour rejoindre tout le groupe qui s'était réuni autour d'une table.

– Nous sommes en train de parier sur le moment où tombera la première goutte de pluie, dit von Levetzov en désignant le mur de nuages menaçants qui tourbillonnaient des montagnes et avançaient vers le golfe. Celui qui parie le plus près recevra dix mille lires de la part de chacun d'entre nous – il apporta une chaise à Perlmann. Jouez donc avec nous !

D'un geste hésitant, Perlmann posa la Chronique sur la table. Il n'y avait pas d'autre endroit où la mettre. Il laissa le sac en plastique au pied de sa chaise. Par chance, Leskov était assis loin de lui. En attendant que les battements de son cœur s'apaisent, il se concentra sur le ciel comme s'il réfléchissait minutieusement au pari qu'il allait prononcer.

– Il ne va pas du tout pleuvoir, finit-il par dire, se surprenant lui-même. Ce fut, lui sembla-t-il, comme s'il avait lancé un défi au reste du monde.

Millar pencha la tête et son visage afficha un large sourire narquois.

– *I like that, Phil*, dit-il d'un ton qui laissait entendre son regret de ne pas y avoir pensé lui-même plus tôt.

– Vous permettez ? demanda von Levetzov en s'emparant de la Chronique.

Il feuilleta quelques pages au hasard jusqu'à tomber sur des images.

— Ahaa…, lâcha-t-il soudain avant de mettre le livre debout en l'éloignant de lui avec délectation.

Il retourna alors le volume pour que les autres puissent observer la photo. Il s'agissait de Christine Keeler, la prostituée qui avait provoqué la chute du ministre de la Guerre John Profumo en 1963. Elle était assise à califourchon sur une chaise, toute nue. Ruge et Leskov rirent sans retenue tandis que Millar ricanait d'un air un peu gêné.

— La présentation rappelle un peu celle du *Sun*, déclara Laura Sand pendant que von Levetzov feuilletait déjà les pages suivantes.

Pour Perlmann, c'était comme s'ils venaient de le surprendre avec un journal à scandales ou un magazine masculin. *Cet homme qui a échoué dans les sciences, voici qu'il s'achète en plus un livre digne de la presse de boulevard.*

— Il y a encore mieux ! s'exclama von Levetzov en retournant le livre vers les autres.

Un quart de la page était occupé par une photo montrant la Cicciolina, cette vedette porno italienne qui avait été élue au parlement. Nue, elle s'étirait dans une pose provocante. Millar rougit et ajusta ses lunettes. Les deux autres hommes se contentèrent également de la regarder du coin de l'œil. Evelyn Mistral fit la moue, sans toutefois laisser paraître quoi que ce soit, et dégagea les cheveux de son front.

— Ce photographe ne déborde pas de talent, lâcha Laura Sand d'un ton sec. Cette réflexion détendit les autres qui éclatèrent de rire, un peu trop fort et un peu trop longtemps.

Dans sa tête, Perlmann revit la Cicciolina entrer dans le bureau de vote vêtue d'un manteau de fourrure, au milieu des flashs, avant de laisser tomber son enveloppe dans l'urne d'un geste maniéré. *N'éteins pas !*

avait dit Agnès lorsqu'il avait pris la télécommande. *Je trouve ça prodigieux. La classe, tout simplement.* Son visage avait eu une expression qu'il ne lui avait encore jamais vue. *Ça te laisse baba, pas vrai ?* avait-elle dit en riant.

— À l'occasion des dernières élections elle a fondé le Parti de l'Amour, *Il Partito d'Amore,* déclara Perlmann tout en prenant immédiatement conscience qu'à ce moment précis il n'y avait guère plus maladroit à dire de sa part. Les autres le regardèrent avec surprise. *Il est au courant de ce genre de choses.*

— Je n'aurais jamais cru que vous aviez de telles connaissances, dit Laura Sand, ce qui suscita de nouveaux rires.

Perlmann ferma les yeux un instant. *Les photographies d'Agnès sont tout de même meilleures que les siennes. Bien meilleures.* Il attrapa le sac en plastique et se releva. Les rires disparurent dans le bruit de sa chaise qu'il recula. Sur les visages qu'il percevait du coin de l'œil se lisait la perplexité. Après quelques pas il se retourna une dernière fois et désigna le ciel d'un mouvement de tête. « Toujours pas une goutte. » Il tenta un sourire. Personne ne le lui rendit. À pas rapides, il regagna l'entrée et monta dans sa chambre.

Arrivé en haut, il se posta aussitôt à la fenêtre et regarda vers la terrasse. Evelyn Mistral parcourait la Chronique ouverte devant elle en faisant des gestes vagues, interrogateurs, comme quelqu'un qui traduirait au pied levé. Les autres se tordaient de rire.

Ils riaient du livre avec lequel il s'était mis en quête de son présent. Le livre qui l'avait séduit et détourné de son travail. Mais aussi le livre qui, ici, lui avait maintenu la tête hors de l'eau. Un ouvrage vendu en masse, racoleur, superficiel, qui lui était par nature totalement étranger. Un livre qui l'avait aussi répugné et ennuyé tout à l'heure à la trattoria. Et pourtant, un livre qu'il aimait beaucoup à présent. Un livre intime. Son livre à lui. Et ils en riaient.

Il alla sous la douche.

Il n'avait toujours pas plu et les autres étaient encore assis dehors lorsqu'il descendit dire au revoir à Maria. Elle était en train de ranger le bureau.

— Puis-je faire quelque chose d'autre pour vous ? demanda-t-elle.

— Non, merci — Perlmann sortit le disque de Bach de sa poche de veste et le lui tendit. Je vous l'offre. Vous m'avez bien aidé à mettre la main dessus.

— *Mille grazie*, balbutia-t-elle, mais n'en avez-vous plus besoin ?

Il secoua la tête. Il ne retrouvait plus les phrases qu'il s'était préparées. Elle le regarda d'un air interrogateur et, comme la pause s'étirait, elle attrapa ses cigarettes.

— Je crois que votre groupe va me manquer, confia-t-elle, soufflant comme à son habitude la fumée en même temps qu'elle parlait.

Maintenant il savait ce qu'il redoutait : que sa fureur contre les autres puisse le conduire à rendre cet adieu inutilement pathétique, sentimental. *Ce ne serait pas la première fois*. Il avala sa salive et regarda vers le sol.

— Au fait, dit-elle en souriant, j'ai de la famille à Mestre. Bien sûr on ne peut pas dire que ce soit une belle ville. Mais au bout du compte elle n'est pas laide non plus, ça non. Un peu étriquée peut-être. Mais sympathique aussi.

— Oui, c'est aussi ce que j'ai ressenti, dit Perlmann, heureux qu'elle ait changé de sujet. Surtout la Piazza Ferretto. Et la petite galerie à côté.

— Vous y êtes donc réellement allé ?

— Deux jours.

— Pour le travail ?

Perlman se contenta de secouer la tête en la regardant. Les yeux de Maria s'illuminèrent d'un éclat singulier et le coin de sa bouche tressauta.

– Mais tout de même pas à cause de cette phrase ?

Perlmann hocha la tête et parvint à sourire.

– Vous voulez dire que vous avez fait le voyage depuis l'Allemagne jusqu'à Mestre à cause de cette phrase-là ?

Il acquiesça.

Elle inclina légèrement la tête en tirant une longue bouffée sur sa cigarette.

– C'est bien sûr un peu... fou, si je puis m'exprimer ainsi. Mais quand on connaît votre texte... ma foi, ce n'est plus si surprenant. La colère que suscite en vous cette phrase est palpable. Je n'ai pas pu m'empêcher de rire en tapant ce paragraphe. Avez-vous... triomphé de cette phrase après ce voyage ?

– Oui, dit Perlmann. Mais il y en a encore une quantité d'autres.

Elle écrasa sa cigarette en riant et regarda l'heure.

– Je dois partir. Vos textes sont enregistrés, ajouta-t-elle en tapotant sur l'ordinateur. Peut-être les relirai-je un jour, au calme – puis elle lui tendit la main. *Buona fortuna !*

– À vous aussi, et merci pour tout.

Quelques minutes plus tard, de sa chambre, il la vit avec les autres. Leskov l'embrassa pour lui dire au revoir. Juste avant que Perlmann ne la voie disparaître, elle passa la main dans ses cheveux brillants. *Out. Méga-out.*

Le texte de Leskov rentrait encore mieux que prévu dans l'étui en plastique. Les feuilles avaient à peine la place de bouger. Perlmann prit la règle et mesura : 1,6 centimètre de largeur et 1,9 centimètre de hauteur. Pour ouvrir la fermeture éclair en revanche, il avait été obligé de forcer. C'était une fermeture bon marché, dont deux dents paraissaient déjà un peu bancales. Il ne fallait surtout pas l'utiliser trop souvent. Pourquoi n'avait-il pas aussitôt fait le test de l'eau ? Énervé, il ressortit les pages. En tirant sur la fermeture il dut presque s'y prendre avec force, puis il eut une frayeur lorsqu'elle s'ouvrit soudain juste à l'endroit où elle était abîmée, avant de se bloquer de nouveau et de résister tandis que Perlmann la tirait jusqu'au bout. Avec prudence, il plongea le bout de l'étui dans le lavabo rempli d'eau. À l'extérieur, autour de la fermeture éclair, de petites bulles se formèrent. Elles étaient minuscules et à peine visibles. Malgré tout : la fermeture n'était pas hermétique. Perlmann la laissa dans l'eau une bonne minute avant de la sécher soigneusement. Lorsqu'il l'ouvrit, l'une des dents déjà abîmées sembla l'être encore plus, et une autre était bizarrement tordue vers l'extérieur. La fermeture supporterait d'être encore tirée une fois – pas plus. Perlmann passa son doigt sur la partie intérieure de la fermeture. Il ne sentit que le métal froid ; à moins que ce ne fût de l'humidité ? Il examina son doigt et le frotta attentivement : il était sec. Mais si l'enveloppe restait des heures sous la pluie ? La fermeture, comme il avait pu le constater, n'était pas parfaitement étanche.

Il se passa le visage sous l'eau et se sentit mieux. Dans l'attaché-case, il vérifia n'avoir oublié aucune feuille. Puis il compta les pages et entreprit à nouveau de lisser celles qui étaient particulièrement abîmées. Leskov s'étonnerait certainement que la Lufthansa se soit donné la peine d'utiliser un tel étui. Pour l'enveloppe Perlmann devrait en outre se procurer un autocollant de la Lufthansa, demain, à l'aéroport de Francfort. Ainsi le paquet aurait-il l'air d'un emballage habituel.

Il se mit à préparer l'enveloppe et alla chercher le bout de papier sur lequel était inscrite l'adresse personnelle de Leskov. *Je n'ai pas le choix, je dois tenter le coup.* Leskov mettrait de toute façon sa mémoire en doute. S'il avait noté son adresse professionnelle au bas du texte, il se dirait que, dans sa confusion générale, son souvenir était une fois de plus erroné. Perlmann s'apprêta à écrire avec le stylo-feutre qu'il avait acheté puis retira aussitôt sa main, épouvanté, comme s'il venait de mettre le feu à quelque chose par mégarde : il ne s'était pas encore entraîné à falsifier son écriture. Plusieurs feuilles furent nécessaires avant qu'il ne se décide pour une écriture raide, penchée en arrière qui, après toutes les variantes testées, lui semblait la plus éloignée de sa propre graphie. Il dessina les lettres sur l'enveloppe de façon si formelle que le résultat s'apparenta à une sorte de calligraphie grotesque. Pour deux des lettres, sa main avait tremblé. Mais l'adresse était clairement lisible. L'enveloppe arriverait à bon port.

Épuisé, il glissa l'étui contenant le texte dans l'enveloppe et fixa les agrafes. Puis il déchira les brouillons en petits morceaux. En les jetant dans la corbeille à papier, il se fit l'effet d'être un faussaire rangeant son atelier.

La terrasse était toujours sèche. Seul Leskov s'y trouvait encore, ainsi que Laura Sand qui était visiblement allée chercher une veste plus chaude entre-temps. Leskov fumait une de ses cigarettes à elle. Sur la table se trouvait la Chronique, ouverte. *Avant de me soupçonner, il doutera de sa mémoire.*

Perlmann observa l'adresse. Quelque chose l'inquiétait encore. Oui, c'était cela : les caractères latins. Pour la poste allemande, ils étaient bien sûr indispensables. Mais qu'en était-il des facteurs russes ? Ces gens-là pouvaient-ils réellement tous les lire ? Il retourna l'enveloppe. Pourquoi ne pas réécrire l'adresse au dos en caractères cyrilliques ? Oui, c'était la solution. Il ôta le capuchon du stylo. Ce n'était pas nécessaire de modifier son écriture pour l'alphabet cyrillique. Mais était-ce vraiment une bonne idée ? Ils pourraient prendre l'adresse écrite en russe pour celle de l'expéditeur, puisqu'il n'y en avait pas d'autre.

Perlmann remit le capuchon sur le stylo et se posta à la fenêtre. À présent, Leskov était seul sur la terrasse, et la Chronique avait disparu de la table. *Mais même dans ce cas, le courrier arrivera chez lui.* Il fut saisi d'effroi : il lui avait fallu toute une cigarette pour en venir à cette conclusion.

D'un pas mal assuré, il retourna s'asseoir et attrapa son stylo-feutre. Quelle était la probabilité qu'un employé de la Lufthansa chargé des objets perdus soit capable d'écrire une adresse en russe ? Une fois de plus, il eut le sentiment que son raisonnement se heurtait à un obstacle invisible d'une ténacité perfide. Évidemment : si quelqu'un était capable de lire l'adresse notée à la fin du texte et de l'identifier en tant que telle, alors il était aussi en mesure de l'écrire ou du moins de la recopier trait pour trait. Perlmann se mit à écrire.

Au milieu du nom de famille de Leskov, il s'interrompit net. Il existait différentes conventions de transcription. En particulier les consonnes chuintantes, dont l'adresse regorgeait, lui posèrent problème. Quel système Leskov avait-il utilisé lorsqu'il lui avait noté son adresse la dernière fois, au coin de cette rue où le vent s'engouffrait ? S'il commettait ici une erreur, apparaîtrait alors une tout autre suite de lettres que celle qu'avait inscrite Leskov au bas de son texte. La poste arriverait tout de même à la lire. Mais pour Leskov, cela représenterait une étrangeté de plus. Pourquoi l'employé de Francfort qui savait lire le russe aurait-il fait tant d'erreurs alors qu'il n'avait eu qu'à recopier l'adresse ? Et s'il y réfléchissait suffisamment...

Perlmann gribouilla la ligne avec son stylo jusqu'à ce qu'on ne vît plus qu'une sorte de rectangle noir. Puis il glissa l'enveloppe dans l'attaché-case qu'il prépara pour le lendemain.

52 Laura Sand l'attendait dans le hall, la Chronique à la main. L'ombre de colère qui teintait habituellement son regard avait disparu.

– Je suis désolée pour la remarque que j'ai faite tout à l'heure, dit-elle. Elle était tout à fait superflue. Et le Parti de l'Amour, c'est au fond un gag très comique.

– N'en parlons plus, répondit Perlmann en regrettant l'agacement perceptible dans ses paroles.

Décidément, on devait le considérer comme quelqu'un de fragile, de particulièrement vulnérable, pour s'excuser d'une plaisanterie si anodine. Sans dire un mot de plus, il prit la Chronique et demanda à signora Morelli, qui contemplait l'enveloppe avec curiosité, de conserver celle-ci jusqu'à ce qu'il revienne la chercher.

Se méprenait-il ou les autres le traitaient-ils comme un convalescent, avec ménagement et prévenance, comme l'avant-veille au soir ? C'était pourtant frappant cette façon brusque qu'avait eue Evelyn Mistral de retirer sa main lorsqu'ils avaient tous les deux voulu attraper la salière. Et son sourire n'était-il pas de nouveau voilé par une sorte d'inhibition ?

– Ce n'est sans doute pas une mauvaise idée de présenter ainsi une Chronique, dit von Levetzov lorsque leurs regards se croisèrent. Au fond ce sont les choses qui marquent vraiment les esprits.

– Et de toute façon personne ne lit les trucs sérieux ; c'est bien trop austère, ricana Ruge.

Perlmann revit les autres se tordre de rire en son absence. Il regarda son assiette et s'efforça d'avaler la nourriture bien que le déjeuner de la trattoria lui pesât encore sur l'estomac. *Plus qu'une heure. Peut-être même moins. Et demain, les adieux. À Ivrée ce sera tout à fait différent. Plus libre. Bien plus libre.*

Lorsque le serveur eut apporté le dessert, Brian Millar fit tinter son verre. Perlmann sursauta. Un discours. Un discours auquel il serait obligé de réagir. Il se sentit pris au dépourvu. Comme s'il n'avait encore jamais vécu ce genre de choses. Il repensa à la première séance tenue dans la véranda, quand il avait fébrilement réfléchi au sujet qu'il allait présenter.

— Ces semaines auront été merveilleuses, déclara Millar. L'intense échange d'idées. L'atmosphère collégiale, et même conviviale. L'hôtel splendide. L'endroit magique. Je voudrais vous remercier au nom de nous tous, Phil — il leva son verre. Vous avez organisé cela avec brio. Et chacun d'entre nous sait quel travail cela vous a coûté. Nous espérons que vous en avez tiré quelque chose de votre côté — malgré votre situation difficile.

Surtout, ne rien dire qui puisse ressembler à des excuses, songea Perlmann en allumant une cigarette pour occuper ses mains pendant les longs applaudissements. Il recula sa chaise, croisa les jambes et, comme il s'apprêtait à entamer sa réponse, Leskov se leva.

— Malheureusement je n'ai pu participer que brièvement, lança-t-il solennellement, mais ce furent pour moi des journées inoubliables.

Jamais il ne s'était fait autant d'amis d'un seul coup, et jamais il n'avait appris autant en si peu de temps. Somme toute il était un marginal, pour ne pas dire un original, déclara-t-il en souriant. C'était la raison pour laquelle il souhaitait d'autant plus remercier tout le monde pour l'amabilité et l'indulgence qu'on lui avait témoignées. Il regarda Ruge.

— Même si j'ai défendu certaines choses qui ont dû vous paraître folles.

Ruge ricana. Mais c'était avant tout son ami Philipp qu'il tenait à remercier.

— Il m'a invité sans savoir grand-chose de moi. Après une seule discussion au cours de laquelle il a, comme je l'ai constaté ici, mieux que quiconque compris le fil de ma pensée — et presque mieux que moi-même. Cette confiance et cette compréhension ont été une expérience fantastique. Je ne l'oublierai jamais.

Il serra ses mains l'une contre l'autre en signe de gratitude.

– J'ai moi aussi beaucoup appris de ce séjour, commença Perlmann.

Bien plus qu'il n'avait pu y paraître. Véritablement plus. Aux uns et aux autres il avait peut-être parfois donné l'impression d'être en dissension avec la discipline. C'était cependant tout le contraire.

Perlmann remarqua avec effroi qu'il ne pouvait plus retenir ce qui allait suivre. Il parlait très calmement, adoptant même une pose songeuse. Mais en même temps, sa main gauche qui menaçait de trembler se cramponnait à son poignet droit posé sur son genou.

Il raconta qu'en effet, depuis longtemps, il travaillait à l'écriture d'un livre consacré aux fondements de la linguistique. Millar et von Levetzov levèrent les sourcils presque simultanément, et Ruge rajusta la branche rafistolée de ses lunettes. Perlmann expliqua que ce travail l'avait conduit à se poser des questions de plus en plus élémentaires, notamment telles que celles-ci : comment étaient apparues les questions-clés de la discipline ? Comment distinguer les questions vouées à l'échec des questions susceptibles d'ouvrir de nouvelles portes ? Quels aspects de la langue la linguistique cherchait-elle à comprendre, et dans quel sens ? Et ainsi de suite.

Immobile, Leskov serrait sa pipe éteinte dans son poing. Il souriait d'un air conspirateur. Devant lui, la glace fondait dans sa coupelle.

Et il y avait une question, poursuivit Perlmann, qui le préoccupait en particulier : celle de savoir si leur discipline, telle qu'on la pratiquait actuellement, pouvait être à la hauteur du rôle éminemment important que jouait la langue dans le développement du vécu, un développement aux multiples facettes. Dans beaucoup de choses qu'il avait dites ici, c'était cette question qui l'avait motivé, conclut-il. Ce faisant, il avait souvent joué l'avocat du diable. Pour apprendre des autres.

– Cela m'a fait avancer d'un grand pas. Et c'est pour cela que je voudrais tous vous remercier.

Il était trop tôt pour allumer une cigarette. Sa main pourrait trembler. Son discours n'avait pas été si mauvais. Au contraire, il avait même été plutôt convaincant. Mais chacun autour de cette table devait maintenant se poser, dans sa tête, une seule et même question : *Pourquoi n'a-t-il donc pas présenté un extrait de ce livre plutôt que de nous imposer son charabia étrange ?* D'un mouvement prompt censé cacher ses tremblements redoutés, il attrapa ses cigarettes et tint le briquet de manière que ses mains se soutiennent mutuellement, comme si une tempête soufflait sur la salle à manger. La fumée eut un goût inhabituel, comme s'il s'agissait d'une cigarette d'une autre marque. Il essaya obstinément de songer au bureau lumineux à Ivrée, s'obligeant même à se représenter précisément la table de travail. Malgré tout, il éprouva un haut-le-cœur.

Von Levetzov s'enquit de savoir à quelle date on pourrait compter voir paraître ce livre intéressant, anticipant ainsi visiblement sur Millar. Perlmann répondit qu'il voulait se laisser du temps pour cela. Il fit alors tomber sa cendre à côté de son genou, sur le tapis, pour éviter d'utiliser sa main comme cendrier. « Ne serait-ce pas idéal de profiter de la publication des travaux discutés ici pour y présenter vos premières idées ? » demanda von Levetzov. Lorsqu'il vit l'hésitation de Perlmann, une ombre de défiance balaya son visage.

– Cette publication est bien à l'ordre du jour, n'est-ce pas ?

– Bien entendu, s'entendit dire Perlmann. Mais vous savez bien comment se passe ce genre de choses : il faut sonder les éditeurs, mener des négociations – la routine. Je dois également m'entretenir avec Angelini

666

au sujet du financement. Je me manifesterai ensuite auprès de chacun de vous.

– Je pense que mon éditeur à New York pourrait être intéressé, dit Millar. Également par un livre comme le vôtre, du reste. Voulez-vous que je lui en touche un mot ?

Perlmann acquiesça en silence. Il ignorait ce qu'il aurait pu faire d'autre. Sa cigarette lui brûlait les doigts. Il la laissa tomber et l'écrasa sur le tapis clair. Du bout de sa cuillère, Leskov dessinait des lignes sur la nappe. *Il pense à la traduction de son texte. Il va me reposer la question demain.*

Signora Morelli apparut et les pria de se rendre au salon où on allait leur servir du café et du cognac. « *La ultima serata !* » Dans le hall, Perlmann fit demi-tour et revint à la salle à manger. Il reprit son mégot et essuya le tapis avec une serviette. Il restait une grosse tache noire. Dans la salle, seul un couple était encore attablé. Occupés l'un avec l'autre, ils ne lui lancèrent qu'un regard furtif.

– Je suis allé jeter un œil dehors, dit Millar lorsque Perlmann prit place dans l'un des fauteuils du salon. Il fait toujours sec. Maintenant, le gagnant sera soit vous, soit Vassili, qui a estimé qu'il pleuvrait dans une heure – il sortit un billet de dix mille lires de sa poche. Nous pouvons déjà préparer la mise. Il cala la liasse de billets rassemblés sous le cendrier.

– Quelle est l'échéance du pari ? D'accord pour minuit ?

53 Perlmann ne savait pas qu'il le ferait. Il ne s'en rendit compte qu'au moment où Millar posa les bras sur les accoudoirs de son fauteuil et se pencha en arrière pour prendre son élan avant de se lever. Pour Perlmann, ce fut presque comme s'il avait été poussé par une force invisible qui en savait davantage à son sujet que lui-même. En un seul mouvement il fut debout, marcha à pas rapides vers le piano à queue. Avant de s'asseoir, il cacha ses mains devant son corps et arracha le pansement collé à son doigt. En levant le couvercle, il aperçut du coin de l'œil Millar qui se renfonçait dans son fauteuil.

Il n'avait nul besoin de réfléchir. Les *Nocturnes* étaient les seuls morceaux qu'il se sentait capable de jouer, après pratiquement un an sans pianoter la moindre note. Toutes les autres œuvres de Chopin étaient techniquement trop complexes, il risquait de se ridiculiser. De plus les *Nocturnes* ne présentaient aucune difficulté de mémoire. Il avait grandi avec ces morceaux, les avait entendus et joués des centaines de fois.

Si seulement il n'avait pas ce maudit problème avec le rythme. Perlmann avait un sens du rythme très exact et naturel. Mais avant d'entrer dans le morceau il lui fallait toujours un moment jusqu'à ce que son métronome intérieur se mette en place. Bela Szabo n'avait cessé de répéter qu'il jouait les premières mesures comme quelqu'un qui marchait après avoir été violemment tiré de son sommeil. Et il avait raison : lorsque son sens du rythme s'activait, c'était comme un éveil, une assurance libératrice l'emportait dans sa tête et dans ses mains, et il avait chaque fois l'impression de n'avoir jamais été aussi éveillé qu'à ce moment précis. Il avait appris à dépasser ces brèves phases d'incertitude avant de jouer en public. Mais aujourd'hui, tout le monde les entendrait.

Il commença par l'*opus* 9, numéro 1 en *si bémol mineur*. Sans pansement, l'annulaire de sa main gauche lui paraissait plus froid que les autres et, lorsque son doigt passait sur les touches, contrairement à ce qu'il avait prévu, il ne sentait aucune douleur mais une sorte de film mince, collant. Malgré tout, son toucher était bon, trouva-t-il, et après quelques notes, le contact des touches ne lui paraissait plus aussi étranger qu'il l'avait redouté. Il venait d'attaquer le premier mouvement et se concentrait sur le mélange singulier de ralenti et d'accélération quand retentit un assourdissant coup de tonnerre. Le premier fracas résonnait encore lorsque la lumière froide d'un éclair illumina le salon et se mêla désagréablement à la lueur chaude et dorée des lustres. Aussitôt après, un nouveau coup de tonnerre encore plus violent provoqua un frémissement général. Perlmann retira ses mains du clavier. Toutes les têtes étaient désormais tournées vers la fenêtre à travers laquelle on pouvait voir tomber au-dessus de la mer une suite rapprochée d'éclairs, des ramifications de lumière vive à la durée fantomatique. Perlmann sortit un mouchoir, l'humecta et se nettoya l'annulaire. Il sentit alors une brûlure irradier le long de sa cicatrice.

Une fois que le spectacle de la nature sembla dissipé et que le calme fut revenu, seulement troublé par un lointain grondement, Perlmann reprit depuis le début. À présent, son tempo était bon, il avait une vision parfaitement claire de l'ensemble du morceau et fut apaisé. Oui, il savait encore les jouer, ces notes de Chopin, douces et pourtant claires comme du verre – la seule chose que Szabo ait toujours reconnue et pour laquelle il l'avait même un peu envié. Glenn Gould jouait Chopin avec un toucher similaire, s'imaginait Perlmann. *Une clarté de verre dans un écrin de soie.* Il fut même satisfait des traits perlés. Seule la pointe de rêverie manquait. Et cela ne tenait pas au fait que son annulaire gauche, maintenant que l'accompagnement allait crescendo, commençait à lui faire vraiment mal tout comme les deux doigts de sa main droite, brûlés tout à l'heure par la cigarette, lorsqu'ils frottaient l'un contre l'autre. Alors pourquoi ?

Afin d'éviter tout applaudissement, Perlmann enchaîna sans temps mort le deuxième *Nocturne* du même *opus*. De nouveau, le tonnerre gronda, mais cette fois, il ne frappait plus directement sur l'hôtel et Perlmann continua de jouer.

– Il faut tout de même que j'aille voir s'il pleut, dit Millar à mi-voix avant de se lever.

Evelyn Mistral posa le doigt sur ses lèvres. Millar sortit.

C'était cela, pensa Perlmann : il ne cessait de comparer son jeu à celui de Millar jouant Bach, et cette idée agissait comme un barrage qui l'empêchait de trouver l'état d'âme adéquat. Il ferma les yeux, s'abandonna aux notes et essaya d'oublier. Le troisième *Nocturne* fut plus réussi. Seuls ses doigts blessés commençaient à lui poser problème.

Millar revint vers la fin du morceau, impossible de ne pas l'entendre se racler la gorge.

Perlmann choisit ensuite de jouer le *Nocturne* de l'*opus* 15, numéro 1 en *fa majeur*. Ce ne fut qu'au milieu du thème qu'il en remarqua le danger. D'un seul coup, il prit conscience de son propre visage. Ses yeux commencèrent à brûler derrière ses paupières fermées. *Pour l'amour de Dieu*. Involontairement, son dos se raidit et il plissa les yeux en une violente grimace. Des secondes d'attente terrifiante. Non. Encore une fois tout s'était bien passé. Au tout dernier moment, il avait réussi à retenir ses larmes. *Il ne faut donc pas que je joue le morceau en* ré bémol majeur. *Surtout pas.*

À deux reprises, il avait fait une fausse note, mais le soulagement le lui fit oublier et à présent arrivait le passage dramatique, techniquement plus difficile. Il n'avait plus le temps d'en avoir peur, et soudain il y eut comme une explosion dans ses mains et il joua le passage sans faute, comme s'il s'y était encore exercé la veille. Un vif sentiment de soulagement, d'exubérance presque, s'empara de lui. La douleur dans ses doigts était à présent sans importance, et tandis que le morceau touchait à sa fin, il eut une certitude subite : *J'arriverai aussi à jouer la* Polonaise.

Mais auparavant il avait besoin de temps pour rassembler ses moyens. Le troisième morceau de l'*opus* 15, techniquement aisé, s'y prêtait bien, il pourrait reposer ses doigts. Il n'était plus vraiment concentré, et quelque chose avait commencé à travailler en lui, si bien que le premier tiers ne fut qu'une fade suite de notes sans relief. Mais ensuite arrivèrent les *passages à la Debussy*, comme Szabo les avaient baptisés lors de leurs altercations. La structure mélodieuse s'affaiblit, les notes semblèrent s'enchaîner sans but et résonnèrent de façon indécise, traînante, presque aléatoire. *Perlmann*, avait coutume de dire Szabo dans un soupir irrité, *vous ne pouvez pas jouer ce morceau comme si c'était du Debussy. Il garde une mélodie claire, une logique claire. On dirait presque que vous tenez à exprimer une mélancolie de la dissolution. Du spleen, soit. Mais du Chopin !* Perlmann donna aux notes le plus d'indétermination possible. *Au diable Szabo.* C'était une déclaration de guerre adressée à Millar et à son obsession des structures, et Perlmann ne résista qu'à grand-peine à la tentation de regarder dans sa direction. Il sentit que quelque chose commençait à se dénouer en lui. Il était en train de s'affirmer face à ce Brian Millar, mais aussi de se révéler aux autres tel qu'il était. Puis il fit quelque chose qu'il aurait tenu pour impensable dans une intervention publique : un peu plus loin, il répéta deux des passages au cours desquels cette autodélivrance lui semblait atteindre son apogée. Il lui avait fallu prendre sur lui afin de s'imposer contre la présence intérieure de Szabo, et maintenant l'obstination et la mauvaise conscience s'équilibraient.

Se précipiter tout de suite sur la *Polonaise en la bémol majeur* – non, c'était bien trop téméraire. Auparavant il avait besoin de jouer quelque chose de techniquement plus ambitieux que ce qui précédait. La valse en *la* bémol majeur de l'*opus* 34. Un morceau qu'il avait autrefois joué à de multiples occasions solennelles, presque jusqu'à saturation. Aujourd'hui encore, il devrait parvenir à l'interpréter sans faille. La valse contenait quelques suites d'accords qui ressemblaient à la *Polonaise*. Et ainsi, il serait dans la bonne tonalité pour enchaîner.

Au début, il fit deux erreurs de pédale, et une fois il joua une note de trop. Mais le reste se déroula sans encombre. Lorsque les coups de tonnerre reprirent et que l'orage sembla se rapprocher, il garda sans peine la mesure. Un léger frisson le parcourut, cependant cette fois-ci ce n'était pas une expression de peur, contrairement aux jours précédents, mais une attente crispée. Il était capable de jouer la *Polonaise*. Il la jouerait. Ses bras et ses mains, qui paraissaient très assurés et puissants, le lui disaient.

Il avait cessé de penser à sa cicatrice lorsqu'une douleur le traversa telle une aiguille. Contraint de renoncer trois fois à utiliser son annulaire gauche, il se déconcentra et bâcla la nouvelle suite d'accords joués à la main droite. Il eut beau retrouver ensuite son équilibre, sa confiance s'était effondrée. Les puissants accords de la *Polonaise*, sur lesquels tout reposait, se dressèrent devant ses yeux comme d'immenses haies d'obstacles, et à présent les doigts blessés de sa main droite le brûlaient encore plus intensément qu'avant. La sensation de piqûre avait disparu, mais son jeu était empreint d'hésitation et il marqua un ralentissement fatal pour cette valse. *C'est impossible. Après ça j'arrête.* Lorsque la fin se profila, il accéléra encore une fois. La douleur qu'il ressentit alors n'était pas aussi forte que tout à l'heure mais cela suffit à lui gâcher complètement le final et il ne frappa que mollement le dernier accord.

C'était une humiliation de terminer ainsi, Perlmann enragea de s'être laissé détruire par son plan meurtrier parfaitement inutile, et aussi par cette tentative de s'affirmer. Il se serait néanmoins levé pour regagner son fauteuil si à cet instant Millar n'avait pas agité la liasse de billets du pari. Pendant que la pluie s'abattait sur les vitres, il les tendit en souriant à Leskov, sans se soucier du refus de celui-ci ni de son geste irrité et encore moins des visages agacés des autres. D'abord il avait essayé de perturber l'assemblée, et maintenant ça. C'en fut trop. Tandis que les premiers applaudissements se faisaient entendre, Perlmann entama la *Polonaise en la bémol majeur* de l'*opus* 53, que Chopin avait baptisée *l'Héroïque*.

Dès la première mesure, il entendit résonner le passage redouté. Mais d'ici là, il restait encore près de sept minutes. Les premiers accords et les premières phrases réclamaient déjà plus de force que tout ce qu'il avait joué précédemment, et Perlmann se mordit les lèvres de douleur. Cependant bientôt cette douleur ne l'atteignit plus. Comme toujours, cette musique l'emportait, elle l'enveloppait et lui donnait le sentiment de pouvoir tenir sans peine le monde à distance. Au bout d'une trentaine de secondes, le thème principal était amené par de puissants accords descendant somptueusement. Les dernières mesures précédant le premier de ces accords amples demandaient à être jouées légèrement plus lentement pour lancer correctement le thème. Szabo l'avait lui-même admis. Perlmann en revanche – Szabo le lui avait systématiquement reproché – exagérait de manière indéfendable. Il avait tendance à retarder l'accord le plus haut de plus d'une seconde. Ainsi, trouvait-il, la tension se faisait véritablement sentir, avant de laisser éclater la libération. Et c'était cette libération qui comptait : au moment où l'on attaquait à pleine puissance les touches des deux mains, il s'agissait d'être le maître du jeu. *Vous abusez de ces passages,* avait dit Szabo. *Vous êtes censé jouer Chopin, et non vous-même. Prenez exemple sur Alfred Cortot.*

Szabo se tut, et Perlmann se laissa griser par le jeu. Avec un frapper plein d'assurance, il martela les accords salvateurs, se levant de plus en plus souvent au-dessus de sa chaise afin de pouvoir encore mieux positionner ses attaques. Il étira sans scrupules les mesures préliminaires et, chaque fois, l'accord initial laissait place à une libération musicale décuplée qui faisait voler ses chaînes en éclats. L'orage qui redoubla lui parut tomber à point nommé. Car précisément maintenant, au bout de trois minutes, arrivait le premier des deux passages où le même accord sombre se répétait sept fois d'affilée. Jamais encore, lui sembla-t-il, il n'avait joué des accords avec une telle fureur. Écrasant ce qui lui restait de retenue, il frappa, laissa éclater toute sa rage sur les touches, sa rage contre Millar et contre tous les autres qui le persécutaient, sa rage contre Szabo, contre l'orage qu'il devait couvrir, et surtout sa rage impuissante contre lui-même, contre son manque d'assurance, sa peur et sa duplicité qui l'avaient poussé jusque dans le silence criminel du tunnel.

Ses doigts meurtris lui firent ensuite tellement mal que, l'espace d'un moment, des larmes lui montèrent. Il imagina sa cicatrice à l'annulaire céder au prochain accord puissant, le sang coulant sur les touches noires et s'infiltrant dans les interstices, ses doigts perdant toute prise sur la surface barbouillée de rouge. Mais l'image fut trop fugace pour rester présente à son esprit et, à la quatrième minute, Perlmann concentra tous ses efforts sur la montée des mesures, au début calmes, presque anodines avant d'aboutir à cette sonorité déchaînée, bouillonnante, qu'il chercha à jouer avec la même perfection et le même élan impérieux qu'au conservatoire, lorsqu'il avait récolté tant d'éloges. C'était alors la main gauche qui contribuait à faire monter la tension et il se réjouit que l'intense douleur dans son doigt fût entre-temps devenue une sensation constante à laquelle il pouvait s'adapter sans qu'elle ne le surprenne plus de temps à autre. Le passage entier débouchait une fois de plus sur une répétition fracassante d'un unique accord. La même chose se répétait ensuite encore une fois, mais pour être alors suivie d'un enchaînement surprenant de mesures cristallines, insouciantes. Celles-ci étaient relayées par un passage lyrique qui, tel que le jouait Perlmann, devait rappeler aux auditeurs l'atmosphère onirique des *Nocturnes*.

Il en était maintenant à la sixième minute. Tandis que les notes allaient decrescendo, Perlmann se mit à transpirer d'angoisse et ses doigts semblèrent devenus moites en une seconde. Il prendrait son élan pour répéter le thème une dernière fois et, à partir du premier accord de cette série, il s'en souvenait encore très exactement aujourd'hui, il lui resterait quarante secondes avant d'attaquer le passage tant redouté. Quarante-trois, peut-être quarante-quatre s'il étirait les notes – cette fois à cause de la panique. Le passage en lui-même ne durait qu'à peine dix secondes. S'ensuivrait alors une version accélérée et raccourcie du thème principal, avec sept accords finaux scandés, puis ce serait fini.

Perlmann étira les dernières notes lyriques jusqu'à ne plus pouvoir éviter d'accélérer le tempo pour descendre dans les accords graves qui annonçaient le thème. Lorsque, mobilisant toute son obstination pour faire face à sa peur, il attaqua le premier accord du thème, il se sentit comme celui qui, après avoir essuyé une série de pertes destructrices, miserait tout ce qui lui restait sur une seule carte en sachant bien que les chances de gagner étaient infimes. *C'est grotesque d'espérer qu'un coup de tonnerre éclate au moment crucial.* Il essaya de se replacer dans la salle d'entraînement dépouillée du conservatoire – il était de ceux qui jouent pour eux-mêmes. Cette tentative l'aida, mais il s'y était pris trop tard, bientôt le long trait dans les graves arriverait et alors le moment serait venu. Après coup, il ne sut pas comment il avait fait, mais soudain, il se retrouva à nouveau au milieu du thème et répéta deux passages assez longs du début. Confus par sa propre manœuvre, il se concentra une fois de plus sur la salle vide. Il ne pourrait pas esquiver une seconde fois. Il entendit les deux traits frénétiques défiler si vite au milieu de toutes les autres notes que l'on put percevoir celles-ci seulement lorsque résonna la dernière note cristalline. Finalement il s'en était aussi bien sorti avec les derniers traits. Ce n'était donc pas impossible, bien que les deux suites critiques, qui réclamaient d'être accentuées, aient été d'un tout autre ordre de difficulté.

Pour la toute dernière fois : le thème entier. La longue phrase dans les graves, dont le tempo était encore humain. Une série d'accords familiers, faciles. *Maintenant.* Perlmann ne sentit plus rien d'autre que ses doigts glisser sur le clavier. La peur aussi avait cessé. Pendant dix secondes à peine, il fit l'expérience d'un moment présent gouverné par une tension insensible au cours duquel il ne fut rien d'autre que des mouvements de mains et une ouïe. Et puis, à la fin limpide de la seconde phrase, il le sut, même s'il ne pouvait encore le croire : *Aucune erreur. Aucune. Pas une seule.* Le reste fut un jeu d'enfant.

Pendant un instant, il resta assis comme étourdi. Un frisson d'épuisement le parcourut, et ses jambes ne voulurent d'abord pas lui obéir lorsqu'il se leva. Un moment présent délectable. Il aurait tout donné pour pouvoir le fixer à jamais.

Les applaudissements retentissants auxquels se joignirent d'autres clients de l'hôtel durèrent longtemps. Ce fut du corridor qu'on applaudit le plus fort : Perlmann y remarqua alors Giovanni et signora Morelli. Lorsque leurs regards se croisèrent, Giovanni lui fit signe en levant le pouce. C'était comme s'il le félicitait d'avoir marqué un but. À cet instant, son geste compta plus que tous les applaudissements pour Perlmann. Mais le plus important fut le regard de signora Morelli. C'était le même regard que celui qu'elle lui avait lancé lundi dans la nuit, lorsqu'il lui avait parlé de son soulagement, les yeux mouillés de larmes. À présent, elle lui souriait, puis elle relança les applaudissements en montrant l'exemple. On aurait dit que cette rencontre muette avec le reste de la salle l'immunisait contre l'opinion des autres. Ce qu'ils pensaient lui était pratiquement indifférent.

Leskov fut le dernier à cesser d'applaudir.

– J'ignorais…, commença-t-il, et les autres acquiescèrent de la tête.

Perlmann se montra peu loquace dans ses réponses, mais il savoura chacune d'entre elles.

Pourquoi n'avait-il donc pas dit plus tôt que… ?

– Je n'aime pas jouer en public, dit-il en dirigeant son regard juste à côté de Millar. Je préfère être tout seul quand il s'agit de musique.

La façon qu'avaient les autres de l'observer avait changé au cours de la dernière demi-heure. Du moins c'était ce qu'il voulait croire. Et le silence qui retomba dans la conversation, comme empli de stupéfaction, tendit à le lui prouver.

Millar jouait avec le rouleau de billets. « Dans mon souvenir, la *Polonaise* était plus courte, dit-il en rajustant ses lunettes comme au ralenti. Mais cela remonte à longtemps, et je ne connais pas bien Chopin. »

Pendant un moment, Perlmann ne vit que le reflet du lustre dans ses verres de lunettes. Le regard qu'il saisit ensuite au passage ne recelait aucune défiance. Mais il pétillait d'une lueur songeuse qui, semblait-il, attendait formellement de pouvoir se muer en soupçon. Perlmann esquissa un sourire réservé.

– J'aime cette insistance avec laquelle le thème revient chaque fois, dit-il.

Lorsque Millar se leva sans prévenir et s'assit au piano, personne ne s'attendit à entendre autre chose que du Bach. Pourtant, ce qu'il joua aurait difficilement pu être plus éloigné de Bach. Ce fut l'*Allegro agitato molto* tiré des *Études d'exécution transcendante* de Franz Liszt. Perlmann ne connaissait pas le morceau, mais il se douta aussitôt que c'était du Liszt. Millar le joua non sans erreurs et, de temps à autre, il fut obligé de ralentir un peu le tempo. Malgré tout, son jeu était une performance brillante pour un amateur, et Perlmann ressentit quelques pincements en l'entendant surmonter des difficultés techniques qui vinrent éclipser toutes celles de la *Polonaise en la bémol majeur.*

Il avait pour sa part toujours évité Liszt. Il y avait quelque chose dans sa forme singulière d'exaltation qui le repoussait. Et quand quelqu'un plaçait Chopin et Liszt sur le même plan, cela le mettait hors de lui. Il savait que Liszt lui rappelait plus que tout autre compositeur les limites de ses capacités techniques, et également que la peur était mêlée à son aversion. Pour autant il n'avait jamais pu analyser tout cela avec davantage de précision.

Lorsque le morceau fut terminé, Millar ôta son blazer et le jeta sur le fauteuil à côté. De la sueur perlait sur son visage. Personne n'applaudit : ses mouvements énergiques annonçaient bien trop expressément qu'il s'apprêtait à continuer. Il joua alors *La Leggierezza*, l'une des *Trois études de concert* de Liszt. Perlmann eut l'impression de connaître le morceau, même s'il ne se souvenait plus du titre. Une fois de plus, il éprouva de l'envie, en particulier sur certains traits et trilles. Il se consola du fait que Millar, lors d'un trait incroyablement long qui s'écoula dans une limpidité cristalline, achoppa et poussa un faible juron.

Ce fut peu après ce passage que Perlmann le remarqua. *Ce ne sont pas des vagues, Philipp,* entendit-il dire Hanna, *ce sont des rubans – des rubans clairs, ondulés, comme ceux que les jeunes filles font serpenter derrière elles en gymnastique.* À partir de ce jour-là, il avait toujours conservé cette image en tête quand il entendait jouer l'étude de Chopin en *fa mineur* de l'*opus* 25, dans laquelle la main droite avait à exécuter une suite presque ininterrompue de croches régulières, bien que le charme de ce morceau résidât dans le fait qu'il n'y ait pas de meilleur moyen de se préparer au thème que de se représenter précisément cette régularité. Et voici qu'il entendait maintenant cette même sorte de rubans dans la composition de Liszt. Ils n'étaient pas exactement aussi longs et réguliers, et parfois la main gauche également intervenait. Mais c'était la même conception musicale. Et pendant qu'il effectuait mentalement la comparaison, il se rendit expressément compte de quelque chose qui jusqu'alors n'avait fait que l'effleurer sous la forme d'un vague et furtif rapport : entre la première pièce de Liszt que Millar avait jouée et l'étude de Chopin en *fa mineur*, il y avait une similitude thématique. La tonalité aussi était la même. Avec une agitation croissante, il essaya de superposer son souvenir de l'étude de Chopin sur les notes de Liszt qu'il avait entendues, comme un silence dont on veut vérifier l'exactitude. Le morceau qui était joué au même moment contrariait son plan et il s'efforça d'en faire abstraction. Les deux pièces avaient-elles un véritable lien thématique ? L'espace d'une seconde, il en était tout à fait certain, la seconde suivante, il se méfiait de son impression. Si seulement il disposait de quelques minutes pour écouter les deux morceaux l'un après l'autre.

Perlmann ne sortit de sa méditation qu'au moment où il entendit applaudir et vit Millar poser son blazer sur ses épaules avant de se laisser tomber dans le fauteuil.

– Liszt ? demanda von Levetzov.

– Oui, sourit Millar, les deux seuls morceaux que je connaisse. Quelque part j'ai toujours trouvé qu'ils allaient de pair.

Perlmann sauta sur cette dernière remarque comme un joueur d'échecs sur son adversaire qui viendrait de commettre une erreur déterminante pour la partie.

– C'est en effet le cas, s'entendit-il dire. Les deux fois, Liszt a copié. Sur Chopin. Le même morceau, l'étude en *fa mineur* de l'*opus* 25.

Au mot *cribbing*, le visage de Millar s'empourpra comme s'il avait été adressé directement à lui. Un instant il resta immobile comme étourdi.

– *Copié* ? demanda Leskov, c'est-à-dire ?

– *Spisyvat'*, répondit Perlmann sans hésiter.

Leskov sourit d'un air surpris et corrigea sa prononciation.

– Tiens donc. Tu connais même ce mot-là…

Perlmann attrapa ses cigarettes.

Entre-temps Millar s'était ressaisi.

– Je pense, Phil, dit-il avec un calme maîtrisé, que vous conviendrez qu'un homme comme Liszt n'avait nul besoin de copier. Et surtout pas Chopin qui ne lui arrivait pas à la cheville.

Intérieurement en ébullition, Perlmann sentit que ses doigts, tous endoloris, étaient devenus froids. C'était idiot, pensa-t-il, de provoquer maintenant cette confrontation, à peine douze heures avant le départ de Millar. Et pourtant il y avait là encore quelque chose dont il se délectait : sa peur du conflit public, contrairement à ce qu'il s'imaginait, ne lui fit pas perdre contenance. Il éprouva une fermeté qui lui était nouvelle.

– Je ne sais pas s'il a eu besoin ou non d'imiter Chopin jusque dans ses moindres figures, dit-il en marchant vers le piano. Le fait est que dans ce cas précis, il l'a fait.

680

Il joua avec plus de légèreté et de décontraction qu'il ne l'avait escompté vu sa colère tremblante, et réussit à interpréter la courte étude qui ne présentait aucune difficulté technique majeure sans la moindre faute. Elle résonna seulement un peu trop doucement, comme s'il avait peur d'attaquer trop fort.

— Une autre ! s'exclama Giovanni qui s'était assis un peu en retrait avec signora Morelli.

Perlmann ne manifesta aucune réaction à cette injonction et retourna vers son fauteuil. Mais dans son for intérieur, Giovanni, son fan en marge du terrain, avait réalisé un petit miracle : le conflit avec Millar sur lequel il venait juste de s'acharner perdit soudain tout pouvoir sur lui et prit l'allure d'un jeu. D'un air placide il alluma une cigarette et, à la manière de Silvestri, il souffla la fumée en direction du fauteuil de Millar. Evelyn Mistral pencha un peu la tête et opina légèrement.

— Je n'entends pas la moindre trace de plagiat, dit Millar, et son accent de la côte est parut encore plus marqué qu'à l'accoutumée.

Ruge ôta ses lunettes et se passa la main sur le crâne.

— Je suis un terrible ignare. Mais j'ai tout de même eu l'impression, Brian, qu'il y avait quelque chose de vrai dans ce qu'a affirmé Philipp.

— Moi aussi…, commença von Levetzov.

— *Nonsense,* lâcha Millar d'un ton irrité, visiblement vexé de voir ses deux alliés le laisser tomber à la dernière minute. Ces quelques mesures de Chopin ne sont qu'une simple esquisse. Une composition de la plus simple facture. Naïve. En comparaison, les morceaux de Liszt sont toujours raffinés.

Perlmann sentit que son visage était brûlant. Oublié, Giovanni. Il regarda Millar :

— On pourrait aussi dire : alambiqués ; ou : artificiels ; ou : maniérés ; ou : pompeux ; ou : précieux ; ou : affectés.

C'était comme une manie le poussant, hors d'haleine, à ajouter sans cesse un nouveau *ou*, au risque de ne plus avoir de mot sous la main. Il ne savait pas qu'il connaissait tous ces mots en anglais, et il eut le sinistre sentiment qu'ils ne lui avaient été insufflés que pour cette unique occasion, avant de disparaître de son vocabulaire sans laisser de trace.

Millar retira ses lunettes, ferma les yeux et posa ses doigts à la racine de son nez. Puis il remit soigneusement ses lunettes, comme chez un opticien, et croisa les bras avant de dire :

– Vocabulaire remarquable. Mais scolaire. On remarque que cette langue vous est étrangère. Et ces mots n'ont évidemment rien à voir avec Liszt.

Laura Sand s'empressa de mettre la main sur le bras de Perlmann.

– Votre Chopin m'a beaucoup plu. Surtout les passages lyriques. C'est vraiment dommage que vous n'ayez pas joué plus tôt.

Au moment où tout le monde partit, Leskov empocha l'argent du pari. Puis il posa sa lourde main sur l'épaule de Perlmann.

– Quel sacré numéro. Tu joues comme un pianiste professionnel et n'en dis pas un mot. Et tu connais les mots russes les plus insolites ! – il rit. Tu sais quel est ton problème ? Tu gardes bien trop de choses pour toi. Mais tu vois : au bout du compte tout finit par sortir !

Perlmann resta éveillé la majeure partie de la nuit. Les nuages orageux s'étaient dissipés. Une lueur de clair de lune brillait au-dessus du golfe. C'était plus silencieux que d'habitude. Des heures durant il n'entendit aucune voiture. Les cinq semaines étaient écoulées, la montagne de temps sans présent était enfin érodée. Ils avaient lu ses notes et écouté son Chopin. Désormais, ils savaient qui il était. Il avait toujours pensé que cela ne se produirait jamais. Que cela équivaudrait à une destruction, si d'autres pouvaient voir en lui de cette façon. Que la catastrophe n'ait pas lieu le déroutait. Il attendait. Peut-être se produirait-elle à retardement, mais pour frapper alors d'autant plus fort. Et pourtant, elle ne survenait tout simplement pas. Peu à peu, il commença à entrevoir qu'il avait vécu pendant des décennies avec une erreur. Établir des limites ne signifiait absolument pas s'abriter et s'emmurer comme dans une forteresse intérieure. Ce qui importait n'avait rien à voir : il s'agissait de rester fidèle, sans crainte ni nervosité, à ce que l'on était au plus profond de soi lorsque les autres en prenaient connaissance. Et Perlmann eut l'impression que cette prise de conscience était la clé donnant accès à ce présent tant désiré qui était toujours demeuré si impalpable et fugace, comme un mirage.

De temps à autre, il s'assoupissait… *not a trace of plagiarism,* entendit-il dire Millar. Il lui répliquait des tas de mots anglais inconnus jusqu'à ce qu'il remarquât enfin que c'était toujours le même mot qui revenait : *spisyvat'. Tout finit par sortir !* riait Leskov, et dans sa bouche il n'avait plus qu'une seule dent, car il était la vieille dame du tunnel. *Comme dans le film !* disait-elle. *Qui l'eût cru !* Puis elle jetait la Chronique aux autres qui se tordaient de rire.

Perlmann alluma une fois la lumière et vérifia dans l'attaché-case si l'enveloppe avec le texte de Leskov s'y trouvait encore.

La lune avait disparu. Un banc de brume brouillait les lumières silencieuses de Sestri Levante. Heureusement qu'il avait résisté à la tentation de jouer le *Nocturne en ré bémol majeur.* Pourquoi diable ne voulait-il pas jouer ce morceau, avait demandé Szabo. *Parce que,* avait répondu Perlmann les yeux rivés sur le clavier. À présent, il l'entendait, mesure après mesure. Ses cheveux dorés avec la mèche sombre.

54 Lorsque les deux chauffeurs de taxi entrèrent dans le hall, tout alla soudain si vite que Perlmann, qui avait pourtant compté les heures, eut l'impression d'être totalement pris de court.

– Et ne vous en faites pas, lui dit Ruge après l'avoir remercié pour tout. Il y a pire !

Perlmann sentit que la phrase ouvrait une blessure. Ces paroles supposaient qu'il s'était passé quelque chose susceptible de lui être reproché : un échec, une humiliation, une faute même. Alors qu'il avait donné une seule fois une image de lui plus faible que d'ordinaire. Une unique fois dans toute sa brillante carrière. Doublée d'une perte de connaissance, certes. Mais qui est maître de son corps après tout ? En dehors de cela, il ne s'était rien passé de visible pour les autres. Alors pourquoi cette phrase tranchante et brûlante que l'épouvantable intonation souabe, tout en mollesse, rendait encore plus insupportable ? *De quoi*, hurla-t-il intérieurement à Ruge, *de quoi ne faut-il pas que je m'inquiète ?* Perlmann se débattait encore avec ces paroles lorsque von Levetzov lui tendit la main en mentionnant quelque chose à propos d'un colloque où ils ne manqueraient probablement pas de se revoir. Faisait-il allusion au malaise ? Ou à ses notes ? Au texte kitsch ? Pourquoi avait-il fallu qu'il dise cela ? Et pourquoi précisément à ce moment-là, qui conférait à son intention, quelle qu'elle fût, un poids tout particulier ? Il essaya de se remémorer le visage et le ton de Ruge lorsqu'il avait parlé de la mort de sa sœur. Mais plus il s'évertuait à puiser dans ses souvenirs, plus ils se dérobaient à lui. La scène s'était-elle réellement passée ?

Laura Sand ne savait que faire de sa cigarette et elle la coinça finalement entre ses doigts qui tenaient son sac de voyage.

– Je vous enverrai quelques photos, dit-elle en tapotant sur la housse de son appareil. Celles qui auraient aussi plu à Chopin, ajouta-t-elle avec un sourire moqueur.

Arrivée au seuil de la porte, elle trébucha sur son long manteau noir. Perlmann ferma les yeux un instant pour s'assurer que l'image de son sourire railleur resterait bien gravée dans son esprit.

Plusieurs fois pendant la nuit, il avait tenté de se figurer ce qui allait arriver maintenant, mais son imagination n'avait abouti à rien.

— *Thanks for everything*, dit Millar en lui serrant fermement la main.

Il prononça cette phrase d'un ton routinier. Probablement disait-il toujours au revoir ainsi. Et pourtant là, il ne se pliait pas simplement à des conventions sociales. Sur son visage on pouvait lire qu'il avait pris sur lui pour laisser de côté la soirée d'hier.

— Quant à votre livre : j'en parlerai dès la semaine prochaine à mon éditeur. Je le lui recommanderai vivement.

Perlmann hocha silencieusement la tête et eut alors l'impression que, durant ces cinq semaines entières, il avait systématiquement fourni une seule réponse à tout ce qu'on lui disait : un hochement de tête muet.

Millar remonta la fermeture éclair de son coupe-vent et prit sa valise. Après avoir fait deux pas, il la reposa par terre et se retourna.

— Au fait, votre Chopin, il était plutôt bien interprété. Et Liszt n'est pas non plus un génie à côté de lui. Rien à voir avec Bach, dit-il dans un sourire narquois.

Perlmann songea à Sheila et au ballon de baudruche.

— Je n'avais encore jamais entendu une interprétation de Bach comme la vôtre, dit-il. Un style tout à fait à part.

Millar rougit.

— Oh, merci. Merci beaucoup. On ne m'avait encore jamais dit cela. Nous aurions dû bien plus tôt...

Perlmann hocha la tête en silence. Avant de monter dans le taxi, Millar releva les yeux une dernière fois en direction de Perlmann et leva la main. Lorsque le taxi disparut, un sentiment de vide et de gâchis s'empara de Perlmann.

Leskov était assis au soleil sur la terrasse quand Perlmann et Evelyn Mistral sortirent une demi-heure plus tard.

— Mon train part de Gênes à onze heures, répondit-elle à la question de Leskov.

— Dans ce cas, tu seras largement rentré à une heure, dit ce dernier en s'adressant à Perlmann. Oui, car ensuite notre bateau partira, poursuivit-il en voyant son visage incrédule.

En cette journée radieuse, Leskov l'invitait à une promenade en bateau jusqu'à Gênes, visite du port incluse.

— Je n'ai encore pratiquement rien vu de la région. En plus la route côtière était barrée. Je paierai avec ça ! dit-il en riant avant de sortir de sa poche la liasse de billets froissés du pari.

Perlmann sentit sa main tenant la poignée de l'attaché-case devenir moite. Immobile, il baissa les yeux vers les chaussures rouges d'Evelyn Mistral.

— Tu ne peux définitivement pas lui refuser ça, dit-elle en espagnol, baissant la voix pour s'adresser à lui.

Deux jours de plus de désespoir pour lui. À moins que je ne fasse une croix sur Ivrée. Dans ce cas, ça n'en ferait plus qu'un.

— Ça ne te dit rien ? demanda Leskov.

La déception dans sa voix et son visage inquiet étaient intolérables.

— Si, bien sûr, répondit Perlmann d'une voix rauque, et je serai dans tous les cas de retour avant une heure.

Il fut heureux d'entendre le taxi klaxonner en bas.

Le trajet en train fut silencieux. Perlmann luttait sans succès contre la sensation d'oppression qui lui nouait la gorge. Il devait se forcer à articuler chacun de ses mots, sans savoir comment se comporter pour qu'Evelyn Mistral ne le prenne pas mal. Alors qu'embarrassée elle se mettait à parler du livre qu'elle était en train de lire, il ne cessait de se demander s'il devait lui donner le texte de Leskov afin qu'elle le poste à Genève. *Deux jours. Un au minimum.* Aucun soupçon ne pourrait être dirigé contre elle : à aucun moment elle ne s'était trouvée près de l'attaché-case de Leskov. Peut-être Leskov supposerait-il que son avion, après Francfort, était parti pour Genève où l'on avait fini par découvrir son texte. Mais comment diable Perlmann pourrait-il expliquer à Evelyn Mistral que l'enveloppe devait partir le plus vite possible pour Saint-Pétersbourg alors que tous deux avaient encore été en compagnie de son destinataire une demi-heure plus tôt ?

— Tu aurais préféré avoir ton après-midi pour toi tout seul, n'est-ce pas ? lui demanda-t-elle lorsque le train entra en gare de Gênes.

Perlmann hocha la tête.

— Mais il avait l'air heureux comme un enfant à l'idée de faire cette promenade en bateau.

De nouveau, il hocha la tête en silence.

La grosse valise avec son éléphant collé au milieu cogna contre les marches du wagon lorsqu'elle monta. Perlmann lui porta sa valise et la laissa tenir son attaché-case à lui. Lorsqu'ils se retrouvèrent l'un en face de l'autre dans le compartiment vide qui sentait le renfermé, il passa sa main dans sa chevelure de paille fraîchement lavée. Après une brève hésitation pendant laquelle elle chercha à lire dans ses yeux, Evelyn Mistral passa ses bras autour du cou de Perlmann et s'amusa à basculer en arrière.

— ¡ No te pierdas !

Il hocha la tête, prit son attaché-case et sortit en quelques pas. Lorsqu'il se retourna, elle se tenait à la porte du train.

– Ce premier texte de Vassili : tu l'as lu, n'est-ce pas ?

Perlmann prit une profonde inspiration et la regarda.

– Oui. Mais ce serait une histoire trop longue à raconter – il baissa les yeux un moment vers le sol puis releva la tête. Ça reste notre secret ?

Un rire rayonnant apparut sur son visage.

– J'aime bien ce genre de secrets. Et je sais rester muette comme une tombe.

Le contrôleur longea le train en refermant les portes. Elle se posta à la fenêtre du compartiment. On voyait qu'elle cogitait. La curiosité l'emporta :

– Était-ce le texte que tu avais avec toi quand je suis arrivée sur la terrasse ?

Perlmann hocha la tête.

– Et c'est la raison pour laquelle tu ne voulais pas que les autres…

– Oui, dit-il.

Le train démarra.

– On pourrait inventer plusieurs histoires à partir de celle-là, lança-t-elle en riant. Je vais essayer pendant le trajet. Pour faire passer le temps !

Perlmann fut content de pouvoir lui faire signe de la main plutôt que d'avoir à lui répondre. Il continua mécaniquement, jusqu'à ce que son wagon fût hors de vue. Lorsqu'il laissa retomber son bras, il s'aperçut qu'il serrait si fort la poignée de son attaché-case qu'elle lui entaillait la main.

Dans le bar de la gare, il commanda un café. Derrière la vitre fendue, les aiguilles de l'horloge indiquaient onze heures tout juste passées. L'avion qu'il avait voulu prendre décollait à douze heures et quart. Leskov l'empêchait à présent de réparer son geste aussi vite que possible. Perlmann dut prendre sur lui pour tâcher de réprimer sa rage impuissante, et la jeune femme à côté de lui regarda d'un air stupéfait son poing aux articulations blanches qui se cramponnait à la longue cuillère à sucre au lieu de la reposer. *Tu ne peux pas lui refuser ça.* Mais après tout, elle ne pouvait pas savoir. Une déception à cause de la balade en bateau contre deux jours de désespoir, ce n'était pas cher payé. Et il n'y avait pas que la question de sa situation désespérée. Peut-être seraient-ce justement ces deux jours-là qui lui coûteraient la place, parce qu'ils lui feraient défaut pour recopier le texte et reformuler à temps les pages perdues.

Perlmann prit le bus pour l'aéroport. Mentalement, il ferma les yeux sur ses souvenirs et se dirigea aussitôt, sans regarder autour de lui, vers le comptoir d'enregistrement puis le contrôle de sécurité. Sur l'écran à rayons X, le texte de Leskov n'était qu'une ombre vague. Assis dans la salle d'attente, impatient, Perlmann regardait l'appareil dans lequel on chargeait le container de nourriture. L'eau qui couvrait la piste brillait d'une lumière étincelante. Comment Leskov avait-il qualifié la lumière méridionale ? *Siyayuchtchiy. Je n'ai encore pratiquement rien vu de la région. En plus la route côtière était barrée.* Perlmann se mit à faire les cent pas. Il lui restait toujours la possibilité de prendre l'avion demain, comme il l'avait prévu au départ. Sa réservation était encore ouverte après tout. Leskov n'aurait qu'un seul jour de plus à attendre son texte. Cela signifiait faire une croix sur Ivrée. Ou du moins repousser. Perlmann s'imagina le bureau lumineux. Ou alors il revenait ici en avion demain, dans l'après-midi même, et prenait un train pour Ivrée dans la soirée. Il examina sa carte d'embarquement. *Oui.* Il écrasa le ticket de carton vert dans sa main, le jeta dans une poubelle et se faufila à travers la file d'attente pour regagner le hall sous les cris de protestation des employés de la sécurité.

Le vol Francfort-Gênes affichait complet et la liste d'attente était déjà longue. Perlmann sentait encore la paume de sa main écraser la carte d'embarquement.

Y avait-il des places sur les vols Francfort-Turin ? L'hôtesse interrogea l'ordinateur sans entrain, en faisant plusieurs fois des fautes de frappe. Tous les vols étaient complets, mais pour l'un d'entre eux la liste d'attente ne comptait qu'un seul nom. Perlmann s'y inscrivit.

Midi dix. Avec le chèque qu'il avait voulu encaisser à Francfort, il alla à la banque située dans le hall des arrivées. Pendant qu'il faisait la queue, il revécut malgré lui l'arrivée de Leskov. *J'aime bien avoir mon propre argent.* L'opération réglée, il sortit en courant, sa liasse de billets encore à la main, pour monter dans un taxi à qui il demanda de le conduire le plus vite possible à Santa Margherita.

55 Au bord de la rue, face à l'embarcadère, Leskov scrutait la circulation. D'une jambe il était sur la chaussée, de l'autre il touchait à peine le trottoir, le genou étrangement plié. Son buste penché en avant traduisait son impatience, tandis qu'il essayait de garder la tête droite et tenait d'une main ses grosses lunettes. Lorsque arriva vers lui le taxi qui précédait celui de Perlmann, il se voûta pour mieux distinguer le passager. Il resta dans cette position jusqu'à ce qu'il vît arriver le taxi de Perlmann. Son dos eut comme une secousse, il ajusta un peu ses lunettes pour s'assurer de sa vision puis, agitant les bras au-dessus de sa tête, il se campa au milieu de la rue comme s'il devait arrêter en pleine nuit la seule voiture qui passerait sur une voie déserte.

Le conducteur s'arrêta en poussant un cri de surprise. Dès l'instant où il aperçut Leskov, Perlmann ne fut plus en mesure de penser. Il se contenta seulement de serrer encore un peu plus la poignée de son attaché-case. Avant de descendre de la voiture, il donna un gros billet au chauffeur.

– J'ai cru que tu ne viendrais plus, dit Leskov en s'efforçant d'effacer aussitôt le ton de reproche qui avait percé dans sa voix. Le bateau est déjà là !

Pendant la première demi-heure du trajet, le quasi-silence de Perlmann ne se remarqua pas. Leskov savourait d'être à l'avant du bateau presque désert et de contempler l'eau calme, d'une clarté aveuglante. Puis au bout d'un moment, il sortit de sa veste une carte routière. Signora Morelli la lui avait prêtée. Perlmann reconnut immédiatement les traces de saleté : c'était la carte même qu'il avait utilisée pour planifier son crime et dont il s'était servi pour épon-ger la feuille abîmée qui comportait un intertitre lorsqu'il avait rassemblé les pages jaunâtres. Non, dit-il quand Leskov désigna Portofino, il n'était encore jamais allé là-bas. Pas plus qu'il ne connaissait le port de Gênes.

Plus tard, lorsqu'il revint des toilettes, Leskov s'assit sur le banc à côté de Perlmann et observa son attaché-case en allumant sa pipe. Ces derniers jours, déclara-t-il, chaque fois qu'il avait vu un attaché-case, il n'avait pu s'empêcher de penser à son texte disparu. Et au bout d'élastique coincé dans la fermeture éclair de la poche extérieure.

– Mais toi aussi, tu considères bien que le plus pro-bable, c'est que je l'aie oublié à la maison, non ? Je veux dire, après tout ce que je t'ai expliqué ?

Perlmann hocha la tête et attrapa ses cigarettes.

– En tout cas je ne crois pas que le texte soit sim-plement perdu, répondit-il, soulagé de la fermeté de sa voix. La Lufthansa est connue pour prendre soin des objets oubliés.

– Donc tu penses vraiment qu'ils me renverraient le texte ?

Perlmann acquiesça.

– Mais l'adresse est écrite en russe, et à la main en plus, dit Leskov.

Derrière le verre épais de ses lunettes, ses yeux paraissaient disproportionnés, de même que la peur qu'ils exprimaient semblait décuplée.

Perlmann s'empressa de détourner le regard.

– La Lufthansa est l'une des plus grandes compagnies aériennes internationales, et elle dessert également la Russie. Ils ont sûrement des gens qui parlent russe.

Leskov soupira.

– Tu as peut-être raison. Si seulement j'étais bien certain d'avoir inscrit l'adresse. Avant-hier dans la nuit, je me suis soudain mis à en douter.

Perlmann ferma les yeux. Son cœur battait la chamade. Il se jeta à l'eau.

– Quelle adresse écris-tu d'habitude sur de tels documents ?

– Comment ? Ah oui… L'adresse professionnelle – il regarda Perlmann. Tu penses à cela parce que je t'ai demandé de n'utiliser que l'adresse personnelle ? Non, tu sais, dans un cas pareil c'est différent.

Perlmann s'excusa et alla aux toilettes où il prit appui contre le mur. Les palpitations dans sa poitrine ralentirent seulement peu à peu. Non, c'était trop dangereux de lui demander l'adresse. Non seulement il n'avait aucune raison convaincante pour le justifier, mais il faudrait en plus qu'il le prie de l'écrire – toute cette mascarade retiendrait l'attention de Leskov et resterait ancrée dans sa mémoire. Lentement, Perlmann ressortit, évita de bousculer un marin à la porte et regagna le pont.

Son cœur s'arrêta. Leskov avait mis l'attaché-case sur ses genoux et refixait les deux fermoirs. Il le reposait à présent sur le sol. Perlmann fit quelques pas sur le côté. Non, il ne tenait pas l'enveloppe à la main, mais se levait pour aller s'accouder contre la rambarde et y tasser sa pipe. Perlmann marcha vers lui au ralenti, en touchant du bout des doigts le dossier de chaque banc comme pour s'assurer de les avoir à disposition s'il devait se retenir.

— Vous avez de sacrées belles choses, vous, à l'Ouest, dit Leskov en désignant l'attaché-case du bout de sa pipe. Ce cuir. Et ces fermoirs sophistiqués, élégants. Il y a vraiment de quoi devenir jaloux.

Perlmann se cramponna à la rambarde jusqu'à ce que ses genoux lui obéissent de nouveau.

Lorsqu'ils débarquèrent à Gênes, Leskov s'immobilisa subitement.

— Admettons que je l'aie laissé dans l'avion. Sais-tu ce que je redoute le plus ? Le service de nettoyage. En trouvant mon texte, comment ces gens pourraient-ils savoir qu'il a de la valeur ?

Impossible de faire autrement. Il fallait que Perlmann le sache, et c'était maintenant sa chance.

— En tombant sur une pile de feuilles aussi épaisse, n'importe qui sera intrigué. Ce n'est pas le genre de choses qu'on peut prendre pour des papiers sans importance. C'est tout de même aussi épais que la moitié d'un livre. N'est-ce pas ?

Leskov hocha la tête.

— Tu pourrais avoir raison. Ce sont tout de même quatre-vingt-sept pages.

Il a donc dix-sept pages à réécrire. La longueur d'une conférence. Mais il les a encore en tête. Quelque chose comme ça, on le garde encore longtemps en tête.

Perlmann évita le bar du port depuis lequel il avait appelé Maria huit jours auparavant. Mais il eut du mal à trouver autre chose dans les environs et finalement ils prirent place à la seule table installée devant un snack d'où s'échappaient des odeurs de poisson et d'huile brûlée. Perlmann se réjouit qu'il y eût du bruit dans la rue et des enfants sur leur skateboard qui frôlaient leur table. Cet environnement donnerait un côté anodin à la question qui lui brûlait tant les lèvres :

– À quelle date dois-tu remettre ton texte ? En vue du poste, je veux dire.

– Dans deux semaines.

Perlmann fut incapable de se retenir :

– Dans ce cas il te reste exactement encore quatorze jours ?

Leskov le regarda avec un étonnement distrait.

– Treize, dit-il alors en souriant, le samedi ne compte pas.

– Que se passerait-il si tu ne rendais le texte que lundi ?

La stupéfaction se lisait à présent plus nettement sur le visage de Leskov.

– Je me demandais juste à quel point les gens sont tatillons chez vous, s'empressa d'ajouter Perlmann.

– Probablement l'accepteraient-ils encore à cette date-là, répondit Leskov d'un air songeur. Mais on ne sait jamais. Ce sont des bureaucrates. Mieux vaut ne leur fournir aucun prétexte formel. Et la date de remise ne pose au fond aucun problème, poursuivit-il calmement tandis que le serveur lui apportait son assiette, il ne me reste plus qu'à taper le texte, et je suis rapide pour ça. Pour les annotations, il me faudra au maximum une demi-journée.

Perlmann s'efforça d'avaler son fromage de brebis et sentit son estomac se nouer. *Il n'aura pas le texte avant vendredi. Ensuite il lui restera une semaine. Cela pourrait suffire. Mais qu'en sera-t-il s'il ne le reçoit que lundi, voire mardi ?*

– Au fait, combien de temps ma lettre avait-elle mis avant d'arriver ? demanda-t-il.

Leskov ne comprit pas tout de suite.

– Ah oui, dit-il enfin, tu penses à la Lufthansa qui pourrait éventuellement poster mon texte. Je ne sais plus exactement ; environ une semaine, je crois – il planta sa fourchette dans sa salade d'un air absent. Tu fais bien de poser la question. Cela signifie en effet que le texte peut être encore en chemin, si je ne le trouve pas chez moi demain soir. Il peut facilement s'écouler un ou deux jours avant qu'ils ne parviennent à déchiffrer l'adresse en russe. Il ne faut donc pas que je désespère aussitôt. D'autant que le courrier arrive rarement le lundi. Par contre, s'il n'y a toujours rien d'ici à mercredi ou jeudi… Ah, mais que dis-je ! continua-t-il dans un sourire forcé avant d'avaler une pleine fourchette, le texte se trouve sur mon bureau au milieu du désordre, je revois les feuilles jaunes juste devant moi.

Depuis l'avant-veille, il n'était plus possible de visiter le port. Les visites reprendraient début mars. À trois reprises, Leskov lut à mi-voix le texte en anglais de l'affiche. Soudain son enthousiasme pour les environs et la lumière méridionale s'effondra, tout son optimisme avait disparu.

— J'ai moi-même anéanti mon seul espoir d'obtenir un poste sûr et de trouver un peu de quiétude, dit-il lorsqu'ils longèrent en taxi l'extrémité supérieure de la ville pour, comme Perlmann l'avait suggéré, profiter au moins de ce beau panorama.

Puis, une fois installés à une terrasse d'où ils avaient une vue fantastique, Leskov évoqua les rapports de force, les complots tramés à l'institut, sa position instable. Non pas que les autres ne lui aient accordé aucune considération. En fait c'était même le contraire : ils redoutaient son caractère indépendant qu'ils lui enviaient. De plus, le temps qu'il avait passé en prison, dit-il avec un sarcasme amer, lui conférait une sorte d'autorité morale qu'il n'appréciait pas du tout, car elle créait autour de lui une aura de respect forcé et craintif, si bien que certaines conversations s'interrompaient régulièrement lorsqu'il arrivait quelque part.

Et récemment, cette place s'était libérée.

– Je suis le candidat logique. Mais tu peux t'imaginer que, pour toutes ces raisons, ils ne veulent pas de moi.

Il y avait un argument : il n'avait que peu publié. Leskov posa une jambe sur le rebord de la balustrade, entoura son genou de ses deux mains et regarda la mer en contrebas, où la lumière avait déjà un peu perdu de son ardeur. Un tressaillement parcourut son visage.

– On te colle en prison, et ensuite on te reproche d'avoir trop peu publié. Tu vois, c'est pourquoi le texte est si important. Aurait été si important. Leur argument en aurait été fragilisé. *Si seulement vous aviez ne serait-ce qu'un texte récent assez long !* On me l'a souvent répété. Et voici que mon texte se trouve dans je ne sais quelle décharge. Fichu. Si j'avais pu en faire au moins une copie ! Mais après tout le temps passé à attendre à l'agence de voyages, puis au service des télégraphes, c'était trop tard : chez nous, faire des photocopies est encore horriblement compliqué.

Perlmann se détourna, son pied toucha alors l'attaché-case. Il se couvrit le visage de la main. *Je n'ai qu'à le sortir. Mais non, c'est impossible. Il n'y a pas la moindre explication plausible. Il finirait par découvrir la vérité un jour. Forcément.*

Leskov effleura son bras.

– Allons marcher un peu. Et maintenant, cessons de parler de moi !

La mer avait une couleur cuivrée sur le trajet du retour tandis qu'ils se tenaient l'un à côté de l'autre près de la rambarde. Pendant un moment ils n'avaient pas parlé, et Perlmann avait l'impression que chaque nouveau moment de silence, comme l'autre jour dans le tunnel, laissait place à une intimité non voulue. Leskov ne tarderait pas à parler d'Agnès.

– À la fin de la séance, dit Perlmann lorsque Leskov se tourna vers lui, tu as lancé une affirmation surprenante : d'après toi il n'existerait aucune histoire vraie qui relate notre vécu.

Leskov ricana.

– L'affirmation qui a coûté un crayon à papier à Achim.

– Et ensuite tu as ajouté deux mots, en russe, que je n'ai pas compris. C'était quoi déjà ?

– Ainsi donc, il y a bien quelqu'un qui l'aura remarqué, dit Leskov en riant. Moi qui pensais que tout le monde l'avait juste pris pour un charabia incompréhensible. Mais toi, bien sûr, ça ne t'a pas échappé.

Perlmann se fit l'impression d'être un élève modèle qu'on présenterait devant une classe.

– *Klim Sanguine*, c'étaient les deux mots en question. C'est ainsi que se nomme le personnage principal dans le dernier roman de Maxime Gorki, un ouvrage de plus de deux mille pages en quatre tomes et qui s'intitule : *Jizn' Klima Samguina. La Vie de Klim Sanguine.* Avec ce personnage, Gorki construit une perspective narrative qui lui permet de dépeindre plus de quarante années d'histoire de la Russie. Et l'un de ses motifs fondamentaux, c'est que Sanguine entretient une relation réfléchie – on pourrait aussi dire brisée – avec le réel, dans laquelle ne cessent de s'immiscer des remises en question radicales des récits des autres, mais aussi de ses propres perceptions. Ainsi, Gorki fait-il découvrir à Klim, encore enfant, que l'invention de certaines choses fait partie intégrante de la vie, que c'est quelque chose dont on ne peut se passer pour exister. Il y a là des phrases magnifiques comme par exemple... voyons... oui : *I vsegda noujno chto-niboud' vydoumyvat', inatche nikto iz vzroslykh ne boudet zametchat' tebia i boudech' jit' tak, kak boudto tebia net ili kak boudto ty ne Klim.* Tu as compris ?

Perlmann secoua la tête.

– Attends, dit Leskov.

Il ferma les yeux et répéta la phrase russe en murmurant.

— En allemand, cela donnerait quelque chose comme : *On doit sans cesse inventer quelque chose, sans quoi les adultes ne prêtent pas attention à toi, et tu vis alors comme si tu n'étais pas du tout là ou comme si tu n'étais pas Klim.* Ou une autre phrase...

Leskov bougea les lèvres silencieusement en récitant la citation dans sa tête.

— Quelque chose comme ça : *Klim ne se rappelait pas le moment où il avait en fait remarqué qu'on l'inventait et qu'il avait lui aussi commencé à s'inventer.* Gorki emploie toujours le même mot : *vydumyvat'* ; c'est-à-dire *inventer, créer.* Et dans l'intertitre de mon nouveau texte que j'ai cité pendant la séance, je reprends ce mot dans cette acception singulière que lui attribue Gorki.

Perlmann revit devant lui la feuille couverte de saleté brune qu'il avait posée sur la carte routière, celle-là même qui dépassait maintenant de la veste de Leskov.

— Un soupçon de plagiat, dit Leskov en souriant, mais vraiment un tout petit soupçon.

Perlmann écarta de la rambarde sa main qui tenait sa cigarette : non, extérieurement elle ne tremblait pas ; le tremblement n'était qu'une sensation. Il inspira profondément la fumée et, dans la brûlure qui parcourut ses poumons, il souhaita puiser la force qui lui permettrait d'effacer d'un coup ce mot, le plus effroyable d'entre tous, PLAGIAT, de la tête de tous les hommes afin de ne jamais, plus jamais, devoir l'entendre encore une fois. Pour ce faire, pensa-t-il, il serait prêt à signer absolument n'importe quel pacte avec le diable.

— Le thème lié à ce mot, poursuivit Leskov, prend alors chez Gorki une forme particulièrement dramatique, dans la mesure où il se retrouve lié à l'idée d'un traumatisme – il vit Perlmann détourner son visage. Je t'ennuie ?

Perlmann lui jeta un bref regard et secoua la tête.

– Un jour en effet, Klim Sanguine voit un garçon qu'il déteste passer à travers la glace alors qu'il fait du patin sur une rivière gelée avec son amie ; ils disparaissent tous les deux dans le trou, la fille s'accroche à lui et le tire vers le fond. Klim Sanguine voit les mains *rouges* du garçon qui se cramponnent au bord de la glace, ainsi que ses cheveux brillants et son visage ensanglanté qui remonte parfois à la surface de l'eau noire et crie à l'aide. Klim, qui est allongé sur la glace, lui jette le bout de sa ceinture. Mais lorsqu'il sent qu'il est de plus en plus attiré vers l'eau, il lâche la ceinture et s'écarte en rampant de ces mains rouges qui, en brisant peu à peu la glace, se rapprochent de lui. Et tout à coup, il ne reste plus que le bonnet du garçon qui flotte à la surface de l'eau.

Leskov marqua une pause et chercha le regard de Perlmann. Les mains rouges qui revenaient sans cesse : ne trouvait-il pas, lui aussi, que c'était une image qui pouvait hanter quelqu'un ?

Perlmann hocha la tête. Par chance, l'obscurité tombait maintenant rapidement.

– Gorki n'emploie pas seulement le mot *rouge* pour décrire les mains. Il a recours à une expression plus forte, plus pénétrante. Mais je n'arrive pas à la retrouver pour le moment, dit Leskov. En tout cas à la fin de cette scène, il fait dire à quelqu'un : *Da – byl li mal'tchik, mojet maltchika-to i ne bylo ?*

Perlmann, qui comprit immédiatement, répondit à son regard interrogateur en secouant la tête.

– *Oui – y avait-il un garçon ici, peut-être n'y avait-il pas un seul garçon ici ?* C'est ainsi qu'on le traduirait, dit Leskov. Et tu vois : cette question, qui revient plus tard comme un leitmotiv, soulève le thème de l'invention.

Les lumières de Portofino étaient déjà en vue quand Leskov commença à parler de la prison. Ils l'avaient incarcéré pendant exactement trois ans. Non, pas de torture, ni de cellule d'isolement, d'abord à quatre dans une cellule, plus tard tout seul. Ne rien pouvoir lire, ce fut le pire pendant les premiers mois. Au bout de six mois, il se produisit comme un miracle, ils avaient autorisé sa mère à lui apporter le roman de Gorki. Elle en ignorait le contenu, elle était tombée dessus dans un bric-à-brac et l'avait avant tout acheté à cause de son volume. Deux mille pages pour si peu d'argent !

— Ce que tenir ces tomes entre mes mains et sentir leur poids a signifié pour moi à l'époque – c'est impossible de trouver les mots pour le décrire, dit Leskov à voix basse. Au cours du temps qui lui resta à passer en prison, il avait lu le roman quatorze fois. Il connaissait par cœur des centaines de scènes.

— Le thème de l'invention m'a tout de suite captivé. Mais cela a pris beaucoup de temps avant qu'il ne prenne la forme qu'il a maintenant dans mon texte. Chez Gorki, il s'agit d'abord de l'invention de choses et d'événements extérieurs, ou bien, lorsque Klim Sanguine parle de l'invention de sa propre personne, il fait référence à des épisodes de sa biographie. Et ce qui est un peu décevant dans le roman, c'est que Gorki balance en quelque sorte le thème au lecteur sans vraiment le développer par la suite. Alors que justement l'histoire de la glace qui se brise s'y prête à merveille. Il y a en effet un passage où Gorki dit que Klim éprouve une certaine jouissance à voir dans cette situation désespérée son ennemi qui affichait d'habitude une telle supériorité. Il pose ainsi la question de la raison de son geste : a-t-il lâché la ceinture simplement par peur, ou par haine ? Comme c'est une expérience traumatique, Klim sera obligé d'inventer aussi quelque chose sur cette histoire-là, et ce sera cette fois une création de son univers intérieur. Il se racontera son passé intérieur. Et il n'y a rien, absolument rien à quoi il puisse s'accrocher lorsqu'il se demande quelle est la vraie parmi ces différentes histoires.

Leskov ralluma sa pipe. Il se tenait à présent dos à la mer, fixant apparemment les chiffres inscrits sur la paroi extérieure du canot de sauvetage et, lorsqu'il reprit la parole, sa voix parut résonner depuis un endroit lointain.

– J'ai ensuite traversé une période étrange. Comme les semaines s'écoulaient les unes après les autres dans cette terrible, cruelle monotonie qui est bien pire que toutes les chicaneries, j'ai progressivement perdu la notion de ce qu'était mon propre passé intérieur. Après quelque temps tu oublies tout simplement comment était ta vie avant d'arriver là. Pour quelqu'un de l'extérieur, cela doit paraître fou, mais tu perds une certitude tellement évidente auparavant que tu ne savais pas qu'elle existait. C'est une perte silencieuse, insidieuse, inexorable, de ton identité intérieure. Tu te bats contre elle comme tu ne t'es jamais battu avant. Tu ne cesses de te raconter ton passé intérieur pour l'empêcher de se dérober. Mais plus tu le fais, plus le doute devient persistant : est-ce réellement vrai, ou bien me suis-je uniquement inventé ce vécu ? Et tu peux sans doute t'imaginer comment, peu à peu, le thème de Gorki a fusionné avec ma propre expérience, jusqu'à ce que le nom de Klim Sanguine devienne en moi le symbole de ce gouffre au fond duquel se perd l'identité.

Leskov quitta le bateau comme en transe et s'arrêta après quelques pas.

– Et pourtant, ce n'est pas cela qui m'a conduit à ma thèse farfelue. Celle-ci ne se construit qu'à partir du moment où l'on considère l'idée que le récit ne rend pas compte du vécu mais le crée, en un certain sens – l'idée donc que tu as vue dans mon premier texte.

Perlmann remarqua trop tard qu'il avait hoché la tête. Épouvanté, il se tourna vers Leskov. Mais ce dernier n'avait rien remarqué et continuait de parler.

– Tu sais, c'est difficile à décrire, mais formuler et défendre intérieurement ma thèse, ça m'a ensuite beaucoup aidé à supporter la durée de mon incarcération. Pourquoi, je ne le sais toujours pas exactement aujourd'hui encore. Mais je suppose que ce n'était pas tant lié au contenu de la thèse qu'au sentiment d'avoir fait une découverte excitante. Cela m'a offert une parcelle de liberté intérieure tout en me rendant invulnérable face à beaucoup de choses.

Dans l'escalier extérieur de l'hôtel, Leskov s'arrêta encore une fois.

– Lorsque je suis sorti de prison et que j'ai recouvré ma capacité de travail, j'avais perdu le courage d'assumer ma thèse la plus cruciale, et c'est pourquoi dans la première version je me contentais de dresser des observations sur le rôle créateur de la langue quant au vécu. Je n'effleurais que çà et là l'idée radicale. J'avais peur, je crois, de découvrir que j'avais temporairement perdu la raison en prison. Ce n'est qu'au cours de cet été que je me suis à nouveau rapproché intérieurement du sujet. Et quand j'ai couché le tout par écrit, ce fut un processus au cours duquel j'ai aussi fait un travail psychologique sur mon incarcération pour, j'espère, arriver à surmonter cette période. Une sorte de thérapie.

Devant les colonnes de l'entrée, Leskov enleva ses lunettes et se passa les doigts sur les yeux.

– C'est pourquoi je dois retrouver le texte quand je rentrerai chez moi. Il le faut, c'est tout. Ce n'est pas seulement à cause du poste. Ce texte – c'est une partie de mon âme.

– Avez-vous fait bon vol ? demanda signora Morelli.

– Oui, merci, dit Perlmann comme quelqu'un qu'on viendrait de réveiller.

– Elle t'a posé la question à cause du message d'hier matin, c'est ça ? demanda Leskov dans l'ascenseur.

Perlmann hocha la tête.

– Un malentendu.

En haut dans sa chambre, il se laissa tomber sur le lit. Il le fit sans poser l'attaché-case par terre – comme s'il faisait partie de lui. Lorsqu'il le lâcha finalement, il vit que la sueur de sa main avait noirci la poignée de cuir.

Il n'y avait plus lieu de réfléchir à quoi que ce fût. Maintenant ce n'était plus qu'une question de force de volonté. Tremblant, il attendit que le sentiment de culpabilité mêlé à celui de sa propre médiocrité dont il tentait de se faire des alliés triomphent de sa peur. Après seulement, le temps pourrait recommencer à s'écouler et le faire avancer, peu importe vers où.

À peine cinq minutes plus tard, il se releva. Lentement, il sortit l'enveloppe de l'attaché-case, ôta les agrafes et attrapa l'étui en plastique à l'intérieur. Désormais, il n'avait plus besoin de faire attention aux petites dents abîmées sur la fermeture éclair. D'un seul geste, dans lequel s'exprimait l'ampleur de son désespoir, il déchira la fermeture. L'une des dents cassées sauta et tomba entre les pages. Il s'obligea à prendre de lentes inspirations puis sortit délicatement le texte. Du dos de la main, il aplanit plusieurs fois la feuille gondolée en haut de la pile. Le trou aux bords rongés, brunâtres, qu'avait percé la branche, était plus grand que dans son souvenir.

Il se lava le visage et se recoiffa pour faire disparaître un épi ridicule. Une chemise propre. Oui, la veste aussi. L'eau chaude ne résoudrait pas le problème de ses mains froides, mais il retourna tout de même à la salle de bains. Il referma la porte de sa chambre avec autant de précaution que si quelqu'un avait dormi à l'intérieur.

Lorsqu'il tourna dans le couloir où se trouvait la chambre de Leskov, ses pas ralentirent. Deux portes avant la sienne, il fit volte-face, marcha vers l'ascenseur et s'assit dans le grand fauteuil en osier. Il n'y avait plus lieu de réfléchir. Il lui donnait le texte – et dans ce cas, il devrait tout avouer. Il ne lui donnait pas le texte – et alors Leskov n'obtiendrait pas le poste à cause de lui. Tout était très clair. Transparent. Il n'y avait aucune raison de rester assis ici, dans ce fauteuil. Attendre n'apporterait à présent aucun éclaircissement.

Perlmann attendit. Il avait envie de fumer. John Smith de Carson City, Nevada, sortit de l'ascenseur en jogging et lui montra la une de son journal en secouant la tête d'un air réprobateur. Deux hommes d'affaires français, porte-documents à la main, sortirent du couloir et se dirigèrent vers l'escalier en bavardant. Une femme de chambre aux bras chargés de draps passa devant lui en traînant les pieds.

Perlmann longea de nouveau le couloir. Le tapis bleu en synthétique était exagérément épais, il eut l'impression de patauger dessus. À côté de la porte de Leskov, il s'appuya contre le mur. Puis il colla son oreille à la porte et entendit Leskov tousser. Il enroula le texte pour le cacher avec la main gauche dans son dos. Une dernière hésitation avant que son doigt plié, un doigt hideux, répugnant, n'entrât en contact avec le bois. Il toqua deux fois. Leskov sembla ne pas l'entendre. Le nez de Perlmann se mit à couler. Il fit quelques pas en arrière, coinça le rouleau de feuilles sous son bras et se moucha. Après avoir frappé de nouveau à la porte, il entendit Leskov arriver. Une brève quinte de toux, puis la porte s'ouvrit.

– Ah, Philipp, c'est toi, dit Leskov. Entre.

C'était impossible de faire ça. Impossible. Ce ne fut pas une révélation, ni une certitude ni une décision. Ce ne fut même pas un raisonnement. À vrai dire ce n'était pas non plus lié à sa volonté. Perlmann n'avait absolument rien à l'esprit ; rien dont il ait disposé. Après coup ce fut pour lui comme s'il n'avait pas du tout été là. Son corps était tout simplement incapable d'exécuter ce qui était prévu. De puissantes forces inflexibles s'opposaient à son intention. Face à ces forces, sa résolution s'évanouit comme quelque chose de ridiculement faible. Le système était en grève. Une panique blanche, parfaitement insensible, annulait tout.

— Entre donc, répéta Leskov avec un sourire cordial, mais teinté d'un léger étonnement.

— Non, non, s'entendit dire Perlmann, je voulais juste m'assurer de l'heure de ton vol demain. Afin de tenir Angelini plus précisément au courant.

— Ah bon. Attends, je vérifie en vitesse. Mais je t'en prie, entre donc pendant ce temps.

Tandis que Leskov allait chercher son billet d'avion dans son attaché-case, Perlmann resta adossé à la porte. Là où sa main entourait les pages, celles-ci étaient humides.

— À neuf heures cinq, dit Leskov — il désigna un siège. Le temps d'une cigarette ?

— Non, vraiment non. J'ai promis à Angelini de le rappeler aussitôt. Il attend.

Perlmann fit un pas de côté, tira la porte de la main droite et sortit à reculons. Leskov resta à la porte et le suivit des yeux. Perlmann recula encore de quelques pas. Puis il se retourna dans un brusque mouvement vers la gauche et tira le texte enroulé vers son buste dans un geste opposé. En quelques pas rapides, il était dans l'escalier.

Durant plusieurs minutes, il resta assis immobile sur son lit, le regard perdu dans le vide. Puis il alla chercher sa grande valise. Elle contenait, pour la plupart pêle-mêle, une enveloppe non ouverte avec le courrier de Frau Hartwig, l'invitation à Princeton, le cahier en similicuir noir, le petit volume de Robert Walser, le certificat et la médaille. Perlmann ne savait plus à quel moment il y avait jeté toutes ces choses. Il regarda fixement le petit tas en vrac : comme une cristallisation de ses échecs, de sa culpabilité, de tout ce à côté de quoi il était passé. Il ne savait pas quoi en faire. Fatigué, il posa par-dessus son pantalon déchiré et taché de sang, puis la veste sale de couleur claire. Il aurait l'air idiot, lorsqu'il se rendrait au siège d'Olivetti en blazer, avec son pantalon bien trop clair.

Dans l'autre compartiment, il tassa la Chronique. Puis il rangea dans son attaché-case les livres qu'il n'avait pas ouverts une seule fois au cours des cinq semaines. L'étui en plastique ne se refermait plus qu'à moitié. N'ayant plus la force d'y réfléchir, Perlmann remit le texte de Leskov dans l'enveloppe qu'il coinça entre ses livres. Dans la salle de bains, il prépara sa trousse de toilette et avala un somnifère entier. Il sortit du tiroir du bureau l'exemplaire imprimé de ses notes. Deux par deux, il déchira les feuilles et les jeta dans la corbeille.

Avant d'éteindre la lumière, il téléphona à Leskov et s'excusa pour le dîner. En réglant son réveil, il sentit les premiers effets du médicament dans le bout de ses doigts.

56 La valise tachée de Leskov était à côté du comptoir de l'accueil lorsque Perlmann descendit. Dans ce hall élégant au sol de marbre brillant, on aurait dit une relique échappée d'un autre temps. Il était sept heures à peine passées ; Giovanni attendait signora Morelli pour pouvoir rentrer chez lui.

– *Buona fortuna !* dit Perlmann lorsqu'il lui serra la main.

– À vous aussi ! répliqua Giovanni sans arrêter son geste. Et puis... euh... je voulais aussi vous dire : vous jouez rudement bien du piano. La grande classe !

– Merci, dit Perlmann en échangeant un regard gêné avec lui. Y a-t-il par hasard un match prochaine-

ment où je pourrais voir Baggio à la télévision allemande ?

— La Juventus joue bientôt contre Stuttgart. Je peux
vérifier...

— Ce n'est pas la peine, dit Perlmann, je vais m'en
souvenir. Quel est son prénom au fait ?

— Roberto.

Devant la porte de la salle à manger, Perlmann se
retourna encore une fois et leva la main : *Ciao*.

Giovanni répéta le mot en retour, de façon plus
légère sembla-t-il et plus assurée que mercredi soir.
Presque aussi naturellement qu'entre deux vieux amis.

Leskov avait posé son attaché-case à côté de lui sur
une chaise. Perlmann eut un sursaut en l'apercevant, et
aussitôt son regard chercha le petit bout d'élastique
coincé dans la fermeture éclair de la poche extérieure.
Il avait disparu.

— Plutôt miteux, comparé au tien, pas vrai ? dit
Leskov en voyant Perlmann les yeux rivés sur son
attaché-case.

Perlmann esquissa un vague geste de la main avant
de prendre la cafetière.

— Si j'ai bien compris l'autre soir, tu vas aussi t'entretenir de la publication avec Angelini ? dit Leskov
d'une voix hésitante tandis qu'il pliait sa serviette.

Perlmann hocha la tête. Il l'avait vu venir. *Mais dans
un peu plus d'une heure, c'est terminé. Définitivement.*

— Je te demande ça à cause de la traduction de mon
texte... tu crois... ?

— J'en parlerai avec lui, dit Perlmann en tirant la
chaise. Je te ferai savoir ce qu'il en est.

Signora Morelli était en train d'ôter son manteau.
Perlmann aurait bien voulu être seul pour lui dire au
revoir. La présence de Leskov le dérangeait ; lorsqu'il
l'entendit se confondre en remerciements, il disparut
aux toilettes.

Mais à son retour, Leskov se tenait toujours auprès d'elle. Elle portait aujourd'hui un foulard noir orné d'une fine bordure blanche qui accentuait la pâleur de son visage encore tout endormi.

Perlmann lui tendit la main ; par chance, Leskov se pencha au même moment vers sa valise.

– Merci, dit-il simplement, et bonne continuation.

– À vous aussi, répondit-elle – puis elle posa un instant son autre main sur la sienne. Reposez-vous. Vous avez l'air exténué.

Leskov fit signe au chauffeur du taxi et descendit lourdement l'escalier. Perlmann porta les bagages puis retourna dans le hall. Il regarda signora Morelli sans savoir ce qu'il voulait lui dire.

– Vous faut-il autre chose ?

– Non, non. Je… euh… je voulais juste vous dire : je suis heureux que vous ayez été là pendant ces semaines.

Et puis, tandis qu'elle posait la main d'un air embarrassé sur son foulard, il s'empressa d'ajouter :

– En avez-vous fini avec les impôts ?

– Oui, répondit-elle en riant. Dieu merci.

– Bon, eh bien…

– Oui. Bon voyage.

Perlmann fut soulagé de voir que Leskov s'était assis à côté du conducteur. Il prit place derrière lui en s'enfonçant dans le siège puis ferma les yeux. Les effets du somnifère rendaient ses paupières lourdes. Contrairement à son habitude, lorsque le taxi prit le virage, il ne se retourna pas pour regarder l'hôtel. Dans sa tête il revit tous les détails, et remonta même une dernière fois les marches de la véranda Marconi. C'était terminé. *Terminé.*

– En vue d'une publication, je pourrais rédiger une version plus courte, lança Leskov. Qu'en dis-tu ?

Il essaya plusieurs fois de se retourner en soufflant mais, n'y parvenant pas, il dirigea son regard vers la vitre derrière le dossier du conducteur.

Perlmann enfonça ses poings dans le siège et répondit qu'il devait tout d'abord bien réfléchir à cette histoire de publication.

Après une longue pause durant laquelle il glissa dans un demi-sommeil, le dossier du siège passager avant cogna contre ses genoux. Leskov avait détaché sa ceinture de sécurité et, se tournant sur sa droite, il essayait, toujours en vain, de faire face à Perlmann.

– J'ose à peine t'en parler mais…, dit-il de son ton plein de soumission, ne voudrais-tu pas traduire toi-même mon texte ?

Perlmann resta figé ; par chance, leur voiture effectua brusquement un dépassement qui arracha un juron au chauffeur.

– Je me disais juste : puisque tu connais si bien mes réflexions et que tu les as accueillies avec tant d'intérêt…, ajouta Leskov d'un air hésitant, presque coupable, comme il ne recevait aucune réponse.

Alors seulement, Perlmann réussit à sortir de sa torpeur.

– Le temps sera insuffisant, s'entendit-il dire d'une voix creuse. Maintenant que le semestre commence…

– Je sais, s'empressa de dire Leskov, et puis tu veux sûrement continuer à travailler sur ton livre. Je voulais d'ailleurs te demander si je pouvais lire ce qui est déjà terminé. Tu peux t'imaginer comme je brûle de le découvrir.

Perlmann eut le sentiment qu'un poids de plusieurs tonnes accroché à sa poitrine l'empêchait de respirer.

– Plus tard, dit-il finalement, bien après que Leskov eut rattaché sa ceinture.

– L'homme à la casquette est encore de service aujourd'hui, déclara Leskov en riant au moment où le taxi passait à côté de la cabine à l'entrée de l'aéroport.

Celui-là, je ne suis pas près de l'oublier. Une tête de mule pareille !

Lorsqu'ils firent la queue devant le comptoir d'enregistrement, Leskov dit soudain qu'il espérait que son avion ne serait pas aussi plein qu'à l'aller : à cause de son attaché-case, il n'avait pas su où poser ses pieds. L'hôtesse de l'air avait fini par venir à son secours en calant la mallette quelque part à l'arrière.

— Au moins cette fois, je suis sûr de ne pas oublier le texte en route, déclara-t-il avec un sourire en coin. Croise les doigts pour que je le retrouve dans... voyons... dans une quinzaine d'heures, quand j'arriverai chez moi.

Ils se dirigèrent lentement vers le poste de contrôle des passeports. *Plus que deux, trois minutes.*

Leskov posa l'attaché-case à ses pieds.

— Quand tu vas rentrer chez toi, ton appartement risque encore de te paraître vide. Non ?

L'espace d'un bref instant, Perlmann ressentit la même rage que la dernière fois, dans le tunnel silencieux – on aurait dit qu'elle ne lui était pas sortie de l'esprit pendant plusieurs jours, mais seulement pendant quelques minutes.

— Kirsten sera là, mentit Perlmann – puis, contre sa volonté, il finit tout de même par lui demander : Klim Sanguine, comment surmonte-t-il le traumatisme ? Ou bien n'en sort-il jamais ?

Le visage de Leskov prit l'expression d'un homme pour qui ses semblables ont d'ordinaire peu de considération et qui apprendrait soudain qu'on s'intéresse à lui, à lui personnellement.

— J'ai souvent réfléchi à cette question. Mais c'est étrange : Gorki n'y répond pas. D'un côté, le souvenir du trou dans la glace ne cesse de rejaillir ; de l'autre, on n'apprend à aucun moment de quelle façon Klim s'y confronte. Pour répondre à ta question : on ne sort jamais vraiment d'un traumatisme de cette nature. Car ce n'est pas comme s'il lui arrivait simplement quelque chose d'atroce, auquel il ne peut rien. Comme ce fut le cas pour moi, avec mon incarcération. Lui, il lâche la ceinture, c'est-à-dire qu'il fait quelque chose, qu'il accomplit une action. Et de surcroît, il y a cette haine en lui. Est-il possible qu'il se réconcilie vraiment avec lui-même, que l'issue ne se résume pas à une tentative désespérée de trouver la paix ? J'en doute. Les mains rouges ne le laisseront plus jamais en paix. Ou bien qu'en penses-tu, toi ?

Perlmann ne souffla pas mot, se contentant de hocher les épaules. Leskov fit un pas vers lui et l'embrassa. Raide comme un piquet, Perlmann attendit qu'il relâchât son étreinte.

– Je te tiendrai au courant par courrier dès que j'en saurai plus pour le texte ! cria Leskov pendant que l'employé feuilletait son passeport. Et bien sûr, je t'en envoie une copie dès qu'il est tapé !

Incapable de manifester la moindre réaction, Perlmann vit Leskov lui faire signe en brandissant son passeport avant de disparaître. La tête entièrement vide, il ne bougea pas d'un pouce. Pendant plusieurs minutes, il ne perçut rien de l'agitation qui l'entourait. Ce ne fut que lorsqu'un enfant chuta dans sa course contre la valise de Perlmann que celui-ci revint pleinement à lui. *Terminé.* Il se répéta le mot, d'abord mentalement, puis à mi-voix. Il ne produisait aucun effet. Le soulagement tant attendu manquait au rendez-vous. À pas traînants, Perlmann alla s'adosser contre un pilier. Quinze heures, après quoi Leskov traverserait des journées entières de désespoir, de fureur impuissante contre lui-même, des journées à espérer de plus en plus faiblement que la Lufthansa lui expédie un courrier. Involontairement, Perlmann rentra son menton et croisa les bras sur son torse. *Les mains rouges ne le laisseront plus jamais en paix.*

Sur la liste d'attente pour le vol Francfort-Turin dans l'après-midi, rien n'avait bougé. Il y avait toujours un homme devant lui. Perlmann alla au bar. Mais avant même qu'on lui serve son café, il posa un billet sur le comptoir et sortit sur la terrasse panoramique. Il déposa sa valise le plus loin possible de l'endroit où, une éternité auparavant, il aurait volontiers abandonné son attaché-case s'il n'y avait pas eu la jeune fille en baskets. Les pilotes étaient déjà dans le cockpit, et à présent, deux femmes de ménage quittaient l'avion, de grands sacs-poubelle à la main. *Sais-tu ce que je redoute le plus ? Le service de nettoyage.*

Leskov fut l'un des premiers à quitter le bus qui avait effectué une large courbe avant d'arriver près de l'appareil. À pas lourds, il monta l'escalier d'accès et à un moment il sembla se prendre les pieds dans un pan de son manteau en loden. Arrivé en haut, il parut vouloir se retourner, mais les autres derrière le poussèrent vers l'intérieur.

Perlmann voulait partir. Il resta immobile. Derrière quel hublot Leskov pouvait-il être assis ? L'appareil se mit en marche avec une lenteur exaspérante au cours de laquelle le temps sembla s'étirer jusqu'à pouvoir se déchirer. Après son premier virage, l'avion s'immobilisa comme s'il ne pouvait plus bouger, silencieux dans la lumière pâle du matin qui filtrait à travers un léger voile de nuages. Rien d'autre d'ailleurs ne bougeait sur la piste déserte. Perlmann retint son souffle et sentit le battement dans ses veines. Il eut l'impression que ce silence et cette immobilité avaient été mis en scène pour lui, sans qu'il ait pu dire pourquoi et quel en était le message. Pendant plusieurs minutes, le monde entier lui parut figé dans une attente incompréhensible. Pour finir ce furent les rugissements des réacteurs qui relancèrent la machine du temps. Sans savoir pourquoi, prisonnier d'une tension aveugle, Perlmann se concentra sur l'instant précis où les roues quitteraient la piste.

Puis, lorsque dans une courbe nonchalante l'appareil décolla vers le large, Perlmann s'imagina ce que Leskov voyait au même moment. *C'est comme ça que je m'imaginais la Riviera, exactement comme ça,* l'entendit-il dire. Il ne se pencha vers ses bagages qu'une fois que le voile de nuages eut avalé le dernier scintillement des ailes de l'avion.

Il fit enregistrer sa valise et obtint sa carte d'embarquement pour le vol de onze heures à destination de Francfort. Au bar, il songea qu'il lui faudrait attendre cinq heures à l'aéroport de Francfort sans savoir s'il aurait une place sur le vol pour Turin. Sinon, il pourrait toujours se rendre à Ivrée en voiture. D'ici au lendemain dix heures, c'était faisable. Certes, cela signifiait qu'il ne serait pas à l'université avant mercredi. Mais la perspective de sa nouvelle activité, dans le bureau lumineux, le rendait invulnérable face aux regards réprobateurs.

Dans un coin du hall, il s'assit et déballa les livres. Il les prit chacun dans sa main et les examina avec une minutie étonnée, comme s'ils étaient des témoignages d'une très lointaine civilisation étrangère. C'est seulement maintenant qu'il lut la plupart des titres avec attention. Il parcourut les tables des matières et bien que tous ces thèmes lui fussent familiers, il fut surpris de voir leur abondance. Prenant des pages au hasard, il se mit à lire. C'étaient des ouvrages spécialisés flambant neufs, vantés comme des travaux révolutionnaires sur la quatrième de couverture, mais il eut comme toujours le sentiment de lire la même chose. Le dos des livres craquait lorsqu'il lisait un autre passage au hasard. Des pages en papier glacé, avec les illustrations et les tableaux, se dégageait une forte odeur d'encre d'imprimerie encore fraîche.

Finalement il remballa tout, à l'exception du texte de Leskov. Non, les initiales gravées sur son attaché-case ne pouvaient pas le trahir. Soudain les traces de sueur sur la poignée lui inspirèrent du dégoût. Sur le chemin des toilettes, il porta l'attaché-case dans ses bras tel un colis informe. Il le cacha derrière la poubelle sous le lavabo puis se hâta d'aller au contrôle de sécurité où l'on inspecta avec méfiance l'enveloppe contenant le texte de Leskov.

Sven Berghoff était assis dos à lui lorsqu'il pénétra dans la salle d'attente. Perlmann le reconnut aussitôt à sa chevelure rousse en bataille, au col remonté de sa veste et à son long fume-cigarette d'ivoire qui dépassait du coin de sa bouche. Il avait été le seul à faire des difficultés quand Perlmann avait demandé sa mise en disponibilité. Il avait pris sa revanche sur l'incident qui avait amené Perlmann, dont les amphithéâtres étaient toujours bondés, à faire irruption, pour chercher de la craie, dans son cours auquel n'assistaient que six malheureux étudiants. Berghoff était devenu écarlate, affirmant ne pas avoir de craie alors qu'à côté de l'éponge s'en trouvait tout un tas et, bien que Perlmann, ne voulant pas le ridiculiser, fût reparti sans craie, Berghoff l'ignorait depuis.

À sa vue, Perlmann céda à une peur panique. D'un seul coup, il n'y avait plus de Leskov ni de texte à envoyer. Il n'y avait plus que le sombre couloir de l'institut, des amphithéâtres et des salles de cours, des visages d'étudiants attentifs, des remarques ergoteuses et mielleuses dans la bouche des collègues. Perlmann fit volte-face, enjamba une barrière et sortit en courant, le texte de Leskov serré contre lui, pour héler un taxi qui le conduisit à la gare. Il ne retrouva son calme qu'une fois que le train pour Ivrée s'ébranla.

57 Il faisait froid lorsqu'il arriva sur la place de la gare d'Ivrée. Un vent glacé lui envoyait dans les yeux du sable provenant d'une zone de travaux abandonnée. Bien qu'il ne fût même pas quatre heures de l'après-midi, de nombreuses voitures roulaient déjà phares allumés. Apparemment, il n'y avait aucune station de taxis. Le texte abrité sous son manteau, il marcha vers le centre-ville.

À l'hôtel, on lui demanda avec étonnement s'il n'avait pas du tout de bagage. La chambre qu'il avait réservée, dont le prix s'avéra plus élevé que convenu, lui parut miteuse comparée au luxe de l'hôtel *Miramare*. Après s'être douché, Perlmann se rhabilla et se posta à la fenêtre. Les sommets de la vallée d'Aoste étaient enneigés. La lumière déclinait à l'ouest, froide et hostile.

L'accueil était équipé de coffres-forts, mais ils étaient trop petits pour le texte de Leskov. On lui proposa de conserver l'enveloppe ailleurs. « Il ne lui arrivera rien », dit en souriant l'homme derrière le comptoir lorsqu'il vit Perlmann se retourner une dernière fois à la porte.

Pour aller au siège d'Olivetti, il fallait suivre une longue route droite qui conduisait hors de la ville. L'imposant bâtiment était sombre et les vitres noires de la façade dessinant un angle largement ouvert avaient quelque chose de menaçant. Sur l'immense parking une seule voiture était garée. Perlmann fit le tour du complexe en forme d'étoile en essayant d'apercevoir l'intérieur. Derrière une porte latérale, un gardien en uniforme était assis à un pupitre faiblement éclairé. Lorsqu'il aperçut Perlmann, il se redressa et éclaira l'extérieur avec une lampe-torche. Perlmann fit demi-tour et retourna à l'hôtel. Tout le long du chemin, le toast qu'il avait mangé dans le train lui donna des renvois.

À peine s'était-il allongé sous une couverture trouvée dans l'armoire qu'il s'endormit d'un sommeil lourd dans lequel il revit le prêtre au visage anguleux, cupide, qui avait passé le trajet assis en face de lui et l'avait toisé d'un air réprobateur chaque fois qu'il s'allumait une cigarette.

Il était vingt-trois heures trente lorsqu'il se réveilla les membres raides. À huit heures et demie, Leskov avait dit qu'il lui restait quinze heures. En ce moment même, tandis qu'il devait être une heure et demie chez lui, Leskov rentrait dans son appartement à Saint-Pétersbourg. Il se précipitait à son bureau et fouillait dans son désordre : rien. Il cherchait à tous les endroits possibles et impossibles, sans même avoir pris le temps d'ôter son loden. Finalement il abandonnait, se calmait et regardait dans le vide. Peu à peu, l'espoir naîtrait : le texte arriverait par la poste, peut-être dès demain, en tout cas sûrement mardi. Au plus tard mercredi. Chaque jour, il irait à l'institut à l'heure du courrier, pour l'intercepter personnellement. Et chaque jour il vivrait la même déception.

Perlmann descendit à l'accueil et pria le portier de nuit grincheux d'aller lui chercher l'enveloppe avec le texte de Leskov. Il la posa à côté de l'oreiller et se glissa dans le lit en ajoutant son manteau par-dessus les couvertures.

À présent, se dit-il, Kirsten était en train d'appeler à Francfort pour demander s'il était bien rentré à la maison. Heureusement, pensa-t-il, il n'était pas obligé de lui parler désormais. Il pensa à Giovanni assis devant la télévision. Et à signora Morelli. Il ne savait même pas dans quelle rue elle habitait. Il se revit en compagnie d'Evelyn Mistral, debout dans le wagon, et sentit ses mains sur sa nuque. Elle n'avait pas prononcé une seule phrase au sujet des notes qu'il avait écrites. Peut-être était-ce la raison pour laquelle ses pensées ne s'attardaient pas sur elle. À présent, il ne cessait de revoir Brian Millar se retourner encore une fois pour lever la main avant de monter dans le taxi. *On ne m'avait encore jamais dit cela. Nous aurions dû bien plus tôt...* Perlmann enfouit sa tête dans l'oreiller.

Même la lumière matinale était tout à fait différente de celle sur la côte, plus crue et plus insignifiante, sans magie ni promesse. Perlmann se doucha longuement puis se lava les dents avec un coin humide de sa serviette. Sa barbe naissante lui rappela le matin de son malaise. Avant d'aller prendre le petit déjeuner, il s'assura que le texte de Leskov était encore dans l'enveloppe.

Lorsqu'il s'assit au bord du lit le combiné du téléphone à la main, il lui fut impossible de se souvenir du numéro du bureau de Frau Hartwig. Une faiblesse étrange, comme celle de la fièvre qui monte, l'empêchait de se concentrer. Ce furent finalement ses doigts qui, pianotant machinalement le numéro, vinrent le secourir.

— Vous avez cette séance importante aujourd'hui, à quatre heures, dit Frau Hartwig. Je tenais juste à vous le rappeler.

C'était comme si l'agacement survenu à la fin de leur dernière conversation perdurait — un agacement tel qu'il n'en avait jamais éprouvé au cours de ces sept dernières années.

Perlmann écarta le combiné et expira avec une lenteur contrôlée.

— Comme je vous l'avais dit, répliqua-t-il alors calmement, je serai demain matin dans mon bureau. Vers dix heures probablement. Et vous vous chargez de l'afficher comme prévu.

Il redonna le texte de Leskov à l'accueil pour qu'ils le conservent. Oui, il en avait eu besoin pendant la nuit, répondit-il à la question étonnée. Dehors les véhicules des gens qui partaient à leur travail commençaient à envahir les rues. Bientôt, il se joindrait lui aussi à cette affluence pour se rendre au travail le matin. Ou bien il prendrait le bus bondé en lisant le journal.

À midi dans un bar, un sandwich, puis un café. Au bar il verrait chaque jour les mêmes personnes, et des connaissances se noueraient, de celles qui sont si délicieusement légères, flottantes. Le soir, il rentrerait chez lui, dans un appartement simple et probablement bruyant. Il mettrait du temps à s'habituer au vacarme, aux cris d'enfants, dans l'immeuble sonore. Mais en contre-partie, il serait libre et pourrait comme les autres s'accouder à sa fenêtre le soir, ou s'asseoir devant la télévision. Pour les livres – il s'accorderait le temps qu'il faut. Et quand il en prendrait un, ce serait toujours un ouvrage en italien, de la littérature. Au bout de quelque temps, il se lancerait peut-être dans la traduction d'un roman. Quand il ne serait pas trop fatigué, le soir, après le travail. Car désormais, pour la première fois de sa vie, ses journées de travail s'arrêteraient le soir venu. Il aurait un vrai métier. Avec un travail honnête. Et un présent.

Devant un magasin qui vendait des articles de toilette, il s'arrêta et attendit qu'il ouvre à neuf heures. Kirsten. Il l'imagina entrant dans son appartement encore mal aménagé, après avoir traversé un couloir miteux aux murs humides. Elle serait bien un peu gênée, pensa-t-il, mais aussi impressionnée, et elle finirait par dire qu'elle trouvait ça génial d'avoir un père qui faisait des choses si peu banales.

Il acheta les articles de toilette indispensables. Puis il retourna à l'hôtel pour se raser et se laver les dents. Les mêmes sous-vêtements depuis une semaine. Il prit la cravate dans sa poche de blazer et la noua autour de son cou. Le col de sa chemise n'était plus propre, et la tache de sang sur le revers du blazer ne passait pas inaperçue.

Plus il se rapprochait du bâtiment d'Olivetti, plus son optimisme s'amenuisait. Depuis qu'il s'était rasé, le vent sur ses joues lui semblait mordant, et cette sensation se mua en une impression générale de vulnérabilité. Que voulait-il dire à Angelini en fin de compte ? Comment était-il censé formuler sa question, en donner les raisons, sans que le tout prenne l'allure d'une lubie romantique, d'un fantasme qu'il nourrirait comme un jeune de vingt ans désireux de tout plaquer ? Et comment éviter qu'on n'établisse un lien avec son malaise ? Il fallait, pensa Perlmann, qu'il s'exprime avec légèreté, sans dramatiser les choses, presque en plaisantant. Mais sans avoir l'air de faire un caprice. Derrière ses paroles légères, on devait néanmoins sentir le projet mûri, clarifié.

Le parking était presque plein et des gens continuaient d'affluer vers l'immense bâtiment. Perlmann dénombra sept étages. Les vitres de la façade principale avaient un éclat cuivré. Derrière elles, il n'y avait que des hommes en costume, installés dans de grands bureaux éclairés de néons. De l'extérieur, on avait une vue magnifique sur les montagnes. Quand le soleil brillait, ces pièces devaient être inondées de lumière de midi au soir.

Dix heures moins le quart. La porte derrière laquelle s'était trouvé le gardien la veille servait de sortie aux employés. Pour ce faire, ils glissaient une carte dans une borne automatique. *Une pointeuse électronique.* Perlmann tressaillit. Peut-être n'était-ce qu'un dispositif de sécurité comme un autre. D'un autre côté : n'importe qui pouvait circuler sans entrave par l'entrée principale. Il en saurait plus. Lui aussi, il obtiendrait une carte.

Déjà arrivé à la porte, il regarda encore une fois de l'autre côté de la rue. Pas un seul bar à l'horizon. L'endroit où il pénétrait à présent était une sorte de ghetto en rase campagne. En contrepartie il y avait sûrement une cafétéria de première classe à l'intérieur. Ce qui avait aussi ses avantages.

Le bureau d'Angelini se trouvait au quatrième étage d'une aile latérale du bâtiment, et il était précédé d'une antichambre elle-même dotée de deux portes. La secrétaire dégagea de son front ses longs cheveux blonds en regardant l'agenda.

– Votre nom n'y figure pas, dit-elle à Perlmann en le fixant avec une froide expression de regret sur son visage parsemé de taches de rousseur.

– Le rendez-vous est plutôt privé, lui répondit Perlmann en essayant de ne pas se laisser intimider par son nez pointu et ses lèvres fines.

Elle regarda son pantalon clair, et ses yeux restèrent aussi un moment rivés sur le revers de son blazer. Puis elle désigna un siège en haussant les épaules et se retourna vers son écran.

Angelini fit son apparition vers dix heures et demie. Sur ses tempes, on pouvait encore distinguer des plis d'oreiller. Sans qu'il ait rien demandé, sa secrétaire lui tendit une tasse de café qu'il emporta dans son bureau. La façon qu'il eut de s'excuser pour son retard et d'indiquer un fauteuil à Perlmann près de son bureau était si machinale que cela frôlait la caricature. Il feuilleta une pile de lettres du bout des doigts, revint en arrière et attrapa une enveloppe qu'il ouvrit avec un coupe-papier ciselé. Pendant qu'il parcourait le texte en plissant le front, il avala quelques gorgées de café. « Juste une seconde », dit-il, puis il disparut dans l'antichambre.

La seule chose dans la pièce qui plaisait à Perlmann était les reproductions de Mirò et de Matisse. Cependant elles étaient, elles aussi, accrochées au-dessus de meubles d'une élégance conventionnelle, comme si c'était l'agencement de mise. Le siège de bureau en cuir rouge bordeaux était trop tape-à-l'œil et n'allait pas avec le bureau noir ; mais c'était le seul élément qui personnalisait un tant soit peu la pièce. La vue depuis la fenêtre n'avait aucun intérêt. On apercevait un versant couvert d'arbres et de buissons sur lesquels il ne restait plus que quelques feuilles colorées.

Ce n'était qu'en se plaçant tout à fait à gauche que l'on pouvait vaguement distinguer les montagnes.

Angelini s'excusa une fois de plus en s'enfonçant dans son siège, puis il alluma une cigarette. Son visage était maintenant décrispé et affichait une affabilité curieuse.

– Que puis-je faire pour vous ?

Perlmann baissa les yeux vers les jambes croisées d'Angelini sous la table ; ses pieds se balançaient juste au-dessus du sol, et ce fut alors que Perlmann aperçut un trou dans sa chaussette droite. D'un seul coup il se sentit sûr de lui, et son envie de rire péniblement réprimée donna à sa voix l'insouciance dont il avait besoin.

– Je voulais vous demander si votre entreprise avait par hasard un job pour moi. Comme traducteur par exemple. Quelque chose dans le genre.

C'était la dernière chose à laquelle s'était attendu Angelini. Ses pieds cessèrent de se balancer. Sans regarder Perlmann, il saisit sa tasse de café et la vida à lentes gorgées. Il avait besoin de temps. Pour la troisième fois, il passa sa cigarette sur le bord du cendrier. Puis il leva les yeux.

– Vous voulez dire que… ?

– Oui, dit Perlmann, j'abandonne ma chaire de professeur.

Angelini éteignit sa cigarette. Son visage donnait maintenant l'impression qu'il ne savait pas quelle mine adopter.

– Puis-je vous demander pourquoi ? Y a-t-il un rapport avec…

– Non, pas le moins du monde, dit Perlmann rapidement, cela fait longtemps que j'y pense. J'aimerais tout simplement commencer quelque chose de nouveau. Dans un nouveau pays.

Angelini prit une cigarette et marcha vers la fenêtre. Lorsqu'il se retourna vers Perlmann, son visage affichait une admiration ébahie. C'était l'expression la plus personnelle que Perlmann lui ait connue jusqu'à présent.

– Vous savez, dit-il lentement, ça me coupe le sifflet. Un scientifique de votre envergure, avec un tel prestige. Je n'ai encore jamais entendu une chose pareille. Je trouve cela renversant. Grandiose.

Perlmann sentit son estomac se tordre. *Les mains rouges ne le laisseront plus jamais en paix.*

Angelini s'assit au bureau et joua avec un stylo-bille.

– Nous avons eu ce problème avec un de nos traducteurs, dit-il. Je vous l'ai mentionné au téléphone, je crois.

Perlmann hocha la tête.

– Ils m'ont reproché de ne pas l'avoir suffisamment bien testé – il hésita et jeta un regard gêné à Perlmann. Et la prochaine fois, ils insistent pour qu'il y ait une période d'essai.

Perlmann fut saisi d'effroi. Il n'avait pas pensé à cela.

– Naturellement, dit-il.

Angelini dessina un motif au stylo-bille sur le sous-main.

– D'un autre côté : un homme avec des qualifications telles que les vôtres… – il alla vers la porte. J'en ai pour un instant. Je veux me renseigner tout de suite sur l'autorisation de travail.

La secrétaire apporta du café à Perlmann. D'un seul coup maintenant, tout allait bien trop vite pour lui. *Période d'essai.* Il se sentit nerveux comme avant un examen. Au cours de la conversation avec Angelini, il n'avait à sa connaissance pas fait une seule faute d'italien. Mais il n'avait pas dit grand-chose, et rien de compliqué. Les erreurs surviendraient pourtant irrémédiablement. De minute en minute, sans que rien se passe, il se sentit de plus en plus balourd, lent et obtus. Après tout, il n'avait aucun réel talent, il n'en allait pas autrement pour les langues que pour la musique. Il avait une bonne mémoire et il était travailleur. Rien de plus. Il n'était pas un Luc Sonntag.

Angelini souriait d'un air satisfait lorsqu'il revint. « La période d'essai ne durerait qu'un mois pour vous. Une pure formalité. Et quant à l'autorisation de travail, le département juridique n'y voit aucun problème. Lorsqu'il s'agit des langues, on a en fait toujours de bonnes cartes en main. » Son regard laissa entrevoir qu'il cherchait à lire quelque chose sur le visage de Perlmann.

– Et vous êtes tout à fait sûr que c'est ce que vous voulez ? Pardonnez ma question. C'est juste... c'est seulement si inhabituel.

– Je sais, dit Perlmann.

À ce moment encore, Angelini s'était attendu à davantage de réaction. Mais après une brève hésitation, il se ressaisit.

– Pourriez-vous commencer le 2 janvier ? L'entreprise va vous faire parvenir une offre dans les prochains jours. Et nous tâcherons aussi de vous aider à trouver un appartement.

Perlmann hocha la tête à chaque phrase.

– Puisque vous êtes ici, dit Angelini, je peux d'ores et déjà vous montrer votre bureau.

C'était un bureau exigu équipé de deux tables de travail face à face. La fenêtre donnait sur l'arrière, vers l'est. En contrebas on voyait une construction plate reliée au bâtiment principal par une passerelle. Derrière, sur le versant, un transformateur. Durant les mois où le soleil s'élèverait au-dessus de la colline, il devait y avoir deux à trois heures d'ensoleillement.

La femme assise à l'un des deux bureaux avait allumé la lampe.

– Voici signora Medici, dit Angelini. Notre traductrice en chef. Elle vient du Tyrol et parle cinq langues. Ou combien déjà ?

– Six, répondit la femme en tendant sa main grasse à Perlmann.

Le contraste entre son nom et son apparence était tel que Perlmann eut envie de rire aux éclats. C'était une matrone opulente en chaussettes montantes et sandales, qui portait sur son nez aplati des lunettes d'écaille aux verres épais comme des loupes.

– Nous pouvons parler en allemand, dit-elle après que Perlmann eut enchaîné les erreurs d'italien.

Cette remarque le laissa comme étourdi et, plus tard, il se souvint seulement d'avoir fixé les multiples cartes postales accrochées au mur qui ressemblait exactement à celui du bureau de Frau Hartwig.

Oui, dit-il ensuite dans le bureau d'Angelini, le travail avec le groupe avait été un franc succès. Il se manifesterait bientôt pour parler de la publication.

– Vous savez, dit Angelini au moment de prendre congé, je n'arrive toujours pas à croire que vous vouliez tout abandonner. Enfin, vous pouvez toujours y réfléchir encore un moment, maintenant que vous en savez plus. Et dites à Carla quels frais vous avez eu à débourser. Elle va vous signer un chèque. Après tout, c'était en quelque sorte un entretien d'embauche !

La secrétaire était au téléphone. Perlmann lui adressa un signe de la tête et sortit. Sur le chemin de l'hôtel, à deux reprises il bouscula quelqu'un par mégarde. L'homme à la réception qui lui remit l'enveloppe avec le texte de Leskov, désigna l'adresse.

– Saint-Pétersbourg. Ça va vraiment arriver à destination ? Je veux dire : est-ce que la poste fonctionne bien en Russie ? Avec le chaos qui règne là-bas ?

Pendant que Perlmann sommeillait dans le train pour Turin, cette question le hanta comme un écho obstiné. Tout au long du trajet, il tint si fermement l'enveloppe dans sa main qu'elle y laissa des traces de sueur. De temps à autre lui revenait l'accent tyrolien de signora Medici lorsqu'elle s'était soudain mise à parler en allemand.

Au comptoir d'enregistrement, il fit comme s'il ne parlait pas un mot d'italien. Il acheta deux journaux allemands, bien que les titres italiens l'aient davantage intéressé. L'allemand, c'était la langue qu'il maîtrisait. La seule. Se figurer autre chose relevait de l'idiotie vaniteuse.

Lorsque l'avion décolla, il regarda le terrain des usines Fiat. *Les gens de Fiat. Santini.* Il ferma les yeux. Pendant un vol, il en avait souvent fait l'expérience, on élaborait des pensées qu'on oubliait dès qu'on foulait le sol de l'aéroport, comme si elles n'avaient jamais existé. *Trouver un point à l'extérieur de soi et s'y tenir pour vivre plus librement à l'intérieur de soi.* Ce pourrait être un objectif, pensa-t-il, un idéal. Mais peut-être n'était-ce aussi qu'une chimère, l'expression de sa fatigue. Il attrapa ses deux journaux et les lut de la première à la dernière ligne. Il oublia aussitôt chacun des articles qu'il venait de lire. Ainsi n'avait-il pas besoin de réfléchir ni à ce qui avait été ni à ce qui arriverait.

Une seule fois, il interrompit sa lecture pour regarder les montagnes enneigées. *Le point de vue de l'éternité.* Si l'on observait toutes nos actions depuis ce point-là : cela ne signifierait-il pas la perte totale du présent – si totale qu'on ne le regretterait même plus ? En fin de compte, pour pouvoir vivre le présent, ne fallait-il pas nécessairement que l'avion retraverse la couverture de nuages et touche le sol ?

58 À Francfort, il pleuvait à torrents et le vent fouettait si violemment les gouttes contre l'avion que Perlmann recula involontairement derrière son hublot. Pendant tout le vol, le texte de Leskov était resté dans la pochette fixée au dos du siège devant lui. Leskov penserait que c'était dans une pochette de ce genre qu'il avait oublié son texte. En sortant, Perlmann serra l'enveloppe dans sa main droite tout en la calant sous son bras gauche.

Il avait vu juste. Au comptoir où il devait réclamer sa valise, il y avait une pile d'autocollants de la Lufthansa. Pendant que l'employé allait chercher sa valise, Perlmann en glissa trois dans sa poche. À proximité du bureau de poste, il s'assit, ouvrit l'enveloppe et appliqua l'un des autocollants sur l'étui en plastique. Les deux autres, il les utilisa pour l'extérieur de l'enveloppe, un en haut à gauche, l'autre en bas à droite. Il tendit des deux bras l'enveloppe devant lui : le résultat était bon, professionnel. L'adresse personnelle. *Une adresse qu'ici personne ne peut connaître à part moi.* Perlmann sentit que le mécanisme des réflexions lancinantes voulait se mettre en marche. Il pressa un moment ses doigts contre son front, se leva, puis alla au guichet.

Lorsque l'employé de la poste eut collé les timbres et l'étiquette d'envoi prioritaire sur l'enveloppe, Perlmann lui demanda combien de temps à son avis le courrier mettrait pour arriver. L'employé haussa les épaules.

– Trois jours, une semaine. Aucune idée.

Pourquoi mettrait-il toute une semaine, demanda Perlmann irrité. L'homme jeta l'enveloppe dans une corbeille, compta l'argent et regarda Perlmann une ou deux secondes sans dire un mot.

– Comme je viens de vous le dire : aucune idée.

Alors pourquoi me faites-vous peur ? hurla Perlmann en son for intérieur. À voix haute, il dit :

– Excusez-moi. C'est... c'est tellement déterminant, ce qu'il y a dedans. Savez-vous peut-être... je veux dire, quelle est la probabilité selon vous que ce courrier se perde en route ?

L'expression qui apparut alors sur le visage de l'employé rappela à Perlmann le pizzaïolo de Santa

Margherita à qui il avait demandé s'il pleuvrait près du tunnel.

– Chez nous rien ne se perd. Du côté de la poste russe, aucune idée.

Lentement, comme s'il fallait attendre qu'un verrou intérieur se débloque, Perlmann marcha vers la sortie. Il évita de regarder l'étalage de livres où le volume de Nikolaï Leskov lui avait sauté aux yeux voilà bientôt trois semaines. Au moment précis où il traversa la barrière infrarouge et que la porte coulissante s'ouvrit, l'idée lui traversa l'esprit : *Une copie. Il faut que je fasse une copie du texte au cas où.* Il retourna au guichet de la poste quasiment au pas de course, renversant en chemin sa valise à roulettes. Une file d'attente s'était formée entre-temps. Perlmann se mit sur la pointe des pieds : d'autres enveloppes couvraient la sienne, mais la corbeille à étiquette bleue était toujours là.

– Comme si nous n'avions rien d'autre à faire, murmura l'employé en fouillant pour retrouver l'enveloppe.

Où y avait-il une photocopieuse dans ce bâtiment ? Dehors il faisait déjà nuit lorsqu'on le laissa finalement entrer dans l'arrière-boutique d'un kiosque à journaux situé à l'autre bout de l'aéroport. Perlmann ne parvint à ouvrir en grand la fermeture éclair de l'étui en plastique qu'en tirant violemment dessus. Six dents étaient cassées, il pouvait désormais renoncer à la refermer. Après soixante-six pages, il n'y eut plus de papier dans la machine, et Perlmann dut attendre un quart d'heure avant que l'employé se libère et remette du papier. Deux photocopies tombèrent sur le sol poussiéreux. En les nettoyant avec un mouchoir, il eut le sentiment qu'il n'en finirait jamais avec le texte de Leskov, et sa respiration devint difficile. Le métal des agrafes sur l'enveloppe était devenu bien trop mou à force d'être plié. Pourvu qu'il ne cède pas en route.

En sortant, il donna à l'employé ahuri un billet de cinquante marks et refit le long chemin inverse qui le séparait de la poste. Il demanda à l'employé qui le regarda sans un mot après l'avoir reconnu s'il valait mieux envoyer le courrier en recommandé, ou bien si cela risquait de le retarder.

– Que voulez-vous à la fin ? fut la seule réaction qu'il obtint.

S'il n'est pas chez lui à ce moment-là, alors ils repartiront avec l'enveloppe.

– Sans recommandé, dit-il.

Le taxi roulait au pas au milieu du trafic urbain. Perlmann avait fermé les yeux et, tirant profit de son épuisement, il essayait de tenir à distance toute pensée. Les photocopies roulées dans ses mains commençaient à coller. *Elles ne serviront à rien du tout. Jamais je ne pourrai les lui donner sans me trahir.* Il renonça à y songer plus longtemps et eut alors l'impression que ce renoncement, le plus radical qu'il ait jamais éprouvé, englobait absolument tout ce qu'il avait. Pendant qu'un rideau de pluie se déversait sur le taxi, il vit les lignes du stylo-feutre couler et l'adresse sur l'enveloppe se brouiller jusqu'à devenir illisible. Lorsque le taxi fut arrivé et que Perlmann chercha la clé de son appartement, il ne remarqua pas que la gouttière suintait sur le texte de Leskov.

TROISIÈME PARTIE
La Nouvelle

59 Au cours de la première nuit, Perlmann eut une crise cardiaque et fut conduit à la clinique, gyrophare allumé. Le médecin de garde ne vit cependant pas la nécessité de l'hospitaliser ; tous les examens étaient normaux. Il diagnostiqua un état d'épuisement général, lui injecta un calmant et prescrivit un congé maladie jusqu'à la fin de l'année.

Perlmann passa le reste de la nuit éveillé dans un fauteuil à regarder le jardin dehors, où il commença à neiger dans la matinée. De temps à autre, il s'enveloppait encore un peu plus dans sa couverture et appréciait l'effet de la piqûre qui ralentissait tout et l'empêchait de penser.

Peu après huit heures, il informa Frau Hartwig. Sa voix était si éteinte qu'elle ne posa aucune question. Plus tard il sortit au milieu d'une épaisse bourrasque de neige et marcha lentement jusqu'à la banque où il déposa dans un coffre-fort la copie du texte de Leskov que l'eau avait gondolée et tachée de cercles marron. Il acheta le strict nécessaire, fixa la chaîne de sécurité à la porte et se mit au lit après avoir débranché le téléphone.

Il passa la plus grande partie de la journée et des deux suivantes à dormir. Quand il restait éveillé une heure ou deux, il pensait à Leskov qui attendait le passage de la poste. Chaque fois, il ne supportait pas très longtemps cette pensée, par chance l'épuisement ne tardait jamais à le replonger dans le sommeil. À quatre heures du matin le jeudi, la faim le réveilla. Il constata qu'il avait perdu huit kilos et s'obligea à se préparer un vrai repas. Après quelques bouchées il fut dégoûté et ne termina pas son assiette. Pendant la nuit, devant un vieux western dont il ne suivit pas l'intrigue, il mangea lentement la moitié d'un pain en buvant une infusion de camomille qui lui rappela l'époque de ses maladies infantiles. Depuis Turin, il n'avait plus fumé une cigarette et n'en avait toujours pas envie.

Jeudi après-midi, il resta éveillé plus longtemps. Pendant qu'il continuait à neiger dehors, il resta installé sur le divan à contempler d'un regard vide la tache de café sur le tapis du salon. On aurait dit qu'il s'était désarticulé sans un bruit, ni sans vraiment le remarquer, que les différents morceaux de sa personne étaient à présent éparpillés quelque part dehors, loin de lui-même, et qu'il s'agissait de tirer sur des fils invisibles à partir d'un point central imaginaire pour récupérer ces morceaux dispersés et les rassembler soigneusement, jusqu'à ce que son être intérieur ait retrouvé son homogénéité, son intégrité, son unité.

En allant d'une pièce à l'autre pour contempler les photographies d'Agnès, il se déplaça sciemment à pas lents, étouffés, comme un invalide. L'employé de la poste avait émis l'éventualité que le texte ne mette que trois jours à arriver. L'information avait été lancée juste comme ça, en passant. Mais il avait tout de même bien indiqué ce délai. Si tel était le cas, le texte arriverait aujourd'hui à Saint-Pétersbourg. Le porteur spécial pourrait l'apporter à Leskov ce soir. Au plus tard il le déposerait demain matin. *Ça va vraiment arriver à destination ? Avec le chaos qui règne là-bas ?*

Durant la nuit, il rêva que signora Medici habitait à Pian dei Ratti. Elle restait toute la journée accoudée à la fenêtre et l'observait s'entraîner à conduire tout droit devant l'usine d'ardoises, Leskov en moniteur d'auto-école sur le siège passager, alors qu'il devait constamment lutter contre le volant qui les déviait vers la gauche. *Parlez donc en allemand,* ne cessait de répéter la signora en criant, *ça ira mieux !*

732

Il se réveilla en nage et se prépara du café. Six langues. S'il comptait le russe, il arrivait lui aussi à ce chiffre. Il alluma une cigarette. Enveloppé dans la sensation de vertige qui l'envahit après la première bouffée, il régla ses comptes avec la signora. Il la prit en chasse avec toutes les langues qu'il connaissait, en lui tendant impitoyablement les pièges les plus perfides. Il était déjà huit heures passées et le jour était levé lorsqu'il put enfin se libérer de cette spirale compulsive nourrie de haine.

Le porteur spécial pouvait maintenant sonner chez Leskov à tout moment. Le désespoir touchait à sa fin, il pouvait tout de suite se mettre à recopier et combler les trous. Il lui restait exactement encore une semaine. Pourvu qu'il ne fût pas déjà parti attendre à l'université quand le porteur arriverait ! La plupart des boîtes aux lettres étaient trop petites pour une enveloppe de ce format, et qui sait ce qui pouvait arriver si on la déposait simplement devant la porte.

À présent, il était temps de téléphoner à Kirsten. Perlmann la tira du lit. Elle l'avait appelé tous les soirs à l'heure habituelle. Où était-il donc passé ? Il éluda la réponse, évoquant d'ennuyeux dîners professionnels. Il ne dit rien à propos de la clinique ni de son arrêt maladie. Kirsten tourna autour du pot avant de lui annoncer qu'elle ne rentrerait pas à la maison avant Noël. Il lui restait encore deux exposés à présenter, et elle voulait aussi aider Martin à déménager. Perlmann dissimula son soulagement, c'était tout à fait normal, répondit-il en maîtrisant sa voix.

L'après-midi, il défit sa valise. Le téléphone sonna au moment où il nouait le sac dans lequel il avait tassé son pantalon taché de sang et déchiré. Il le laissa brusquement tomber par terre et courut dans le couloir. *C'est peut-être lui.* Mais déjà la sonnerie s'était arrêtée. Il alla jeter le sac dans un container dehors. Quant à la veste maculée de saleté, il la mit de côté pour la blanchisserie. Le blazer suspendu à un cintre dans l'armoire portait dans le dos de fines traces blanches de sueur. Il ne s'en aperçut que maintenant. Il le mit avec la veste. Ce faisant il découvrit une traînée de sauce tomate séchée sur la manche. *Stronzo.*

La Chronique avait manifestement été ballottée dans la valise : sa couverture était déchirée. Il jeta celle-ci et posa le volume sur son bureau. À côté de l'enveloppe non ouverte de Frau Hartwig, de l'invitation pour Princeton et de son cahier de notes. Il ouvrit *L'Institut Benjamenta* au hasard et lut quelques phrases. Puis il posa le petit livre sur l'étagère. Plus jamais il ne le lirait.

Pour la médaille et le certificat, il alla chercher un autre sac. C'était la première fois qu'il déroulait le certificat. Il s'adressait à un FILIP PEREMAN, désormais citoyen d'honneur de Santa Margherita Ligure. Sur le chemin du container, il ricana malgré lui. En dernier il déballa les livres de poche neufs encore dans leur emballage en plastique. Indécis, il les garda un moment dans sa main, puis les posa sur la commode dans le couloir.

Plus tard, il alla relever à deux rues de chez lui son courrier personnel. Sans attendre de quitter le bureau de poste, il ouvrit la lettre d'Hanna. Son appel inattendu lui avait fait très plaisir, écrivait-elle, mais il l'avait aussi inquiétée. Elle le priait de faire signe quand il serait rentré chez lui. Pourquoi ne pas se revoir ? En pataugeant dans la neige boueuse, Perlmann se dit qu'il lui faudrait attendre encore quelques jours avant d'être prêt pour lui téléphoner.

D'après le programme de télévision, il déduisit que c'était aujourd'hui qu'avait lieu le match Stuttgart-Juventus de Turin dont avait parlé Giovanni. Il avait déjà commencé depuis une demi-heure. Roberto Baggio y participait, son nom défilait en bas de l'écran. *S'il n'avait pas marqué, il y aurait eu plagiat.* Perlmann attendit qu'il y eût une remise en touche pour voir son visage en plan rapproché. Un visage étranger, trouva-t-il ; il éteignit. *Mais ce serait devenu une catastrophe seulement si Maria n'avait pas fini de saisir le texte dès le vendredi. Si elle ne s'était pas enrhumée. Ou si Santini avait eu quelque chose d'urgent à taper.*

La femme aux renseignements internationaux était très serviable. Pour Saint-Pétersbourg elle n'avait que quelques numéros de grandes entreprises à disposition. Mais ils pouvaient contacter les renseignements locaux pour demander un numéro privé. Toutefois, cela pourrait durer très longtemps, jusqu'à une journée. Voulait-il qu'ils le rappellent ? Perlmann lui transmit le nom et l'adresse de Leskov en disant que peu importait l'heure, ils pouvaient aussi le recontacter en pleine nuit.

En cherchant le papier portant l'adresse de Leskov, Perlmann était tombé sur les deux billets d'avion qu'il n'avait pas utilisés : le premier vol retour Gênes-Francfort, et le billet au prix exorbitant pour Francfort le samedi. À eux deux, il y en avait pour plus de mille marks. C'était en quelque sorte un sacrifice purificatoire.

Ensuite, il entreprit de faire le ménage dans l'appartement. Jamais il ne l'avait nettoyé ainsi. Il n'avait même jamais rien nettoyé avec une rigueur si furieuse, si fanatique. Jusque dans les moindres rainures et dans chaque angle, il récura à fond. De temps à autre, il s'asseyait tremblant de fatigue sur un tabouret et essuyait avec un torchon de cuisine la sueur froide qui coulait sur son front. Lorsqu'il eut terminé le bureau, il resta longtemps à la fenêtre pour regarder la nuit. Puis il prit la photo d'Agnès posée sur le rebord et la plaça sur une petite table dans l'angle. Sa pièce à elle était la dernière où il n'avait encore rien changé. Sur une pile de livres au sol, il trouva son exemplaire à elle de la grammaire russe. Les passages y étaient plus grossièrement soulignés et ses annotations gribouillées avec moins de soin que dans son exemplaire à lui, mais il n'y en avait pas autant. Le livre à la main, il se mit à faire les cent pas.

Il revit le chou marron foncé dans le container d'où s'échappaient des effluves chauds, nauséabonds. Respirant péniblement, il attrapa le Langenscheidt et le dictionnaire russe-allemand en deux volumes posés sur l'étagère. Il mit le tout sur la commode du couloir puis rassembla les quelques livres russes qu'ils avaient rapportés de telle ou telle librairie spécialisée, chaque fois en ayant le sentiment d'être des imposteurs. Le plus difficile pour lui serait de se séparer du recueil d'histoires de Tchekhov, un livre particulièrement beau, relié de cuir noir, qu'il avait déniché dans une rue parallèle au British Museum lorsqu'il avait passé quelques jours à Londres avec Agnès et Kirsten.

Plus tard, allongé sur son lit, épuisé et tremblant, il se mit à avoir des palpitations lorsqu'il s'imagina Leskov assis à son bureau en train de plancher pour combler les trous de son texte. Il eut beau lire, se concentrer sur sa respiration, rien n'y fit ; seules les images bucoliques et reposantes diffusées par le programme nocturne purent y remédier. Il rapprocha encore le téléphone du lit et s'assura que le volume était réglé au plus fort.

Cette nuit-là, pour la première fois, il fit le rêve du tunnel qui allait revenir le hanter à intervalles irréguliers au cours des semaines suivantes. Enfoncé dans son siège sous l'effet de l'accélération, il roulait sur le sol vibrant du tunnel qui décrivait une boucle interminable, inclinée vers la gauche comme un vélodrome, si bien qu'il risquait en permanence de glisser sur la voie opposée. Les phares qui s'approchaient en face étaient d'immenses vagues de lumière aveuglante qui déferlaient sur sa voiture et lui bouchaient toute visibilité. Au début du trajet, il tenait un volant, mais plus tard ses mains froides n'agrippaient que du vide et il ne lui restait désormais plus qu'à attendre la collision dans un sentiment d'impuissance totale, les tympans tiraillés par cet horrible sifflement qui se transforma un peu plus tard en une sonnerie stridente régulière et le tira de son sommeil.

– Vous avez cherché à établir un appel avec Saint-Pétersbourg ? demanda une voix féminine ténébreuse.

– Oui, répondit-il en regardant le réveil : quatre heures vingt.

– Un moment, je vous mets en relation. Il y eut deux craquements, un léger bourdonnement, puis il entendit à travers un filtre de bruits la voix de Leskov :

– *Da ? Ya slouchayu... Kto tam.*

Perlmann raccrocha. Il s'habilla, fourra la pile de livres russes dans un vieux sac qu'il emporta à travers les rues désertes jusqu'au gros container à ordures du supermarché.

Le week-end, il entreprit de s'exercer à la lenteur. Il n'avait pas imaginé que ce serait si difficile. Régulièrement, des mouvements brusques lui échappaient, ses intentions se modifiaient de façon abrupte. Il s'obligeait alors à répéter tout ce qu'il venait de faire avec une lenteur telle qu'il puisse sentir naître en lui le calme d'un film tourné au ralenti. Au bout de quelque temps, il instaura un rituel : avant toute action un peu longue, il allait au salon et écoutait attentivement le tic-tac de la grande pendule. Le samedi entier, il mena une lutte acharnée, éprouvante contre sa précipitation infondée, en ayant souvent l'impression qu'il n'arriverait jamais à s'y faire. Pourtant, dès le dimanche, il parvint à ralentir plusieurs fois de façon tout à fait spontanée et sentit de temps à autre l'épuisement nerveux se muer en une fatigue naturelle, rédemptrice. Désormais, il restait systématiquement une bonne minute près de la grande pendule.

Le dimanche en fin d'après-midi, il s'assit pour la première fois à son bureau. Il repensa à tous les livres qu'il avait laissés dans la salle d'attente de l'aéroport de Gênes. Les rachèterait-il ? Il réussit à faire de sa fatigue comme un tampon entre lui-même et cette question, et creusa cette idée : il s'agissait d'utiliser cette fatigue, qui était bien trop profondément ancrée en lui pour disparaître un jour, comme une enveloppe protectrice – comme un substitut à la sérénité.

L'enveloppe de Frau Hartwig qu'il ouvrit contenait tout un tas de demandes et autres convocations dont les délais étaient entre-temps dépassés. Il jeta tout à la corbeille. Il fit disparaître la lettre de Princeton dans le tiroir du bureau. Puis il apporta la Chronique et son cahier en similicuir noir dans la cuisine, parmi les vieux journaux.

Il resta ensuite longuement assis à son bureau totalement vide. De temps à autre, il passait la main sur la surface brillante. Durant la période qui suivrait, il importerait de penser peu, et lentement. Avant tout, il voulait ne pas penser en phrases, en phrases articulées, formulées qu'il entendait intérieurement. Pour longtemps, très longtemps, il ne voulait plus chercher ses mots, les soupeser, les comparer. Sa faculté de penser devait s'épuiser à force d'exécuter certaines choses plutôt que d'autres, d'aller à gauche plutôt qu'à droite, dans cette pièce plutôt que dans une autre, par ce chemin plutôt que par un autre. Ses pensées devaient se révéler dans la manière dont il accomplirait les choses selon un ordre pratique, dans l'équilibre de ses mouvements, dans la logique de son comportement. De plus, les pensées devaient rester dissimulées même pour lui, sans laisser de traces conscientes et surtout sans soulever d'écho verbal en son for intérieur. Même lorsqu'il écrivait telle phrase plutôt que telle autre, sa tête devait rester tranquille. Le stylo devait faire son chemin sur la feuille, y laisser sa trace sans que la phrase en résultant possède quelque présence intérieure. À la fin, il enverrait cette trace-là où l'on attendait un texte de lui.

Il devait éviter une autre chose avec la plus grande vigilance : prendre en compte les pensées des autres. Il ne voulait plus songer à ce que les autres pouvaient penser ou faire s'il agissait comme ci ou comme ça. Il ferait ce que bon lui semble, les autres réagiraient en faisant aussi ce que bon leur semblait. Rien de plus. Et il devait également faire taire son imagination avide de détails. Il devait compléter l'entraînement à la lenteur par un entraînement au dénuement imaginaire.

La première chose qu'il vit en allumant plus tard la télévision fut un gros plan de mains qui glissaient sur des touches de piano. On jouait Bach. Il zappa immédiatement. Un physicien russe était interviewé pendant que quelqu'un traduisait simultanément. Perlmann garda le doigt sur le bouton de la télécommande, là encore il n'allait pas tarder à changer de chaîne, mais finalement il continua de regarder, encore une phrase, puis une autre, il se sentit happé par un tourbillon qui fit tout remonter à la surface, à présent l'interprète avait perdu l'équilibre indispensable entre la dernière phrase et la nouvelle, *non, maintenant il faut que tu laisses tomber ce qui a été dit en dernier et que tu te concentres sur ce qui arrive*, lui hurlait Perlmann mentalement, le buste penché en avant il glissa tout au bord du divan. Lorsque la tension se transforma en crampes d'estomac, il détourna enfin son regard.

Il fit ensuite une longue promenade à travers le parc obscur et veilla à conserver la tête vide. Quand il retira ses lunettes avant de se mettre au lit, il songea au tunnel. Il dormit mieux que les jours précédents. Une fois seulement, il se réveilla en sursaut : il avait interrogé signora Medici en russe, avant de constater qu'il ne connaissait pas les mots lui-même et avait oublié ses propres questions tel un homme sénile.

60 Perlmann passa la semaine suivante à attendre la lettre de Leskov. Si le texte était arrivé vendredi, sa lettre pourrait lui parvenir dès mardi. Au plus tard samedi. Des heures durant, il resta posté à sa fenêtre, attendant le facteur. Pourquoi Leskov ne l'appelait-il pas ? Ou pourquoi n'envoyait-il pas de télégramme ? Pendant tout ce temps, pas une heure ne s'écoula sans que Perlmann pensât à Leskov et à la lettre qu'il lui avait promise. Mais aucune lettre n'arriva. Probablement l'employé de la poste à l'aéroport avait-il eu raison : il faudrait compter une semaine entière. *Le courrier arrive rarement le lundi*, entendit-il dire Leskov. Donc il ne fallait pas compter recevoir une lettre avant mardi prochain.

En milieu de semaine, il reçut l'offre d'Olivetti. Il était finalement question d'une période d'essai de trois mois. Ses tâches : traduction de correspondance professionnelle avec des partenaires allemands, anglais et américains ; encadrement de l'édition allemande et anglaise d'une brochure publicitaire détaillée à paraître l'été prochain ; interprétariat ponctuel lors de salons. Signor Angelini avait mentionné que Perlmann connaissait également le russe ; c'était une compétence qui les intéresserait particulièrement à l'avenir. Et pour terminer, ce serait une bonne chose s'il pouvait épauler signor Angelini pour les collaborations avec les universités. Ils lui proposaient quatre millions de lires par mois, à peine la moitié de ce qu'il gagnait actuellement. Quant à la cotisation retraite, aux assurances et autres, on en parlerait dès qu'il aurait donné son accord. Pour ces choses-là, il faudrait fournir toute une série de documents.

Qui avait dit à Angelini qu'il parlait russe ? Evelyn Mistral avait gardé le secret, il en était sûr. Ce devait être Leskov, pendant le dîner qui avait suivi son arrivée et où Angelini était présent. Il avait raconté comment ils s'étaient rencontrés, qu'ils avaient marché ensemble à travers l'Ermitage... Mais pourquoi Adrian von Levetzov avait-il donc réagi de façon si irritée au café, lorsque Leskov avait raconté qu'il avait envoyé la première version à Perlmann ? Leskov avait dû ne le dire qu'à Angelini, qui était assis à côté de lui… Perlmann frappa son front de ses poignets. Il avait pourtant voulu cesser de prendre en compte les autres.

Il avait mis de côté la lettre quand Frau Hartwig téléphona pour lui transmettre un message que Brian Millar lui avait envoyé par courrier électronique. Il faisait savoir à Perlmann que son éditeur était extrêmement intéressé par son livre et lui demandait s'il pouvait convenir d'un rendez-vous. Millar ajoutait que l'Italie lui manquait, et : – Comment va votre Chopin ?

– Êtes-vous toujours au bout du fil ? demanda Frau Hartwig après qu'il eut marqué une longue pause.

Le livre ne sera pas pour tout de suite, lui dicta Perlmann, et merci d'avoir pris la peine de vous renseigner. Puis en conclusion : – Comment va votre Bach ?

– Je n'étais pas du tout au courant pour le livre, dit Frau Hartwig d'un ton offusqué.

– Plus tard, répliqua-t-il.

Le soleil brillait et la neige fondait lorsqu'il marcha le long du fleuve. Mais il ne perçut pas grand-chose. Il était entièrement concentré sur les différentes lettres qu'il pourrait adresser pour rendre le prix qu'il venait de recevoir. Finalement il trouva le ton qui convenait. Pourtant lorsqu'il rédigea son texte à son bureau, dans ses chaussures trempées, il le trouva mélodramatique et le jeta.

Dans la nuit, il eut de nouveaux troubles cardiaques et fut sur le point d'appeler le médecin. Tôt dans la matinée, il se rendit à son cabinet. Le médecin, qu'il connaissait depuis de nombreuses années, ne dit pas grand-chose et marqua de longues pauses désagréables pour Perlmann. Il finit par lui prescrire non sans hésitation de nouveaux somnifères et lui interdit de fumer.

En rentrant chez lui, Perlmann passa devant la librairie qu'il connaissait bien. Il aurait voulu en savoir plus sur la méditation, les méthodes pour atteindre la paix intérieure. Il resta longuement devant le rayon des livres qui traitaient de ce sujet. Mais dans chaque extrait qu'il lut, il y avait quelque chose qui le répugnait, quelque chose de sectaire, de missionnaire, un pathos qu'il n'aimait pas. Il n'acheta rien.

Vendredi. C'était aujourd'hui que Leskov devait remettre son texte. Et toujours aucune lettre. Évidemment : il avait été obligé de travailler jour et nuit, il ne lui était resté aucun moment pour écrire une lettre. Probablement ne s'y mettrait-il pas avant le week-end. Cela signifiait une semaine de plus à attendre. Mais au fond c'était bon signe : cela prouvait que le texte était arrivé. Sinon Leskov aurait eu tout son temps pour écrire une lettre. À moins qu'il n'aille si mal que ce fût impossible.

À l'heure où elle terminait toujours sa pause déjeuner, Perlmann appela Maria. Elle eut l'air spontanée et sincère lorsqu'elle lui dit se réjouir de l'entendre. Malgré tout, la conversation traîna en longueur. Deux semaines avaient suffi à tout reléguer loin dans le passé, et chaque phrase résonnait comme une tentative convulsive de réchauffer ce qui était déjà dépassé. Perlmann avait bien préparé sa question, il voulait savoir si elle avait entre-temps effacé ses fichiers ; elle devait avoir l'air parfaitement anodine, comme une plaisanterie à l'issue d'un flirt. Mais au moment où il la posa, elle parut totalement injustifiée. Maria lui dit qu'elle avait récemment mis de l'ordre ; mais elle ne se souvenait plus si ses fichiers avaient fait partie des documents effacés. Voulait-il qu'elle aille rapidement vérifier ?

— Non, non, refusa-t-il en s'efforçant de le dire d'un ton léger et désinvolte. Ça n'a absolument pas la moindre importance !

– Qu'ils soient toujours dans l'ordinateur ou pas, je me souviens encore bien des textes ! dit Maria en riant.

Il serait impossible de l'appeler une deuxième fois, songea-t-il en raccrochant.

Samedi, la facture de sa carte de crédit arriva par la poste. Les frais de la voiture de location, y compris la franchise pour les réparations, avaient entre autres été débités, ainsi que les deux dictionnaires achetés à la librairie de Gênes. Ce jour-là, Perlmann avait voulu commencer le livre dont on lui avait proposé d'écrire une recension. À présent, il se contentait de rester assis, à passer en revue toutes les chaînes télévisées.

Il avait redouté que le rêve du tunnel revienne le hanter. Au lieu de cela, il passa la moitié de la nuit, lui sembla-t-il, à se débattre contre un ordinateur qui, chaque fois qu'il était censé effacer un fichier, en produisait en fait une sauvegarde. Pendant ce temps, Brian Millar regardait par-dessus son épaule, se tenant si près qu'il sentait son souffle. D'un seul coup, un bras passait devant le visage de Perlmann et lui tendait une assiette remplie de nourriture froide. Perlmann se retournait et, reconnaissant le serveur, il lui jetait la nourriture au visage avec une telle vigueur que la moitié giclait sur les cheveux d'Evelyn Mistral et son chemisier d'une blancheur éclatante.

Dimanche, il se mit à décrocher une partie des photographies d'Agnès pour les ranger. Seules quelques-unes devaient rester, non pas forcément les meilleures, mais celles qui étaient liées à leur histoire personnelle. Par exemple la photo de Kirsten petite, dans le fauteuil-cabine en osier à Sylt. C'était une tâche difficile et à plusieurs reprises, il eut des pincements au cœur. Finalement il eut l'impression d'être allé trop loin et raccrocha toute une série de photos, craquelant l'enduit des murs en replantant les clous.

Dans la soirée, Evelyn Mistral lui téléphona. Ce fut une conversation ponctuée de nombreux blancs.

Pourtant Perlmann aurait bien aimé qu'elle fût assise en face de lui. Avait-il eu des nouvelles du texte de Leskov ? lui demanda-t-elle. Non, dit-il, rien.

– Tu te souviens de ce coup de fil que je m'étais soudain rappelé, après la réception à la mairie ? dit-elle vers la fin de leur conversation. Ça s'est avéré être une bonne chose que je leur téléphone. Une fois de plus, tout ce qui pouvait capoter a capoté. Et de toute manière, la route côtière était barrée ! dit-elle en riant.

La semaine suivante, il s'attela au commentaire du livre. Il revoyait l'auteur devant lui, un Berlinois radieux marié à une Française et propriétaire d'une maison sur la Côte d'Azur. Perlmann éprouvait le besoin de faire de nombreuses pauses et parfois, quand le dégoût se faisait trop sentir, il avait l'impression d'avoir du béton dans la poitrine. Il prenait alors une cigarette.

Dans le chapitre-clé du livre, certains éléments étaient présentés comme des découvertes alors que Perlmann en avait connaissance depuis longtemps pour les avoir lus chez un auteur français peu connu. Il savait exactement où vérifier, le livre se trouvait en haut à droite sur l'étagère. Il s'attendit à ressentir un sentiment de triomphe, ou du moins de douce satisfaction. Comme il n'en fut rien, il se sentit d'abord déçu, puis content finalement. Il laissa le livre français sur l'étagère et dans son commentaire, qui s'avéra objectif, juste et globalement positif, il n'en mentionna pas un mot.

En milieu de semaine, il se rassit pour la première fois au volant. La proximité entre le frein à main et le siège passager dans sa voiture le surprit. Il alla à la campagne chez un vendeur de tapis qu'il connaissait et lui en acheta un du Tibet, de couleur claire, pour recouvrir enfin la tache de café. Sur le trajet du retour, au crépuscule naissant, il croisa plusieurs poids lourds, dont l'un roulait en pleins phares. Perlmann freina systématiquement jusqu'à avancer au pas, en roulant sur l'herbe. Il

744

décida qu'il arrêterait prochainement de conduire et se demanda s'il devait offrir sa voiture à Kirsten.

Dans le garage, lorsqu'il retira la clé du contact, il se souvint de ce moment à la station-service près de l'hôtel, où il avait cru saisir que le détachement intérieur vis-à-vis des autres personnes et le présent absent n'étaient en réalité qu'une seule et même chose. Il se souvenait avec précision que cela lui avait semblé la prise de conscience la plus importante de toute sa vie. En marchant vers la porte de l'immeuble, il ne cessa de reformuler cette prise de conscience. Mais à présent, elle n'était plus qu'une phrase. Une phrase qui sonnait certes correctement et avec laquelle il était d'accord, mais désormais ce n'était rien qu'une phrase et non plus l'expérience d'une révélation. Arrivé à la porte, il fit demi-tour, rouvrit le garage et se rassit derrière le volant, la main sur le contact. Après coup, il lui sembla ridicule de supposer que l'expérience d'une révélation puisse être liée à une position particulière du corps.

Vendredi, il n'avait toujours pas reçu de lettre de Leskov. Au fond, ce n'était pas étonnant car il avait certainement eu besoin du week-end précédent pour se reposer, et un courrier, comme l'avait estimé l'employé chevronné de la poste, pouvait bien mettre une semaine entière avant d'arriver. En revenant de la boîte aux lettres, Perlmann rangea enfin les nouveaux mouchoirs et en mit un dans sa poche. Puis il écrivit une lettre à Olivetti pour décliner leur offre, ainsi qu'une seconde adressée à Angelini. Il se justifia en évoquant des problèmes familiaux imprévus qui le retenaient momentanément à Francfort. Il réussit à écrire les deux lettres rapidement et sans effort. Il essaya de profiter de cet élan pour commencer la lettre destinée à Princeton. Mais il ne parvint pas à aller au-delà de l'en-tête et fit ensuite une longue promenade à travers sa ville qui, dans la lumière blafarde de décembre, lui parut étrangère.

Les photos de Laura Sand qui arrivèrent samedi le déçurent, sans qu'il sache pourquoi. C'étaient des clichés de paysages idylliques, elle avait dû en prendre certains au cours de la matinée brumeuse où il avait terminé la traduction du texte de Leskov. Dans une enveloppe à part se trouvaient quelques photos des collègues qui, vu la spontanéité des attitudes et des expressions, laissaient à penser qu'elles avaient été prises en cachette. Sur le bout de papier qui les accompagnait, Perlmann put lire : *Il y a des exceptions à la règle !* Il jeta aussitôt les photos qui le montraient en compagnie de Leskov ; celles des collègues finirent aussi à la corbeille. Il ne garda qu'un instantané d'Evelyn Mistral. Son rire ; le tee-shirt qui avait glissé sur son épaule ; les chaussures rouges. Il mit les photos de paysage dans un tiroir, puis alla observer un moment les travaux d'Agnès dans les autres pièces. En fin de compte il aurait bien dû sélectionner les meilleurs, et non les plus personnels. Il les échangea.

Après le concert du dimanche soir à la télévision, il s'assit devant le piano à queue. Il joua les *Nocturnes* qu'il avait choisis l'autre jour au salon. Entre lui et les notes, il y avait un vide, un infime hiatus persistant, même lorsqu'il recommença. Perlmann ne comprenait pas ce qui se passait, il joua la *Polonaise héroïque*. Il s'emmêla les pinceaux, mais cela lui était égal. Le plus grave, c'était que même les accords libérateurs résonnaient comme ensevelis dans du sable fin.

Dormir était exclu. En pleine nuit, vêtu de son pyjama, il s'assit au piano et joua d'autres *Nocturnes*. Ils résonnèrent de la même façon qu'auparavant, et ce fut alors qu'il comprit : ce qu'il avait joué dans le salon s'était éloigné de lui parce qu'il l'avait malmené, détourné comme une arme dans son combat contre Millar. Il en avait fait mauvais usage, mais dans une autre dimension que celle qu'avait pointée Szabo. On n'avait pas le droit d'instrumentaliser ainsi la musique, sans quoi on la perdait.

Au petit matin, il prit un somnifère. Quand celui-ci commença à faire effet, une pensée traversa Perlmann sans qu'il ait auparavant songé au tunnel : Leskov ne lui avait jamais demandé pourquoi il ne s'était pas contenté de s'arrêter sur la bande d'arrêt d'urgence pour laisser passer le bulldozer. Pourquoi ne l'avait-il pas fait ? Cela aurait été une question toute simple, en fait la plus naturelle qui fût. Et il aurait été incapable d'y répondre.

61 Dans la liasse de courrier qu'apporta le facteur mardi, il y avait la lettre de Leskov. Perlmann le vit au papier brunâtre de l'enveloppe qu'il connaissait déjà de sa lettre précédente. Le cœur battant et l'esprit fiévreux, il ouvrit l'enveloppe dans le couloir, cherchant des phrases susceptibles de le rassurer aussitôt... *mon texte ne se trouvait pas dans mon appartement quand je suis rentré... je sombrai, d'abord sans vraiment le remarquer, dans un état d'apathie... un état d'hébétude, de prostration résistant à toutes les épreuves... désir de mettre un terme à tout...* Puis en lisant certaines lignes, il put enfin recommencer à respirer :... *Si le texte n'était pas finalement réapparu.* Il ferma les yeux et s'appuya un moment contre la commode avant de reprendre sa lecture, le regard encore fébrile :... *l'enveloppe tout simplement posée dans l'entrée... deux autocollants jaunes... Le texte est dans un tel état que j'ai eu un choc... Dix-sept pages !* Il dut survoler encore cinq paragraphes interminables avant de lire enfin :... *J'ai noté, contrairement à mon habitude, mon adresse personnelle, voilà tout.* Il pressa sa main contre son ventre et expira pour se hâter ensuite de chercher des yeux la prochaine planche de salut :... *fautes de frappe.*

Mais peu après huit heures du matin vendredi, le tout était bouclé. Puis, deux paragraphes plus loin, il finit par trouver la phrase dont il ne put littéralement plus détacher son regard :... *la décision a été arrêtée vers midi : ils n'avaient tout simplement pas d'autre choix que de me donner le poste.*

Perlmann s'adossa contre l'encadrement de la porte, les feuilles lui glissèrent de la main, il se mit à sangloter sans bruit et continua pendant plusieurs minutes entières. Il s'arrêta lorsqu'il dut se moucher. Les mains tremblantes, il rassembla les feuilles, s'assit sur le divan et reprit sa lecture du début.

Saint-Pétersbourg, en décembre

Cher Philipp,

Je m'en veux beaucoup de ne pas t'avoir écrit plus tôt alors que je t'avais promis de te tenir immédiatement au courant pour le texte. Mais si je te raconte comment tout s'est déroulé, tu comprendras pourquoi, j'espère.

Je suis arrivé chez moi très tard parce qu'une fois de plus le chaos régnait à l'aéroport de Moscou et mon avion a décollé au milieu de la nuit, avec plus d'une heure de retard. Les passagers ont été sacrément heureux qu'il y ait tout de même encore un bus pour rallier la ville, bien que son chauffage ne fonctionnât pas et que nous fussions gelés pendant tout le trajet. Car ici entre-temps, l'hiver s'est profondément installé et même si, quelque part, j'apprécie la lumière étrangement froide, presque surnaturelle qui se dégage des manteaux neigeux dans la nuit noire, c'est avec nostalgie que j'ai repensé à la lumière du Sud, à la fois rougeoyante et transparente, que je venais de quitter. Je n'oublierai jamais comment cette lumière m'a fasciné lorsque nous sommes sortis tous les deux de l'aéroport avant d'aller sur le parking (avec cette tête de mule à la casquette rouge !). J'ai l'impression que déjà des mois se sont écoulés depuis !

Alors que cela ne remonte tout juste qu'à deux semaines. Celles-ci ont été en revanche un cauchemar. Car mon texte ne se trouvait pas dans mon appartement quand je suis rentré. Durant tout le voyage, j'étais comme sur des charbons ardents, et le retard à Moscou m'a rendu si furieux que j'ai râlé après tous les gens que je croisais. Lorsque l'avion s'apprêtait à atterrir, j'ai ressenti quelque chose d'étrange, de tout à fait paradoxal : craignant que le texte ne soit pas chez moi, soudain je ne voulais plus rentrer à la maison. Ce dimanche-là, mon état d'incertitude qui m'avait parfois gâché mon séjour parmi vous, est devenu encore plus insupportable à mesure que nous approchions de Saint-Pétersbourg (ce qui est un peu étrange aussi), et puis soudain, il a semblé n'être plus qu'un moindre mal comparé à ce que je redoutais de découvrir. Mais évidemment, de l'arrêt de bus à l'appartement, j'ai marché aussi vite que ma valise me le permettait, et mes mains tremblaient – de froid aussi – lorsque j'ai ouvert la porte.

Ainsi donc : quand je me suis rué à mon bureau, le texte n'était pas là, je l'ai immédiatement constaté, car j'avais écrit ce texte sur du papier jaune. Évidemment j'ai aussi regardé tout autour de moi dans la pièce, et même dans le couloir d'où j'avais téléphoné avant mon départ. Mais dans le fond, à aucun moment je n'y ai cru. D'autant moins que, une fois revenu sur place, je me souvenais très clairement d'avoir mis le texte dans mes bagages, je revivais la précipitation avec laquelle j'avais rangé les feuilles dans la pochette extérieure de mon attaché-case. Aussitôt je me suis dit : tu as dû le sortir pendant le voyage et le laisser quelque part. Ce qui expliquerait aussi le petit bout d'élastique coincé dans la fermeture éclair.

À vrai dire, je m'étais attendu à ce qu'un violent désespoir s'empare de moi, mêlé à une rage impuissante vis-à-vis de ma propre étourderie. Et j'avais pensé que cet état durerait pendant toutes ces journées à espérer que la Lufthansa m'envoie un courrier. (Heureusement d'ailleurs que tu avais évoqué le délai de la poste, j'y ai aussitôt repensé et cela m'a permis de prendre sur moi.) Mais il en fut tout à fait autrement, et aujourd'hui encore je ne sais si cela fut une bonne ou une mauvaise chose par rapport à la réaction naturelle. À peine m'étais-je assis pour me reposer un peu que je sombrai, d'abord sans vraiment le remarquer, dans un état d'apathie. Le calme intérieur qui s'ensuivit me fit du bien car j'avais redouté la nervosité, l'insomnie, et tout ce qui va avec. Cependant je n'ai pas tardé à m'apercevoir qu'automatiquement je m'étais laissé replonger dans cet état auquel je m'étais résolu en prison – un état d'hébétude, de prostration résistant à toutes les épreuves et qui, comme on l'apprend vite là-bas, économise les forces. Et cela m'effraie beaucoup, car je croyais avoir surmonté cette épreuve.

Au cours des jours suivants, je n'ai pas réussi à me libérer de cette apathie – peut-être ne le voulais-je d'ailleurs pas – bien que cet état m'eût semblé dangereux car il prenait peu à peu un tour autodestructeur. J'ai par exemple commencé à réfléchir à la question de savoir s'il n'y avait pas de raisons plus profondes expliquant mon étourderie : peut-être ne voulais-je pas, au fond, obtenir le poste, ou peut-être ai-je cherché à me distancier du contenu du texte. J'ai perdu toute assurance, si bien que je n'ai pas dit mot de cette histoire à Larissa, même si au téléphone elle a bien senti que quelque chose ne tournait pas rond.

Chaque jour je me suis rendu à l'institut et j'ai attendu le courrier. Et comme rien n'arrivait, je ne savais jamais comment tuer les vingt-quatre heures à venir. Il m'était impossible de commencer une lettre. Ou quoi que ce fût d'autre d'ailleurs. J'ai passé beaucoup de temps sur les rives de la Neva. Cette apathie dont je parle s'est accompagnée d'une attente morne : sans savoir pourquoi ce serait mieux ensuite, j'attendais que les choses se passent. Elle se manifestait aussi à travers, comment dire, un vague désir de mettre un terme à tout. Cela faisait long-temps que je n'avais pas éprouvé ce désir, bien au contraire, mais à ce moment-là, il a ressurgi pour venir se confondre avec le deuil de ma mère, subite-ment ravivé. Si le texte n'était pas finalement réap-paru, je ne sais pas où cela m'aurait conduit.

Naturellement je me suis demandé si, vu les cir-constances, je n'avais pas intérêt à présenter au moins la première version du texte. Mais après quelques essais de relecture, c'est une idée que j'ai rejetée. Le texte est tout simplement trop rudimentaire, il me rebute dans sa confusion. Comment pourrait-on se présenter avec un texte bien en deçà du niveau que l'on a atteint entre-temps dans le domaine ? L'affect s'y refuse. Dans ce cas-là, plutôt n'envoyer aucun texte du tout !

Mercredi, comme il n'arrivait toujours aucun courrier, j'ai pris mon courage à deux mains pour m'asseoir à mon bureau et tâcher de tout reconstruire de mémoire. Je me sentais un peu comme à Santa Margherita, lorsque je m'étais préparé à mon inter-vention. J'ai persévéré pendant une vingtaine d'heures à mon bureau ; l'appartement était ensuite si enfumé que c'en fut trop même pour moi. J'ai abandonné et, le jeudi midi, lorsque je me suis traîné hors du lit, à moitié mort, j'avais enterré tout espoir quant au poste et je me suis mis à chercher du travail en intérim. (On finit par se résigner à ce genre de choses, quand bien même cela semble ne plus avoir aucun sens.)

Vendredi, je suis retourné à l'institut, seulement parce que je me trouvais dans les environs. À la façon dont les conversations dans le couloir s'arrêtèrent net au moment où j'apparus, j'en conclus que je devais déjà faire l'objet des discussions, avec mon courrier qui n'arrivait jamais. Vassili Sergueïevitch et ses colis imaginaires ! Et c'est alors que, en revenant chez moi de l'institut, sans le moindre espoir, je vois l'enveloppe, simplement posée à l'entrée de l'immeuble ! Imagine tout ce qui aurait pu lui arriver ! Avant même de m'en approcher, je reconnus mon texte (sans parler du fait que j'étais obnubilé par le souhait de le voir réapparaître) aux deux autocollants jaunes, car les étiquettes de la Lufthansa que j'avais vues collées sur les bagages étaient de cette couleur. Puis je vis aussi l'étiquette rouge des envois livrés par porteurs spéciaux, qui n'était pas comme celle de chez nous. J'ai failli tomber sur la glace en courant sur les derniers mètres, puis j'ai ouvert l'enveloppe, encore debout dans l'escalier.

L'enveloppe en elle-même n'avait rien de spécial (aucune comparaison avec celle que tu avais l'autre jour au café !), mais imagine un peu ceci : la Lufthansa a pris la peine de protéger le texte dans un étui en plastique ! En y repensant plus tard, cela m'a paru un peu grotesque étant donné que la fermeture éclair était cassée, si bien que l'humidité (pour le cas où ce serait bien ce qu'ils ont cherché à éviter — car sinon à quoi bon ?) aurait tout de même filtré jusqu'aux feuilles. Mais dans l'instant, j'étais absolument ahuri. Une telle minutie ! « La rigueur allemande », ai-je pensé ; mais ensuite je me suis souvenu de la colère sur ton visage lorsque Brian avait évoqué ce cliché.

*Le texte est dans un tel état que j'ai eu un choc.
Comme s'il était resté des jours dans un fossé ! Tout
d'abord, une grande partie des feuilles sont tachées,
par endroits illisibles. De plus, certaines sont déchirées, et la première est comme perforée. Mais cela
passe encore. Ce qui m'a totalement pétrifié sur le
coup, ce fut de découvrir que dix-sept pages manquaient ! Dix-sept pages ! Dont précisément les huit
dernières, dans lesquelles je démontrais ce que peut
signifier l'appropriation dans ma conception du souvenir narratif, inventif ! J'ai d'abord pensé : en une
semaine, je n'y arriverai jamais. Et j'ai replongé
dans cette apathie qui s'était d'un seul coup évapo-
rée à la vue des autocollants jaunes. Mais ensuite ma
mémoire s'est remise en marche, je me suis rendu
compte que parmi les éléments perdus, beaucoup me
revenaient à l'esprit, alors je me suis ressaisi, puis je
suis retourné à mon bureau.*

*Probablement trouveras-tu cela insensé, mais je
n'ai pas vraiment pu commencer à travailler tant
que je n'avais pas trouvé d'explication à l'état dans
lequel se trouvait mon texte. Et ce ne fut pas simple !*

*Le courrier avait été posté à Francfort. J'avais
donc oublié le texte dans le hall d'attente lors de la
correspondance. (Et non pas dans l'avion – tu
connais ma théorie sur le service de nettoyage.) Je
n'arrive certes toujours pas à me souvenir de l'avoir
sorti. (C'est plutôt l'inverse : entre-temps je me suis
rappelé que, dissimulé derrière un journal qui traînait là, j'avais longuement observé une femme absolument superbe assise deux rangs plus loin.) Mais
c'est tout simplement ce qui a dû se passer. Cela dit,
d'où viennent cette saleté et ces bulles sur le papier,
comme s'il y avait eu de l'eau dessus ? Le soir venu,
dans mon lit, j'ai enfin trouvé la réponse : à un
moment, les feuilles ont dû glisser par terre – au
contact d'un manteau, ou bien un enfant les aura*

fait tomber ; dans ce genre de hall d'attente, les sols sont jonchés de toutes sortes de choses à la fin de la journée. Je n'ai jamais vu les appareils qu'ils utilisent, mais ce doit être des aspirateurs géants, ou en tout cas des machines de nettoyage automatiques qui font le ménage. Et alors tout devient clair : les feuilles ont dû être aspirées par l'un de ces appareils. Ce qui explique les taches et les pages déchirées, et comme on nettoie certainement avec de l'eau, ce n'est au fond pas surprenant que le papier soit gondolé.

Pourquoi n'a-t-on pas remarqué cette pile de feuilles jaunes ? J'imagine la scène ainsi : deux femmes de ménage passent négligemment l'aspirateur en bavassant dans ce hall d'attente encore à moitié éclairé seulement. En vidant le sac, elles découvrent le papier. Dix-sept pages sont définitivement détruites, elles haussent les épaules. Quant au reste, elles le transmettent au bureau des objets trouvés, s'il existe quelque chose de ce genre. Comme tu le vois : ce service de nettoyage en question est une exception à ma théorie. Digne d'un véritable deus ex machina !

Ce fut une nuit agitée car, chaque fois que je m'apprêtais à m'endormir, une nouvelle énigme me traversait l'esprit. L'adresse m'a donné du fil à retordre. Je ne sais plus si je te l'ai expliqué, mais j'écris toujours l'adresse sur la dernière page de mes textes. Or celle-ci est manquante ! L'excitation s'est emparée de moi comme dans une partie d'échecs très corsée. Finalement j'ai développé trois hypothèses, entre lesquelles aujourd'hui encore je n'arrive pas à me décider : soit la dernière page était si abîmée qu'ils se sont contentés de recopier l'adresse avant de la jeter. Soit celui qui a scellé l'enveloppe a gardé la page pour recopier l'adresse, puis il a oublié de la mettre dans l'enveloppe. (Peut-être aura-t-il été déconcentré par exemple.) Ou encore : comme j'utilise souvent de vieilles enveloppes en guise de bouts de papier, c'est *peut-être l'une d'entre elles, portant mon adresse, qui s'était glissée entre les feuilles. Ainsi ont-ils eu mon adresse sans qu'elle soit inscrite sur le texte.*

Plus tard, je me suis levé pour regarder encore une fois le tampon de la poste : pourquoi la Lufthansa avait-elle eu besoin de toute une semaine pour expédier le courrier ? Pendant un moment j'ai été furieux contre le personnel : que ne m'auraient-ils pas épargné s'ils avaient été plus rapides ! Mais c'est finalement la gratitude qui l'emporta, en particulier lorsque je me suis rappelé que l'adresse était écrite en russe sur le texte. Ils ont dû aller chercher exprès quelqu'un qui sache lire le russe, qui plus est le russe écrit à la main ! Enfin, pensais-je, la Lufthansa, c'est tout de même quelque chose. Depuis, je leur ai écrit une lettre de remerciements, et je leur ferai aussi de la publicité. (Comme si la Lufthansa en avait besoin !)

La dernière incohérence me sauta aux yeux le lendemain seulement, pendant que je me rasais : comment la Lufthansa connaissait-elle mon adresse personnelle, alors que c'était la professionnelle qui était inscrite sur le texte ? Personne en Allemagne ne sait où j'habite. (Sauf toi, bien sûr.) Tout au long de la journée, cela n'a cessé de hanter mon esprit, comme une énigme proprement insoluble. On peut évidemment songer là encore à une enveloppe sur laquelle aurait figuré mon adresse personnelle. Mais c'est tout de même un peu tiré par les cheveux (encore un deus ex machina !). Et de plus : dans ce cas, n'auraient-ils pas aussi joint l'enveloppe suspecte ? Moi, en tout cas, c'est ce que j'aurais fait. Une enveloppe ouverte dans les mains d'une personne ne signifie pas forcément que cette personne en est également le destinataire. Et si quelqu'un reçoit un texte anonyme, il ne pourra pas deviner pourquoi, à moins d'y trouver une enveloppe adressée à son nom. (S'il ne vient pas de la repêcher dans une corbeille, l'actuel propriétaire de l'enveloppe fera sûrement partie des connaissances du destinataire, et ainsi finira-t-on par retrouver l'auteur du texte.)

Quoi qu'il en soit : l'histoire la plus vraisemblable, celle à laquelle je me suis finalement résolu malgré moi, est qu'en réalité je n'ai pas noté mon adresse professionnelle. Puisque ma mémoire me trompe déjà quand il s'agit de savoir si j'ai oui ou non sorti le texte de mon attaché-case, pourquoi ne me tromperait-elle pas ici aussi ? J'ai noté, contrairement à mon habitude, mon adresse personnelle, voilà tout. Cela me désarçonne de pouvoir me fier manifestement si peu à ma mémoire. Avant ce n'était pas le cas. C'est une expérience qui, bien sûr, correspond au thème de Gorki et à ma thèse (même si, comme tu le sais, ce rapport est plus complexe qu'en apparence). Si seulement l'expérience n'était pas aussi maladroite...

En dépit de toutes ces explications : il demeure un voile d'étrangeté, d'énigme. Comme si autour de ce texte s'était joué un drame dont j'ignore les acteurs... Si cela était arrivé à Gorki, il en aurait fait quelque chose !

Que s'est-il passé à l'extérieur, durant les six jours qui ont suivi ? Je n'en ai pas la moindre idée. J'ai tapé le texte, comblé les trous, tapé encore, reconstruit les idées manquantes, et ainsi de suite. Tant que je n'avais pas accompli ma masse de travail quotidienne, j'ai tout simplement continué, peu importe qu'il fût tard ou que j'eusse mal au dos. La tension était si forte que j'ai pris sur moi et je suis allé demander à une voisine que je déteste de m'acheter quelque chose à manger. (Elle n'en croyait pas ses oreilles. Depuis, nos relations sont excellentes !)

De mercredi soir à vendredi, j'ai réécrit la conclusion perdue. Le texte est de loin moins bon que l'original. En fait, il est même plutôt bâclé. J'étais tellement épuisé que je n'arrivais plus à bien rassembler mes *idées. Et pendant un moment, il m'a semblé que la première impression que j'avais eue, celle d'avoir trouvé une solution cohérente au problème de l'appropriation, n'avait été qu'une pure vue de l'esprit, un mirage. Je ne me suis pas couché, j'ai juste somnolé une demi-heure par-ci par-là sur le canapé. Je crois qu'il y a quelques fautes de frappe. Mais peu après huit heures du matin vendredi, le tout était bouclé.*

Je me suis rendu à l'institut le pas traînant, traversant des bourrasques de neige épaisses, féeriques, avant d'y faire plusieurs copies du texte. En mettant le manuscrit sur la table du président de la commission, j'ai savouré l'instant. Il n'y croyait plus, et on pouvait lire sur son visage qu'il se trouvait pris au dépourvu. J'aurais juré qu'il avait déjà fait des promesses à quelqu'un d'autre (je sais d'ailleurs à qui), sur lesquelles il était maintenant obligé de revenir. Je crois qu'à ce moment-là il m'a vraiment détesté pour de bon.

Je n'ai passé le week-end suivant qu'à dormir, manger et dormir. La commission s'est réunie, comme je l'ai appris plus tard, dès le lundi matin, et la décision a été arrêtée vers midi : ils n'avaient tout simplement pas d'autre choix que de me donner le poste. (Dans ce bref intervalle personne n'a lu le texte, évidemment. Une fois de plus, ils se sont fiés aux critères extérieurs, comme la longueur.) Mais ils m'ont laissé attendre. Personne ne m'a convoqué. Lorsque je me suis présenté hier à l'institut, on m'a communiqué la décision avec une négligence blessante. Et par-dessus le marché, on m'impose des conditions de travail plus mauvaises que celles qui étaient prévues. Toujours est-il que c'est un poste stable et, pour la première fois, je peux respirer. J'aurais bien aimé fêter l'événement avec quelqu'un ; mais seul Youri (celui qui m'avait donné les cinquante dollars) aurait pu être ce quelqu'un, et il n'était pas là. J'ai cherché à te téléphoner, mais les rares lignes sont toujours occupées, c'est la plaie, alors j'ai commencé à t'écrire cette lettre qu'il m'a fallu interrompre parce que la fatigue m'a rattrapé.

Je repense souvent à cette magnifique semaine passée auprès de vous. Dans un courrier séparé, je vais te faire parvenir un exemplaire du texte. (Cela t'agacera probablement, mais tant pis : je ne crois pas qu'il soit trop difficile pour toi.) J'aimerais aussi envoyer un exemplaire à tous les autres collègues – afin qu'ils voient que le texte sujet à caution existe bel et bien ! C'est tout de même l'archétype du cauchemar, dans notre profession, que d'être invité quelque part à un colloque... et de ne pas avoir de texte ! On en vient vite à s'imaginer que les autres te prennent pour un imposteur ! Mais après tout, peut-être une traduction et une publication verront-elles le jour ? D'ailleurs cela se précise-t-il de ton côté ?

J'espère avoir bientôt de tes nouvelles. Tu nous as, à tous, fait l'impression d'être extrêmement épuisé, et je te souhaite de retrouver bientôt toutes tes forces. J'ai remarqué que tu n'aimais pas beaucoup qu'on te parle d'Agnès ; aussi voulais-je t'assurer que tout le monde dans le groupe a fait preuve d'une vraie compréhension à l'égard de ta situation difficile.

Et en guise de conclusion, permets-moi d'ajouter ceci : déjà lorsque tu étais ici, j'avais eu le sentiment d'avoir gagné en toi un ami. Après cette semaine passée avec vous, j'en suis désormais tout à fait certain. Jamais je n'avais vu quelqu'un témoigner autant d'intérêt à mon travail que toi. Et la façon dont tu t'es intéressé à Klim Sanguine m'a prouvé que nous avions par ailleurs bien des points communs. Je n'ai pas besoin de souligner à quel point je me réjouirais que nous nous revoyions bientôt.

Do svidaniya. Ton Vassili

À la lecture des dernières phrases, des larmes remontèrent aux yeux de Perlmann. Cependant ce n'étaient plus des larmes de soulagement, mais de honte, et il se cacha le visage dans le coussin. Lorsqu'il alla ensuite à la salle de bains pour laver ses joues humides, il sentit qu'une pression disparaissait, une pression si violente qu'il avait dû l'ignorer pendant tout ce temps pour pouvoir la supporter. Épuisé, il s'allongea sur le divan et, un peu plus tard, il lut la lettre une deuxième fois.

Les pires passages, lui sembla-t-il, étaient ceux qui parlaient de la prison ainsi que la remarque entre parenthèses suggérant qu'il était le seul à connaître l'adresse personnelle de Leskov. Il y avait ensuite le passage avec le drame et les acteurs inconnus, et ce qui était aussi insupportable, c'était que Leskov, n'ayant personne pour fêter l'événement, avait voulu l'appeler, lui qui précisément était passé à deux doigts de devenir son meurtrier. Au fil de la journée, en relisant certains passages, Perlmann parvint enfin à sourire. C'était chaque fois un sourire retenu, il s'interdisait d'en rire trop largement pour ne pas éclater de nouveau en larmes. Lorsque le crépuscule commença à descendre, Perlmann s'installa au piano et joua le *Nocturne en ré bémol majeur*. Les yeux aveuglés de larmes, il ne fit qu'enchaîner les fausses notes.

62 À la mi-décembre, il se rendit chez Hanna Liebig à Hambourg. Sa chevelure dorée s'était teintée d'un reflet argenté et, sous sa mèche foncée qu'elle coiffait visiblement de façon à recouvrir son front, on pouvait voir une longue cicatrice datant d'un accident de voiture, comme elle l'expliqua d'un air gêné. Elle avait encore de l'énergie. Mais sur son visage se lisait, lui sembla-t-il, comme une expression d'usure et de déception. Son appartement lui plut, à l'exception d'une horloge murale chargée de fioritures et de quelques bibelots en céramique dont l'excentricité le gêna – comme des symptômes révélant qu'Hanna menaçait de perdre son sens autrefois si marqué du design élégant.

Pendant le repas il lui parla du groupe de recherche, de Millar et de leur rivalité. Il évoqua aussi la *Polonaise en la bémol majeur*. Certes, elle comprit alors la raison de son appel. Toutefois sans le tunnel, la peur et le désespoir, tout son propos paraissait creux et puéril. Lorsqu'elle lui passa la main dans les cheveux en allant à la cuisine, comme elle le faisait autrefois, il fut sur le point de reprendre son récit depuis le début et de tout lui raconter. Quelque chose sur le visage d'Hanna, quelque chose de nouveau qu'il n'aurait su décrire, lui semblait désormais étranger, et l'envie lui passa. Ils parlèrent encore un moment de Liszt, comme deux experts parlant métier, et bientôt Perlmann en fut lassé car la conversation n'avait plus aucun rapport avec Millar et les fauteuils ocre du salon. Après coup dans la rue, il se dit qu'ils avaient été plus proches l'un de l'autre lors de leur dernier coup de fil que durant toute cette soirée.

Ils s'étaient donné rendez-vous pour déjeuner ensemble le jour suivant. Perlmann ne s'y rendit pas. Tandis qu'elle jouait au piano en donnant quelques explications, il lui glissa un bout de papier sous la porte d'entrée, puis monta dans un bus jusqu'au conservatoire. Dans la pièce où il s'exerçait autrefois, on jouait Mozart. Au bout d'un moment, il entrouvrit la porte. Assis au piano, un homme aux cheveux frisés et aux traits orientaux jouait avec une légèreté inouïe. Le sol était recouvert d'un tapis différent, et le tableau de Klee avait été décroché. Perlmann referma délicatement la porte. Il avait prévu de chercher la rue où il avait grandi. Mais lorsqu'il vit soudain, dans la rue, les grilles de fer devant lui et sentit se répéter le mouvement de ses bras au-dessus des interstices de la clôture, il laissa tomber son plan et prit le premier train pour Francfort.

Un message de la poste dans sa boîte aux lettres annonçait l'arrivée d'un colis. Le lendemain matin, lorsque l'employé attrapa celui-ci sur l'étagère, Perlmann vit immédiatement qu'il venait de Leskov. Quoi qu'il ait pu contenir, Perlmann aurait préféré qu'il n'arrivât jamais. La lettre de Leskov, il en avait eu besoin, et il avait dû y faire face. Avec sa profusion de détails, elle lui avait paru envahissante – mais ça, il ne pouvait l'admettre qu'en se bouchant les oreilles. Cette lettre avait atteint son seuil de tolérance, après elle il ne voulait plus entendre parler de ce Vassili Leskov. Certes, il serait obligé de lui répondre tôt ou tard. Mais il pouvait le faire sur un ton conventionnel, profitant d'un moment où son humeur lui permettait d'écrire ce genre de choses rapidement et sans implication personnelle. Après quoi il ne voulait plus jamais en entendre parler. Plus jamais.

Sur le dessus de la pile se trouvait l'exemplaire du texte qu'avait annoncé Leskov. En dessous il y avait quatre volumes en langue russe, reliés en similicuir marron clair : *Maksim Gorkiy, Jizn' Klima Samguina.* Sur la première page du premier livre, une main tremblante avait inscrit : *Moyemou synou Vassiliyu.* La dédicace était écrite à l'encre noire, et la plume avait éclaboussé le papier, les mots étaient entourés d'un tas de petits points noirs. Le cuir était abîmé, sale, et déchiré en deux endroits. C'étaient les livres que Leskov avait lus en prison. Quatorze fois.

Perlmann savait qu'il aurait dû être ému, mais seule la rage le dominait, une rage qui décuplait chaque fois que son regard se posait sur les livres. En lui envoyant ces ouvrages marron à l'inscription dorée, Leskov s'était frayé un accès jusqu'à son appartement, désormais sa présence était presque encore plus pénétrante et paralysante qu'une présence physique. Perlmann sentait même le relent de tabac sucré imprégné dans les pages. Il se rendit compte que ses nerfs étaient sur le point de lâcher, qu'il serait capable de jeter les livres par la fenêtre, dans la boue dehors, aussi il renfila son manteau et partit marcher à pas lents autour du pâté de maisons.

Plus tard, il posa les livres sur l'étagère du placard à balais et les recouvrit d'un torchon. Lorsqu'il feuilleta à contrecœur le tapuscrit, il découvrit qu'au début du chapitre consacré aux commentaires Leskov se confondait en remerciements à son égard pour la discussion qu'ils avaient eue autour d'une version précédente du texte et, dans quatre notes de bas de page, il mentionnait aussi sa critique constructive. La lettre avait ôté un poids à Perlmann qui semblait maintenant lui retomber dessus, bien qu'il ne comprît pas pourquoi, étant donné que Leskov avait pourtant fini par obtenir le poste.

Pour se protéger contre les livres cachés dans son placard à balais, il termina de rédiger la recension avant d'entamer la préparation de ses cours. Après qu'Adrian von Levetzov lui eut téléphoné pour se renseigner sur la publication, Perlmann écrivit à l'attention des collègues une circulaire dans laquelle il les informait que quelques participants de leur groupe avaient entre-temps prévu autre chose pour leur contribution scientifique, il avait donc abandonné le projet de publication. Le même jour, il appela l'inspection académique pour demander s'il lui était possible d'être engagé en tant qu'enseignant. Sans la validation du second diplôme d'État, la réponse était non, a fortiori vu la conjoncture actuelle, lui signifia une voix nasillarde. Cette nuit-là, Perlmann rêva de signora Medici qui, en kilt et chaussures de montagne, lui lisait des phrases extraites de livres marron clair, dans une langue inconnue, pendant que Perlmann, agité sur son banc d'écolier, cherchait ses antisèches.

L'exercice qu'il s'imposait pour agir tout en lenteur commença à porter ses fruits. Il ne lui était pratiquement plus nécessaire d'aller vers la pendule du salon ; il se contentait de s'immobiliser en s'imaginant son tic-tac. Même au téléphone, il se mit à penser à ce tic-tac, et peu à peu il comprit que la lenteur des réactions pouvait aussi être l'expression physique de la décontraction. Il fut si heureux de cette découverte qu'il exagéra sa lenteur et dut une fois de plus se battre contre sa tendance au fanatisme.

De temps à autre dans le salon, quand il restait assis jusque tard dans la nuit à écouter le tic-tac, il essayait de comprendre pourquoi il avait retiré ses mains du volant. À cause de Leskov ? À cause de lui-même ? Mais c'était toujours la même chose : ses pensées se tarissaient avant même d'être véritablement formulées. En pensées, il avait été prêt à mourir. Par désespoir certes, et non par une stoïque impassibilité. Malgré tout, l'expérience de la mort toute proche avait changé quelque chose en lui. Évidemment, il était erroné de croire que ce changement, dont les contours demeuraient encore flous, se transformerait de lui-même en une assurance plus grande et lui offrirait une part de liberté intérieure. Ce n'était pas si simple. Mais que devait-il faire exactement ?

Un soir, en tombant sur une comédie stupide à la télévision, il rit à nouveau pour la première fois. Il se rappela alors l'homme à la longue écharpe blanche qu'il avait vu au bar de l'aéroport, ce souvenir lui resta coincé dans la gorge. Mais au gag suivant déjà, il riait à nouveau.

Le lendemain, il se procura la traduction allemande du roman de Gorki et le lut jusqu'au passage du trou dans la glace. *Rouges brillantes* était l'expression qu'employait Gorki pour qualifier les mains qui se retenaient au bord de la glace. Perlmann alla vérifier le second mot dans l'atelier d'Agnès. Ce ne fut qu'en voyant l'espace vide sur l'étagère qu'il se souvint d'avoir jeté les livres. Son geste le laissa coi, comme s'il en prenait conscience seulement maintenant.

Il trouvait le roman lourd, et les innombrables dialogues idéologiques l'agaçaient. Il aurait bien voulu le mettre de côté. Pourtant, le jour même, il s'obligea à lire cent pages de plus et calcula qu'il lui faudrait venir à bout d'au moins cent vingt pages chaque jour s'il voulait le finir cette année. Il succomba souvent à la tentation de relâcher son attention pour laisser simplement son regard survoler les pages, sans vraiment lire. Toutefois il ne s'y autorisait jamais longtemps et revenait en arrière pour tout relire, à contrecœur, mais avec une précision acharnée, tout en sachant qu'il en oublierait aussitôt les trois quarts. Durant les premiers jours, il se dit que l'enjeu était de découvrir ainsi une partie de l'univers dans lequel Leskov s'était réfugié au cours de son incarcération. Il lui devait bien cela, pensait-il, se heurtant systématiquement au vague sentiment de ne pas savoir ce qu'il entendait par là. C'est seulement au bout de quelques jours qu'il comprit enfin que ce n'était pas du tout ce qui le poussait chaque soir à s'infliger cette lecture. Il s'agissait bien plus du désir confus de s'acquitter de sa culpabilité envers Leskov et d'expier son projet meurtrier. Après cette découverte, il se sentit ridicule lorsqu'il rouvrit le livre. Mais il continua.

Peu avant Noël, il téléphona encore une fois à Maria. Il lui souhaita de bonnes fêtes, tout en espérant qu'elle dirait d'elle-même quelque chose au sujet de ses textes effacés. Mais ce ne fut rien de plus qu'un aimable échange de vœux auquel il fallut bientôt mettre fin pour éviter que la situation ne devienne embarrassante. Il n'apprendrait jamais à quel moment le dangereux texte avait été enfin détruit, du moins si tel était le cas.

Kirsten vint le 26 décembre. À peine entrée dans l'appartement, elle se précipita vers le nouveau tapis, l'observa sous toutes ses coutures puis le souleva pour examiner son estampille. Lorsqu'elle vit la tache de café, elle éclata de rire et se jeta sur Perlmann pour l'embrasser. Il n'était cependant pas décidé à se faire piquer son tapis.

Plus tard, elle entra si discrètement dans la cuisine que Perlmann, occupé à préparer le repas, mit un long moment avant de la remarquer.

– Tu as enlevé des photos, dit-elle.

– Oui, répliqua-t-il en lui jetant un bref coup d'œil, la salière à la main.

– Mais celles qui restent, tu vas les laisser, n'est-ce pas ?

– Oui, sûrement.

– Elle fait de bonnes photos, cette Mrs Sand ?

– Ça va, répondit-il.

– En noir et blanc ?

– En couleurs.

– Ah bon, dit-elle soulagée.

Puis elle prit un morceau de saumon dans le plat.

Pendant le repas, elle laissa subitement tomber couteau et fourchette, les yeux rivés sur la main de son père.

– Tu as enlevé ton alliance.

Le sang monta à la tête de Perlmann. Il ne dit rien.

– Excuse-moi, dit-elle tout bas, c'est bien sûr toi que ça regarde.

Plus tard en débarrassant la table, elle lui demanda mine de rien :

– La blonde dans votre groupe, comment s'appelle-t-elle déjà ? Evelyn...

– Mistral, répondit-il en rangeant les tasses à café.

Il était dans son bureau quand elle vint lui offrir son cadeau de Noël. Un pull-over marin bleu foncé comme il en avait toujours voulu. Il mit de côté le papier et déplia le vêtement. Il y avait un livre. Nikolaï Leskov, *Chroniques*. Aucun mot ne sortit de sa bouche, il retourna silencieusement le livre dans sa main.

— Un auteur hyperimportant, dit Kirsten. Martin est en train d'écrire un travail sur lui. Malheureusement je n'ai pas réussi à dénicher une édition russe. Ça ne te fait pas plaisir ?

— Si, si, dit-il d'une voix enrouée, puis il marcha vers la fenêtre, les yeux humides.

S'avançant vers lui, elle l'entoura de ses bras.

— C'est particulièrement dur ces jours-ci, pas vrai ?

Il acquiesça.

Comme d'habitude, elle parcourut d'un air curieux ses étagères.

— Tu as fait du rangement.

Il la regarda d'un œil interrogateur.

— Je ne vois pas les livres russes.

Perlmann baissa la tête vers un tiroir de son bureau.

— Je les ai… mis de côté. Provisoirement.

— Le gros dictionnaire aussi, celui que j'ai vu en Italie ? Avec le papier dégoûtant ?

Il acquiesça.

— Et aussi le livre de Tchekhov ? J'en ai parlé à Martin.

— J'ai… c'était un caprice, il n'y a pas longtemps.

Pendant un moment, elle regarda la bibliothèque murale en silence.

— Dans ce cas ce n'était peut-être pas une si bonne idée de choisir Leskov.

Perlmann tressaillit en entendant le nom dans sa bouche.

— Si, si, s'empressa-t-il de répondre, ça n'a rien à voir.

Sa phrase eut l'air plate et peu crédible.

Ils parlèrent peu en faisant la vaisselle.

— Papa, demanda-t-elle, brisant le silence, là-bas, je veux dire en Italie, il s'est passé quelque chose ?

Ses mains qui nettoyaient la poêle perdirent soudain toute sensation. Machinalement il essuya les bords avec un torchon.

— Que veux-tu dire avec « il s'est passé quelque chose » ?

— Je ne sais pas moi non plus. Depuis, tu es... différent.

Il regarda les miettes de pain qui flottaient dans l'eau de vaisselle. Sa réponse avait déjà trop tardé.

— Je suis un peu... instable. Mais cela n'a rien à voir avec l'Italie.

Lorsque leurs regards se rencontrèrent, il vit qu'elle n'en croyait pas un mot.

— Tu te souviens, demanda-t-elle d'une voix vive comme pour faire oublier la conversation, quand nous étions à l'hôtel blanc et que le serveur faisait tout ce chemin depuis le bar pour apporter les boissons ?

Après que Kirsten fut allée se coucher, Perlmann sortit sa valise de l'armoire. L'alliance avait glissé tout au fond de la poche à cravates. Il la rangea dans son bureau. Ensuite, il ne trouva pas le sommeil. Cependant, il ne prit aucun somnifère. Il se leva une fois, pour aller retirer la clé du placard à balais.

Il neigeait le jour suivant, ce qui lui fournit une excuse pour ne pas sortir la voiture du garage. Par chance, dans le taxi et sur le quai de la gare, ils eurent encore toute une série de sujets pratiques à discuter. Au moment de se séparer, Kirsten le regarda comme si elle voulait lui reposer sa question. Il fit comme s'il n'avait rien remarqué et ramassa son gant par terre. Par son comportement, la séparation fut d'une sobriété si douloureuse qu'il erra ensuite plusieurs minutes sans but dans la gare.

Ce jour-là, il eut le sentiment de devoir recommencer depuis le tout début à s'exercer à la lenteur et il passa beaucoup de temps devant la pendule. Pour la lettre adressée à Princeton, il rédigea une demi-douzaine de brouillons en se justifiant par différents mensonges. Il lui fallait constamment lutter pour ne pas céder aux confessions et il ne parvint à réprimer cette tendance qu'une fois qu'il lui eut laissé entièrement libre cours, avant de jeter son texte, écœuré. Dans la version suivante, il accentua le ton laconique jusqu'à s'apercevoir qu'ils y décèleraient une colère de sa part, laquelle le trahirait aussi d'une certaine manière. Le résultat fut finalement une lettre formelle, creuse, qu'il posa sur la commode dans le couloir.

Le rêve du tunnel, qui l'avait laissé tranquille un moment, le rattrapait désormais fréquemment et, à son réveil, c'était toujours la même phrase qui le hantait : *Les mains rouges ne le laisseront plus jamais en paix.* Il n'arrivait jamais à savoir si la phrase avait été prononcée par Leskov juste à côté de lui, ou bien si elle ne lui venait à l'esprit qu'à la fin de son rêve. Il prit l'habitude de se lever aussitôt et de boire une tasse de thé en écoutant un peu de musique.

À l'annulaire de sa main gauche, il garda une fine cicatrice blanche.

Une fois, il rêva qu'il jouait la *Polonaise en la bémol majeur.* Tout se passait sans accroc, même le passage tant redouté – il ne comprit pas pourquoi il se réveilla comme s'il venait de faire un cauchemar. Au cours de la journée, il y vit enfin clair : il s'était ennuyé en jouant. Perturbé, il fit une longue promenade le long des magasins dans lesquels on était en train de retirer les décorations de Noël. C'était comme si, lui sembla-t-il, quelqu'un lui avait ôté une grande partie de lui-même. Il entendait résonner puissamment les accords dans sa tête, et repensa alors à Brian Millar. Il le haïssait.

Le dernier jour de l'année, il écrivit la lettre à Leskov. Il lui fut impossible de manger ce jour-là, et sa lettre prit un tour austère. Vers la fin, il expliquait s'être procuré le roman de Gorki dès son retour. C'était pourquoi il lui renvoyait son exemplaire, sachant bien que ces livres étaient très précieux pour lui. Il retravailla très longtemps ces phrases. Il voulait installer une distance sans blesser Leskov. Ce fut une tâche insoluble. Finalement il décida que la tournure pragmatique qu'il donnait à l'ensemble était suffisamment claire.

Le lendemain du Nouvel An, il apporta le tout à la poste. Sur le chemin du retour, en achetant un journal au kiosque, il croisa la bibliothécaire de l'institut. Pendant qu'ils riaient des derniers potins, Perlmann fut tenté de poser son bras sur ses épaules. Il sentit son bras prêt à dessiner le mouvement, mais il réussit à se freiner intérieurement, et sa main resta dans sa poche.

Dans le journal, il tomba sur une annonce : on recherchait un enseignant pour une école allemande à Managua. Il ressortit et alla faire la photo d'identité requise. En chemin, il songea que c'était aujourd'hui qu'il aurait pu commencer à travailler chez Olivetti. Lorsque sa candidature fut prête, il se rendit compte qu'il avait oublié de faire les courses. Il alla dans une brasserie bondée aux murs ornés de décorations kitsch de Noël. Accueilli par les rires stridents d'une grande tablée, il fit demi-tour et arpenta les rues désertes jusqu'à la gare où il trouva un snack et mangea une saucisse trop grillée avec un petit pain qui avait un goût de sciure.

Lundi matin, Perlmann posta sa candidature pour Managua dans la boîte aux lettres en face de l'université. En se rendant vers le bâtiment des amphithéâtres, il glissa et fit une chute. Après avoir balayé de la main la neige sur son manteau, il resta un moment immobile, debout les yeux fermés. Lorsqu'il pénétra dans le hall, il songea au tic-tac de l'heure et se dirigea à pas lents vers l'amphithéâtre.

Il ne s'était rien passé.

Table des matières

CET OUVRAGE
A ÉTÉ COMPOSÉ PAR NORD COMPO

ACHEVÉ D'IMPRIMER SUR ROTO-PAGE
PAR L'IMPRIMERIE FLOCH
À MAYENNE EN JUIN 2013

N° d'impression : 85001
Dépôt légal : juin 2013

Imprimé en France